KB047827

세상이 변해도 배움의 즐거움은 변함없도록

시대는 빠르게 변해도
배움의 즐거움은
변함없어야 하기에

어제의 비상은
남다른 교재부터
결이 다른 콘텐츠
전에 없던 교육 플랫폼까지

변함없는 혁신으로
교육 문화 환경의 새로운 전형을
실현해왔습니다.

비상은 오늘, 다시 한번
새로운 교육 문화 환경을 실현하기 위한
또 하나의 혁신을 시작합니다.

오늘의 내가 어제의 나를 초월하고
오늘의 교육이 어제의 교육을 초월하여
배움의 즐거움을 지속하는 혁신,

바로, 메타인지 기반 완전 학습을.

상상을 실현하는 교육 문화 기업 비상

메타인지 기반 완전 학습

초월을 뜻하는 meta와 생각을 뜻하는 인지가 결합한 메타인지는
자신이 알고 모르는 것을 스스로 구분하고 학습계획을 세우도록 하는
궁극의 학습 능력입니다. 비상의 메타인지 기반 완전 학습 시스템은
잠들어 있는 메타인지를 깨워 공부를 100% 내 것으로 만들도록 합니다.

· 완벽한 자율학습서 ·

자율학습시 비상구 완자로 53

한국지리

Structure

01 | 핵심 내용 파악하기

이 단원에서 꼭 알아야 하는 핵심 개념을 확인하고, 친절하게 설명된 내용 정리로 세계사 교과 내용을 이해할 수 있습니다.

이 단원에서 학습해야 할 핵심 개념을 한눈에 파악할 수 있습니다

교과서에서 다루는 내용을 명확하게 정리하고, 어려운 개념이나 용어, 사례 등에는 친절한 설명을 덧붙였습니다.

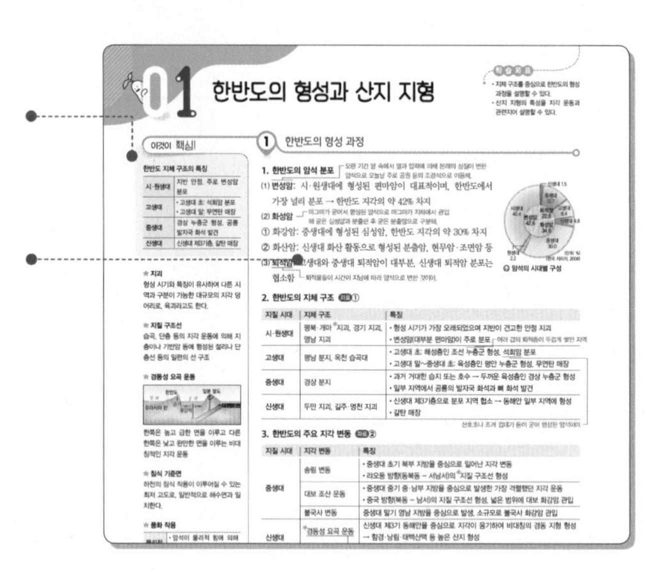

03 | 다양한 유형의 내신 문제 풀기

학교 시험에 자주 출제되는 유형의 문제들을 단계별로 풀어 보면서 실력을 향상시킬 수 있습니다. 또한 시험에서 비중이 높아진 서술형 문제도 자신있게 대비할 수 있습니다.

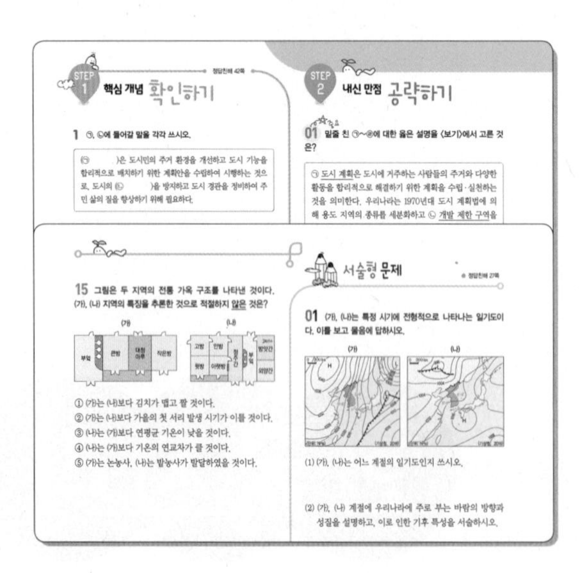

04 | 수능 문제로 1등급 정복하기

사고력과 변별력을 요구하는 수능 유형의 문제를 풀면서 실력을 향상시키고 난이도 있는 시험 문제에도 자신감을 얻을 수 있습니다.

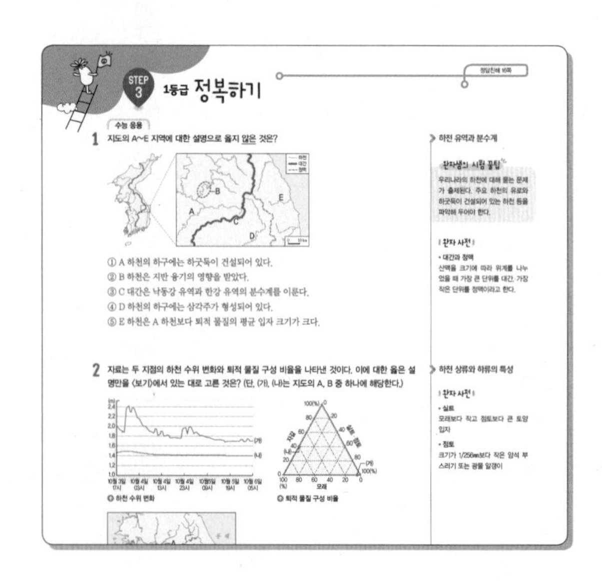

02 | 빈출 자료 파악하기

교과서에서 강조하는 빈출·핵심 자료는 포인트를 확실하게 짚어 주는 자료 설명으로 구성하였습니다.

한눈에 보이는 정리 비법, 간단한 문제로 확인하는 개념, 함께 알아 두어야 할 자료 등을 선생님이 강의하듯 꼼꼼하게 정리하였습니다.

학교 시험은 물론 수능에도 출제될 가능성이 높은 중요 자료를 질문과 답변 형식으로 철저하게 분석하였습니다.

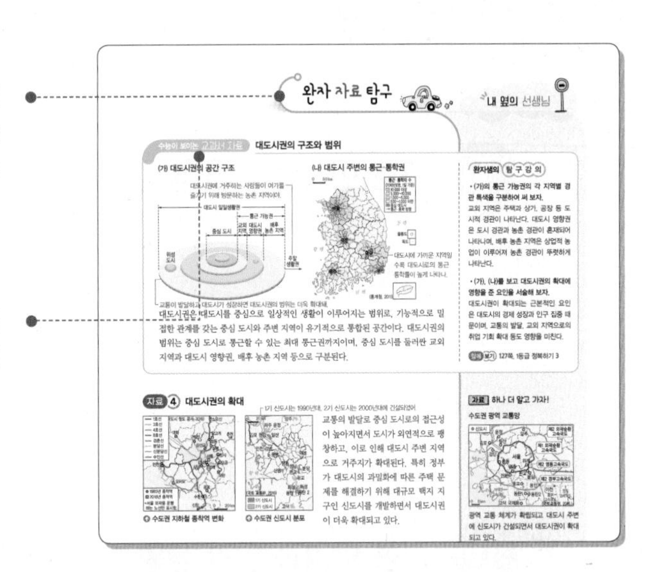

05 | 통합형 문제로 마무리하기

대단원의 핵심 내용을 한눈에 정리하고, 통합형 문제까지 풀어보면서 대단원 학습을 최종 점검할 수 있습니다.

06 | 주제별 논술형 문제

교과 내용에서 강조하는 논술 주제들을 별도 구성하고, 논술 포인트, 자료 분석 등을 통해 입체적인 논술 답안을 제공하였습니다.

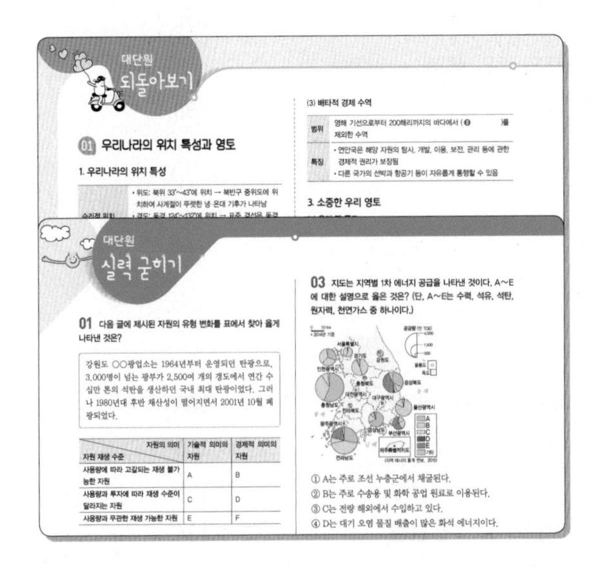

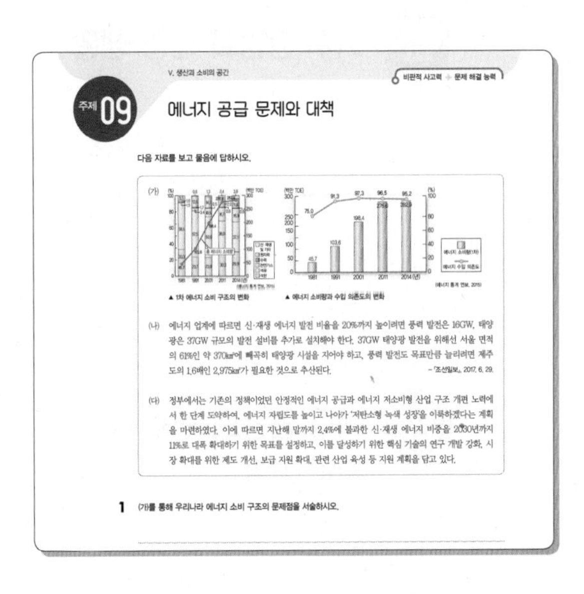

Contents

Ⅰ 국토 인식과 지리 정보

01. 우리나라의 위치 특성과 영토 010
02. 국토 인식의 변화 020
~ **03.** 지리 정보와 지역 조사

Ⅱ 지형 환경과 인간 생활

01. 한반도의 형성과 산지 지형 038
02. 하천 지형과 해안 지형 048
03. 화산 지형과 카르스트 지형 062

Ⅲ 기후 환경과 인간 생활

01. 우리나라의 기후 특성 076
~ **02.** 기후와 주민 생활
03. 자연재해와 기후 변화 090

Ⅳ 거주 공간의 변화와 지역 개발

01. 촌락의 변화와 도시 발달 108
02. 도시 구조와 대도시권 118
03. 도시 계획과 도시 재개발 128
04. 지역 개발과 공간 불평등 134

V 생산과 소비의 공간

01. 자원의 특성과 지속 가능한 이용 150
02. 농업의 변화와 농촌 문제 160
03. 공업의 발달과 지역 변화 166
04. 서비스업의 변화와 교통·통신의 발달 176

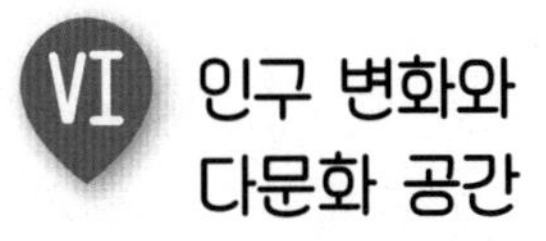

VI 인구 변화와 다문화 공간

01. 인구 분포의 특성 196
02. 인구 문제와 공간 변화 202
~ **03.** 외국인 이주와 다문화 공간

VII 우리나라의 지역 이해

01. 지역의 의미와 지역 구분 220
02. 북한 지역의 특성과 통일 국토의 미래 226
03. 수도권과 강원 지방 236
04. 충청 지방과 호남 지방 246
05. 영남 지방과 제주도 252

논술형 문제 265

완자와 내 교과서 비교하기

단원	주제	완자	비상교육	미래엔	천재교육
Ⅰ 국토 인식과 지리 정보	01 우리나라의 위치 특성과 영토	10~19	10~17	10~16	12~19
	02 국토 인식의 변화 ~ 03 지리 정보와 지역 조사	20~29	18~29	17~27	20~31
Ⅱ 지형 환경과 인간 생활	01 한반도의 형성과 산지 지형	38~47	36~43	34~41	36~43
	02 하천 지형과 해안 지형	48~61	44~53	42~51	44~55
	03 화산 지형과 카르스트 지형	62~67	54~61	52~55	56~61
Ⅲ 기후 환경과 인간 생활	01 우리나라의 기후 특성 ~ 02 기후와 주민 생활	76~89	66~77	62~75	66~81
	03 자연재해와 기후 변화	90~99	78~85	76~83	82~87
Ⅳ 거주 공간의 변화와 지역 개발	01 촌락의 변화와 도시 발달	108~117	90~95	90~97	94~99
	02 도시 구조와 대도시권	118~127	96~103	98~104	100~107
	03 도시 계획과 도시 재개발	128~133	104~111	105~108	108~113
	04 지역 개발과 공간 불평등	134~141	112~117	109~113	114~119

단원	주제	완자	비상교육	미래엔	천재교육
V 생산과 소비의 공간	01 자원의 특성과 지속 가능한 이용	150~159	122~129	120~127	124~129
	02 농업의 변화와 농촌 문제	160~165	130~133	128~131	130~135
	03 공업의 발달과 지역 변화	166~175	134~139	132~137	136~141
	04 서비스업의 변화와 교통·통신의 발달	176~187	140~151	138~145	142~147

단원	주제	완자	비상교육	미래엔	천재교육
VI 인구 변화와 다문화 공간	01 인구 분포의 특성	196~201	156~161	152~156	154~157
	02 인구 문제와 공간 변화 ~ 03 외국인 이주와 다문화 공간	202~211	162~171	157~165	158~169

단원	주제	완자	비상교육	미래엔	천재교육
VII 우리나라의 지역 이해	01 지역의 의미와 지역 구분	220~225	176~179	172~175	174~177
	02 북한 지역의 특성과 통일 국토의 미래	226~235	180~187	176~182	178~187
	03 수도권과 강원 지방	236~245	188~197	183~191	188~199
	04 충청 지방과 호남 지방	246~251	198~205	192~199	200~209
	05 영남 지방과 제주도	252~257	206~213	200~207	210~219

국토 인식과 지리 정보

❶ 우리나라의 위치 특성과 영토 ········· 010

❷ 국토 인식의 변화 ········· 020

~ ❸ 지리 정보와 지역 조사

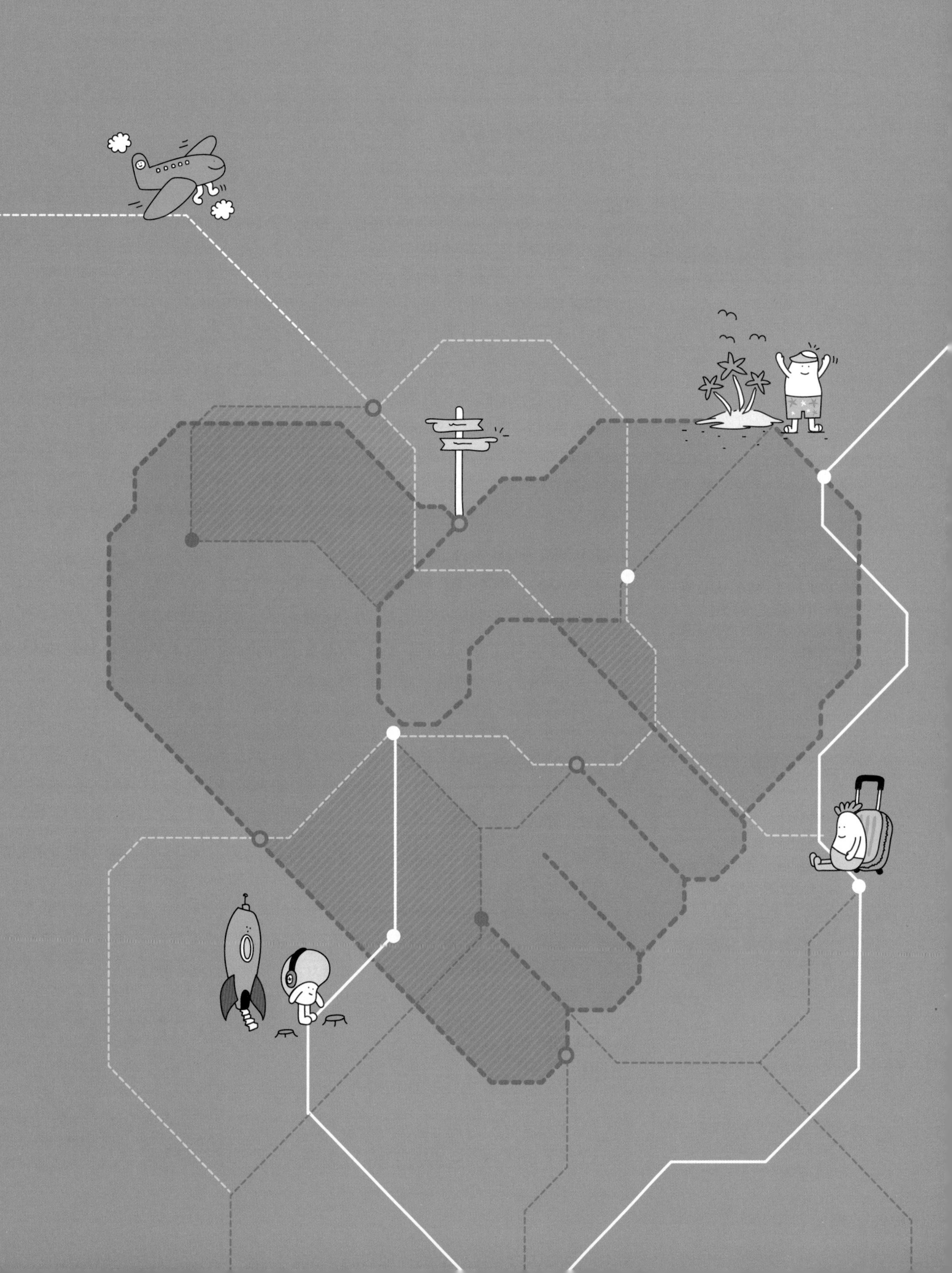

01 우리나라의 위치 특성과 영토

학습 목표
- 우리나라의 위치와 영역을 설명할 수 있다.
- 독도가 우리 땅인 까닭과 동해 표기의 정당성을 설명할 수 있다.

1 우리나라의 위치

1. 우리나라의 위치 특성 자료 ①

위도는 기후와 식생 분포, 계절 등에, 경도는 국가의 표준시 결정에 영향을 미쳐.

(1) 수리적 위치: 위도와 경도로 표현하는 위치

수리적 위치와 지리적 위치는 변하지 않는 절대적 위치에 해당돼.

구분	내용
위도	• 범위: 북위 33°~43°에 위치 • 특성: 북반구 중위도에 위치하여 사계절이 뚜렷한 냉·온대 기후가 나타남
경도	• 범위: 동경 124°~132°에 위치 • 특성: *표준 경선은 동경 135°로, 우리나라 표준시는 *본초 자오선이 지나는 영국보다 9시간이 빠름

(2) 지리적 위치: 대륙, 해양, 반도 등의 지형지물로 표현하는 위치

① 유라시아 대륙 동안에 위치: 기온의 연교차가 큰 대륙성 기후, 대륙과 해양의 영향을 받는 계절풍 기후가 나타나 여름에는 고온 다습하고, 겨울에는 한랭 건조함

② 반도국: 대륙과 해양으로의 진출과 교류에 유리, 임해 공업과 국제 무역이 활발함

(3) 관계적 위치: 주변 국가와의 관계에 따라 달라지는 상대적이고 가변적인 위치

시기	내용
근대 이전	대륙 세력과 해양 세력의 각축장
제2차 세계 대전 이후	민주주의 진영과 사회주의 진영이 대립하는 공간
오늘날	경제 성장과 정치적 역량 강화 등으로 동북아시아 및 태평양 시대의 중심 국가로 도약

2. 동아시아의 중심지, 우리나라 자료 ②

(1) 지리적 요충지: 대륙으로는 중국과 러시아를 거쳐 유럽으로 가는 대륙의 관문, 해양으로는 태평양에 접한 오세아니아와 아메리카 대륙에 이르는 간선 항로에 위치

간선 항로: 선박이나 항공기가 주로 통행하는 길

(2) 물류 중심지: 북아메리카, 유럽, 동북아시아 등 세계 3대 경제축을 연결하는 물류 네트워크의 중심지로 성장할 수 있음

이것이 핵심!

우리나라의 위치 특성

구분	내용
수리적 위치	• 냉·온대 기후가 나타남 • 본초 자오선이 지나는 영국보다 9시간이 빠름
지리적 위치	• 대륙 동안에 위치 → 대륙성 기후가 나타남 • 반도국 → 대륙과 해양으로 진출 유리, 임해 공업과 무역 발달
관계적 위치	오늘날 동북아시아의 중심 국가로 도약

★ 표준 경선
국가나 지역별 표준시의 기준이 되는 경도선으로, 경도 15°마다 1시간의 차이가 난다. 우리나라의 표준 경선은 동경 135°선으로 독도의 동쪽을 통과한다.

★ 본초 자오선
경도 측정의 기준이 되는 선으로, 영국의 그리니치 천문대를 지나는 경도 0°선을 말한다. 본초 자오선을 기준으로 동쪽으로 180°까지는 동경, 서쪽으로 180°까지는 서경이다.

2 우리나라의 영역

1. 영역의 의미와 구성 자료 ③

(1) 영역: 한 국가의 주권이 미치는 공간 범위, 국민의 안전을 보장받을 수 있는 생활 터전으로 국가를 구성하는 기본 요소

(2) 구성: 영토, 영해, 영공으로 이루어짐

구분	내용
영토	토지로 구성된 국가 영역, 영해와 영공을 설정하는 기준이 됨
영해	*연안국의 주권이 미치는 해양의 범위, 보통 *최저 조위선으로부터 12해리까지로 함
영공	영토와 영해의 수직 상공으로 일반적으로 대기권에 한정됨

해리: 선박의 운항에 사용되는 거리 단위로, 1해리는 약 1,852m야.

2. 우리나라의 영역

(1) 영토

구분	내용
구성	한반도와 부속 도서
면적	• 총면적은 약 22.3만 ㎢, 남한 면적은 약 10만 ㎢ • 갯벌이 넓게 분포하는 서·남해안의 간척 사업으로 영토 면적이 증가하고 있음

이것이 핵심!

우리나라의 영역

구분	내용
영토	한반도와 부속 도서
영해	• 동해안, 제주도, 울릉도, 독도: 통상 기선에서부터 12해리까지 • 서해안, 남해안: 직선 기선에서부터 12해리까지 • 대한 해협: 직선 기선에서부터 3해리까지
영공	영토와 영해의 수직 상공

★ 연안국
하천, 바다, 호수와 인접해 있는 국가

★ 최저 조위선
바닷물이 가장 많이 빠진 썰물 때의 해안선으로, 저조선이라고도 한다.

완자 자료 탐구

내 옆의 선생님

자료 ① 우리나라의 수리적·지리적 위치

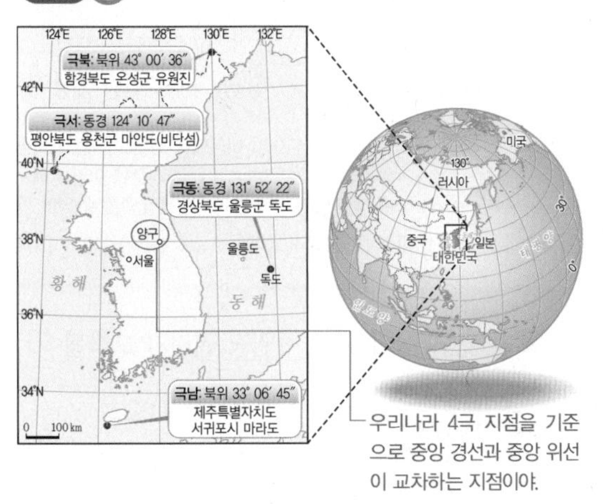

우리나라 4극 지점을 기준으로 중앙 경선과 중앙 위선이 교차하는 지점이야.

우리나라는 위도 상으로 북위 33°~43°의 북반구 중위도에 위치하여 냉·온대 기후가 나타난다. 경도 상으로 동경 124°~132°에 위치하여 우리나라의 표준시는 본초 자오선이 지나는 영국보다 9시간 빠르다. 또한, 국토의 삼면이 바다로 둘러싸인 반도국이기 때문에 대륙과 해양으로 진출하는 데 유리하다.

문제로 확인할까?

우리나라의 위치 특성으로 옳은 것은?

① 영국보다 9시간 느리다.
② 유라시아 대륙 서안에 위치한다.
③ 계절풍 기후가 나타나 연중 습윤하다.
④ 유라시아 대륙으로 연결되는 내륙 수운이 발달하였다.
⑤ 동북아시아의 중심에 위치하여 물류의 중심지로 성장할 수 있다.

⑤ 답

자료 ② 동아시아의 중심지, 대한민국

유라시아 횡단 철도와 주요 항로

아시아 32개국을 지나는 도로야.

아시안 하이웨이

우리나라는 동아시아의 중심에 위치하며, 대륙과 해양을 연결하는 곳에 있어 세계의 철도, 도로, 해상 교통의 중심지로서 잠재력이 매우 크다. 국토가 통일되어 우리나라 철도가 중국, 시베리아 횡단 철도와 연결된다면 유럽 진출이 더욱 수월해질 것이다. 도로의 경우 우리나라를 지나는 노선인 AH1, AH6 도로를 비롯해 아시안 하이웨이가 연결되면, 우리나라는 유라시아 대륙과 태평양의 물류 허브 역할을 하게 될 것이다. 또한 북극해 항로가 상용화되면 바닷길을 이용한 우리나라의 물류 환경이 더욱 향상될 것이다.

자료 하나 더 알고 가자!

북극해 항로

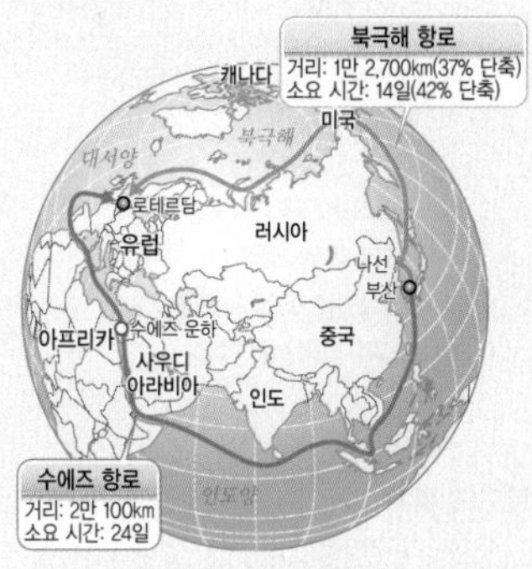

지구 온난화가 진행되면서 북극해가 해빙되는 시기가 늘어남에 따라 인접국들은 북극해 항로의 상용화에 대한 논의를 진행하고 있다. 북극해 항로가 상용화된다면 동해는 수에즈 항로의 믈라카 해협과 같은 핵심 항로 역할을 할 것으로 예상된다.

자료 ③ 영역의 구성

해수면에서 해저에 이르는 곳을 포함해.

영역은 한 국가의 주권이 미치는 공간 범위로 영토, 영해, 영공으로 이루어진다. 영역은 국민의 안전을 보장받을 수 있는 생활 터전으로서 국가를 구성하는 기본 요소이다. 또한 영역은 국가의 독립성과 정체성을 형성하는 중요한 요소이며, 타 국가와의 관계 유지에도 매우 중요하다.

정리 비법을 알려줄게!

영역의 구성

영토	토지로 구성된 국가 영역
영해	영토 주변의 바다
영공	영토와 영해의 수직 상공

01 우리나라의 위치 특성과 영토

★ **통상 기선과 직선 기선**

통상 기선	• 썰물 때의 해안선, 즉 최저 조위선 • 해안선이 단조롭고 섬이 적은 곳에 적용
직선 기선	• 최외곽의 섬을 직선으로 연결한 선 • 해안선이 복잡하고 섬이 많은 곳에 적용

(2) **영해** 교과서 자료

동해안, 제주도, 울릉도, 독도	해안선이 단조롭고 섬이 적음 → *통상 기선에서부터 12해리까지
서해안, 남해안	해안선이 복잡하고 섬이 많음 → *직선 기선에서부터 12해리까지
대한 해협	일본의 쓰시마 섬과 가까움 → 직선 기선에서부터 3해리까지

(3) **영공**: 영토와 영해의 수직 상공으로 그 범위는 대기권까지 인정 → 항공 교통, 인공위성 및 우주 개발이 활발해지면서 그 중요성이 커지고 있음

3. 배타적 경제 수역

(1) **범위**: 영해 기선으로부터 200해리까지의 바다에서 영해를 제외한 수역

국제법상 군함이나 비상업용 정부 선박을 제외한 외국의 선박은 연안국의 안전과 질서, 이익을 해치지 않는 한 그 영해를 자유롭게 통과할 수 있어.

(2) **특징**

① 연안국은 해양 자원의 탐사, 개발, 이용, 보전, 관리 등에 관한 주권적 권리가 보장됨

② 다른 국가의 선박과 항공기 등이 자유롭게 통행할 수 있음

우리나라의 최남단인 마라도에서 약 149㎞ 떨어진 곳에 위치한 이어도는 바닷속에 있는 암초로, 2003년 우리 정부는 이곳에 종합 해양 과학 기지를 건설하여 주변 해역의 환경 및 기상 관련 자료를 수집하고 있어.

이것이 핵심!

독도와 동해

독도	• 화산섬 • 신라가 편입한 이후부터 우리나라의 영토
동해	• 우리나라에서 2,000년 이상 동해라고 불러옴 • 우리나라는 국제 사회에 동해 표기의 정당성을 주장

3 독도의 주권과 동해 표기

1. 우리 땅 독도

(1) ***독도**: 경상북도 울릉군 울릉읍 독도리에 있는 섬, 동도와 서도 및 89개의 부속 도서로 구성 → 우리나라의 영토 중 가장 동쪽에 위치

신생대 제3기 말, 약 460만~250만 년 전에 해저 약 2,000m에서 분출한 용암이 굳어져 형성된 섬으로, 울릉도나 제주도보다 먼저 만들어졌어.

(2) **자연환경**: 화산섬으로 대부분의 해안이 급경사를 이룸, 해양성 기후가 나타남

(3) **독도 영유의 역사**: 신라가 우산국을 편입(512년)하면서 우리 영토가 됨, 이후 일본이 불법 편입(1905년)하였지만 광복 후 우리 영토로 반환 자료 ④

동해의 영향을 받아 비슷한 위도의 내륙 지역보다 따뜻한 편이야.

(4) **독도의 가치**

영역적 가치	• 배타적 경제 수역 설정의 기준이 될 수 있음 • 동해의 교통 요지로 태평양을 향한 해상 전진 기지 역할을 할 수 있음
경제적 가치	• 독도 주변 해역은 한류와 난류가 교차하는 조경 수역이 형성되어 어족 자원이 풍부함 • 주변 해저에는 *메탄 하이드레이트와 해양 심층수 등의 자원이 풍부함
환경·생태적 가치	• 여러 단계의 화산 활동으로 형성되어 다양한 암석, 지형 및 지질 경관이 나타남 → 해저 화산의 형성과 진화 과정을 살펴볼 수 있음 • 다양한 동식물이 서식하며, 철새들의 중간 휴식처 역할을 담당함 → 섬 전체가 천연 보호 구역으로 지정됨

★ **독도의 위치**

독도는 울릉도에서 87.4㎞ 떨어져 있으며, 울릉도에서는 맑은 날 육안으로 독도를 볼 수 있다.

★ **메탄 하이드레이트**
천연가스가 영구 동토나 심해저의 저온 및 고압 상태에서 물과 결합하여 형성된 고체 에너지 자원

★ **국제 수로 기구(IHO)**
바다 이름의 국제 표준화를 담당하는 국제기구

2. 우리 바다 동해

(1) **동해**: 아시아 대륙의 북동부에 위치한 바다

(2) **동해 표기의 정당성** 자료 ④

① 우리는 한반도 동쪽의 바다를 2,000년 이상 동해라고 불러옴 → 『삼국사기』 고구려 본기, 광개토대왕릉비(414)의 비문 등에 동해 표기 기록이 있음

② 1929년 우리나라를 식민 지배하던 일본이 *국제 수로 기구(IHO)에 우리나라의 합의 없이 '일본해'로 등록

(3) **동해 표기를 위한 노력**: 정부와 민간단체는 국제 사회에 동해 표기의 정당성을 주장하고 동해 표기를 확산하기 위해 노력하고 있음 → 최근 동해를 표기하는 지도가 늘어나고 있음

완자 자료 탐구

내 옆의 선생님

수능이 보이는 교과서 자료 우리나라의 영해와 배타적 경제 수역

(가) 영해 및 배타적 경제 수역과 관련된 법 조항의 일부

「영해 및 접속 수역법」
제1조(영해의 범위) 대한민국의 영해는 ㉠ 기선으로부터 측정하여 그 바깥쪽 12해리의 선까지에 이르는 수역으로 한다. 다만, 대통령령으로 정하는 바에 따라 ㉡ 일정 수역의 경우에는 12해리 이내에서 영해의 범위를 따로 정할 수 있다.
제2조(기선) … 중략 … ② ㉢ 지리적 특수 사정이 있는 수역의 경우에는 대통령령으로 정하는 기점을 연결하는 직선을 기선으로 할 수 있다.
「배타적 경제 수역법」
제3조(배타적 경제 수역에서의 권리) 대한민국은 배타적 경제 수역에서 다음 각 호의 ㉣ 권리를 가진다.

(나) 우리나라의 영해와 배타적 경제 수역

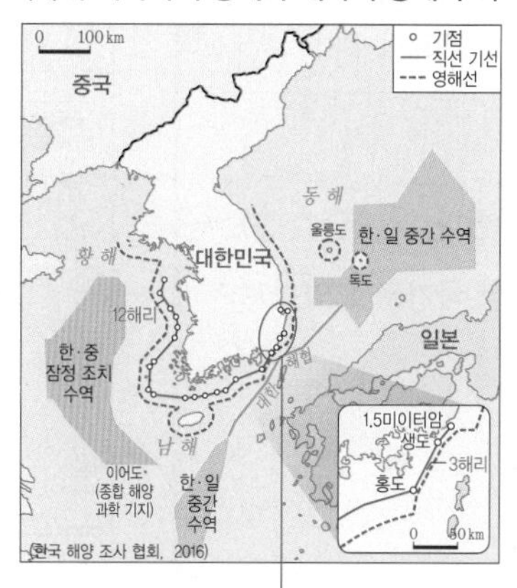

울산만과 영일만은 예외적으로 직선 기선이 적용돼.

영해는 일반적으로 최저 조위선으로부터 12해리까지이다. 다만, 대한 해협에서는 우리나라와 일본 간 거리가 매우 가까워 직선 기선으로부터 각각 3해리까지만 영해로 설정하고, 그 사이의 해역은 공해로 남겨 두었다. 한편, 우리나라는 주변국과 배타적 경제 수역이 겹치는데, 이를 조정하기 위해 일본, 중국과 어업 협정을 체결하였다. 이에 따라 한·중 잠정 조치 수역과 한·일 중간 수역을 설정하여 양국이 해당 수역의 어업 자원을 공동으로 보존·관리하고 있다.

완자샘의 탐구 강의

• **각 지역에 해당하는 영해 설정 기준 및 범위를 (가)의 ㉠~㉢에서 골라 써 보자.**

동해안, 제주도, 울릉도, 독도	㉠
서해안, 남해안	㉢
대한 해협	㉡

• **(가)의 ㉣에 해당하는 배타적 경제 수역에 관한 연안국의 권리를 서술해 보자.**
연안국은 천연자원의 탐사·개발·보존 및 관리, 해수, 해류 및 해풍을 이용한 에너지 생산, 수역의 경제적 개발과 탐사, 인공 섬 및 기타 구조물 설치와 사용, 해양 과학 조사 등에 관한 주권적 권한을 갖는다.

• **(나)를 보고 우리나라가 이어도를 관할해야 하는 이유를 서술해 보자.**
이어도는 우리나라의 배타적 경제 수역에 포함되며, 무인도나 암초는 가장 가까운 유인도에 귀속된다는 국제 해양법에 따라 이어도의 관할권은 우리나라에 있다.

함께 보기 18쪽, 1등급 정복하기 3

자료 4 고지도 속의 독도와 동해

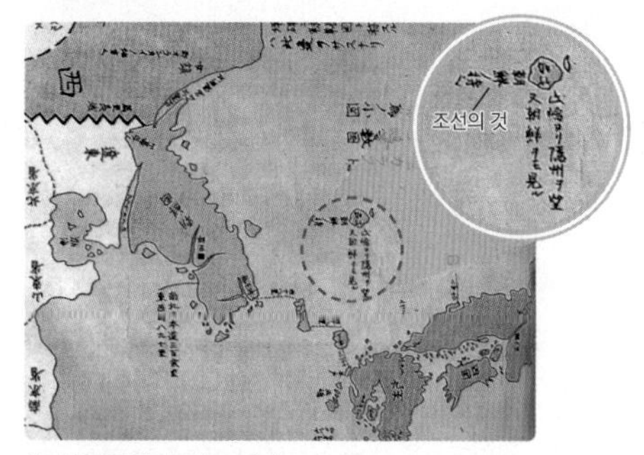

삼국접양지도(1785년)

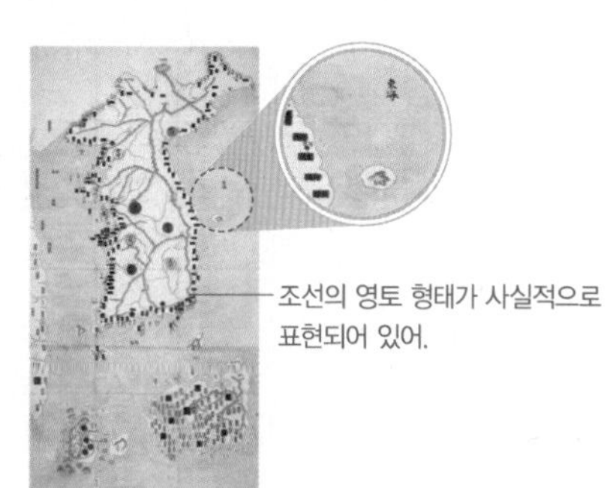

조선의 영토 형태가 사실적으로 표현되어 있어.

조선일본유구국도(18세기)

「삼국접양지도」는 일본인 하야시 시헤이가 그린 지도로, 동해에 그려진 두 개의 섬(울릉도와 독도)을 조선과 같은 색으로 그려 독도가 조선의 땅임을 나타내었고, 섬 옆에 '조선의 것'이라고 명기하였다. 「조선일본유구국도」는 조선 후기에 제작된 지도이다. 조선, 일본, 유구국(현재 일본 오키나와 현)이 등장하는데, 동해(東海)라는 명칭과 함께 울릉도(鬱陵島)가 분명하게 제시되어 있다.

자료 하나 더 알고 가자!

동해 표기의 역사

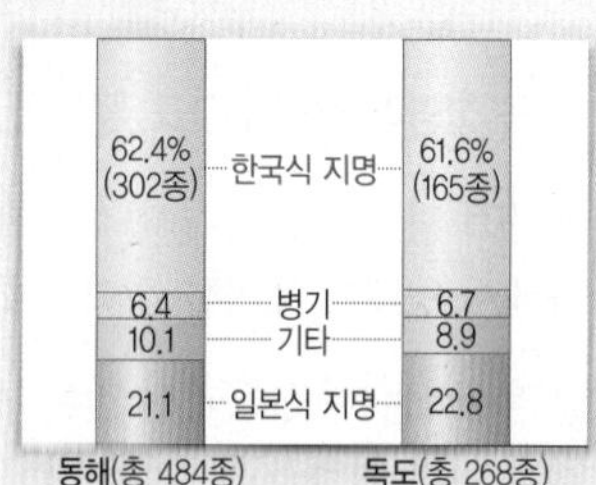

고지도에 나타난 동해와 독도 표기 비율

동해는 기원전부터 우리 민족에게 불려왔던 지명이다. 일본은 동해를 일본해라고 주장하고 있지만 8세기에 일본국이 역사에 등장하였으므로, 우리가 동해라는 명칭을 사용한 것이 일본국이 성립한 시기보다 700여 년이나 앞선다.

STEP 1 핵심 개념 확인하기

정답친해 02쪽

1 다음 내용과 관계 깊은 위치의 종류를 〈보기〉에서 골라 기호를 쓰시오.

> **보기**
> ㄱ. 관계적 위치　　ㄴ. 수리적 위치　　ㄷ. 지리적 위치

(1) 우리나라는 영국보다 9시간 빠르다. (　　)

(2) 우리나라는 유라시아 대륙 동안에 위치한다. (　　)

(3) 우리나라는 동북아시아 및 태평양 중심 국가로 도약하고 있다. (　　)

2 ㉠, ㉡에 들어갈 용어를 각각 쓰시오.

> 한 국가의 주권이 미치는 공간 범위인 (㉠　　　)은 영토, 영해, (㉡　　　)으로 이루어져 있다.

3 통상 기선과 직선 기선이 적용되는 지역을 〈보기〉에서 골라 기호를 쓰시오.

> **보기**
> ㄱ. 독도　　ㄴ. 남해안　　ㄷ. 동해안
> ㄹ. 서해안　　ㅁ. 울릉도　　ㅂ. 대한 해협

(1) 직선 기선 (　　　　)

(2) 통상 기선 (　　　　)

4 다음 설명이 맞으면 ○표, 틀리면 ×표를 하시오.

(1) 배타적 경제 수역은 영해 기선으로부터 200해리까지의 바다에서 영해를 제외한 수역이다. (　　)

(2) 우리나라는 이웃 국가인 일본, 중국과 배타적 경제 수역이 겹쳐 어업 협정을 체결하였다. (　　)

5 다음에서 설명하는 지역을 쓰시오.

(1) 우리나라 영토 중 가장 동쪽에 위치한 섬으로, 해양성 기후가 나타난다. (　　　　)

(2) 마라도에서 남서쪽으로 약 149km 떨어져 있는 수중 암초로 종합 해양 과학 기지가 건설되어 있다. (　　　　)

STEP 2 내신 만점 공략하기

01 지도를 통해 알 수 있는 우리나라의 위치 특성으로 옳은 것은?

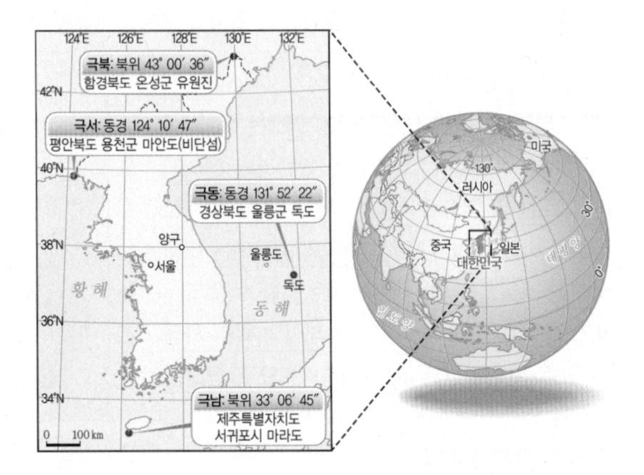

① 영국보다 표준시가 9시간 느리다.
② 반도국이므로 해양으로의 진출에 불리하다.
③ 발전 잠재력이 대체로 낮은 국가들 사이에 위치한다.
④ 유라시아 대륙 동쪽에 위치하여 해양성 기후가 나타난다.
⑤ 동아시아의 중심에 위치하여 인적·물적·문화적 교류에 유리하다.

02 지도와 같이 교통망이 연결될 때 우리나라에서 나타날 수 있는 현상을 추론한 것으로 적절하지 <u>않은</u> 것은?

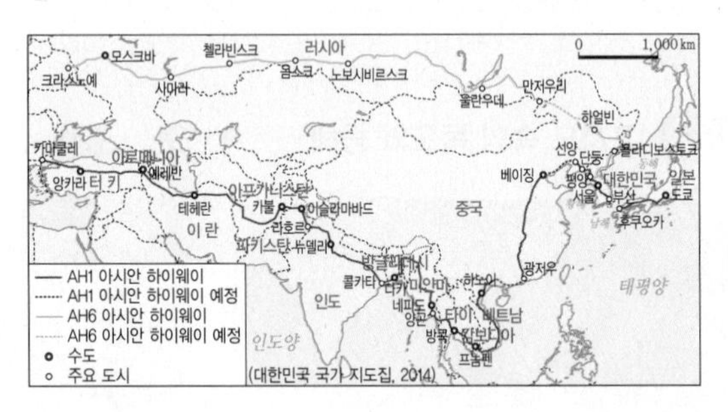

(대한민국 국가 지도집, 2014)

① 동아시아의 중심지로서의 위상이 높아질 것이다.
② 유럽의 여러 국가와 육상 교통로를 통한 교류가 확대될 것이다.
③ 육로를 통한 동남아시아 및 남부 아시아와의 교류는 점차 줄어들 것이다.
④ 한반도는 유라시아 대륙과 태평양을 연결하는 물류 중심지로 성장할 것이다.
⑤ 해운 교통망을 이용할 때보다 물류비용을 절감할 수 있어 경제 발전에 도움이 될 것이다.

03 A~D 지역에 대한 설명으로 옳은 것은?

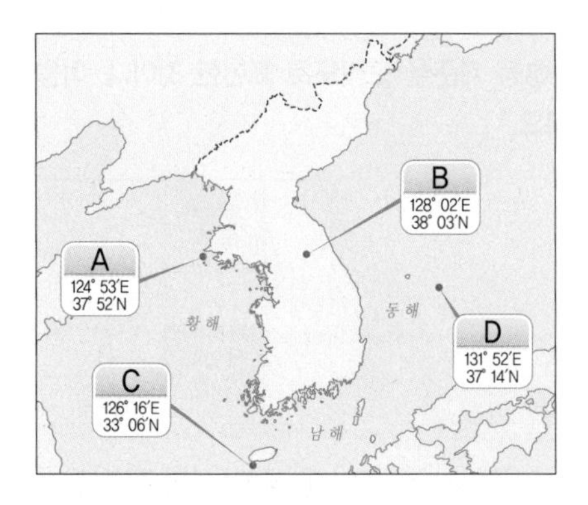

① A는 우리나라 영토의 최서단에 위치한다.
② B는 우리나라의 표준 경선이 지나는 곳이다.
③ C에는 종합 해양 과학 기지가 건설되어 있다.
④ A는 D보다 일출 시각이 이르다.
⑤ C와 D는 신생대 화산 활동에 의해 형성되었다.

04 그림은 영역의 범위를 나타낸 것이다. A~D에 대한 옳은 설명만을 〈보기〉에서 있는 대로 고른 것은?

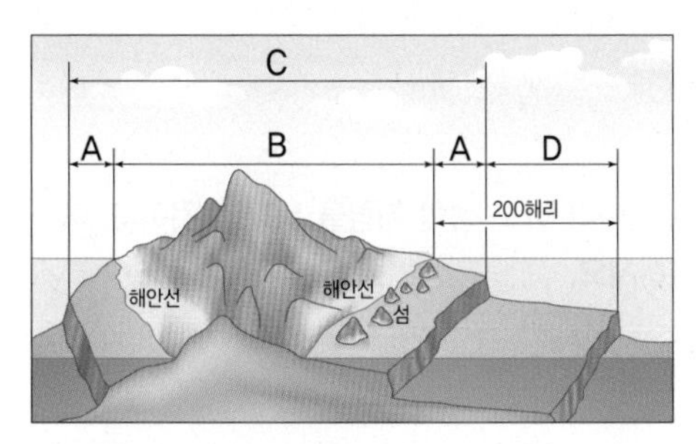

보기
ㄱ. A는 해안선으로부터 일정 범위에 해당하는 바다로, 해수면에서 해서에 이르는 곳을 포함한다.
ㄴ. B는 간척 사업에 의해 범위가 확대될 수도 있다.
ㄷ. C는 영토와 영해의 수직 상공으로 일반적으로 고도 범위의 한계는 없다.
ㄹ. D는 영해 기선에서 바깥쪽으로 200해리까지 인정되며 영해를 제외한 수역이다.

① ㄱ, ㄴ ② ㄱ, ㄷ ③ ㄷ, ㄹ
④ ㄱ, ㄴ, ㄹ ⑤ ㄴ, ㄷ, ㄹ

중요
05 지도는 우리나라 영해의 범위를 나타낸 것이다. 이에 대한 설명으로 옳지 않은 것은?

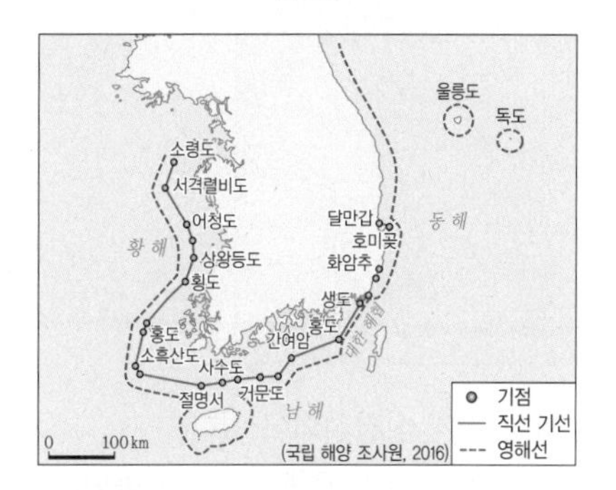

① 제주도는 통상 기선이 적용된다.
② 울릉도와 동해안은 같은 기선이 적용된다.
③ 동해안의 영일만과 울산만은 직선 기선이 적용된다.
④ 영해의 범위는 일반적으로 기선에서 12해리까지이다.
⑤ 대한 해협에서는 통상 기선에서 3해리까지만 영해로 설정하였다.

06 다음은 배타적 경제 수역법과 관련된 법 조항의 일부이다. ㉠~㉤에 대한 설명으로 옳지 않은 것은?

• 제2조(배타적 경제 수역과 대륙붕의 범위) ① 대한민국의 배타적 경제 수역은 협약에 따라 「영해 및 접속 수역법」 제2조에 따른 ㉠ 기선으로부터 그 바깥쪽 (㉡)해리의 선까지에 이르는 수역 중 ㉢ 대한민국의 영해를 제외한 수역으로 한다.

… 중략 …

③ 대한민국과 마주 보고 있거나 인접하고 있는 국가(이하 "관계국"이라 한다) 간의 배타적 경제 수역과 대륙붕의 경계는 제1항 및 제2항에도 불구하고 국제법을 기초로 ㉣ 관계국과의 합의에 따라 획정한다.

• 제3조(배타적 경제 수역에서의 권리) ① 대한민국은 배타적 경제 수역에서 다음 각 호의 ㉤ 권리를 가진다.

① ㉠은 일반적으로 최저 조위선을 지칭한다.
② ㉡에는 '200'이 들어가는 것이 적절하다.
③ ㉢에서는 다른 국가의 어선이 어업 활동을 할 수 있다.
④ ㉣에 따라 우리나라는 일본과 한·일 중간 수역, 중국과 한·중 잠정 조치 수역을 설정하였다.
⑤ ㉤의 대표적인 사례로 '연안국의 해양 자원의 탐사, 개발, 이용 등에 관한 경제적 권리 보장'을 들 수 있다.

07 A, B에 대한 설명으로 옳지 않은 것은?

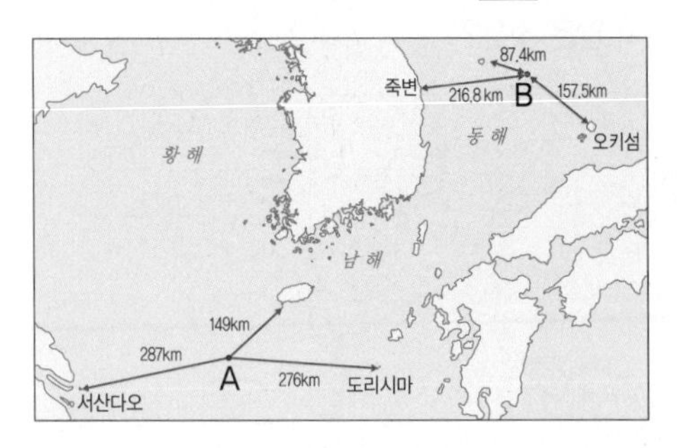

① A에는 종합 해양 과학 기지가 건설되어 있다.
② A 주변 해역은 우리나라의 배타적 경제 수역에 포함된다.
③ B는 섬 전체가 천연 보호 구역으로 지정되어 있다.
④ B는 512년 신라가 우산국을 정복한 이후 우리나라의 영토가 되었다.
⑤ A, B는 모두 사람이 살지 않는 무인도이다.

08 (가), (나)에 대한 옳은 설명을 〈보기〉에서 고른 것은?

(가)

(나)

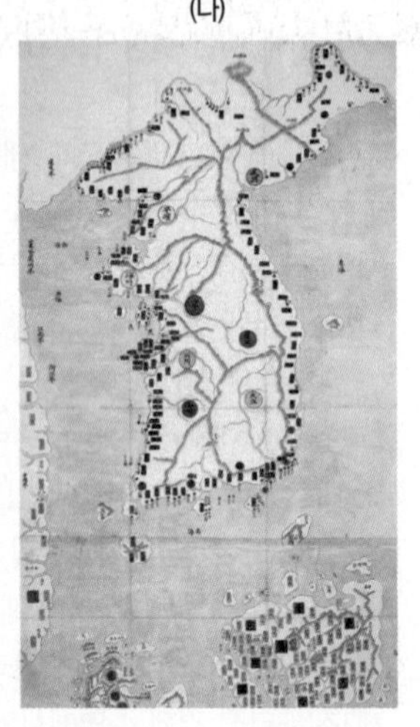

보기

ㄱ. (가)에는 울릉도, 독도가 조선의 영토로 표현되어 있다.
ㄴ. (나)에는 조선 동쪽에 위치하는 바다가 동해로 표현되어 있다.
ㄷ. (가)는 (나)보다 조선의 영토가 사실적으로 표현되어 있다.
ㄹ. (가)와 (나)는 모두 조선에서 제작되었다.

① ㄱ, ㄴ　② ㄱ, ㄷ　③ ㄴ, ㄷ
④ ㄴ, ㄹ,　⑤ ㄷ, ㄹ

서술형 문제

● 정답친해 03쪽

01 그림은 영해 설정 기준을 모식도로 표현한 것이다. 이를 보고 물음에 답하시오.

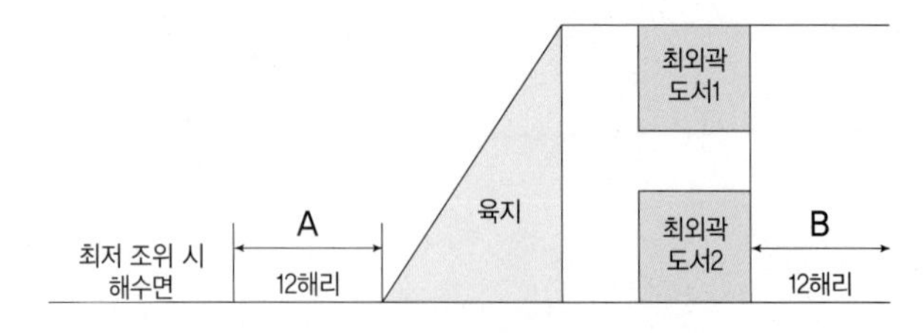

(1) A, B는 각각 어떠한 기선에 의한 영해 설정 방법인지 쓰시오.

(2) 우리나라에서 A, B가 적용되는 해안과 그 이유를 각각 서술하시오.

02 지도는 우리나라 어느 섬의 지형을 나타낸 것이다. 이를 보고 물음에 답하시오.

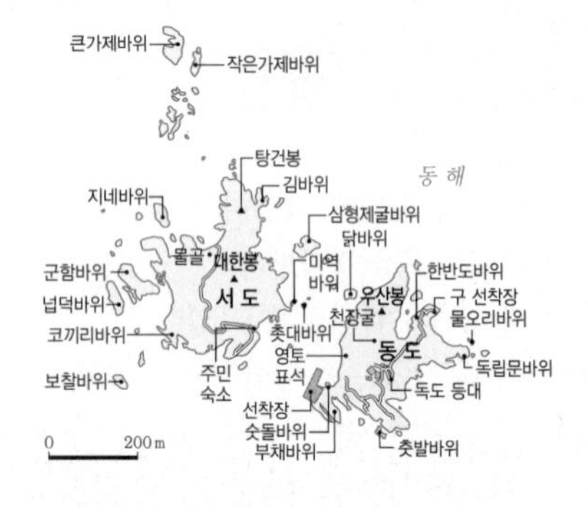

(1) 이 섬의 이름을 쓰시오.

(2) 이 섬이 갖는 영역적 가치를 <u>두 가지</u> 서술하시오.

정답친해 03쪽

STEP 3 1등급 정복하기

1 다음은 학생이 정리한 노트 필기의 일부이다. (가)~(라)에 들어갈 내용으로 옳은 것을 〈보기〉에서 고른 것은?

> 우리나라의 위치 특성

우리나라의 위치 특색

구분	내용	영향
수리적 위치	(가)	사계절이 뚜렷한 냉·온대 기후가 나타남
	동경 124°~132°에 위치함	(나)
지리적 위치	삼면이 바다로 둘러싸인 반도국	(다)
	(라)	기온의 연교차가 큰 대륙성 기후가 나타남
관계적 위치	오늘날 태평양 시대의 중심 국가로 발돋움하고 있음	

보기

ㄱ. (가) – 남위 33°~43°에 위치함
ㄴ. (나) – 우리나라의 표준시는 영국보다 9시간 빠름
ㄷ. (다) – 대륙과 해양의 양방향으로 진출·교류하기에 유리함
ㄹ. (라) – 유라시아 대륙 서안에 위치함

① ㄱ, ㄴ ② ㄱ, ㄷ ③ ㄴ, ㄷ
④ ㄴ, ㄹ ⑤ ㄷ, ㄹ

완자샘의 시험 꿀팁

우리나라의 수리적, 지리적, 관계적 위치 특성을 파악하는 문제가 출제된다. 수리적 위치에 따른 기후 특성과 지리적 위치에 따른 기후 특성을 구분할 수 있어야 한다.

교육청 응용

2 자료의 A~C에 대한 설명으로 옳지 않은 것은? (단, A~C는 ㉠~㉢ 중 하나이다.)

> 우리나라의 위치 특성

지점	일출 시각
A	오전 07시 26분
B	오전 07시 36분
C	오전 07시 47분

*일출 시각은 2017년 1월 1일의 기록이며, 해발 고도 0m를 기준으로 계산됨

① A는 B보다 우리나라의 표준 경선과 가깝다.
② A는 C보다 일몰 시각이 이르다.
③ B는 C보다 기온의 연교차가 작다.
④ B와 C는 영해 설정에 통상 기선을 적용한다.
⑤ A는 ㉢, B는 ㉡, C는 ㉠에 해당한다.

수능 응용

3 지도의 A~C 지점에서 이루어질 수 있는 행위로 적절한 것만을 〈보기〉에서 있는 대로 고른 것은? (단, 모든 행위는 국가 간 사전 허가가 없었음을 전제로 한다.)

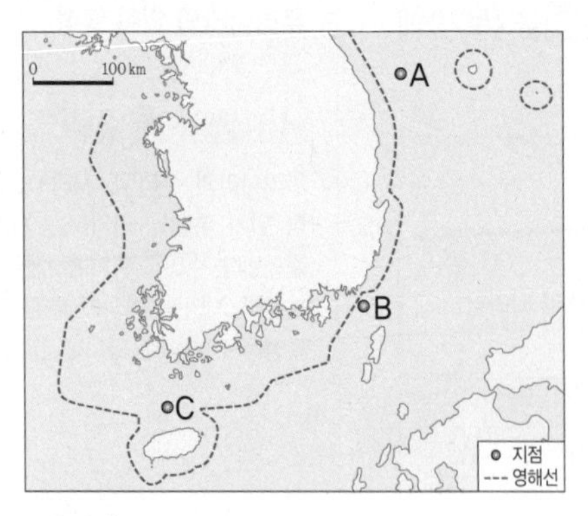

보기

ㄱ. A에서 우리나라 자원 탐사선이 탐사 활동을 한다.
ㄴ. B에서 외국 화물선이 항해를 한다.
ㄷ. C에서 우리나라 해군 함정이 항해를 한다.
ㄹ. B, C에서 외국 어선이 고기잡이를 한다.

① ㄱ, ㄴ ② ㄴ, ㄷ ③ ㄷ, ㄹ
④ ㄱ, ㄴ, ㄷ ⑤ ㄴ, ㄷ, ㄹ

> 우리나라의 영해와 배타적 경제 수역

완자샘의 시험 꿀팁

지도에서 우리나라의 영해와 배타적 경제 수역을 찾고, 이들 지역의 차이를 묻는 문제가 주로 출제된다.

4 다음 글의 (가), (나)에 해당하는 지점을 지도의 A~D에서 골라 옳게 연결한 것은?

(가) 외국 선박의 자유로운 항해가 가능하지만 우리나라와 일본을 제외한 제3국의 어선은 허가를 받아야만 조업이 가능하다.
(나) 우리나라의 독점적 권리가 인정되며 그 수직 상공으로는 우리나라의 허가 없이 다른 국가의 비행기가 통과할 수 없다.

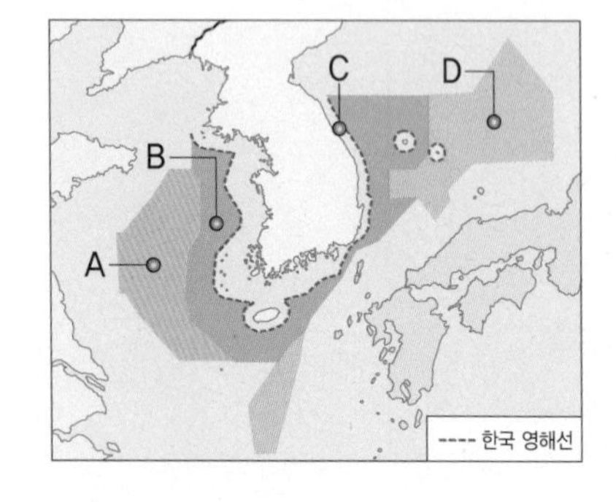

	(가)	(나)
①	A	B
②	A	C
③	B	D
④	D	A
⑤	D	C

> 우리나라의 영해와 배타적 경제 수역

5 다음은 어느 지역에 대한 스무고개 대화 내용을 나타낸 것이다. (가)에 들어갈 질문으로 적절하지 <u>않은</u> 것은?

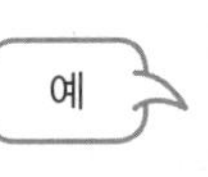
신생대 제3기 말 화산 활동으로 형성되었습니까?

예

섬 전체가 세계 자연 유산으로 지정되어 있습니까?

아니요

주변 해역에 메탄 하이드레이트가 매장되어 있습니까?

예

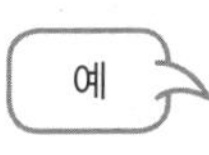
(가)

예

① 울릉도에서 맑은 날 육안으로 보입니까?
② 우리나라 영토 중 가장 동쪽에 위치하였습니까?
③ 우리나라에서 일출과 일몰 시각이 가장 늦습니까?
④ 동해의 영향으로 온화한 해양성 기후가 나타납니까?
⑤ 주변이 조경 수역으로 이루어져 어족 자원이 풍부합니까?

> 우리나라의 영토

완자 사전

• **세계 자연 유산**
인류 전체를 위해 보호되어야 할 자연 지역으로, 유네스코가 지정하고 보호한다.

평가원 응용

6 (가), (나) 지역에 대한 옳은 설명을 〈보기〉에서 고른 것은?

(가)	(나)
• 위치: 126°16′E, 33°06′N • 면적: 0.3㎢ • 둘레: 4.2㎞ • 특징: 남북으로 긴 타원형이고, 해안은 파랑의 영향으로 기암절벽을 이루고 있다.	• 위치: 131°52′E, 37°14′N • 면적: 0.187㎢ • 총둘레: 5.4㎞ • 특징: 두 개의 섬과 수십 개의 부속 도서로 이루어져 있으며 해안은 경사가 급하다.

보기

ㄱ. (가)는 (나)보다 연평균 기온이 높다.
ㄴ. (가)는 유인도이고, (나)는 무인도이다.
ㄷ. (나)는 (가)보다 가장 가까운 유인도와의 거리가 멀다.
ㄹ. 영해를 설정할 때 (가)는 직선 기선, (나)는 통상 기선이 적용된다.

① ㄱ, ㄴ ② ㄱ, ㄷ ③ ㄴ, ㄷ
④ ㄴ, ㄹ ⑤ ㄷ, ㄹ

> 우리나라의 영토

완자샘의 시험 꿀팁

우리나라 4극의 위치와 특징을 파악한 뒤, 이들 지역을 비교하는 문제가 주로 출제된다.

02~03 국토 인식의 변화 ~ 지리 정보와 지역 조사

학습목표
- 전통적인 지리 사상과 국토 인식의 변화 과정을 설명할 수 있다.
- 다양한 지리 정보의 수집·분석·표현 방법을 이해하고, 지역 조사의 필요성과 절차를 설명할 수 있다.

이것이 핵심!

전통적인 국토 인식

조선 전기	국가 통치를 위해 지도와 지리지 제작 → 팔도지도, 신증동국여지승람 등
조선 후기	실학사상의 영향을 받아 지도와 지리지 제작 → 대동여지도, 택리지 등

★ **혼일강리역대국도지도(1402)**

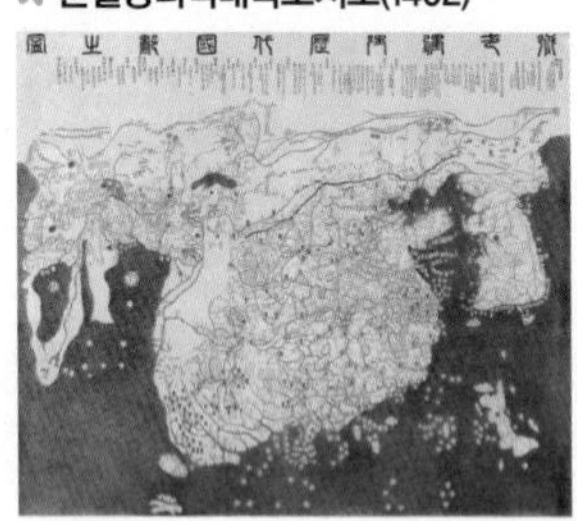

현존하는 우리나라에서 가장 오래된 세계 지도로, 당시 사람들의 세계 인식 범위를 파악할 수 있으며, 우리나라가 상대적으로 크게 표현되어 조상들의 국토에 대한 자긍심을 엿볼 수 있다.

중국을 중앙에 크게 그리고, 유럽과 아프리카까지 표현했어.

★ **택리지** 우리나라 각 지역의 특성을 인간과 자연의 상호 연관성을 토대로 고찰한 지리서로 사민총론, 팔도총론, 복거총론, 총론으로 구성되어 있다.

1 전통적 국토 인식

1. 풍수지리 사상

(1) **의미**: 산줄기의 흐름, 산의 모양, 바람과 물의 흐름을 파악하여 좋은 터(명당)를 찾는 사상

└ 명당은 찾기 어렵기 때문에 땅의 기운을 보충하거나 보수하는 비보를 통해 부족한 부분을 보완하기도 했어.

(2) **사상적 배경**: 지모(地母) 사상과 음양오행설 등이 결합하여 발전함

(3) **영향**: 개인의 주거지나 마을의 입지(배산임수 취락), 국가의 도읍지 선정, 묘지 선정 등에 영향을 미침

└ 마을의 뒤에는 산이 있어 차가운 북서 계절풍을 막아주고, 앞에는 물이 흘러 벼농사에 유리해.

조종산 / 주산 / 내백호 / 외백호 / 명당 / 명당수 / 내청룡 / 외청룡 / 안산 / 객수 / 조산

⊙ 풍수지리에서의 명당

2. 고지도에 나타난 국토 인식 자료① 교과서 자료

구분	조선 전기	조선 후기
특징	• 국가 통치를 위해 행정적·군사적 목적으로 지도 제작 • 국가 주도로 전국 지도와 지방 지도 제작, 북부 산악 지역은 왜곡 및 축소되어 표현	• 지도 제작 기술의 발달과 실학사상의 영향으로 과학적이고 정교한 지도 제작 • 다양한 목적과 범위의 지도 제작, 실측을 토대로 각종 지리 정보를 표현
지도	정척과 양성지의 「동국지도」, 이회의 「팔도지도」, 「조선방역지도」, *「혼일강리역대국도지도」	정상기의 「동국지도」, 김정호의 「대동여지도」, 최한기의 「지구전후도」

└ 10리를 1치로 한 백리척을 사용한 지도야.

└ 왜? 그 당시에 이 지역에 대한 정보가 부족했기 때문이야.

3. 고문헌에 나타난 국토 인식 자료②

구분	조선 전기	조선 후기
특징	• 국토의 효율적 통치를 위해 중앙 정부 주도로 관찬 지리지 편찬 • 백과사전식 기술: 지역의 연혁, 토지, 성씨, 인물, 산물 등을 상세하게 기록	• 국토의 실제 모습을 과학적으로 해석하려는 실학자들에 의해 사찬 지리지 편찬 • 설명식 기술: 특정한 주제를 종합적·체계적으로 고찰
지리지	『세종실록지리지』, 『신증동국여지승람』	신경준의 『도로고』, 이중환의 *『택리지』, 정약용의 『아방강역고』, 김정호의 『대동지지』

└ 전국의 교통로와 정기 시장을 정리하여 기록한 책이야.

이것이 핵심!

국토 인식의 변화

일제 강점기	식민 지배를 정당화하기 위해 왜곡된 국토관 강요
↓	
산업화 시기	국토를 개발의 대상으로 인식 → 환경 파괴 문제 발생
↓	
오늘날	자연과 인간의 조화를 추구하는 생태 지향적 국토관 확산

2 국토 인식의 변화

1. 일제 강점기의 국토관: 식민 지배를 정당화하기 위해 왜곡된 국토관 강요, 우리 국토를 '갯벌이 많아 쓸모 없는 땅', '나약한 토끼 형상을 한 땅' 등 소극적·부정적으로 해석함

2. 산업화 시기의 국토관: 국토를 경제적 관점에서 바라보고 적극적으로 개발·이용함으로써 삶의 질을 높이려는 능동적이고 진취적인 국토관 강조 → 비약적인 경제 성장을 이루었지만 지역 간 불균형과 환경 파괴 문제 발생

꼭! 조선이 아시아 대륙의 동쪽 끝에 있기 때문에 숙명적으로 대륙과 해양의 강대국으로부터 침략을 받게 되었다는 논리야.

3. 생태 지향적 국토관으로의 변화

(1) **배경**: 성장 위주의 국토 개발에 따른 부작용 발생 → 국토를 개발의 대상으로만 보는 인식에서 벗어나 자연과 인간의 조화를 추구하는 생태 지향적 국토관 확산

(2) **사례**: 국립공원 관리, 습지 보호 지역 지정, 생태 공원·생태 하천 조성, 하천과 갯벌 복원

완자 자료 탐구

내 옆의 선생님

자료 1 고지도에 나타난 국토 인식

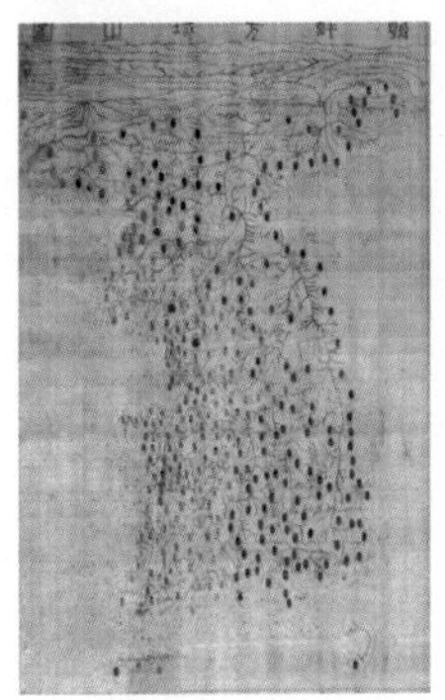
조선방역지도

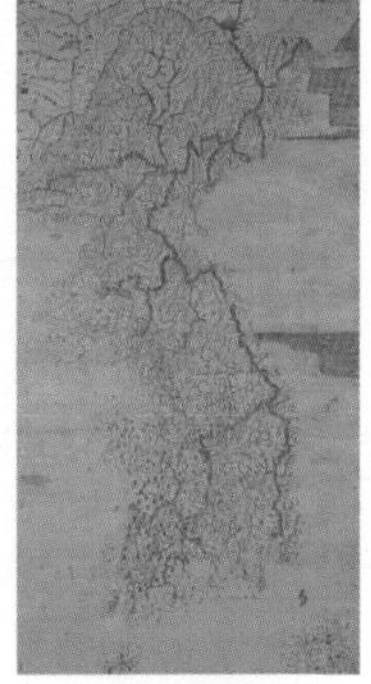
동국대지도

「조선방역지도」는 조선 전기 관청에서 전국의 공물 진상 내용을 파악하기 위해 제작하였다. 중남부 지방의 지형 표현은 실제에 가깝지만, 북부 지방은 다소 왜곡되어 있다. 조선 후기에 제작된 「동국대지도」는 정상기의 「동국지도」의 필사본으로 백리척을 활용하여 지도의 정확도를 높였다. 조선 전기와 비교하면 하천의 유로가 현재의 지도와 차이가 없을 정도로 세밀해졌고, 북부 지방의 모습이 실제와 가깝게 표현되어 있다.

자료 하나 더 알고 가자!

천하도

조선 중기 이후 민간에서 제작된 관념적인 세계 지도로 도교적 세계관이 반영되어 상상의 국가와 지명이 표현되어 있다. 또한 지도의 중심부에 중국이 위치하여 중국 중심의 세계관을 엿볼 수 있다.
└ 중화 사상

수능이 보이는 교과서 자료 대동여지도

대동여지도 한성(서울) 부근

대동여지도의 축척은 약 1:16만으로 조선 시대를 통틀어 가장 축척이 크고 자세하게 묘사된 지도에 해당해.

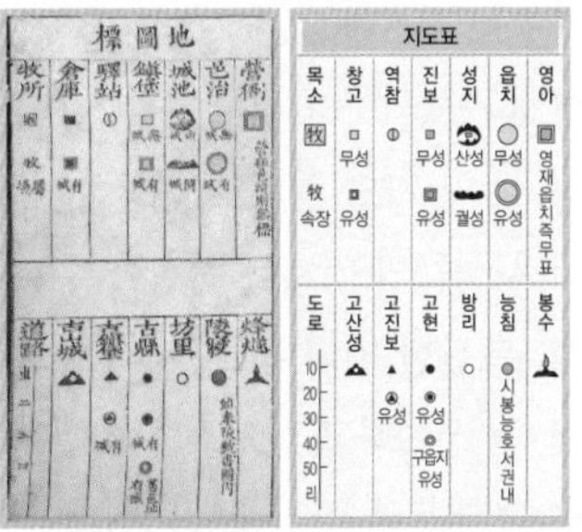
지도표 - 교통·방어 시설을 기호로 표현하여 지면을 효율적으로 활용할 수 있었어.

「대동여지도」는 1861년 김정호가 제작한 전국 지도로, 남북을 120리 간격으로 22단으로 나누고, 동서를 80리 간격으로 19면으로 나누어 병풍처럼 접고 펼 수 있게 분첩 절첩식으로 만들었다. 또한 목판본으로 제작되어 대량 인쇄가 가능하였다.
└ 휴대와 열람이 편리해.

완자샘의 탐구 강의

• 대동여지도에서 교통망과 하천, 산줄기를 어떻게 표현하였는지 서술해 보자.
도로는 직선으로 표현하였으며 10리마다 방점을 찍어 거리 계산이 가능하도록 하였다. 하천은 곡선으로 표현하고 있으며, 배가 다닐 수 있는 하천은 쌍선, 배가 다닐 수 없는 하천은 단선으로 표현하였다. 산줄기는 굵은 선으로 표현하였으며, 산줄기의 방향과 대략적인 규모를 파악할 수 있다.

함께 보기 28쪽, 1등급 정복하기 1

자료 2 조선 전기와 조선 후기의 지리지

신증동국여지승람은 춘천의 건치 연혁, 산천, 토산 등을 항목별로 서술하고 있지만, 택리지는 춘천의 특성을 종합적으로 고찰하여 설명하고 있어.

[건치 연혁] 본래 맥국인데, 신라의 신덕왕 6년에 우수주로 하여 군주를 두었다.
[속현] 기린현의 부의 동쪽 140리에 있다. ……
[산천] 봉산은 부의 북쪽 1리에 있는 진산(鎭山)이다.
[토산] 옻, 잣, 오미자, 영양, 꿀, 지치 ……
– 『신증동국여지승람』, 제46권 춘천 도호부

춘천은 옛 예맥이 천 년 동안이나 도읍했던 터로 소양강을 임했고, 그 바깥에 우두라는 큰 마을이 있다. …… 산속에는 평야가 널따랗게 펼쳐졌고 두 강이 한복판으로 흘러간다. 토질이 단단하고 기후가 고요하며 강과 산이 맑고 훤하며 땅이 기름져서 여러 대를 사는 사대부가 많다.
– 『택리지』, 「팔도총론」 춘천 편

조선 전기에는 국가 경영과 통치를 위해 국가가 주도하여 지리지를 제작한 반면, 조선 후기에는 실학자들이 국토의 실제 모습을 주관적으로 해석한 지리지가 많이 제작되었다.

자료 하나 더 알고 가자!

택리지에 나타난 가거지(可居地) 조건

지리(地理)	풍수지리의 명당
생리(生利)	경제적 기반이 유리한 곳
인심(人心)	이웃의 인심이 온순하고 순박한 곳
산수(山水)	산과 물이 조화를 이루며 경치가 좋은 곳

이것이 핵심!

지리 정보

유형	공간 정보, 속성 정보, 관계 정보
수집 방법	지도나 문헌 조사, 현지 답사, 원격 탐사 기술 활용
표현	도표, 그래프, 지도 등으로 표현

★ 원격 탐사
관측하고자 하는 대상과의 접촉 없이 먼 거리에서 측정을 통해 정보를 얻어 내는 기술. 항공기나 인공위성을 이용해 지리 정보를 얻는 것이 대표적이다.

★ 중첩 분석
서로 다른 정보를 담고 있는 데이터 층을 출력하고 이를 결합하여 분석하는 지리 정보 시스템의 작업 과정

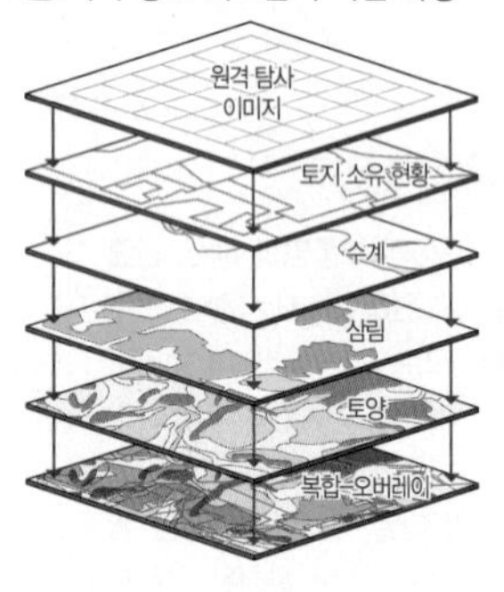

3 지리 정보의 수집과 활용

1. 지리 정보의 의미와 유형

(1) **지리 정보**: 지표상에 나타나는 다양한 지리 현상을 확인·분석하고 특성을 파악하는 데 필요한 모든 정보 ― 지역을 이해하는 기초 자료로서 일상생활부터 국토 관리 계획 수립에 이르기까지 넓은 분야에서 활용되고 있어.

(2) **지리 정보의 유형** 자료③

공간 정보	장소나 현상의 위치와 형태에 대한 정보 예 위도, 경도 등
속성 정보	장소나 현상의 인문적·자연적 특성에 대한 정보 예 기후, 인구, 경제 등
관계 정보	다른 장소나 지역과의 상호 작용 및 관계에 대한 정보 예 통근·통학 비율, 버스 운행 횟수 등

2. 지리 정보의 수집과 표현 ― 정보 통신 기술의 발달로 인터넷을 통해 지리 정보를 쉽게 수집할 수 있게 되었어.

(1) **지리 정보의 수집 방법**

전통적 지리 정보 수집	지도나 문헌, 통계 자료 활용, 현지 답사 등
최근의 지리 정보 수집	*원격 탐사 기술 활용 → 항공기나 인공위성을 통해 접근하기 어려운 지역의 지리 정보 수집이 수월해짐

(2) **지리 정보의 표현**: 도표, 그래프, 지도 등의 다양한 방법으로 표현 예 통계 지도 자료④

3. 지리 정보 시스템(GIS)

(1) **의미**: 다양한 지리 정보를 수집·분석·종합·처리하여 이를 가공·활용하는 시스템

(2) **특징**: 수치 지도 형태로 변환하여 표현하며, *중첩 분석 기능을 활용하여 주제도를 제작하거나 시설물의 입지를 선정할 수 있음 자료⑤

― 수치 지도: 컴퓨터를 이용하여 제작한 디지털 형태의 지도로, 지리 정보를 좌표 데이터로 나타내어 정보 처리가 가능한 형태로 표현해.

(3) **장점**: 복잡한 지리 정보를 빠르고 정확하게 처리할 수 있으며, 지리 정보의 수정 및 분석이 쉬움 → 신속하고 합리적인 공간적 의사 결정 가능

(4) **활용**: 스마트폰 길안내기(내비게이션), 버스 도착 시간 안내, 시설물의 입지 선정, 국가 지리 정보 시스템 구축(재난 및 재해 관리, 국토 환경 관리 등)

― 재난 및 재해 관리: 홍수나 산사태 예측, 지진 감시 등

이것이 핵심!

지역 조사 과정

조사 계획 수립
↓
지리 정보 수집
↓
지리 정보 분석
↓
조사 보고서 작성

4 지역 조사

1. 지역 조사의 의미와 필요성

(1) **지역 조사**: 지역에 대한 정보를 수집·분석·종합하여 지역성을 파악하는 활동

(2) **지역 조사의 필요성**: 지역이나 장소를 이해하고 지역의 변화나 문제점을 파악할 수 있어 합리적 의사 결정에 도움이 됨

2. 지역 조사 과정

조사 계획 수립	조사 목적을 결정하고 목적에 적합한 조사 주제와 지역을 선정함
지리 정보 수집	• 실내 조사: 조사 지역과 관련된 자료를 지도, 문헌, 인터넷 등을 통해 수집, 야외 조사 준비(경로 및 일정 계획, 설문지 작성 등) • 야외 조사: 조사 지역을 직접 방문하여 관찰, 측정, 면담, 설문, 촬영 등을 통해 지리 정보 수집
지리 정보 분석	수집된 지리 정보를 분류하고 분석한 후 지도나 그래프, 표 등의 통계 자료로 표현
조사 보고서 작성	조사 목적과 방법, 결론이 명확하게 드러나도록 체계적으로 작성

지리 정보 분석 과정에서 추가로 수집할 자료가 있으면 다시 지리 정보 수집 단계로 돌아가 실내 조사나 야외 조사를 통해 새로운 정보를 수집하기도 해.

완자 자료 탐구

내 옆의 선생님

자료 3 지리 정보의 유형

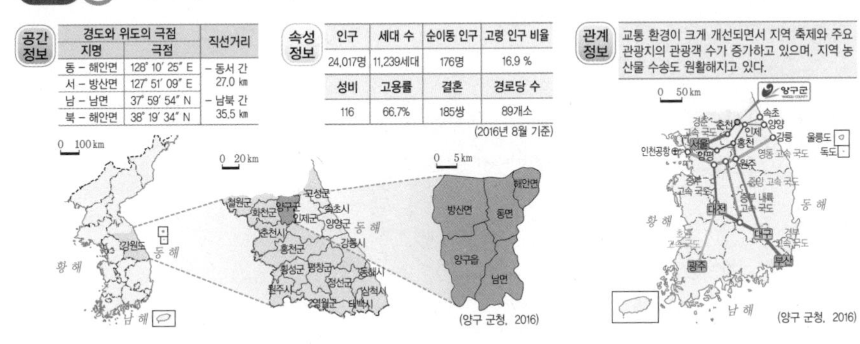

공간 정보

경도와 위도의 극점 지명	극점	직선거리
동 - 해안면	128° 10′ 25″ E	- 동서 간 27.0 ㎞
서 - 방산면	127° 51′ 09″ E	
남 - 남면	37° 59′ 54″ N	- 남북 간 35.5 ㎞
북 - 해안면	38° 19′ 34″ N	

속성 정보

인구	세대 수	순이동 인구	고령 인구 비율
24,017명	11,239세대	176명	16.9 %
성비	고용률	결혼	경로당 수
116	66.7%	185쌍	89개소

(2016년 8월 기준)

관계 정보: 교통 환경이 크게 개선되면서 지역 축제와 주요 관광지의 관광객 수가 증가하고 있으며, 지역 농산물 수송도 원활해지고 있다.

(양구 군청, 2016)

공간 정보는 '어디에 있는가?'를 알려주며, 속성 정보는 '어떤 특성이 있는가?'를 알려주는 것이다. 또한 관계 정보는 '다른 지역과 어떤 관계를 맺고 있는가?'를 알려주는 정보이다.

자료 4 통계 지도의 종류

도형을 세분화하여 두 가지 이상의 지리 정보를 한 번에 표현할 수도 있어.

점묘도

등치선도

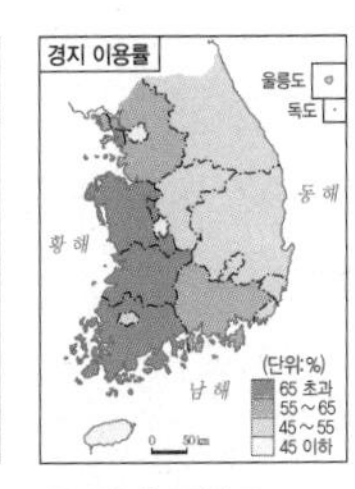

단계 구분도

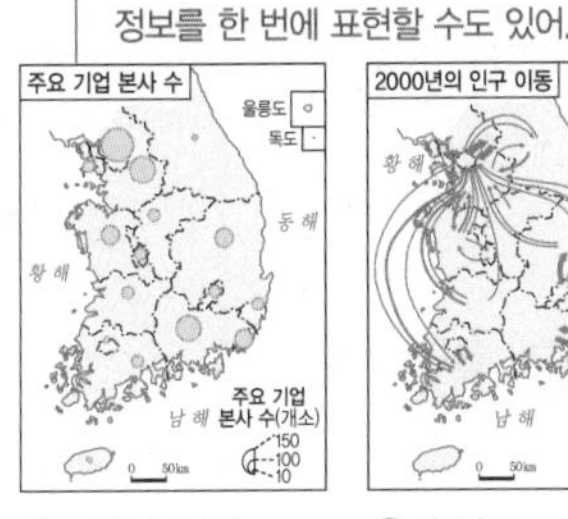

도형 표현도

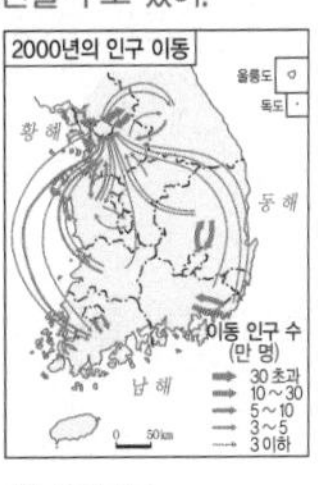

유선도

점묘도는 일정한 단위의 점으로 지리 현상의 밀도나 분포를 표현하며, 등치선도는 통계 값이 같은 지점을 연결하여 등온선, 벚꽃 개화일과 같이 연속적인 자료를 표현한다. 단계 구분도는 경지 이용률과 같이 등급을 나눌 수 있는 자료를 표현하는 데 주로 이용되고, 도형 표현도는 자료의 공간적 차이를 표현하는 데 적합하다. 유선도는 지역 간 이동 방향과 이동량을 화살표의 방향과 굵기를 통해 나타낸다.

자료 5 중첩 분석을 통한 스키장의 최적 입지 선정

조건: 연 적설량 50㎝ 이상, 사면 경사 20° 이상~40° 미만, 고속 국도로부터 20㎞ 이내 (단, 조건이 같을 경우 연 적설량이 많을수록 유리함)

과정

연 적설량(㎝)

40	40	30	30	50
60	50	60	60	50
60	50	40	50	50
60	50	50	40	40
50	60	60	70	80

사면 경사(°)

20	20	30	30	20
30	40	45	45	40
15	20	35	30	30
25	30	30	25	20
15	30	30	30	20

고속 국도의 위치 (고속 국도, 10 ㎞)

→ 스키장 입지 후보지

		A		
B				
				E
C		D		

- 연 적설량 50㎝ 이상인 지역: B, C, D, E
- 사면 경사 20° 이상~40° 미만인 지역: A, B, D, E
- 고속 국도로부터 20㎞ 이내인 지역: A, B, E

결론: 모든 조건을 만족하는 지역은 B와 E이며, 이 중 연 적설량이 많은 B가 최적 입지가 된다.

중첩 분석은 다양한 지리 정보를 종합하여 최적 입지를 선정하거나 공간적 현상의 결과를 얻고자 할 때 유용하다.

자료 하나 더 알고 가자!

공간 정보의 표현 방법

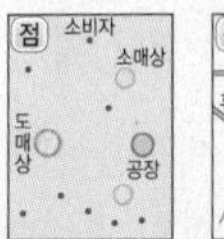

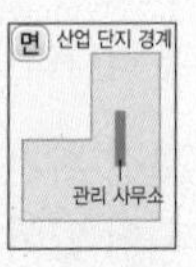

학교, 병원, 공장 등의 위치는 점으로 표현하고, 교통 및 통신망은 선으로 표현하며, 산업 단지, 주택 단지 등 인간 활동의 영향권을 나타내는 정보는 면으로 표현한다.

정리 비법을 알려줄게!

유형에 따른 통계 지도의 사례

유형	내용
점묘도	점으로 밀도나 분포를 표현 예 인구 분포, 백화점 분포
등치선도	동일한 값을 연결한 선으로 표현 예 등고선, 등온선, 등압선
단계 구분도	단계를 구분하여 표현 예 경지 이용률, 인구 밀도
도형 표현도	도형의 크기를 달리하여 표현 예 수출액, 제조업 종사자 수
유선도	화살표의 굵기와 방향으로 표현 예 인구 이동, 자원 이동

자료 하나 더 알고 가자!

지리 정보 시스템의 이용

시기	내용
초기	공공 기관을 중심으로 지도 제작과 환경 분야에서 주로 사용
최근	컴퓨터, 인터넷, 위성 위치 확인 시스템(GPS) 발달로 교통, 관광, 문화 등 일상생활 전반에서 다양하게 활용

STEP 1 핵심 개념 확인하기

정답친해 05쪽

STEP 2 내신 만점 공략하기

1 다음에서 설명하는 지도의 명칭을 쓰시오.

(1) 1402년에 국가 주도로 제작되었으며, 현존하는 지도 중 우리나라에서 가장 오래된 세계 지도이다. (　　　)

(2) 조선 후기 김정호가 제작한 전국 지도로, 분첩 절첩식으로 되어 있어 휴대와 열람이 편리하다. (　　　)

2 표는 조선 시대의 고지도와 지리지를 정리한 것이다. ㉠~㉢에 들어갈 내용을 각각 쓰시오.

구분	조선 전기	조선 후기
고지도	국가 통치를 위해 행정적·군사적 목적으로 제작 → 조선 방역지도, 동국지도 등	(㉠　　　)사상의 영향 → 정상기의 동국지도, 김정호의 대동여지도 등
지리지	국가가 편찬한 (㉡　　　) → 세종실록지리지, 신증동국여지승람 등	개인이 편찬한 사찬 지리지 → 신경준의 도로고, 이중환의 (㉢　　　) 등

3 다음에 해당하는 지리 정보의 유형을 〈보기〉에서 골라 기호를 쓰시오.

보기
ㄱ. 공간 정보　　ㄴ. 속성 정보　　ㄷ. 관계 정보

(1) 38°N, 127°30′E (　　)

(2) 충청남도 부여군 인구 69,086명 (　　)

(3) 성남시에서 서울시로의 출퇴근 인구 비율 (　　)

4 다음 빈칸에 들어갈 통계 지도의 유형을 쓰시오.

(1) (　　　　)는 지역 간 이동 방향과 이동량을 화살표의 방향과 굵기로 나타낸다.

(2) (　　　　)는 통계값이 같은 지점을 연결하여 연속적인 자료를 표현하는 데 적합하다.

5 ㉠, ㉡에 들어갈 내용을 각각 쓰시오.

지역 조사 과정은 조사 주제 및 조사 지역 선정 – 실내 조사 – (㉠　　　) – 지리 정보 분석 – (㉡　　　) 순으로 이루어진다.

01 그림이 나타내는 전통 지리 사상에 대한 설명으로 옳지 않은 것은?

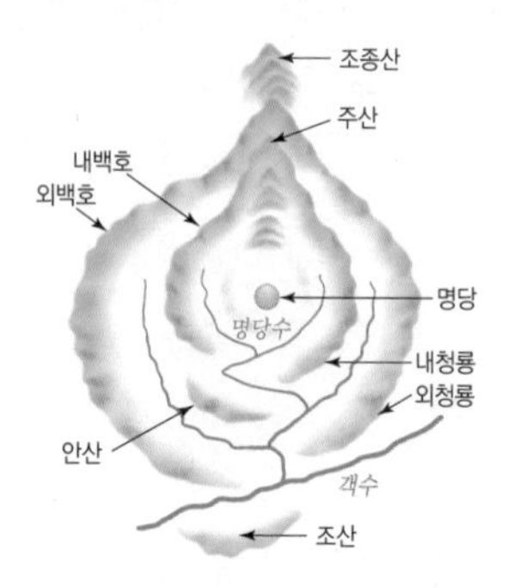

① 땅을 살아 있는 생명체와 같이 인식하고 있다.
② 자연을 인간이 이용해야 할 대상이라고 여긴다.
③ 지모 사상과 음양오행설이 결합하여 발전하였다.
④ 개인의 주거지와 묘지, 국가의 도읍지 선정 등에 영향을 주었다.
⑤ 산의 모양, 바람과 물의 흐름을 파악하여 좋은 터를 찾는 사상이다.

02 지도에 대한 옳은 설명을 〈보기〉에서 고른 것은?

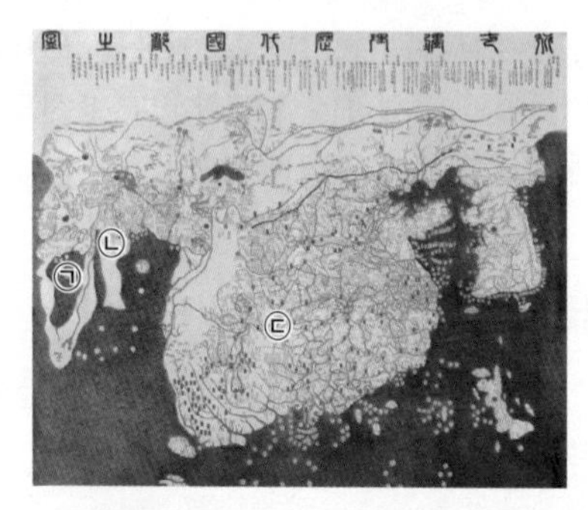

보기
ㄱ. 중국 중심의 세계관이 반영되었다.
ㄴ. 민간에서 제작된 동아시아 지도이다.
ㄷ. 상상의 국가와 지명이 다수 표현되었다.
ㄹ. ㉠은 아프리카, ㉡은 아라비아반도, ㉢은 중국에 해당한다.

① ㄱ, ㄴ　② ㄱ, ㄹ　③ ㄴ, ㄷ　④ ㄴ, ㄹ　⑤ ㄷ, ㄹ

03 (가), (나)에 대한 옳은 설명만을 〈보기〉에서 있는 대로 고른 것은?

(가) 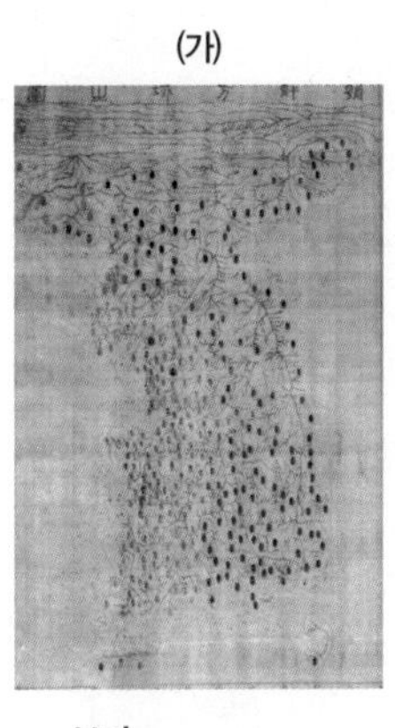 (나) 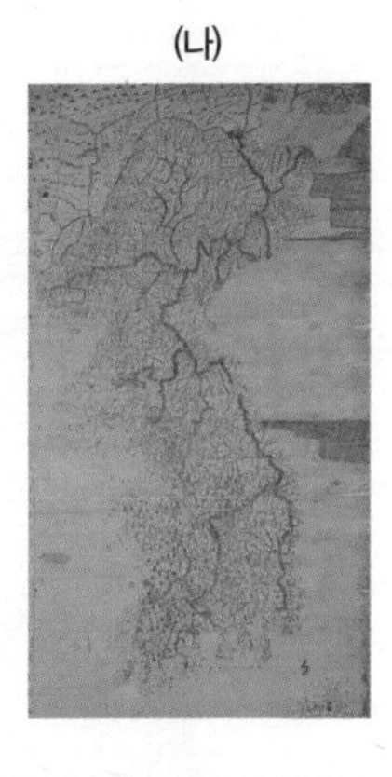

보기

ㄱ. (가)는 북부 지방이 많이 왜곡되어 있다.
ㄴ. (나)는 백리척을 활용하여 지도의 정확도를 높였다.
ㄷ. (가)는 「동국대지도」, (나)는 「조선방역지도」이다.
ㄹ. (가)는 조선 전기, (나)는 조선 후기에 제작되었다.

① ㄱ, ㄴ ② ㄱ, ㄷ ③ ㄷ, ㄹ
④ ㄱ, ㄴ, ㄹ ⑤ ㄴ, ㄷ, ㄹ

중요

04 지도에 대한 설명으로 옳지 않은 것은?

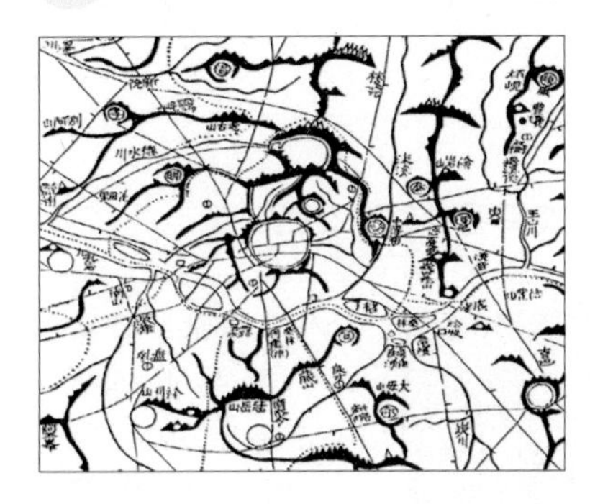

① 조선 후기 실학사상의 영향을 받아 제작된 지도이다.
② 축척은 약 1:16만으로 조선 시대 지도 중 가장 축척이 크고 자세하다.
③ 선의 굵기를 다르게 표현하여 해발 고도를 정확하게 파악할 수 있다.
④ 도로에 10리마다 방점을 찍어 대략적인 거리를 파악할 수 있도록 하였다.
⑤ 배가 다닐 수 있는 하천은 쌍선, 배가 다닐 수 없는 하천은 단선으로 표현하였다.

중요

05 다음은 어느 시기에 편찬된 지리지의 전라도 나주에 대한 내용 중 일부이다. 이 지리지에 대한 설명으로 옳은 것은?

풍속	사람들이 순박하여 다른 생각이 없으며, 힘써 농사짓는 것을 업으로 한다. 음서(귀신에게 지내는 제사)를 숭상한다. 가게를 벌여 물건을 팔고 산다. 민속이 순박하다.
형승	모든 산이 북으로 향하였다.
토산	전복, 숭어, 은어, 오징어, 낙지, 굴, 김, 황각, 비자, 표고, 감초, 미역, 사기그릇 등
성곽	읍성을 돌로 쌓았다. 주위가 3천1백26척이고, 높이가 9척이며, 안에 우물이 20개, 샘이 12개, 작은 시내가 하나 있다.
향교	향교가 성의 서쪽에 있다.

① 국가 통치를 위해 만든 관찬 지리지이다.
② 조선 후기의 자주적 국토 인식이 표현되어 있다.
③ 지역에 대한 저자의 해석이 많이 반영되어 있다.
④ 특정 주제를 깊이 있게 연구하고 설명식으로 기술하였다.
⑤ 이중환의 『택리지』, 신경준의 『도로고』 등의 지리지가 동시대에 편찬되었다.

06 다음은 『택리지』의 가거지(可居地)에 대한 설명이다. (가)~(라)에 해당하는 내용을 옳게 연결한 것은?

(가) 먼저 수구(水口)를 보고, 다음은 들의 형세를 본다. 다음에 산의 모양을 보고, 다음에는 흙의 빛깔을, 다음은 조산(朝山)과 조수(朝水)를 본다.
(나) 땅이 기름진 것이 제일이고, 배와 수레와 사람과 물자가 모여들어서, 있는 것과 없는 것을 서로 바꿀 수 있는 곳이 그 다음이다.
(다) 옳은 풍속을 가리지 아니하면 자신에게만 해로울 뿐 아니라 자손들도 반드시 나쁜 물이 들어서 그르치게 될 근심이 있다.
(라) 경치가 좋은 곳은 당연히 강원도 영동이 제일이다. 고성 삼일포는 맑고도 묘한 중에 화려하면서도 그윽하고, 조용하면서도 명랑하다.

	(가)	(나)	(다)	(라)
①	생리	지리	인심	산수
②	지리	인심	산수	생리
③	지리	생리	인심	산수
④	인심	지리	산수	생리
⑤	인심	생리	지리	산수

07 다음 글을 토대로 오늘날 우리나라 국토관의 변화를 설명한 내용으로 가장 적절한 것은?

> 울산광역시는 1960년대 이후 공업 지역으로 개발됨에 따라 산업 단지가 조성되고 시가지가 확장되면서 환경 파괴가 심해졌다. 특히, 태화강의 수질은 전국 하천 중에서 최하위권으로 떨어졌다. 1990년대 이후 울산시와 기업체, 주민들이 자연환경 개선을 위해 노력한 결과 현재는 태화강에서 물 축제가 열릴 정도로 수질이 개선되어 자연과 사람이 공존하는 생태 도시로 거듭나고 있다.

① 국토를 경제적인 관점에서 바라보고 있다.
② 소극적이고 부정적인 국토 인식을 강요하고 있다.
③ 형평성보다 효율성을 중시하며 국토를 이용의 대상으로 보고 있다.
④ 자연과 인간의 조화와 균형을 추구하는 생태학적 국토관이 확산되고 있다.
⑤ 국토 개발로 잠재력을 끌어내 삶의 질을 높이려는 능동적인 국토관이 강조되고 있다.

08 (중요) 밑줄 친 ㉠~㉢에 대한 옳은 설명만을 〈보기〉에서 있는 대로 고른 것은?

> ㉠ <u>강원도 양구군은 동경 128° 02′ 02″, 북위 38° 03′ 37″에 위치</u>하며, 국토의 정중앙으로 알려져 있다. ㉡ <u>화강암과 편마암의 차별 침식에 의해 형성된 침식 분지가 발달</u>해 있어 과거 한국 전쟁 당시 미군과 종군 기자들이 '펀치볼'이라고 부르기도 하였다. 최근에는 ㉢ <u>교통 환경이 개선되면서 지역 축제를 찾는 관광객 수가 증가하고 있으며, 지역 농산물 수송도 원활해지고 있다</u>.

보기
ㄱ. ㉠은 공간 정보에 해당한다.
ㄴ. ㉡은 장소나 현상의 위치와 형태에 대한 정보이다.
ㄷ. ㉢은 다른 장소나 지역과의 상호 작용 및 관계를 나타내는 관계 정보이다.
ㄹ. ㉠~㉢은 필요에 따라 도표, 그래프, 지도 등의 형태로 표현될 수 있다.

① ㄱ, ㄴ ② ㄷ, ㄹ ③ ㄱ, ㄴ, ㄷ
④ ㄱ, ㄷ, ㄹ ⑤ ㄴ, ㄷ, ㄹ

09 그래프의 내용을 통계 지도로 표현할 때 가장 적절한 것은?

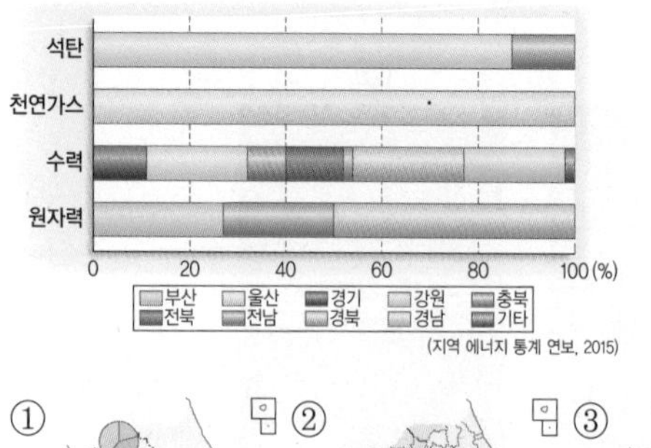

(지역 에너지 통계 연보, 2015)

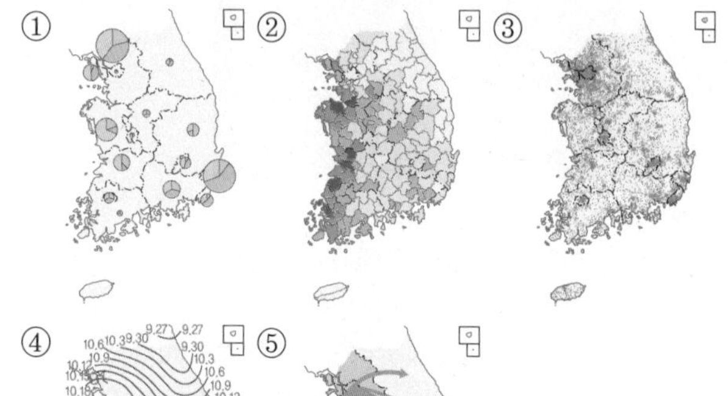

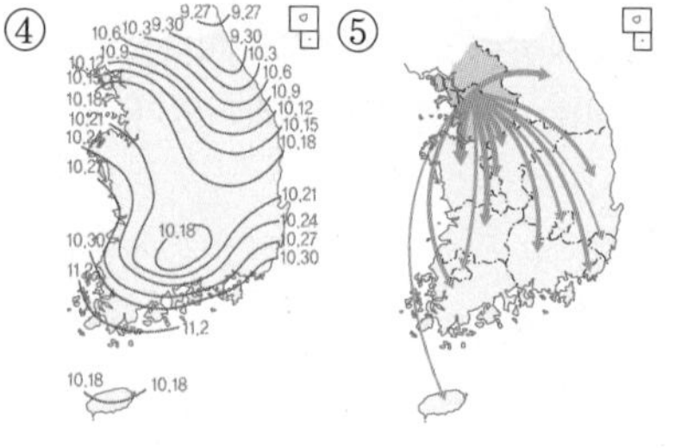

10 자료에 대한 설명으로 옳지 <u>않은</u> 것은?

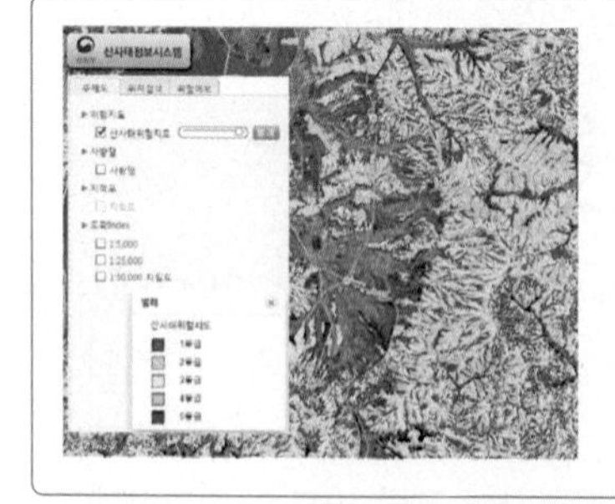

산사태 정보 시스템은 지형 특성, 식생 밀도 등을 고려하여 산사태가 발생할 가능성이 큰 지역을 위험도 순으로 구분하여 제시한다.

① 수록된 정보의 갱신과 관리가 편하다.
② 재난에 대비해 효과적으로 이용할 수 있다.
③ 모든 정보는 수치화되어 컴퓨터에 입력된다.
④ 여러 가지 정보를 하나의 지도에 중첩하여 표현한다.
⑤ 지도에 담긴 정보는 관찰, 면담, 실측을 통해 수집되었다.

11 그림은 지역 조사 과정을 나타낸 것이다. (가)~(라)에 대한 설명으로 옳지 않은 것은?

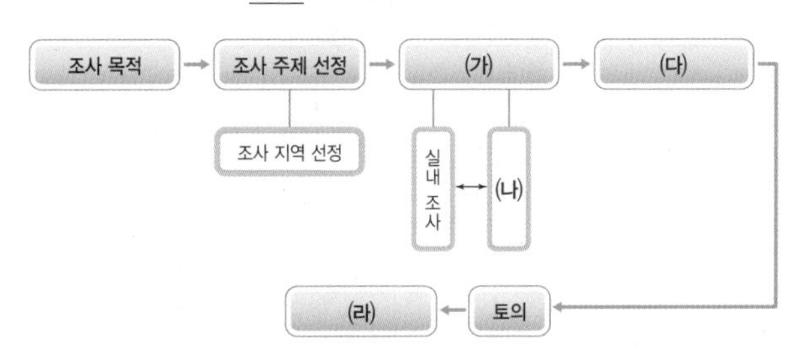

① (가) 단계에서는 지리 정보를 수집하는 활동이 이루어진다.
② (나) 단계에서는 주민들에게 배부할 설문지를 작성한다.
③ (다) 단계에서는 수집한 지리 정보를 그래프나 통계 지도로 표현한다.
④ (라) 단계에서는 정리한 자료를 토대로 조사 보고서를 작성한다.
⑤ 조사 자료가 충분하지 않을 경우 (다) 단계에서 (가) 단계로 돌아가 추가 조사를 하기도 한다.

중요

12 다음 대화의 밑줄 친 ㉠~㉣에 대한 옳은 설명을 〈보기〉에서 고른 것은?

보기
ㄱ. ㉠은 속성 정보에 해당한다.
ㄴ. ㉡은 등치선도로 표현하는 것이 적절하다.
ㄷ. ㉢은 지리 정보를 수집하는 과정 중 하나이다.
ㄹ. ㉣은 지역 조사 중 실내 조사 단계에서 이루어진다.

① ㄱ, ㄴ ② ㄱ, ㄷ ③ ㄴ, ㄷ
④ ㄴ, ㄹ ⑤ ㄷ, ㄹ

서술형 문제

● 정답 친해 06쪽

01 (가), (나)는 어느 지역에 대한 조선 시대 지리지 내용 중 일부이다. (가), (나) 지리지의 특징을 제작 시기와 서술 방식 측면에서 비교하여 서술하시오. (단, (가), (나)는 『신증동국여지승람』과 『택리지』 중 하나이다.)

(가)	(나)
[건치 연혁] 본래 백제의 소부리군(所夫里郡), 사자(泗沘)라고도 한다. 백제의 성왕(聖王)이 웅천(熊川)으로부터 여기에 와서 도읍하고, 남부여(南扶餘)라 이름하였다. [군명] 소부리(所夫里)·남부여(南扶餘)·반월(半月)·사자(泗沘), 자(泚)는 혹 비(沘)로도 쓴다. [산천] 부소산(扶蘇山), 부산, 망월산, 취령산, 백마강 ……	백마강(白馬江)가에 있는 이 고을은 백제의 옛도읍지다. 조룡대, 낙화암, 자온대, 고란사는 모두 백제 때의 고적이다. 강에 나가면 암벽이 아기자기하고 경치가 아주 좋다. 또 땅이 비옥해서 부유한 사람이 많지만, 도읍지로 말한다면 규모가 작고 좁아서 평양이나 경주보다는 훨씬 못하다.

02 자료를 보고 물음에 답하시오.

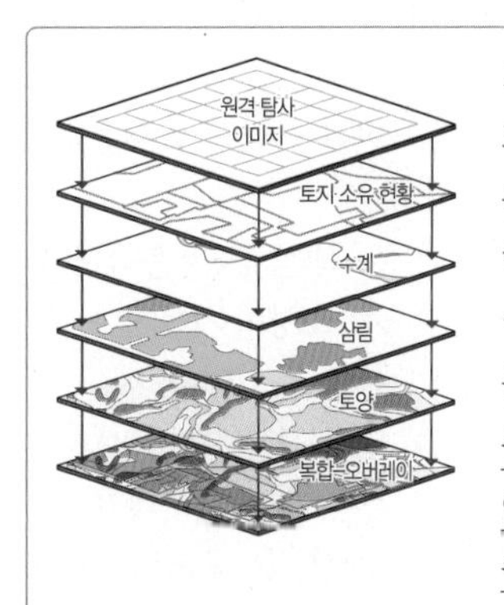

지리 정보 시스템의 작업 과정은 입지에 관한 정보를 각각 데이터 층에 저장하는 일로 시작된다. 각 데이터 층은 서로 다른 정보를 담고 있으며, 이 데이터 층을 결합하여 대상 지역에서 최적의 장소를 찾을 수 있다.

(1) 밑줄 친 부분에서 설명하는 지리 정보 시스템의 분석 방법을 쓰시오.

(2) 지리 정보 시스템의 활용 사례를 두 가지 이상 서술하시오.

STEP 3 1등급 정복하기

1 지도는 대동여지도 일부를 나타낸 것이다. A~E에 대한 옳은 설명을 〈보기〉에서 고른 것은?

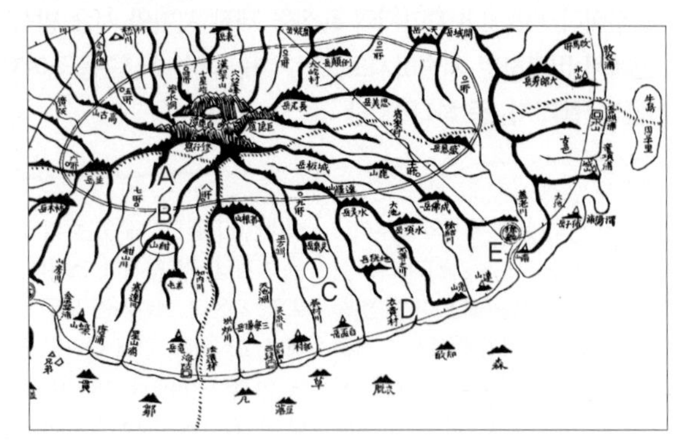

보기

ㄱ. A에 떨어진 빗물은 북쪽으로 흐르는 하천에 유입된다.
ㄴ. B는 C보다 산지의 규모가 크고 해발 고도가 높다.
ㄷ. C와 D 사이로 배가 다닐 수 있는 하천이 흐른다.
ㄹ. D에서 E까지의 거리는 20리 이상이다.

① ㄱ, ㄴ ② ㄱ, ㄹ ③ ㄴ, ㄷ
④ ㄴ, ㄹ ⑤ ㄷ, ㄹ

> 대동여지도 해석

완자샘의 시험 꿀팁

대동여지도의 일부분을 제시하고 이를 해석하는 문제가 출제될 수 있다. 대동여지도에 표현된 산줄기, 하천, 도로 등의 특징을 파악해 두어야 한다.

2 (가), (나)는 조선 시대에 편찬된 지리지이다. 이에 대한 설명으로 옳지 않은 것은? (단, (가), (나)는 『신증동국여지승람』, 『택리지』 중 하나이다.)

(가) [건치연혁] 본래 백제의 남한산성이다. 성종(成宗) 2년에 처음으로 12목(牧)을 두었는데 광주(廣州)는 그 하나이다.
[군명] 남한산·한산주·한주·회안(淮安)·봉국군(奉國軍)
[형승] 한수(漢水)의 남쪽으로 토양이 기름지다. 백제 시조 온조의 말이다. 고적(古跡)편에 나타나 있다. 면이 모두 높은 산이다.
(나) 여주 서쪽이 광주(廣州)이다. 석성산(石城山)에서 나온 한 가지가 북쪽으로 뻗어 한강 남쪽에 가서 된 고을인데 읍은 만 길 산꼭대기에 있다. 광주의 서편은 수리산이며 안산(安山) 동쪽에 있다. 여기에서 서북쪽으로 뻗은 산맥이 수리산맥 중에서 가장 긴 맥이다.

① (가)는 국가 통치에 필요한 지역 정보를 항목별로 수집하여 정리하였다.
② (나)는 각 지역의 특성을 인간과 자연의 상호 연관성을 토대로 고찰하였다.
③ (가)는 (나)에 비해 국토의 실제 모습을 주관적으로 해석하고 있다.
④ (나)는 (가)에 비해 제작된 시기가 늦다.
⑤ (가)는 국가가 편찬한 관찬 지리지, (나)는 개인이 편찬한 사찬 지리지이다.

> 조선 시대 지리지의 특징

완자 사전

• **형승**
뛰어난 지세나 풍경

3 표는 서울시의 행정 구역별 인구를 나타낸 것이다. 이 자료를 통계 지도로 표현하고자 할 때 적절한 유형을 〈보기〉에서 고른 것은?

> 통계 지도의 유형

구(區)	인구수(명)	구(區)	인구수(명)	구(區)	인구수(명)	구(區)	인구수(명)
종로구	154,398	마포구	375,142	중랑구	399,317	동작구	404,076
중구	128,160	양천구	460,267	성북구	451,800	관악구	515,648
용산구	224,993	강서구	574,287	강북구	316,212	서초구	419,682
성동구	294,744	구로구	442,165	도봉구	336,745	강남구	532,469
광진구	363,979	금천구	247,819	노원구	555,420	송파구	628,212
동대문구	359,935	영등포구	398,120	은평구	472,242	강동구	429,416
서대문구	320,258						

(통계청, 2016)

보기

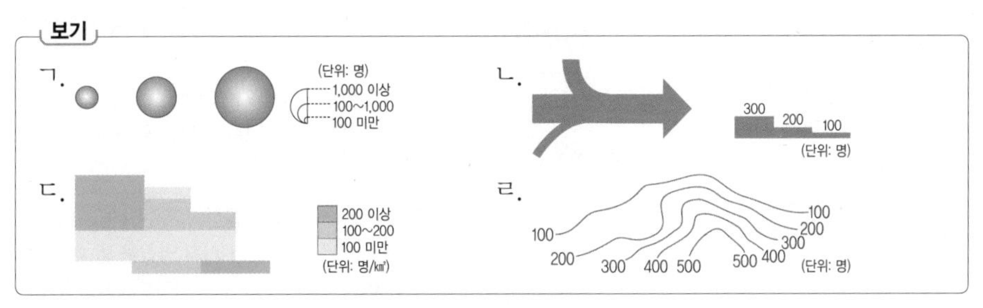

① ㄱ, ㄴ ② ㄱ, ㄷ ③ ㄴ, ㄷ
④ ㄴ, ㄹ ⑤ ㄷ, ㄹ

4 다음 조건을 고려하여 목장 입지를 선정하려고 한다. 가장 적절한 곳을 A~E에서 고른 것은?

> 최적 입지 선정

완자샘의 시험 꿀팁

지리 정보 시스템의 중첩 원리를 이용하여 제시된 조건을 입지 후보 지역에 적용해 최적 입지를 찾는 문제가 자주 출제된다.

〈조건〉
평가 항목별 점수는 표와 같으며, 각 평가 항목 점수의 합이 가장 큰 곳에 입지한다.

고도(m)	점수	생태 등급	점수
500 미만	1	2등급	1
500~700 미만	2	3등급	2
700 이상	3	4등급	3

고도 정보

400	450	550	500	400
400	350	600	550	500
550	650	800	750	700
600	500	850	900	850
550	600	850	850	800

생태 등급 정보

4	3	3	3	3
4	3	3	3	3
4	4	3	3	3
4	4	2	2	2
4	4	2	4	2

입지 후보지

	A			
			B	
		C		
		D	E	

① A ② B ③ C ④ D ⑤ E

01 우리나라의 위치 특성과 영토

1. 우리나라의 위치 특성

수리적 위치	• 위도: 북위 33°~43°에 위치 → 북반구 중위도에 위치하여 사계절이 뚜렷한 냉·온대 기후가 나타남 • 경도: 동경 124°~132°에 위치 → 표준 경선은 동경 135°로, 우리나라 표준시는 본초 자오선이 지나는 영국보다 9시간이 빠름
(❶) 위치	• 유라시아 대륙 동안에 위치: 기온의 연교차가 큰 대륙성 기후, 대륙과 해양의 영향을 받는 계절풍 기후가 나타남 • 반도국: 대륙과 해양으로의 진출과 교류에 유리함
관계적 위치	• 근대 이전: 대륙 세력과 해양 세력의 각축장 • 제2차 세계 대전 이후: 민주주의 진영과 사회주의 진영이 대립하는 공간 • 오늘날: 경제 성장과 정치적 역량 강화 등으로 동북아시아 및 태평양 시대의 중심 국가로 도약

2. 우리나라의 영역

(1) 영역의 의미와 구성

영역	한 국가의 주권이 미치는 공간 범위, 국민의 안전을 보장받을 수 있는 생활 터전으로 국가를 구성하는 기본 요소
구성	• 영토: 토지로 구성된 국가의 영역, 영해와 영공을 설정하는 기준이 됨 • 영해: 연안국의 주권이 미치는 해양의 범위로 보통 최저 조위선으로부터 12해리까지로 함 • 영공: 영토와 영해의 수직 상공

(2) 우리나라의 영역

영토	• 구성: 한반도와 부속 도서 • 면적: 총면적은 약 22.3만 ㎢, 남한 면적은 약 10만 ㎢ → 갯벌이 넓게 분포하는 서·남해안의 간척 사업으로 영토 면적이 증가하고 있음
영해	• 동해안, 제주도, 울릉도, 독도: 통상 기선에서부터 12해리까지 • 서해안, 남해안: (❷)에서부터 12해리까지 • 대한 해협: 직선 기선에서부터 3해리까지
영공	영토와 영해의 수직 상공으로 그 범위는 대기권까지 인정 → 항공 교통, 인공위성 및 우주 개발이 활발해지면서 그 중요성이 커지고 있음

(3) 배타적 경제 수역

범위	영해 기선으로부터 200해리까지의 바다에서 (❸)를 제외한 수역
특징	• 연안국은 해양 자원의 탐사, 개발, 이용, 보전, 관리 등에 관한 경제적 권리가 보장됨 • 다른 국가의 선박과 항공기 등이 자유롭게 통행할 수 있음

3. 소중한 우리 영토

(1) 우리 땅 독도

위치	경상북도 울릉군 울릉읍 독도리에 있는 섬, 동도와 서도 및 89개의 부속 도서로 이루어짐 → 우리나라의 영토 중 가장 동쪽에 위치
자연환경	화산섬으로 대부분의 해안이 급경사를 이룸, 해양성 기후가 나타남
독도 영유의 역사	신라가 우산국을 편입(512년)하면서 우리 영토가 됨, 이후 일본이 불법 편입(1905년)하였지만 광복 후 우리 영토로 반환
가치	• 영역적: (❹) 설정의 기준이 될 수 있음, 동해의 교통 요지로 해상 전진 기지 역할을 할 수 있음 • 경제적: 어족 자원 풍부, 메탄 하이드레이트 분포 • 환경적: 해저 화산의 형성과 진화 과정을 보여주는 지질 유적, 섬 전체가 천연 보호 구역으로 지정됨

(2) 우리 바다 동해

동해 표기의 정당성	• 우리나라에서 한반도 동쪽 바다를 2,000년 이상 동해로 불러옴 → 『삼국사기』 고구려 본기, 광개토대왕릉비의 비문 등에 동해 표기 기록이 있음 • 우리나라를 식민 지배하던 일본이 1929년 국제 수로 기구(IHO)에 우리나라의 합의 없이 일본해로 등록
동해 표기를 위한 노력	정부와 민간단체는 국제 사회에 동해 표기의 정당성을 주장하고 있음

02 국토 인식의 변화

1. 풍수지리 사상

의미	산줄기의 흐름, 산의 모양, 바람과 물의 흐름을 파악하여 좋은 터(명당)를 찾는 사상
사상적 배경	지모 사상과 음양오행설 등의 결합으로 발전
영향	개인의 주거지나 마을의 입지 선정(배산임수 취락), 국가의 도읍지 선정, 묘지 선정 등에 영향

2. 전통적 국토 인식

(1) 고지도에 나타난 국토 인식

조선 전기	• 국가 통치를 위해 행정적·군사적 목적으로 지도 제작 • 국가 주도로 전국 지도와 지방 지도 제작, 북부 산악 지역은 왜곡 및 축소되어 표현 • 「팔도지도」, 「조선방역지도」, 「혼일강리역대국도지도」 등
조선 후기	• 지도 제작 기술 발달과 (❺)사상의 영향으로 과학적이고 정교한 지도 제작 • 다양한 목적과 범위의 지도 제작, 실측을 토대로 각종 지리 정보를 표현 • 「동국지도」, 「대동여지도」, 「지구전후도」 등

(2) 고문헌에 나타난 국토 인식

조선 전기	• 국토의 효율적 통치를 위해 중앙 정부 주도로 관찬 지리지 편찬 • 주로 각 지역의 지리 정보를 (❻)으로 서술 • 『세종실록지리지』, 『신증동국여지승람』 등
조선 후기	• 국토의 실제 모습을 과학적으로 해석하려는 실학자들에 의해 사찬 지리지 편찬 • 주로 특정한 주제를 설명식으로 서술 • 『도로고』, 『택리지』, 『아방강역고』 등

3. 국토 인식의 변화

일제 강점기	식민 지배를 정당화하기 위해 왜곡된 국토관 강요, 우리 국토를 소극적·부정적으로 해석함
산업화 시기	능동적·진취적 국토관 강조, 국토를 경제적 관점에서 바라보고 적극적으로 개발하고 이용함 → 경제 성장을 이루었지만 지역 간 불균형과 환경 파괴 문제 발생
현재	국토를 개발의 대상으로 보는 인식에서 벗어나 자연과 인간의 조화를 추구하는 생태 지향적 국토관 확산

03 지리 정보와 지역 조사

1. 지리 정보의 유형

(❼) 정보	장소나 현상의 위치와 형태에 대한 정보 예 위도, 경도 등
속성 정보	장소나 현상의 인문적·자연적 특성에 대한 정보 예 기후, 인구, 경제 등
관계 정보	다른 장소나 지역과의 상호 작용 및 관계에 대한 정보 예 통근, 통학 비율, 버스 운행 횟수 등

2. 지리 정보의 수집과 표현

(1) 지리 정보의 수집 방법

전통적 방식	지도나 문헌, 통계 자료 활용, 현지 답사 등
최근의 방식	(❽) 기술 활용 → 항공기나 인공위성을 통해 접근하기 어려운 지역의 지리 정보 수집

(2) 통계 지도의 유형

점묘도	통계 값을 일정 단위의 점으로 환산하여 지리 현상의 밀도나 분포를 표현 예 인구 분포
등치선도	통계 값이 같은 지점을 연결하여 연속적인 자료를 표현 예 등고선, 등온선, 등압선
(❾)	등급을 나눌 수 있는 자료를 구분하여 표현 예 경지 이용률, 인구 밀도
도형 표현도	자료의 공간적 차이를 도형의 크기로 표현 예 수출액, 제조업 종사자 수
유선도	지역 간 이동 방향과 이동량을 화살표의 굵기와 방향으로 표현 예 인구 이동, 자원 이동

3. 지리 정보 시스템(GIS)

의미	다양한 지리 정보를 수집·분석·종합·처리하여 이를 가공·활용하는 시스템
특징	수치 지도 형태로 변환하여 표현하며, 중첩 분석 기능을 활용하여 주제도를 제작하거나 시설물의 입지를 선정할 수 있음
장점	지리 정보의 수정 및 분석이 용이하여 신속하고 합리적인 공간적 의사 결정 가능
활용	내비게이션, 버스 도착 시간 안내, 시설물의 입지 선정, 국가 지리 정보 시스템 구축(재난 및 재해 관리, 국토 환경 관리 등)

4. 지역 조사

(1) **지역 조사**: 지역에 대한 정보를 수집·분석·종합하여 지역성을 파악하는 활동

(2) 지역 조사 과정

조사 계획 수립	조사 목적을 결정하고 조사 주제와 조사 지역 선정
(❿)	조사 지역과 관련된 자료를 지도, 문헌, 인터넷 등을 통해 수집
야외 조사	조사 지역을 직접 방문하여 관찰, 측정, 면담, 설문, 촬영 등을 통해 지리 정보를 수집
지리 정보 분석	수집한 자료를 분류·분석한 후 통계 자료로 표현
조사 보고서 작성	분석한 자료를 바탕으로 조사 보고서 작성

●정답● ① 지리지 ② 자연 기원 ③ 영해 ④ 배타적 경제 수역 ⑤ 실학 ⑥ 백과사전식 ⑦ 공간 ⑧ 원격 탐사 ⑨ 단계 구분도 ⑩ 실내 조사

01 지도의 A~D에 대한 설명으로 옳은 것은?

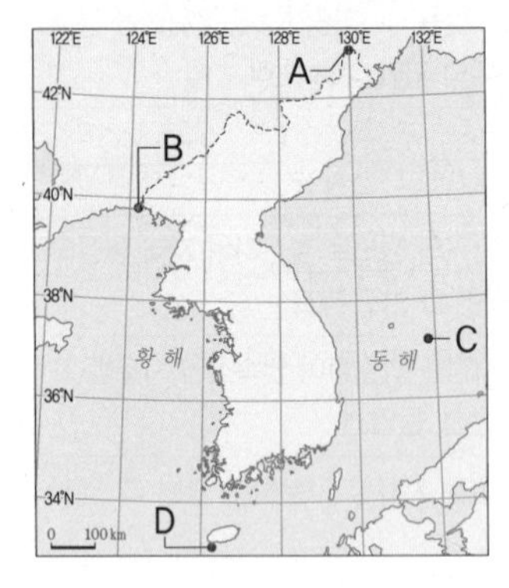

① A는 우리나라 영토의 최북단(극북)에 위치한다.
② B는 C보다 일출과 일몰 시각이 이르다.
③ C는 D보다 위도가 낮다.
④ D는 A보다 연평균 기온이 낮다.
⑤ 표준 경선은 C와 D 사이에 위치한다.

02 밑줄 친 ㉠~㉤에 대한 설명으로 옳지 않은 것은?

> 한 국가의 위치는 역사와 문화, 경제 활동, 국제 관계에 많은 영향을 미친다. ㉠ 수리적 위치는 ㉡ 위도와 ㉢ 경도로 표현되고, ㉣ 지리적 위치는 대륙·해양 등 지형지물로 표현되며, ㉤ 관계적 위치는 주변국과의 정치 및 경제적 관계에 따라 결정된다.

① 우리나라의 ㉠은 북위 33°~43°, 동경 124°~132°이다.
② ㉡은 기후와 식생 분포, 계절 등에, ㉢은 해당 국가의 표준시 결정에 영향을 미친다.
③ ㉣의 영향으로 기온의 연교차가 큰 대륙성 기후가 나타난다.
④ 우리나라는 대륙과 해양 세력의 중간에 위치하여 주변 국가의 정세에 따라 ㉤이 시대별로 변화해 왔다.
⑤ ㉠, ㉣은 상대적 위치, ㉤은 절대적 위치에 해당한다.

03 다음은 수업 시간의 한 장면이다. 교사의 질문에 옳게 답변한 학생을 〈보기〉에서 고른 것은?

보기

갑: 철도를 이용한 여객 수송은 감소할 것입니다.
을: 우리나라와 일본의 교역량은 크게 감소할 것입니다.
병: 중국으로 가는 철도 이용객의 숫자가 증가할 것입니다.
정: 우리나라와 유럽의 철도를 통한 교역량이 증가할 것입니다.

① 갑, 을 ② 갑, 병 ③ 을, 병
④ 을, 정 ⑤ 병, 정

04 지도는 우리나라 주변 해역을 나타낸 것이다. A~D에 대한 설명으로 옳은 것은?

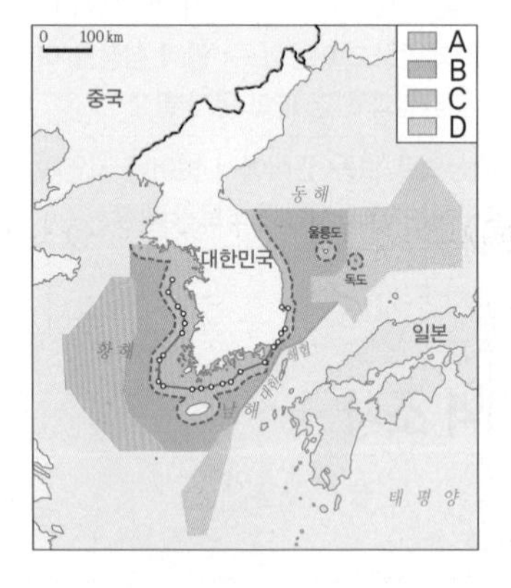

① A는 우리나라와 일본이 공동으로 이용하는 해역이다.
② B 수역에서의 어업 활동에 대해 우리나라가 배타적 권리를 갖는다.
③ 우리나라의 허락 없이 외국의 군함이 C를 통항할 수 있다.
④ 독도 주변 12해리까지는 D에 포함된다.
⑤ 다른 국가의 항공기는 A~D의 수직 상공을 자유롭게 통행할 수 있다.

정답친해 08쪽

05 (가)~(다) 지역에 대한 옳은 설명을 <보기>에서 고른 것은?

구분	(가)	(나)	(다)
위치	북위 33°06′ 동경 126°16′	북위 37° 14′ 동경 131°52′	북위 32°07′ 동경 125°10′
주요 경관			

보기

ㄱ. (가)는 남해안에 위치한다.
ㄴ. (나)는 우리나라에서 일출 시각이 가장 이르다.
ㄷ. (다)의 수직 상공은 우리나라의 영공에 해당한다.
ㄹ. (가)~(다)는 모두 사람이 살지 않는 무인도이다.

① ㄱ, ㄴ ② ㄱ, ㄷ ③ ㄴ, ㄷ
④ ㄴ, ㄹ ⑤ ㄷ, ㄹ

06 다음은 학생이 수업 시간에 학습한 내용을 정리한 것이다. 밑줄 친 ㉠~㉤ 중 옳지 않은 것은?

독도의 특색

1. 독도의 위치
(1) 위치: ㉠ 37° 14′N, 131° 52′E
(2) 주소: 경상북도 울릉군 울릉읍 독도리 1~96번지
2. 지리적 특징
(1) 기후: ㉡ 대륙의 영향으로 기온의 연교차가 큰 대륙성 기후가 나타남
(2) 지형: 약 460만~250만 년 전 ㉢ 해저 화산 활동으로 형성된 화산섬
3. 독도의 가치
(1) 경제적 가치: ㉣ 조경 수역으로 어족 자원이 풍부함, 메탄 하이드레이트가 분포함
(2) 생태학적 가치: ㉤ 괭이갈매기, 슴새, 섬기린초 등 다양한 생물종이 서식함

① ㉠ ② ㉡ ③ ㉢ ④ ㉣ ⑤ ㉤

07 ㉠, ㉡에 들어갈 내용을 옳게 연결한 것은?

(㉠) 사상은 산줄기와 물줄기의 흐름에 따라 땅속의 기운이 모이거나 흩어진다고 보는 것으로, 근원적인 힘인 기(氣)가 모이는 명당에서는 그 기운을 받아 복을 누린다고 생각하였다. 그러나 완벽한 땅은 존재하기 어렵기 때문에 우리 조상들은 길지를 찾기보다 (㉡)를 통해 자연을 보완하기도 하였다. 관악산의 불의 기운을 막기 위해 광화문에 해태상을 만든 사례가 대표적이다.

	㉠	㉡
①	비보	풍수지리
②	비보	지모
③	지모	풍수지리
④	풍수지리	지모
⑤	풍수지리	비보

08 지도를 보고 나눈 대화 중 옳은 내용을 제시한 학생을 고른 것은?

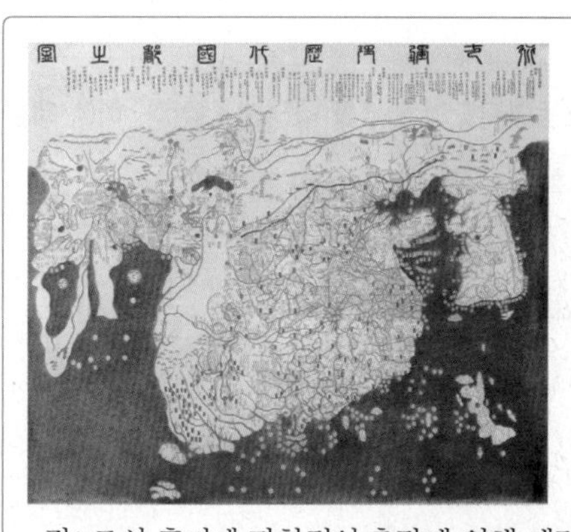

- 갑: 조선 후기에 과학적인 측량에 의해 제작되었어.
- 을: 중국이 중심에 그려져 중화사상이 나타나고 있어.
- 병: 도교적 세계관이 반영되어 상상의 국가와 지명들이 표시되어 있어.
- 정: 아프리카와 유럽이 표현되어 있어 우리 조상들의 세계 인식 범위가 넓었다는 것을 알 수 있어.

① 갑, 을 ② 갑, 병 ③ 을, 병
④ 을, 정 ⑤ 병, 정

09 다음은 서술형 평가에 대한 학생의 답안이다. 밑줄 친 ㉠~㉤ 중 옳지 않은 것은?

> **서술형 평가**
>
> • 문제: 다음 지도의 특징에 대해 서술하시오.
>
> 
>
> • 학생 답안: 이 지도는 ㉠ 조선 중기 이후 민간에서 제작된 관념적인 세계 지도이다. 지도의 중심에 중국이 위치하여 ㉡ 중화사상이 반영되어 있다. 내대륙, 내해, 외대륙, 외해로 구성되어 있으며, ㉢ 내대륙과 내해는 실제 세계, 외대륙과 외해는 상상의 세계를 나타내고 있다. 상상의 국가와 지명이 다수 표현된 것으로 보아 ㉣ 도교적 세계관이 반영되었음을 알 수 있다. 또한 ㉤ 분첩 절첩식으로 제작되어 휴대와 열람이 편리하다.

① ㉠ ㉡ ③ ㉢ ④ ㉣ ⑤ ㉤

10 지도는 대동여지도의 일부를 나타낸 것이다. 이에 대한 설명으로 옳지 않은 것은?

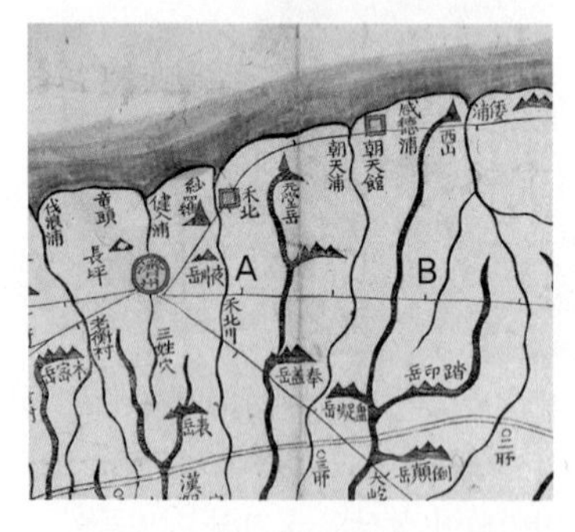

① A-B 사이의 거리는 약 20리이다.
② 목판본으로 제작되어 대량 생산이 가능하다.
③ 배가 다닐 수 있는 하천은 단선으로 표현하였다.
④ 조선 시대에 제작된 지도 중 가장 축척이 크고 자세하다.
⑤ 지리 정보를 기호로 표현하여 지면을 효율적으로 활용하였다.

11 다음은 택리지에 기록된 어느 지역에 대한 내용의 일부이다. 이 지역을 지도의 A~E에서 고른 것은?

> 경상좌도와는 죽령을 넘어 통하고, 우도는 조령을 넘어 통하는데, 그 두 고개의 길이 모두 통하므로 물길 또는 육로로 한양과 통하게 된다. 그런 까닭에 이 마을이 경기와 영남으로 가는 요충에 해당되어 유사시에는 반드시 격전지가 된다. 그리고 사실상 전국의 중앙에 위치하므로 중국의 형주·예주와도 같아서 임진란 때 신립 장군이 왜군에게 패한 곳도 바로 이 땅이다.

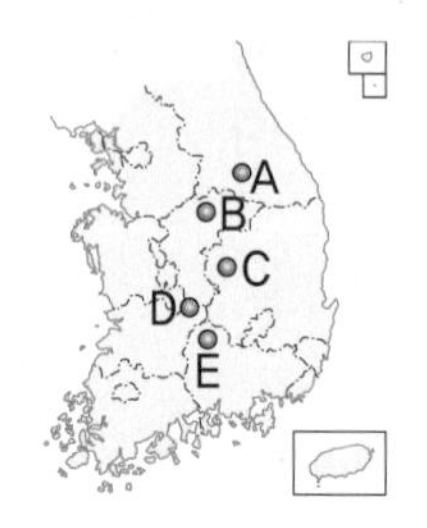

① A
② B
③ C
④ D
⑤ E

12 다음 글에 나타난 우리나라의 국토 인식 변화에 대한 옳은 설명을 〈보기〉에서 고른 것은?

> 1994년 시화 방조제가 건설되면서 인공 호수인 시화호가 만들어졌다. 당시에는 시화호의 바닷물을 뺀 후 담수호로 만들어 주변 농경지와 산업 단지의 용수원으로 사용할 계획이었다. 그러나 시화호가 조성된 지 2년 만에 물이 오염되어 심각한 환경 문제가 발생하였다. 이에 따라 정부와 수자원 공사는 2000년 12월 담수화를 중단하고 바닷물을 다시 드나들게 한 결과, 시화호와 갯벌에는 해양 생물들이 돌아오고, 오늘날 우리나라의 대표적인 겨울철 철새 도래지가 되는 등 생태 공간으로 탈바꿈하였다.

보기

ㄱ. 미래 세대를 고려한 지속 가능한 발전이 강조되고 있다.
ㄴ. 자연과의 상생을 강조하던 조상들의 국토관이 왜곡되고 있다.
ㄷ. 국토를 개발의 대상으로 보는 적극적 국토관으로 변화하고 있다.
ㄹ. 자연과 인간의 조화를 추구하는 생태 지향적 국토 인식이 확산되고 있다.

① ㄱ, ㄴ ② ㄱ, ㄹ ③ ㄴ, ㄷ
④ ㄴ, ㄹ ⑤ ㄷ, ㄹ

13 (가)~(다)는 지리 정보의 표현 방법을 나타낸 것이다. 이에 대한 옳은 설명만을 〈보기〉에서 있는 대로 고른 것은?

(가)

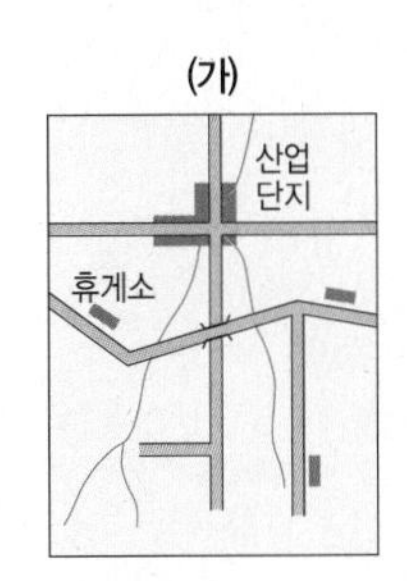

(나)

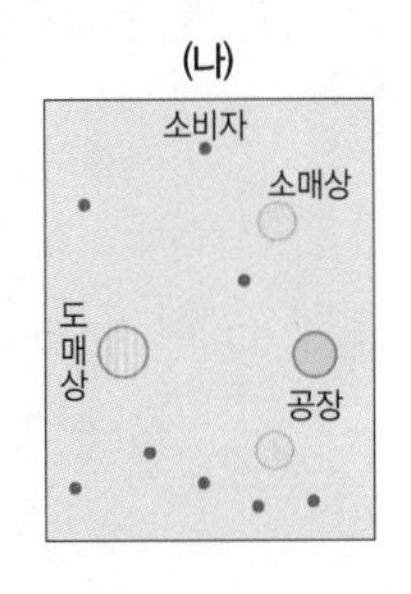

(다)

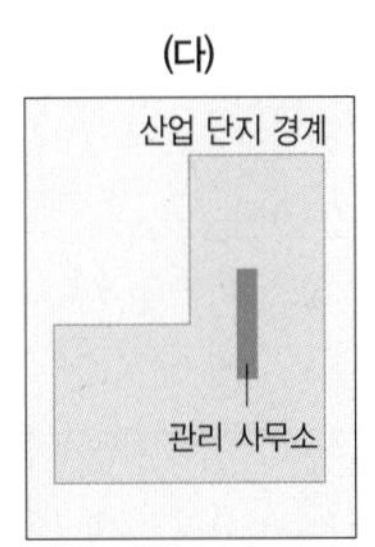

보기

ㄱ. (가)는 교통로와 통신망의 표현에 사용된다.
ㄴ. (나)는 어떤 장소나 시설물의 위치를 표현한다.
ㄷ. (다)는 상권이나 주택 단지 등 인간 활동의 영향권을 표현하는 데 사용된다.
ㄹ. (가)~(다)는 모두 다른 장소나 지역 간의 관계를 설명하는 정보에 해당한다.

① ㄱ, ㄴ ② ㄴ, ㄷ ③ ㄷ, ㄹ
④ ㄱ, ㄴ, ㄷ ⑤ ㄴ, ㄷ, ㄹ

14 그림은 지리 조사 과정을 나타낸 것이다. (가)~(마) 단계에 해당하는 활동으로 옳지 않은 것은?

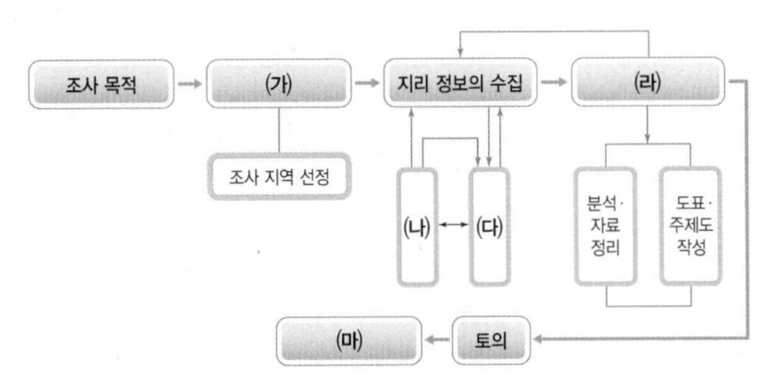

① (가) – ○○시의 백화점 상권 분석을 주제로 선정한다.
② (나) – 인터넷을 통해 ○○시의 백화점 현황을 검색한다.
③ (다) – ○○시의 백화점 방문 고객들을 대상으로 설문 조사할 항목을 선정한다.
④ (라) – ○○시의 백화점 상권을 분석하여 지도화한다.
⑤ (마) – ○○시의 백화점 상권 분석 보고서를 작성한다.

15 (가)~(다)를 통계 지도로 표현하고자 할 때, 적절한 유형을 옳게 연결한 것은?

(가) 인천 – 서울 간 통학자 현황
(나) 우리나라의 1월 평균 기온 분포
(다) 시도별 자동차 제조업 종사자 비율

	(가)	(나)	(다)
①	점묘도	등치선도	단계 구분도
②	점묘도	도형 표현도	등치선도
③	유선도	등치선도	도형 표현도
④	유선도	단계 구분도	점묘도
⑤	도형 표현도	단계 구분도	등치선도

16 다음 조건을 고려하여 반도체 공장을 건설하고자 할 때, 가장 적합한 지역을 A~E에서 고른 것은?

〈조건〉
• 사면 경사가 5° 이하인 지역
• 지가가 50만 원 이하인 지역
• 도로로부터 1㎞ 이내인 지역
• 항구로부터 2㎞ 이내인 지역
• 발전소로부터 3㎞ 이내인 지역

사면 경사도(°)

3	5	3	5	6
3	5	2	3	3
6	3	6	2	2
6	3	4	3	3
6	2	3	2	5

지가(만 원)

30	20	30	30	20
30	30	30	50	30
30	60	50	40	20
60	60	40	50	30
20	60	30	50	30

도로·항구·발전소와의 거리(㎞)

도로
발전소
항구
바다

(한 칸의 거리는 1㎞임)

입지 후보지

D E
A C
B

① A ② B ③ C ④ D ⑤ E

지형 환경과 인간 생활

❶ 한반도의 형성과 산지 지형 ············ 038

❷ 하천 지형과 해안 지형 ················ 048

❸ 화산 지형과 카르스트 지형 ············ 062

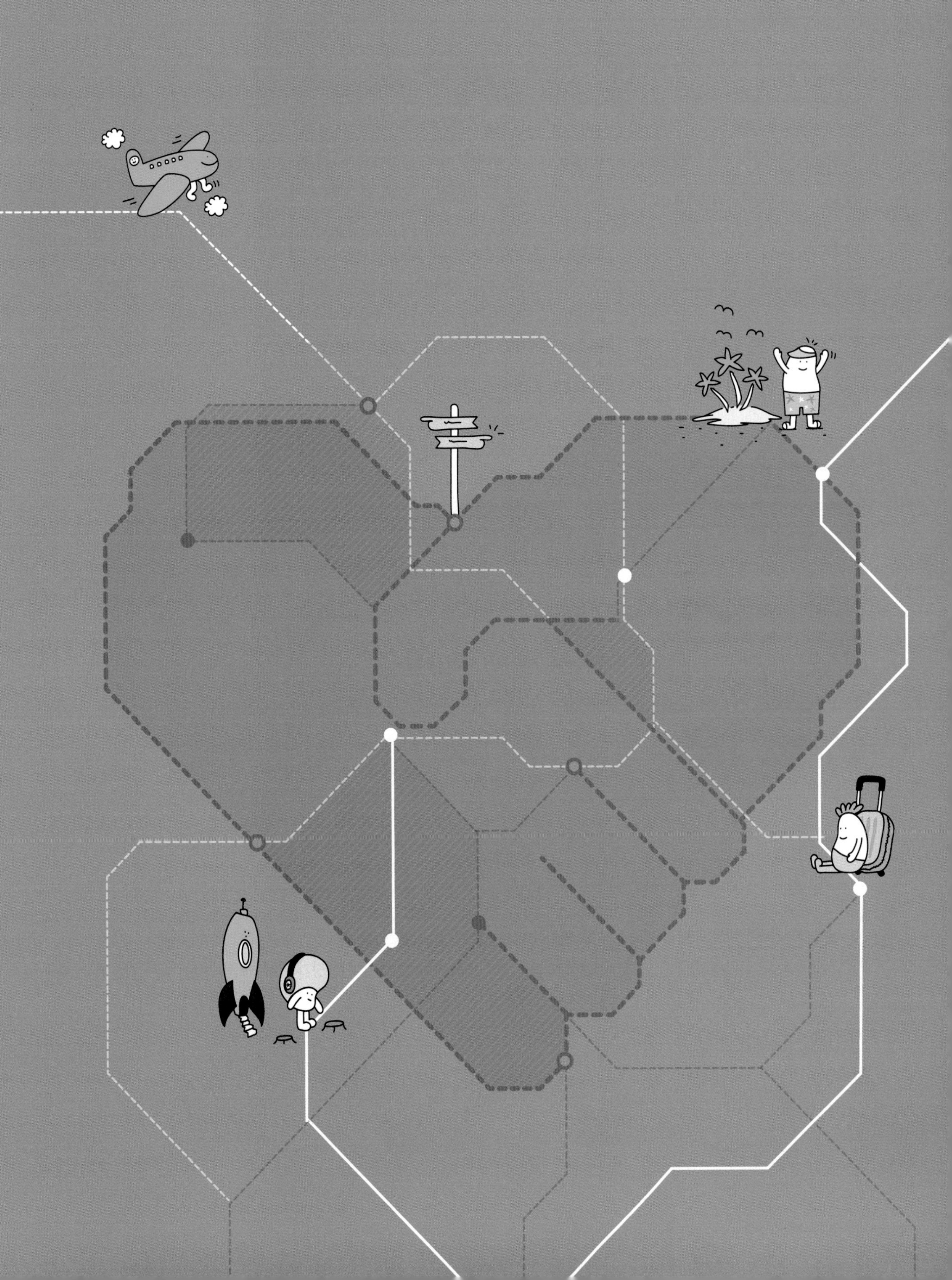

01 한반도의 형성과 산지 지형

학습목표
- 지체 구조를 중심으로 한반도의 형성 과정을 설명할 수 있다.
- 산지 지형의 특성을 지각 운동과 관련지어 설명할 수 있다.

이것이 핵심!

한반도 지체 구조의 특징

시·원생대	지반 안정, 주로 변성암 분포
고생대	• 고생대 초: 석회암 분포 • 고생대 말: 무연탄 매장
중생대	경상 누층군 형성, 공룡 발자국 화석 발견
신생대	신생대 제3기층, 갈탄 매장

★ 지괴
형성 시기와 특징이 유사하여 다른 지역과 구분이 가능한 대규모의 지각 덩어리로, 육괴라고도 한다.

★ 지질 구조선
습곡, 단층 등의 지각 운동에 의해 지층이나 기반암 등에 형성된 절리나 단층선 등의 일련의 선 구조

★ 경동성 요곡 운동

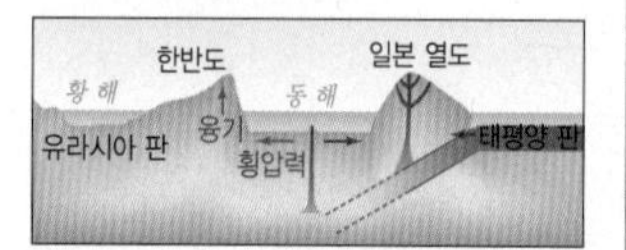

한쪽은 높고 급한 면을 이루고 다른 한쪽은 낮고 완만한 면을 이루는 비대칭적인 지각 운동

★ 침식 기준면
하천의 침식 작용이 이루어질 수 있는 최저 고도로, 일반적으로 해수면과 일치한다.

★ 풍화 작용

물리적 풍화	• 암석이 물리적 힘에 의해 작은 입자로 부서지는 현상 • 한랭 건조한 환경에서 탁월
화학적 풍화	• 광물의 화학적 성질 변화로 암석이 풍화되는 현상 • 고온 다습한 환경에서 탁월

신생대 제4기에는 빙기와 간빙기가 여러 차례 반복되었어. 최종 빙기 이후 1만 년 전부터 현재까지를 후빙기라고 해.

1 한반도의 형성 과정

1. 한반도의 암석 분포

오랜 기간 땅 속에서 열과 압력에 의해 본래의 성질이 변한 암석으로 오늘날 주로 공원 등의 조경석으로 이용해.

(1) **변성암**: 시·원생대에 형성된 편마암이 대표적이며, 한반도에서 가장 널리 분포 → 한반도 지각의 약 42% 차지

(2) **화성암** ─ 마그마가 굳어서 형성된 암석으로 마그마가 지하에서 관입해 굳은 심성암과 분출한 후 굳은 분출암으로 구분해.

① 화강암: 중생대에 형성된 심성암, 한반도 지각의 약 30% 차지

② 화산암: 신생대 화산 활동으로 형성된 분출암, 현무암·조면암 등

(3) **퇴적암**: 고생대와 중생대 퇴적암이 대부분, 신생대 퇴적암 분포는 협소함 ─ 퇴적물들이 시간이 지남에 따라 암석으로 변한 것이야.

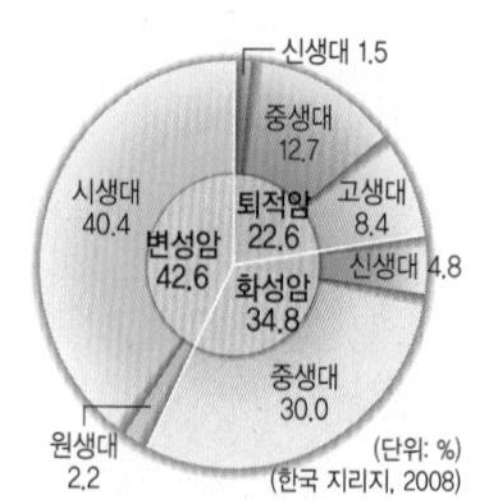

암석의 시대별 구성

2. 한반도의 지체 구조 자료①

지질 시대	지체 구조	특징
시·원생대	평북·개마 *지괴, 경기 지괴, 영남 지괴	• 형성 시기가 가장 오래되었으며 지반이 견고한 안정 지괴 • 변성암(대부분 편마암)이 주로 분포
고생대	평남 분지, 옥천 습곡대	• 고생대 초: 해성층인 조선 누층군 형성, 석회암 분포 • 고생대 말~중생대 초: 육성층인 평안 누층군 형성, 무연탄 매장
중생대	경상 분지	• 과거 거대한 습지 또는 호수 → 두꺼운 육성층인 경상 누층군 형성 • 일부 지역에서 공룡의 발자국 화석과 뼈 화석 발견
신생대	두만 지괴, 길주·명천 지괴	• 신생대 제3기층으로 분포 지역 협소 → 동해안 일부 지역에 형성 • 갈탄 매장

여러 겹의 퇴적층이 두껍게 쌓인 지역

산호초나 조개 껍데기 등이 굳어 형성된 암석이야.

3. 한반도의 주요 지각 변동 자료②

지질 시대	지각 변동	특징
중생대	송림 변동	• 중생대 초기 북부 지방을 중심으로 일어난 지각 변동 • 랴오둥 방향(동북동 – 서남서)의 *지질 구조선 형성
	대보 조산 운동	• 중생대 중기 중·남부 지방을 중심으로 발생한 가장 격렬했던 지각 운동 • 중국 방향(북동 – 남서)의 지질 구조선 형성, 넓은 범위에 대보 화강암 관입
	불국사 변동	중생대 말기 영남 지방을 중심으로 발생, 소규모로 불국사 화강암 관입
신생대	*경동성 요곡 운동	신생대 제3기 동해안을 중심으로 지각이 융기하여 비대칭의 경동 지형 형성 → 함경·낭림·태백산맥 등 높은 산지 형성
	화산 활동	신생대 제3기 말~제4기 초 백두산·울릉도·독도·제주도 등에 화산 지형 형성

경동성 요곡 운동의 영향으로 동해로 흐르는 하천은 경사가 급하고 길이가 짧은 반면, 황해로 흐르는 하천은 상대적으로 경사가 완만하고 길이가 길어.

4. 기후 변화에 따른 지형 형성 교과서 자료

(1) **신생대 제4기**: 기후 변화에 따른 빙기와 간빙기 반복 → 해수면, *침식 기준면 등 변동

(2) **빙기와 간빙기(후빙기)의 특성 비교**

VS 빙기에는 해수면과 침식 기준면이 하강하고, 간빙기(후빙기)에는 해수면과 침식 기준면이 상승해.

구분	빙기	간빙기(후빙기)
기후 변화	한랭 건조	온난 습윤
*풍화 작용	물리적 풍화 작용 활발	화학적 풍화 작용 활발
하천 상류	퇴적 작용 우세	침식 작용 우세
하천 하류	침식 작용 우세	퇴적 작용 우세
주요 지형	하안 단구 발달	범람원, 삼각주 등 충적 평야 및 석호 발달

후빙기에는 해수면이 상승하면서 서·남해안에 리아스 해안이 형성되고 동해안에는 석호가 형성되었어.

완자 자료 탐구

내 옆의 선생님

자료 1 한반도 지체 구조의 분포와 특징

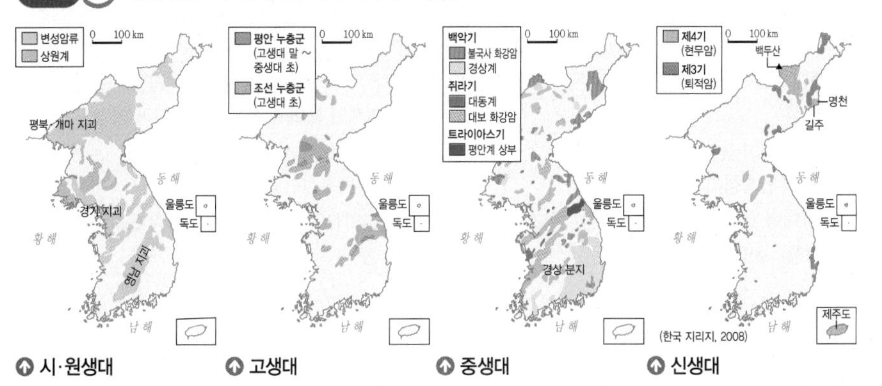

시·원생대 / 고생대 / 중생대 / 신생대

시·원생대에는 한반도 면적의 약 40% 정도의 땅이 형성되었으며, 고생대에는 침강과 융기의 반복으로 초기에는 조선 누층군, 말기에는 평안 누층군이 형성되었다. 중생대 중기 이후 형성된 경상 누층군 일부에서는 공룡의 발자국 화석이 발견되기도 했으며, 신생대 제3기 동해안 일부 지역에서는 해침에 의해 퇴적암층이 형성되었다.

자료 2 한반도의 지질 계통표

중생대에는 대보 조산 운동과 불국사 변동에 의해 전국적으로 화강암이 관입하였어.

지질 시대	선캄브리아대		고생대						중생대			신생대	
	시생대	원생대	캄브리아기	오르도비스기	실루리아기	데본기	석탄기	페름기	트라이아스기	쥐라기	백악기	제3기	제4기
지층	변성암 복합체 (편마암)		조선 누층군 (석회암)			연천층군	평안 누층군 (무연탄)			대동 누층군 (대보 화강암)	경상 누층군 (불국사 화강암)	제3계	제4계
지각 변동	변성 작용		조륙 운동						송림 변동	대보 조산 운동	불국사 변동	요곡 단층 운동	화산 활동

한반도는 대체로 고생대까지는 큰 지각 변동을 겪지 않고 안정된 상태를 유지하였으나, 중생대에 일어난 세 번의 지각 변동과 신생대 제3기의 요곡·단층 운동이 오늘날과 같은 한반도 지형을 형성하는 데 영향을 주었다.

자료 하나 더 알고 가자!

한반도의 지체 구조

한반도는 오랜 기간에 걸쳐 다양한 지형 형성 작용을 받아 지체 구조가 복잡하며, 시·원생대에 형성된 지층부터 신생대에 형성된 지층까지 다양하게 분포한다.

정리 비법을 알려줄게!

한반도의 주요 지각 변동

중생대
- 송림 변동: 랴오둥 방향 지질 구조선
- 대보 조산 운동: 중국 방향 지질 구조선
- 불국사 변동: 불국사 화강암 관입

VS

신생대
- 경동성 요곡 운동: 제3기, 동고서저 지형
- 화산 활동: 제3기 말~제4기 초, 화산 지형

수능이 보이는 교과서 자료 신생대 제4기 기후 변화에 따른 지형 형성

(가) 빙기와 현재의 해안선

(나) 기후 변화에 따른 지형 형성

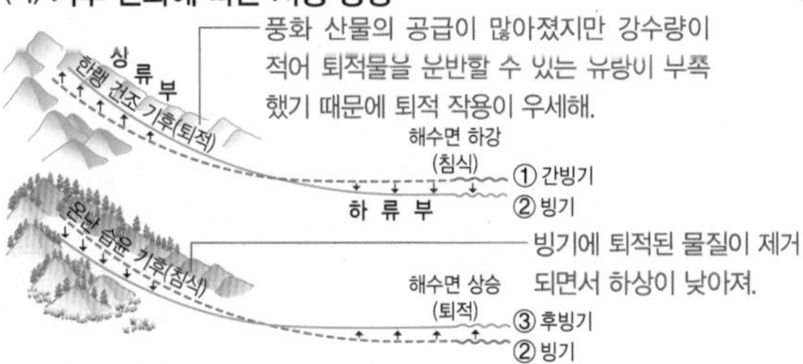

지금보다 한랭 건조한 빙기에는 식생이 빈약하고 물리적 풍화 작용이 활발하였다. 이에 따라 하천의 상류에서는 퇴적 작용이, 하류에서는 침식 작용이 탁월하였다. 반면 기후 환경이 온난 습윤해진 후빙기에는 식생이 발달하며 화학적 풍화 작용이 활발하게 나타나 하천의 상류에서는 침식 작용이, 하류에서는 퇴적 작용이 탁월해졌다.

완자샘의 탐구 강의

• (가)를 통해 알 수 있는 최종 빙기의 특징을 써 보자.

해수면이 낮아져 황해와 남해가 육지로 연결되어 있었다.

• (나)를 보고 빙기와 후빙기에 하천 상류와 하류의 지형 형성에 영향을 미친 작용에 대해 서술해 보자.

빙기에 하천의 상류에서는 퇴적 작용이, 하류에서는 침식 작용이 탁월하며, 후빙기에 하천의 상류에서는 침식 작용이, 하류에서는 퇴적 작용이 탁월하다.

함께 보기 47쪽, 1등급 정복하기 3

01 한반도의 형성과 산지 지형

이것이 핵심!

우리나라의 산지 지형

형성	• 1차 산맥: 신생대 제3기 이후 경동성 요곡 운동으로 형성 • 2차 산맥: 중생대 지각 운동 이후 차별 침식으로 형성
특징	• 대부분 저산성 산지 • 동고서저의 경동 지형 발달 • 고위 평탄면: 여름철 서늘한 기후를 이용한 고랭지 농업 • 기반암이 주로 화강암인 돌산, 편마암인 흙산 형성

★ **우리나라의 지질 구조선**

한반도의 지형은 몇 개의 지괴가 서로 충돌하여 형성되었으며, 이러한 충돌 과정에서 큰 에너지가 지각에 영향을 미쳐 지질 구조선이 형성되었다.

★ **고랭지 농업**
고원이나 고산 지역에서 이루어지는 농업. 여름철 서늘한 기후를 이용하여 배추, 무 등 고랭지 작물을 재배한다.

2 산지 지형의 형성과 특성

1. 산지 지형의 형성 자료③

지질 구조선을 따라 오랫동안 침식이 진행되어 구조선 방향으로 골짜기와 산맥이 형성되었어.

구분	1차 산맥	2차 산맥
형성	신생대 제3기 이후 경동성 요곡 운동의 영향을 받아 형성	중생대 지각 운동 이후 형성된 *지질 구조선을 따라 차별적인 풍화와 침식이 진행되어 형성
특징	• 해발 고도가 높고 험준함 • 산지의 연속성이 뚜렷한 편	• 오랜 침식으로 상대적으로 해발 고도가 낮음 • 산지의 연속성이 미약한 편
분포	낭림·태백·마천령산맥(한국 방향), 함경산맥(랴오둥 방향), 소백산맥(중국 방향) 등	묘향·멸악산맥(랴오둥 방향), 차령·노령산맥(중국 방향) 등

2. 우리나라 산지의 특징

(1) **산지 지형**: 국토의 약 70%가 산지, 해발 고도 200~500m의 저산성 산지가 40% 이상

왜? 오랫동안 침식을 받아 왔기 때문이야.

(2) **동고서저의 경동 지형**

형성	신생대 제3기 경동성 요곡 운동 → 함경산맥, 태백산맥의 동쪽은 급경사, 서쪽은 완경사 형성
영향	• 북동부에 높은 산지 분포, 남서부에 낮은 산지나 평야 분포 • 주요 하천은 주로 황·남해로 유입, 황해보다 동해로 흐르는 하천의 유로가 짧고 하상의 경사가 급함

해발 고도 2,000m 이상의 산지는 한반도의 북동부에 분포해.

(3) **고위 평탄면의 발달과 이용** 자료④

① 형성: 오랜 풍화와 침식으로 평탄해진 지형이 융기한 후에도 평탄한 기복을 유지

② 분포: 태백산맥과 소백산맥의 일부 해발 고도가 높은 곳에 분포 — 태백산맥의 대관령과 소백산맥의 진안고원 등이 대표적이야.

③ 특징: 해발 고도가 높아 평지에 비해 연평균 기온이 낮고 습도가 높음, 겨울철 적설량이 많고 적설 기간이 길 → *고랭지 농업, 목축업, 풍력 발전소, 스키장 등으로 이용

겨울철에 내린 눈이 눈이 녹으면서 건조한 봄철에도 토양에 수분을 안정적으로 공급해 주어 초지가 형성되기 유리해.

(4) **돌산과 흙산** 자료⑤

구분	돌산	흙산
형성	중생대에 관입한 화강암이 오랫동안 침식을 받아 지표에 드러남 – 뾰족한 봉우리들이 바위를 이루고 있어.	시·원생대에 형성된 기반암이 오랜 기간 풍화와 침식을 받으면서 두꺼운 토양으로 덮임
특징	• 기반암은 주로 화강암 • 식생 밀도가 낮고 암석 노출이 많음	• 기반암은 주로 편마암 • 토양층이 두껍고 식생 밀도가 높음
분포	금강산, 설악산, 북한산, 월악산 등	지리산, 덕유산, 오대산 등

이것이 핵심!

산지 지형과 인간 생활

과거	농업, 임업, 광업 등에 종사, 댐을 건설하여 전력 생산
↓	
오늘날	스키장, 레저 시설 등 건설 → 관광 산업 발달

3 산지 지형의 이용

1. 산지 지형과 인간 생활

산지 지역의 주민들은 교통·통신이 발달하기 전까지는 다른 지역과의 교류가 적었어.

과거	• 지역 간 경계로 교류에 장애, 복잡한 기상 현상이 나타남 → 자연환경을 극복하거나 활용해야 했음 • 주민들 대부분은 농업, 임업, 광업 등에 종사, 산세를 이용한 댐을 건설하여 전력 생산
오늘날	• 교통·통신의 발달 → 산지를 연결하는 교통망이 확충되어 접근성 향상 • 뛰어난 경관을 이용하여 스키장, 레저 시설 등 건설 → 관광 산업 발달

2. 인간 활동에 의한 산지 지역의 변화

(1) **문제점**: 무분별한 산지 개발 → 산지 훼손, 동식물의 서식지 파괴, 생태계 균형 파괴 등

(2) **해결 방안**: 환경 영향 평가 실시, 자연 휴식년제 확대, 생태 이동 통로 건설 등

대규모 개발 사업 계획을 수립할 때, 개발이 환경에 미칠 영향을 사전에 예측·평가·검토하여 환경 오염을 예방하는 제도

도로나 댐 등의 건설로 야생 동물의 서식지가 분리되거나 야생 동물이 차에 치여 죽는 것을 막기 위해 인공적으로 만든 길이야.

완자 자료 탐구

내 옆의 선생님

자료 3 산지 지형의 형성

① 중생대 지각 운동으로 습곡, 단층 등이 형성되고 지질 구조선이 만들어졌다.

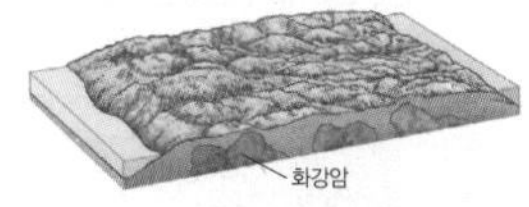

② 중생대 지각 운동 이후 오랜 기간 침식 작용을 받아 한반도가 평탄해졌다.

1차 산맥

융기된 산지는 1차 산맥이 됨.

③ 신생대 제3기 경동성 요곡 운동이 일어났으며, 이후 지질 구조선을 따라 서쪽으로 하천이 흐르게 되었다.

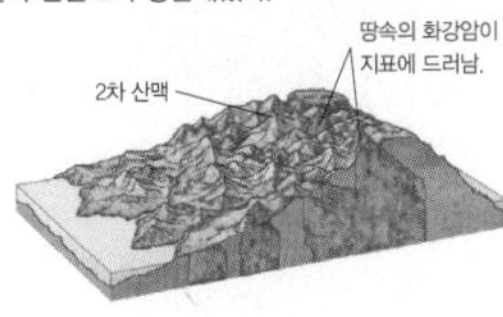

④ 하곡이 만들어지고 남은 주변 산지는 2차 산맥을 형성하였다.

▲ 우리나라 산지의 형성 과정

한국 방향 / 랴오둥 방향 / 중국 방향 / 0 100 km / 황해 / 동해 / 남해 / 울릉도 / 독도

▲ 우리나라의 산맥 분포

한반도의 산맥은 크게 1차 산맥과 2차 산맥으로 구분할 수 있다. 1차 산맥은 지각 운동의 직접적인 영향을 받아 형성된 것이며, 2차 산맥은 중생대 지각 운동에 의해 형성된 지질 구조선을 따라 차별적인 풍화와 침식 작용을 거쳐 형성된 것이다. 1차 산맥은 2차 산맥보다 대체로 해발 고도가 높고 산줄기의 연속성이 뚜렷하다.

자료 4 고위 평탄면의 형성 과정과 토지 이용

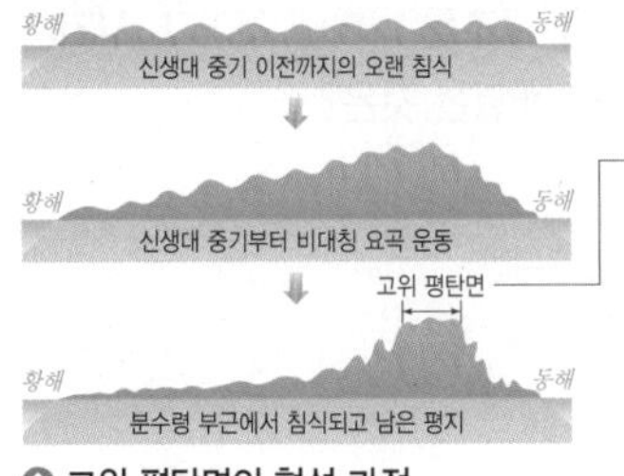

▲ 고위 평탄면의 형성 과정

고위 평탄면은 신생대 경동성 요곡 운동이 일어나기 전에는 한반도가 비교적 평탄했다는 주장을 뒷받침해 주는 지형이야.

▲ 대관령 일대의 고랭지 채소밭

고위 평탄면은 신생대 경동성 요곡 운동의 영향을 받은 지형으로 해발 고도는 높지만 경사가 완만하다. 이곳에서는 여름철 서늘한 기후를 이용해 고랭지 농업이 발달하였으며, 습도가 높아 목초 재배에 유리하여 목축업이 발달하기도 한다. 이외에도 풍력 발전기 등의 경관과 함께 스키장, 리조트 등이 들어서 있어 관광 산업도 발달하고 있다.

고위 평탄면의 개발로 집중 호우 시 토양 침식이 심해짐에 따라 유실된 토양이 하천으로 흘러들어 하상이 높아지고 홍수 피해가 커지기도 해.

자료 5 돌산과 흙산

▲ 돌산(설악산)

돌산은 형태가 다양하고 기이하여 관광지로 인기가 많아.

▲ 흙산(지리산)

돌산은 중생대에 형성된 화강암이 오랜 세월 침식을 받으면서 지표에 모습을 드러내 형성된다. 반면, 흙산은 시·원생대에 형성된 편마암이 오랜 기간 풍화되어 두꺼운 토양층을 형성하기 때문에 식생이 잘 발달한다.

암질이 단단하여 풍화층이 비교적 고르게 발달해.

정리 비법을 알려줄게!

우리나라 산지의 형성

1차 산맥	• 경동성 요곡 운동으로 융기 • 해발 고도가 높고 산지의 연속성이 뚜렷함 • 낭림·함경·태백·소백산맥 등
2차 산맥	• 중생대 지질 구조선 → 차별 침식 • 해발 고도가 낮고 산지의 연속성이 미약함 • 묘향·차령·노령산맥 등

자료 하나 더 알고 가자!

고위 평탄면 지형도

▲ 강원도 평창군 대관령면

해발 고도가 높은 곳에 주변 지역에 비해 등고선 간격이 상대적으로 넓게 나타나는 곳이 고위 평탄면이다.

영동 고속 국도의 개통으로 대도시와의 접근성이 좋아졌어.

문제로 확인할까?

돌산과 흙산에 대한 설명으로 옳은 것은?

① 금강산, 북한산 등은 돌산이다.
② 돌산의 기반암은 주로 편마암이다.
③ 흙산의 기반암은 중생대에 형성되었다.
④ 흙산은 돌산보다 토양층이 얇다.
⑤ 돌산은 흙산보다 식생 밀도가 높다.

① 답

STEP 1 핵심 개념 확인하기

정답친해 10쪽

1 다음에서 설명하는 암석을 〈보기〉에서 골라 기호를 쓰시오.

보기		
ㄱ. 변성암	ㄴ. 퇴적암	ㄷ. 화강암

(1) 편마암이 대표적이며 한반도에서 가장 널리 분포한다. (　　)

(2) 주로 중생대에 형성된 암석으로 한반도 지각의 약 30%를 차지한다. (　　)

(3) 고생대와 중생대에 주로 형성되었으며 신생대 지층에서의 분포 면적은 협소하다. (　　)

2 한반도의 주요 지각 변동의 특징을 옳게 연결하시오.

(1) 송림 변동 • 　　• ㉠ 영남 지방을 중심으로 발생

(2) 불국사 변동 • 　　• ㉡ 함경·태백산맥 등의 산지 형성

(3) 대보 조산 운동 • 　　• ㉢ 한반도에서 가장 격렬했던 지각 운동

(4) 경동성 요곡 운동 • 　　• ㉣ 중생대 초 랴오둥 방향의 지질 구조선 형성

3 ㉠, ㉡에 들어갈 말을 각각 쓰시오.

> 빙기에는 한랭 건조한 기후 환경의 영향으로 (㉠ 　　　) 풍화 작용이 활발하였으며, 후빙기에는 온난 습윤한 기후 환경의 영향으로 (㉡ 　　　) 풍화 작용이 활발하였다.

4 다음 빈칸에 들어갈 내용을 쓰시오.

(1) 오랜 기간 침식을 받아 평탄해진 땅이 융기한 후에도 평탄한 상태로 남아 있는 지형을 (　　　　)이라고 한다.

(2) (　　　　)은 지질 구조선을 따라 차별적인 풍화와 침식을 거쳐 형성된 것으로, 차령·노령산맥 등이 이에 속한다.

5 돌산, 흙산과 관련된 내용을 〈보기〉에서 골라 기호를 쓰시오.

보기		
ㄱ. 화강암	ㄴ. 편마암	ㄷ. 금강산
ㄹ. 지리산	ㅁ. 두꺼운 토양층	ㅂ. 낮은 식생 밀도

(1) 돌산 (　　　　) 　　(2) 흙산 (　　　　)

STEP 2 내신 만점 공략하기

01 그래프는 한반도의 암석 분포를 나타낸 것이다. A~C에 들어갈 암석을 옳게 연결한 것은?

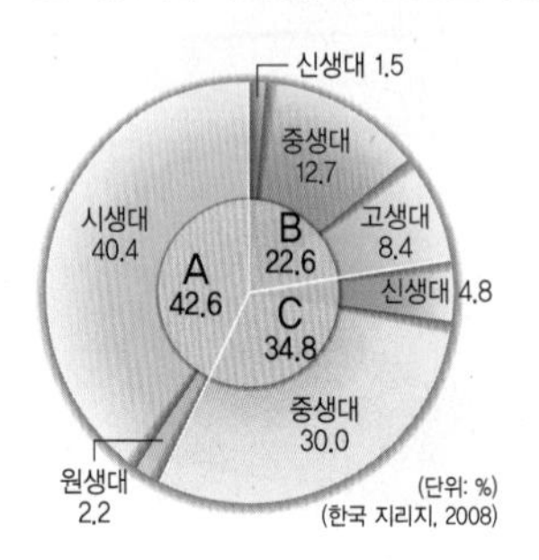

	A	B	C
①	변성암	퇴적암	화성암
②	변성암	화성암	퇴적암
③	화성암	변성암	퇴적암
④	화성암	퇴적암	변성암
⑤	퇴적암	화성암	변성암

02 (가)~(라)는 한반도의 지체 구조를 나타낸 것이다. 시기가 오래된 지질 시대부터 순서대로 배열한 것은?

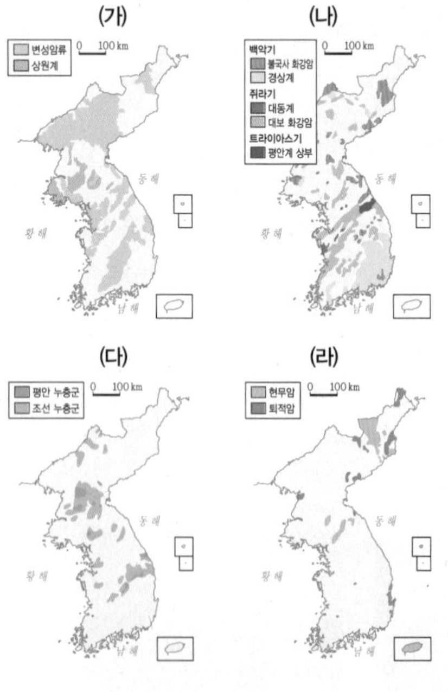

① (가) - (나) - (다) - (라)
② (가) - (다) - (나) - (라)
③ (나) - (가) - (다) - (라)
④ (나) - (다) - (가) - (라)
⑤ (다) - (가) - (나) - (라)

03 중요 지도는 한반도의 지체 구조를 나타낸 것이다. (가)~(마) 지층에 대한 설명으로 옳은 것은?

① (가) – 기반암은 고생대의 조륙 운동으로 형성되었다.
② (나) – 바다에서 퇴적된 지층으로 석회암이 주를 이룬다.
③ (다) – 공룡 발자국 화석이 발견되는 주요 지층이다.
④ (라) – 신생대에 형성된 지층으로 갈탄이 매장되어 있다.
⑤ (마) – 기반암은 중생대 마그마의 관입으로 이루어졌다.

04 다음은 한반도의 지형 형성과 관련된 수업의 일부이다. 학생의 대답으로 옳은 것을 〈보기〉에서 고른 것은?

- 교사: 신생대 제3기에 동해 지각의 확장으로 한반도는 융기 축이 동쪽으로 치우친 비대칭 지형을 이루게 되었습니다. 이러한 지각 변동이 한반도에 미친 영향에 대해 발표해 볼까요?

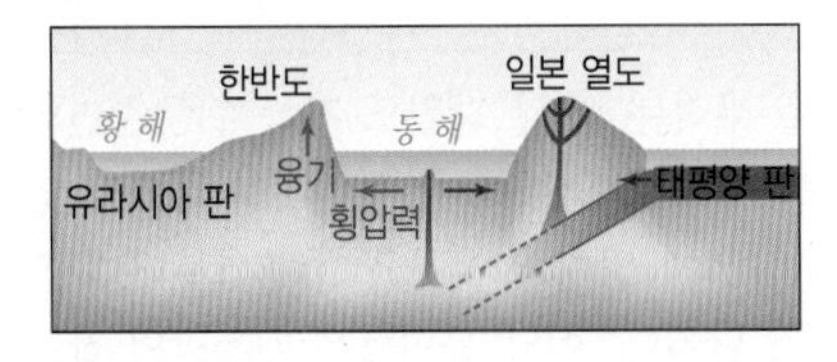

- 학생: ______________________

보기
ㄱ. 동북동 – 서남서 방향의 구조선이 형성되었습니다.
ㄴ. 산지의 연속성이 강한 1차 산맥이 형성되었습니다.
ㄷ. 규모가 큰 하천들은 대부분 황해로 흐르게 되었습니다.
ㄹ. 백두산, 한라산과 같은 화산 지형이 형성되었습니다.

① ㄱ, ㄴ ② ㄱ, ㄷ ③ ㄴ, ㄷ
④ ㄴ, ㄹ ⑤ ㄷ, ㄹ

05 밑줄 친 ㉠~㉤에 대한 설명으로 옳은 것은?

중생대 초기에는 ㉠ 송림 변동이 나타났으며, 중생대 중기에는 ㉡ 대보 조산 운동의 영향으로 지질 구조선이 형성되었다. 중생대 말에는 영남 지방을 중심으로 ㉢ 불국사 변동이 일어났다. 신생대 제3기에는 일본이 한반도에서 분리되면서 ㉣ 경동성 요곡 운동이 일어났으며, 신생대 제3기 말에서 제4기 초에는 ㉤ 화산 활동이 일어났다.

① ㉠ – 함경산맥과 태백산맥이 형성되었다.
② ㉡ – 주로 랴오둥 방향의 지질 구조선이 형성되었다.
③ ㉢ – 석회암 용식 지형 형성에 큰 영향을 주었다.
④ ㉣ – 황해보다 동해로 흐르는 하천의 경사가 급하게 되었다.
⑤ ㉤ – 설악산, 금강산 등의 산지 형성에 영향을 주었다.

06 중요 그래프는 해수면 변동을 나타낸 것이다. 현재와 비교한 (가) 시기의 상대적인 특징을 그림과 같이 표현할 때, A, B에 들어갈 항목으로 가장 적절한 것은?

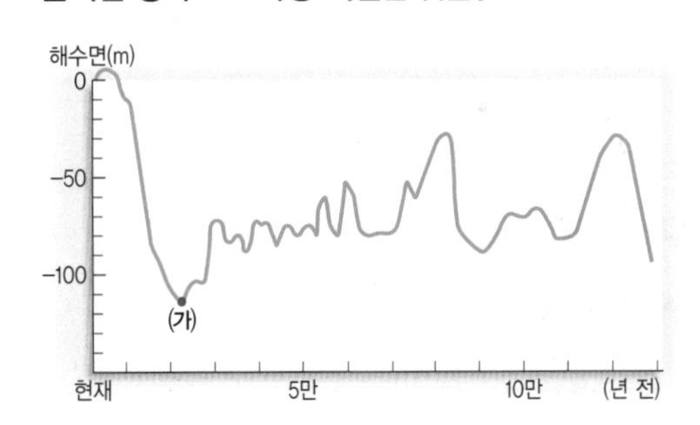

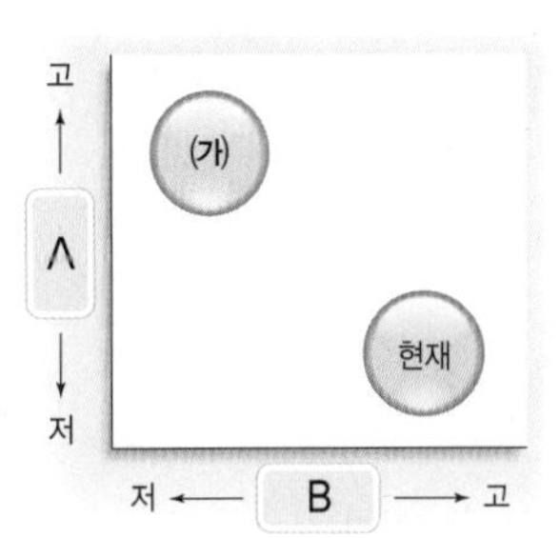

	A	B
①	평균 기온	화학적 풍화 작용
②	화학적 풍화 작용	냉대림의 분포 범위
③	물리적 풍화 작용	하천 상류의 퇴적 작용
④	냉대림의 분포 범위	평균 기온
⑤	하천 상류의 침식 작용	물리적 풍화 작용

중요

07 지도는 우리나라의 산맥 분포를 나타낸 것이다. A~D 산맥에 대한 설명으로 옳은 것은?

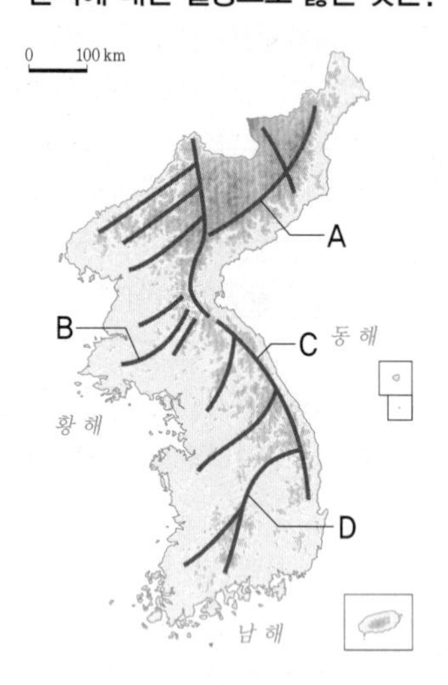

① A는 2차 산맥으로 분류한다.
② B는 송림 변동의 영향을 받아 형성되었다.
③ D는 한국 방향의 산맥이다.
④ C는 B보다 산지의 연속성이 미약하다.
⑤ B와 D는 모두 차별적 풍화와 침식을 받아 형성되었다.

08 그림은 A 지형의 형성 과정을 나타낸 것이다. 이에 대한 설명으로 옳은 것은?

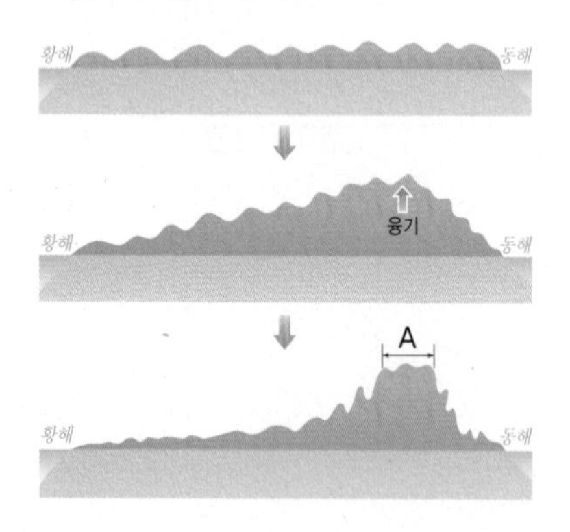

① 대보 조산 운동의 영향으로 형성되었다.
② 마그마의 관입으로 지각이 변동하였다.
③ 신생대에 일어난 화산 활동으로 형성되었다.
④ 기반암이 차별적인 풍화와 침식을 받아 형성된 분지 지형이다.
⑤ 오랜 침식으로 평탄해진 지형이 융기 후에도 남아 있는 것이다.

09 지도는 한반도의 지질 구조선을 나타낸 것이다. 이에 대한 옳은 설명을 〈보기〉에서 고른 것은?

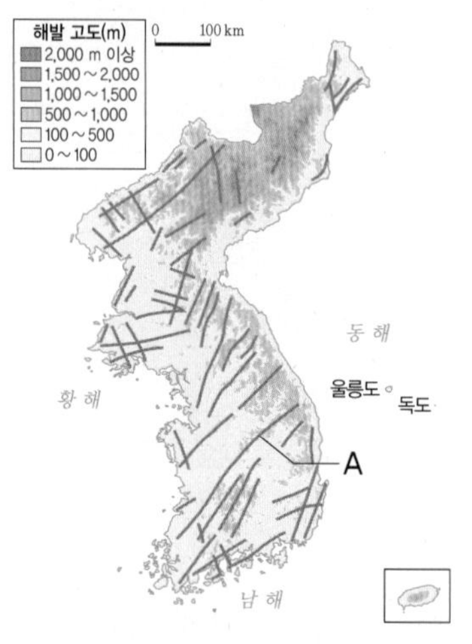

보기

ㄱ. 황해로 흘러드는 하천의 발달에 영향을 주었다.
ㄴ. 한국 방향의 산맥 형성에 직접적 원인이 되었다.
ㄷ. A는 경동성 요곡 운동의 영향을 받아 형성되었다.
ㄹ. 지질 구조선을 따라 차별적 풍화와 침식이 진행되어 주변에 산지가 형성되었다.

① ㄱ, ㄴ　② ㄱ, ㄹ　③ ㄴ, ㄷ
④ ㄴ, ㄹ　⑤ ㄷ, ㄹ

10 다음은 어느 지역을 소개하는 신문 기사의 일부이다. ㉠에 대한 설명으로 옳은 것은?

> 무더위가 기승을 부리는 30일 강원도 강릉시 ○○면의 (㉠)에서 출하를 앞둔 배추들이 무럭무럭 자라고 있다. 태백산맥의 능선에 위치한 이곳은 1965년부터 화전민이 개간한 채소 단지다. 이날 농민들은 배추밭의 잡초를 제거하는 등 막바지 출하 작업으로 분주한 모습을 보였다. 올해 ○○면의 배추 출하는 8월 중순쯤부터 시작될 예정이다.
> – 「뉴스1」, 2017. 7. 30.

① 서해안에 인접한 산지에 주로 분포한다.
② 해수면 상승의 영향을 받아 형성되었다.
③ 적설 기간이 짧아 토양 내 수분 공급이 불안정하다.
④ 고속 국도 개통 이후 토지 이용의 집약도가 높아졌다.
⑤ 농경지 개발로 강우 시 토양 유실의 위험이 줄어들었다.

11 중요 (가) 산지와 비교한 (나) 산지의 상대적 특징을 그림의 A~E에서 고른 것은?

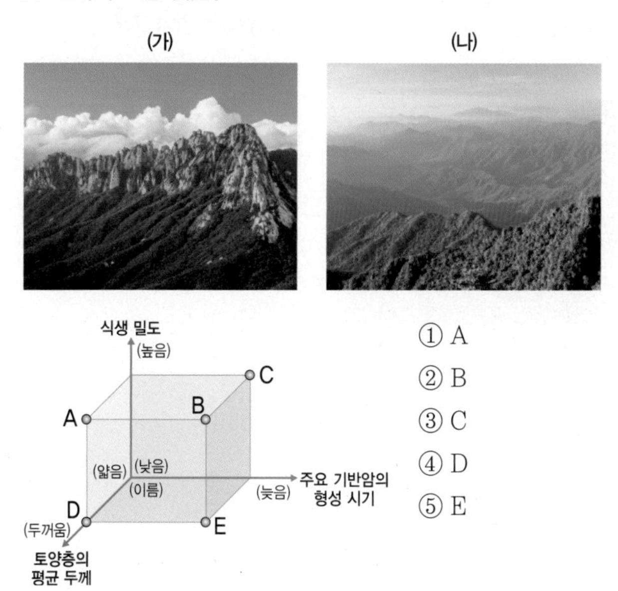

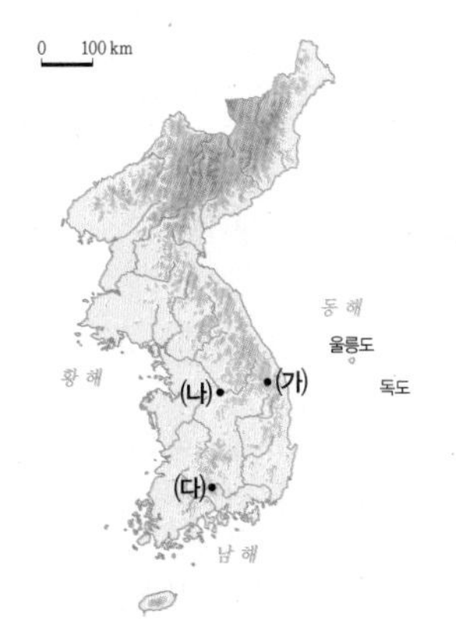

① A
② B
③ C
④ D
⑤ E

12 (가)~(다) 지역의 산지 이용 모습을 〈보기〉에서 골라 옳게 연결한 것은?

0 100 km
동 해
울릉도
독도
황 해
(나)
(가)
(다)
남 해

보기

ㄱ. 빠른 풍속을 활용해 풍력 발전 단지가 조성되었다.
ㄴ. 댐에서 전력을 얻으며 인공호는 관광 자원으로 이용한다.
ㄷ. 산세가 부드러운 토산이며 일부 지역은 자연 휴식년제를 시행하고 있다.

	(가)	(나)	(다)
①	ㄱ	ㄴ	ㄷ
②	ㄱ	ㄷ	ㄴ
③	ㄴ	ㄱ	ㄷ
④	ㄴ	ㄷ	ㄱ
⑤	ㄷ	ㄱ	ㄴ

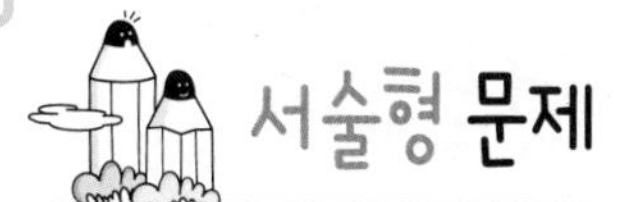

● 정답친해 12쪽

01 그림은 기후 변동에 따른 해수면 변화를 나타낸 것이다. 이를 보고 물음에 답하시오.

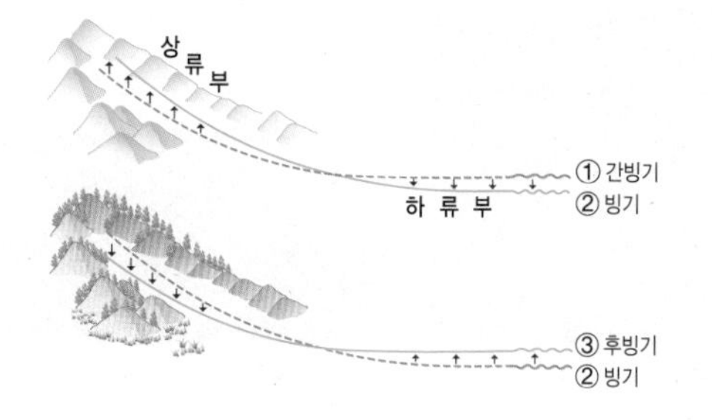

(1) 표는 빙기와 후빙기의 지형 형성 작용을 정리한 것이다. ㉠~㉢에 들어갈 내용을 각각 쓰시오.

구분	빙기	후빙기
기후 변화	한랭 건조	㉠
풍화 작용	㉡	화학적 풍화 작용
해수면 변동	하강	㉢

(2) 빙기와 후빙기에 하천 상류 및 하류에서의 지형 형성 작용을 서술하시오.

02 그림은 우리나라 산지의 형성 과정을 나타낸 것이다. (가)에 들어갈 내용을 제시된 단어를 활용하여 서술하시오.

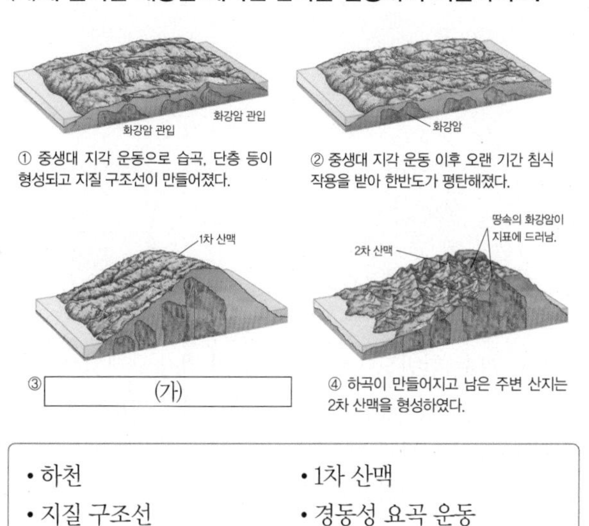

• 하천
• 1차 산맥
• 지질 구조선
• 경동성 요곡 운동

STEP 3 1등급 정복하기

1 (가)~(다) 경관과 관련된 암석에 대한 옳은 설명을 〈보기〉에서 고른 것은?

(가) (나) (다)

고수 동굴(단양) 돌담(제주) 불국사(경주)

보기

ㄱ. (가)의 기반암은 시·원생대에 변성 작용을 받았다.
ㄴ. (다)의 기반암은 마그마의 관입으로 형성되었다.
ㄷ. (나)의 기반암은 (다)의 기반암보다 분포 범위가 좁다.
ㄹ. (다)의 기반암은 (가)의 기반암보다 이른 시기에 형성되었다.

① ㄱ, ㄴ ② ㄱ, ㄷ ③ ㄴ, ㄷ
④ ㄴ, ㄹ ⑤ ㄷ, ㄹ

한반도의 암석 분포

완자샘의 시험 꿀팁

우리나라의 주요 경관과 관련된 암석에 대해 묻는 문제가 출제된다. 각 암석의 형성 시기 및 특징 등을 정리해야 한다.

2 지도는 한반도의 지질 시대별 주요 지체 구조를 나타낸 것이다. (가)~(다)에 대한 설명으로 옳지 <u>않은</u> 것은?

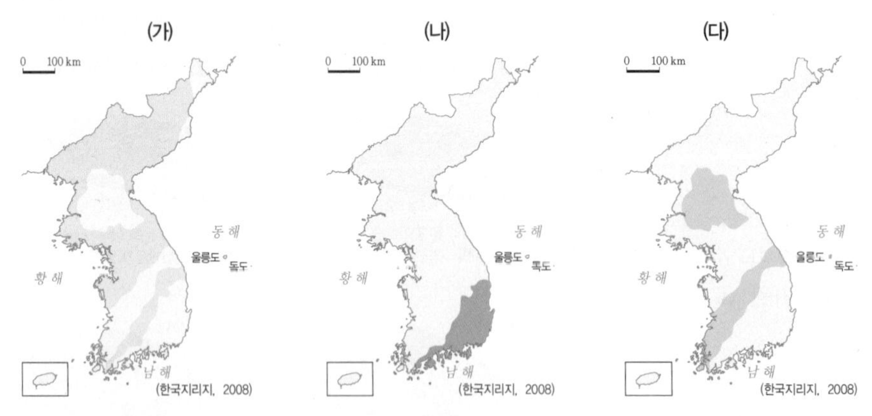

① (가)는 한반도에서 생성 시기가 가장 오래된 안정 지괴이다.
② (나)에서는 공룡 발자국 화석을 볼 수 있다.
③ (다)에서 과거 습지였던 지층에 무연탄이 매장되어 있다.
④ (가)에는 퇴적암이, (나)에는 화성암이 주로 분포한다.
⑤ (다)는 (나)보다 형성된 시기가 이르다.

한반도의 지체 구조

완자 사전

• **안정 지괴**
지구 위에서 처음에 육지화된 토지로, 원생대의 조산 운동으로 육지화되고, 고생대 이후는 큰 지각 운동을 받지 않은 안정된 땅덩어리

수능 응용

3 지도는 최종 빙기와 후빙기의 해안선을 나타낸 것이다. (가), (나) 시기와 관련된 추론으로 가장 적절한 것은?(단, ㉠, ㉡ 지점은 현재의 한강 상류와 하류 지점 중 하나이다.)

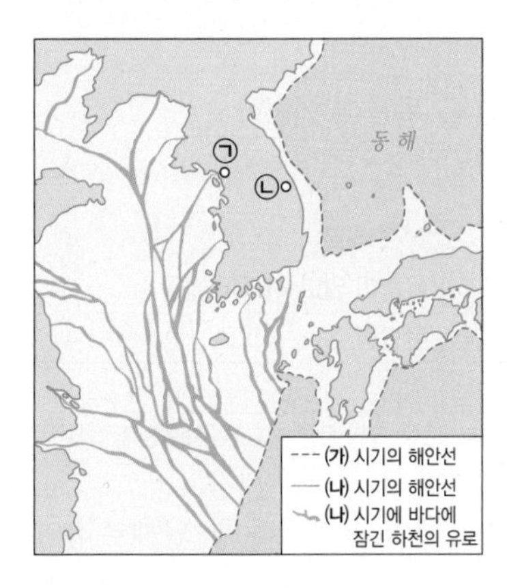

① (가) 시기는 (나) 시기보다 물리적 풍화 작용이 활발할 것이다.
② (가) 시기에 ㉠ 지점은 (나) 시기보다 해발 고도가 낮을 것이다.
③ (가) 시기에 ㉡ 지점은 (나) 시기보다 하천의 침식 작용이 활발할 것이다.
④ (나) 시기에 ㉠ 지점은 (가) 시기보다 하천 충적층의 두께가 얇을 것이다.
⑤ (나) 시기에 ㉡ 지점은 (가) 시기보다 식생의 밀도가 낮을 것이다.

> 기후 변화에 따른 지형 형성

완자샘의 시험 꿀팁

신생대 제4기 기후 변화에 따른 지형 형성에 대해 묻는 문제가 출제된다. 빙기와 간빙기(후빙기)에 각각 우세한 특징을 정리해야 한다.

4 자료는 산지의 고도별 분포와 각 산지의 동서 단면도를 나타낸 것이다. 이에 대한 옳은 설명만을 〈보기〉에서 있는 대로 고른 것은?

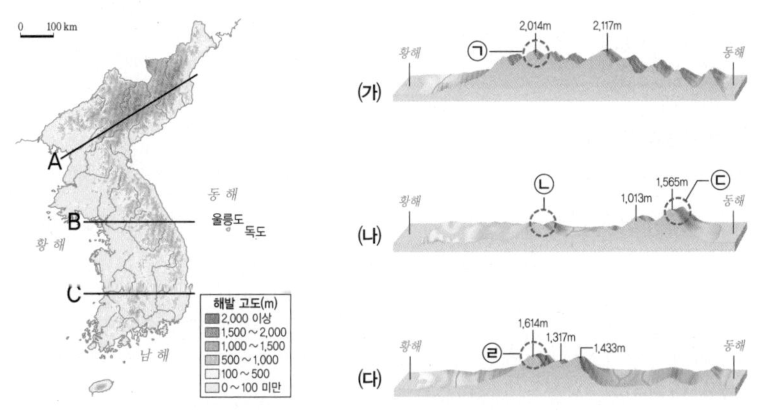

보기

ㄱ. (가)는 B, (나)는 A, (다)는 C의 동서 단면도를 나타낸 것이다.
ㄴ. ㉠산의 산맥은 ㉡산의 산맥보다 산지의 연속성이 뚜렷하다.
ㄷ. ㉡산은 지질 구조선을 따라 차별 침식으로 형성된 2차 산맥의 일부이다.
ㄹ. ㉢산은 한국 방향, ㉣산은 중국 방향으로 뻗은 산맥의 일부이다.

① ㄱ, ㄴ　② ㄱ, ㄹ　③ ㄴ, ㄷ
④ ㄱ, ㄴ, ㄹ　⑤ ㄴ, ㄷ, ㄹ

> 산지 지형의 형성과 분포

완자샘의 시험 꿀팁

1차 산맥과 2차 산맥의 형성 원인 및 특징을 비교하여 정리하고, 지도에서 1차 산맥의 위치를 파악해 둔다.

02 하천 지형과 해안 지형

학습 목표
- 우리나라 하천의 특성을 이해하고 인간 생활 모습을 제시할 수 있다.
- 해안 지형의 형성 과정을 알고 인간의 간섭에 의해 발생하는 문제점을 파악할 수 있다.

1 하천의 특성

1. 하천의 이해

(1) **하계망**: 하천의 본류와 이에 합류하는 여러 개의 지류를 통틀어 의미함

우리나라의 하계망은 산맥과 지질 구조선의 영향을 받아 주로 서쪽으로 뻗어 있어.

(2) **하천 상·하류의 특성 비교**

구분	하천 상류	하천 하류
유량과 하폭	유량이 적고 하폭이 좁음	유량이 많고 하폭이 넓음
하천 바닥의 경사	급함	완만함
퇴적물의 평균 입자 크기	큼	작음

하류로 가면서 퇴적물의 입자 크기가 작아지고 퇴적물의 둥근 정도인 원마도는 높아져.

2. 우리나라 하천의 특성 자료①

(1) **주요 하천의 유로와 특성**: 대부분의 큰 하천은 황·남해로 유입, 동해보다 황·남해로 유입하는 *하천의 유역 면적이 넓으며 유로가 길고 유량이 많음

왜? 경동성 요곡 운동의 영향으로 산맥이 동쪽에 치우쳐 있고, 지질 구조선은 대부분 남서쪽으로 뻗어 있기 때문이야.

(2) **계절에 따라 유량 변동이 큰 하천**: 우리나라 하천은 *하상계수가 큰 편

① 원인: 여름철 강수 집중, 좁은 유역 면적 등

② 영향: 여름철에 홍수가 잦으며 수력 발전과 하천 교통에 불리함

③ 대책: 저수지·댐 등의 저수 시설 건설, 산림 녹화 등을 통해 유량을 조절함

(3) **감조 하천**: 밀물과 썰물의 영향으로 수위가 주기적으로 변하는 하천 — 과거에는 하천 수운으로 이용하기도 했어.

① 피해: 밀물 때 바닷물이 역류하여 염해 발생, 홍수 피해 증가

② 대책: 금강, 낙동강, 영산강 하구에 하굿둑 건설 → 염해 방지, 용수 확보, 교통로 활용

밀물 때 집중 호우가 내리면 강물이 잘 빠지지 않아 홍수 피해 범위가 확대될 수 있어.

이것이 핵심!

우리나라 하천의 특성

유로의 방향	산맥과 지질 구조선의 영향으로 대부분 황·남해로 유입
유량 변동	계절에 따른 유량 변동이 큼 → 하상계수가 큰 편
감조 하천	바닷물이 역류하여 염해 발생 → 하굿둑 건설

★ **하천 유역**

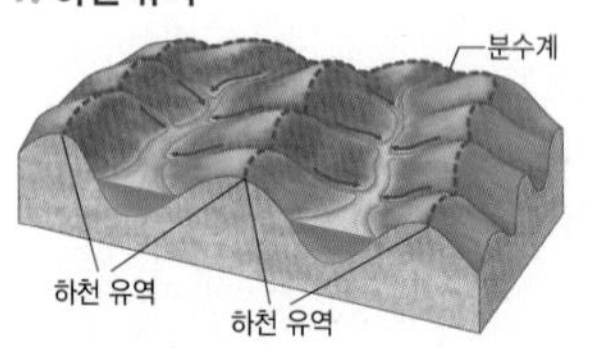

하계망을 통해 물이 모여드는 전체 범위를 말하며, 유역과 유역의 경계를 분수계라고 한다.

★ **하상계수**

하천의 최소 유량을 1로 했을 때의 최대 유량 비율

2 하천 지형의 형성

1. 하천 중·상류에 발달하는 지형

(1) **감입 곡류 하천**: 하천의 중·상류에서 산지 사이의 골짜기를 구불거리며 흐르는 하천 자료②

① 형성: 신생대 경동성 요곡 운동으로 지반이 융기하면서 *하방 침식이 강화되어 형성

② 이용: 하천 주변 경관이 뛰어나 각종 레포츠나 관광 산업 발달

(2) **하안 단구**: 하천 주변에 분포하는 계단 모양의 지형 자료②

과거 강바닥이었던 곳이므로, 하천 퇴적 물질인 모래나 둥근 자갈을 볼 수 있어.

① 형성: 과거의 하상이나 범람원이 지반 융기 또는 해수면 변동과 하천의 침식을 받아 형성

② 이용: 단구면은 고도가 높아 홍수 위험성이 작음 → 취락, 농경지, 교통로 등으로 이용

(3) **침식 분지** 자료③

변성암이나 퇴적암이 화강암을 둘러싸고 있는 지역이나 하천의 합류 지역에 잘 발달해.

① 형성: 주변이 산지로 둘러싸인 평지로, 암석의 차별적인 풍화와 침식으로 형성

② 이용: 일찍부터 주거와 농경의 중심지로 발달 예 춘천, 양구, 충주, 안동 등

(4) ***선상지**: 계곡 입구의 경사 급변점에 하천 유속 감소로 형성된 부채 모양의 퇴적 지형

선정	정상부	계곡 물을 얻을 수 있어 마을 입지(곡구 취락)
선앙	중앙부	하천이 복류하여 지표수 부족 → 밭·과수원으로 이용
선단	말단부	용천이 분포 → 취락이 입지하거나 논으로 이용

우리나라는 높은 산지가 적고 오랜 침식으로 경사 급변점이 적어 발달이 미약해.

이것이 핵심!

다양한 하천 지형

하천 중·상류		하천 중·하류
• 감입 곡류 하천 • 하안 단구 • 침식 분지 • 선상지	⇔	• 자유 곡류 하천 • 범람원 • 삼각주

★ **하방 침식**

하천의 바닥을 깎는 작용으로 하천의 경사가 급한 상류에서 활발하여 하곡을 깊게 형성한다.

★ **선상지 모식도**

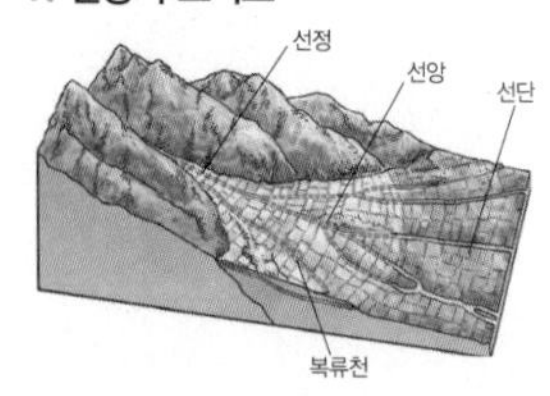

내 옆의 선생님

자료 1 우리나라 하천 분포와 하상계수

⊙ 우리나라 하천의 분포

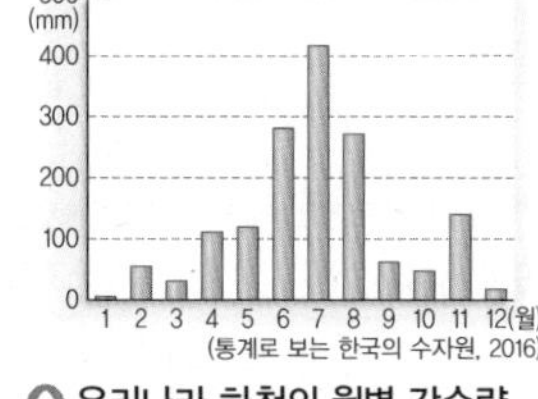

⊙ 우리나라 하천의 월별 강수량

하천의 유역 면적을 가중치로 고려하여 얻어진 평균 강수량이야.

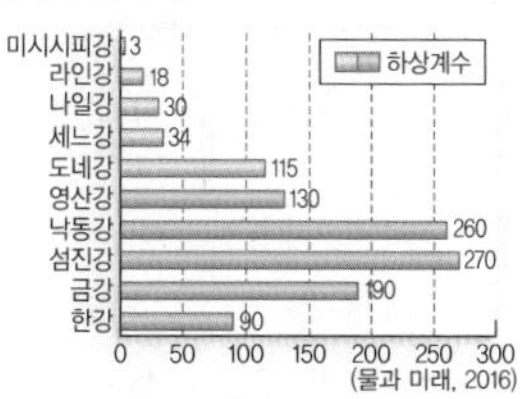

⊙ 주요 하천의 하상계수

우리나라는 경동 지형과 남서쪽으로 발달한 지질 구조선의 영향으로 대부분의 큰 하천이 황·남해로 유입한다. 또한 우리나라 하천은 계절에 따른 강수량의 차이가 크고 세계의 주요 하천보다 유역 면적이 좁아서 하상계수가 크다. 따라서 수운 발달에 불리하고 물 자원을 안정적으로 공급하기 어렵다.

자료 하나 더 알고 가자!

감조 하천과 하굿둑

⊙ 금강 하굿둑

조차가 큰 황해나 남해로 흘러드는 하천 하구 부근에는 밀물 때 바닷물이 역류하는 감조 구간이 나타나 염해가 발생하거나 홍수 피해가 증가하기도 한다. 이를 막기 위해 영산강, 금강, 낙동강 등 감조 하천의 하구에 하굿둑을 건설하였다.

자료 2 감입 곡류 하천과 하안 단구의 형성

⊙ 감입 곡류 하천

하천의 하방 침식에 의해 깊은 골짜기가 형성되면서 과거의 강바닥이나 범람원이었던 지역이 계단 모양으로 남게 된 거야.

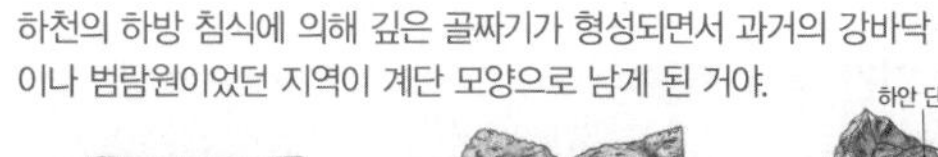

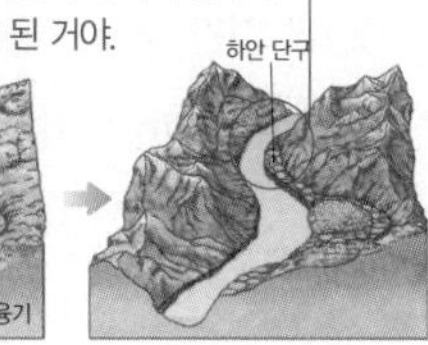

⊙ 하안 단구의 형성 과정

하천 중·상류에는 산지 사이를 굽이쳐 흐르는 곡류 하천이 발달한다. 신생대 제3기 경동성 요곡 운동으로 지반이 융기한 이후 형성된 감입 곡류 하천은 하방 침식이 활발하게 일어나며 이 과정에서 하안 단구가 발달하기도 한다.

문제로 확인할까?

하안 단구에 대한 설명으로 옳지 않은 것은?

① 모래와 둥근 자갈이 발견된다.
② 고도가 낮아 홍수 위험이 크다.
③ 감입 곡류 하천 주변에 발달한다.
④ 취락, 농경지, 도로 등으로 이용된다.
⑤ 과거에 강바닥이거나 범람원이었던 지역이다.

② 답

자료 3 침식 분지의 발달(강원도 춘천)

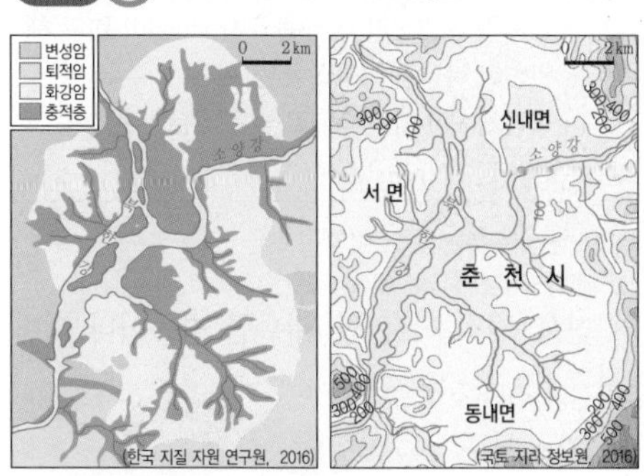

⊙ 지질도 ⊙ 지형도

조직이 치밀하고 단단한 편마암(변성암)은 풍화와 침식을 견디고 산지를 이룬 반면 중앙의 화강암은 침식을 많이 받아 평지를 형성하였어.

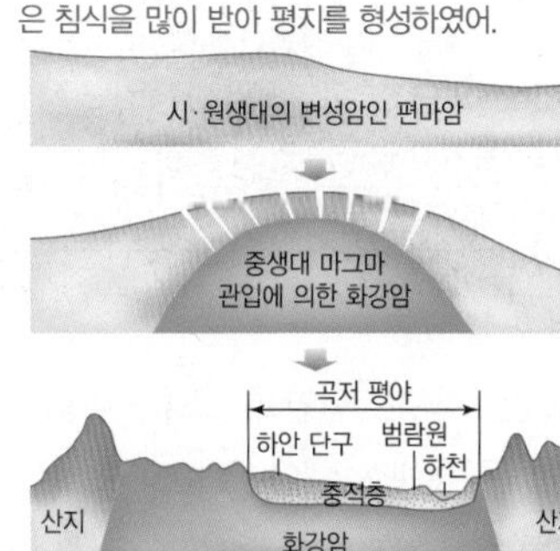

⊙ 침식 분지의 형성 과정

침식 분지는 하천의 중·상류에서 암석의 차별적인 풍화·침식이나 하천의 침식으로 형성된다. 춘천의 경우 변성암과 퇴적암이 기반암을 이룬 곳에 화강암이 관입하고 이후 화강암 지역이 주변 지역보다 더 빠르게 풍화와 침식을 받아 침식 분지가 형성되었다.

문제로 확인할까?

춘천의 침식 분지에서 평지 부분의 기반암을 이루는 암석은?

① 화강암 ② 현무암
③ 변성암 ④ 퇴적암
⑤ 석회암

① 답

02 하천 지형과 해안 지형

★ **측방 침식**
하천의 양쪽 측면을 깎는 작용. 하천의 경사가 완만한 하류에서 활발하다.

★ **우각호**
하천이 유로를 변경하면서 곡류 하천의 목 부분이 절단되어 형성된 소뿔 모양의 호수

★ **직강 공사**
곡류하는 하천 양안에 인공 제방을 쌓아 유로를 직선으로 만드는 공사

★ **생태 하천**
하천이 지닌 본래의 자연성과 생태적 기능이 최대화될 수 있도록 인공적인 생태계 요인을 제거한 하천

2. 하천 중·하류에 발달하는 지형 교과서 자료

(1) **자유 곡류 하천**: 하천의 중·하류에서 평야 위를 자유롭게 구불거리며 흐르는 하천

① 특징: *측방 침식이 활발하여 유로 변경이 심함 → 하중도, *우각호, 구하도 등 발달

② 변화: 홍수 예방과 농경지 정비를 위한 *직강 공사로 자유 곡류 하천이 많이 사라짐

(2) **범람원**: 하천의 범람에 의해 운반 물질이 퇴적되어 형성된 지형

구분	자연 제방	배후 습지
위치와 고도	하천 가까이 위치하며 해발 고도가 높음	자연 제방 뒤쪽에 위치하며 해발 고도가 낮음
토양	모래질 토양 → 배수 양호	점토질 토양 → 배수 불량
토지 이용	밭, 과수원 등으로 이용, 취락 입지	배수 시설을 갖춘 후 논으로 이용

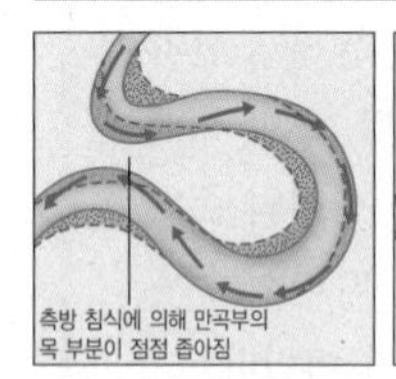

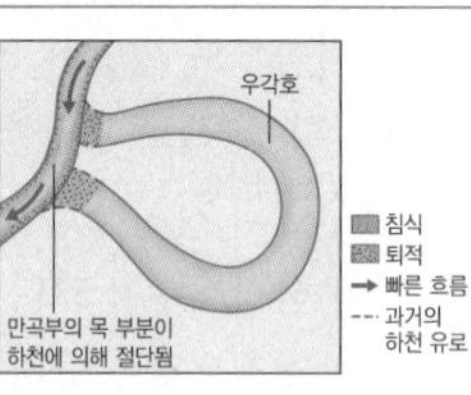

하천의 유로 변경

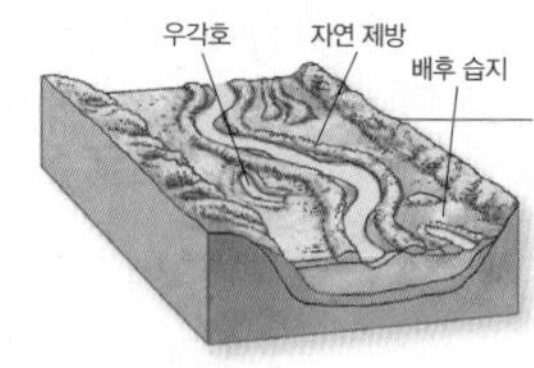

범람원은 하천 중·하류의 자유 곡류 하천 주변에서 잘 나타나며, 자연 제방과 배후 습지로 구성되어 있어.

범람원 모식도

(3) **삼각주**: 하천 하구에서 유속 감소로 토사가 쌓여 형성된 지형

우리나라는 대부분의 큰 하천이 조차가 큰 황해나 남해로 유입되어 하구에서 퇴적 물질이 쉽게 제거되기 때문에 삼각주의 발달이 미약한 편이야.

① 특징: 조류에 의해 제거되는 토사의 양보다 하천이 공급한 토사의 양이 많은 곳에 발달

② 분포 및 이용: 낙동강 하구 → 농경지로 활용, 취락은 주로 자연 제방에 입지

3. 하천 지형과 인간 생활 자료④

(1) **인간 활동에 의한 하천 지형 변화**: 댐 건설로 수몰 지역 발생 및 안개 증가, 하천 직강화로 홍수 위험 증가, 방조제·하굿둑 건설로 물 오염 심화 등

댐 – 물 자원 확보, 전력 생산 등을 목적으로 건설되었어.

(2) **대책**: 하천 주변의 습지 보호, *생태 하천 복원 사업 진행 등

이것이 **핵심!**

동해안과 서·남해안

동해안	서·남해안
산맥과 해안선이 평행하게 발달	산맥과 해안선이 교차하여 발달
↓	↓
단조로운 해안선	복잡한 해안선

3 해안 지형의 형성

1. 우리나라 동해안과 서·남해안 비교 자료⑤

구분	동해안	서·남해안
특징	• 산맥과 해안선이 평행하게 발달 → 섬이 적고 해안선이 단조로움(태백산맥과 함경산맥의 영향이 커.) • 지반 융기의 영향을 많이 받음	• 산맥과 해안선이 대체로 교차 → 섬이 많고 해안선이 복잡함(리아스 해안) • 후빙기 해수면 상승으로 낮은 부분이 침수됨
주요 지형	해안 단구, 석호 등	갯벌 등

리아스 해안 – 높은 산지 부분은 곶이나 반도, 섬 등으로 남았고, 산지 사이의 골짜기 부분은 침수되어 만으로 발달하였어.

★ **연안류**
해안을 따라 평행하게 이동하는 바닷물의 흐름

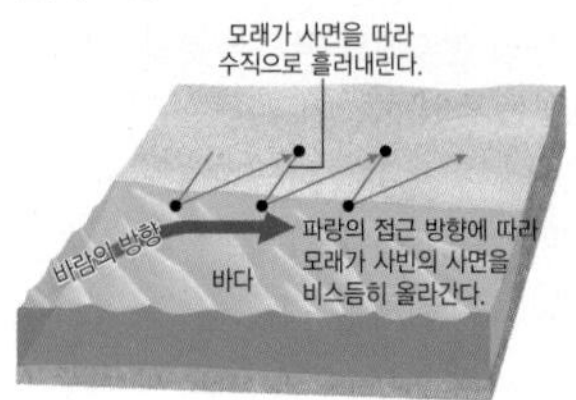

2. 해안 지형의 형성 요인

(1) **주요 형성 요인**: 파랑, *연안류, 조류, 바람 등의 침식·퇴적 작용 및 해수면 변동이나 지반 운동 → 다양한 형태의 해안선과 해안 지형 형성

조류 – 달과 태양의 인력에 의한 바닷물의 흐름으로 밀물 때는 육지 쪽으로, 썰물 때에는 바다 쪽으로 흘러.

(2) 곶과 만에서의 지형 형성 작용

구분	곶	만
형태	육지가 바다 쪽으로 돌출한 해안	바다가 육지 쪽으로 들어간 해안
특징	파랑 에너지가 집중하여 침식 작용 활발 → 암석 해안 발달	파랑 에너지가 분산하여 퇴적 작용 활발 → 모래 해안·갯벌 해안 발달

만 곶 파랑 에너지 파정선

곶과 만

시간이 지나면서 곶은 침식에 의해 육지 쪽으로 후퇴하고 만은 퇴적 작용에 의해 바다 쪽으로 성장해.

완자 자료 탐구

내 옆의 선생님

수능이 보이는 교과서 자료 다양한 하천 지형

(가) 선상지

(나) 범람원

(다) 삼각주

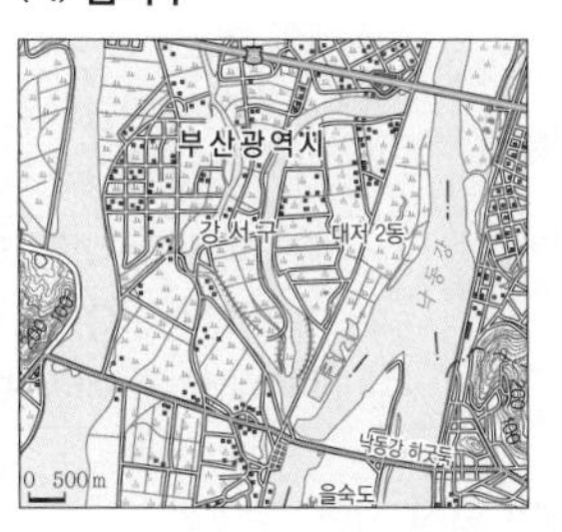

선상지, 범람원, 삼각주는 하천의 퇴적 작용으로 형성되는 지형이다. 산지와 평지가 만나 경사가 급변하는 곳에는 하천의 유속이 감소하면서 퇴적물이 쌓여 부채꼴 모양의 선상지가 형성된다. 하천 중·하류에 형성되는 범람원은 우리나라 평야 지대의 하천 양안에서 주로 볼 수 있는데, 자연 제방과 배후 습지로 이루어지며 토양이 비옥하여 농경지로 이용된다. 삼각주는 하천이 바다와 만나는 하구에서 유속의 감소로 퇴적물이 쌓여 형성되며, 우리나라에서는 낙동강 하구의 삼각주가 대표적이다.

완자샘의 탐 구 강 의

- **(가), (다) 지형이 우리나라에서 잘 발달하지 않는 이유를 써 보자.**

우리나라는 높은 산지가 적고 오랜 침식으로 경사 급변점이 적어 선상지 발달이 미약하다. 또한 우리나라의 하천은 대부분 황·남해로 유입하는데 이곳은 조차가 커서 조류가 퇴적물을 쓸어가기 때문에 삼각주가 발달하기 어렵다.

- **(나)에서 자연 제방과 배후 습지를 찾아보자.**

자연 제방은 하천 가까이의 밭농사 지역이며, 배후 습지는 자연 제방 뒤쪽에 위치한 논농사 지역이다.

함께 보기 60쪽, 1등급 정복하기 3

자료 4 인간 활동으로 인한 하천의 변화

(Introducing Physical Geography, 2013)

하천 수위 ↑

도시화 후의 하천 유출 곡선

도시화 전의 하천 유출 곡선

강우 발생 / 강우 시작 후 경과 시간 →

도시화에 따른 하천의 유출량 변화

과거 교통로로 활용하기 위해 복개했던 청계천은 생태 하천으로 복원을 진행하여 현재는 도심 속 휴식 공간으로 변했어.

복원 전 청계천

복원 후 청계천

도시화 이후 포장 면적의 증가로 빗물이 지하로 흐르지 않고 하천으로 유출되면서 하천의 최고 수위는 도시화 전에 비해 상승하였다. 또한 강우 시작 후 최고 수위에 도달하는 시간은 짧아져 도시화 전에 비해 홍수 발생 위험이 커졌다. 이에 따라 최근에는 도시화 과정에서 훼손된 하천을 정비하여 생태 하천으로 복원하려는 노력이 활발히 진행되고 있다.

정리 비법을 알려줄게!

도시화 이전과 이후의 하천 변화

구분	도시화 이전	도시화 이후
빗물 유출량	적다	많다
하천 수위	낮다	높다
최고 수위 도달 시간	길다	짧다

자료 5 서·남해안과 동해안의 해안선 비교

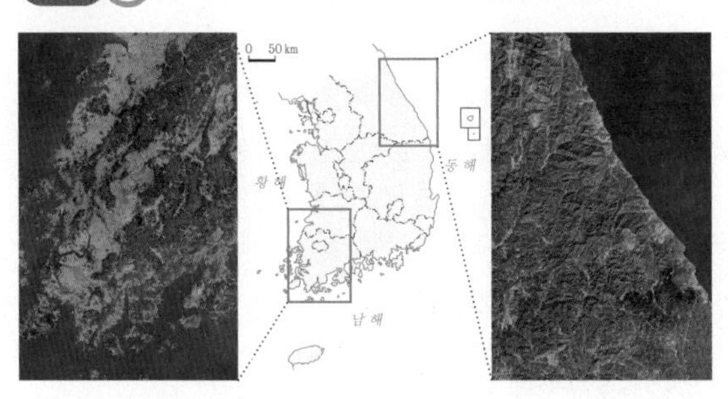

서·남해안은 해안선과 교차하는 산맥에서 뻗어 나온 골짜기가 바닷물에 침수되어 복잡한 해안선을 이루며, 동해안은 해안선과 평행으로 뻗은 산맥의 영향으로 단조로운 해안선을 이룬다.

문제로 확인할까?

서·남해안과 비교한 동해안의 특징으로 옳은 것은?

① 리아스 해안을 이룬다.
② 섬이 적고 해안선이 단조롭다.
③ 차령산맥의 영향을 크게 받았다.
④ 해수면 상승으로 침수되어 형성되었다.
⑤ 해안선과 산맥이 대체로 교차하여 발달한다.

② 답

02 하천 지형과 해안 지형

이것이 핵심!

다양한 해안 지형

해안 침식 지형	• 암석 해안에서 발달 • 해식애, 해식동, 파식대, 시 스택, 해안 단구
해안 퇴적 지형	• 모래 해안: 사빈, 사주, 해안 사구, 석호, 육계도 • 갯벌 해안: 조차가 큰 서·남해안에 발달

★ 해안 사구

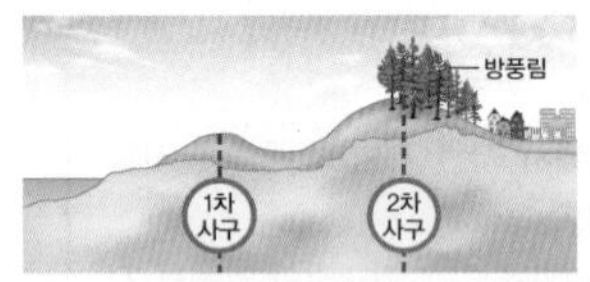

해안 사구는 다양한 동식물의 서식지가 되며, 태풍이나 해일 피해를 완화해 주는 자연 방파제 역할을 한다. 해안 사구 밑에는 모래에 의해 정수된 지하수가 있다.

└ 해안 사구에 퇴적되어 있는 모래의 평균 입자 크기는 사빈보다 작은 편이야.

4 해안 침식 지형과 해안 퇴적 지형

1. 해안 침식 지형 자료 ⑥

┌ 바다로 돌출한 곳에서는 파랑의 침식 작용이 활발하여 암석 해안이 발달하고, 다양한 침식 지형이 형성돼.

해식애	파랑의 침식 작용으로 형성된 해안 절벽
해식동	해식애의 하단부 중 약한 부분이 깊게 파여 형성된 해안 동굴
파식대	• 해식애 전면에 파랑의 침식 작용으로 형성된 비교적 평탄한 지형 • 해식애가 육지 쪽으로 후퇴하면서 점차 넓어짐
시 스택	해식애가 후퇴하는 과정에서 침식을 견디고 남은 돌기둥 혹은 작은 바위섬
해안 단구	• 파식대가 지반의 융기나 해수면 하강으로 현재 해수면보다 높은 곳에 형성된 계단 모양의 지형 • 단구면은 비교적 평탄하여 농경지, 교통로 등으로 이용되거나 취락이 형성되기도 함

파랑의 침식 작용으로 바위가 뚫려 아치 형태를 이루면 시 아치라고 해.

2. 해안 퇴적 지형 자료 ⑥

┌ 주로 만에서 파랑, 연안류, 조류 등의 퇴적 작용으로 발달해.

(1) 모래 해안

겨울철 북서풍의 영향을 많이 받는 서해안에서 규모가 큰 편이야.

사빈	하천 또는 주변의 암석 해안으로부터 공급된 모래가 파랑이나 연안류의 작용으로 퇴적되어 형성
사주	사빈의 모래가 연안류를 따라 이동하여 길게 퇴적되어 형성
*해안 사구	• 사빈의 모래가 바다로부터 불어오는 바람에 날려 사빈의 배후에 퇴적되어 형성된 모래 언덕 • 배후 농경지와 마을을 보호하기 위해 인공적으로 방풍림을 조성하기도 함
석호 자료 ⑦	• 후빙기 해수면 상승으로 형성된 만의 입구에 사주가 발달하여 형성된 호수 • 동해안에 주로 발달해 있으며 관광 자원으로 활용됨 예 경포호, 영랑호, 청초호 등
육계도	사주에 의해 육지와 연결된 섬, 육계도와 연결된 사주를 육계 사주라고 함

(2) **갯벌 해안**: 밀물 때는 바닷가에 잠기고 썰물 때는 물 위로 드러나는 지형

① 형성: 하천에 의해 운반된 점토 등이 조류에 의해 퇴적되어 형성

② 분포: 조차가 크고 파랑의 작용이 약하며 바닷속 경사가 완만한 해안

┌ 우리나라 서·남해안은 이러한 조건을 갖추고 있어 세계 5대 갯벌 중 하나로 꼽히고 있어.

③ 기능: 다양한 생물 종이 서식하는 생태계의 보고, 각종 오염 물질 정화 등

└ 왜? 육지와 바다로부터 유기물과 영양 염류를 공급받기 때문이야.

이것이 핵심!

해안 지형의 변화와 보존

인간에 의한 변화	• 간척 사업 → 어족 자원 고갈, 해양 오염 심화 • 해안 시설물 건설 → 해안 침식 가속화
보존 노력	역간척 사업 실시, 해안 침식 방지를 위한 구조물 설치 등

★ 뜬다리 부두(군산)

썰물 때 물이 빠지더라도 다리가 바닷물의 수위에 따라 내려가 부두에 배가 정착할 수 있게 만든 시설물

5 해안 지형과 인간 생활

1. 해안의 이용

┌ 왜? 우리나라의 해안은 육상 및 해상 교통에 유리하고 원료의 수입과 제품 수출에 유리한 이점을 갖고 있어.

(1) **수산 가공업 발달**: 삼면이 바다로 둘러싸여 수산 자원 풍부 → 해안 곳곳에 항구 발달

(2) **산업 시설 발달**: 무역항 발달 → 대규모 임해 공업 지역 입지 예 부산, 인천, 여수, 울산 등

(3) **특수 시설 설치**: 조차가 커 항구 발달에 불리한 서해안에 갑문이나 *뜬다리 부두 설치

└ 갑문: 바닷물의 수위를 일정하게 유지해 선박을 안정적으로 육지에 댈 수 있게 만든 시설물

(4) **관광 산업**: 경관이 뛰어난 해안에는 관광 시설이 입지함

(5) **해양 에너지 활용**: 큰 조차를 활용한 조력 발전소, 강한 바람을 이용한 풍력 발전소 등

2. 인간 활동에 따른 해안 지형의 변화

(1) 해안 지형의 변화

인천광역시에서는 간척지를 개발한 후 그 위에 주거 단지와 국제 업무 단지 등을 건설하였어.

간척 사업	• 국토 면적 확대: 서·남해안의 갯벌을 메우고 농경지, 주택, 공장 부지 등으로 활용 • 해양 생태계 교란, 어족 자원 고갈, 해양 오염 심화 등 다양한 문제 발생
해안 시설물 건설	항구 시설 확장, 도로 건설, 무분별한 관광지 개발 등 → 해안 침식 문제 심화

(2) **해안 보존을 위한 노력**: 역간척 사업 실시, 해안 침식 방지를 위해 그로인과 모래 포집기 설치, 환경 영향 평가 실시 등 자료 ⑧

└ 그로인: 바다 쪽으로 일정한 간격을 두고 축조한 인공 구조물로 파랑과 연안류에 의해 쓸려 나가는 모래를 잡아 주는 역할을 해.

완자 자료 탐구

내 옆의 선생님

자료 6 다양한 해안 지형

파식대(전라북도 부안군)

해안 단구(강원도 강릉시)

육계도(제주특별자치도 서귀포시)

파랑의 침식 작용이 탁월한 곳에서는 해식애, 해식동, 파식대, 시 스택, 해안 단구 등이 나타나는 암석 해안이 발달한다. 반면 파랑·연안류·바람·조류 등의 퇴적 작용이 탁월한 만에서는 사빈, 해안 사구, 사주, 석호 등이 나타나는 모래 해안과 갯벌 해안이 발달한다.

자료 7 석호의 형성 과정

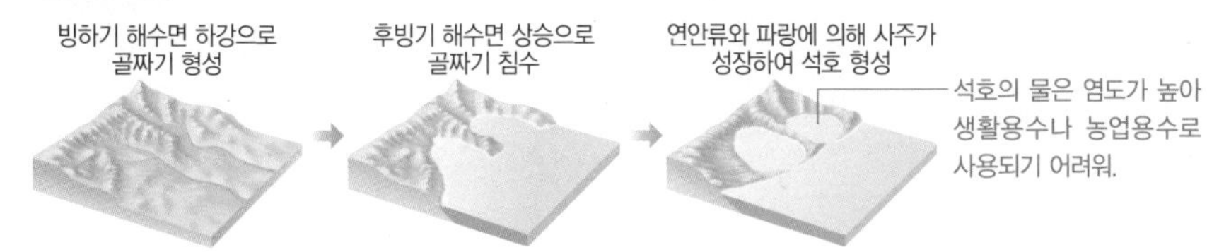

석호는 후빙기 해수면 상승으로 형성된 만의 입구에 사주가 발달하여 형성된다. 자연 호수인 석호는 시간이 지남에 따라 하천에 의한 토사 유입으로 수심이 얕아지고 규모가 축소되며, 최근에는 개발과 매립으로 농경지나 시가지로 변화하기도 한다.

자료 8 해안 보존을 위한 노력

동해안의 강원도와 경상북도 지역은 해안 침식이 많이 진행되어 해안 도로는 물론 건물 붕괴 위험도 커지고 있어.

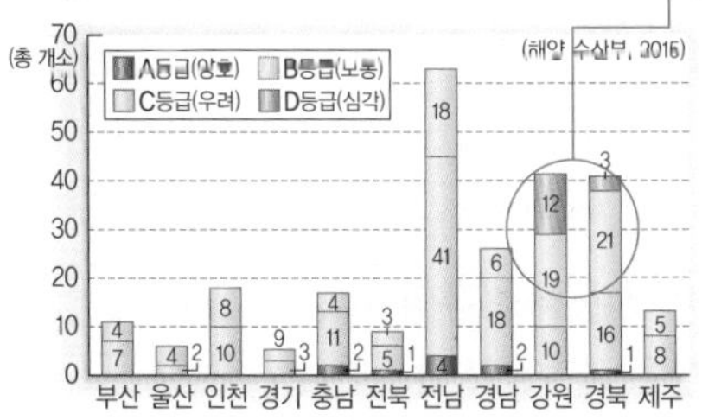

시·도별 연안 침식 현황

모래를 모으기 위해 설치한 인공 구조물로 나무 막대를 촘촘하게 엮어 만드는 경우가 많아.

모래 포집기(충청남도 태안군)

최근 무분별한 개발로 파괴된 해안을 보존하기 위한 다양한 노력이 이루어지고 있다. 사빈의 모래가 침식되는 것을 막기 위해 모래 포집기나 그로인을 설치하고, 사구의 침식을 막기 위해 식생을 정착시키는 사업도 이루어지고 있다.

자료 하나 더 알고 가자!

해안 단구의 형성 과정

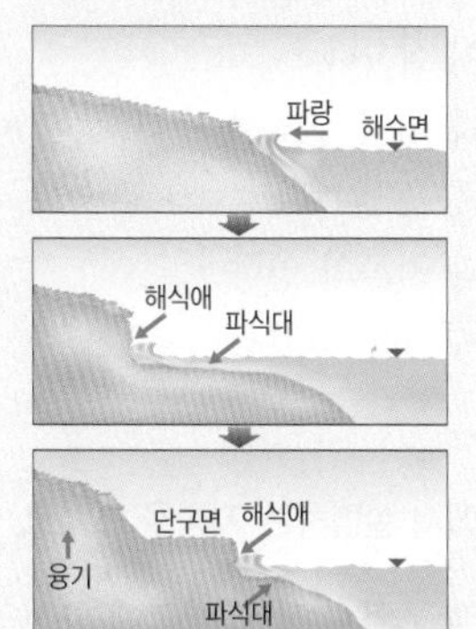

해안 단구는 지반의 융기로 파식대가 육지로 드러난 지형으로, 서해안보다 융기량이 많았던 동해안에 많이 분포한다. 단구면은 과거 바닷물의 영향을 직접적으로 받은 곳으로 둥근 자갈 등이 발견되기도 한다.

문제로 확인할까?

지도의 A 지형에 대한 설명으로 옳은 것은?

① 서해안에 주로 발달한다.
② 밀물 때 바닷물에 잠긴다.
③ 해수면 하강으로 형성되었다.
④ 파랑의 침식 작용으로 형성되었다.
⑤ 시간이 지남에 따라 규모가 작아진다.

⑤ 답

문제로 확인할까?

해안 침식 방지를 위해 바다 쪽으로 일정한 간격을 두고 축조한 인공 구조물은?

① 갑문 ② 그로인
③ 방조제 ④ 하굿둑
⑤ 뜬다리 부두

② 답

정답친해 13쪽

STEP 1 핵심 개념 확인하기

1 우리나라 하천의 특성과 그에 따른 영향을 옳게 연결하시오.

(1) 계절에 따른 유량의 변동이 심하다. •   • ㉠ 하상계수가 커 수운 발달에 불리하다.

(2) 산맥과 지질 구조선의 영향을 받는다. •   • ㉡ 바닷물이 역류하여 염해가 발생한다.

(3) 밀물과 썰물의 영향으로 수위가 변한다. •   • ㉢ 대부분의 하천이 황·남해로 유입한다.

2 다음에서 설명하는 지형을 쓰시오.

(1) 계곡 입구의 경사 급변점에 하천의 유속 감소로 형성된 부채 모양의 지형이다. (　　　)

(2) 하천 하구에서 유속 감소로 토사가 쌓여 형성되며 낙동강 하구에 발달하였다. (　　　)

(3) 주위가 산지로 둘러싸인 평지로 암석의 차별적인 풍화·침식이나 하천의 침식으로 형성된다. (　　　)

3 ㉠, ㉡에 들어갈 용어를 각각 쓰시오.

> 범람원의 (㉠　　　)은 고도가 높고 모래질 토양으로 구성되어 있어 배수가 양호하며 밭, 과수원 등으로 이용된다. 반면 (㉡　　　)는 고도가 낮고 점토질 토양으로 구성되어 있어 배수가 불량하며 배수 시설을 갖춘 후 논으로 이용된다.

4 다음 설명의 상대적 특성이 만에 대한 것이면 '만', 곶에 대한 것이면 '곶'이라고 쓰시오.

(1) 바다가 육지 쪽으로 들어간 해안이다. (　　)

(2) 해식애와 해식동, 파식대 등이 발달한다. (　　)

(3) 파랑 에너지의 집중으로 침식 작용이 활발하다. (　　)

5 해안 침식 지형과 해안 퇴적 지형을 〈보기〉에서 골라 기호를 쓰시오.

> **보기**
> ㄱ. 사빈　　ㄴ. 석호　　ㄷ. 시 스택　　ㄹ. 해안 단구

(1) 해안 침식 지형 (　　　)

(2) 해안 퇴적 지형 (　　　)

STEP 2 내신 만점 공략하기

01 지도는 한강 유역을 나타낸 것이다. (가) 지점과 비교한 (나) 지점의 상대적 특징을 그림의 A~E에서 고른 것은?

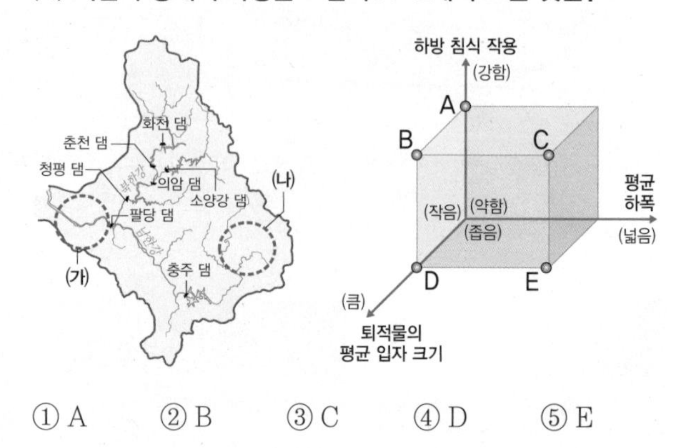

① A　② B　③ C　④ D　⑤ E

02 중요 지도는 우리나라 하천의 분포를 나타낸 것이다. 이에 대한 설명으로 옳은 것은?

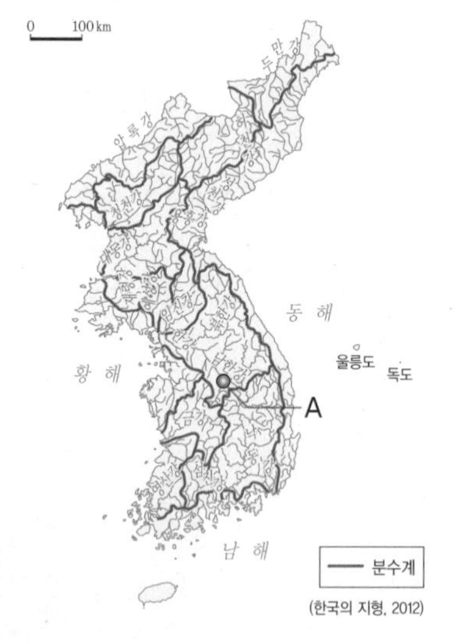

(한국의 지형, 2012)

① 대부분의 큰 하천은 동해로 유입한다.
② A에 떨어진 빗물은 금강으로 유입한다.
③ 한강의 유역 면적은 영산강의 유역 면적보다 넓다.
④ 동해보다 황·남해로 흐르는 하천의 경사가 급하다.
⑤ 섬진강은 낙동강보다 발원지에서 하구까지의 길이가 길다.

03 다음은 한국지리 수업 장면이다. 교사의 질문에 옳게 답한 학생을 〈보기〉에서 고른 것은?

보기
갑: 군산시와 서천군에 전력을 공급해 줍니다.
을: 수문이 있어 내륙 수운으로 활용되고 있습니다.
병: 군산시와 서천군의 육상 교통로로 활용되고 있습니다.
정: 바닷물의 역류로 인한 염해를 방지하기 위해 만들었습니다.

① 갑, 을 ② 갑, 병 ③ 을, 병
④ 을, 정 ⑤ 병, 정

04 지도에 나타난 지역에 대한 옳은 설명을 〈보기〉에서 고른 것은?

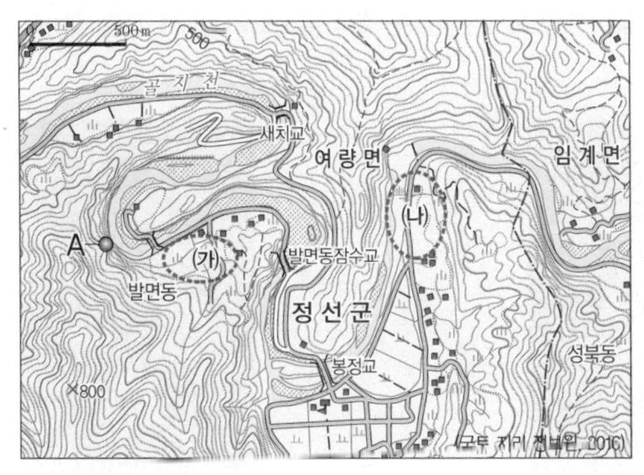

보기
ㄱ. A 주변은 유속이 느려 퇴적 작용이 활발하다.
ㄴ. (가)에서는 둥근 자갈과 모래가 나타난다.
ㄷ. (가)는 (나)보다 범람에 의한 침수 가능성이 높다.
ㄹ. 골지천은 신생대 제3기 경동성 요곡 운동의 영향을 받았다.

① ㄱ, ㄴ ② ㄱ, ㄷ ③ ㄴ, ㄷ
④ ㄴ, ㄹ ⑤ ㄷ, ㄹ

05 자료는 춘천의 지질도와 지형도를 나타낸 것이다. 이에 대한 설명으로 옳은 것은?

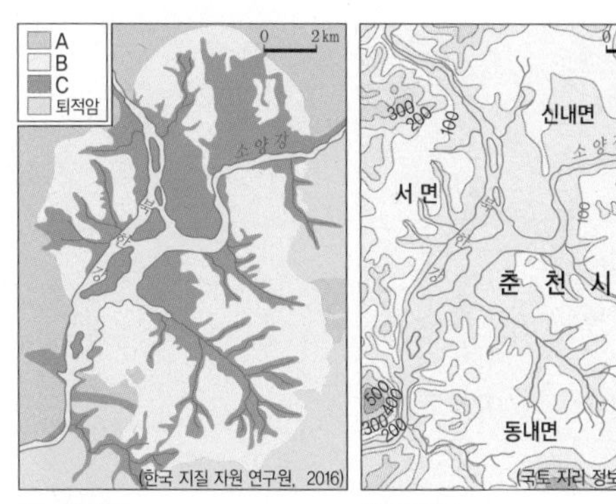

지질도 지형도

① 하천은 서남쪽에서 동북쪽으로 흐른다.
② 지반 융기 이후 평탄한 기복을 유지하는 지형이다.
③ C는 마그마가 관입하여 형성되었다.
④ A는 B보다 풍화와 침식에 강한 암석이다.
⑤ B는 C보다 형성된 시기가 늦다.

중요
06 지도에 나타난 지형에 대한 설명으로 옳은 것은?

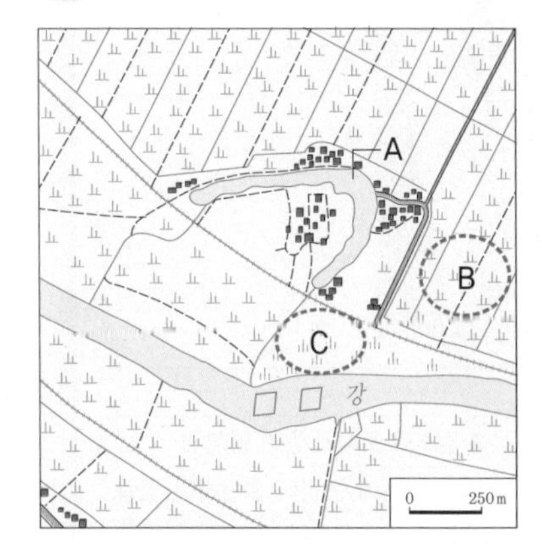

① 하천의 중·상류에서 주로 볼 수 있는 지형이다.
② A는 주변에 물을 공급하기 위해 인공적으로 조성되었다.
③ B는 배수 시설을 갖춘 후 논으로 이용하고 있다.
④ B는 C보다 고도가 높아 취락이 입지하기에 유리하다.
⑤ C는 최종 빙기 이전에 하천 퇴적물이 쌓여 형성되었다.

07 지도에 나타난 지형에 대한 옳은 설명을 〈보기〉에서 고른 것은?

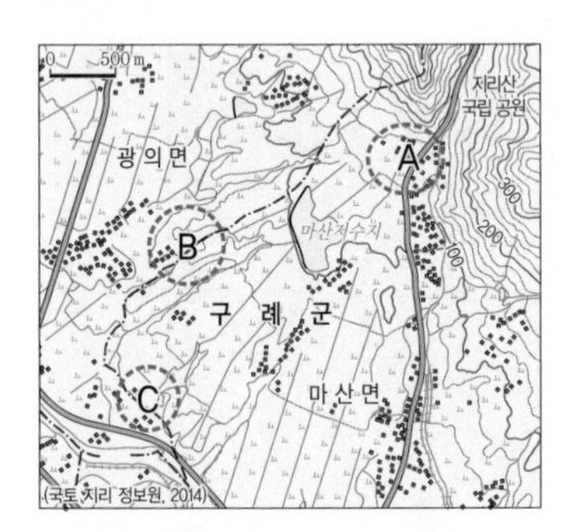

보기
ㄱ. A는 계곡에서 물을 구할 수 있어 취락이 입지한다.
ㄴ. B는 하천의 범람이 잦은 지역으로 지표수가 풍부하다.
ㄷ. C는 용천대가 분포하여 취락이 입지하기 유리하다.
ㄹ. 산지가 많은 우리나라에서 잘 발달하는 퇴적 지형이다.

① ㄱ, ㄴ ② ㄱ, ㄷ ③ ㄴ, ㄷ
④ ㄴ, ㄹ ⑤ ㄷ, ㄹ

중요
08 다음 학습 활동지에서 학생이 옳게 작성한 답안만을 있는 대로 고른 것은?

※ 지도의 A 지역에서 발달하는 지형에 대해 답하시오.

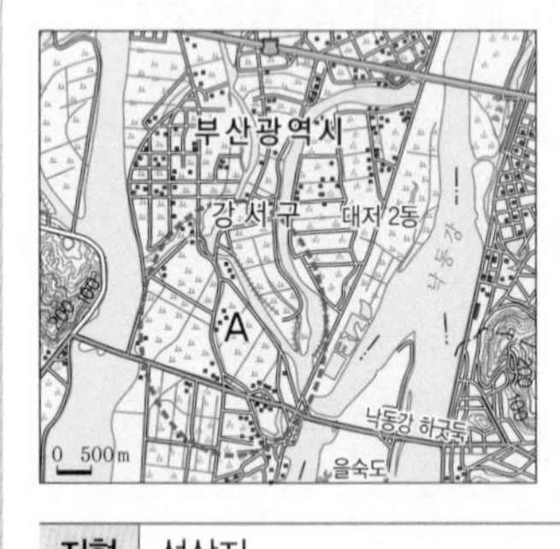

지형	선상지 ······ ㉠
형성	하천 하구에서 유속 감소로 토사가 쌓여 형성 ······ ㉡
토지 이용	배후 습지에서 벼농사와 원예 농업이 활발하며 취락은 자연 제방에 입지함 ······ ㉢
분포 지역	조류에 의해 제거되는 토사의 양이 하천이 공급하는 토사의 양보다 많은 곳 ······ ㉣

① ㉠, ㉡ ② ㉠, ㉣ ③ ㉡, ㉢
④ ㉠, ㉡, ㉣ ⑤ ㉡, ㉢, ㉣

09 그래프는 강우 발생 시 하천의 유출량 및 수위 변화를 나타낸 것이다. 이에 대한 설명으로 옳은 것은? (단, (가), (나)는 도시화 전·후 중 하나이다.)

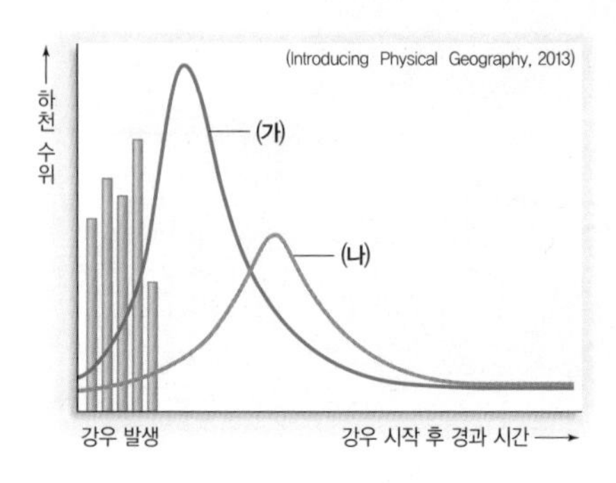

① (가) 시기는 (나) 시기보다 녹지 면적이 좁을 것이다.
② (가) 시기는 (나) 시기보다 하천의 최고 수위가 낮다.
③ (나) 시기는 (가) 시기보다 홍수 발생의 위험이 높을 것이다.
④ (나) 시기는 (가) 시기보다 하천의 직강화 정도가 높을 것이다.
⑤ (가)는 도시화 이전, (나)는 도시화 이후이다.

10 (가), (나) 해안에 대한 옳은 설명을 〈보기〉에서 고른 것은?

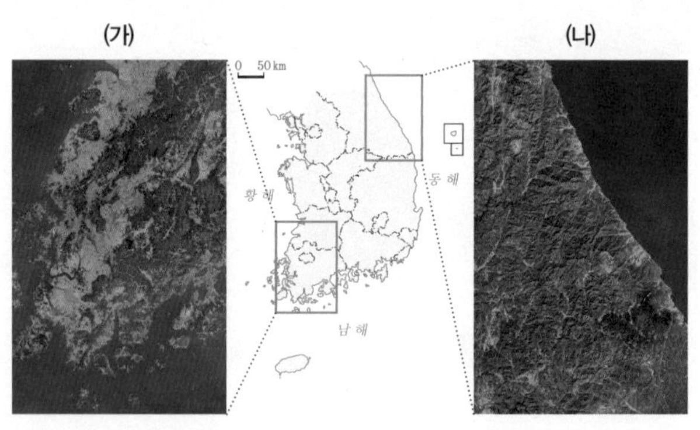

보기
ㄱ. (가)는 산맥과 해안선이 대체로 교차한다.
ㄴ. (나)는 해수면 상승으로 형성된 리아스 해안이다.
ㄷ. (나)는 (가)보다 수심이 얕고 조류의 작용이 탁월하다.
ㄹ. (가)에는 갯벌, (나)에는 모래 해안이 잘 발달한다.

① ㄱ, ㄴ ② ㄱ, ㄹ ③ ㄴ, ㄷ
④ ㄴ, ㄹ ⑤ ㄷ, ㄹ

11 사진에 나타난 A, B 지형에 대한 옳은 설명을 〈보기〉에서 고른 것은?

보기
ㄱ. A는 육지가 바다로 돌출한 곳에서 발달한다.
ㄴ. A는 북서풍이 많이 부는 서해안에서 규모가 크다.
ㄷ. B의 면적은 파랑의 침식 작용으로 점차 넓어진다.
ㄹ. B는 파랑 에너지가 분산하는 해안에서 잘 발달한다.

① ㄱ, ㄴ ② ㄱ, ㄷ ③ ㄴ, ㄷ
④ ㄴ, ㄹ ⑤ ㄷ, ㄹ

12 지도의 A 지역에 대한 설명으로 옳지 않은 것은?

① 땅을 파면 둥근 자갈 등이 발견되기도 한다.
② 서해안보다 동해안에 주로 분포하는 지형이다.
③ 지형이 평탄하여 농경지, 교통로 등으로 활용된다.
④ 바닷물에 의한 침수로 인해 염해가 빈번하게 발생한다.
⑤ 파식대가 지반의 융기로 현재의 해수면보다 위로 올라가 형성되었다.

중요

13 지도의 A, B 지형에 대한 설명으로 옳은 것은?

① A는 바닷물보다 염도가 높다.
② A의 면적은 하천의 퇴적 작용으로 점차 작아진다.
③ B는 파랑에 의한 차별 침식으로 형성되었다.
④ B는 최종 빙기에 해수면 하강으로 형성되었다.
⑤ A와 B는 동해안보다 서·남해안에서 잘 발달한다.

14 그림은 태안군 신두리 일대의 지형을 모식도로 나타낸 것이다. 이에 대한 옳은 설명만을 〈보기〉에서 있는 대로 고른 것은?

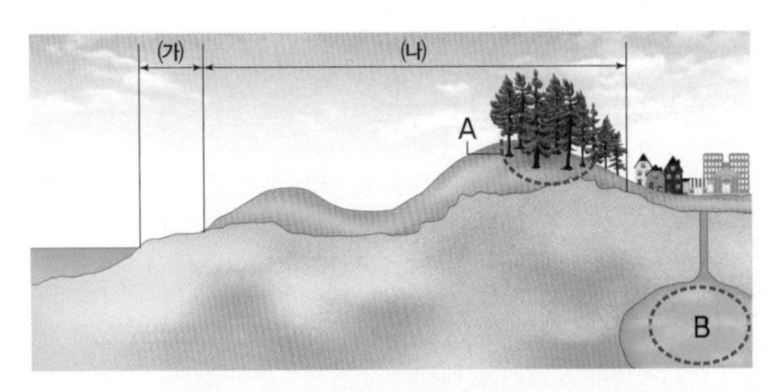

보기
ㄱ. (가)는 여름철에 주로 해수욕장으로 이용된다.
ㄴ. (나)는 바람의 퇴적 작용으로 형성된 모래 언덕이다.
ㄷ. A는 배후 마을과 농경지의 보호를 위해 인공적으로 조성하였다.
ㄹ. B의 물은 염도가 높아 생활용수로 활용하기 어렵다.

① ㄱ, ㄴ ② ㄱ, ㄹ ③ ㄴ, ㄷ
④ ㄱ, ㄴ, ㄷ ⑤ ㄴ, ㄷ, ㄹ

15 지도는 우리나라 갯벌의 분포를 나타낸 것이다. 이에 대한 설명으로 옳지 않은 것은?

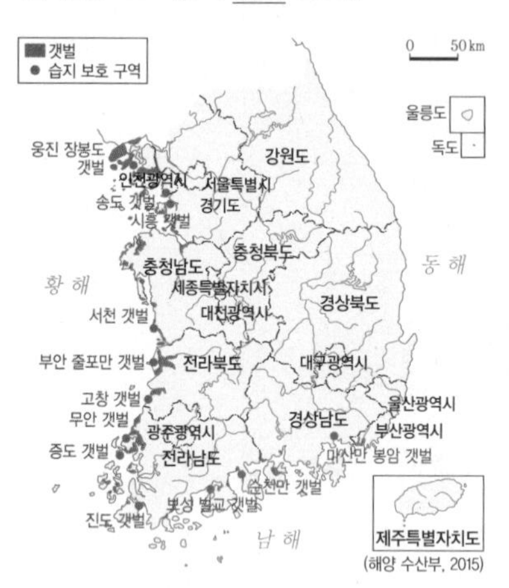

(해양 수산부, 2015)

① 조차가 작고 경사가 급한 해안에서 발달한다.
② 육지에서 배출되는 각종 오염 물질을 정화해 준다.
③ 하천에 의해 운반된 점토 등이 퇴적되어 형성되었다.
④ 태풍이나 해일로부터 해안 지역을 보호하는 역할을 한다.
⑤ 생태 환경이 우수한 갯벌은 연안 습지 보호 구역으로 지정하였다.

16 사진에 나타난 시설물에 대한 옳은 설명을 〈보기〉에서 고른 것은?

보기
ㄱ. 조차가 큰 해안에 설치된 시설물이다.
ㄴ. 다리가 바닷물의 수위에 따라 움직인다.
ㄷ. 시설물 주변에는 사빈이 넓게 발달해 있다.
ㄹ. 파랑에 의해 쓸려가는 모래를 잡아 주는 역할을 한다.

① ㄱ, ㄴ ② ㄱ, ㄷ ③ ㄴ, ㄷ
④ ㄴ, ㄹ ⑤ ㄷ, ㄹ

서술형 문제

● 정답친해 16쪽

01 그림은 범람원을 모식적으로 나타낸 것이다. 이를 보고 물음에 답하시오.

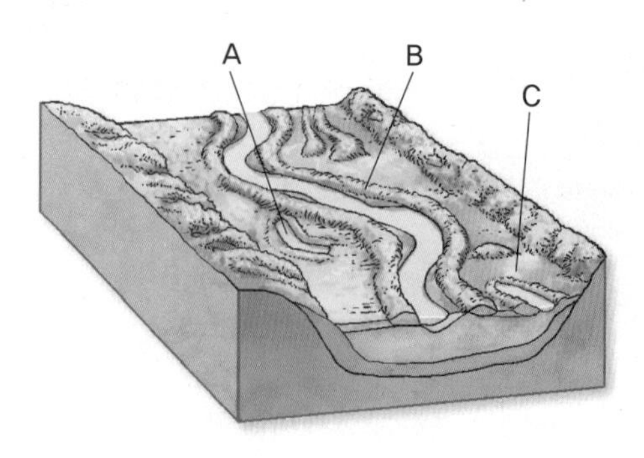

(1) A~C 지형의 명칭을 각각 쓰시오.

(2) B, C 지형의 특징과 토지 이용 모습을 비교하여 서술하시오.

02 그림은 해안 지형을 모식적으로 나타낸 것이다. 이를 보고 물음에 답하시오.

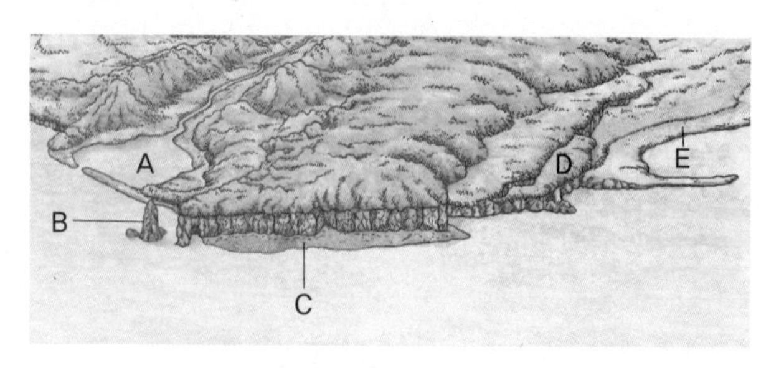

(1) A~E 지형의 명칭을 각각 쓰시오.

(2) A와 D 지형의 형성 과정을 해수면 변동과 관련하여 서술하시오.

STEP 3 1등급 정복하기

정답친해 16쪽

수능 응용

1 지도의 A~E 지역에 대한 설명으로 옳지 않은 것은?

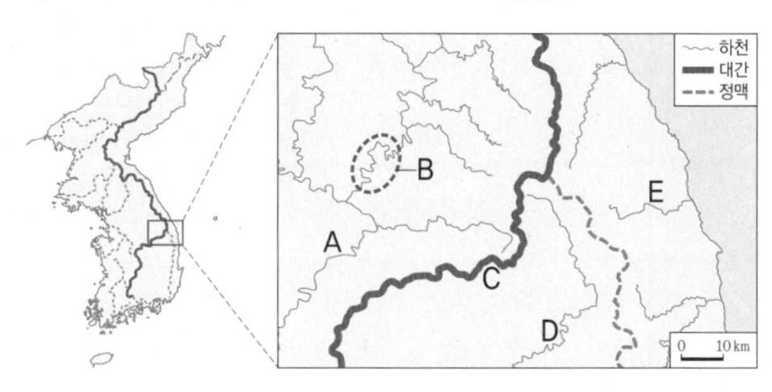

① A 하천의 하구에는 하굿둑이 건설되어 있다.
② B 하천은 지반 융기의 영향을 받았다.
③ C 대간은 낙동강 유역과 한강 유역의 분수계를 이룬다.
④ D 하천의 하구에는 삼각주가 형성되어 있다.
⑤ E 하천은 A 하천보다 퇴적 물질의 평균 입자 크기가 크다.

> 하천 유역과 분수계

완자샘의 시험 꿀팁

우리나라의 하천에 대해 묻는 문제가 출제된다. 주요 하천의 유로와 하굿둑이 건설되어 있는 하천 등을 파악해 두어야 한다.

완자 사전

• 대간과 정맥
산맥을 크기에 따라 위계를 나누었을 때 가장 큰 단위를 대간, 가장 작은 단위를 정맥이라고 한다.

2 자료는 두 지점의 하천 수위 변화와 퇴적 물질 구성 비율을 나타낸 것이다. 이에 대한 옳은 설명만을 〈보기〉에서 있는 대로 고른 것은? (단, (가), (나)는 지도의 A, B 중 하나에 해당한다.)

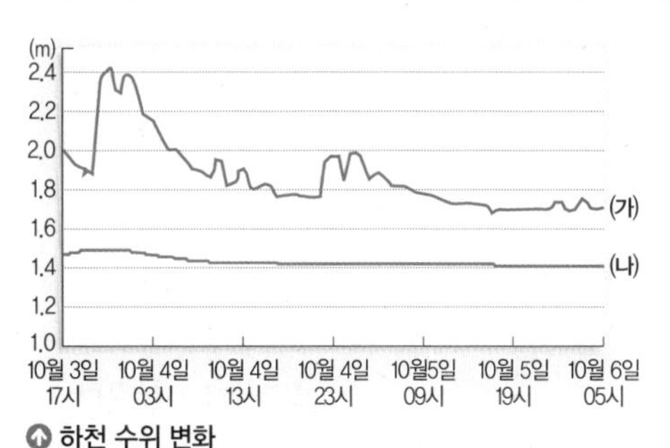

하천 수위 변화

100(%) 0, 20, 40, 60, 80 / 자갈 / 실트·점토 / 모래 / 100 (%) 80 60 40 20 0 / (가) 100(%) / (나)

퇴적 물질 구성 비율

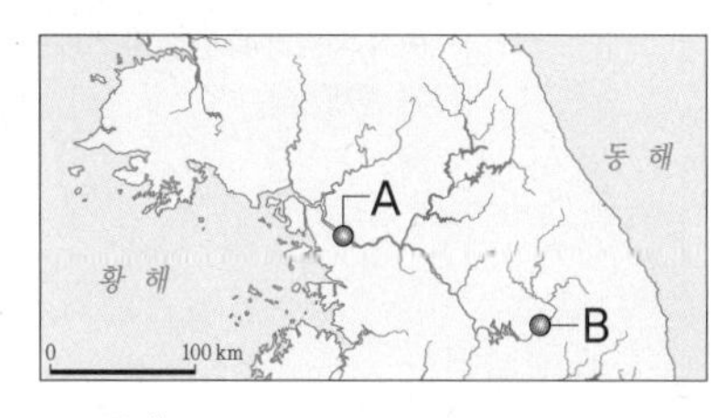

보기

ㄱ. (가)는 조류의 영향으로 하천 수위가 주기적으로 변한다.
ㄴ. (나)는 하천 중·하류에 위치하며 측방 침식이 활발하다.
ㄷ. (가)는 (나)보다 퇴적 물질 중 실트·점토의 구성 비율이 높다.
ㄹ. (가)는 A, (나)는 B에 해당한다.

① ㄱ, ㄴ ② ㄱ, ㄹ ③ ㄴ, ㄷ
④ ㄱ, ㄷ, ㄹ ⑤ ㄴ, ㄷ, ㄹ

> 하천 상류와 하류의 특성

완자 사전

• 실트
모래보다 작고 점토보다 큰 토양 입자

• 점토
크기가 1/256㎜보다 작은 암석 부스러기 또는 광물 알갱이

1등급 정복하기

수능 응용

3 (가), (나) 지역에 대한 설명으로 옳은 것은? (단, (가), (나)는 동일한 하계망에 속한다.)

(가)

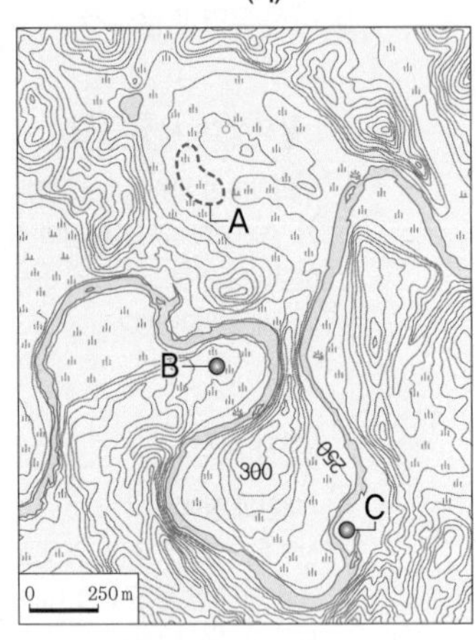

(나)

① A에서는 하천의 작용으로 형성된 둥근 자갈이 발견된다.
② B는 C보다 주변 하상과의 고도 차가 작다.
③ D의 토양은 E의 토양보다 배수가 불량하다.
④ E는 A보다 퇴적물의 평균 원마도가 낮다.
⑤ 하천의 하방 침식은 (가) 지역보다 (나) 지역에서 활발하다.

> 하천 침식 지형과 퇴적 지형

완자샘의 시험 꿀팁

곡류 하천을 구분하고 특징을 묻는 문제가 자주 출제된다. 지형도에서 어떤 하천이 상류 또는 하류인지 파악하고 각 하천 지형의 특징과 토지 이용을 정리해야 한다.

4 지도의 A~E에 대한 설명으로 옳은 것은?

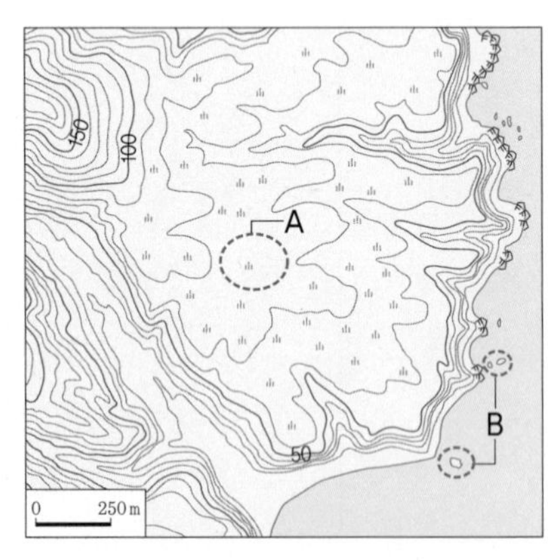

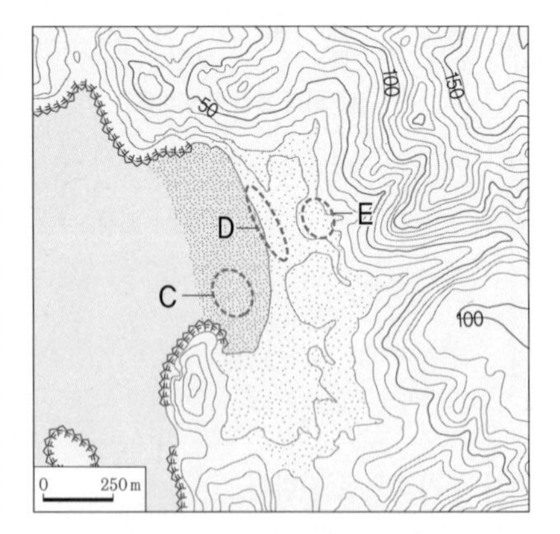

① A는 주로 바람에 의해 이동된 물질로 형성된다.
② B는 해식애가 후퇴하면서 육지에서 분리된 지형이다.
③ C는 주로 파랑과 연안류의 퇴적 작용으로 형성되었다.
④ D는 겨울철 북서풍의 영향을 많이 받는 서해안에서 규모가 큰 편이다.
⑤ C에서 E로 가면서 퇴적물의 입자 크기는 커진다.

> 다양한 해안 지형

완자샘의 시험 꿀팁

우리나라의 해안 침식 지형과 해안 퇴적 지형의 특징을 비교하는 문제가 출제된다.

평가원 응용

5 사진의 A~E에 대한 설명으로 옳은 것은?

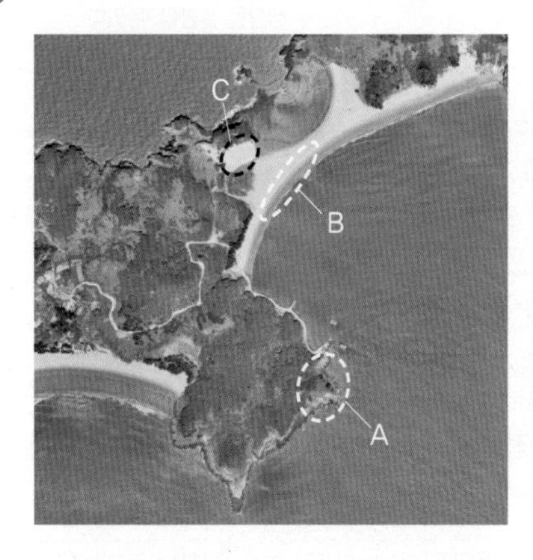

① A의 침식을 막기 위해 그로인을 설치한다.
② C는 모래 언덕이며, 아래에는 지하수가 고여 있다.
③ D의 물은 지역 주민들의 생활용수로 활용된다.
④ B는 C보다 퇴적물의 평균 입자 크기가 작다.
⑤ D와 E는 지반의 융기에 의해 형성되었다.

▶ 다양한 해안 지형

완자샘의 시험 꿀팁

해안 지형이 위성사진으로 제시될 경우에는 해안의 형태를 통해 곶과 만, 또는 서해안과 동해안을 구분하고, 각 해안에 발달하는 지형을 생각해 본다.

6 다음은 수업 장면의 일부이다. 교사의 질문에 가장 적절하게 대답한 학생을 고른 것은?

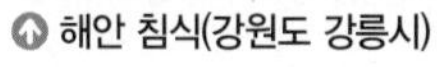
해안 침식(강원도 강릉시)

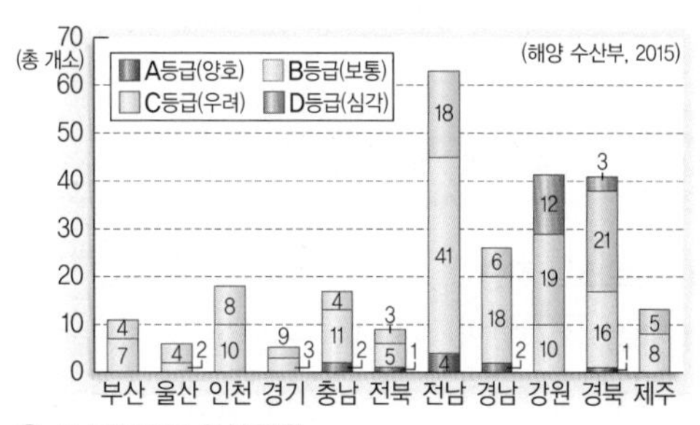

시·도별 연안 침식 현황

- 교사: 사진은 해안 침식이 진행되고 있는 해안을 나타낸 것이고, 그래프는 시·도별 연안 침식 현황을 나타낸 것입니다. 이와 같은 현상에 대해 발표해 볼까요?
- 갑: 해안 침식이 심각한 정도가 가장 큰 지역은 전남입니다.
- 을: 해안 침식을 해결하기 위해서는 방조제, 방파제 등을 많이 건설해야 합니다.
- 병: 지구 온난화로 인한 너울성 파도나 해일의 발생 증가가 영향을 주었을 것입니다.
- 정: 보와 하굿둑 건설 등으로 인해 해안으로 유입되는 토사가 줄어든 것도 영향을 주었을 것입니다.

① 갑, 을 ② 갑, 병 ③ 을, 병
④ 을, 정 ⑤ 병, 정

▶ 해안 침식 실태와 보존 노력

완자 사전

- **너울성 파도**
여러 파도가 만나 해안으로 밀려오면서 점점 세력이 커져 한꺼번에 솟구치는 많은 양의 바닷물
- **보**
농경지에 물을 대기 위하여 소규모의 둑을 쌓고 흐르는 냇물을 막아 두는 저수 시설

03 화산 지형과 카르스트 지형

학습목표
- 화산 지형의 형성 과정과 특징을 알고, 이를 활용한 관광지를 제시할 수 있다.
- 카르스트 지형의 형성 과정과 인간 생활을 설명할 수 있다.

이것이 핵심!

우리나라의 주요 화산 지형

백두산	칼데라 호(천지) 분포
제주도	• 화구호(백록담), 기생 화산, 용암동굴, 주상 절리 분포 • 지표수 부족 → 밭농사, 해안의 용천대에 취락 발달
울릉도	칼데라 분지(나리 분지), 이중 화산체
독도	용암 분출로 형성된 화산섬
철원·평강	• 용암 대지, 주상 절리 발달 • 수리 시설을 이용한 논농사

★ 주상 절리

★ 용암 대지
현무암질 용암이 지각의 갈라진 틈을 따라 분출하여 평야와 하천 등을 메워 형성된 대지

왜? 절리가 많은 현무암의 특성상 빗물이 쉽게 지하로 스며들기 때문이야.

1 화산 지형과 인간 생활

1. 화산 지형 자료①

(1) **형성**: 대부분 신생대 제3기 말에서 제4기 초에 마그마 분출로 형성

중생대에 일부 형성되기도 하는데 광주 무등산의 주상 절리(입석대)는 우리나라에서 보기 드문 중생대에 분출한 화산암이야.

(2) **분포**: 백두산, 제주도, 울릉도, 독도, 철원·평강 일대 등

2. 주요 화산 지형과 인간 생활

화산 지형이 나타나는 곳은 독특한 경관을 관광 자원으로 활용하며, 무기질이 풍부한 화산회토를 농경에 활용하기도 해

(1) **백두산**: 경사가 급한 산정부를 제외하고는 전체적으로 경사가 완만함, 칼데라 호(천지) 분포

(2) **제주도** — 한라산, 성산 일출봉 등 일부 지역은 유네스코 세계 자연 유산으로 등재되었어.

분화 후 굳은 화구에 물이 고여 형성돼.

주요 지형	한라산	현무암질 용암이 여러 차례 분출하여 만들어진 방패 모양의 화산, 정상부 일부는 종 모양의 화산으로 이루어져 있으며, 산 정상부에는 화구호인 백록담이 있음
	기생 화산	소규모 용암 분출이나 화산 쇄설물에 의해 형성, 제주도에서는 오름으로 불림
	용암동굴	점성이 작은 용암이 흘러내릴 때 표층부와 하층부의 냉각 속도 차이로 형성 예 만장굴
	*주상 절리	용암이 냉각되는 과정에서 형성된 다각형 기둥 모양의 절리
인간 생활		현무암이 기반암으로 지표수 부족 → 밭농사 중심, 해안의 용천대에 취락 발달

(3) **울릉도**: 점성이 큰 조면암질 용암의 분출로 형성된 종 모양의 화산섬, 북쪽 중앙부에 칼데라 분지(나리 분지)가 있고, 분지 안에 중앙 화구구(알봉)가 분포하는 이중 화산체

(4) **독도**: 동해의 해저에서 용암이 분출하여 형성된 화산섬 — 화산체 대부분은 해저에 있고 해수면 위에는 매우 적은 부분이 드러나 있어.

(5) **철원·평강 지역**

주요 지형	점성이 작은 현무암질 용암의 열하 분출로 *용암 대지 형성, 한탄강 주변에 주상 절리 발달
인간 생활	수리 시설을 설치하여 논농사가 이루어짐

독특한 경관을 감상하며 래프팅을 즐기기 위해 많은 관광객이 찾고 있어.

이것이 핵심!

주요 카르스트 지형

돌리네	원형 또는 타원형의 움푹 파인 땅, 밭으로 이용
석회동굴	종유석, 석순, 석주 등 지형 형성 → 관광 자원으로 활용
석회암 풍화토	석회암이 용식된 후 남은 철분 등이 산화되어 형성된 붉은색의 토양

★ 종유석, 석순, 석주
동굴 천장에서 아래로 자란 것이 종유석, 바닥에서 위로 자란 것이 석순, 석순과 종유석이 연결되어 기둥처럼 만들어진 것이 석주이다.

2 카르스트 지형과 인간 생활

1. 카르스트 지형

고생대에 산호나 조개껍데기 등의 유기물이 바다 밑에 가라앉아 형성되었어.

암석이나 토양 등이 물과 접했을 때 화학적 변화를 일으켜 용해되는 작용

(1) **형성**: 석회암의 주성분인 탄산칼슘이 빗물이나 지하수의 용식 작용을 받아 형성

(2) **분포**: 고생대 조선 누층군에 발달 → 평안남도, 강원도 남부, 충청북도 북동부, 경상북도 북부 등

2. 주요 카르스트 지형과 인간 생활 자료②

(1) **주요 지형** — 지역에 따라 '움밭', '못밭'이라고도 불러.

돌리네	• 석회암의 용식 작용으로 형성된 원형이나 타원형의 움푹 파인 땅(와지) • 두꺼운 토양층을 형성하며 배수가 잘 되기 때문에 주로 밭으로 이용
석회동굴	• 석회암이 지하수에 용식되어 형성된 동굴 예 단양 고수 동굴, 울진 성류굴, 평창 백룡 동굴 등 • 동굴 내부에 탄산칼슘의 침전으로 *종유석, 석순, 석주 등이 발달 교과서 자료
석회암 풍화토	석회암이 용식된 후 남은 철분 등이 산화되어 형성된 붉은색의 토양

(2) **인간 생활**: 석회동굴의 독특한 경관을 관광 자원으로 활용, 석회석을 시멘트 공업의 원료로 이용, 배수가 양호한 토양을 활용한 밭농사 등

일부 석회암 산지는 지나친 석회암 채굴로 훼손된 경우가 많아. 특히 채굴이 끝난 후에도 방치되어 분진이 날리는 등 환경 문제가 발생하고 있어.

완자 자료 탐구

내 옆의 선생님

자료 1 주요 화산 지형의 분포

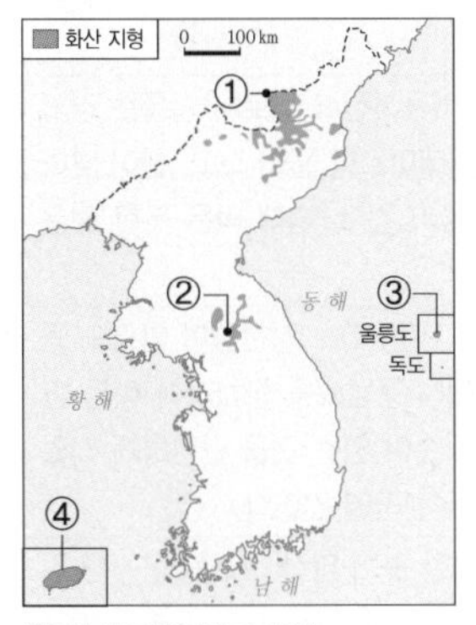

⚬ 화산 지형 분포 지역

백두산의 정상부에는 칼데라 호인 천지가 있어.

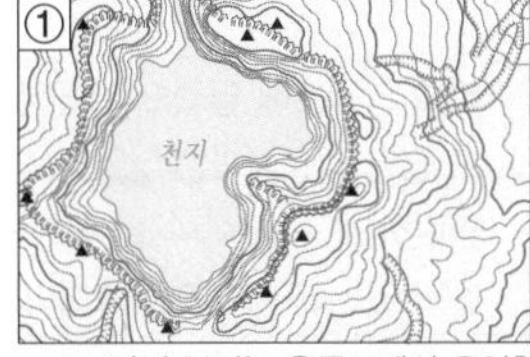

철원 한탄강 일대에는 용암 대지가 발달해 있어.

나리 분지는 울릉도에서 유일한 평지로 밭농사가 이루어져.

제주도에는 360여 개의 기생 화산(오름)이 발달해 있어.

우리나라에서는 백두산을 비롯하여 제주도, 울릉도, 독도, 철원·평강 일대에서 화산, 용암 대지, 화구호, 칼데라, 주상 절리, 용암 대지 등 다양한 화산 지형을 볼 수 있다. 화산 지형은 다른 지형과 다른 독특한 형태를 하고 있어 관광 자원으로 활용된다.

자료 2 카르스트 지형의 형성

탑 모양의 석회암 봉우리로, 중국 구이린, 베트남 할롱 베이 등에서 볼 수 있어.

빗물이나 지표수가 틈을 타고 땅속으로 흘러들어 석회암층을 녹이면서 석회동굴이 형성돼.

카르스트 지형은 석회암이 빗물이나 지하수에 용식되어 형성된 지형으로, 우리나라의 카르스트 지형은 고생대 조선 누층군에 주로 분포한다. 경관이 독특하여 관광지로 활용되거나 배수가 양호하여 주로 밭농사가 이루어진다.

자료 하나 더 알고 가자!

칼데라 호의 형성 과정

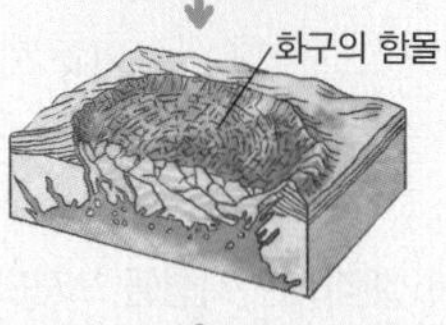

칼데라 호는 분화 후 화구가 함몰된 지형인 칼데라에 물이 고여 형성된 호수이다.

문제로 확인할까?

카르스트 지형에 대한 설명으로 옳은 것은?

① 용암의 열하 분출로 형성되었다.
② 흑갈색의 토양을 주로 볼 수 있다.
③ 고생대 조선 누층군에 주로 분포한다.
④ 배수가 불량하여 주로 논으로 이용된다.
⑤ 하천의 침식 작용이 지형 형성에 가장 큰 역할을 하였다.

답 ③

수능이 보이는 교과서 자료 우리나라 동굴 지형의 특징

⚬ A 동굴

⚬ B 동굴

우리나라의 강원도 남부와 충청북도 북동부에는 고생대에 형성된 석회암 지대에 발달한 석회동굴이 있고, 제주도에는 신생대에 형성된 화산 지대에 발달한 용암동굴이 있다. 두 동굴은 기반암과 형성 과정에 따라 형태와 구조가 확연히 다르게 나타난다.

완자샘의 탐구 강의

• A, B 동굴이 기반암을 구분해 보자.
석회동굴인 A의 기반암은 석회암이고 용암동굴인 B의 기반암은 현무암이다.

• A, B 동굴의 형성 과정을 구분하여 서술해 보자.
A(석회동굴)는 지하수에 의해 기반암인 석회암이 용식되면서 형성되었고, B(용암동굴)는 유동성이 큰 용암이 흘러내릴 때 표층부와 하층부의 냉각 속도 차이로 형성되었다.

함께 보기 65쪽, 내신 만점 공략하기 05

정답친해 18쪽

STEP 1 핵심 개념 확인하기

1 울릉도와 제주도에서 볼 수 있는 지형을 〈보기〉에서 골라 기호를 쓰시오.

보기
ㄱ. 화구호 ㄴ. 용암동굴
ㄷ. 기생 화산 ㄹ. 이중 화산체
ㅁ. 중앙 화구구 ㅂ. 칼데라 분지

(1) 울릉도 ( ) (2) 제주도 ( )

2 다음에서 설명하는 지형을 쓰시오.

점성이 작은 현무암질 용암이 지각의 갈라진 틈으로 분출해 형성한 지형으로 우리나라에서는 철원·평강 일대에 발달한다.

3 다음에서 설명하는 지형을 〈보기〉에서 골라 기호를 쓰시오.

보기
ㄱ. 석회동굴 ㄴ. 주상 절리 ㄷ. 기생 화산

(1) 용암이 냉각되는 과정에서 형성된 다각형 기둥 형태의 갈라진 틈 ( )
(2) 소규모 용암 분출이나 화산 쇄설물에 의해 형성되며 제주도에서 오름이라고 불림 ( )
(3) 석회암의 용식 작용으로 형성되며, 내부에 탄산칼슘의 침전으로 종유석, 석순, 석주 등이 발달함 ( )

4 ㉠, ㉡에 들어갈 말을 각각 쓰시오.

카르스트 지형은 (㉠)의 주성분인 탄산칼슘이 빗물이나 지하수의 (㉡) 작용을 받아 형성된 지형이다.

5 다음 빈칸에 들어갈 내용을 쓰시오.

(1) 석회석은 ( ) 공업의 원료로 이용한다.
(2) 카르스트 지형은 고생대 ( )에 주로 발달한다.
(3) 석회암 풍화토는 석회암이 용식된 후 남은 철분 등이 산화되어 형성된 ( )색의 토양이다.

STEP 2 내신 만점 공략하기

01 다음은 이중환의 『택리지』 중 일부이다. (가)~(다) 지역에 대한 설명으로 옳은 것은?

(가)	비록 강원도에 딸렸으나 들판에 이루어진 고을로서 서쪽은 경기도 장단과 경계가 맞닿았다. 땅은 메마르나 들이 크고, 산이 낮아 평탄하며 …(중략)… 들 복판의 물이 깊고, 벌레 먹은 듯한 검은 돌이 있는데 매우 이상스럽다.
(나)	강원도 삼척부 바다 가운데 있다. …(중략)… 장한상이 함경도 안변에서 물의 흐름을 따라 배를 띄워 동남쪽을 향하다가 이틀 만에 비로소 큰 산이 바다 가운데서 솟아 있는 것을 발견하게 되었다. …(중략)… 아마도 이곳이 옛 우산국일 것이다.
(다)	바다 한복판에 있는 산 또한 기이한 곳이 많다. …(중략)… 산 위에 큰 못이 있는데 사람들이 시끄럽게 하면 갑자기 구름과 안개가 크게 일어난다. …(중략)… 옛 탐라국이며 …(중략)… 말을 산에다 놓아 먹여서 목장으로 만들었다.

① (가)에는 점성이 큰 용암에 의해 하곡이 메워져 형성된 지형이 발달한다.
② (나)의 큰 산은 주로 현무암질 용암에 의해 형성되었다.
③ (다)에는 칼데라 호가 형성되었다.
④ (다)는 (나)보다 용암동굴이 잘 발달해 있다.
⑤ (가), (나), (다) 지역에서는 모두 논농사가 활발하다.

02 사진의 지형에 대한 옳은 설명을 〈보기〉에서 고른 것은?

보기
ㄱ. 해수면 하강으로 인해 드러난 지형이다.
ㄴ. 고생대 전기 조선 누층군에서 주로 볼 수 있다.
ㄷ. 철원군 한탄강 일대에서도 동일한 지형을 볼 수 있다.
ㄹ. 용암이 굳는 과정에서 수축이 일어나면서 형성되었다.

① ㄱ, ㄴ ② ㄱ, ㄷ ③ ㄴ, ㄷ
④ ㄴ, ㄹ ⑤ ㄷ, ㄹ

03 지도에 나타난 지역에 대한 옳은 설명을 〈보기〉에서 고른 것은?

보기

ㄱ. 알봉은 마그마가 열하 분출하여 형성되었다.
ㄴ. 나리 분지에서는 주로 논농사가 이루어진다.
ㄷ. 송곳산은 점성이 큰 용암의 분출로 형성되었다.
ㄹ. 나리 분지는 화구의 함몰로 형성된 칼데라 분지이다.

① ㄱ, ㄴ ② ㄱ, ㄷ ③ ㄴ, ㄷ
④ ㄴ, ㄹ ⑤ ㄷ, ㄹ

중요 **04** 지도는 한탄강 일대를 모식적으로 나타낸 것이다. 이에 대한 설명으로 옳은 것은?

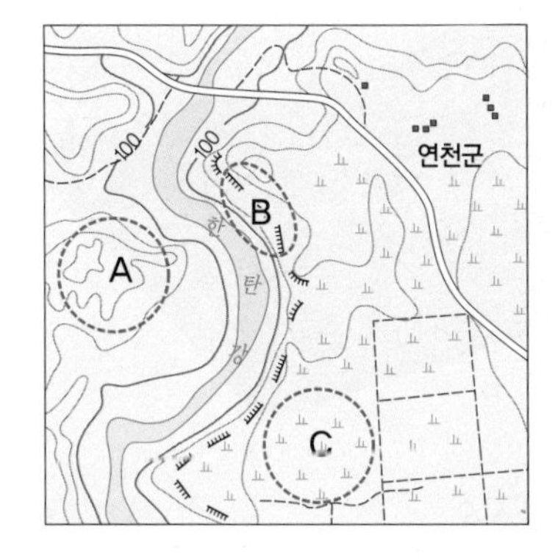

① A는 점성이 큰 용암의 분출에 의해 형성되었다.
② B는 땅속에 관입한 마그마가 굳어서 형성되었다.
③ C에서는 수리 시설을 갖춘 후 논농사가 이루어진다.
④ C에서는 고도 차가 큰 한탄강의 물보다 주변 계곡의 물을 주로 이용한다.
⑤ A 지역의 기반암은 C 지역의 기반암보다 늦게 형성되었다.

중요 **05** 지도는 (가), (나) 동굴의 분포 현황을 나타낸 것이다. 이에 대한 옳은 설명만을 〈보기〉에서 있는 대로 고른 것은?

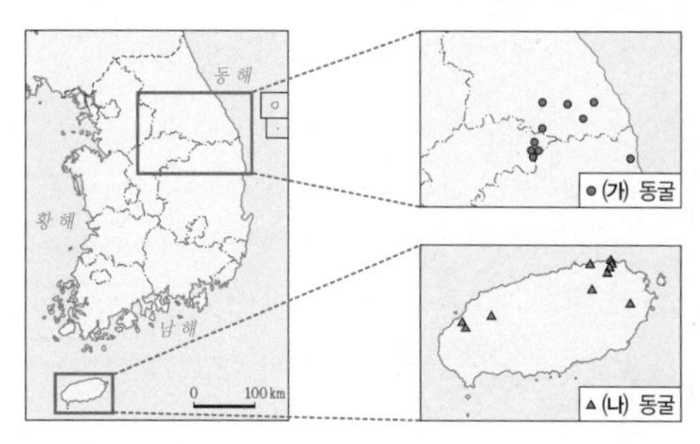

보기

ㄱ. (가) 동굴은 기반암이 지하에서 용식 작용을 받아 형성되었다.
ㄴ. (나) 동굴의 내부에는 종유석, 석순 등이 발달하였다.
ㄷ. (가) 동굴은 (나) 동굴보다 기반암의 형성 시기가 이르다.
ㄹ. (가), (나) 동굴은 모두 독특한 지형 경관으로 인해 관광 자원으로 활용되고 있다.

① ㄱ, ㄴ ② ㄱ, ㄷ ③ ㄴ, ㄷ
④ ㄱ, ㄷ, ㄹ ⑤ ㄴ, ㄷ, ㄹ

06 다음은 답사 보고서의 일부이다. (가)에 들어갈 내용으로 적절하지 않은 것은?

지리 답사 보고서

위치	충청북도 단양군
경관 사진	
관찰 내용	(가)

① 주변의 토양은 대체로 붉은색이다.
② 배수가 잘 되어 주로 밭으로 이용된다.
③ 주변에 시멘트 공장이 많이 들어서 있다.
④ 바닥을 파면 둥근 자갈이 많이 발견된다.
⑤ 지역 주민들은 '못밭'이라고 부르기도 한다.

07 A~C 지역에 대한 옳은 설명을 〈보기〉에서 고른 것은?

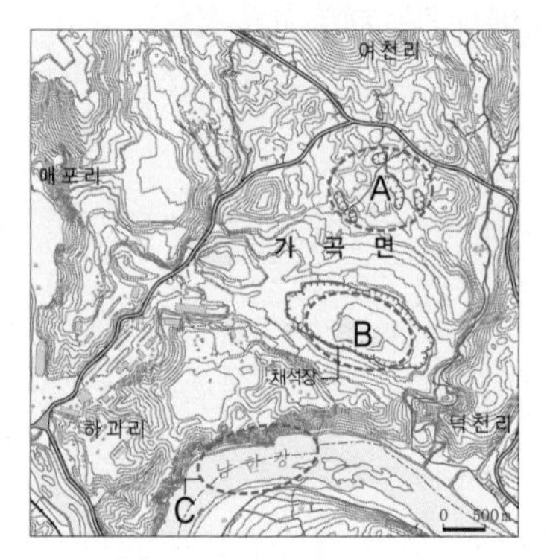

보기

ㄱ. A는 하안 단구의 단구면에 위치한 돌리네이다.
ㄴ. A는 주로 암석의 화학적 풍화 작용으로 형성된다.
ㄷ. B의 물은 농업용수 및 생활용수로 활용된다.
ㄹ. C는 하천 중·하류에서 볼 수 있는 자유 곡류 하천이다.

① ㄱ, ㄴ ② ㄱ, ㄷ ③ ㄴ, ㄷ
④ ㄴ, ㄹ ⑤ ㄷ, ㄹ

08 (가)~(다) 지역을 지도의 A~E에서 고른 것은?

(가) 석회암의 용식으로 형성된 세 개의 봉우리가 강이 휘돌아 흐르는 곳에 우뚝 솟아 독특한 경관을 이루고 있다. 주변에 시멘트 공장이 입지해 있다.
(나) 점성이 약한 현무암질 용암에 의해 형성된 대지가 있다. 주상 절리의 경관이 매우 빼어나 여름철에 이를 감상하며 래프팅을 즐기는 관광객이 많다.
(다) 수중 분화 활동으로 화산재와 화산 쇄설물이 분화구 주변에 쌓여 형성된 거대한 분화구이다. 유네스코 세계 자연 유산으로 등재되었다.

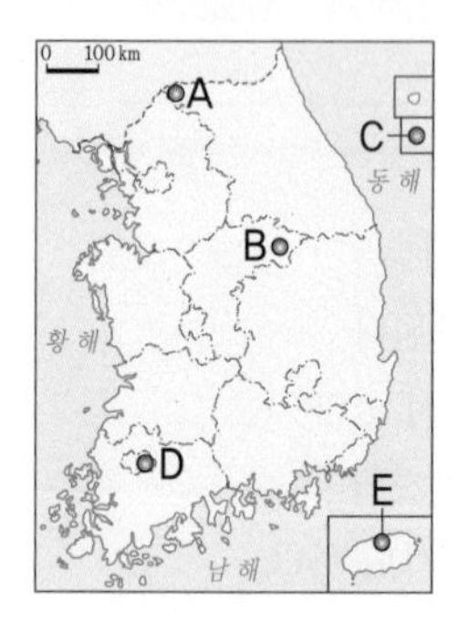

	(가)	(나)	(다)
①	A	B	D
②	B	D	C
③	B	A	E
④	C	A	D
⑤	D	C	E

서술형 문제

● 정답친해 19쪽

01 지도는 제주도의 취락과 용천대 분포를 나타낸 것이다. 제주도의 취락이 이와 같은 분포를 보이는 이유를 기반암의 특성과 관련하여 서술하시오.

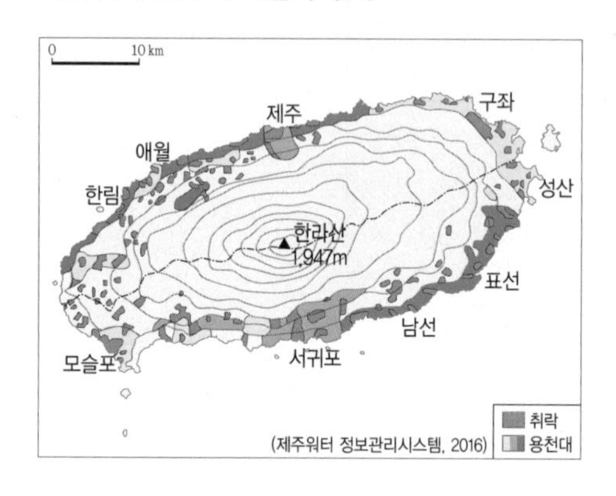

02 그림은 카르스트 지형의 모식도이다. 이를 보고 물음에 답하시오.

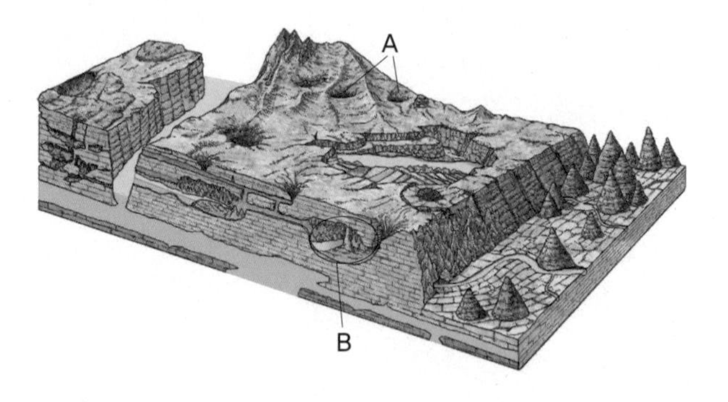

(1) A, B 지형의 명칭을 쓰시오.

(2) B 지형의 형성 과정 및 주요 경관을 제시된 단어를 활용하여 서술하시오.

• 석순	• 석주	• 용식
• 석회암	• 종유석	• 지하수

STEP 3 1등급 정복하기

1 (가), (나) 지역에 대한 설명으로 옳은 것은?

(가)

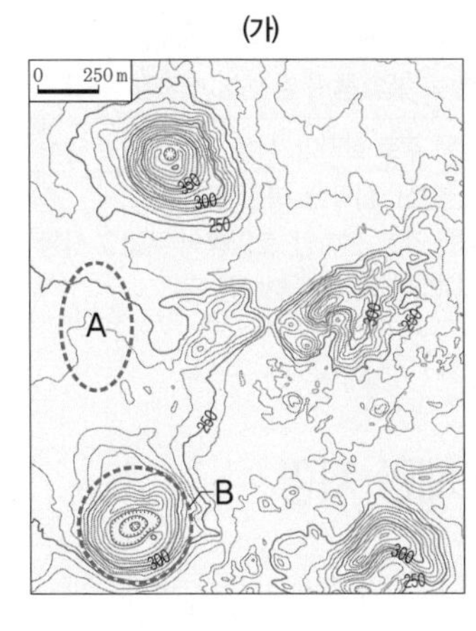

(나)

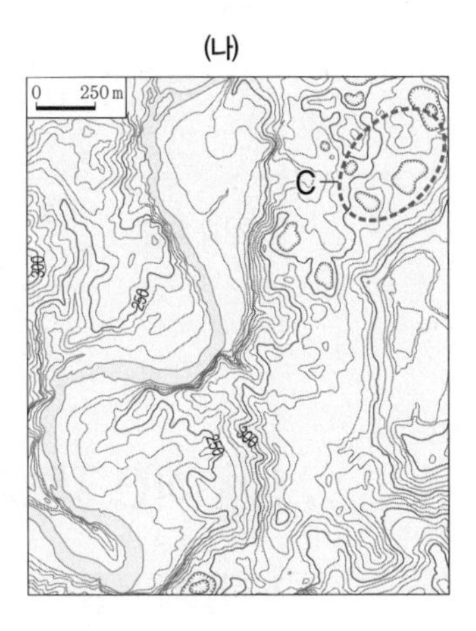

① A와 C에서는 밭농사보다 논농사가 주로 이루어진다.
② B는 A보다 유동성이 큰 용암이 분출하여 형성된 지형이다.
③ (가)에는 칼데라 호, (나)에는 우각호가 나타난다.
④ (나)는 (가)보다 붉은색의 간대토양이 널리 분포한다.
⑤ (가)는 고생대, (나)는 신생대에 형성된 암석이 기반암을 이룬다.

> **화산 지형과 카르스트 지형**
>
> **완자 사전**
> • **간대토양**
> 모암(기반암)의 성질이 많이 반영된 토양. 대표적인 간대토양으로는 강원도 남부, 충청북도 북동부에 발달한 석회암 풍화토와 제주도에 발달한 현무암 풍화토가 있다.

수능 응용

2 (가), (나) 지역에 대한 옳은 설명만을 〈보기〉에서 있는 대로 고른 것은?

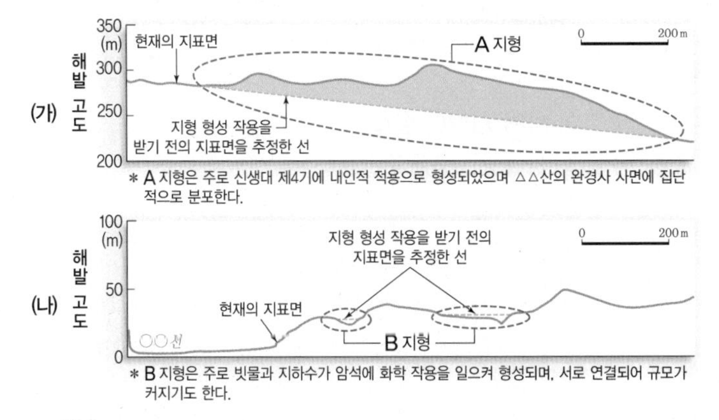

* A 지형은 주로 신생대 제4기에 내인적 작용으로 형성되었으며 △△산의 완경사 사면에 집단적으로 분포한다.

* B 지형은 주로 빗물과 지하수가 암석에 화학 작용을 일으켜 형성되며, 서로 연결되어 규모가 커지기도 한다.

보기

ㄱ. A, B 지형의 형성은 해발 고도를 높이는 작용을 한다.
ㄴ. (가) 지역에서는 분화구에 물이 고여 형성된 호수를 볼 수 있다.
ㄷ. (나) 지역에서는 석회암이 풍화된 붉은색 토양을 볼 수 있다.
ㄹ. (가), (나) 지역에서는 모두 기반암의 특성으로 인해 건천이 나타난다.

① ㄱ, ㄴ ② ㄱ, ㄹ ③ ㄴ, ㄷ
④ ㄱ, ㄴ, ㄹ ⑤ ㄴ, ㄷ, ㄹ

> **화산 지형과 카르스트 지형**
>
> **완자샘의 시험 꿀팁**
> 화산 지형과 카르스트 지형의 모식도를 제시하고 각 지형이 나타나는 지역의 특징을 묻는 문항이 출제된다. 두 지형의 공통점과 차이점을 구분하여 정리해야 한다.
>
> **완자 사전**
> • **건천**
> 평소에는 물이 흐르지 않다가 비가 오거나 하여 수량이 증가할 때에만 흐르는 하천

01 한반도의 형성과 산지 지형

1. 한반도의 형성 과정

(1) 한반도의 지체 구조

시·원생대	• 평북·개마 지괴, 경기 지괴, 영남 지괴 • 지반이 견고한 안정 지괴, 변성암이 주로 분포
고생대	• 평남 분지, 옥천 습곡대 • 조선 누층군: 고생대 초의 해성층, (❶) 분포 • 평안 누층군: 고생대 말의 육성층, 무연탄 분포
중생대	• 경상 분지: 과거의 습지 또는 호수 → 경상 누층군 형성 • 일부 지역에서 공룡의 발자국 화석 발견
신생대	• 신생대 제3기층 → 두만 지괴, 길주·명천 지괴 • 동해안 일부 지역에 형성, 갈탄 매장

(2) 한반도의 주요 지각 변동

중생대	• 송림 변동: 랴오둥 방향 지질 구조선 • 대보 조산 운동: 중국 방향 지질 구조선, 대보 화강암 관입 • 불국사 변동: 영남 지방 중심, 불국사 화강암 관입
신생대	• (❷): 신생대 제3기의 비대칭 융기 운동 • 화산 활동: 백두산·울릉도·독도·제주도 등 형성

(3) 기후 변화에 따른 지형 형성

빙기	• 한랭 건조 → 물리적 풍화 작용 우세 • 평균 해수면과 침식 기준면 하강, 하천 상류 퇴적 작용, 하천 하류 침식 작용 우세 → 하안 단구 발달
간빙기 (후빙기)	• 온난 습윤 → 화학적 풍화 작용 우세 • 평균 해수면과 침식 기준면 상승, 하천 상류 침식 작용, 하천 하류 퇴적 작용 우세 → 범람원, 삼각주, 석호 발달

2. 산지 지형의 형성과 특성

(1) 산지 지형의 형성

1차 산맥	신생대 제3기 경동성 요곡 운동으로 융기 → 해발 고도가 높고 험준하며 산지의 연속성이 뚜렷함 예 낭림 · 태백 · 마천령 · 함경 · 소백산맥
2차 산맥	중생대에 형성된 (❸)을 따라 차별 침식이 진행되어 형성 → 상대적으로 해발 고도가 낮으며 산지의 연속성이 미약함 예 멸악·묘향·노령산맥 등

(2) 우리나라 산지의 특징

동고서저의 경동 지형	신생대 제3기 경동성 요곡 운동의 영향 → 함경·태백산맥의 동쪽은 급경사, 서쪽은 완경사
고위 평탄면	• 지반 융기 후에도 평탄한 기복을 유지하는 지형 • 고랭지 농업, 목축업, 풍력 발전소, 스키장 등으로 활용
돌산과 흙산	• 돌산: 기반암은 주로 화강암, 식생 밀도가 낮고 암석 노출이 많음 예 금강산, 설악산, 북한산 등 • 흙산: 기반암은 주로 편마암, 토양층이 두껍고 식생 밀도가 높음 예 지리산, 덕유산, 오대산 등

02 하천 지형과 해안 지형

1. 하천의 특성

(1) 하천 상·하류의 특성 비교

하천 상류	하천 하류
• 유량이 적고 하폭이 좁음 • 퇴적물의 입자 크기가 큼	• 유량이 많고 하폭이 넓음 • 퇴적물의 입자 크기가 작음

(2) 우리나라 하천의 특성

유로	대부분 황·남해로 유입 ← 산맥과 지질 구조선의 영향
계절에 따라 큰 유량 변화	• 원인: 여름철 강수 집중, 좁은 유역 면적 등 • 영향: 여름철 잦은 홍수, 수력 발전과 하천 교통에 불리
감조 하천	• 피해: 바닷물이 역류하여 염해 발생 • 대책: 금강, 낙동강, 영산강 하구에 하굿둑 건설

2. 하천 지형의 형성

(1) 하천 중·상류에 발달하는 지형

감입 곡류 하천	• 신생대 경동성 요곡 운동으로 지반이 융기하면서 하방 침식이 강화되어 형성 • 경관이 수려해 각종 레포츠나 관광 산업 발달
하안 단구	• 하천 주변에 분포하는 계단 모양의 지형, 지반 융기 또는 해수면 변동과 하천의 침식을 받아 형성 • 홍수 피해가 적은 단구면에 농경지, 교통로, 취락 분포
(❹)	• 주변이 산지로 둘러싸인 평지로, 암석의 차별적인 풍화와 침식으로 형성 • 일찍부터 주거와 농경지의 중심지로 발달
선상지	• 계곡 입구의 경사 급변점에 형성 • 선앙: 하천이 복류하여 지표수 부족 → 밭·과수 농사 • 선단: 용천 분포 → 취락 입지, 논으로 이용

(2) 하천 중·하류에 발달하는 지형

자유 곡류 하천	• 측방 침식이 활발하여 유로 변경 심함 → 범람원, 하중도, 우각호, 구하도 등 발달 • 최근 직강 공사로 자유 곡류 하천이 많이 사라짐
범람원	• 하천의 범람으로 운반 물질이 퇴적되어 형성 • 자연 제방: 하천 가까이 위치하며 해발 고도가 높고 배수가 양호, 밭·과수 농사 및 취락 입지 • (❺): 자연 제방 뒤쪽에 위치하며 해발 고도가 낮고 배수가 불량, 배수 시설을 갖춘 후 논으로 이용
삼각주	• 하천 하구에서 유속 감소로 토사가 쌓여 형성 • 낙동강 하구에 분포, 벼농사·원예 농업 발달

3. 해안 지형의 형성

(1) 우리나라의 동해안과 서·남해안 비교

동해안	서 · 남해안
• 산맥과 해안선이 평행하게 발달 → 단조로운 해안선 • 지반 융기의 영향을 많이 받음, 해안 단구, 석호 등 분포	• 산맥과 해안선이 교차하며 발달 → 해안선이 복잡한 (❻) 해안 • 후빙기 해수면 상승으로 낮은 부분이 침수되어 형성, 갯벌 발달

(2) 해안 지형의 형성

곶	육지가 바다 쪽으로 돌출한 해안, 파랑 에너지가 집중하여 침식 작용 활발 → 암석 해안 발달
만	바다가 육지 쪽으로 들어간 해안, 파랑 에너지가 분산하여 퇴적 작용 활발 → 모래 해안이나 갯벌 해안 발달

(3) 다양한 해안 지형

해안 침식 지형	• 해식애: 파랑의 침식 작용으로 형성된 해안 절벽 • 파식대: 파랑의 침식 작용으로 형성된 비교적 평탄한 지형 • (❼): 파랑의 침식 작용으로 주변부가 제거되고 남은 돌기둥이나 바위섬 • 해안 단구: 파식대가 지반의 융기나 해수면 하강으로 현재 해수면보다 높은 곳에 형성된 계단 모양의 지형 → 취락 형성, 농경지, 교통로 등으로 이용
해안 퇴적 지형	• 사빈: 모래가 파랑이나 연안류의 작용으로 퇴적되어 형성 • (❽): 사빈의 모래가 바다로부터 불어오는 바람에 날려 사빈의 배후에 퇴적되어 형성된 모래 언덕 • 사주: 모래가 연안류를 따라 이동하여 길게 퇴적되어 형성 • 석호: 후빙기 해수면 상승으로 형성된 만의 입구에 사주가 발달하여 형성된 호수로 동해안에 주로 발달 • 갯벌: 하천에 의해 운반된 점토 등이 조류에 의해 퇴적되어 형성, 조차가 큰 서·남해안에 발달

4. 해안 지형과 인간 생활

해안 지형의 이용	수산 가공업, 산업 시설 발달, 갑문·뜬다리 부두 설치, 관광 산업, 해양 에너지 활용 등
인간 활동에 따른 해안 지형 변화	무분별한 해안 개발 및 시설물 건설로 해양 오염 및 해안 침식 문제 심화

03 화산 지형과 카르스트 지형

1. 화산 지형과 인간 생활

(1) 화산 지형

형성	주로 신생대 제3기 말에서 제4기 초에 마그마 분출로 형성
분포	백두산, 제주도, 울릉도, 독도, 철원·평강 일대 등

(2) 우리나라의 주요 화산 지형

백두산	산정부를 제외하고는 경사가 완만함, 칼데라 호(천지)
제주도	• 한라산: 정상부에 화구호인 백록담이 있음 • 기생 화산: 소규모 용암 분출이나 화산 쇄설물에 의해 형성 • 용암동굴: 점성이 작은 용암이 흘러내릴 때 표층부와 하층부의 냉각 속도 차이에 의해 형성 ⓔ 만장굴 • (❾): 용암의 냉각 과정에서 형성된 다각형 기둥
울릉도	종 모양의 화산섬으로 칼데라 분지(나리 분지)와 중앙 화구구(알봉)가 분포하는 이중 화산체
독도	동해의 해저에서 용암이 분출하여 형성된 화산섬
철원·평강	현무암질 용암의 열하 분출로 용암 대지 형성, 한탄강 주변에 주상 절리 발달

2. 카르스트 지형과 인간 생활

(1) 카르스트 지형

형성	석회암이 빗물이나 지하수의 용식 작용을 받아 형성
분포	고생대 조선 누층군에 발달 → 평남, 강원 남부, 충북 북동부 등

(2) 주요 지형과 인간 생활

지형 및 토양	• (❿): 석회암의 용식 작용으로 형성된 원형의 와지 • 석회동굴: 지하수의 용식 작용으로 형성된 동굴로 동굴 내부에 종유석, 석순, 석주 등이 발달
인간 생활	관광 자원(석회동굴), 시멘트 공업의 원료(석회석), 배수가 양호한 토양을 활용한 밭농사 등

●정답● ① 석회암 ② 경동성 요곡 운동 ③ 지질 구조선 ④ 침식 분지 ⑤ 배후 습지 ⑥ 리아스 ⑦ 시 스택 ⑧ 해안 사구 ⑨ 주상 절리 ⑩ 돌리네

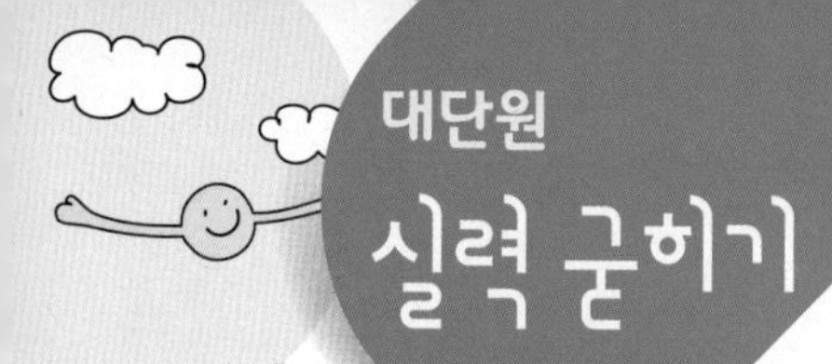

01 사진의 (가)~(라) 지형과 관련된 암석에 대한 옳은 설명을 〈보기〉에서 고른 것은?

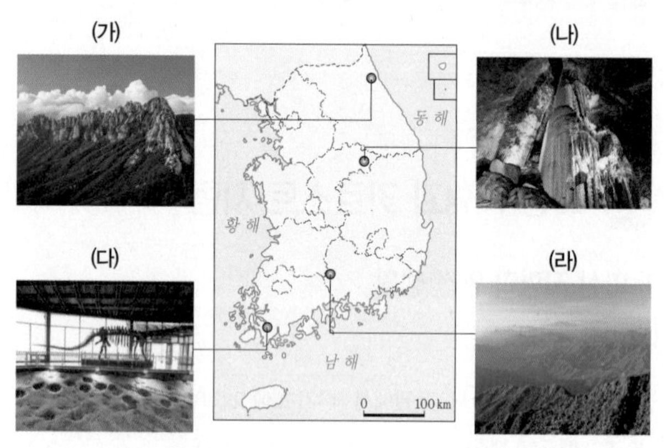

보기

ㄱ. (가)의 기반암은 마그마가 지하에 관입하여 형성되었다.
ㄴ. (나)의 기반암은 주로 고생대 초에 형성되었다.
ㄷ. (다)의 기반암은 (라)의 기반암보다 형성 시기가 이르다.
ㄹ. (라)의 기반암은 (가)의 기반암보다 분포 면적이 좁다.

① ㄱ, ㄴ ② ㄱ, ㄷ ③ ㄴ, ㄷ
④ ㄴ, ㄹ ⑤ ㄷ, ㄹ

02 (가)~(다)는 서로 다른 지질 시대에 형성된 암석 분포를 나타낸 것이다. 이에 대한 설명으로 옳은 것은?

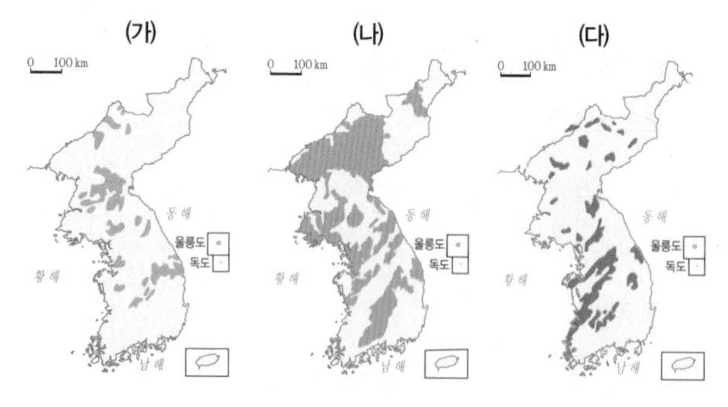

① (가)는 시멘트 공장의 입지와 관련이 있다.
② (나)는 마그마가 땅 속에서 굳어져 형성되었다.
③ (다)는 공룡 발자국 화석이 가장 많이 분포하는 지층이다.
④ (가)는 (나)보다 형성된 시기가 이르다.
⑤ (가)와 (나)는 육성층, (다)는 해성층에 해당한다.

03 그림은 기후 변동에 따른 지형 형성 작용을 나타낸 것이다. (가), (나)에 대한 옳은 설명을 〈보기〉에서 고른 것은?

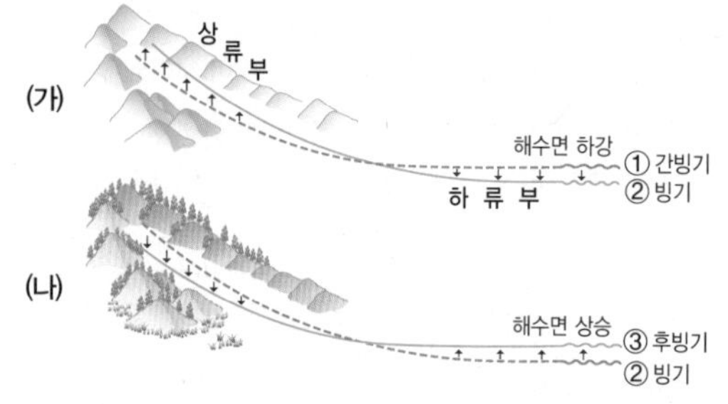

보기

ㄱ. (가) 시기에는 하천 하류에서 충적 평야가 발달한다.
ㄴ. (나) 시기에는 하천 상류에서 침식 작용이 우세하다.
ㄷ. (가) 시기는 (나) 시기보다 평균 유로의 길이가 더 길다.
ㄹ. (나) 시기는 (가) 시기보다 물리적 풍화 작용이 탁월하다.

① ㄱ, ㄴ ② ㄱ, ㄷ ③ ㄴ, ㄷ
④ ㄴ, ㄹ ⑤ ㄷ, ㄹ

04 지도는 한반도 주변의 판 이동을 나타낸 것이다. 이로 인해 발생한 지각 운동과 형성된 산맥을 옳게 연결한 것은?

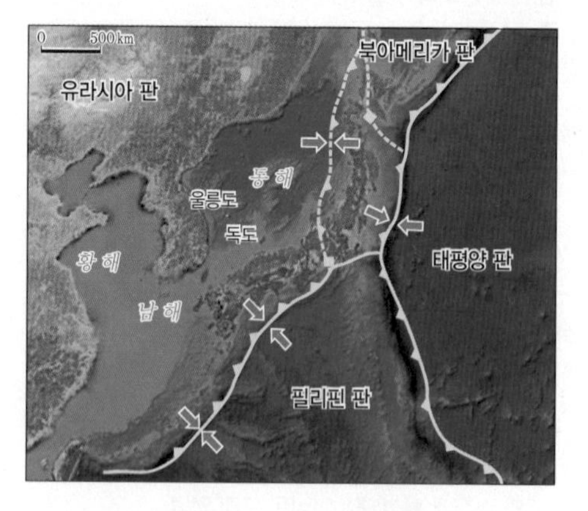

	지각 운동	형성 산맥
①	화산 활동	태백산맥
②	대보 조산 운동	함경산맥
③	대보 조산 운동	태백산맥
④	경동성 요곡 운동	차령산맥
⑤	경동성 요곡 운동	함경산맥

05 지도의 A 지역에 대한 옳은 설명을 〈보기〉에서 고른 것은?

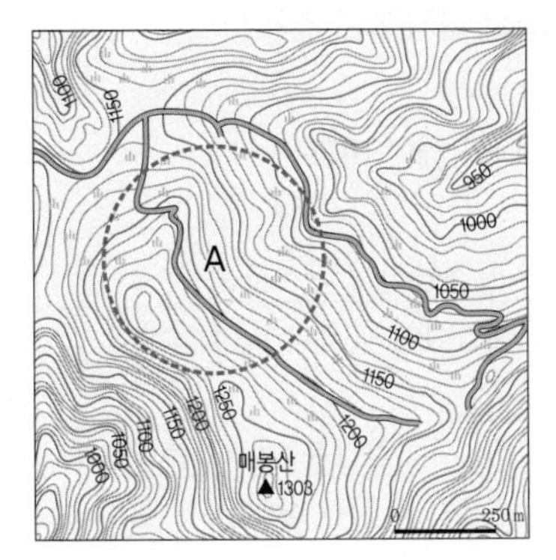

보기

ㄱ. 고생대 조륙 운동의 영향으로 형성되었다.
ㄴ. 봄철에도 토양 내 수분 공급이 안정적이다.
ㄷ. 겨울철에 무, 배추 등의 채소 재배가 활발하다.
ㄹ. 집중 호우 시 토양 침식 문제가 발생하고 있다.

① ㄱ, ㄴ ② ㄱ, ㄷ ③ ㄴ, ㄷ
④ ㄴ, ㄹ ⑤ ㄷ, ㄹ

06 지도는 우리나라의 주요 댐과 하굿둑을 나타낸 것이다. 이를 보고 분석한 내용으로 옳지 않은 것은?

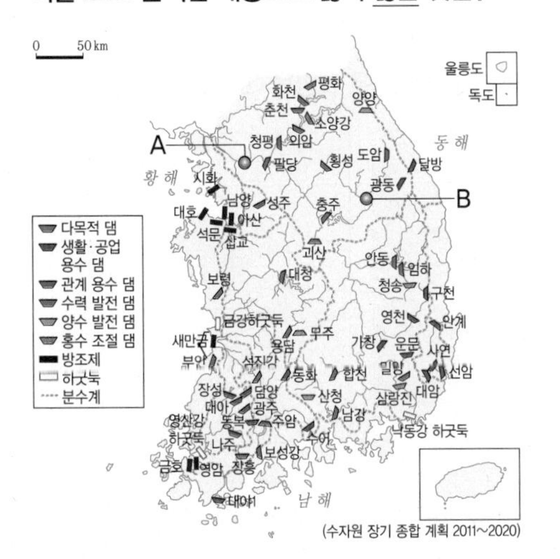

① B에 떨어진 빗물은 A로 유입될 것이다.
② 한강 유역은 금강 유역보다 면적이 넓다.
③ 금강, 영산강, 낙동강 등은 감조 하천이다.
④ 낙동강은 댐 건설로 하상계수가 커졌을 것이다.
⑤ 일부 하천에는 염해 방지를 위해 하굿둑이 건설되어 있다.

07 그래프는 태백산맥으로부터 황해와 동해로 흐르는 두 하천의 일부 구간 바닥 고도를 나타낸 것이다. (가), (나) 하천에 대한 설명으로 옳은 것은?

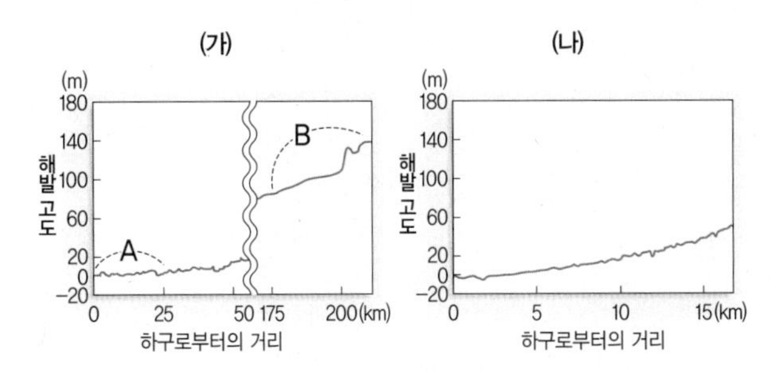

① (가)의 A에서는 감조 구간이 나타난다.
② (가)의 A는 B보다 하방 침식이 탁월하다.
③ (가)의 B는 A보다 퇴적 물질의 평균 입자 크기가 작다.
④ (가)는 (나)보다 유역 면적이 좁다.
⑤ (나)는 (가)보다 하구에서의 유량이 많다.

08 (가), (나) 지형에 대한 설명으로 옳지 않은 것은?

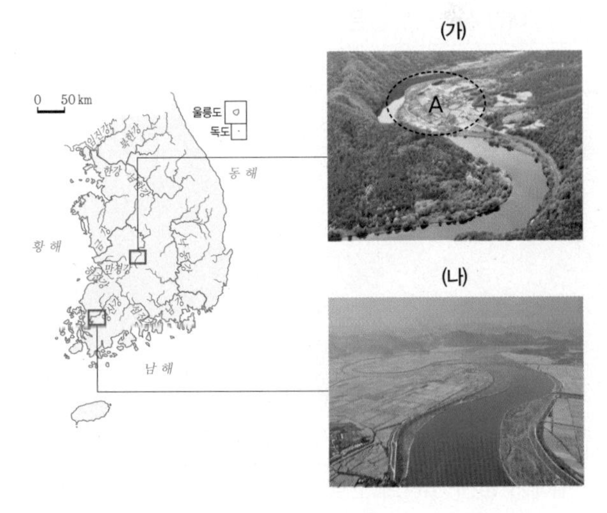

① (가)의 A 마을 바닥에서는 둥근 자갈이 발견된다.
② (나)는 자연적인 상태에서 유로 변경이 자주 발생한다.
③ (나)는 (가)보다 퇴적 물질의 평균 원마도가 낮다.
④ (가)는 (나)보다 하방 침식이 우세하다.
⑤ (가)에는 하안 단구, (나)에는 범람원이 발달한다.

09 지도의 A, B에 대한 옳은 설명을 〈보기〉에서 고른 것은?

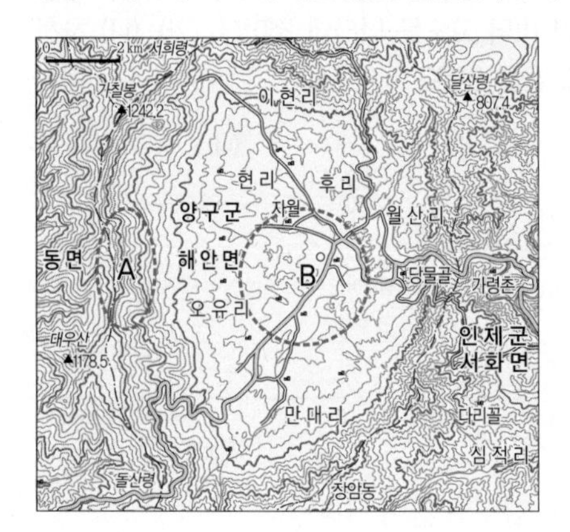

보기

ㄱ. A의 기반암은 주로 마그마의 관입으로 형성되었다.
ㄴ. B 지역은 지표수가 부족하여 농경에 불리하다.
ㄷ. A의 기반암은 B의 기반암보다 형성 시기가 이르다.
ㄹ. B의 기반암은 A의 기반암보다 풍화와 침식에 약하다.

① ㄱ, ㄴ ② ㄱ, ㄷ ③ ㄴ, ㄷ
④ ㄴ, ㄹ ⑤ ㄷ, ㄹ

10 그림은 하천 지형을 모식적으로 나타낸 것이다. A~C 지형에 대한 설명으로 옳은 것은?

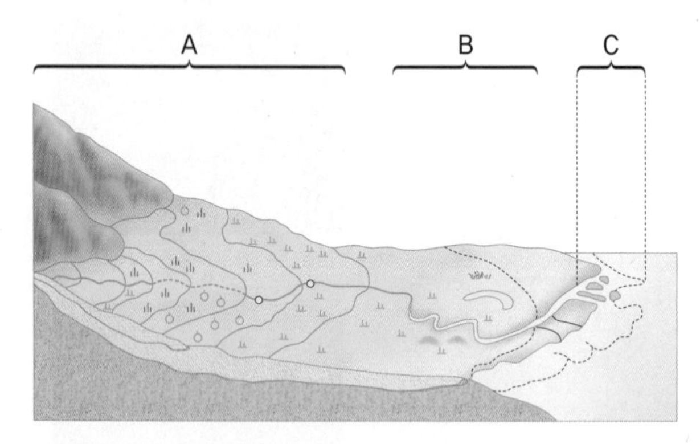

① A는 하천의 합류 지점에 주로 발달한다.
② B에서 하천 주변의 고도가 높은 곳에는 모래질 토양이 분포한다.
③ C는 조류에 의해 제거되는 토사의 양이 많은 곳에서 발달한다.
④ A와 B는 우리나라에서 잘 발달하는 지형이다.
⑤ A~C 지역은 모두 용천대를 중심으로 취락이 입지한다.

11 다음은 학생이 수업 내용을 정리한 노트의 일부이다. 밑줄 친 ㉠~㉤에 대한 설명으로 옳지 않은 것은?

우리나라 해안 비교

1. 동해안과 서해안
(1) 동해안: ㉠ 섬이 적고 해안선이 단조로움
(2) 서해안: 섬이 많고 해안선이 복잡한 리아스 해안
2. 해안 지형의 형성 요인
(1) 주요 형성 요인: 파랑, ㉡ 연안류, ㉢ 조류, 바람 등의 침식·퇴적 작용으로 다양한 해안 지형 형성
(2) 곶과 만의 특징
① 곶: ㉣ 암석 해안 발달
② 만: ㉤ 모래 해안이나 갯벌 해안 발달

① ㉠ – 산맥과 해안선이 대체로 교차하기 때문이다.
② ㉡ – 연안류의 퇴적 작용으로 사주와 석호가 형성된다.
③ ㉢ – 조류의 퇴적 작용으로 갯벌 해안이 발달한다.
④ ㉣ – 파랑 에너지의 집중으로 침식 작용이 활발한 해안이다.
⑤ ㉤ – 사빈, 해안 사구 등의 지형이 발달한다.

12 지도의 A~E에 대한 옳은 설명을 〈보기〉에서 고른 것은?

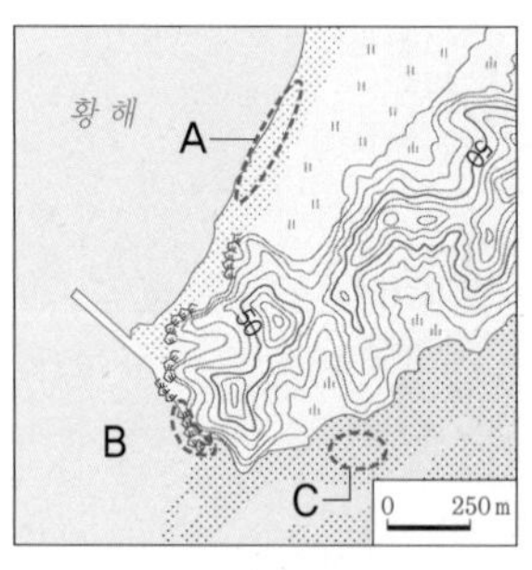

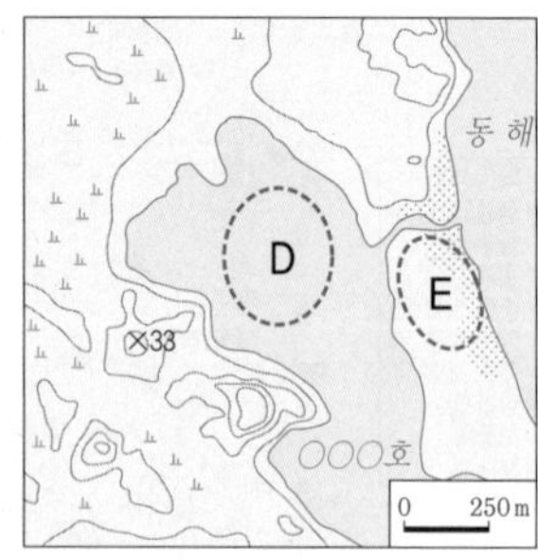

보기

ㄱ. A는 C보다 퇴적물의 평균 입자 크기가 작다.
ㄴ. B는 C보다 파랑 에너지가 집중하는 곳에 잘 발달한다.
ㄷ. D 호수의 수심은 시간이 지날수록 깊어진다.
ㄹ. D 호수는 연안류에 의한 E의 성장으로 형성되었다.

① ㄱ, ㄴ ② ㄱ, ㄷ ③ ㄴ, ㄷ
④ ㄴ, ㄹ ⑤ ㄷ, ㄹ

13 그림은 해안 지형을 모식적으로 나타낸 것이다. A~E 지형에 대한 설명으로 옳은 것은?

① A는 후빙기 해수면 상승 이전에 형성되었다.
② B는 파랑의 침식 작용에 의해 형성된 돌기둥이다.
③ C는 파랑 에너지가 분산하는 지역에서 잘 형성된다.
④ D는 사빈의 모래가 바람에 날려 퇴적되어 형성되었다.
⑤ E는 침식 기준면이 낮아지면서 육지와 연결된 섬이다.

14 지도의 A~D에 대한 설명으로 옳지 <u>않은</u> 것은?

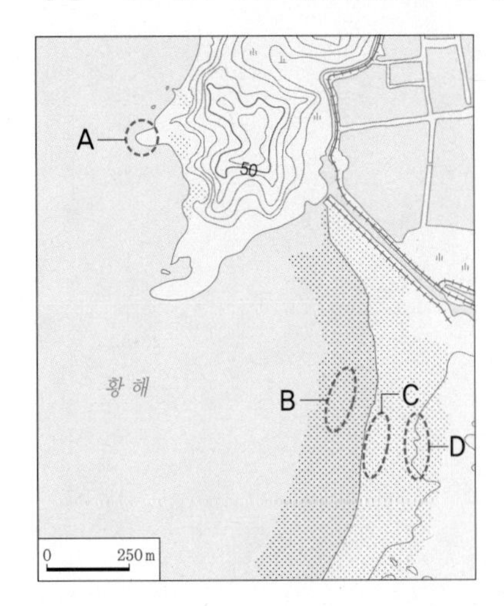

① A는 사주에 의해 육지와 연결된 육계도이다.
② B는 주로 조류의 퇴적 작용으로 형성된다.
③ C의 침식을 막기 위해 그로인을 설치하기도 한다.
④ D의 아래에는 지하수가 있어 이를 이용할 수 있다.
⑤ C에서 D로 가면서 퇴적물의 평균 입자 크기가 작아진다.

15 지도의 A~D에 대한 설명으로 옳은 것은?

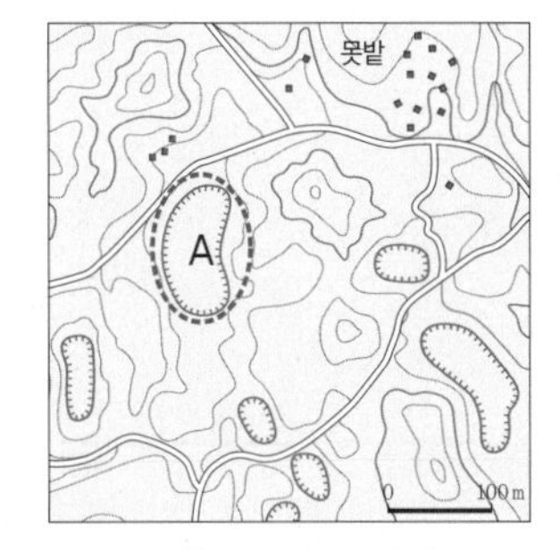

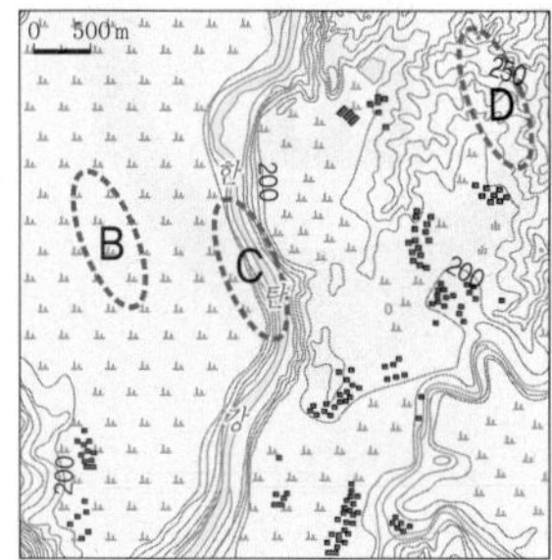

① A는 배수가 양호하여 주로 벼농사가 이루어진다.
② B의 기반암은 주로 중생대에 마그마의 관입으로 형성되었다.
③ C에는 깊은 협곡을 따라 주상 절리가 발달하였다.
④ A와 B에서는 대부분 붉은색의 토양이 분포한다.
⑤ 기반암의 형성 시기는 B가 D보다 이르다.

16 지도에 나타난 지역에 대한 옳은 설명을 〈보기〉에서 고른 것은?

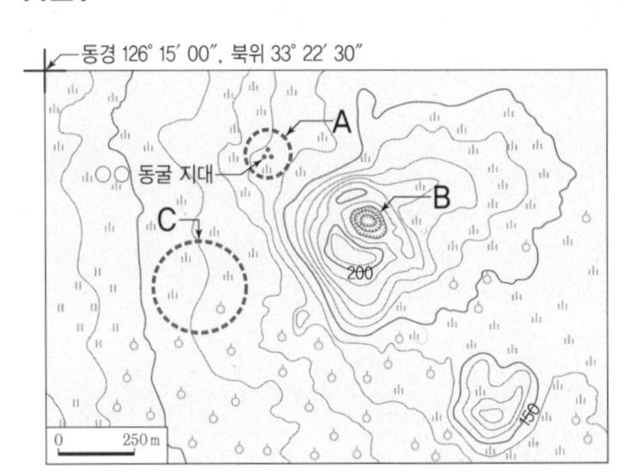

보기

ㄱ. A 동굴은 주로 지하수의 용식에 의해 형성되었다.
ㄴ. B에서는 대체로 기반암이 풍화된 붉은색의 토양이 나타난다.
ㄷ. C의 기반암은 유동성이 큰 용암이 굳어 형성되었다.
ㄹ. 이 지역의 기반암은 투수가 양호하다.

① ㄱ, ㄴ　② ㄱ, ㄷ　③ ㄴ, ㄷ
④ ㄴ, ㄹ　⑤ ㄷ, ㄹ

기후 환경과 인간 생활

1 우리나라의 기후 특성 ---- 076

~ 2 기후와 주민 생활

3 자연재해와 기후 변화 ---- 090

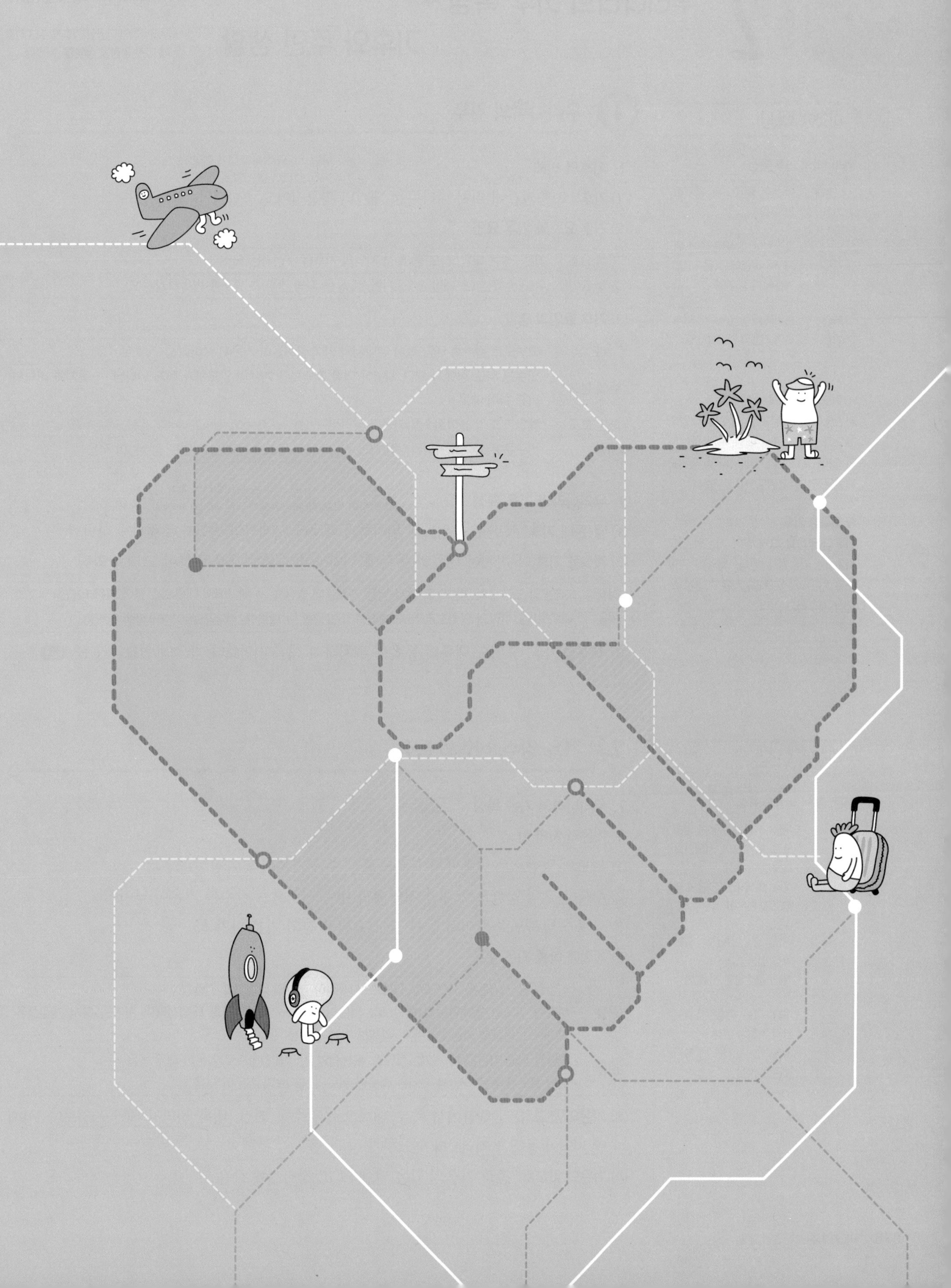

01~02 우리나라의 기후 특성 ~ 기후와 주민 생활

학습목표
- 우리나라의 기후 특성을 설명할 수 있다.
- 우리나라의 다양한 기후가 주민 생활에 미친 영향을 설명할 수 있다.

이것이 핵심!

우리나라의 기후 특성

냉·온대 기후	북반구 중위도에 위치하기 때문
계절풍 기후	유라시아 대륙 동쪽에 위치 → 여름에 고온 다습, 겨울에 한랭 건조
대륙성 기후	중위도 대륙의 동쪽에 위치하여 기온의 연교차가 큼

★ **위도와 태양 복사 에너지**
저위도에서 고위도로 갈수록 태양의 고도가 낮아지면서 태양 복사 에너지의 양이 줄어든다. 이에 따라 저위도 지역은 덥고, 고위도 지역은 춥다.

★ **대륙성 기후**
대륙의 영향을 크게 받아 기온의 연교차가 큰 기후를 말한다. 해양의 영향으로 기온의 연교차가 작은 기후는 해양성 기후라고 한다.

1 우리나라의 기후

1. 기후의 이해

VS 기상은 바람, 비, 구름 등의 대기 현상으로 순간순간의 대기 상태를 의미해.

(1) **기후**: 오랜 기간에 걸쳐 나타나는 대기의 평균적이고 종합적인 상태

(2) **기후 요소와 기후 요인**

기후 요소	기온, 강수, 바람, 습도 등 특정 지역의 기후를 구성하는 요소
기후 요인	위도, 수륙 분포, 해발 고도, 지형, 해류 등 지역 간 기후 요소를 변화시키는 요인

(3) **기후 요인의 영향**

*위도	고위도로 갈수록 태양 복사 에너지의 양이 줄어들어 기온이 낮아짐
수륙 분포	비슷한 위도 상에서 해안 지역이 내륙 지역보다 기온의 연교차가 작게 나타남 → 육지와 바다의 비열 차이 때문
해발 고도	해발 고도가 높아질수록 기온이 낮아짐 – 해발 고도가 100m 상승할 때마다 기온은 약 0.6℃씩 낮아져.
지형	비구름이 상승하는 바람받이 사면은 강수량이 많고, 바람그늘 사면은 강수량이 적음

2. 우리나라의 기후 특성

중위도 지역은 태양의 고도가 높은 시기에 태양 복사 에너지의 양이 늘어나 여름이 되고, 태양의 고도가 낮은 시기에 반대로 겨울이 돼.

(1) **냉·온대 기후**: 북반구 중위도에 위치하기 때문에 사계절의 변화가 뚜렷하게 나타남

(2) **계절풍 기후**: 유라시아 대륙의 동쪽에 위치하여 계절에 따라 풍향이 크게 달라짐

여름	북태평양 고기압의 영향으로 남서·남동 계절풍이 발생함 → 해양에서 대륙으로 불어 고온 다습함
겨울	시베리아 고기압의 영향으로 북서 계절풍이 발생함 → 대륙에서 해양으로 불어 한랭 건조함

(3) ***대륙성 기후**: 중위도 대륙의 동쪽에 위치하여 대륙 서안보다 기온의 연교차가 큼 자료①

이것이 핵심!

기온, 강수, 바람의 특성

기온	• 겨울: 지형과 수온의 영향으로 동해안이 서해안보다 기온이 높음 • 여름: 북태평양 기단의 영향으로 기온이 매우 높음
강수	• 여름: 연 강수량의 절반 이상 집중 • 겨울: 강수량이 적은 편
바람	• 여름: 고온 다습한 남동·남서 계절풍 발생 • 겨울: 한랭 건조한 북서 계절풍 발생

2 기온, 강수, 바람의 특성

1. 우리나라의 기온 특성 교과서 자료

(1) **기온의 지역 차** – 꼭! 여름에는 내륙 > 해안(서해안 > 동해안) 순으로, 겨울에는 해안(동해안 > 서해안) > 내륙 순으로 기온이 높아.

① 위도의 영향으로 남쪽에서 북쪽으로 갈수록 기온이 낮아짐

② 수륙 분포의 영향으로 해안 지역에서 내륙 지역으로 갈수록 기온이 낮아짐

③ 국토가 남북으로 길어서 동서 간보다 남북 간의 기온 차가 큼

(2) **계절에 따른 기온 분포**

겨울	• 최한월 평균 기온은 −16~6℃ 정도로, 시베리아 기단의 영향으로 한랭함 • 비슷한 위도의 동해안이 서해안보다 기온이 높음 → 함경산맥과 태백산맥이 차가운 북서 계절풍을 막아주고, 동해의 겨울철 수온이 황해보다 높기 때문
여름	• 최난월 평균 기온은 16~27℃ 정도로, 북태평양 기단의 영향으로 기온이 매우 높음 • 해발 고도가 높은 대관령 지역은 비슷한 위도의 평지보다 기온이 낮음

(3) **기온의 연교차**: 남해안에서 북부 내륙으로 갈수록 커짐, 내륙 지역이 해안 지역보다, 서해안 지역이 동해안 지역보다 연교차가 큼 왜? 육지가 바다보다 쉽게 가열되고 냉각되기 때문이야.

(4) **기온의 일교차**: 봄과 가을의 맑은 날에 크고, 장마철에 작음

완자 자료 탐구

내 옆의 선생님

자료 1 유라시아 대륙 동안과 서안 기후

비슷한 위도에 분포하지만 대륙 동안과 서안은 서로 다른 기후 특성이 나타나.

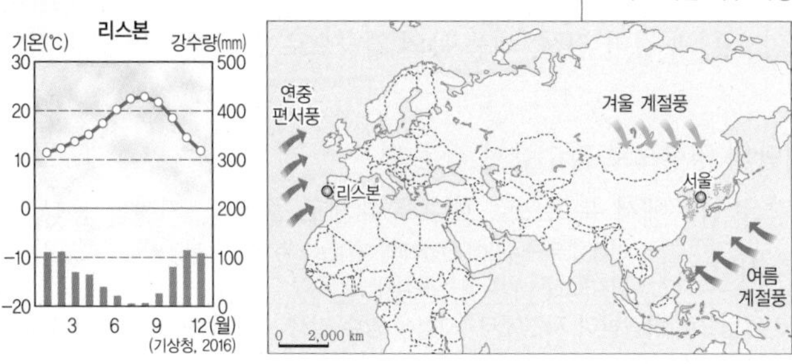

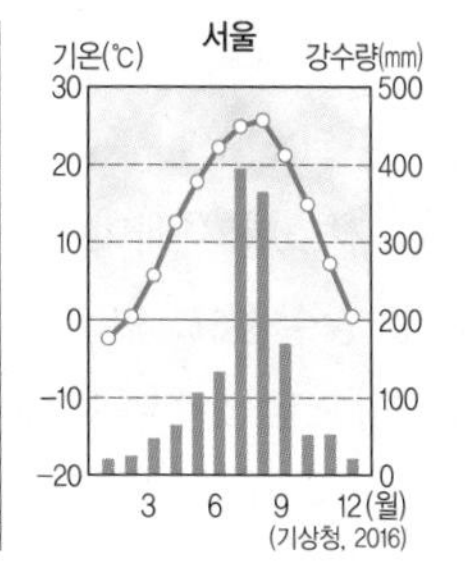

유라시아 대륙 서안에 위치한 리스본은 여름철에는 아열대 고압대의 영향으로 덥고 건조하며, 겨울철에는 해양에서 불어오는 편서풍과 북대서양 난류의 영향으로 온화하고 비가 자주 내린다. 이와 달리, 유라시아 대륙 동안에 위치한 서울은 여름철에는 남서·남동 계절풍의 영향을 받아 덥고 습하며, 겨울에는 북서 계절풍의 영향을 받아 춥고 건조하다. 따라서 우리나라는 리스본보다 기온의 연교차가 크게 나타난다.

└일 년 중 최난월 평균 기온과 최한월 평균 기온의 차이

정리 비법을 알려줄게!

대륙 동안과 서안 기후

유라시아 대륙 동안
• 계절풍의 영향을 강하게 받음
• 기온과 강수량의 연교차가 큰 편

↕

유라시아 대륙 서안
• 연중 편서풍과 난류의 영향을 받음
• 기온과 강수량의 연교차가 작은 편

자료 하나 더 알고 가자!

지역별 주요 기후 현상의 변화

북부 지방이나 내륙으로 갈수록 커짐	• 대륙도 • 결빙 일수 • 기온의 연교차
남부 지방이나 해안으로 갈수록 커짐	• 무상 일수 • 열대야 일수 • 최한월 평균 기온

수능이 보이는 교과서 자료 우리나라의 기온 분포의 특성

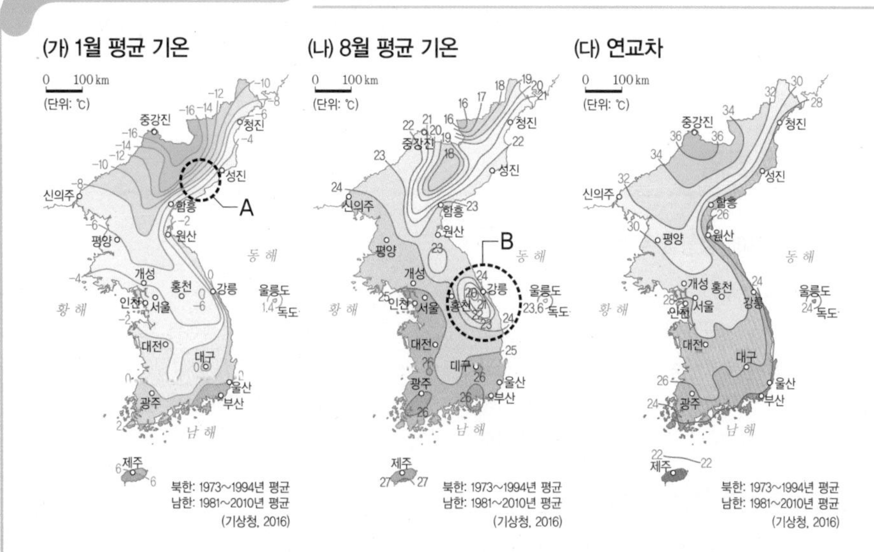

1월 평균 기온이 가장 낮은 곳은 북부 내륙 지방에 위치한 중강진 일대이고, 가장 높은 곳은 제주도로 지역에 따라 약 22℃의 기온 차가 발생한다. 8월 평균 기온은 16~27℃ 정도로 지역에 따라 약 11℃의 기온 차가 발생하여, 겨울철에 비해 기온의 지역 차가 작은 것이 특징이다. 이처럼 우리나라는 겨울에 지역 간 기온 차이가 크기 때문에 겨울 기온이 낮은 지역일수록 연교차가 크다. 따라서 기온의 연교차는 북부와 내륙 지역으로 갈수록 커진다.

완자샘의 탐구강의

• (가)에서 인천보다 강릉의 1월 평균 기온이 높은 이유를 써 보자.

태백산맥이 차가운 북서 계절풍을 막아주고, 동해의 겨울철 수온이 황해보다 높기 때문이다.

• (가), (나)의 A, B 지역에서 등온선이 해안을 따라 평행하게 니디나게 된 이유를 설명해 보자.

A 지역은 함경산맥, B 지역은 태백산맥이 지나는 곳으로 해발 고도에 따라 기온의 차이가 크게 나타난다.

• (다)를 보고 연교차의 지역적 차이를 서술해 보자.

기온의 연교차는 중강진 일대에서 가장 크게, 제주도에서 가장 작게 나타난다. 비슷한 위도에서는 해안보다 내륙이, 동해안 지역보다 서해안 지역이 연교차가 크다.

함께 보기 83쪽, 내신 만점 공략하기 03

2. 우리나라의 강수 특성

(1) **강수 특성**: 연평균 강수량은 약 1,300㎜ 정도로, 습윤 기후 지역에 속함

(2) **계절별 강수 분포** 자료 ②

① 여름: 고온 다습한 북태평양 기단과 장마 전선, 태풍 등의 영향으로 연 강수량의 50% 정도가 집중됨

② 겨울: 건조한 시베리아 기단의 영향으로 강수량이 적은 편

(3) **지역별 강수 분포**: 연 강수량은 남쪽에서 북쪽으로 갈수록 대체로 줄어듦, 지형과 풍향 등의 영향으로 강수량의 지역 차가 큼

여름철 우리나라에 전선이나 저기압이 위치할 때 북태평양 고기압이 위치한 남쪽 바다에서 유입되는 기류야.

다우지	고온 다습한 남서 기류의 유입으로 바람받이 사면에서 *지형성 강수 발생 → 제주도 남동 지역, 남해안 일부, 대관령, 한강 및 청천강 중·상류
소우지	• 바람그늘 지역 → 개마고원, 낙동강 중·상류 지역 • 해발 고도가 낮고 평탄한 지역 → 대동강 하류 지역
다설지	• 북서 계절풍의 영향 → 울릉도, 소백산맥 서사면 지역 • 북동 기류의 영향 → 강원도 영동 산간 지역

3. 우리나라의 바람 특성

(1) **편서풍**: 북반구 중위도에 위치하여 연중 서풍 계열의 바람이 우세함

(2) **계절풍**: 대륙과 해양 사이에 위치하여 여름철과 겨울철에 계절풍의 영향이 탁월함 자료 ③

겨울	시베리아 고기압의 영향으로 한랭 건조한 북서 계절풍 발생
여름	북태평양 고기압의 영향으로 고온 다습한 남동·남서 계절풍 발생

(3) **높새바람**: 늦봄에서 초여름 사이에 오호츠크해 기단이 확장할 때 부는 북동풍이 태백산맥을 넘으면서 *푄 현상 발생 → 영서 지방에 고온 건조한 바람이 불어 가뭄 피해 발생

★ 강수의 유형

대류성 강수	강한 일사에 의해 공기가 상승하여 내리는 강수 → 소나기
지형성 강수	습한 공기가 지형에 의해 상승할 때 내리는 강수
전선성 강수	서로 다른 성질의 공기가 만나 전선을 형성하여 내리는 강수 → 장마
저기압성 강수	열대 저기압인 태풍에 의해 내리는 강수

★ 푄 현상

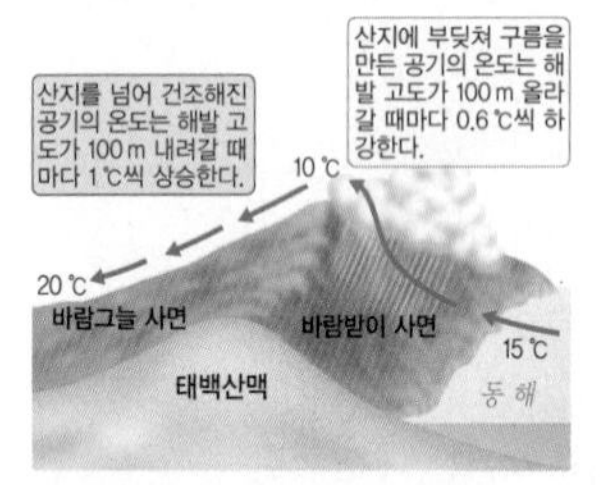

습윤한 바람이 높은 산지를 넘으면서 바람받이 사면에 강수를 발생시키고, 바람그늘 사면에서는 고온 건조한 공기로 변하는 현상

3 계절의 변화

1. 우리나라 기후에 영향을 주는 기단

구분	시기	성질	영향
시베리아 기단	겨울(늦가을~초봄)	한랭 건조	한파, 심한 사온, 꽃샘추위
오호츠크해 기단	늦봄~초여름	한랭 습윤	높새바람, 장마 전선 형성
북태평양 기단	여름	고온 다습	무더위, 열대야, 장마 전선 형성
적도 기단	여름	고온 다습	태풍

2. 계절에 따른 기후 특성 자료 ④

겨울	• 서고동저형 기압 배치: 대륙 내부에 시베리아 고기압, 일본 북동쪽 해상에 저기압이 발달함 • 삼한 사온 현상: 시베리아 고기압의 발달과 쇠퇴로 추위가 심한 날과 덜한 날이 교대로 나타남 • 폭설: 차가운 북서풍이 황해를 건너오면서 *눈구름을 형성하여 서해안에 폭설이 내림
봄	• 꽃샘추위: 시베리아 고기압의 일시적인 확장으로 갑자기 추워짐 • 심한 일기 변화: 이동성 고기압과 저기압이 교대로 지나가 날씨 변화가 심함
여름	• 장마철: 초여름에 나타남, 장마 전선의 영향으로 강수량이 많음, 습도와 불쾌지수 높음 • 한여름: 북태평양 고기압의 영향으로 무더위 지속 → 소나기가 자주 내림, 열대야 현상 발생
가을	이동성 고기압의 영향으로 맑은 날이 많고 습도가 낮음

열대야 현상: 일 최저 기온이 25℃ 이하로 떨어지지 않는 현상

이것이 핵심!

계절의 변화

겨울	삼한 사온 현상, 폭설
봄	꽃샘추위, 심한 날씨 변화
여름	장마, 무더위 지속
가을	맑고 건조한 날씨

★ 눈구름 형성 과정

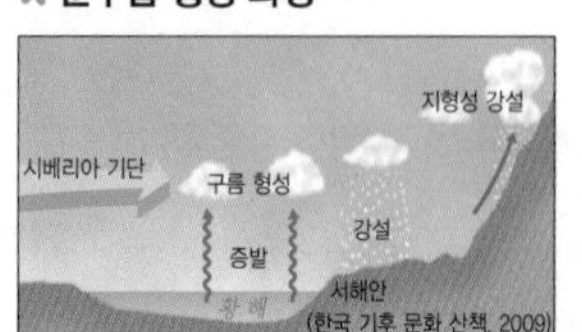

차가운 북서풍이 황해를 지나면서 수분을 함유하여 눈구름이 만들어진다.

자료 2 겨울철과 여름철의 강수 분포

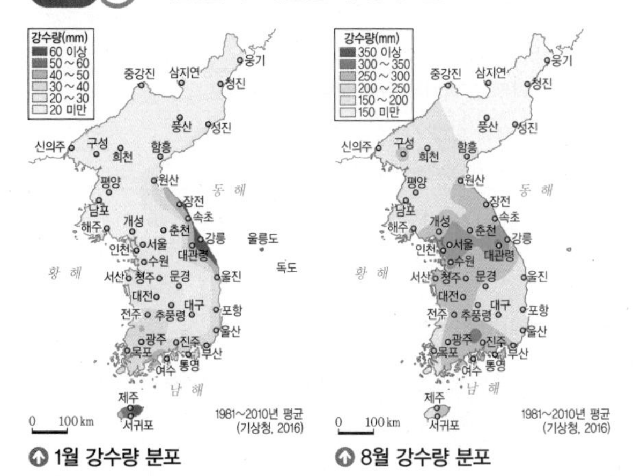

1월 강수량 분포 　 8월 강수량 분포

겨울철에는 건조한 시베리아 고기압의 영향을 받아 대체로 강수량이 적다. 그러나 울릉도와 영동 지역은 바다의 영향으로 강수량이 대체로 많다. 여름철에 강수량이 많은 지역은 남서 기류의 바람받이 지역에 해당하는 한강 및 청천강 중·상류, 남해안 일대 등지이다.

자료 3 겨울철과 여름철의 바람 특성

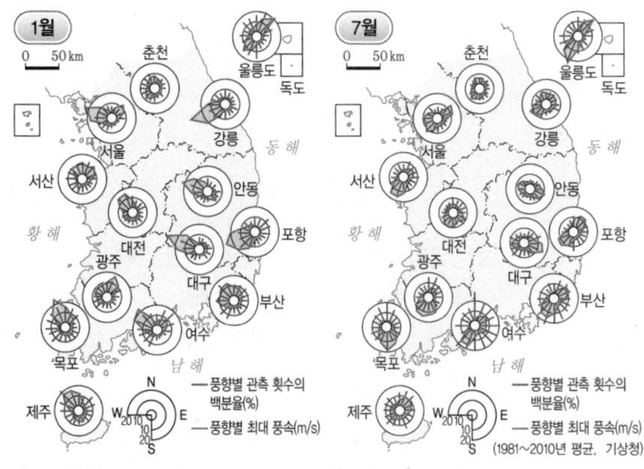

겨울철 바람장미 　 여름철 바람장미

└ 관측 지점에서 해당 기간의 풍향별 출현 빈도와 최대 풍속을 나타낸 그래프야.

우리나라는 편서풍대에 위치하고 있어 연중 서풍 계열의 바람이 우세하다. 겨울철에는 시베리아 고기압의 영향으로 북서풍이 많이 불고, 여름철에는 북태평양 고기압의 영향으로 남동·남서풍 등 남풍 계열의 바람이 많이 분다.

자료 4 계절별 일기도

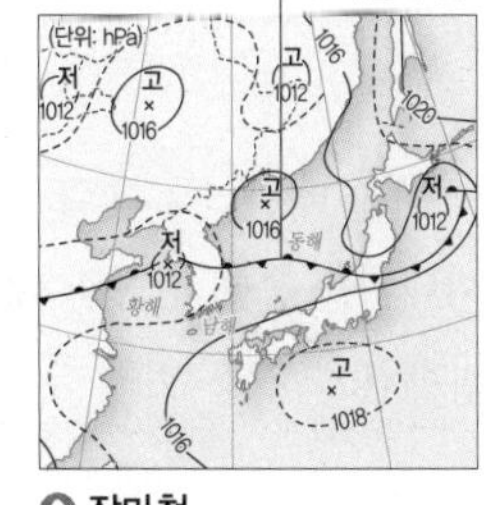
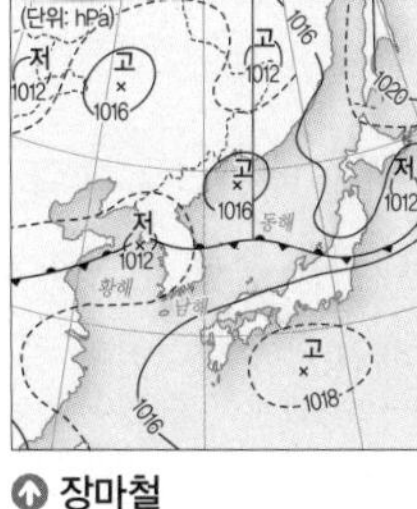
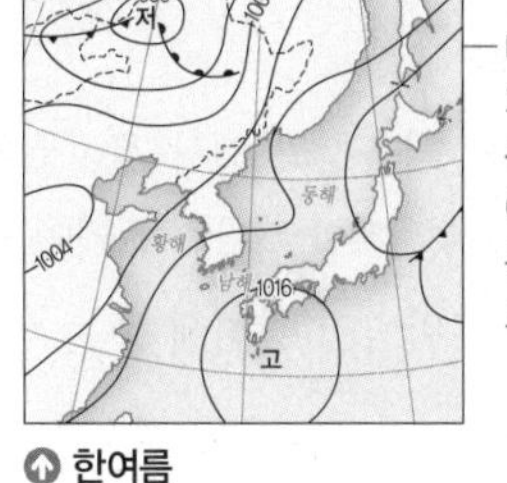

겨울 　 장마철 　 한여름

겨울철에는 시베리아 고기압이 발달하면서 서고동저형 기압 배치가 나타나며, 초여름의 장마철에는 장마 전선이 동서로 길게 발달한다. 장마 전선은 북태평양 고기압의 발달에 따라 점차 한반도 북쪽으로 올라간다. 이후 한반도 북쪽에 저기압이 발달하여 남고북저형 기압 배치가 나타나며 한여름의 무더위가 찾아온다.

자료 하나 더 알고 가자!

우리나라의 다설 지역

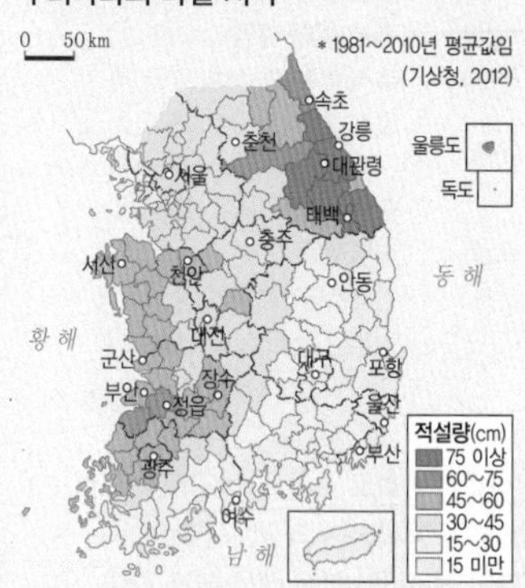

울릉도와 호남 지방은 북서 계절풍이 강할 때, 강원도 동해안 및 대관령 일대는 습기를 머금은 북동 기류가 태백산맥에 부딪칠 때 눈이 많이 내린다.

정리 비법을 알려줄게!

겨울철과 여름철 바람 특성

겨울철 바람 특성
• 북서풍 계열의 바람이 탁월함 • 여름에 비해 평균 풍속이 강함

↕

여름철 바람 특성
• 남풍 계열의 바람이 탁월함 • 겨울에 비해 평균 풍속이 약함

자료 하나 더 알고 가자!

우리나라에 영향을 주는 기단

겨울에는 한랭 건조한 시베리아 기단, 늦봄~초여름에는 한랭 습윤한 오호츠크해 기단, 여름에는 고온 다습한 북태평양과 적도 기단의 영향을 받는다.

이것이 핵심!

기후와 자연 경관

식생 분포	• 수평적 분포: 위도에 따른 기온 차이 반영 • 수직적 분포: 해발 고도에 따른 기온 차이 반영
토양 분포	• 성대 토양: 갈색 삼림토, 회백색토 • 간대토양: 석회암 풍화토, 현무암 풍화토, 화산회토

★ 석회암 풍화토
석회암이 풍화되는 과정에서 토양 속 철분이 산화되어 붉은 색을 띠게 된다.

4 기후와 자연 경관

1. 식생의 특색과 분포: 기후의 영향을 크게 받음 자료⑤

└ 식생 분포는 강수량보다 기온의 영향을 많이 받아.

(1) **수평적 분포**: 위도에 따른 기온 차이가 반영됨

난대림	남해안, 제주도, 울릉도의 저지대 등 → 동백나무, 후박나무 등의 상록 활엽수 분포
온대림	고산 지역을 제외한 대부분 지역 → 낙엽 활엽수와 침엽수가 섞인 혼합림 분포
냉대림	개마고원 및 고산 지역 → 전나무, 가문비나무 등의 침엽수 분포

└ 한두 가지의 수종으로 이루어진 단순림으로, 임산 자원으로서 가치가 높아.

(2) **식생의 수직적 분포**: 해발 고도에 따른 기온 차이가 반영됨

2. 토양의 특색과 분포 자료⑥

(1) **성숙토**: 생성 기간이 길어 층리가 뚜렷하게 발달한 토양

성대 토양	기후와 식생의 특성을 반영함, 온대림 지역의 갈색 삼림토와 냉대림 지역의 회백색토가 주를 이룸
간대토양	기반암의 특성을 반영함, *석회암 풍화토와 현무암 풍화토, 화산회토 등이 대표적임

└ 대체로 위도와 평행하게 분포해.

(2) **미성숙토**: 생성 기간이 짧거나 운반·퇴적 작용을 받아 층리 발달이 미약한 토양

충적토	하천 주변의 충적지에 분포, 비옥하여 농경지로 활용
염류토	서·남해안 일대의 간척지에 분포, 염분을 제거한 후 농경지로 활용

이것이 핵심!

기후 특성과 주민 생활

기온	• 여름: 모시·삼베옷 입음, 벼농사, 대청마루 발달 • 겨울: 솜옷·가죽옷 입음, 온돌 발달
강수	• 침수 대비: 터돋움집, 저수지·다목적 댐 건설 • 폭설 대비: 울릉도의 우데기 설치
바람	• 배산임수 촌락 발달 • 제주도에서는 돌담, 남부 지방에서는 까대기 설치

★ 정주간
부엌과 방 사이의 벽이 없는 공간으로, 부엌에서 발생하는 온기를 활용한다.

★ 터돋움집
홍수가 자주 발생하는 지역에서 침수 피해를 대비하여 터를 높여 짓는 집

★ 우데기
울릉도의 전통 가옥에 설치된 방설벽으로, 눈이 많이 쌓였을 때에도 생활 공간을 확보할 수 있다.

5 기후와 주민 생활

1. 기온과 주민 생활 자료⑦

구분	여름	겨울
의복	통풍이 잘 되는 삼베옷이나 모시옷을 입음	솜을 넣어 누빈 옷이나 가죽으로 만든 옷을 입음
음식	• 고온 다습한 기후 환경에서 잘 자라는 벼 재배 • 음식이 상하는 것을 방지하는 염장 식품 발달	• 추위에 잘 견디는 보리나 밀 재배 • 겨울을 나기 위한 김장 문화 발달
가옥 구조	바람이 잘 통하고 지면으로부터 습기를 차단하기 위해 대청마루 설치	• 난방 시설인 온돌 설치 • 관북 지방은 *정주간 발달

└ 김장은 겨울이 오기 직전에 하므로 김장 시기는 북쪽으로 갈수록 빨라져.

2. 강수와 주민 생활

┌ 일조 시간이 길어 바닷물을 증발시켜 소금을 만들기 유리해.

다우지	침수 피해를 대비하기 위한 *터돋움집 및 피수대 축조, 범람원의 제방 및 저수지·보·다목적 댐 설치
소우지	서해안 일대에 천일제염업 발달, 경상북도 내륙 지역에서 과수 재배 활발
다설지	가옥 지붕의 경사가 급함, 울릉도의 *우데기, 눈 축제 개최·스키장 건설 등 눈을 관광 자원으로 활용

3. 바람과 주민 생활

(1) **전통적 주민 생활**: 겨울철의 북서 계절풍에 대비한 배산임수 촌락 발달, 제주도의 낮은 경사의 지붕·그물 지붕·돌담 등, 호남 지역은 까대기를 통해 강풍과 대설에 대비

(2) **오늘날 주민 생활**: 바람이 강하게 부는 산지, 해안, 도서 지역에 풍력 발전 단지 조성

└ 바람과 눈이 들어오는 것을 대비해 가옥의 벽이나 담에 임시로 덧붙여 만든 건조물을 말해.

4. 기후와 경제생활

(1) **날씨와 경제생활**: 기상 정보를 이용한 경영은 제조업, 서비스업 등 다양한 분야에서 이루어짐
예 계절상품의 생산 및 출고량 조절, 날씨에 따라 편의점 진열 상품의 변화 등

(2) **기후와 경제생활**: 기후의 지역 차는 농업 활동, 계절별 지역 축제 개최, 관광 등에 영향을 미침 예 동남아시아 사람들의 우리나라 단풍 및 스키 관광

└ 기후의 특색을 활용하는 축제가 많은데, 벚꽃 축제인 진해의 군항제, 보령의 머드 축제, 김제의 지평선 축제, 화천의 산천어 축제 등이 대표적이야.

자료 5 우리나라의 식생 분포

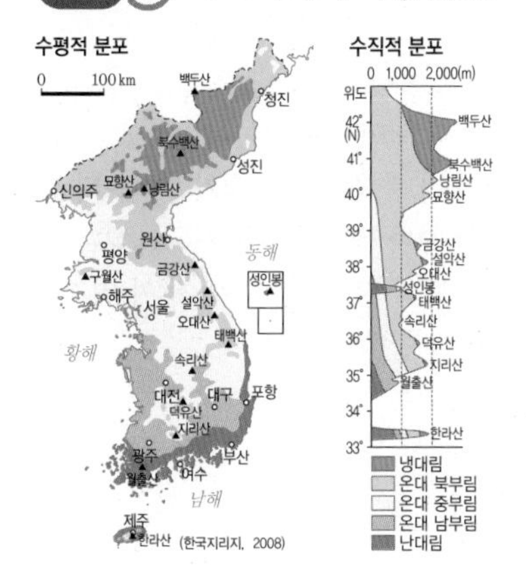

- **식생의 수평적 분포**: 우리나라 식생은 남쪽에서 북쪽으로 갈수록 난대림, 온대림, 냉대림의 순서대로 나타난다. 난대림은 우리나라 남부 해안 지역 및 울릉도 해안을 중심으로 고도가 낮은 지대를 따라 분포한다. 온대림은 고산 지역을 제외한 대부분 지역에 분포한다. 냉대림은 개마고원 및 고산 지역에 주로 분포한다.
- **식생의 수직적 분포**: 해발 고도가 높아질수록 기온이 낮아지기 때문에 고도에 따라 식생의 수직적 분포가 다르게 나타난다.

자료 6 우리나라의 토양 분포

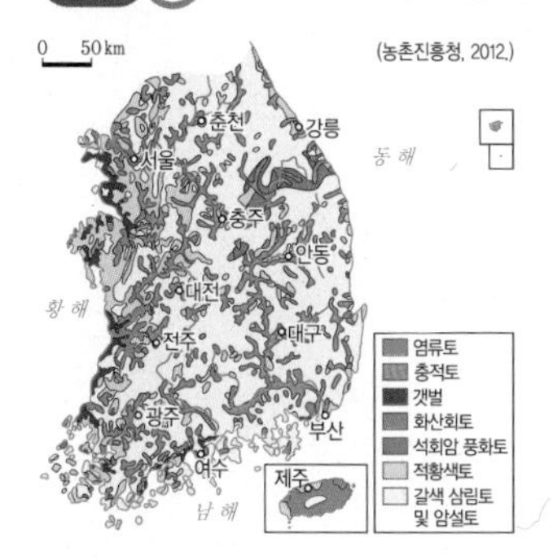

토양의 생성 기간이 긴 성숙 토양은 기후와 식생의 영향을 받아 형성된 성대 토양과 기반암의 특성에 영향을 받아 형성된 간대토양으로 구분한다. 성대 토양은 온대림 지역의 갈색 삼림토와 냉대림 지역의 회백색토가, 간대 토양은 붉은색의 석회암 풍화토와 흑갈색의 현무암 풍화토가 대표적이다. 토양의 생성 시기가 짧은 미성숙토는 충적토와 염류토가 대표적이다.

자료 7 우리나라의 전통 가옥 구조

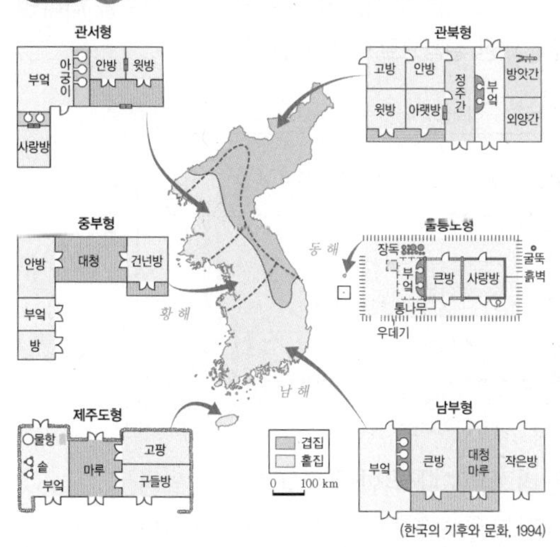

관북 지방의 정주간

울릉도의 우데기

각 지역의 가옥은 기후 특성에 따라 조금씩 다른 구조로 발달했는데, 겨울이 춥고 긴 북부 지방으로 갈수록 폐쇄적인 형태를 보이고, 여름이 무덥고 긴 남부 지방으로 갈수록 개방적인 형태를 보인다.

자료 하나 더 알고 가자!

제주도 식생의 수직적 분포

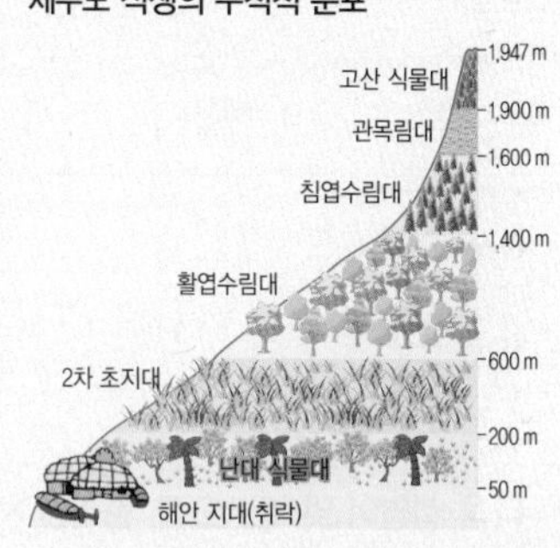

제주도는 우리나라에서 식생의 수직적 분포를 가장 뚜렷하게 관찰할 수 있는 곳이다. 이중 2차 초지대는 방목이나 농경지 확보 등을 목적으로 조성된 인공 식생이다.

정리 비법을 알려줄게!

우리나라의 토양 특성과 분포

성숙토	
성대 토양	• 회백색토: 개마고원 일대에 분포 • 갈색토: 중·남부 지방에 분포 • 적색토: 남한 저지대 완경사지에 분포
간대 토양	• 석회암 풍화토: 고생대 지층의 석회암 지대에 분포 • 화산회토, 현무암 풍화토: 화산 지형(제주도, 울릉도, 철원)에 분포

+

미성숙토
• 염류토: 해안 간척지에 분포 • 충적토: 하천 양안에 주로 분포

자료 하나 더 알고 가자!

기온 차이에 따른 식생활

북부 지방(위)과 남부 지방(아래)의 김치

북부 지방에서는 소금과 고춧가루를 적게 넣은 김치를, 남부 지방에서는 젓갈, 소금, 고춧가루 등을 많이 넣은 김치를 담근다.

STEP 1

핵심 개념 확인하기

정답친해 24쪽

1 다음에 해당하는 것을 〈보기〉에서 골라 기호를 쓰시오.

보기

ㄱ. 강수 ㄴ. 기온 ㄷ. 바람 ㄹ. 위도
ㅁ. 지형 ㅂ. 해류 ㅅ. 수륙 분포

(1) 기후 요인 (   )

(2) 기후 요소 (   )

2 다음 설명이 맞으면 ○표, 틀리면 ×표를 하시오.

(1) 우리나라는 북반구 중위도에 위치하여 냉·온대 기후가 나타난다. (   )

(2) 우리나라는 유라시아 대륙 동안에 위치하여 유라시아 대륙 서안에 비해 기온의 연교차가 작다. (   )

3 ㉠, ㉡에 들어갈 용어를 각각 쓰시오.

늦봄에서 초여름 사이 오호츠크 해 기단의 영향으로 발생한 북동풍이 태백산맥을 넘으면 (㉠   )으로 고온 건조해지며, 이 바람을 (㉡   )이라 한다. 이 바람의 영향으로 영서 지방에서는 가뭄이 발생한다.

4 다음에서 설명하는 시설을 〈보기〉에서 골라 기호를 쓰시오.

보기

ㄱ. 우데기 ㄴ. 정주간 ㄷ. 터돋움집

(1) 관북 지방의 부엌과 방 사이의 벽이 없는 공간 (   )

(2) 홍수가 자주 발생한 지역에서 침수 피해를 대비하여 터를 높여 짓는 집 (   )

(3) 울릉도에서 눈이 많이 쌓였을 때 생활 공간을 확보하기 위해 설치하는 방설벽 (   )

5 다음에서 설명하는 토양을 쓰시오.

(1) 기반암의 특성을 반영한 토양으로 석회암 풍화토, 현무암 풍화토 등이 있다. (   )

(2) 오랜 기간 기후와 식생의 영향을 받아 형성된 토양으로 회백색토, 갈색 삼림토, 적색토 등이 있다. (   )

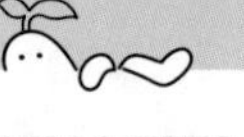

STEP 2

내신 만점 공략하기

01 기후 요인과 사례를 옳게 연결한 것만을 〈보기〉에서 있는 대로 고른 것은?

보기

ㄱ. 지형 – 부산은 서울에 비해 연평균 기온이 높다.
ㄴ. 위도 – 제주도는 서울보다 봄꽃의 개화 시기가 이르다.
ㄷ. 수륙 분포 – 홍천은 강릉보다 최한월 평균 기온이 낮다.
ㄹ. 해발 고도 – 3월, 제주도의 한라산은 눈이 쌓여 있지만, 해안가에는 유채꽃이 만발한다.

① ㄱ, ㄴ ② ㄱ, ㄷ ③ ㄴ, ㄹ
④ ㄱ, ㄷ, ㄹ ⑤ ㄴ, ㄷ, ㄹ

02 그래프는 리스본과 서울의 기온 및 강수 분포를 나타낸 것이다. 이에 대한 설명으로 옳지 않은 것은?

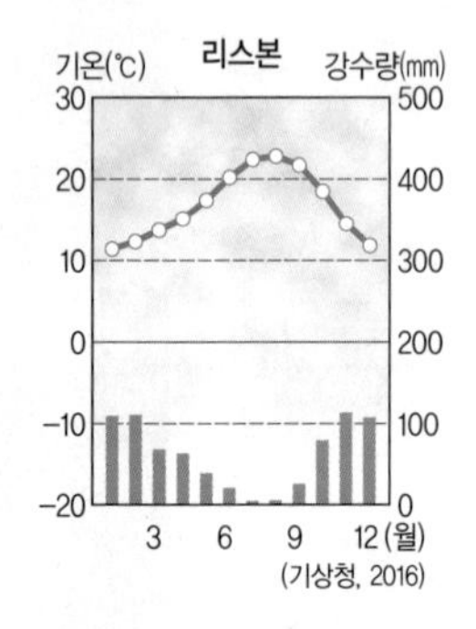

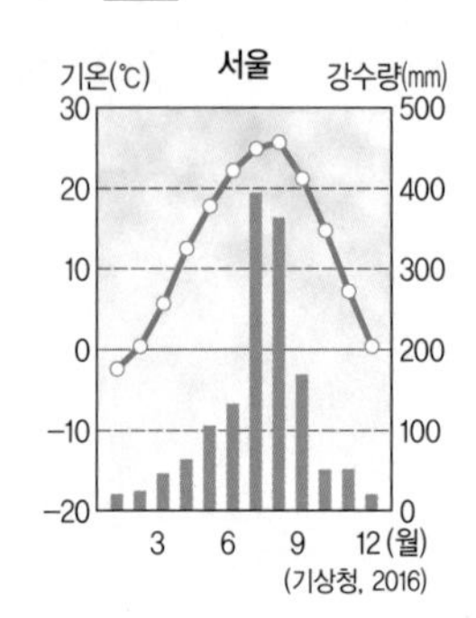

① 서울은 리스본보다 최한월 평균 기온이 낮다.
② 리스본은 서울보다 최난월 평균 기온이 낮다.
③ 서울은 리스본보다 겨울철 강수 집중률이 높다.
④ 서울은 리스본에 비해 기온의 연교차가 더 크다.
⑤ 리스본은 서울보다 편서풍의 영향을 많이 받는다.

03 중요 지도는 우리나라 1월과 8월의 평균 기온 분포를 나타낸 것이다. 이에 대한 옳은 설명을 〈보기〉에서 고른 것은?

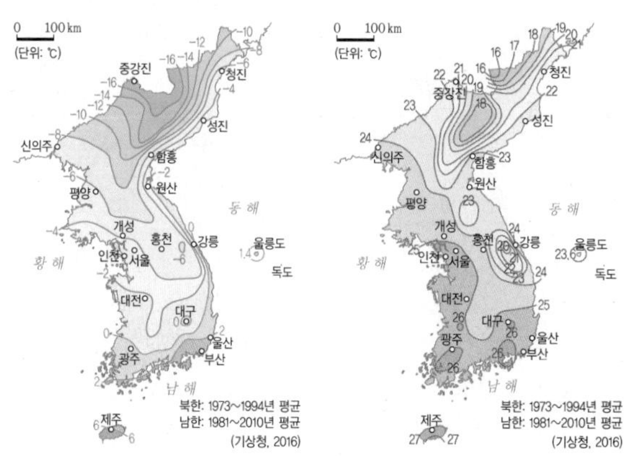

1월 평균 기온 분포 / 8월 평균 기온 분포

보기

ㄱ. 동서 간의 기온 차가 남북 간의 차보다 크다.
ㄴ. 겨울철이 여름철보다 기온의 지역 차가 크다.
ㄷ. 해안 지역이 내륙 지역보다 기온의 연교차가 크다.
ㄹ. 같은 위도의 동해안 지역은 서해안 지역에 비해 겨울철 기온이 높다.

① ㄱ, ㄴ ② ㄱ, ㄷ ③ ㄴ, ㄷ
④ ㄴ, ㄹ ⑤ ㄷ, ㄹ

04 그래프의 (가)~(라)에 해당하는 지역을 지도에서 골라 옳게 연결한 것은? (단, A~D는 인천, 홍천, 강릉, 대관령 중 하나이다.)

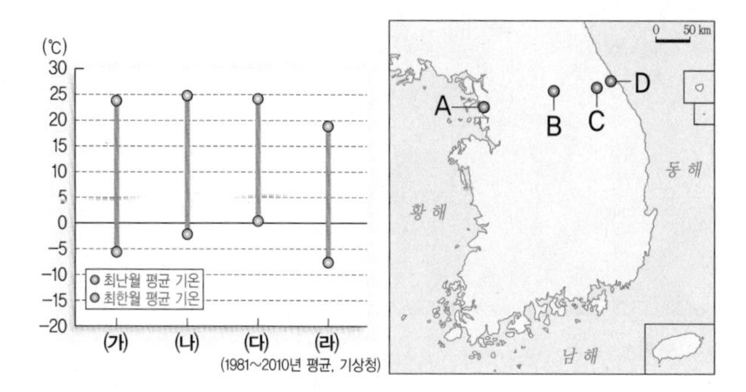

	(가)	(나)	(다)	(라)
①	A	C	B	D
②	B	A	D	C
③	B	D	C	A
④	C	D	A	B
⑤	D	A	B	C

05 (가)는 진달래 개화 시기, (나)는 김장 적기를 나타낸 것이다. 이에 대한 설명으로 옳지 않은 것은?

(가)

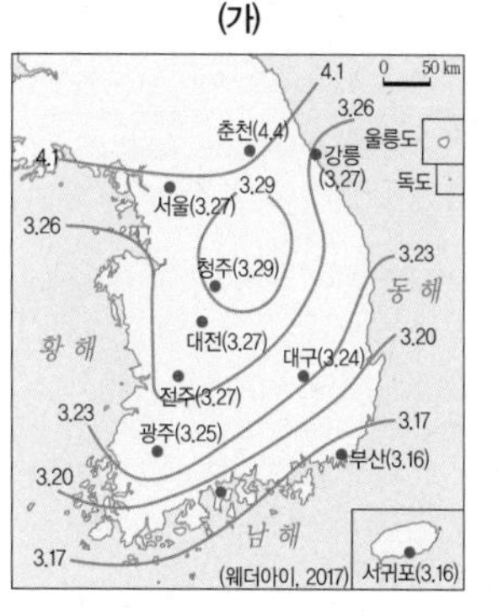

(나)

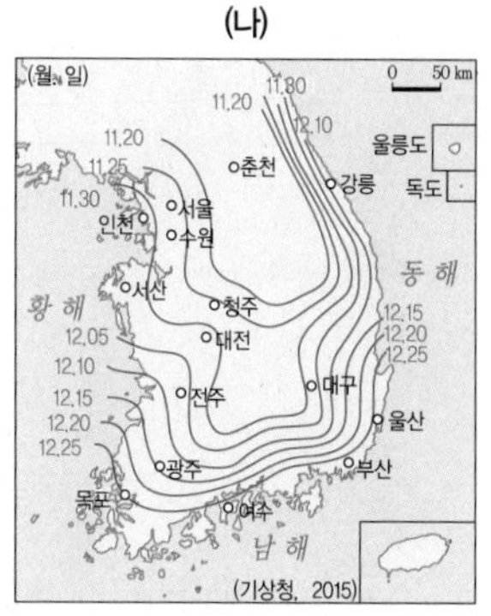

① (가)에서 동서 간의 차이는 남북 간의 차이보다 크다.
② (나)에서 동해안은 비슷한 위도의 서해안에 비해 김장 적기가 늦다.
③ (가), (나)는 모두 지역별 기온 차이를 반영한다.
④ (가), (나)의 지역 간 차이에 지형적 요인이 작용한다.
⑤ (가)는 북쪽으로 갈수록, (나)는 남쪽으로 갈수록 시기가 늦어진다.

06 지도는 겨울철의 지역별 강수량을 나타낸 것이다. A~D에 대한 옳은 설명을 〈보기〉에서 고른 것은?

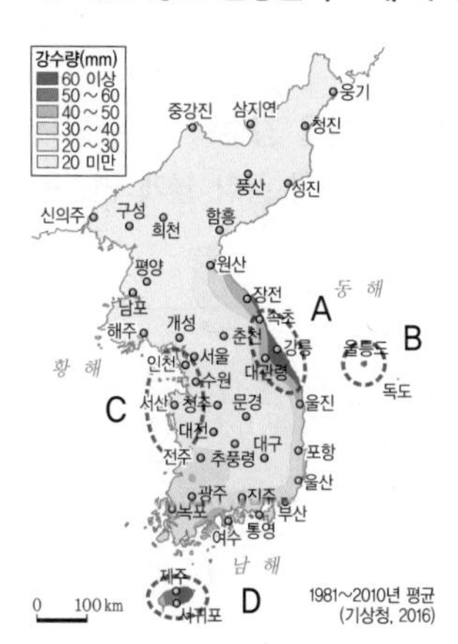

보기

ㄱ. A에서 북동 기류에 의한 강수가 나타난다.
ㄴ. B는 다른 지역에 비해 겨울 강수량의 비중이 높다.
ㄷ. D에서는 겨울철에 남풍 계열의 계절풍에 의한 강수가 나타난다.
ㄹ. 겨울철 적설량은 C > B > A 순으로 많게 나타난다.

① ㄱ, ㄴ ② ㄱ, ㄷ ③ ㄴ, ㄷ
④ ㄴ, ㄹ ⑤ ㄷ, ㄹ

07 지도는 우리나라의 연 적설량 분포를 나타낸 것이다. 이에 대한 설명으로 옳지 않은 것은?

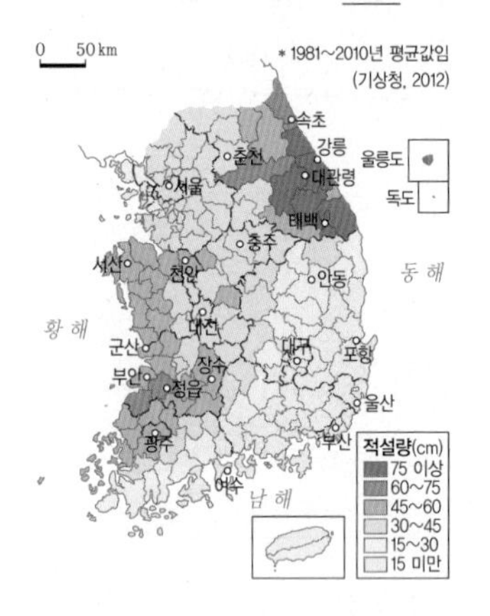

① 울릉도, 강원도 영동 지방은 다설지에 속한다.
② 지형과 풍향의 영향으로 연 적설량의 지역 차가 발생한다.
③ 소백산맥 서사면은 북서 계절풍의 영향으로 눈이 많이 내린다.
④ 해안에 위치한 속초는 내륙에 위치한 춘천보다 연 적설량이 많다.
⑤ 강원도 동해안 지역은 북동 기류에 의한 대류성 강수에 의해 눈이 많이 내린다.

08 표는 (가)~(다) 지역의 여름과 겨울 강수량 순위를 나타낸 것이다. 각 지역을 지도의 A~C에서 골라 옳게 연결한 것은?

구분	(가)	(나)	(다)
여름 강수량	2위	1위	3위
겨울 강수량	1위	2위	3위

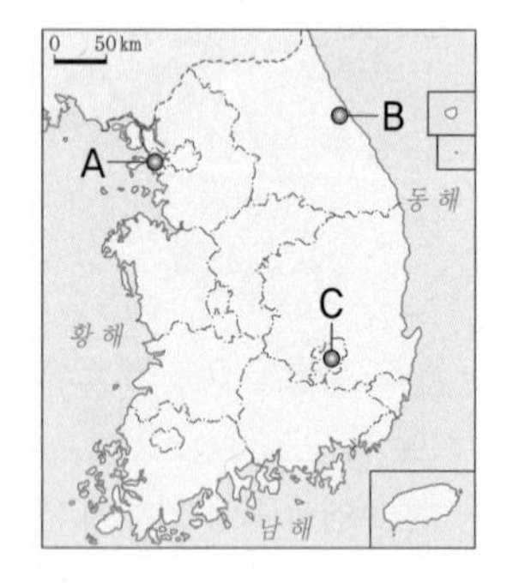

	(가)	(나)	(다)
①	A	B	C
②	A	C	B
③	B	A	C
④	B	C	A
⑤	C	A	B

☆중요
09 (가), (나)는 서로 다른 계절의 바람 특성을 나타낸 것이다. 이에 대한 옳은 설명을 〈보기〉에서 고른 것은?

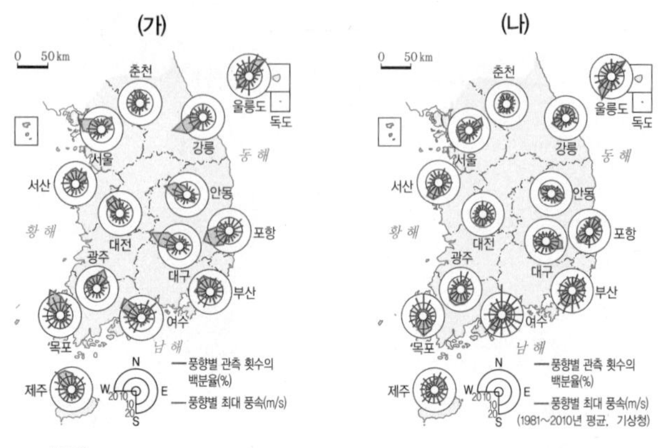

보기

ㄱ. (가) 시기에는 남고북저형의 기압 배치가 나타난다.
ㄴ. (나) 시기에는 주로 남풍 계열의 바람이 분다.
ㄷ. (가) 시기에 부는 바람은 (나) 시기에 부는 바람에 비해 대체로 풍속이 약하다.
ㄹ. (가) 시기에는 대륙성 기단, (나) 시기에는 해양성 기단의 영향을 주로 받는다.

① ㄱ, ㄴ ② ㄱ, ㄷ ③ ㄴ, ㄷ
④ ㄴ, ㄹ ⑤ ㄷ, ㄹ

10 지도는 우리나라에 영향을 주는 기단을 나타낸 것이다. A~D에 대한 옳은 설명을 〈보기〉에서 고른 것은?

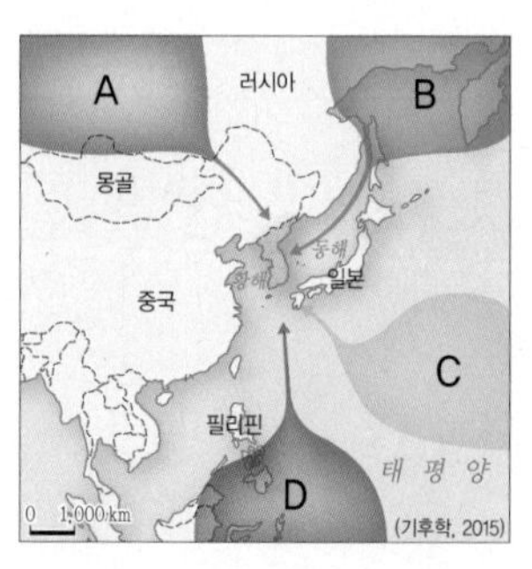

보기

ㄱ. A의 영향이 일시적으로 세지면 꽃샘추위가 나타난다.
ㄴ. B는 여름철 장마 전선을 형성한다.
ㄷ. C의 영향으로 가을철 맑고 청명한 날씨가 나타난다.
ㄹ. D의 영향으로 겨울철 삼한 사온 현상이 발생한다.

① ㄱ, ㄴ ② ㄱ, ㄷ ③ ㄴ, ㄷ
④ ㄴ, ㄹ ⑤ ㄷ, ㄹ

11 (가), (나) 일기도에 해당하는 시기의 기후 특성에 대한 설명으로 옳은 것은?

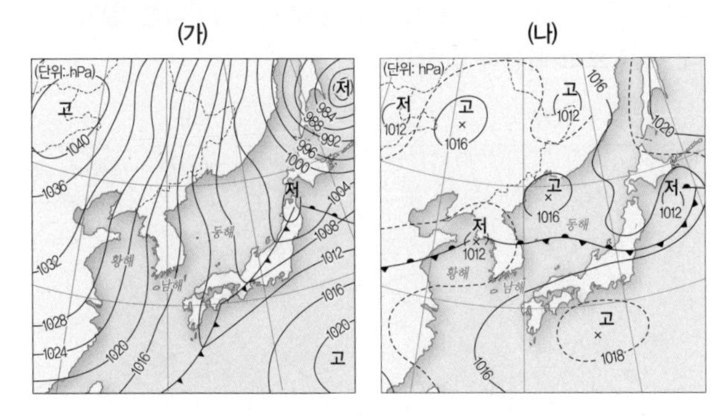

① (가) 시기에는 열대야 및 열대일이 발생한다.
② (가) 시기에는 영서 지방에 고온 건조한 바람이 분다.
③ (나) 시기에는 대류성 강수가 우세하다.
④ (가) 시기는 (나) 시기보다 일교차가 크다.
⑤ (나) 시기는 (가) 시기보다 평균 풍속이 강하다.

12 그림과 같은 원리로 나타나는 우리나라의 기후 특성으로 옳은 것은?

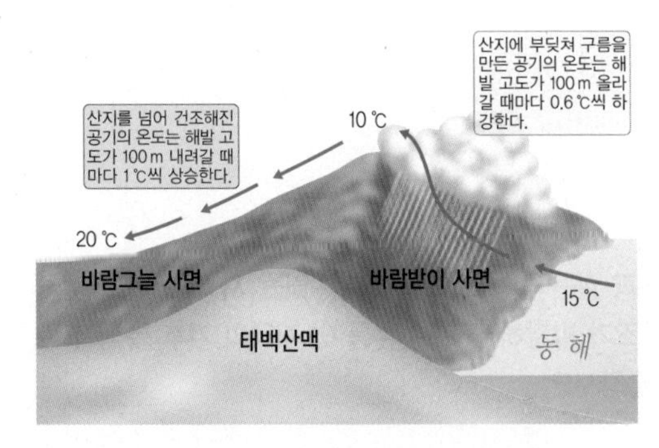

① 한강 중·상류 지역은 소우지에 해당한다.
② 겨울철 서해안 지역에는 대설이 자주 내린다.
③ 봄철 영서 지방에서는 가뭄 피해가 발생하기도 한다.
④ 대도시의 도심 지역은 교외 지역보다 평균 기온이 높다.
⑤ 기온의 연교차는 동해안이 같은 위도의 내륙 지역보다 크다.

13 중요 지도는 우리나라 식생의 수평·수직적 분포를 나타낸 것이다. 이에 대한 설명으로 옳지 않은 것은?

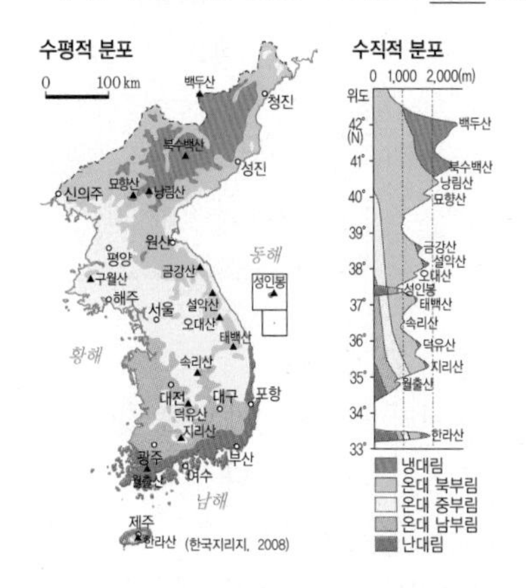

① 남해안 일대에는 난대림이 분포한다.
② 우리나라에서 가장 넓게 분포하는 식생은 온대림이다.
③ 식생의 수직 분포는 해발 고도와 밀접한 관련이 있다.
④ 한라산은 식생의 수직적 분포가 가장 다양하게 나타난다.
⑤ 북부 지역으로 갈수록 냉대림이 분포하는 지역의 해발 고도는 점차 높아진다.

14 지도는 우리나라 성대 토양의 분포를 나타낸 것이다. A~C에 대한 옳은 설명을 〈보기〉에서 고른 것은?

보기

ㄱ. A는 기반암의 특성이 반영되었다.
ㄴ. B는 주로 온대림이 분포하고 있다.
ㄷ. C는 과거의 고온 다습한 기후 환경을 반영한다.
ㄹ. A~C 모두 운반·퇴적 작용으로 형성된 토양으로 단면의 발달이 미약하다.

① ㄱ, ㄴ ② ㄱ, ㄷ ③ ㄴ, ㄷ
④ ㄴ, ㄹ ⑤ ㄷ, ㄹ

15 그림은 두 지역의 전통 가옥 구조를 나타낸 것이다. (가), (나) 지역의 특징을 추론한 것으로 적절하지 않은 것은?

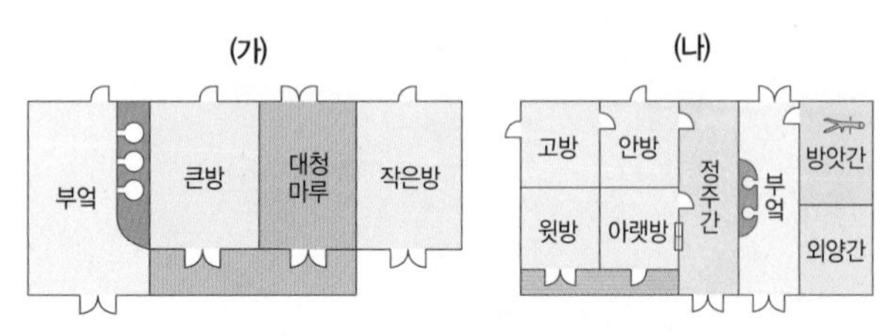

① (가)는 (나)보다 김치가 맵고 짤 것이다.
② (가)는 (나)보다 가을의 첫 서리 발생 시기가 이를 것이다.
③ (나)는 (가)보다 연평균 기온이 낮을 것이다.
④ (나)는 (가)보다 기온의 연교차가 클 것이다.
⑤ (가)는 논농사, (나)는 밭농사가 발달하였을 것이다.

16 다음 글을 통해 알 수 있는 내용으로 가장 적절한 것은?

> **날씨와 경제생활**
> - 20℃에서 30℃로 기온이 상승할 때 우유와 요구르트의 매출은 8% 정도 감소한다.
> - 겨울이 올 때쯤 편의점 앞에는 따뜻한 호빵이 진열되고, 장마철에는 우산이 진열된다.
> - 기온이 20~30℃일 때는 유지방이 든 아이스크림, 기온이 30℃가 넘으면 얼음이 많이 든 빙과류가 인기가 많다.

① 강수는 기온보다 상품 판매에 미치는 영향이 작다.
② 날씨 및 기후 마케팅은 제품의 품질에 영향을 미친다.
③ 날씨는 계절상품을 생산하고 판매하는 제조업에 많은 영향을 준다.
④ 기상 정보를 경영에 활용하는 날씨 경영은 유통업에만 적용할 수 있다.
⑤ 장기간 축적된 기상 정보는 고객의 구매 경향을 분석하는 데 도움이 될 수 없다.

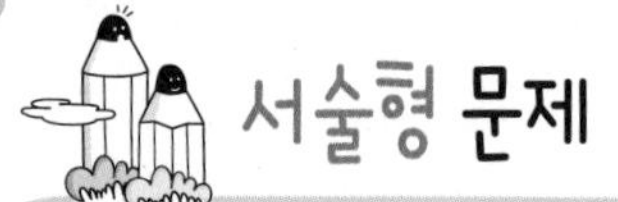

서술형 문제

● 정답친해 27쪽

01 (가), (나)는 특정 시기에 전형적으로 나타나는 일기도이다. 이를 보고 물음에 답하시오.

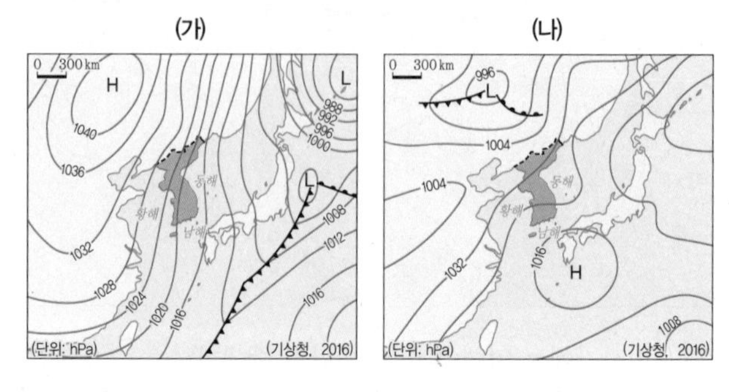

(1) (가), (나)는 어느 계절의 일기도인지 쓰시오.

(2) (가), (나) 계절에 우리나라에 주로 부는 바람의 방향과 성질을 설명하고, 이로 인한 기후 특성을 서술하시오.

02 사진과 같은 전통 가옥을 볼 수 있는 지역을 쓰고, 이러한 가옥 구조가 발달하게 된 이유를 이 지역의 기후 특색과 관련하여 서술하시오.

정답친해 27쪽

STEP 3 1등급 정복하기

1 그래프의 (가)~(다)에 해당하는 지역을 지도의 A~C에서 골라 옳게 연결한 것은?

▶ 세계 여러 도시의 기후

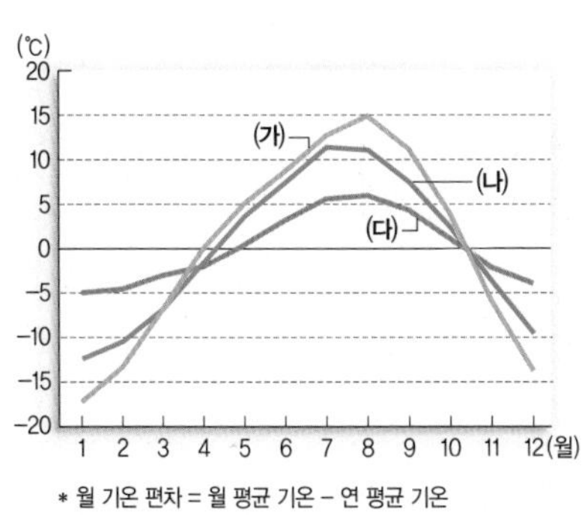

* 월 기온 편차 = 월 평균 기온 − 연 평균 기온

⊙ 월 기온 편차

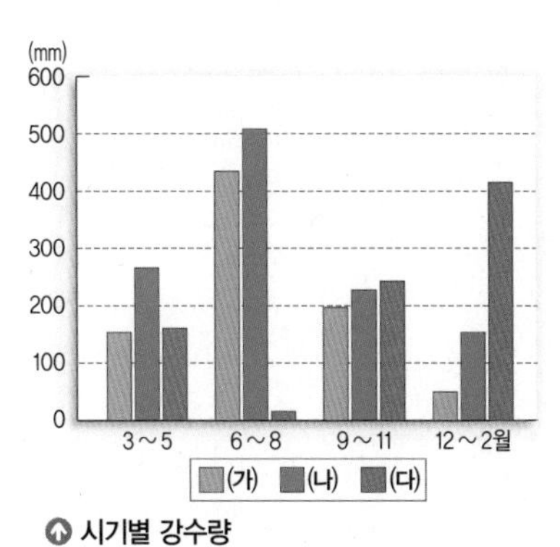

⊙ 시기별 강수량

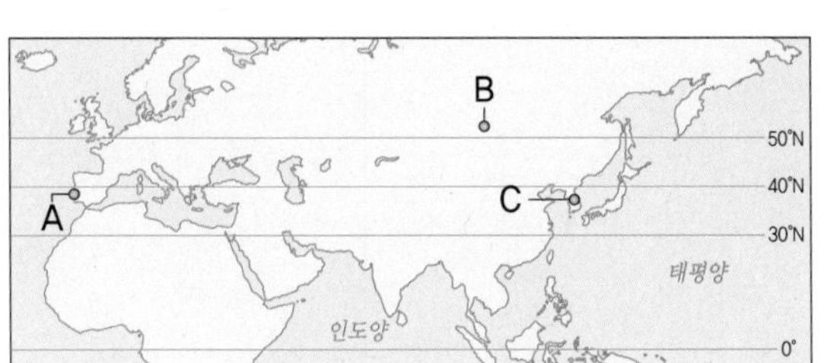

	(가)	(나)	(다)
①	A	B	C
②	A	C	B
③	B	A	C
④	B	C	A
⑤	C	A	B

평가원 응용

2 그래프는 지도에 표시된 네 지역의 기후 자료이다. A~D 지역에 대한 설명으로 옳은 것은?

▶ 우리나라 여러 지역의 기후 특성

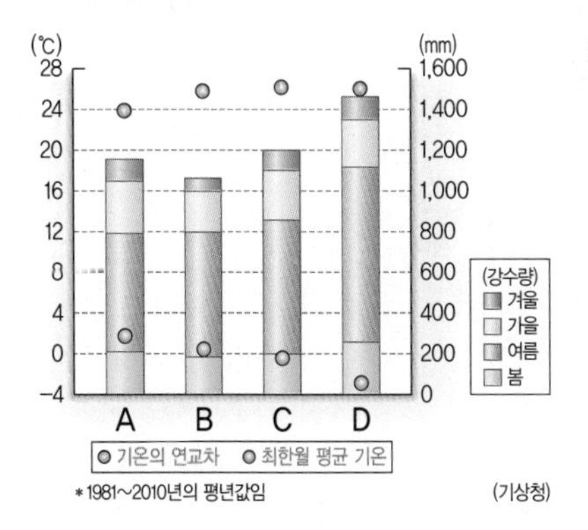

*1981~2010년의 평년값임 (기상청)

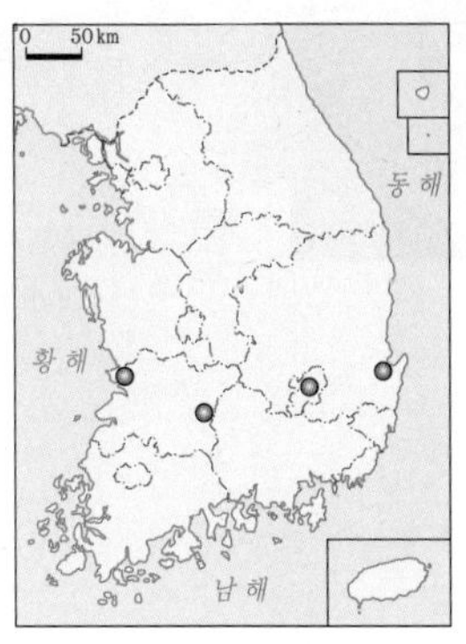

① A는 B보다 여름 강수 집중률이 높다.
② A는 C보다 연평균 기온이 높다.
③ C는 B보다 최난월 평균 기온이 높다.
④ C는 D보다 동계 강수 집중률이 높다.
⑤ A는 서해안, C는 동해안에 위치한다.

완자샘의 시험 꿀팁

우리나라의 여러 지역에 대한 기후 값을 세시한 다음 지도에서 파악하는 문항이 주로 출제되므로 여러 지역의 기후 특성을 파악해 두어야 한다.

수능 응용

3 그래프는 (가)~(라) 지역의 기후 특성을 나타낸 것이다. 이에 해당하는 지역을 지도의 A~D에서 골라 옳게 연결한 것은?

> 우리나라 여러 지역의 기후 특성

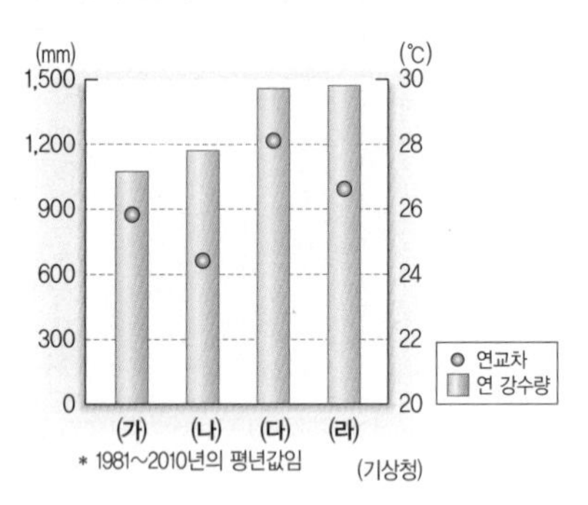

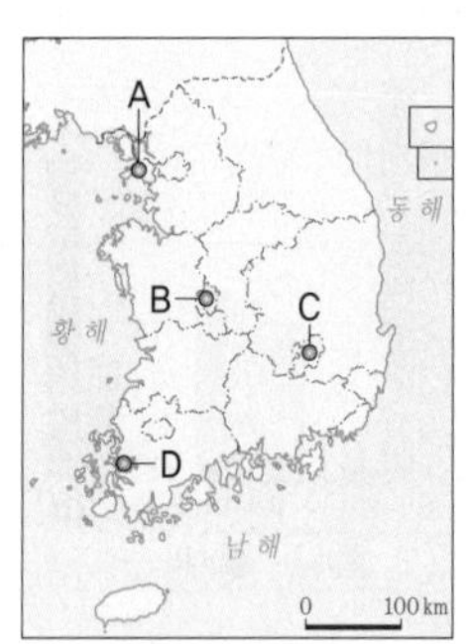

	(가)	(나)	(다)	(라)
①	A	C	D	B
②	B	A	C	D
③	B	C	D	A
④	C	D	A	B
⑤	C	D	B	A

4 (가), (나)는 각 지역 전통 가옥의 특징적인 공간이다. (가) 지역과 비교한 (나) 지역의 상대적 특징으로 옳은 것을 그래프의 A~E에서 고른 것은?

> 우리나라의 전통 가옥 구조

완자샘의 시험 꿀팁
우리나라의 전통 가옥 구조를 기후 특성과 연관해서 정리해야 한다.

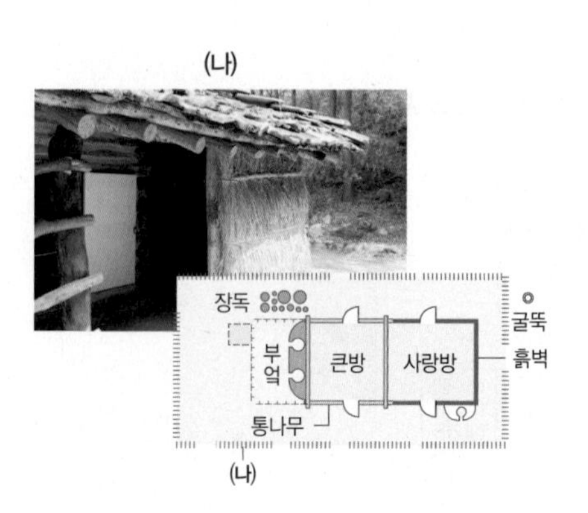

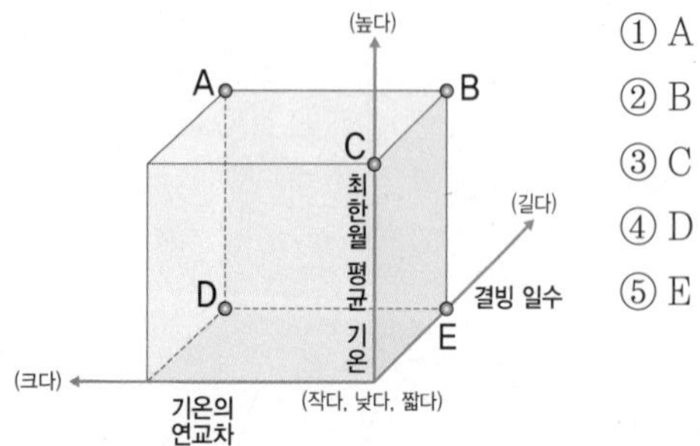

① A
② B
③ C
④ D
⑤ E

평가원 응용

5 ㉠~㉤에 대한 옳은 설명을 〈보기〉에서 고른 것은?

> (㉠) 기단은 우리나라의 겨울철 기후에 영향을 미친다. 삼한 사온 현상과 ㉡ 꽃샘추위는 이 기단의 영향으로 나타난다. (㉢) 기단은 늦봄에서 초여름의 우리나라 기후에 영향을 미친다. 이 기단이 세력을 확장하여 장기간 영향을 미칠 때, 영동 지방에서는 냉해를 입을 수 있으며, ㉣ 영서 지방에서는 가뭄 피해를 겪기도 한다. 북태평양 기단은 아열대의 해양에서 발원하며, 이 기단이 확장하면 본격적인 한여름의 무더위가 시작된다. 열대야가 나타나기도 하며, ㉤ 소나기가 자주 내린다.

보기

ㄱ. ㉠ 기단은 ㉢ 기단보다 건조한 성질을 가진다.
ㄴ. ㉡은 봄철에 ㉠ 기단의 세력이 일시적으로 확장했을 때 나타난다.
ㄷ. ㉣은 ㉢에서 발생한 북동풍의 바람받이 사면 지역에 해당한다.
ㄹ. ㉤은 습한 공기가 산지에 부딪혀 발생하는 지형성 강수에 해당한다.

① ㄱ, ㄴ ② ㄱ, ㄷ ③ ㄴ, ㄷ
④ ㄴ, ㄹ ⑤ ㄷ, ㄹ

> 우리나라에 영향을 미치는 기단

완자 사전

- **냉해**
여름철의 이상 저온이나 일조량 부족으로 농작물이 자라는 도중에 입는 피해

6 지도는 우리나라의 토양 분포를 나타낸 것이다. A~E 토양의 특징으로 옳지 않은 것은?

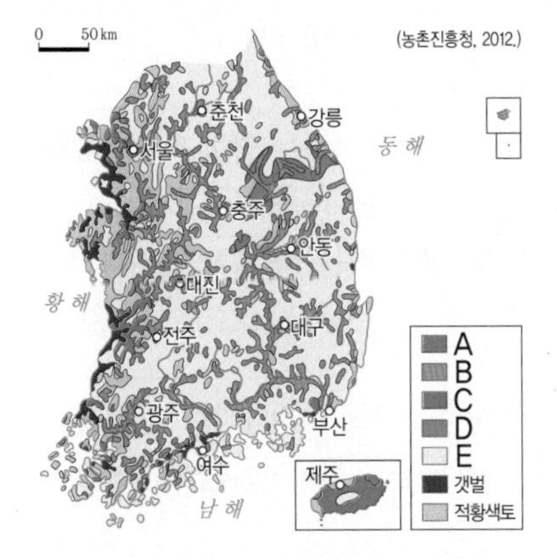

① A는 주로 해안 간척지에 분포하며 염분을 함유하고 있다.
② B는 하천 양안에 분포하며 비옥한 편이다.
③ C는 주로 저지대의 완경사지에 분포하며 과거 고온 다습했던 기후 환경을 반영한다.
④ D는 석회암이 풍화되어 붉은색을 띠며 고생대 지층에 주로 분포한다.
⑤ E는 기후와 식생에 영향을 받은 성대 토양으로 온대림 지역에 분포한다.

> 우리나라의 토양 특징

완자샘의 시험 꿀팁

성숙토에 해당하는 성대 토양과 간대토양, 그리고 미성숙토의 분포와 특징을 이해해야 한다.

03 자연재해와 기후 변화

학습 목표
- 우리나라에서 주로 발생하는 자연재해의 원인과 영향을 조사할 수 있다.
- 우리나라 기후 변화의 원인과 영향, 대책을 설명할 수 있다.

1 자연재해의 원인과 영향

1. 자연재해의 의미와 특징

(1) **자연재해**: 자연환경 요소들이 인간 생활에 피해를 주는 현상

(2) **자연재해의 유형**

기후적 요인의 자연재해	홍수, 가뭄, 대설(폭설이라고도 해.), 태풍, 폭염, 한파 등
지형적 요인의 자연재해	지진, 화산 활동 등

(3) **우리나라의 자연재해**: 강수의 계절 차와 연 변동이 크고, 태풍이 통과하므로 기후적 요인의 자연재해가 잦은 편임 교과서 자료

2. 기후적 요인의 자연재해

(1) **홍수**: 강물이 하천의 제방을 넘어 주변 지대로 흘러넘치는 것

특징	장마 전선과 태풍의 영향으로 *집중 호우가 발생하는 여름철에 주로 발생, 최근 도시화의 영향으로 홍수 피해 증가
영향	하천이 범람하여 저지대의 농경지와 가옥, 도로, 산업 시설 등 침수, 산사태 발생 등
대책	홍수 발생 예상 시 고지대로 대피, 댐·보·저수지 건설, 사방 공사 실시 등

(2) **가뭄**: 비가 오지 않아 심한 물 부족 현상이 나타나는 것

특징	장마 전선이 늦게 북상하거나 강수량이 적을 때 발생, 진행 속도가 느리지만 피해 범위가 넓음
영향	농작물의 성장 저하, 산업 및 생활용수 부족, 하천의 오염도 증가, 녹조 및 산불 발생 위험 증가 등
대책	댐·보·저수지 건설 등

(3) **대설**: 짧은 시간 동안 많은 양의 눈이 내리는 것 — 꼭! 소백산맥 서사면, 울릉도는 북서풍이 불 때, 영동 지방은 북동 기류가 유입될 때 대설이 발생해.

특징	겨울철 한랭 건조한 기류가 바다를 건너는 과정에서 눈구름이 형성되어 발생, 울릉도, 소백산맥 서사면, 영동 지방 등에서 자주 발생
영향	도로 및 항공 교통의 마비, 축사나 비닐하우스 등의 시설물 붕괴, 산간 마을 고립
대책	신속한 제설 작업, 시설물 보강, 급경사의 지붕 설치 등

(4) **태풍**: 중심 부근의 최대 풍속이 17m/s 이상으로 폭풍우를 동반하는 열대 저기압 자료 ①

특징	주로 여름에서 초가을에 발생, 태풍이 통과하는 지역의 오른쪽인 위험 반원에서 피해가 더 크게 발생
영향	• 부정적 영향: 강한 바람과 많은 비를 동반하여 산사태, 축대 붕괴, 해일 발생으로 해안 저지대 침수 • 긍정적 영향: 물 부족 및 *적조 현상 해소, 지구의 열평형 유지 등
대책	태풍 진로에 대한 정확한 예보와 신속한 전파 시스템 구축

(5) **황사**: 중국의 사막 등지에서 발생한 모래 먼지가 편서풍을 타고 우리나라로 날아오는 현상

특징	과거에는 주로 봄에 나타났으나 최근 중국 내 사막화 현상이 확대되어 가을, 겨울에도 나타남
영향	호흡기 질환, 안과 질환 발생 등

3. 지형적 요인의 자연재해

지진	지각판이 충돌하거나 분리되면서 나타나는 현상, 2016년 경상북도 경주 지역을 중심으로 큰 규모의 지진 발생 → 내진 설계 강화, 지진 발생 시 행동 요령에 관한 교육 확대 등의 대책 필요
화산 활동	발생 가능성이 낮은 편

이것이 핵심!

기후적 요인의 자연재해

홍수	• 집중 호우가 발생하는 여름철에 주로 발생 • 저지대의 농경지와 가옥, 도로, 산업 시설 등 침수
가뭄	• 장마 전선이 늦게 북상하거나 강수량이 적을 때 발생 • 농작물의 성장 저하, 산업 및 생활용수 부족
대설	• 울릉도, 소백산맥 서사면, 영동 지방 등에서 자주 발생 • 도로 및 항공 교통의 마비
태풍	• 주로 여름에서 초가을에 발생 • 강풍과 호우 동반, 해일 발생으로 해안 저지대 침수

★ 집중 호우
국지적으로 단시간 내에 많은 양의 강한 비가 집중적으로 내리는 현상으로 일반적으로 한 시간에 30㎜ 이상이나 하루에 80㎜ 이상의 비가 내릴 때를 말한다.

★ 집중 호우의 원인

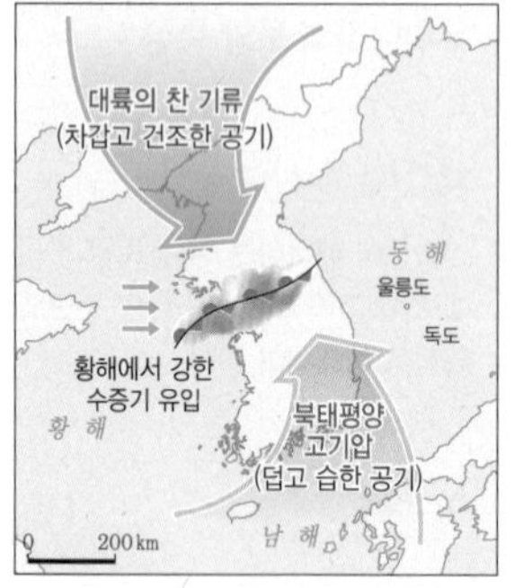

북쪽의 찬 공기와 남쪽의 더운 공기가 만나면 대기가 불안정해져 집중 호우가 발생한다.

★ 적조
플랑크톤이 증식하여 바다나 강의 색이 변하는 현상으로, 양식업을 비롯한 어업에 피해를 준다.

완자 자료 탐구

내 옆의 선생님

수능이 보이는 교과서 자료 우리나라에서 발생하는 주요 자연재해

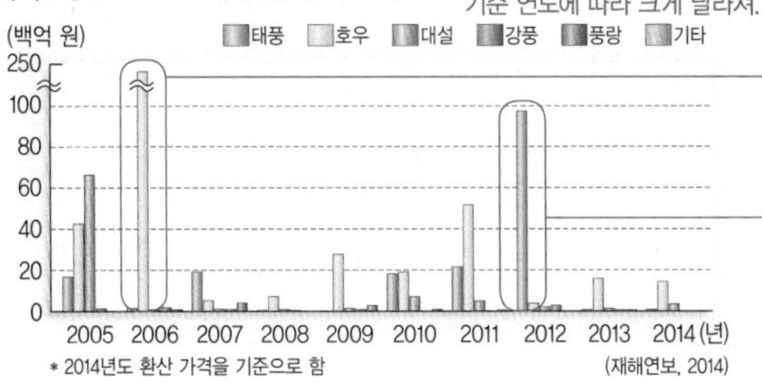

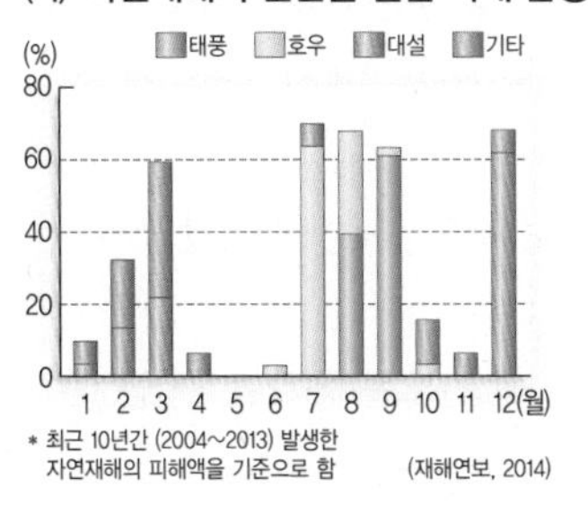

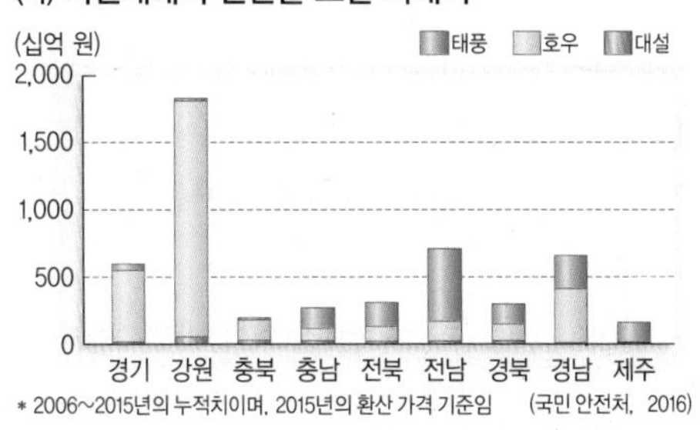

최근 10년간 우리나라에서 발생한 자연재해의 피해액은 호우 〉 태풍 〉 대설의 순으로 많으며, 강풍과 풍랑에 의한 피해액도 발생한다. 자연재해의 도별 피해액을 보면 호우는 전국적으로 발생하나 강원과 경기의 피해액이 크게 나타난다. 태풍은 남부 지방에서 피해액이 많으며, 최근 10년간 전남, 경남에서 크게 나타나고 있다. 대설은 전북, 전남, 강원, 충남 등지에서 크게 나타난다.

완자샘의 탐구강의

• (가), (나)를 보고 최근 10년간 우리나라에 가장 큰 피해를 준 자연재해 세 가지를 순서대로 쓰고, 각 자연재해가 자주 발생한 시기를 정리해 보자.

구분	피해가 큰 자연재해	주요 발생 시기
1위	호우	6~8월
2위	태풍	7~9월
3위	대설	12~3월

• (다)를 보고 자연재해의 특색을 피해 지역과 연결 지어 설명해 보자.

태풍은 남쪽에서 북상하기 때문에 주로 제주를 비롯한 남부 지방에 큰 피해를 준다. 호우는 장마 전선의 영향으로 발생하며, 특히 한강 중·상류 지역인 경기, 강원도와 낙동강 하류 지역인 경남에서 피해가 크다. 한편 대설로 인한 피해액은 농업 시설이 많은 호남, 충남 지역에서 크게 나타난다.

함께 보기 97쪽, 1등급 정복하기 1

자료 1 태풍의 평균 발생 횟수와 이동 경로

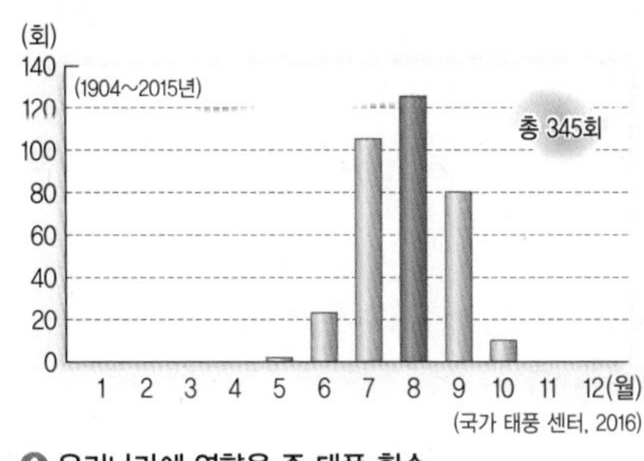

우리나라에 영향을 준 태풍 횟수

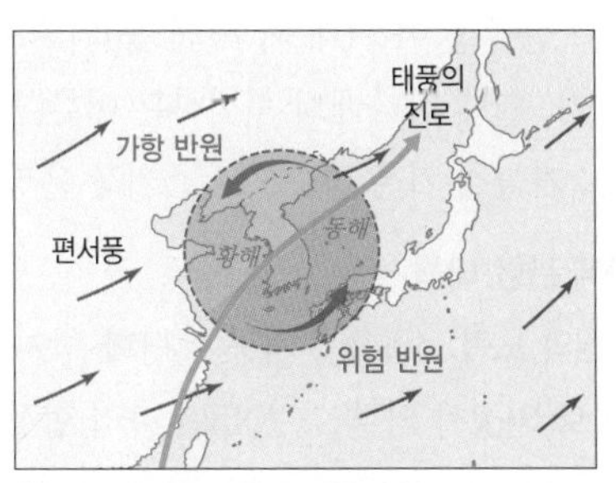

태풍의 가항 반원과 위험 반원

우리나라에 직접적인 영향을 미치는 태풍은 일 년에 두세 개 정도인데, 주로 7~9월에 발생한다. 태풍 진행 방향의 오른쪽 반원은 태풍의 중심을 향해 불어 들어오는 바람과 편서풍이 부는 방향이 일치하는 위험 반원이다. 따라서 위험 반원에 자주 놓이는 남동 해안 지역의 피해가 잦은 편이다.

태풍은 바다에서 위력이 강해 내륙 지역보다는 섬과 해안 지역에 더 큰 피해를 줘.

자료 하나 더 알고 가자!

태풍 '고니'의 이동 경로

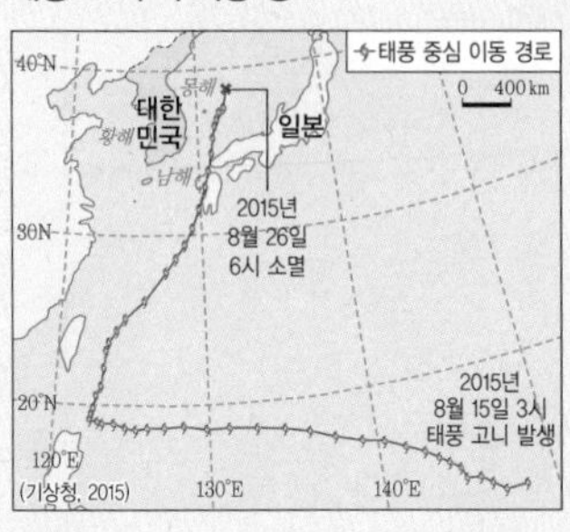

태풍은 저위도의 열대 해상에서 발생하여 중위도 지역으로 북상한다.

03 자연재해와 기후 변화

이것이 

기후 변화의 원인과 영향

기후 변화의 원인
화석 연료 사용 증가로 온실 기체 배출량 증가 → 온실 효과 심화
↓
우리나라의 기후 변화
• 연평균 기온 상승 • 연 강수량 및 집중 호우 빈도 증가
↓
기후 변화의 영향
• 냉대림 분포 면적 축소 • 여름은 길어지고, 겨울은 짧아짐 • 한류성 어종 감소, 난류성 어종 증가

★ 온실 효과

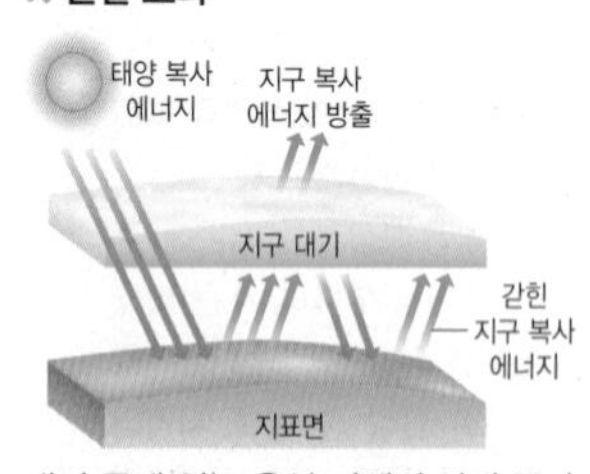

대기 중에 있는 온실 기체의 양이 증가하면 지구 대기 밖으로 방출되는 지구 복사 에너지가 감소하여 기온이 상승한다.

★ 배출권 거래제

온실 기체 감축을 위한 탄소 배출권 거래제는 국가나 기업 간 온실 기체 배출권을 판매하거나 구매할 수 있도록 하는 제도이다.

기온 상승은 해수 온도 상승에도 영향을 주는데, 1968~2014년간 전 세계 평균 수온은 0.38℃ 상승한 것과 달리, 한반도 해역 수온은 1.18℃ 상승하였어.

2 기후 변화의 원인과 영향

1. 기후 변화의 의미와 원인

(1) **기후 변화**: 현재의 기후가 자연적 요인과 인위적 요인에 의해 점차 변화하는 현상

(2) **기후 변화의 원인** — 산업화 이전에는 주로 자연적 원인에 의해 기후가 변화하였지만, 산업화 이후에는 인구와 경제 성장으로 인한 자원의 소비가 늘어남에 따라 인위적 원인의 영향력이 커졌어.

자연적 요인	태양 활동의 변화, 지구와 태양 간 주기적 거리 변화, 화산 활동 등
인위적 요인	• 산업 혁명 이후 화석 연료의 사용량 증가로 대기 중 이산화 탄소, 메탄 등 온실 기체의 농도가 높아지면서 *온실 효과를 가중시킴 → 지구 온난화 현상 심화 • 삼림 및 자원 개발, 농경지 확보를 위한 열대림 파괴로 대기 중 온실 기체의 농도가 높아짐 → 기후 변화 가속화

2. 기후 변화의 현황 자료②

(1) **전 지구적 차원의 기후 변화**: 20세기 이후 지구의 평균 기온이 꾸준히 상승하는 지구 온난화가 나타남 → 지난 133년간(1880~2012년) 연평균 기온 약 0.85℃ 상승

(2) **우리나라의 기후 변화**

① 기온 변화: 서울, 부산 등 6개 지점에서 관측한 값에 따르면 지난 100년간 연평균 기온 약 1.7℃ 상승

② 강수 변화: 연 강수 일수는 감소한 반면, 집중 호우의 발생 빈도는 증가함 → 연 강수량이 증가하고 있음

3. 기후 변화의 영향

(1) **전 지구적 차원의 영향**: 극지방의 대륙 빙하 감소에 따른 해수면 상승, 자연재해의 강도와 빈도 증가, 질병 위험 증가, 물 부족, 농업 생산성 저하, 식량 부족 등의 문제 발생

(2) **우리나라에 미친 영향** 자료③

① 식생 변화: 냉대림 분포 면적 축소, 난대림 분포 면적 확대, 고산 식물의 분포 범위 감소 → 봄꽃 개화 시기는 빨라지고 가을철 단풍 시기는 늦어짐

② 계절 변화: 여름이 길어지고 겨울이 짧아짐, 봄이 앞당겨지고 가을이 늦어짐

③ 농업 활동: 노지 작물의 생육 기간 연장, 농작물의 재배 북한계선의 북상, 고랭지 채소의 재배 고도 상승

④ 어업 활동: 한류성 어종(대구, 명태 등)의 어획량 감소, 난류성 어종(오징어, 멸치 등)의 어획량 증가, 열대 바다에서 서식하는 어류(참다랑어, 고래상어 등)의 출현 빈도 증가

⑤ 산업 활동: 겨울철 기온 상승으로 스키장 운영 시기 변화 및 눈·얼음 축제 개최의 어려움

4. 기후 변화에 관한 대책

(1) **국제적 차원의 노력**: 1992년 지구 온난화 방지를 위한 국제 연합 기후 변화 협약 체결 → 1997년 교토 의정서 의결 → 2015년 파리 협정 채택 자료④

(2) **국가적 차원의 노력**

① 온실 기체 배출량 감소: *배출권 거래제 도입, 에너지 절약형 자동차 개발 지원, 신·재생 에너지 개발, 자원 절약형 산업 육성 등

② 기후 변화 적응: 기후 변화 감시 및 예보 시스템 구축, 재난 및 재해 관리, 기후 변화 취약 계층 보호 등

자료 2 우리나라의 기후 변화 특성

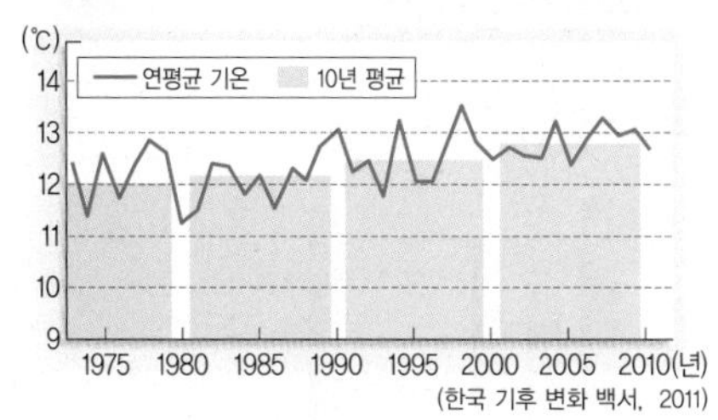

연평균 기온 변화(1973~2010년)

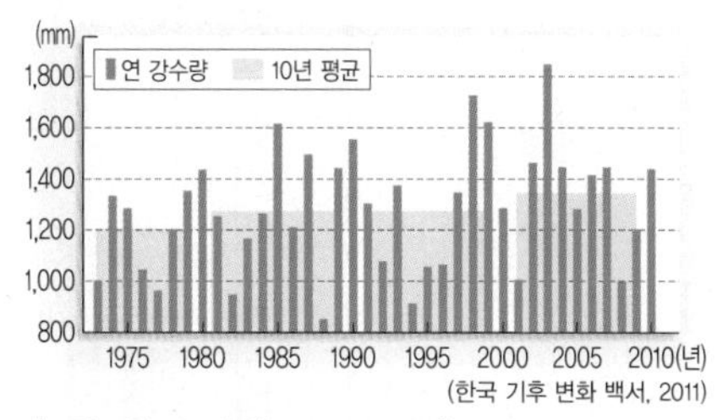

연 강수량 변화(1973~2010년)

우리나라는 지구 온난화와 도시화의 영향으로 지구 평균치의 두 배 가까이 기온이 상승하였다. 특히 서울, 대구 등 대도시는 열섬 현상까지 더해져 기온 상승 폭이 크다. 우리나라의 연 강수량은 대체로 증가하고 있으며, 해마다 변동 폭이 커지고 있다. 연 강수 일수는 대부분의 지역에서 감소하였으나, 집중 호우의 발생 빈도는 과거보다 높아지고 있다.

└ 도시 내부에서 발생하는 인공 열에 의해 주변 지역보다 도심에서 기온이 높게 나타나는 현상

자료 3 기후 변화의 영향

서울의 계절 변화

* 2010년을 기준으로 1980년대 이후 새로 형성된 각 과수의 재배 지역을 나타냄. 현재는 과수마다 화살표 범위 내에서 재배 중임
(농촌 진흥청, 2015)

과일의 재배 지역 변화

1920년대와 비교하여 1990년대 서울은 여름이 16일 정도 길어졌고, 겨울은 반대로 19일 정도 짧아졌다. 봄의 시작일과 종료일이 빨라졌으며, 가을의 시작일과 종료일은 늦어졌다. 이처럼 겨울철 지속 기간이 감소하고 여름철 지속 기간이 증가함에 따라 농작물의 재배 지역이 점차 북상하고 있다.

자료 4 파리 협정

장기 목표	가스 배출
지구 평균 온도 상승 폭을 산업화 이전과 비교하여 1.5℃까지 제한	빠른 시일 내로 온실 기체 배출 감축, 5년마다 감축 이행 점검
책임 분담	**피해 지원**
선진국이 더 많은 책임을 지고 개발 도상국을 지원	기후 변화로 인한 피해에 취약한 국가를 도움

파리 협정은 선진국에만 온실 기체 감축 의무를 부과하였던 교토 의정서와 달리 국제 연합(UN) 기후 변화 협약 195개 당사국 모두가 지켜야 하는 합의이다. 이 협정은 지구 평균 기온의 상승 폭을 산업화 이전 대비 1.5℃ 미만으로 제한하였다. 세계 각국은 자국의 온실 기체 감축 목표를 국제 연합(UN)에 제출한 후 이를 5년마다 검토하게 된다.

정리 비법을 알려줄게!

기온 상승에 따른 영향

최고 기온 상승	• 겨울 짧아짐 • 봄꽃 개화 시기가 빨라짐 • 난방 수요 감소
최저 기온 상승	• 여름 길어짐 • 단풍 시기가 늦어짐 • 냉방 수요 증가

문제로 확인할까?

기후 변화에 따른 영향으로 옳은 것은?

① 난대림의 분포 면적이 확대되고 있다.
② 주요 하천의 결빙 일수가 증가하고 있다.
③ 고랭지 채소의 재배 고도가 낮아지고 있다.
④ 여름철 열사병 환자의 발생이 감소하고 있다.
⑤ 근해에서 명태, 대구 등 한류성 어종의 어획량이 증가하고 있다.

① 답

자료 하나 더 알고 가자!

기후 변화에 관한 우리나라의 대책

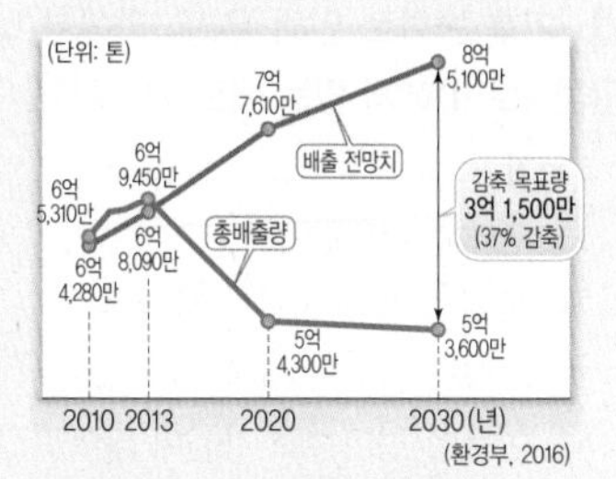

우리나라 온실 기체 감축 목표

우리나라 정부는 온실 기체 배출량을 줄이기 위해 2015년 아시아에서 최초로 배출권 거래제를 도입하였다.

정답친해 29쪽

STEP 1 핵심 개념 확인하기

1 기후적 요인의 자연재해와 지형적 요인의 자연재해를 〈보기〉에서 골라 각각 기호를 쓰시오.

보기			
ㄱ. 지진	ㄴ. 홍수	ㄷ. 가뭄	ㄹ. 폭염
ㅁ. 태풍	ㅂ. 한파	ㅅ. 화산 활동	

(1) 기후적 요인의 자연재해 (　　　　)

(2) 지형적 요인의 자연재해 (　　　　)

2 다음에서 설명하는 자연재해를 쓰시오.

(1) 짧은 시간 동안 많은 양의 눈이 내리는 것 (　　　　)

(2) 강물이 하천의 제방을 넘어 주변 지대로 흘러넘치는 것 (　　　　)

(3) 중국의 사막 등지에서 발생한 모래 먼지가 편서풍을 타고 우리나라로 날아오는 현상 (　　　　)

3 다음 설명이 맞으면 ○표, 틀리면 ×표를 하시오.

(1) 가뭄은 진행 속도는 느리지만 피해 범위가 넓다. (　　)

(2) 우리나라는 강수의 계절 차와 연 변동이 크고, 태풍이 통과하므로 기후적 요인의 자연재해의 빈도가 높은 편이다. (　　)

(3) 태풍에 의한 피해는 태풍 진행 방향의 왼쪽인 위험 반원보다 태풍 진행 방향의 오른쪽인 가항 반원에서 더 크게 발생한다. (　　)

4 기후 변화로 인해 우리나라에서 나타나는 현상으로 옳은 것만을 〈보기〉에서 있는 대로 고르시오.

> 보기
> ㄱ. 명태의 어획량 증가
> ㄴ. 봄꽃의 개화 시기가 빨라짐
> ㄷ. 고랭지 채소의 재배 고도 상승
> ㄹ. 여름이 길어지고 겨울이 짧아짐

5 2020년에 만료되는 교토 의정서를 대체하고, 모든 당사국에 온실가스 배출 감축 의무를 부여한 국제 협약은?

STEP 2 내신 만점 공략하기

[01~02] 그래프는 자연재해의 원인별 월별 피해 발생률을 나타낸 것이다. 이를 보고 물음에 답하시오.

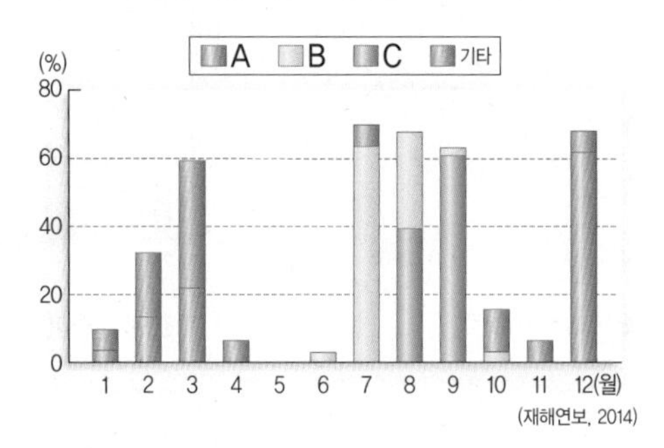

(재해연보, 2014)

01 A로 인한 피해 모습으로 옳은 것은?

①

②

③

④

⑤

02 중요 A~C에 대한 옳은 설명만을 〈보기〉에서 있는 대로 고른 것은?

> 보기
> ㄱ. A는 한랭 건조한 기류가 바다를 건너면서 형성된 눈구름에 의해 발생한다.
> ㄴ. B는 주로 여름철 장마 전선의 정체에 의해 발생한다.
> ㄷ. C는 강한 바람과 많은 비를 동반하여 피해가 크다.
> ㄹ. 우리나라의 연 강수량은 B보다 A가 큰 영향을 준다.

① ㄱ, ㄴ　② ㄴ, ㄷ　③ ㄷ, ㄹ
④ ㄱ, ㄴ, ㄷ　⑤ ㄴ, ㄷ, ㄹ

중요

03 자료는 우리나라에 영향을 준 (가) 자연재해의 발생과 이동을 나타낸 것이다. 이에 대한 설명으로 옳지 않은 것은?

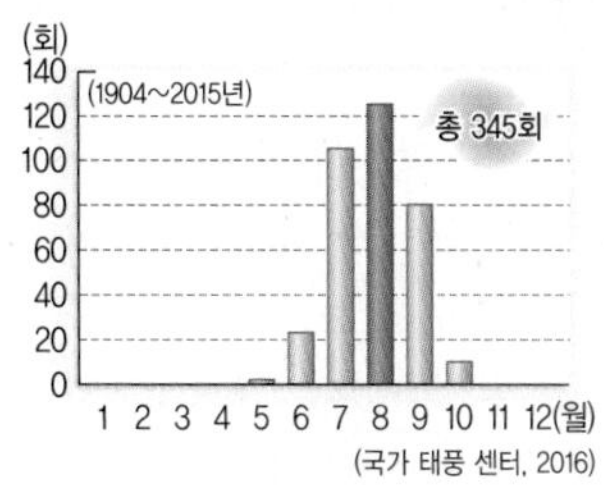

(가)의 월별 발생 횟수

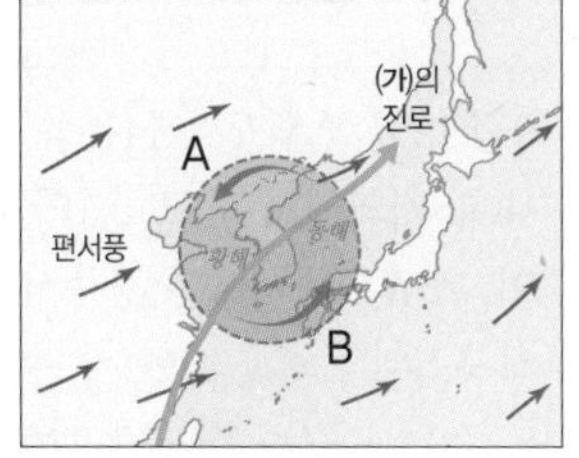

(가)의 이동 방향

① 중심 부근의 최대 풍속이 17m/s 이상이다.
② 주로 여름철에서 초가을 사이에 영향을 미친다.
③ (가)로 인한 피해는 B 지역보다 A 지역에서 크게 나타난다.
④ 저위도의 열대 해상에서 발생하여 중위도 지역으로 북상한다.
⑤ 저위도의 열을 고위도로 이동시켜 지구 상의 열평형을 유지해 주는 역할을 한다.

04 다음은 우리나라에서 발생하는 자연재해에 대한 국민 행동 요령을 나타낸 것이다. (가), (나)에 대한 옳은 설명을 〈보기〉에서 고른 것은?

(가)	• 책상 아래로 들어가 책상 다리를 꼭 잡습니다. • 전기와 가스를 차단하고, 문을 열어 출구를 확보합니다.
(나)	• 창문을 닫고 공기정화기와 가습기를 사용합니다. • 외출 시에 보호안경, 마스크, 긴 소매 의복을 착용합니다. • 비닐하우스, 온실 등 시설물의 출입문과 환기창을 닫습니다.

보기
ㄱ. (가)를 대비하기 위해 건축물에 내진 설계를 도입한다.
ㄴ. (나)는 중국 내륙의 건조 지역에서 발원한다.
ㄷ. (나)는 다른 계절에 비해 여름철 발생 빈도가 높다.
ㄹ. (가)는 기후적 요인, (나)는 지형적 요인에 의해 발생한다.

① ㄱ, ㄴ ② ㄱ, ㄷ ③ ㄴ, ㄷ
④ ㄴ, ㄹ ⑤ ㄷ, ㄹ

05 다음에서 설명하는 기후 현상의 발생 원인만을 〈보기〉에서 있는 대로 고른 것은?

대기층은 태양에서 지구로 들어오는 태양 복사 에너지를 통과시키고, 일부는 지구 밖으로 방출시킨다. 그러다 대기 중에 이산화 탄소, 메탄 등이 많아지면 지구 밖으로 나가려는 지구 복사 에너지를 잡아 두게 되어 마치 이불을 덮은 것처럼 지구의 온도가 상승하게 된다.

보기
ㄱ. 열대림 파괴에 따른 대기 구성 변화
ㄴ. 화산 폭발에 따른 대기 중의 먼지 농도 상승
ㄷ. 지구 공전 궤도의 변화에 따른 지구와 태양 간 거리 변화
ㄹ. 화석 연료의 사용량 증가에 따른 대기 중 온실 기체의 농도 감소

① ㄱ, ㄴ ② ㄱ, ㄷ ③ ㄷ, ㄹ
④ ㄱ, ㄴ, ㄷ ⑤ ㄴ, ㄷ, ㄹ

06 그래프는 우리나라의 연평균 기온과 연 강수량 변화를 나타낸 것이다. 이에 대한 분석 및 추론으로 옳지 않은 것은?

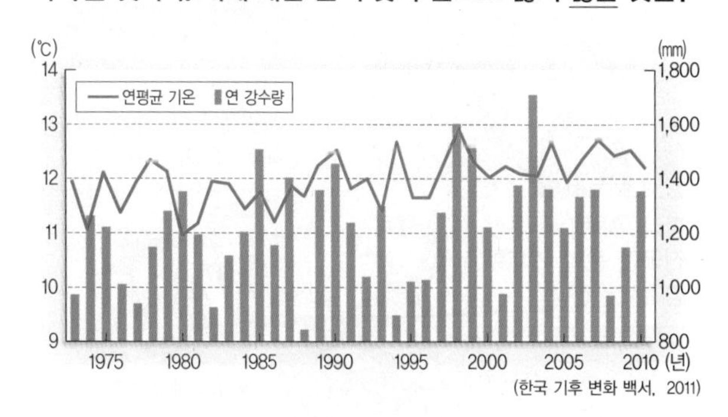

① 연 강수량의 변동 폭이 큰 편이다.
② 열대야의 출현 빈도가 증가할 것이다.
③ 집중 호우의 강도와 발생 빈도가 증가할 것이다.
④ 강설 일수 증가로 겨울 강수량이 감소할 것이다.
⑤ 연 강수량이 가장 높게 나타난 해는 2003년이다.

07 중요 그래프는 서울의 계절 변화를 나타낸 것이다. 이러한 추세가 계속될 경우 우리나라에 나타날 수 있는 현상을 추론한 내용으로 가장 적절한 것은?

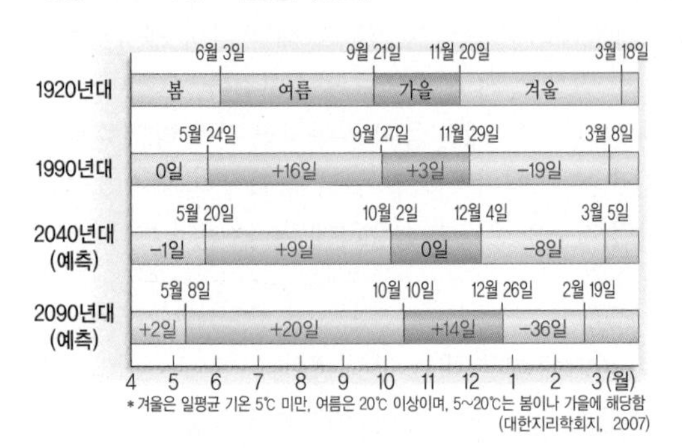

* 겨울은 일평균 기온 5℃ 미만, 여름은 20℃ 이상이며, 5~20℃는 봄이나 가을에 해당함
(대한지리학회지, 2007)

① 한라산에서 고산 식물의 분포 범위가 확대될 것이다.
② 사과의 재배 적지가 경상북도 이남으로 남하할 것이다.
③ 봄꽃의 개화 시기는 늦어지고, 단풍이 드는 시기는 빨라질 것이다.
④ 스키장 운영 및 눈이나 얼음과 관련된 지역 축제의 개최가 수월해질 것이다.
⑤ 동해에서 한류성 어종의 어획량이 감소하고, 난류성 어종의 어획량이 증가할 것이다.

08 교사의 질문에 옳은 답변을 한 학생을 고른 것은?

① 갑, 을　② 갑, 병　③ 을, 병
④ 을, 정　⑤ 병, 정

서술형 문제

● 정답친해 30쪽

01 다음 글을 읽고 물음에 답하시오.

> 9월 12일 오후 7시 44분쯤 경상북도 경주시 남서쪽 9km 내륙 지역에서 규모 5.1의 (㉠)이/가 발생한 데 이어, 오후 8시 32분 경주시 남남서쪽 8km 지역에서 규모 5.8의 (㉠)이/가 추가로 발생하였다. 규모 5.8의 (㉠)은/는 1978년 기상청의 관측 이래 최대 규모이다. 전국에서 시민들이 강력한 진동을 느낀 뒤 불안감을 호소하는 가운데 119에 신고 전화가 빗발쳤다. 일부 시민은 머물던 아파트나 고층 건물에서 긴급히 대피하기도 하였다.
>
> –「연합뉴스」, 2016. 09. 13.

(1) ㉠에 공통으로 들어갈 용어를 쓰시오.

(2) ㉠으로 인한 피해를 줄이기 위한 대책을 두 가지 서술하시오.

02 다음 글의 밑줄 친 ㉠의 영향으로 우리나라의 농업과 어업 환경에 어떠한 변화가 나타나고 있는지 서술하시오.

> ㉠ 기후 변화 시나리오에 의하면 난대림 분포 면적은 점차 북쪽으로 확산되는 반면 북부 지방의 냉대림 분포 면적은 점차 감소할 것으로 예상된다. 산림청은 ㉠ 기후 변화가 빠른 속도로 진행되고 있으며 이에 따라 남부 해안과 제주도 저지대에 분포하였던 난대림이 충청남도까지 북상할 것이라고 예상하였다. 또한 고산 및 아고산대의 식생은 저지대에서 올라온 수종과의 경쟁에서 밀려 크게 감소할 것이라고 예상하였다.
>
> – 산림청, 『산림 분야 기후 변화 적응 시행 계획』 수정

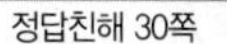
정답친해 30쪽

STEP 3 1등급 정복하기

1 그래프는 네 지역의 자연재해로 인한 피해액 비중을 나타낸 것이다. (가)~(다)에 해당하는 자연재해를 옳게 연결한 것은?

> 자연재해의 특징

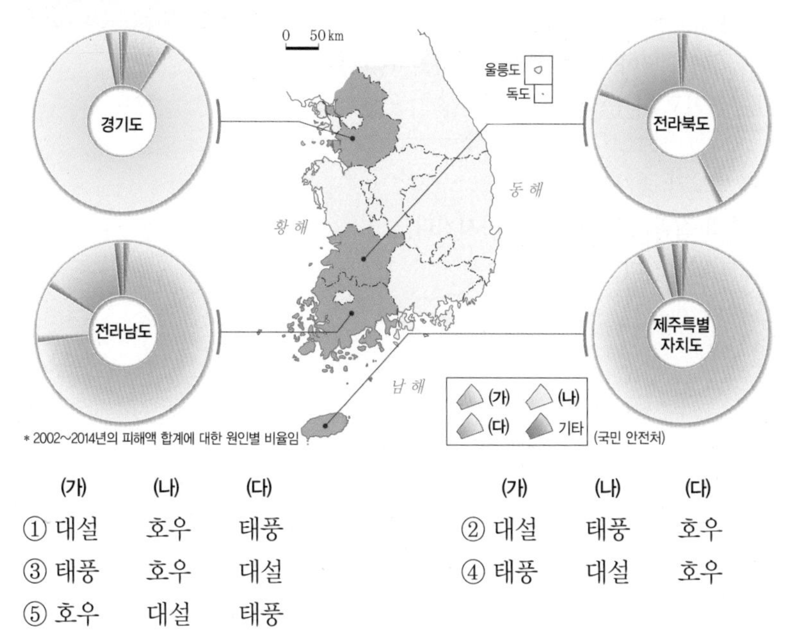

	(가)	(나)	(다)
①	대설	호우	태풍
②	대설	태풍	호우
③	태풍	호우	대설
④	태풍	대설	호우
⑤	호우	대설	태풍

2 그래프는 우리나라의 최근 10년간 자연재해별 피해액을 나타낸 것이다. A~C에 대한 설명으로 옳은 것은? (단, A~C는 대설, 태풍, 호우 중 하나이다.)

> 우리나라의 자연재해 피해

완자샘의 시험 꿀팁

우리나라 자연재해의 발생 시기와 피해액을 묻는 문제가 자주 출제된다. 각 자연재해에 대한 특징을 정리해야 한다.

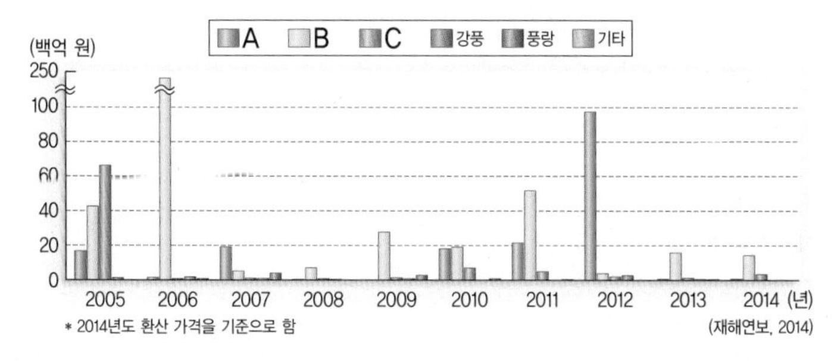

① A는 적조 현상을 완화하는 데 도움이 된다.

② B는 북동풍이 태백산맥을 넘을 때 나타나는 푄 현상 때문에 영서 지방에서 주로 발생한다.

③ C의 피해를 줄이기 위해서는 댐·보 건설, 산림 녹화 등의 작업이 필요하다.

④ A는 C보다 서고동저형 기압 배치가 전형적으로 나타나는 계절에 자주 발생한다.

⑤ 우리나라의 산사태 피해는 B보다 C로 인해 주로 발생한다.

3 다음 글은 과거에 기록된 기후 현상에 대한 것이다. (가), (나)에 대한 설명으로 옳지 않은 것은? (단, (가), (나)는 태풍, 호우, 황사 중 하나이다.)

> 자연재해의 특징

> 완자샘의 시험 꿀팁
> 자연재해의 발생 시기, 이동 특징 및 영향을 묻는 문제가 출제된다.

(가) 백제 무왕 7년에 왕도(王都)에서 흙이 비처럼 떨어져 낮인데도 어두운 현상이 나타났다. …(중략)… 신라 진평왕 49년에는 흙이 비처럼 5일 넘게 떨어졌다.
(나) 통일신라 경덕왕 22년만에 민가(民家)의 기와가 날아가고 나무가 뽑혔다. …(중략)… 원성왕 9년에는 큰 바람이 불어 나무가 부러지고 벼가 쓰러졌다.

① 오늘날 (가)는 중국 내륙의 사막화로 발생 빈도가 증가하고 있다.
② (가)는 대기 중 미세 먼지 농도를 높여 호흡기 질환의 발병률을 증가시킨다.
③ (나)는 강풍과 많은 비를 동반하여 풍수해를 일으킨다.
④ (가)는 (나)보다 농작물 재배에 큰 피해를 준다.
⑤ 편서풍은 (가), (나)의 진행 방향에 영향을 준다.

교육청 응용

4 ㉠, ㉡ 현상에 대한 옳은 설명만을 〈보기〉에서 있는 대로 고른 것은?

> 기후 변화의 이해

세계의 연평균 기온은 (㉠) 현상으로 지난 100여 년간 약 0.7℃ 상승하였으며, 우리나라는 그보다 두 배 이상인 1.7℃ 가량 상승하였다. 특히 서울, 부산 등과 같은 대도시의 도심에서는 (㉡) 현상까지 더해져 연평균 기온이 약 3℃ 상승하였다.

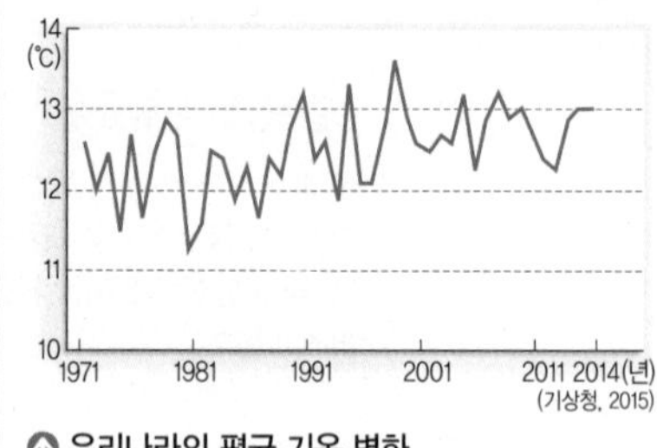

우리나라의 평균 기온 변화

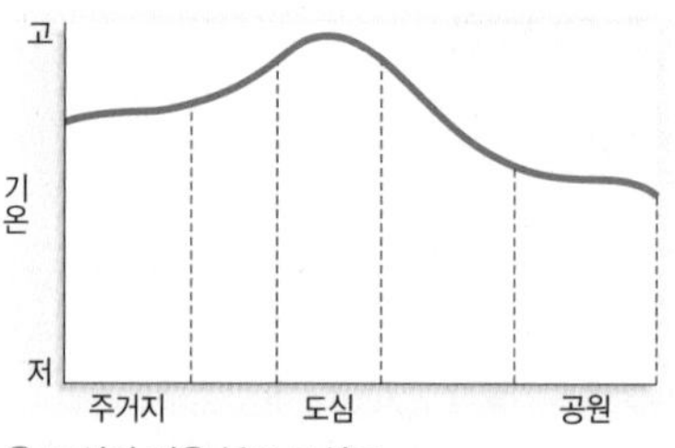

도시의 기온 분포 모식도

보기
ㄱ. ㉠의 주요 원인은 대기 중 이산화 탄소의 농도 증가이다.
ㄴ. ㉠이 심화되면 고산 식물 분포의 고도 하한선이 높아진다.
ㄷ. ㉡의 주요 원인은 인공 열의 방출 및 포장 면적 증가이다.
ㄹ. ㉡이 발생하면 대기가 안정되어 도심의 강수량이 감소한다.

① ㄱ, ㄷ　② ㄴ, ㄹ　③ ㄱ, ㄴ, ㄷ
④ ㄱ, ㄴ, ㄹ　⑤ ㄴ, ㄷ, ㄹ

5 지도는 한반도의 식생 기후대 변화를 예측한 것이다. 이와 같은 변화가 현실화될 때 우리나라에서 나타날 현상에 대한 추론으로 적절하지 않은 것은?

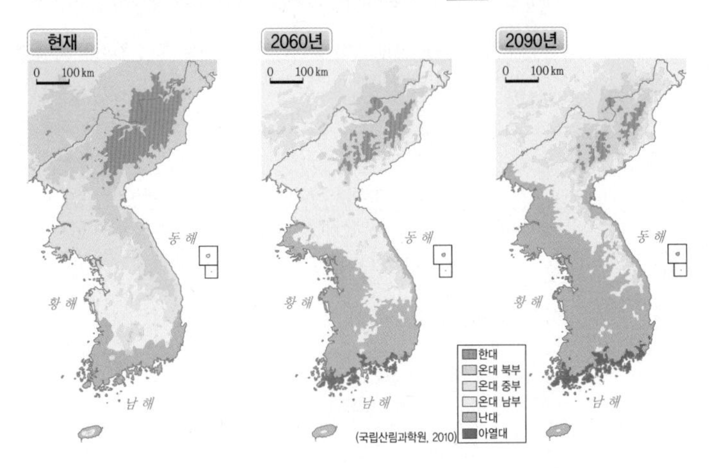

(국립산림과학원, 2010)

① 서리가 내리지 않는 날이 많아질 것이다.
② 농작물의 재배 북한계선이 북상할 것이다.
③ 중부 지방에서는 단풍 시작 시기가 늦어질 것이다.
④ 한라산의 고산 식물 분포의 고도 하한선이 낮아질 것이다.
⑤ 동해의 총 어획량 중 한류성 어종이 차지하는 비중이 감소할 것이다.

> 기후 변화의 영향

완자샘의 시험 꿀팁

기후 변화로 인해 우리나라의 식생, 농·어업 등이 어떻게 변화하는지 정리해 본다.

6 교사의 질문에 옳은 대답을 한 학생은?

(한국 전력 공사, 2016)

• 교사: 위 그림은 제로 에너지 빌딩의 모습입니다. 최근 단열 성능을 높이고, 신·재생 에너지를 활용하여 에너지 사용량을 최소화하는 건축물이 늘어나고 있습니다. 이러한 시설의 효과에 대해 발표해 볼까요?
• 갑: 도시 열섬 현상을 완화시켜 주기도 합니다.
• 을: 화석 연료에 대한 의존도가 높아질 것입니다.
• 병: 주민들이 부담하는 전기료가 올라갈 것입니다.
• 정: 냉·난방 에너지 절감 효과를 볼 수도 있습니다.

① 갑, 을 ② 갑, 정 ③ 을, 병
④ 을, 정 ⑤ 병, 정

> 기후 변화에 관한 대책

01 우리나라의 기후 특성

1. 우리나라의 기후

냉·온대 기후	북반구 중위도에 위치하여 사계절의 변화가 뚜렷함
계절풍 기후	• 여름: 북태평양 고기압의 영향으로 남서·남동 계절풍이 발생함 → 해양에서 대륙으로 불어 고온 다습함 • 겨울: (❶)의 영향으로 북서 계절풍이 발생함 → 대륙에서 해양으로 불어 한랭 건조함
대륙성 기후	중위도 대륙의 동쪽에 위치하여 대륙 서안보다 기온의 (❷)가 큼

2. 기온, 강수, 바람의 특성

(1) 우리나라의 기온 특성

기온의 지역 차	• 위도의 영향으로 남쪽에서 북쪽으로 갈수록 기온이 낮아짐 • 수륙 분포의 영향으로 해안 지역에서 내륙 지역으로 갈수록 기온이 낮아짐 • 동서 간보다 남북 간의 기온 차가 큼
계절에 따른 기온 분포	• 겨울: 최한월 평균 기온은 −16~6℃ 정도로, 시베리아 기단의 영향으로 한랭함 • 여름: 최난월 평균 기온은 16~27℃ 정도로, 북태평양 기단의 영향으로 기온이 매우 높음
기온의 연교차	남해안에서 북부 내륙으로 갈수록 커짐, 내륙 지역이 해안 지역보다, 서해안 지역이 동해안 지역보다 연교차가 큼

(2) 우리나라의 강수 특성

강수 특성	연평균 강수량은 약 1,300㎜ 정도로, 습윤 기후 지역에 속함
계절별 강수 분포	• 여름: 고온 다습한 북태평양 기단과 장마 전선, 태풍 등의 영향으로 연 강수량 50% 정도가 집중 • 겨울: 건조한 시베리아 기단의 영향으로 강수량이 적은 편
지역별 강수 분포	• 연 강수량은 남쪽에서 북쪽으로 갈수록 대체로 줄어듦 • 다우지: 고온 다습한 남서 기류의 유입으로 (❸) 사면에서 지형성 강수 발생(제주도 남동 지역, 남해안 일부, 대관령, 한강 및 청천강 중·상류) • 소우지: 주변이 산지로 둘러싸인 지역(개마고원, 낙동강 중·상류), 해발 고도가 낮고 평탄한 지역(대동강 하류 지역) • 다설지: 북서 계절풍의 영향(울릉도, 소백산맥 서사면 지역), 북동 기류의 영향(강원도 영동 산간 지역)

(3) 우리나라의 바람 특성

편서풍	북반구 중위도에 위치하여 연중 서풍 계열의 바람이 우세함
계절풍	• 겨울: 시베리아 고기압의 영향으로 한랭 건조한 북서 계절풍 발생 • 여름: 북태평양 고기압의 영향으로 고온다습한 남동·남서 계절풍 발생
높새바람	늦봄에서 초여름 사이에 오호츠크 해 기단이 확장할 때 부는 북동풍이 태백산맥을 넘으면서 푄 현상 발생 → 영서 지방에 고온 건조한 바람이 불어 가뭄 피해 발생

(4) 우리나라의 계절 특성

겨울	시베리아 고기압이 발달하면서 (❹) 기압 배치가 나타남, 삼한 사온 현상, 폭설
봄	이동성 고기압과 저기압이 교대로 지나가 날씨 변화가 심함, 꽃샘추위
여름	• 장마철: 초여름에 나타남, 장마 전선의 영향으로 강수량 많음, 습도와 불쾌지수 높음 • 한여름: 북태평양 고기압의 영향으로 무더위 지속 → 소나기가 자주 내림, 열대야 현상 발생
가을	이동성 고기압의 영향으로 맑고 청명한 날씨 지속

02 기후와 주민 생활

1. 기후와 자연 경관

(1) 식생의 특색과 분포

수평적 분포	• 위도에 따른 기온 차이 반영 • 난대림: 남해안, 제주도, 울릉도 저지대에 분포 • 온대림: 고산 지역을 제외한 대부분 지역에 분포 • 냉대림: 개마고원 및 고산 지역에 분포
수직적 분포	(❺)에 따른 기온 차이가 반영됨

(2) 토양의 특색과 분포

성숙토	• 성대 토양: 기후와 식생의 특성을 반영함, 온대림 지역의 갈색 삼림토와 냉대림 지역의 회백색토가 주를 이룸 • 간대토양: 기반암의 특성을 반영, 석회암 풍화토와 현무암 풍화토, 화산회토 등이 대표적임
미성숙토	생성 기간이 짧거나 운반·퇴적 작용을 받아 층리 발달이 미약한 토양 예 충적토, 염류토

2. 기후와 주민 생활

(1) 기온과 주민 생활

구분	여름	겨울
의복	통풍이 잘 되는 삼베옷이나 모시옷을 입음	솜을 넣어 누빈 옷이나 가죽으로 만든 옷을 입음
음식	• 고온 다습한 기후 환경에서 잘 자라는 벼 재배 • 음식이 상하는 것을 방지하는 염장 식품 발달	• 추위에 잘 견디는 보리나 밀 재배 • 겨울을 나기 위한 김장 문화 발달
가옥	바람이 잘 통하도록 대청마루 설치	• 난방 시설인 온돌 설치 • 관북 지방은 정주간 발달

(2) 강수와 주민 생활

다우지	침수 피해를 대비한 터돋움집 및 피수대 축조, 제방 및 저수지·보 등 설치
소우지	서해안 일대에 (❻) 발달, 경상북도 내륙 지역에서는 과수 재배 활발
다설지	가옥 지붕의 경사가 급함, 울릉도의 (❼), 눈 축제 개최, 스키장 건설 등 관광 자원 활용

(3) 바람과 주민 생활

전통적 주민 생활	북서 계절풍에 대비한 배산임수 촌락 발달, 제주도의 낮은 경사의 지붕·그물 지붕·돌담 등, 호남 해안 지역의 까대기를 통해 강풍과 대설에 대비
오늘날 주민 생활	바람이 강한 산지, 해안, 도서 지역에 풍력 발전 단지 조성

03 자연재해와 기후 변화

1. 자연재해의 원인과 영향

(1) 자연재해 유형과 특징

유형	• 기후적 요인의 자연재해: 홍수, 가뭄, 대설, 태풍, 폭염, 한파 등 • 지형적 요인의 자연재해: 지진, 화산 활동 등
우리나라의 자연재해	강수의 계절 차와 연 변동이 크고, 태풍이 통과하므로 기후적 요인의 자연재해가 잦은 편임

(2) 기후적 요인의 자연재해

홍수	• 특징: 장마 전선과 태풍의 영향으로 집중 호우가 발생하는 여름철에 주로 발생 • 영향: 하천 주변 저지대의 농경지와 가옥, 도로 등 침수 등
가뭄	• 특징: 장마 전선이 늦게 북상하거나 강수량이 적을 때 발생 • 영향: 농작물의 성장 저하, 산업 및 생활용수 부족 등
대설	• 특징: 울릉도, 소백산맥 서사면, 영동 지방 등에서 자주 발생 • 영향: 도로 및 항공 교통의 마비, 시설물 붕괴 등
태풍	• 특징: 주로 여름에서 초가을에 발생, 태풍이 통과하는 지역의 오른쪽인 (❽)에서 피해가 더 크게 발생 • 영향: 강한 바람과 많은 비를 동반함, 해일 등의 피해 발생
황사	• 특징: 과거에는 주로 봄에 나타났으나 최근 중국 내 사막화 현상이 확대되어 가을, 겨울에도 나타남 • 영향: 호흡기 질환, 안과 질환 등

2. 기후 변화의 원인과 영향

(1) 기후 변화의 원인

자연적 요인	태양 활동의 변화, 지구와 태양 간 주기적 거리 변화 등
인위적 요인	• 산업 혁명 이후 화석 연료의 사용량 증가로 대기 중 온실 기체의 농도가 높아짐 • 삼림 및 자원 개발, 농경지 확보를 위한 열대림 파괴로 대기 중 (❾)의 농도가 높아짐

(2) 기후 변화의 영향

식생 변화	냉대림 분포 면적 축소, 난대림 분포 면적 확대, 고산 식물의 분포 범위 감소
계절 변화	여름이 길어지고 겨울이 짧아짐, 봄이 앞당겨지고 가을이 늦어짐
농업 활동	노지 작물의 생육 기간 연장, 농작물의 재배 북한계선의 북상, 고랭지 채소의 재배 고도 상승
어업 활동	한류성 어종의 어획량 감소, 난류성 어종의 어획량 증가, 열대 바다에서 서식하는 어류의 출현 빈도 증가

(3) 기후 변화에 대한 대응

국제적 차원	1992년 지구 온난화 방지를 위한 유엔 기후 변화 협약 체결 → 1997년 교토 의정서 의결 → 2015년 (❿) 채택
국가적 노력	배출권 거래제 도입, 에너지 절약형 자동차 개발 지원, 지능형 교통 조정 시스템 확충, 신·재생 에너지 개발 등
개인적 노력	대중교통 이용 확대, 에너지 효율이 높은 제품의 이용, 실내 냉·난방 온도 조절 등

●정답● ① 시베리아 고기압 ② 연교차 ③ 바람받이 ④ 서고동저형 ⑤ 해발 고도 ⑥ 천일제염업 ⑦ 우데기 ⑧ 위험 반원 ⑨ 온실 기체 ⑩ 파리 협정

01 (가)~(라)에 들어갈 옳은 내용을 〈보기〉에서 고른 것은?

기후 요인에 의한 기후 차이

기후 요인	위도	지형	해발 고도	수륙 분포
사례	(가)	(나)	(다)	(라)

보기

ㄱ. (가) – 전주는 수원에 비해 최한월 평균 기온이 높다.
ㄴ. (나) – 홍천은 강릉에 비해 기온의 연교차가 크다.
ㄷ. (다) – 한라산 정상 부근은 제주도 해안에 비해 최난월 평균 기온이 낮다.
ㄹ. (라) – 늦봄에서 초여름 사이 영서 지방에는 고온 건조한 북동풍이 분다.

① ㄱ, ㄴ ② ㄱ, ㄷ ③ ㄴ, ㄷ
④ ㄴ, ㄹ ⑤ ㄷ, ㄹ

02 지도는 기온의 연교차를 나타낸 것이다. 이에 대한 설명으로 옳지 않은 것은?

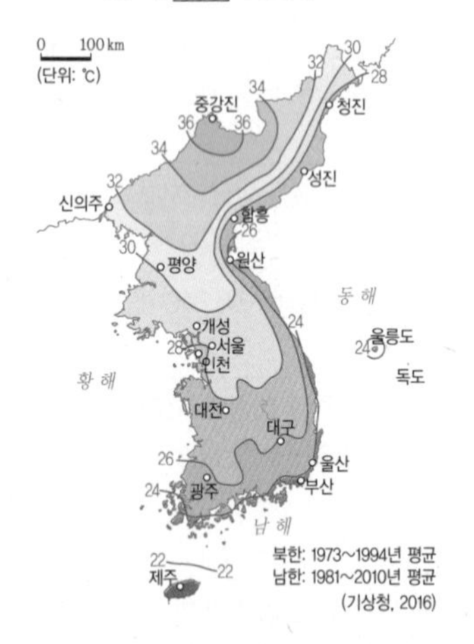

① 겨울 기온이 낮은 지역일수록 연교차가 크다.
② 북부 지방으로 갈수록 대륙의 영향을 적게 받는다.
③ 내륙 지역이 해안 지역에 비해 기온의 연교차가 크다.
④ 남부 지역이 북부 지역에 비해 기온의 연교차가 작다.
⑤ 비슷한 위도의 서해안 지역이 동해안 지역에 비해 기온의 연교차가 크다.

[03~04] 지도는 비슷한 위도에 위치한 세 지역을 나타낸 것이다. 이를 보고 물음에 답하시오.

03 (가)~(다) 지역의 기후 값을 나타낸 그래프를 옳게 연결한 것은?

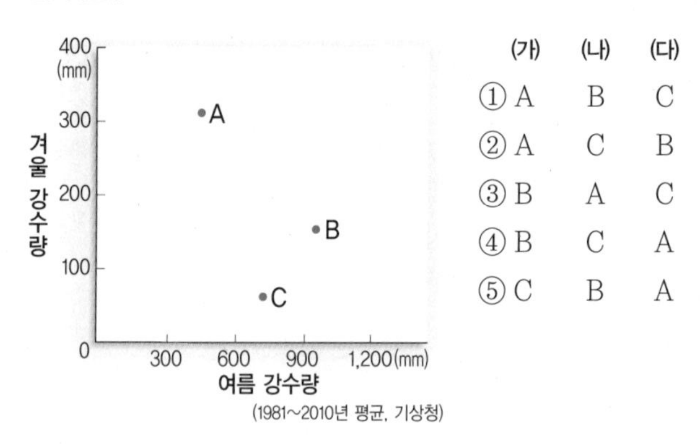

	(가)	(나)	(다)
①	A	B	C
②	A	C	B
③	B	A	C
④	B	C	A
⑤	C	B	A

04 (다) 지역에서 볼 수 있는 전통 가옥의 모습으로 옳은 것은?

① 

② 

③ 

④ 

⑤ 

05 지도의 A, B 구간에서 나타나는 기후 값의 변화로 가장 적절한 것은?

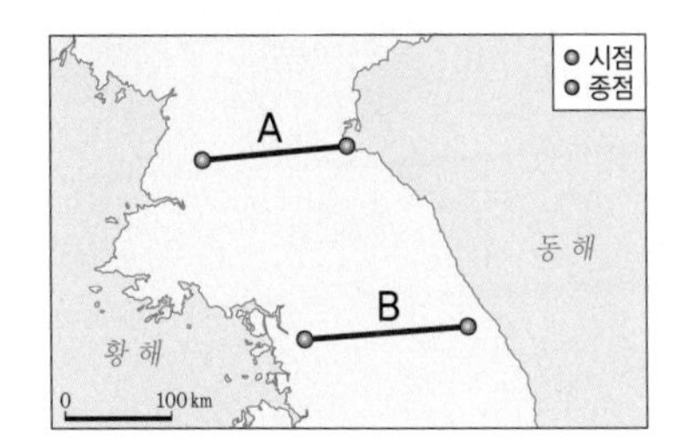

① A의 연평균 기온

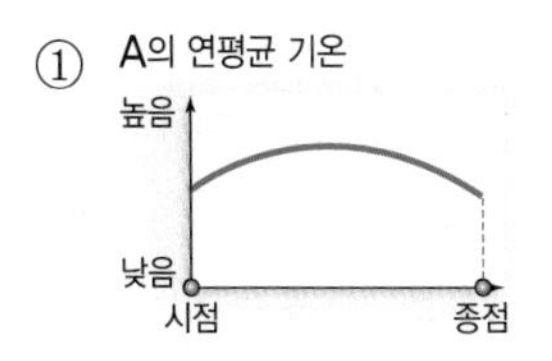

② A의 연 강수량

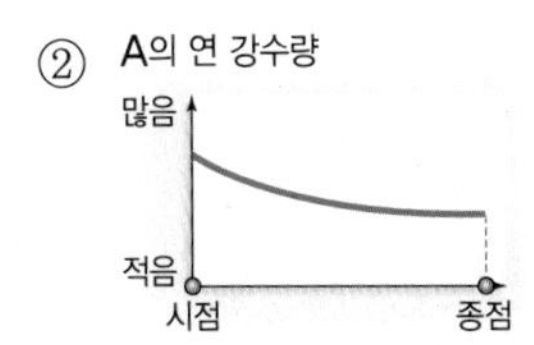

③ A의 연교차

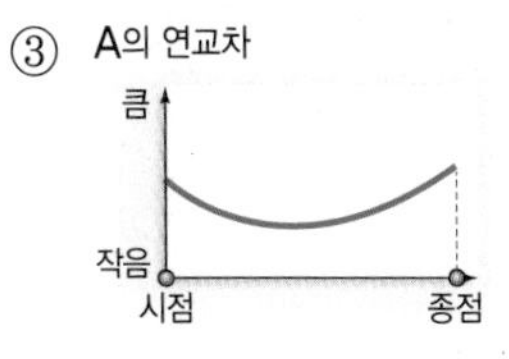

④ B의 연평균 기온

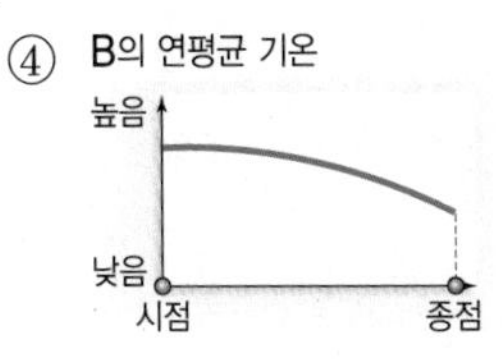

⑤ B의 연 강수량

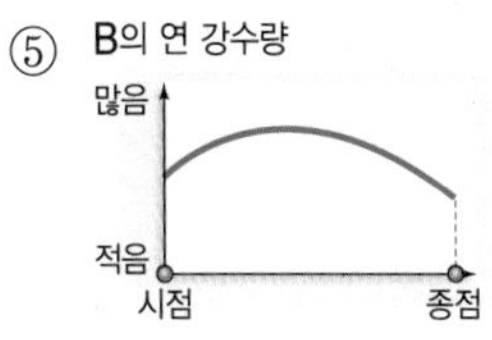

06 자료는 우리나라 어느 계절의 일기도이다. 이 시기에 대한 내용으로 옳은 것을 〈보기〉에서 고른 것은?

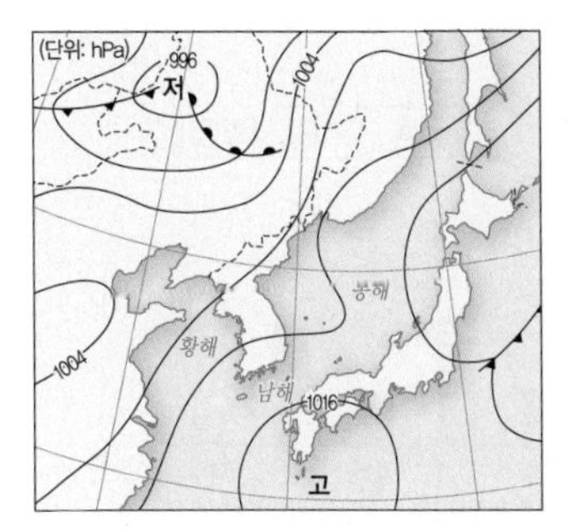

보기

ㄱ. 삼한 사온 현상이 나타난다.
ㄴ. 열대야 및 열대일이 나타난다.
ㄷ. 영서 지방에 고온 건조한 북동풍이 분다.
ㄹ. 지표면 가열에 의한 대류성 강수가 자주 발생한다.

① ㄱ, ㄴ ② ㄱ, ㄷ ③ ㄴ, ㄷ
④ ㄴ, ㄹ ⑤ ㄷ, ㄹ

07 지도가 나타내는 지표로 가장 적절한 것은?

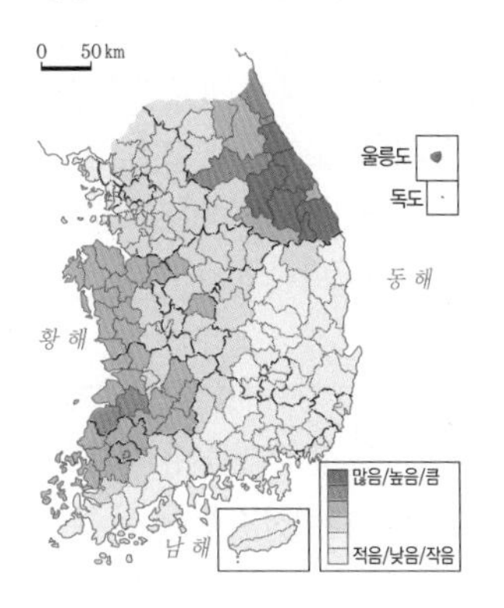

① 연 적설량
② 연 강수량
③ 연평균 기온
④ 기온의 연교차
⑤ 최한월 평균 기온

08 (가), (나)는 우리나라 어느 지역의 김치를 나타낸 것이다. 두 지역 기후의 상대적 특징을 그래프와 같이 표현할 때 A~C에 들어갈 내용을 옳게 연결한 것은?

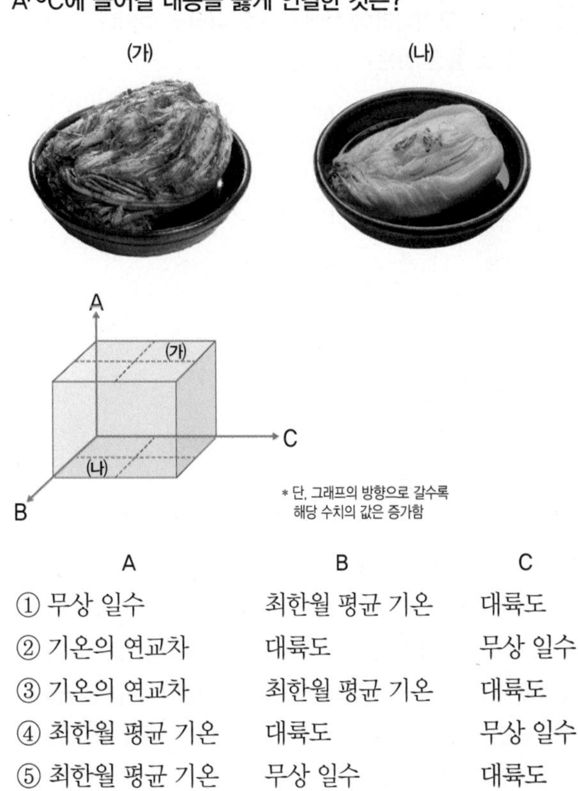

	A	B	C
①	무상 일수	최한월 평균 기온	대륙도
②	기온의 연교차	대륙도	무상 일수
③	기온의 연교차	최한월 평균 기온	대륙도
④	최한월 평균 기온	대륙도	무상 일수
⑤	최한월 평균 기온	무상 일수	대륙도

09 밑줄 친 ㉠을 활용한 사례로 적절하지 않은 것은?

> 기후는 주민 생활의 형성과 변화뿐만 아니라 경제생활에도 큰 영향을 미친다. 최근 전 지구적으로 이상 고온, 홍수, 가뭄, 대설 등 자연재해의 빈도와 강도가 높아지고 기후 변화의 영향이 커지고 있으며, 이에 따라 ㉠ 기후의 경제적 측면이 더욱 강조된다.

① 산천어 축제, 벚꽃 축제를 개최하여 관광객을 유치한다.
② 강원도 태백 및 경상남도 남해에서는 전지훈련 선수단을 유치하기도 한다.
③ 하천 주변에 거주하는 사람들은 고도가 높은 자연제방에 터돋움집을 짓는다.
④ 해발 고도가 높은 대관령 일대에서는 젖소를 기르거나 고랭지 채소를 재배한다.
⑤ 남부 지방에서는 벼를 수확한 후 늦가을에 보리를 심어 이듬해 초여름에 수확하는 그루갈이를 한다.

10 지도는 우리나라의 식생 분포를 나타낸 것이다. 이에 대한 설명으로 옳은 것은?

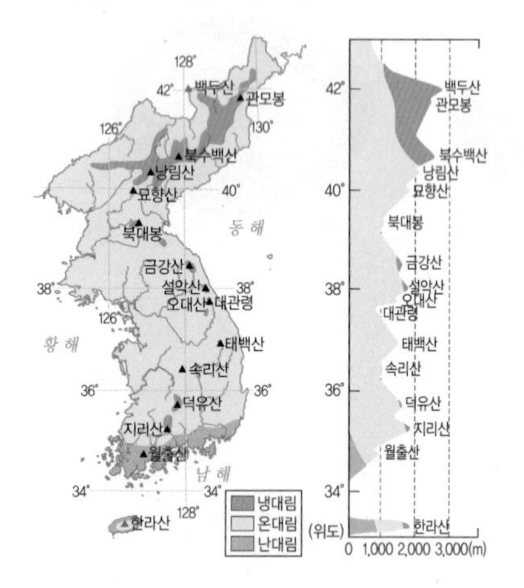

① 고위도로 갈수록 냉대림이 나타나는 고도가 높아진다.
② 남부 지방보다 북부 지방의 식생 분포가 더 다양하다.
③ 우리나라의 식생 분포는 기온보다 강수량의 영향이 크다.
④ 저위도 지역에서도 고도가 높은 곳은 냉대림이 나타난다.
⑤ 한라산의 경우 동일한 식생이 분포하는 해발 고도는 남사면보다 북사면이 높다.

11 (가)~(라)에 해당하는 토양을 지도의 A~D에서 고른 것은?

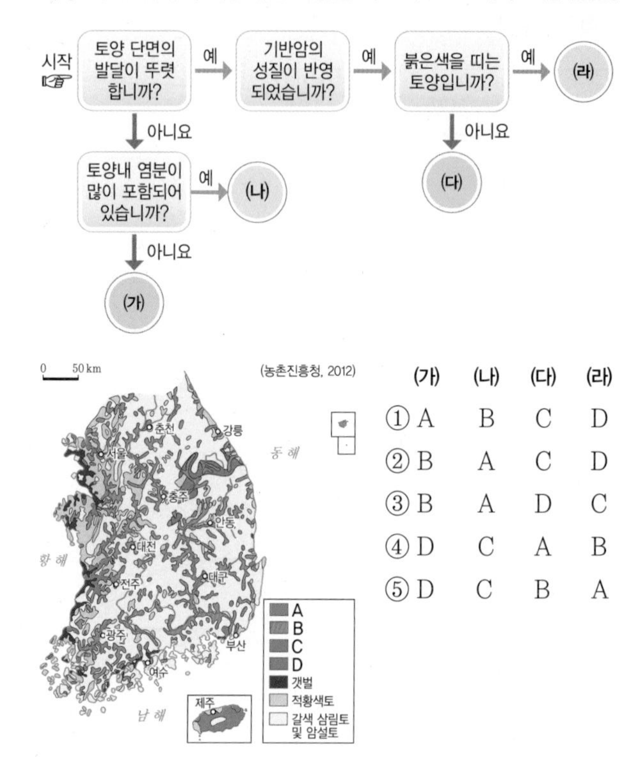

	(가)	(나)	(다)	(라)
①	A	B	C	D
②	B	A	C	D
③	B	A	D	C
④	D	C	A	B
⑤	D	C	B	A

12 그래프는 지역별 자연재해 피해액을 나타낸 것이다. A~C에 대한 설명으로 옳지 않은 것은? (단, A~C는 대설, 태풍, 호우 중 하나이다.)

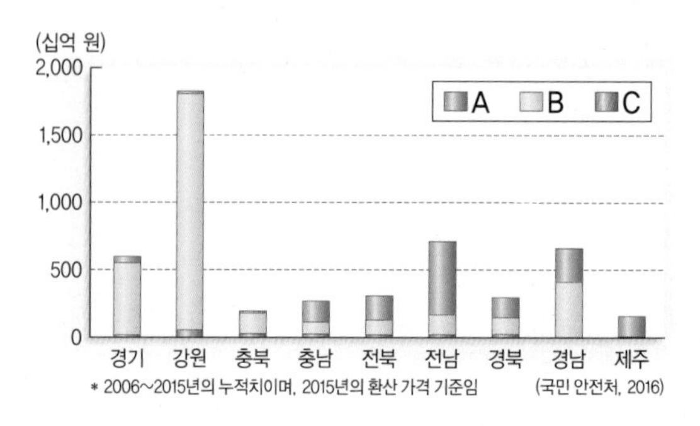

① A에 의해 강풍과 해일 피해가 발생한다.
② A는 적조 현상을 완화하는 데 도움이 된다.
③ B는 주로 장마 전선의 정체에 따라 발생한다.
④ C는 영동 지방의 경우 북동 기류의 유입과 밀접한 관계가 있다.
⑤ C는 A보다 남고북저형 기압 배치가 전형적으로 나타나는 계절에 자주 발생한다.

13 A에 대한 설명으로 옳은 것은?

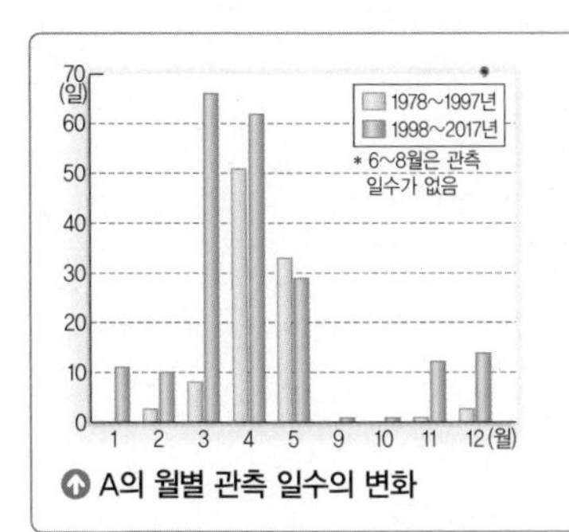

A의 월별 관측 일수의 변화

최근 A의 관측 일수가 증가하고 있다. A는 미세 먼지 농도의 증가와 함께 호흡기 질환, 안과 질환의 원인이 되기도 한다.

① 강풍과 많은 비를 동반하여 풍수해를 일으킨다.
② 적조 현상을 심화시켜 양식업의 피해를 증가시킨다.
③ 중국 내륙의 사막에서 주로 발생하여 우리나라 쪽으로 이동한다.
④ 오호츠크해 기단에서 불어온 북동풍에 의해 영서 지방에서 자주 발생한다.
⑤ 날씨가 맑고 바람이 없는 날 밤에 산 정상부의 차가운 공기가 분지 내에 집적되어 발생한다.

14 지도는 사과 재배지의 변화를 예측한 것이다. 이와 같은 변화가 현실화될 때 우리나라에서 나타날 현상에 대한 추론으로 적절한 것을 〈보기〉에서 고른 것은?

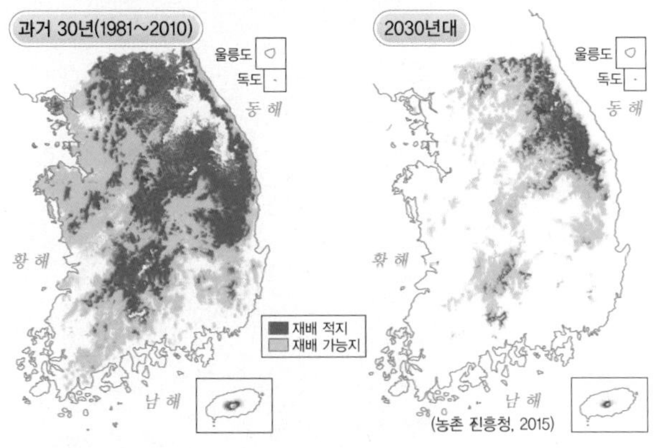

보기
ㄱ. 봄꽃의 개화 시기가 늦어질 것이다.
ㄴ. 한류성 어종의 어획량이 증가할 것이다.
ㄷ. 해안 저지대의 침수 위험이 커질 것이다.
ㄹ. 고산 식물의 분포 범위가 줄어들 것이다.

① ㄱ, ㄴ ② ㄱ, ㄷ ③ ㄴ, ㄷ ④ ㄴ, ㄹ ⑤ ㄷ, ㄹ

15 다음은 기후 변화의 대책에 대한 대화이다. ㉠~㉢에 대한 설명으로 적절하지 않은 것은?

국제 사회는 기후 변화를 대비하기 위해 2015년 (㉠)을/를 채택하여 지구 평균 기온 상승을 억제하기로 합의했어.

우리나라도 지구 온난화에 따른 기후 변화를 줄이기 위해 다양한 ㉡ 기후 변화 대책을 마련하고 있어.

국제 사회와 정부뿐만 아니라 ㉢ 개인적 측면에서의 노력이 필요해.

① ㉠ – 모든 당사국의 온실 기체 배출 감축을 의무로 하였다.
② ㉠ – 2020년 만료되는 파리 협정을 대체하는 신 기후 체제이다.
③ ㉡ – 온실 기체 감축 및 기후 변화에 대응하기 위해 탄소 배출권 거래제를 실시하고 있다.
④ ㉡ – 에너지 절약형 자동차 개발 및 신·재생 에너지의 이용을 늘리는 등 자원 절약형 산업을 육성해야 한다.
⑤ ㉢ – 탄소 발자국을 활용하여 저탄소 배출 인증 제품을 사용한다.

16 자료와 같은 사업을 시행하는 지역이 증가할 경우 기대되는 효과로 적절하지 않은 것은?

가로수를 심어 조성한 도시숲

대전광역시 유성구에서는 간선 도로 주변에 가로수를 심어 쾌적한 도시 환경을 조성하고 있다. 대전광역시에서는 지난해 도시숲을 조성하는 정책을 실시하여 전년 대비 공원 면적이 약 1.8% 증가하였다. 올해는 103억 원을 투입하여 다양한 녹색 공간을 확충할 예정이다.

① 도로변의 소음이 감소할 것이다.
② 대기 정화 효과가 나타날 것이다.
③ 시민들의 휴식 공간이 늘어날 것이다.
④ 대기 중 미세 먼지와 중금속의 농도가 감소할 것이다.
⑤ 도시 내 바람길이 조성되어 열섬 현상이 증가할 것이다.

거주 공간의 변화와 지역 개발

1 촌락의 변화와 도시 발달 ---------- 108

2 도시 구조와 대도시권 ---------- 118

3 도시 계획과 도시 재개발 ---------- 128

4 지역 개발과 공간 불평등 ---------- 134

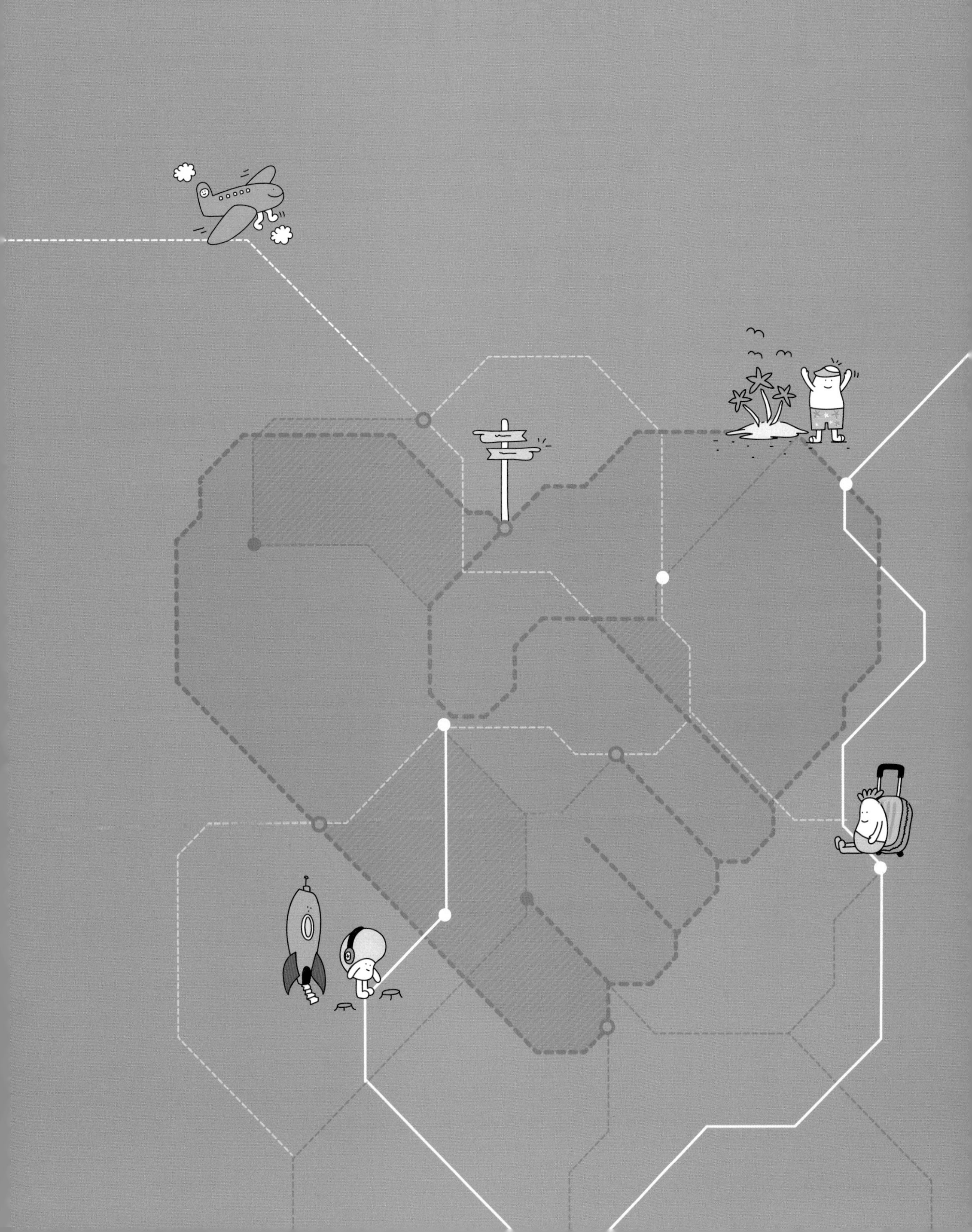

촌락의 변화와 도시 발달

학습목표
- 전통 촌락의 형성 과정과 변화 모습을 이해할 수 있다.
- 우리나라 도시의 발달 과정 및 도시 체계의 특성을 설명할 수 있다.

이것이 핵심!

촌락의 형성과 변화

촌락의 구분	• 농촌: 벼농사 중심, 집촌 형성 • 어촌: 항구에 밀집, 반농 반어촌 • 산지촌: 밭농사·목축업 중심, 산촌 형성
촌락의 변화	• 상업적 농업 확대 • 여가 공간 및 체험 활동 기회 제공

★ **배산임수**
뒤쪽은 산으로 둘러싸여 있고, 앞으로는 하천이 흐르는 입지. 겨울철 북서풍 차단, 용수와 농경지 및 땔감 확보, 외부로부터 방어 등에 유리하다.

★ **집촌과 산촌**

집촌	• 집단 방어나 협동 작업의 필요성이 큰 지역에 분포 • 혈연 중심의 동족촌 형성
산촌	• 집단 방어나 협동 노동의 필요성이 작은 지역에 분포 • 개별적 이주와 정착

★ **슬로시티 운동**
급변하는 사회 속에서 느리고 여유 있는 삶을 지향하며 지역의 자연환경 보전과 전통문화 보존을 바탕으로 지역을 매력적인 장소로 만들기 위한 운동

★ **6차 산업**
농촌에 있는 유형 및 무형의 자원을 바탕으로 1차 산업(농림 수산업)과 2차 산업(식품 및 특산품의 제조, 가공, 유통, 판매), 3차 산업(체험, 관광, 서비스)을 연계하여 새로운 부가 가치를 창출하는 산업

1 촌락의 형성과 변화

1. 전통 촌락의 형성

촌락은 도시보다 인구 규모가 작고 인구 밀도가 낮지만, 국토 공간에서 넓은 면적을 차지해.

(1) **전통 촌락의 특징**: 주민의 대부분이 1차 산업에 종사하며 식량 생산을 담당, 자연환경과 전통문화가 잘 보존된 지역

(2) **전통 촌락의 입지** 자료 ①

① 입지 요인: 물, 지형, 기후 등의 자연적 조건과 산업, 교통, 방어 등의 사회·경제적 조건

② 입지 특징: 풍수지리적 길지인 *배산임수 조건을 갖춘 곳에 주로 입지함 → 최근 상업적 농업이 발달하면서 사회·경제적 조건의 중요성이 커지고 있음

꼭! 우리나라의 전통 촌락의 입지는 용수 확보, 농경지 분포 등 자연적 조건의 영향을 많이 받았어.

③ 입지 요인에 따른 전통 촌락의 입지

입지 요인		사례
자연적 조건	물	• 제주도에서는 용수를 쉽게 얻을 수 있는 해안의 용천대를 따라 취락 분포 • 범람원에서는 침수 피해를 최소화하기 위해 자연 제방에 취락 분포
사회·경제적 조건	교통	• 육상 교통: 역원 취락 형성 예 조치원, 역곡 등 • 하천 교통: 수운의 요충지를 따라 나루터 취락 형성 예 노량진, 삼랑진, 마포 등
	방어	지형적으로 방어에 유리한 지역이나 국경 및 해안 지역에 병영촌 발달 예 남한산성, 부산 수영, 중강진 등

교통이 편리한 곳은 접근성이 좋아 일찍부터 촌락이 발달했어.

2. 전통 촌락의 기능과 경관 특징

농촌	• 농경지와 배후 산지가 만나는 산록면에 위치함 • 주로 벼농사가 이루어지며, 가옥이 밀집하여 분포하는 *집촌(集村)을 이루는 경우가 많음
어촌	• 해안 지역에서 경제 활동을 하며 항구를 중심으로 밀집해 있음 • 항구 뒤쪽 산지에 마을이 위치하고 주거지 주변에 경지가 있어 반농 반어촌을 이룸
산지촌	• 경사가 급하고 경지가 좁아 주로 밭농사, 임산물 채취, 목축업이 이루어짐 • 가옥이 흩어져 분포하는 *산촌(散村)을 이루는 경우가 많음

왜? 벼농사는 협동 노동의 필요성이 크기 때문이야.

산촌은 집촌보다 가옥과 경지의 거리가 가까워 경지 관리에 효율적이야.

3. 촌락의 변화 자료 ②

(1) **촌락의 변화 원인**: 1960년대 이후 산업화와 도시화에 따른 이촌 향도 현상의 가속화

(2) **촌락의 인구 변화**: 청장년층 중심의 인구 유출로 인한 유소년층 인구 감소 및 노년층 인구 증가 → 폐교 증가, 노동력 부족에 따른 외국인 근로자 유입, 국제결혼 증가로 다문화 가정 비중 증가

낮은 소득, 일자리 부족, 교육·의료·문화 시설 부족 등이 원인이야.

왜? 촌락은 결혼 적령기 청장년층에서 남초 현상이 나타나기 때문이야.

(3) **촌락의 기능 및 경관 변화** 자료 ③

대도시에서 멀리 떨어진 촌락	농가 수 감소, 농가당 경지 면적 증가 → 영농의 기계화 확대, 소득 증대를 위한 친환경 농업 증가, 전자 상거래를 통한 도시와의 농산물 직거래
대도시와 인접한 근교 촌락	상업적 농업 확대, 2·3차 산업 비중 증가, 교통이 편리한 촌락에는 공장, 물류 창고, 아파트 등이 들어서 촌락과 도시 경관이 혼재

(4) **최근의 촌락 변화**

① 자연환경을 활용하여 여가 공간 및 체험 활동 기회 제공 예 *슬로시티(slow city) 운동

② 지방 자치 단체를 중심으로 촌락 홍보 및 귀농·귀촌 시설 운영

③ 1·2·3차 산업을 결합하여 부가 가치를 창출하는 *6차 산업 활성화

내 옆의 선생님

자료 1 전통 촌락의 입지

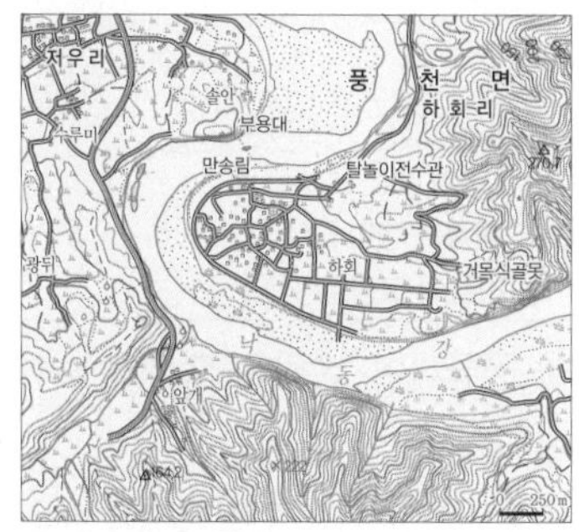

하회 마을의 지형도

경상북도 안동의 하회 마을은 우리나라의 대표적인 동족촌으로, 형태로 볼 때 가옥의 밀집도가 높은 집촌에 해당한다. 하회 마을은 자연 제방에 위치하고 있으며, 북서쪽 제방에 조성된 소나무 숲(만송림)은 강물로부터 제방을 보호하는 기능을 한다. 하회 마을은 2010년 유네스코 지정 세계 문화유산으로 등재되었으며, 자연환경과 전통 마을의 경관이 잘 보존되어 있어 역사적·문화적 가치가 크다.

자료 2 촌락의 인구 변화

산업화·도시화 이후 청장년층 인구가 일자리가 많고 교육 환경이 좋은 도시로 유출되면서 총인구가 꾸준히 감소하고 있어.

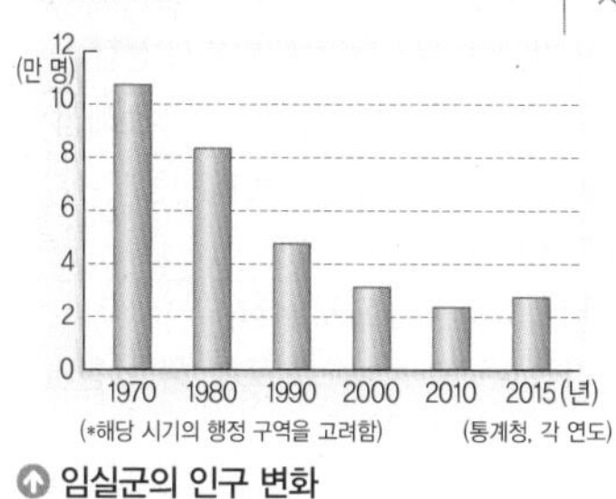

임실군의 인구 변화

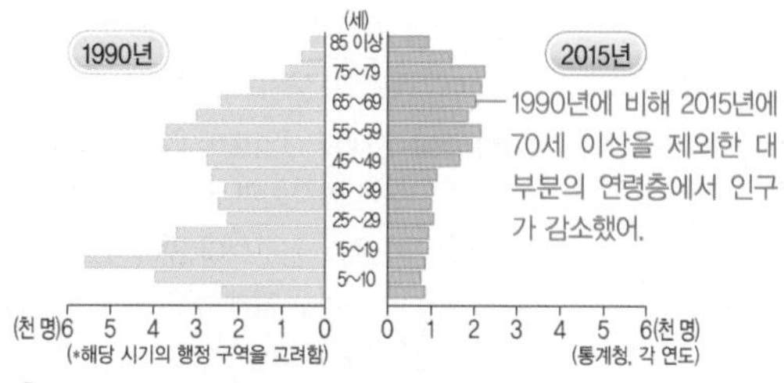

임실군의 연령별 인구 변화

1990년에 비해 2015년에 70세 이상을 제외한 대부분의 연령층에서 인구가 감소했어.

전라북도 임실군은 전형적인 전통 촌락으로 1970년대 이후 청장년층 인구가 유출되면서 인구가 감소하고 있다. 연령별 인구 변화를 살펴보면 청장년층 인구와 유소년층 인구는 감소하고, 노년층 인구 비중은 높아졌는데, 이로 인해 노동력 부족, 정주 기반 시설 약화 등의 문제가 나타나고 있다.

자료 3 촌락의 다양한 기능과 변화

전통 촌락은 식량 생산, 농어촌 체험 기능뿐만 아니라 전통 가옥, 생활 양식 등의 전통문화 보전 측면에서도 중요한 기능을 해.

배추 수확(강원도 평창군)

물고기 잡기 체험(경상남도 남해군)

고택 체험(경상북도 안동시)

1차 산업 위주였던 촌락은 최근 2·3차 산업의 비중이 증가하고 있다. 도시와의 접근성이 높아지면서 근교 촌락에서는 상품 작물의 생산이 증가하였으며, 어촌에서는 잡는 어업에서 기르는 어업인 양식업으로의 변화를 통해 소득 증대를 꾀하고 있다. 산지촌에서는 유리한 기후 조건을 이용하여 목축업과 고랭지 농업이 활발하다. 이외에도 촌락은 전통 경관과 자연환경 등을 관광 자원화하여 도시민을 위한 농장 체험, 갯벌 체험 등 다양한 체험 활동 기회를 제공하고 있다.

문제로 확인할까?

집촌(集村)이 분포하는 지역의 특징으로 옳은 것은?

① 경사가 급하고 경지가 좁다.
② 집단 방어의 필요성이 작다.
③ 협동 노동의 필요성이 크다.
④ 가옥과 경지의 거리가 가깝다.
⑤ 주민들의 공동체 의식이 약하다.

답 ③

자료 하나 더 알고 가자!

촌락의 인구 감소와 고령화

촌락의 총인구는 지속적으로 감소하고 있는 추세이며 고령화 비율(전체 농가 인구 중에서 65세 이상 인구가 차지하는 비율)은 계속 높아지고 있다.

정리 비법을 알려줄게!

촌락의 기능 변화

과거	농업, 임업, 수산업 등 1차 산업 중심
⬇	
오늘날	• 농촌과 산지촌은 원예 농업, 낙농업, 목축업 등을 통한 상품 작물 생산, 어촌은 양식업 활발 • 자연환경을 활용하여 농장 체험, 갯벌 체험 등의 기회 제공

01 촌락의 변화와 도시 발달

이것이 핵심!

우리나라의 도시 발달

1960년대	대도시가 빠르게 성장
1970년대	남동 임해 지역에 공업 도시 성장
1980년대 이후	대도시 주변에 신도시와 위성 도시 성장

★ **도농 통합시**
생활권이 같은 도시와 농어촌이 하나로 합쳐져 광역 생활권을 갖춘 도시

★ **우리나라의 도시화**

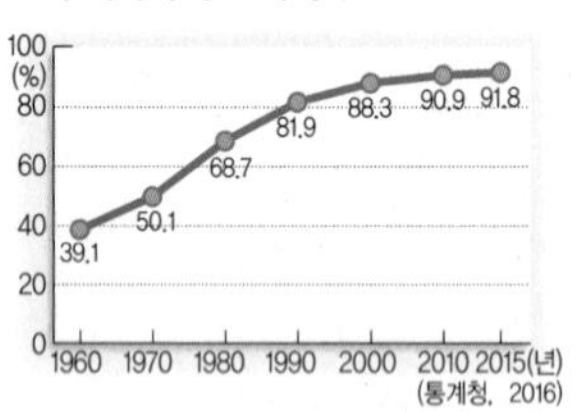

⊙ **우리나라의 도시화율 변화**
우리나라는 1960년대 산업화와 더불어 급속한 도시화가 진행되었다. 현재는 도시화율이 90%를 넘어서 도시화의 종착 단계에 있다.

2 도시의 발달

1. 촌락과 도시의 관계

(1) 촌락과 도시의 특징 비교

촌락	도시
• 주민 대부분이 1차 산업에 종사 • 인구 밀도가 낮고 직업 구성이 단순함 • 도시에 비해 조방적 토지 이용	• 주민 대부분이 2·3차 산업에 종사 • 인구 밀도가 높고 직업 구성이 다양함 • 집약적 토지 이용(건물의 고층화 현상)

(2) **촌락과 도시의 상호 보완성**: 도시는 촌락에 재화와 서비스를 공급하며, 촌락은 도시에 농수산물과 축산물을 공급하고 도시민에게 휴식과 여가 공간을 제공함

(3) **최근의 변화**: 인구 증가와 교통·통신의 발달로 도시와 촌락의 관계가 더욱 긴밀해지고 있음 → 도시와 촌락의 상호 의존적인 발전을 위해 *도농 통합시 출범 자료④

2. 우리나라의 도시 발달 교과서 자료

시기	내용
일제 강점기	• 초기: 한반도 식량 기지화 정책에 따라 쌀 수출항인 군산, 목포 등이 도시로 성장 • 후기: 병참 기지화 정책으로 중화학 공업, 광업이 발달한 관북 해안 지역 도시 성장
광복 후 ~ 1950년대	귀국 재외 동포와 전쟁으로 월남한 주민들이 도시에 정착하면서 도시 성장이 뚜렷해짐
1960년대	• 경제 개발 정책과 산업화에 따른 이촌 향도의 심화 → *도시화가 급속하게 진행 • 도시로 인구가 집중되면서 서울, 부산, 대구 등 대도시가 빠르게 성장
1970년대	• 도시 인구가 촌락 인구보다 많아지고 광주, 대전 등 지방 중심 도시 성장 • 수출 위주의 공업화 정책 추진 → 남동 임해 지역의 항구를 중심으로 포항, 울산, 창원, 여수 등 공업 도시 발달
1980년대 이후	대도시의 과밀 완화를 위해 인구 분산 정책 시행 → 서울, 부산 등 대도시 주변에 신도시와 위성 도시 성장(과천, 안양, 성남, 고양, 김해, 양산 등)

└ 남동 임해 지역: 원료 수입과 제품 수출에 유리해.

└ 위성 도시: 대도시의 기능을 일부 분담하는 도시로, 기능적으로 대도시와 밀접한 관계를 맺고 있어.

이것이 핵심!

우리나라의 도시 체계

서울을 중심으로 한 수직적 도시 체계로, 인구와 기능이 서울에 집중

↓

종주 도시화 현상 발생

↓

균형 있는 도시 체계 조성을 위해 중추 도시 생활권 육성, 혁신 도시 건설

★ **종주 도시화 현상**
1위 도시의 인구 규모가 2위 도시 인구의 두 배 이상이 되는 현상

★ **혁신 도시**
수도권에 소재하는 공공 기관의 지방 이전을 계기로 지방의 성장 거점에 조성되는 미래형 도시

3 도시 체계

1. 도시 체계

(1) **도시 체계의 의미**: 도시 간 상호 작용에 의해 나타나는 도시 간의 계층 질서 → 인구 규모별로 도시 순위를 배열하거나 도시 간 교통량, 인터넷망을 이용한 정보 유통 등을 통해 살펴볼 수 있음

└ 도시는 주변 지역이나 다른 도시 및 촌락에 재화와 서비스를 제공하는 중심지 기능을 수행해.

(2) **도시(중심지)와 계층 구조**: 도시가 보유한 기능의 차이에 따라 계층 구조가 형성됨 자료⑤

중심지	최소 요구치	재화의 도달 범위	중심지 기능	중심지 수	중심지 간 거리	사례
고차 중심지	크다	넓다	많다	적다	멀다	대도시
저차 중심지	작다	좁다	적다	많다	가깝다	소도시

└ 최소 요구치는 중심지가 유지될 수 있는 최소한의 수요이고, 재화의 도달 범위는 중심지 기능이 제공되는 최대한의 거리야.

2. 우리나라의 도시 체계

(1) **특징**: 서울을 중심으로 한 수직적 도시 체계를 이루고 있음. 서울은 인구와 기능이 집중하여 *종주 도시화 현상이 나타남

(2) **도시 체계 개선 노력**: 수직적 도시 체계 완화, 균형 있는 도시 체계 조성 → 중추 도시 생활권 육성, *혁신 도시 건설

└ 중추 도시 생활권: 중심 도시와 주변 지역이 상호 연계 및 협력하여 동일 생활권을 형성하는 지역이야.

내 옆의 선생님

자료 4 도농 통합시

하나의 생활권이 시와 군으로 구분되면 주민 생활권과 행정 구역의 불일치로 문제가 나타나기도 한다. 생활권이 같은 도시와 농촌이 통합되면 이러한 문제를 해소하고 도시와 농촌 간의 지역 격차 해소, 농촌의 생활 환경 수준 향상, 지방 도시와 배후 농촌의 경쟁력 강화 등 다양한 효과를 기대할 수 있다.

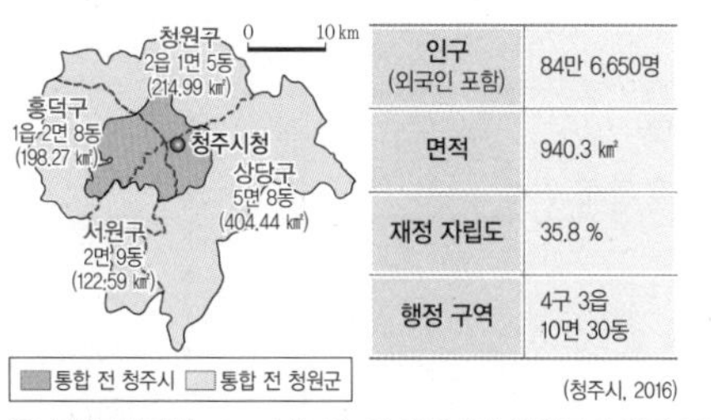

인구 (외국인 포함)	84만 6,650명
면적	940.3 ㎢
재정 자립도	35.8 %
행정 구역	4구 3읍 10면 30동

(청주시, 2016)

통합 청주시 - 2014년 7월 1일 청주시와 청원군이 행정 구역을 통합하여 통합 청주시로 출범하였어.

자료 하나 더 알고 가자!

우리나라의 도농 통합시 분포

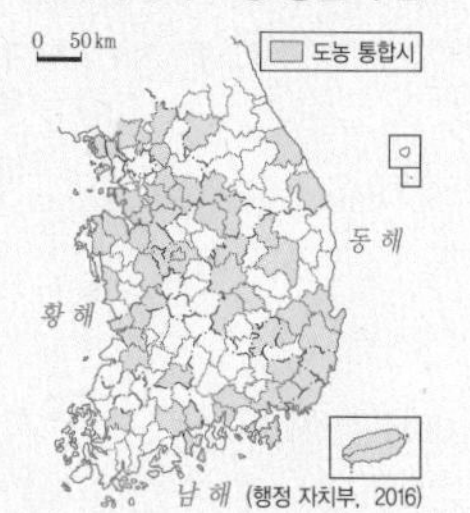

(행정 자치부, 2016)

1995년 32개 통합시가 탄생한 이후 지금까지 56개의 도농 통합시가 만들어졌다.

수능이 보이는 교과서 자료 우리나라의 도시 발달

(가) 도시 발달과 도시 인구의 변화

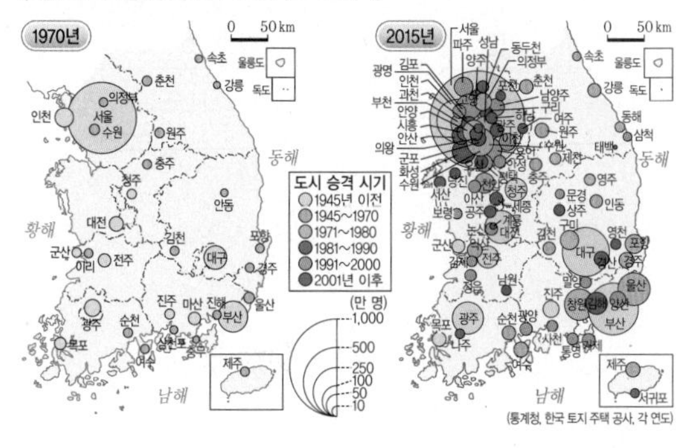

(통계청, 한국 토지 주택 공사, 각 연도)

(나) 인구 증가에 따른 도시 순위 변화

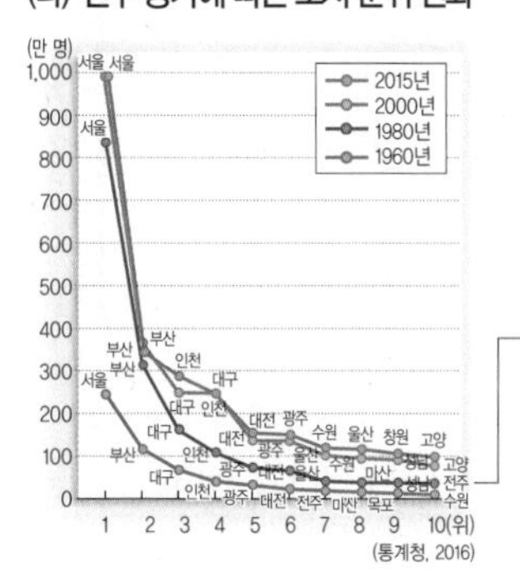

(통계청, 2016)

우리나라는 1960년대 이후 경제 개발 정책과 공업화에 따라 도시로의 인구 집중이 가속화하면서 서울, 부산, 대구 등 대도시들이 급성장하였고, 포항, 울산, 창원 등 남동 임해 지역에 공업 도시가 성장하였다. 그 결과 서울의 종주 도시화가 심화하였고 지방 중소 도시는 상대적으로 성장이 정체하는 국토의 불균형한 개발이 이루어졌다.

완자샘의 탐구 강의

- **1970년~2015년에 나타난 도시 발달의 특징을 써 보자.**

도시 발달이 수도권과 영남권에 집중하여 도시 성장이 불균형적으로 나타나고 있다.

과거 지방 중심 도시였던 전주와 목포 등의 순위는 낮아졌고, 공업 도시인 울산·창원, 위성 도시인 고양·성남 등은 순위가 높아졌어.

- **(가), (나)와 같은 문제를 해결하기 위한 방안을 서술해 보자.**

공공 기관을 이전하여 혁신 도시를 건설하거나 중추 도시 생활권을 육성하여 균형적인 발전을 도모해야 한다.

함께 보기 117쪽, 1등급 정복하기 3

자료 5 도시 계층 구조

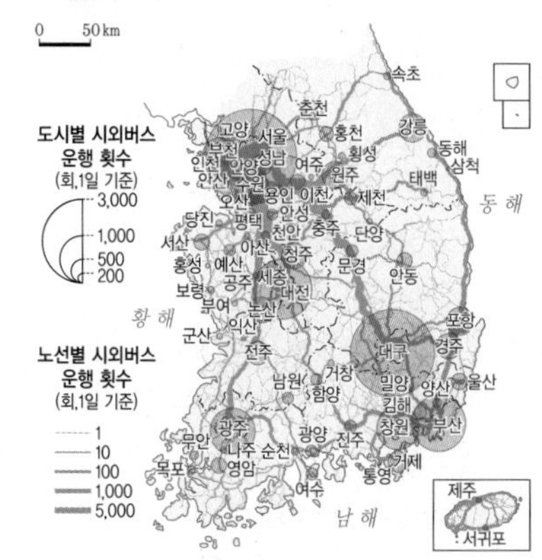

도시 및 노선별 시외버스 운행 횟수

최상위 계층인 서울은 대부분의 도시와 버스로 직접 혹은 간접 연결이 되어 있어. 거의 모든 도시에서 버스를 타고 쉽게 서울에 갈 수 있다는 뜻이야.

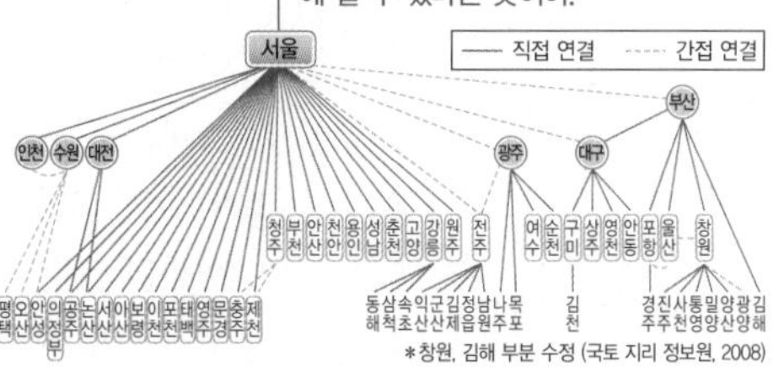

*창원, 김해 부분 수정 (국토 지리 정보원, 2008)

시외·고속버스 운행에 의한 도시 간 계층 구조

도시 간 버스 연결 체계를 살펴보면 우리나라 도시 간의 계층 구조를 파악할 수 있다. 서울특별시는 최상위 계층을 형성하고 그 다음으로 부산, 인천, 대구, 광주, 대전이 고차 계층을 형성하고 있다.

자료 하나 더 알고 가자!

중심지 이론

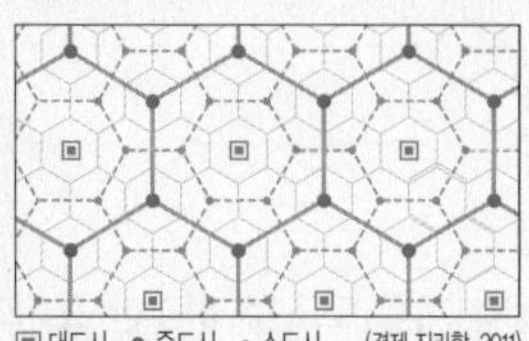

(경제 지리학, 2011)

대도시처럼 넓은 배후지를 갖는 중심지를 고차 중심지, 대도시보다 배후지가 좁은 중도시나 소도시를 저차 중심지라고 하며, 이들 중심지는 중심지 수, 중심 기능, 배후지의 면적 등에서 차이가 있다.

STEP 1 핵심 개념 확인하기

정답친해 35쪽

1 다음 입지 요인의 영향을 받은 전통 촌락을 〈보기〉에서 골라 기호를 쓰시오.

보기
ㄱ. 병영촌　　ㄴ. 역원 취락
ㄷ. 범람원 취락　　ㄹ. 제주도 용천대 취락

(1) 자연적 요인 (　　　)

(2) 사회·경제적 요인 (　　　)

2 ㉠, ㉡에 들어갈 말을 각각 쓰시오.

농촌은 협동 노동의 필요성이 커 가옥이 밀집하여 분포하는 (㉠　　　)을 이루는 경우가 많다. 반면 산지촌은 경사가 급하고 경지가 좁으며, 가옥이 드문드문 흩어져 분포하는 (㉡　　　)인 경우가 많다.

3 생활권이 같은 도시와 농어촌이 하나로 합쳐져 하나의 광역 생활권을 이루는 도시를 (　　　)라고 한다.

4 우리나라의 도시 발달 과정을 〈보기〉에서 찾아 순서대로 나열하시오.

보기
ㄱ. 대도시 주변에 신도시와 위성 도시가 성장하였다.
ㄴ. 급속한 도시화로 서울, 부산 등 대도시가 성장하였다.
ㄷ. 남동 임해 지역의 항구를 중심으로 포항, 울산 등 공업 도시가 발달하였다.

5 중심지 계층 구조를 비교한 표이다. ㉠~㉣에 들어갈 내용을 각각 쓰시오.

중심지	최소 요구치	재화의 도달 범위	중심지 수	중심지 간 거리
고차 중심지	크다	(㉠　　)	적다	(㉡　　)
저차 중심지	작다	(㉢　　)	많다	(㉣　　)

STEP 2 내신 만점 공략하기

01 다음은 수업 시간에 정리한 내용 중 일부이다. 밑줄 친 ㉠~㉤ 중 옳지 않은 것은?

전통 촌락의 입지

구분	입지 요인	입지 사례
자연적 조건	경지와 가까우며 홍수 피해가 작음	㉠ 범람원의 자연 제방
	겨울철 북서풍을 차단할 수 있음	㉡ 제주도 해안의 용천대
사회·경제적 조건	도로, 철도 등이 있어 교통이 편리함	㉢ 역원 취락(조치원, 역곡)
	수운의 요충지였음	㉣ 나루터 취락(노량진, 마포)
	지형적으로 방어에 유리함	㉤ 병영촌(남한산성, 중강진)

① ㉠　② ㉡　③ ㉢　④ ㉣　⑤ ㉤

02 지도에 나타난 촌락에 대한 옳은 설명을 〈보기〉에서 고른 것은?

보기
ㄱ. 집촌(集村)의 형태를 띠고 있다.
ㄴ. 땔감과 각종 용수 확보에 유리하다.
ㄷ. 물을 얻기 위해 용천대를 따라 취락이 입지하였다.
ㄹ. 경지가 좁아 주로 과수 재배나 밭농사가 이루어진다.

① ㄱ, ㄴ　② ㄱ, ㄷ　③ ㄴ, ㄷ
④ ㄴ, ㄹ　⑤ ㄷ, ㄹ

중요

03 (가) 촌락과 비교한 (나) 촌락의 상대적 특징을 그림의 A~E에서 고른 것은?

(가)

전라남도 보성군

(나)

강원도 평창군

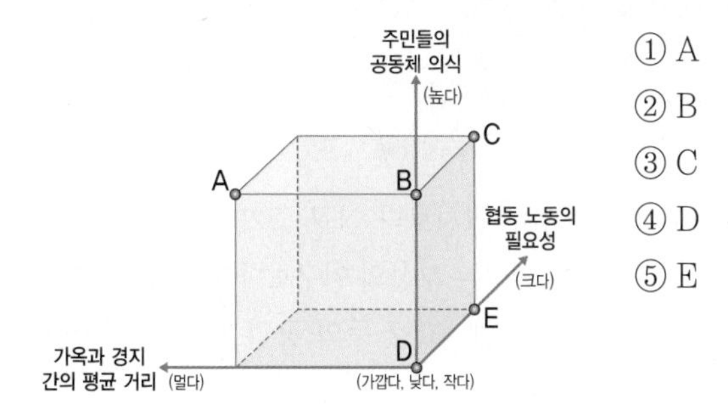

① A
② B
③ C
④ D
⑤ E

04 다음 수행평가 주제에 적합한 내용을 제시한 모둠만을 〈보기〉에서 있는 대로 고른 것은?

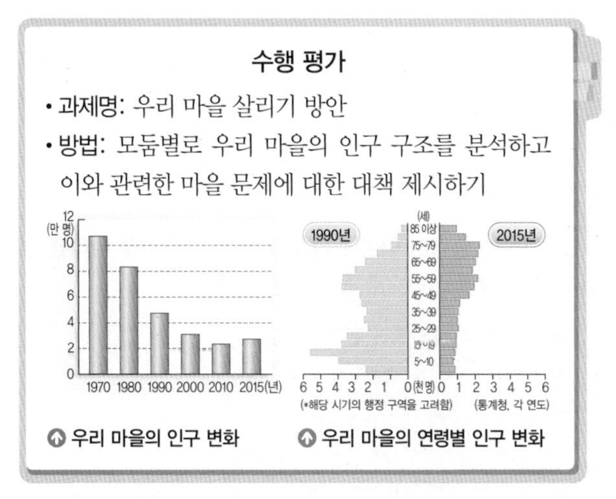

수행 평가

- 과제명: 우리 마을 살리기 방안
- 방법: 모둠별로 우리 마을의 인구 구조를 분석하고 이와 관련한 마을 문제에 대한 대책 제시하기

우리 마을의 인구 변화

우리 마을의 연령별 인구 변화

보기

ㄱ. 1모둠: 계절별로 농촌 체험 프로그램을 운영하자.
ㄴ. 2모둠: 마을로 찾아오는 이동식 병원을 운영하자.
ㄷ. 3모둠: 귀농인을 위한 농업 적응 프로그램을 만들자.
ㄹ. 4모둠: 소규모 초등학교 분교들의 통폐합을 추진하자.

① ㄱ, ㄷ　② ㄴ, ㄹ　③ ㄱ, ㄴ, ㄷ
④ ㄱ, ㄴ, ㄹ　⑤ ㄴ, ㄷ, ㄹ

중요

05 다음 글을 바탕으로 두 지역의 공통된 변화를 추론한 내용으로 가장 적절한 것은?

- 태안반도의 대야도는 1970년대까지 김을 수출하는 '부자 섬'이었으나 1983년 간척 사업으로 주변 환경이 바뀌면서 어려움을 겪게 되었다. 이후 주민들은 육지와 연결된 이점을 살려 독살 체험, 바지락·굴 채취 체험 등의 프로그램을 만들어 관광객 유치에 힘쓰고 있다.
- 외암 마을은 농사를 짓던 평범한 마을에서 특화된 체험거리가 가득한 전통문화 마을로 탈바꿈하였다. 이곳은 다양한 형태의 전통 가옥이 보존되어 있고, 이 중 20여 채는 민박집으로 활용되어 우리 전통문화에 관심이 많은 외국인을 비롯한 많은 관광객이 찾고 있다.

① 관광 수입이 감소하였을 것이다.
② 지역 내 소득원이 다양해졌을 것이다.
③ 도시와의 상호 작용이 감소하였을 것이다.
④ 1차 산업 종사자의 비율이 증가하였을 것이다.
⑤ 도시적 토지 이용의 비율이 감소하였을 것이다.

06 지리 수업의 한 장면이다. 교사의 질문에 옳은 답변을 한 학생을 고른 것은?

① 갑, 을　② 갑, 병　③ 을, 병
④ 을, 정　⑤ 병, 정

07 그래프는 우리나라의 도시화율 변화를 나타낸 것이다. 이에 대한 옳은 설명을 〈보기〉에서 고른 것은?

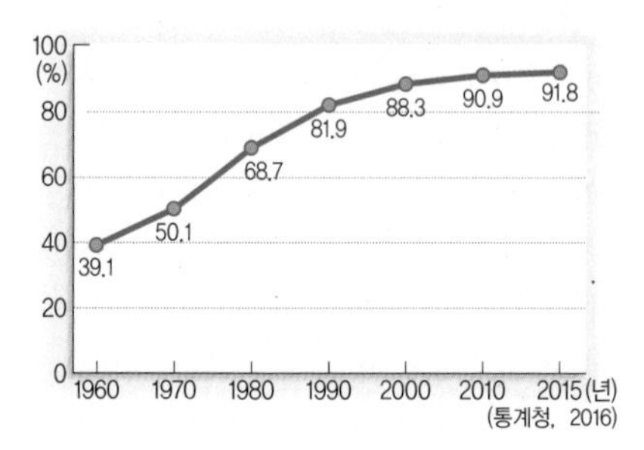

보기

ㄱ. 도시화율의 기울기가 점차 증가하고 있다.
ㄴ. 도시에 거주하는 인구가 지속적으로 증가하고 있다.
ㄷ. 1970년 이후부터 촌락보다 도시에 거주하는 인구가 많아졌다.
ㄹ. 2015년 우리나라의 도시화 수준은 가속화 단계에 해당한다.

① ㄱ, ㄴ ② ㄱ, ㄷ ③ ㄴ, ㄷ
④ ㄴ, ㄹ ⑤ ㄷ, ㄹ

08 자료를 보고 청주시와 청원군의 통합으로 나타난 변화를 추론한 내용으로 옳은 것을 〈보기〉에서 고른 것은?

2014년 7월 청주시와 청원군이 통합 청주시로 공식 출범하였다. 청주시와 청원군이 68년만에 행정 구역을 통합함에 따라 도넛 모양의 기형적인 도시 구조가 제 모습을 찾게 되었다.

보기

ㄱ. 청주시와 청원군의 상호 의존적 관계가 약화될 것이다.
ㄴ. 청주시와 청원군은 하나의 광역 생활권을 형성할 것이다.
ㄷ. 청원군은 청주시에 흡수 통합되어 고유한 지역 특성을 잃게 될 것이다.
ㄹ. 과거에 비해 청주시의 행정, 의료, 문화 등 중심지 역할이 더욱 확대될 것이다.

① ㄱ, ㄴ ② ㄱ, ㄷ ③ ㄴ, ㄷ
④ ㄴ, ㄹ ⑤ ㄷ, ㄹ

09 중요 그래프는 인구 성장에 따른 도시 순위 변화를 나타낸 것이다. 이에 대한 분석으로 옳은 것은?

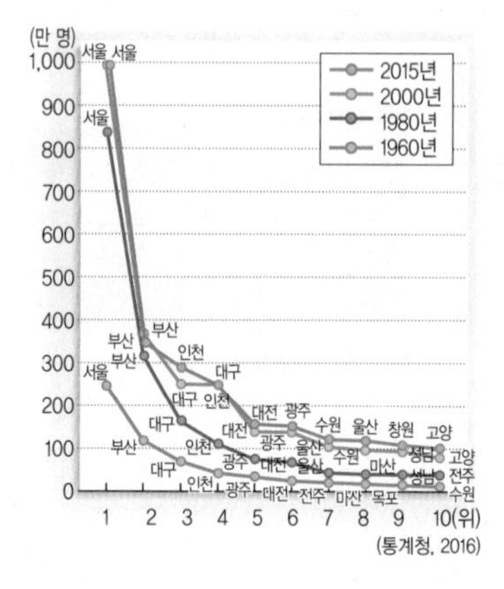

① 1980년 이후 광주는 인천보다 인구 증가율이 높다.
② 모든 시기 서울의 인구는 부산의 인구보다 2배 이상 많다.
③ 1980년 이후에는 성남, 고양 등의 공업 도시가 성장하였다.
④ 과거 지방 중심 도시였던 마산, 목포, 전주 등은 순위가 높아졌다.
⑤ 1980년에 비해 2015년에 우리나라 10대 도시 중 수도권 도시의 비율이 낮아졌다.

10 그림은 중심지 이론에 따른 도시 계층 구조를 나타낸 것이다. 이에 대한 설명으로 옳지 않은 것은?

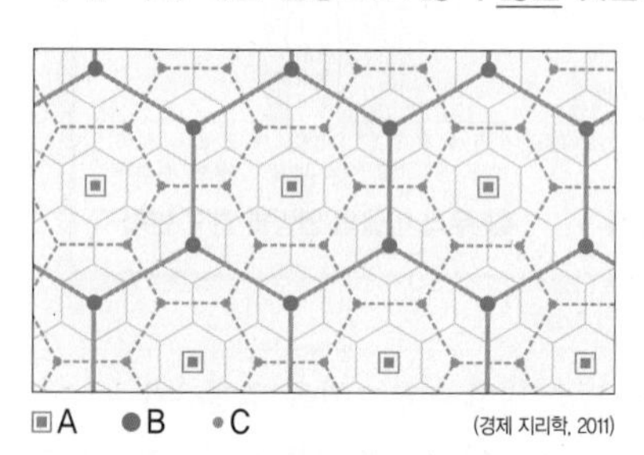

① A는 B의 기능을 포함하고 있다.
② A는 B보다 배후지의 면적이 넓다.
③ B는 C보다 중심지 간 거리가 멀다.
④ A에서 C로 갈수록 수는 적지만 기능은 다양하다.
⑤ 최소 요구치는 A 〉 B 〉 C 순으로 크게 나타난다.

11 지도는 도시 및 노선별 시외버스 운행 횟수를 나타낸 것이다. 이를 통해 탐구할 수 있는 주제로 가장 적절한 것은?

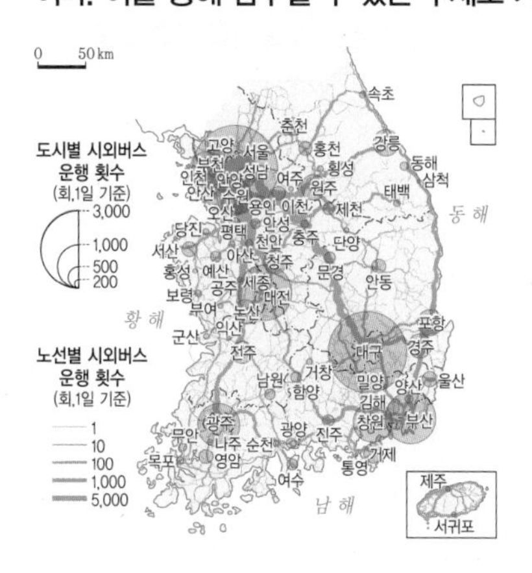

① 도시는 어떤 곳에 입지하는가?
② 도시 내부 구조는 어떻게 분화하는가?
③ 도시화로 인해 어떠한 문제가 발생하는가?
④ 교통의 발달은 도시 인구 변화에 어떤 영향을 미치는가?
⑤ 도시 간 상호 작용에 따라 도시 체계가 어떻게 형성되는가?

12 중요 표는 도시 계층별 의료 기관의 수를 나타낸 것이다. 이를 보고 옳게 추론한 내용을 〈보기〉에서 고른 것은?(단, A, B, C 도시 간 거리는 같다.)

(단위: 개)

도시	종합 병원	병원	의원	합계
A시	56	220	7,948	8,224
B시	11	41	1,032	1,084
C시	1	2	68	71

보기

ㄱ. A는 B보다 도시 인구 규모가 클 것이다.
ㄴ. B는 A보다 다양한 기능을 보유하고 있을 것이다.
ㄷ. B는 C보다 중심지 기능이 더 발달하였을 것이다.
ㄹ. A와 B의 상호 작용보다 A와 C의 상호 작용이 더 활발할 것이다.

① ㄱ, ㄴ ② ㄱ, ㄷ ③ ㄴ, ㄷ
④ ㄴ, ㄹ ⑤ ㄷ, ㄹ

서술형 문제

● 정답친해 37쪽

01 그래프는 전라북도 순창군의 인구 구조 변화를 나타낸 것이다. 이와 같은 변화가 나타나게 된 가장 큰 원인을 쓰고, 이로 인해 나타날 수 있는 문제점을 두 가지 서술하시오.

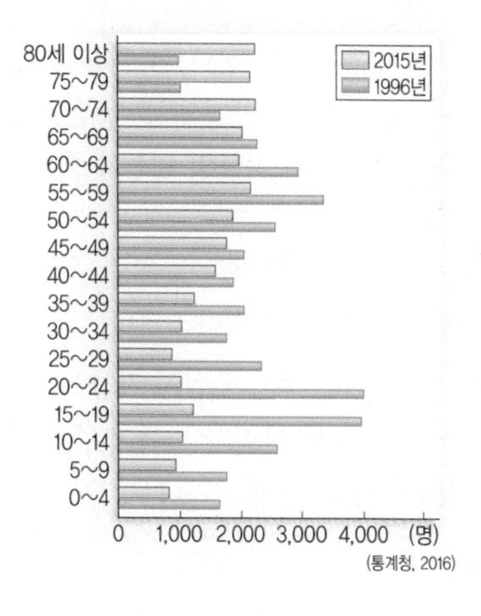

02 지도는 우리나라의 도시 인구 변화를 나타낸 것이다. 이를 보고 물음에 답하시오.

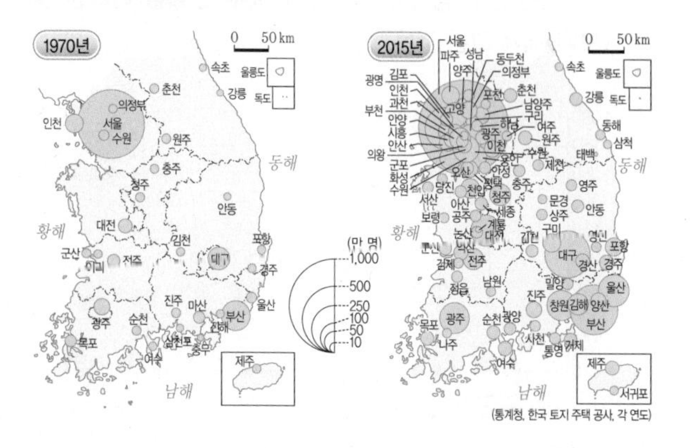

(1) 두 시기의 우리 나라의 인구 순위 1위와 2위 도시를 찾아 인구를 비교해 보고 이와 같이 차이가 나는 현상을 무엇이라고 하는지 쓰시오.

(2) 1970년과 비교하여 2015년의 도시 분포의 상대적인 특징을 도시 발달과 관련하여 서술하시오.

STEP 3 1등급 정복하기

1 밑줄 친 ㉠~㉤에 대한 설명으로 옳지 않은 것은?

> 촌락과 도시의 상호 작용

㉠ 촌락과 ㉡ 도시는 경관과 기능 면에서 서로 다른 특징이 나타나지만, 서로 영향을 주는 상호 보완적 관계이다. ㉢ 도시는 촌락에 공산품을 비롯한 재화와 서비스를 제공하고 촌락은 도시에 각종 농수산물을 공급한다. 또한 ㉣ 촌락은 도시민에게 휴식 및 여가 공간과 다양한 체험 활동을 제공하기도 한다. 최근 농촌과 산지촌에서는 전통 농업 이외에 ㉤ 원예 농업, 낙농업 등을 통한 상품 작물의 생산도 증가하고 있다.

① ㉠은 기능에 따라 농촌, 어촌, 산지촌 등으로 구분할 수 있다.
② ㉠은 ㉡보다 주민들의 직업 구성이 단순하다.
③ ㉢을 통해 도시는 배후지, 촌락은 중심지 기능을 수행함을 알 수 있다.
④ ㉣으로 인해 촌락에서는 고용 기회와 소득이 증대될 수 있다.
⑤ ㉤은 교통 및 통신의 발달과 관계가 깊다.

평가원 응용

2 그래프는 인구 성장에 따른 도시 순위 변화를 나타낸 것이다. 이에 대한 분석으로 옳은 것을 〈보기〉에서 고른 것은?

> 도시 순위 변화

완자샘의 시험 꿀팁
우리나라의 주요 도시의 인구 규모와 순위 변화를 그래프로 제시하는 문제가 출제된다. 시기별로 순위가 변화한 도시의 특징에 대하여 정리해야 한다.

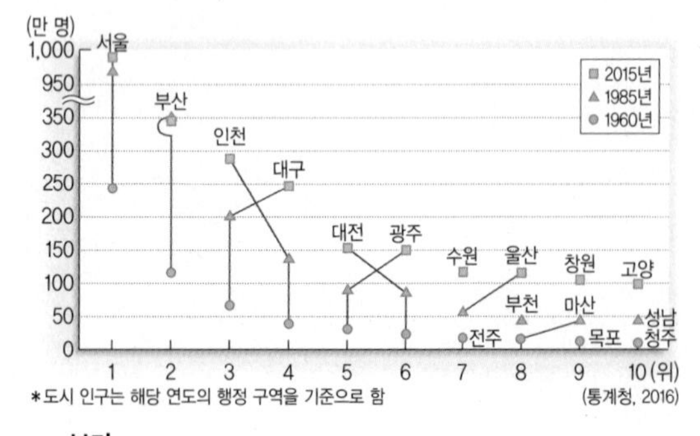

*도시 인구는 해당 연도의 행정 구역을 기준으로 함 (통계청, 2016)

보기

ㄱ. 종주 도시화 현상은 1960년에 비해 1985년에 완화되었다.
ㄴ. 1985년 이후 인구 증가율이 가장 높은 광역시는 인천이다.
ㄷ. 10대 도시에 포함된 수도권 도시의 수는 2015년이 1985년보다 많다.
ㄹ. 1985년 이후 서울의 도시 성장률 둔화는 주변 도시의 성장과 관련이 있다.

① ㄱ, ㄴ　② ㄱ, ㄷ　③ ㄴ, ㄷ
④ ㄴ, ㄹ　⑤ ㄷ, ㄹ

3 지도는 우리나라의 도시 발달과 도시 인구의 변화를 나타낸 것이다. 이를 분석한 내용으로 옳지 않은 것은?

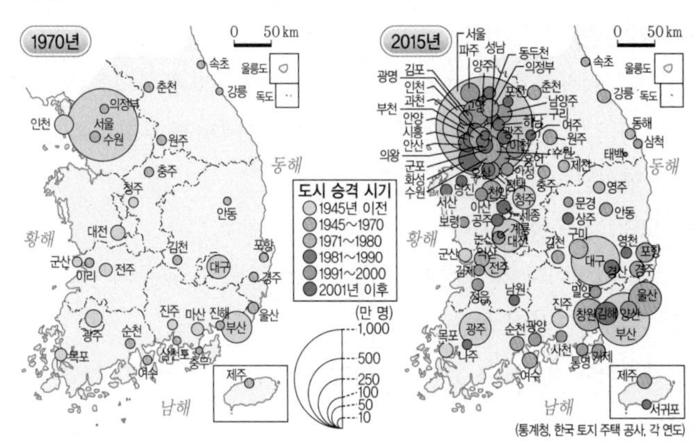

(통계청, 한국 토지 주택 공사, 각 연도)

① 서울 주변의 신도시와 위성 도시들의 성장이 두드러진다.
② 1970년과 2015년 모두 종주 도시화 현상이 나타나고 있다.
③ 1970년에 비해 2015년에 지역 간 도시 발달 격차는 줄어들었다.
④ 수도권과 영남권을 연결하는 경부축을 중심으로 도시가 크게 성장하였다.
⑤ 광주광역시 주변의 인구보다 부산광역시 주변의 도시 인구가 많이 증가하였다.

▶ 도시 발달과 인구 변화

4 표는 우리나라의 (가) 도시와 (나) 도시를 왕복하는 열차가 정차하는 도시를 순서대로 표시한 것이다. 이를 보고 옳게 추론한 내용을 〈보기〉에서 고른 것은?(단, 도시들 간의 거리는 같다.)

열차 종류 \ 도시	(가)	A	B	C	D	(나)
저속 열차	◎	○	○	○	○	◎
보통 열차	◎	○	×	○	○	◎
고속 열차	◎	○	×	×	○	◎

◎: 출발/도착 ○: 정차함 ×: 통과함

보기

ㄱ. A는 B보다 배후 지역의 범위가 넓을 것이다.
ㄴ. A는 C보다 평균 열차 이용객 수가 적을 것이다.
ㄷ. B는 C에 비해 인구 규모가 작을 것이다.
ㄹ. C는 D보다 중심지 기능을 많이 보유하고 있을 것이다.

① ㄱ, ㄴ ② ㄱ, ㄷ ③ ㄴ, ㄷ
④ ㄴ, ㄹ ⑤ ㄷ, ㄹ

▶ 중심지와 계층 구조

완자샘의 시험 꿀팁

도시(중심지)의 계층에 따라 형성되는 고차 중심지와 저차 중심지의 차이점을 비교하여 정리해야 한다.

02 도시 구조와 대도시권

학습목표
- 도시의 지역 분화 과정을 알고, 도시 내부 구조를 설명할 수 있다.
- 대도시권의 형성과 확대 과정을 파악할 수 있다.

이것이 핵심!

도시 내부 구조

도심	접근성과 지대가 높음, 중심 업무 지구 형성, 인구 공동화 현상 발생
부도심	교통의 결절점에 형성, 도심의 기능 분담
중간 지역	주택, 상가, 공장이 혼재된 점이 지대
주변 지역	신흥 주거 지역 형성, 개발 제한 구역

★ **인구 공동화 현상**

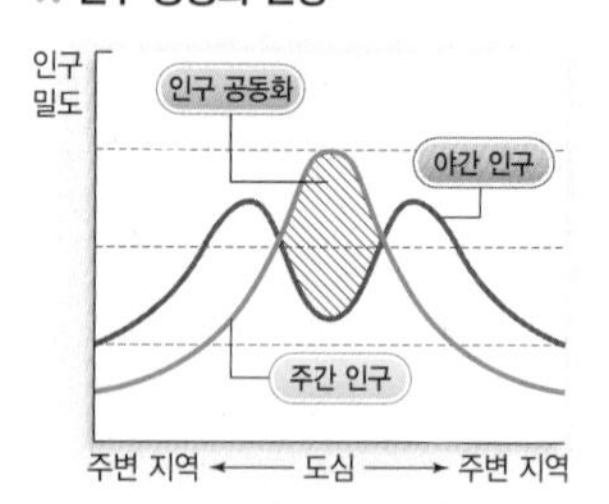

도심의 높은 지대를 감당할 수 없는 주택이 주변 지역으로 이동함에 따라 직장과 주거지가 분리된다. 이로 인해 업무 공간인 도심은 주간에 인구가 급증하지만 야간에는 사람들이 주거 지역으로 귀가하면서 인구가 감소하는 인구 공동화 현상이 발생한다.

★ **개발 제한 구역(그린벨트)**
도시 경관을 정비하고 환경을 보전하기 위해 설정된 녹지대

도심에서 가까운 지역에는 주택과 상가가 섞여 있고, 외곽 지역으로 갈수록 대단위 주거 단지와 공장이 혼재한 모습이 나타나.

1 도시의 지역 분화와 도시 내부 구조

1. 도시 지역 분화의 원인과 과정 자료①

(1) **도시 내부의 지역 분화:** 도시가 성장하고 기능이 다양해지면서 비슷한 종류의 기능이 집적되거나 분산되어 도시 내부가 각기 다른 지역으로 나뉘는 현상 → 지역 분화로 상업 지역, 공업 지역, 주거 지역 등이 형성됨 ┌ 도시 내부의 지역 분화는 소도시보다 대도시에서 뚜렷하게 나타나.

(2) **지역 분화에 영향을 미치는 요인:** 접근성과 지대

① 접근성: 여러 지역에서 특정 지역이나 시설에 도달하기 쉬운 정도 → 교통이 편리한 지역일수록, 도시의 중심부일수록 접근성이 높음

② 지대: 건물이나 토지를 이용하여 얻을 수 있는 수익이나 대가 → 접근성이 높은 지역일수록 지가와 지대가 높음

(3) **지역 분화 과정:** 지대 지불 능력에 따라 기능이 분화되어 집심 현상과 이심 현상 발생

구분	특징	사례
집심 현상	지대 지불 능력이 높은 상업·업무 기능이 접근성이 높은 도심으로 집중하는 현상	대기업 본사, 은행 본점, 호텔, 백화점, 관공서, 언론사 등의 도심 집중
이심 현상	상대적으로 지대 지불 능력이 낮은 주거 기능이나 공업 기능이 도심을 떠나 주변으로 분산되는 현상	주거 단지, 학교, 공장 등의 외곽 이동

└ 쾌적한 환경이나 넓은 토지가 필요해.

2. 도시 내부 구조 자료②

도심 자료③	• 접근성이 가장 좋은 곳으로 지대와 지가가 매우 높음 → 토지 이용이 집약적으로 이루어짐(건물의 고층화) ┌ 은행이나 대기업 본사와 같이 도시의 운영과 성장을 위한 중요한 업무를 관리하는 기능 • 중추 관리 기능, 고급 서비스업 및 전문 상업 기능이 집중 → 중심 업무 지구(CBD) 형성 • 도심의 주거 기능 약화로 상주인구 밀도가 감소하는 *인구 공동화 현상 발생 → 출퇴근시 교통 혼잡 • 서울의 중구나 종로구, 부산의 중구 등
부도심	• 도심과 주변 지역을 연결하는 교통의 결절점에 형성됨 • 도심에 집중된 상업 및 서비스 기능을 일부 분담하여 도심의 과밀화와 교통 혼잡을 완화함 • 백화점, 금융 기관, 각종 편의 시설이 들어서 상업 및 유흥·오락 기능을 분산 수용함 • 서울의 신촌, 잠실, 강남, 영등포 등과 부산의 해운대, 동래 등
중간 지역	• 도심과 주변 지역 사이에 위치한 지역으로 주택과 상가, 공장 등이 혼재되어 있음 • 도시 팽창 과정에서 도심으로부터 빠져 나온 구시가지의 기능이 분화되지 않아 점이 지대를 이룸 • 최근 주거 환경이 열악한 곳은 도시 미관을 개선하고 토지 이용의 효율성을 높이기 위해 재개발이 이루어지기도 함
주변 지역	• 신흥 주거 지역(고급 주택, 대규모 아파트 단지)이 형성되는 경우가 많으며, 도심으로부터 이전해 온 공업 지역이 나타나기도 함 • 일부 지역은 도시 경관과 농촌 경관이 혼재되어 나타남 • 도시의 무질서한 팽창을 억제하고 녹지 공간을 보전하기 위해 *개발 제한 구역을 설정함

3. 도시의 확장과 도시 내부 구조의 변화

소도시	➡	중도시	➡	대도시
도시 내부 지역 분화가 이루어지지 않아 도심이 뚜렷하지 않고 배후지가 좁음		도심 형성, 배후지 확장, 새로운 교통수단 및 교통로 추가로 시가지 확대		도시 과밀화로 인한 도시 문제 발생, 부도심이 형성되면서 도시 내부 구조 다핵화, 새로운 중심지 등장으로 과거의 도심이 쇠퇴하기도 함

광주, 대전, 부산, 대구 등은 주요 관공서가 도심에서 이전함에 따라 인구와 기능도 새로운 중심지로 이동하면서 구도심이 쇠퇴하기도 해.

내 옆의 선생님

자료 1 도시의 기능별 지대 변화

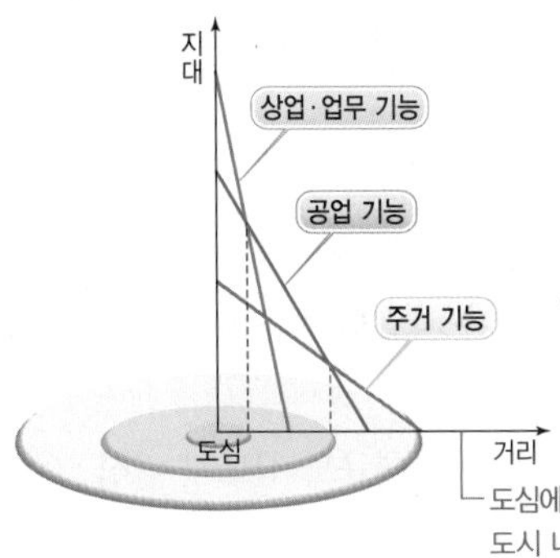

도심에서 외곽 지역으로 갈수록 접근성과 지대가 낮아져. 이에 따라 도시 내부에서는 상업·업무 기능, 공업 기능, 주거 기능 등이 적절한 위치에 입지하는 공간적 분화가 이루어지지.

접근성이 영향을 미치는 정도는 기능에 따라 다르다. 많은 소비자를 확보해야 하는 상업·업무 기능은 다른 기능보다 접근성에 민감하여 도심에서 멀어질수록 지대가 급격하게 감소한다. 상대적으로 주거 기능은 도심에서의 지대 지불 능력이 상업·업무 기능보다 낮고, 접근성이 낮아질수록 감소하는 지대의 감소 폭이 적기 때문에 더 멀리 입지할 수 있다.

자료 2 도시 내부의 다양한 경관(서울)

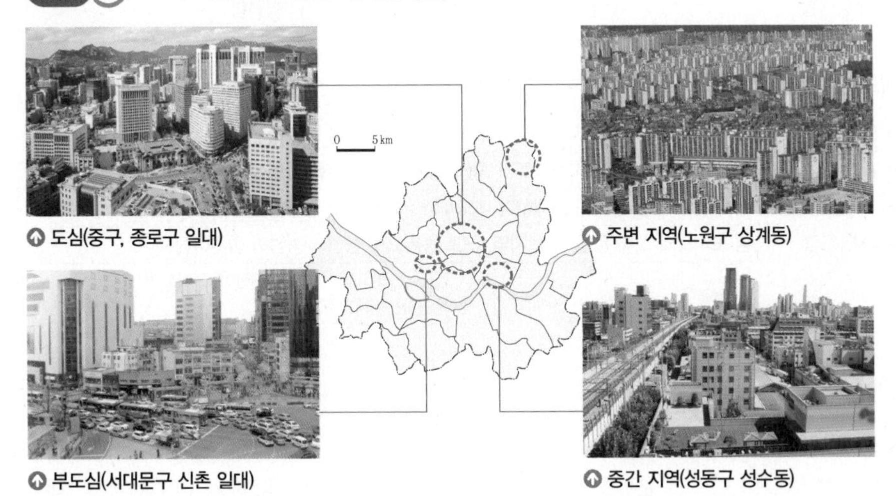

도심(중구, 종로구 일대)

주변 지역(노원구 상계동)

부도심(서대문구 신촌 일대)

중간 지역(성동구 성수동)

도심은 접근성이 좋고 지가가 높아 대기업 본사, 언론사, 행정 기관, 백화점 등이 입지하며, 부도심은 도심의 기능 중 일부를 분담하여 도심 과밀화와 교통 혼잡을 완화하는 역할을 한다. 중간 지역은 주택, 상가, 공장 등이 혼재되어 나타나며, 주변 지역에는 공업 단지와 신흥 주택 단지가 형성되어 있다.

자료 3 서울의 주간 인구 지수

상주인구에 대한 주간 인구의 백분율로 도심에서 가장 높게 나타나며, 주변 지역으로 갈수록 낮아져.

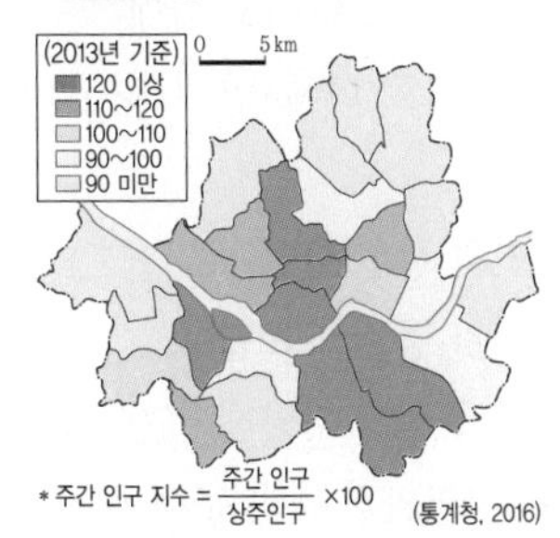

* 주간 인구 지수 = $\frac{\text{주간 인구}}{\text{상주인구}} \times 100$ (통계청, 2016)

주간 인구 지수가 100 이상이면 주간 인구가 상주인구보다 많은 곳으로 유동 인구가 많은 중심 업무 지구의 성격이 강하고, 100 이하이면 상주인구가 주간 인구보다 많은 주거 지역의 특성이 나타난다. 서울의 경우 주간 인구 지수가 높은 지역은 도심 및 부도심의 성격을 띠는 종로구, 중구, 용산구, 영등포구, 강남구, 서초구 등이다. 이들 지역은 접근성이 높으며 지대도 높게 나타난다.

자료 하나 더 알고 가자!

부산광역시의 지가 분포

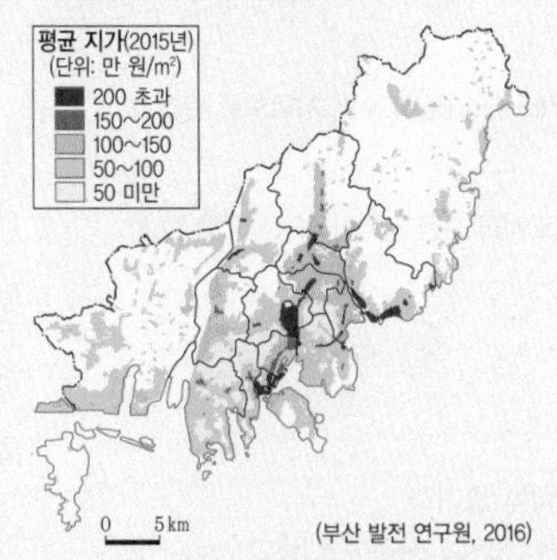

(부산 발전 연구원, 2016)

부산광역시의 지역별 평균 지가는 도심인 중구와 부산진구, 부도심인 동래구 일대에서 높게 나타나고, 외곽으로 갈수록 낮아진다. 또한 해운대 주변의 신규 개발 지역과 지하철 노선, 주요 도로를 따라 평균 지가가 높게 형성되어 있다.

자료 하나 더 알고 가자!

도시 내부 구조

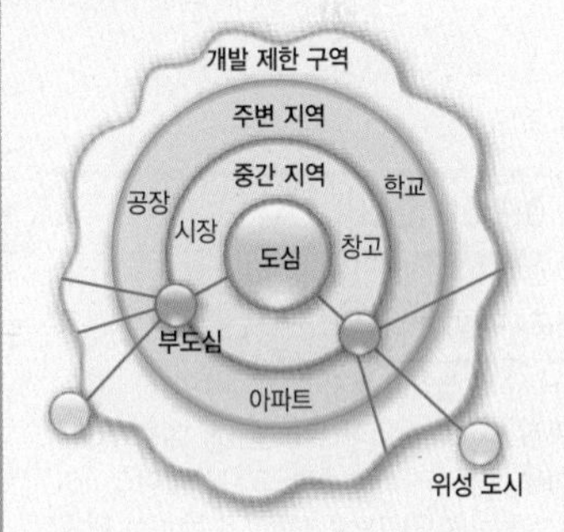

도시는 한 개의 도심만 존재하는 단핵 구조에서 시간이 지남에 따라 여러 개의 부도심이 존재하는 다핵 구조로 성장한다.

문제로 확인할까?

도시 내부에서 주간 인구 지수가 가장 높은 곳은?

① 도심
② 부도심
③ 중간 지역
④ 주변 지역
⑤ 개발 제한 구역

① 답

02 도시 구조와 대도시권

이것이 핵심!

대도시권의 형성

인구와 기능 집중에 따른 도시 과밀화
↓
대도시 기능이 주변 지역으로 분산
↓
대도시와 주변 지역이 기능적으로 연결
↓
대도시권 형성

★ **집적 불이익**
관련 기능이 한곳에 집중함으로써 발생하는 지가 상승, 교통 체증, 환경 오염 등의 부정적 영향

★ **교외화**
도시의 인구나 기능, 시설 등이 도시 주변 지역으로 확산되는 현상

2 대도시권의 형성

1. 대도시권의 형성

(1) **대도시권**: 기능적으로 상호 밀접한 관계를 갖는 대도시와 그 주변 지역으로, 중심 도시에서 통근·통학이 가능한 범위

(2) **대도시권의 형성 배경**

① 인구 집중에 따른 과밀화: 대도시의 지가 상승, 교통 체증, 환경 문제 발생

② 교통의 발달: 광역 교통 체계 확충으로 주변 지역에서 중심 도시로의 접근성 향상

③ 소득 수준의 향상: 쾌적한 주거 환경에 대한 욕구 증가

④ 정부의 정책: 주택 문제 해결 및 인구 분산을 위한 정책 추진 → 대규모 신도시 건설

(3) **대도시권의 형성 과정**

급속한 산업화·도시화로 인구와 기능이 집중하여 *집적 불이익이 발생함 ➡ 주거와 공업 기능 등이 도시 외곽으로 분산되는 *교외화 현상이 나타남 ➡ 대도시와 주변 지역이 기능적으로 연결되어 일일생활권을 형성함

2. 대도시권의 공간 구조 교과서 자료

구분	특징
중심 도시	대도시권의 중심 지역으로 주변 지역에 재화나 서비스를 제공함
교외 지역	중심 도시와 연속된 지역으로 주거·공업·상업 기능을 수행하며, 도시적 토지 이용이 나타남
대도시 영향권	도시 경관과 농촌 경관이 혼재하며 대도시와 기능적으로 밀접한 관련을 맺고 있음
배후 농촌 지역	중심 도시로의 최대 통근 가능 지역, 근교 농촌으로 상업적 농업이 이루어짐

통근 가능권 (교외 지역, 대도시 영향권, 배후 농촌 지역)

겸업농가의 비중이 높고 주민들이 도시로 통근하는 경우가 많아.

이것이 핵심!

대도시권의 변화

구분	내용
토지 이용	집약적 토지 이용(시설 재배) 및 상업적 영농 확대, 생활 편의 시설 증가, 도시민의 여가 공간으로 활용
주민 생활	겸업농가 비율 증가, 주민 구성의 다양화, 전통 경관 및 자연환경 훼손

★ **겸업농가**
농가의 구성원 가운데 1인 이상이 농업 이외의 일에 종사하여 수입을 얻는 농가

3 대도시권의 확대와 변화

1. 대도시권의 확대 자료④

(1) **배경**: 교통수단의 발달과 교통망의 확충 → 대도시로의 이동이 편리해져 대도시 주변 지역으로 거주지가 확대

주변 지역으로 공장이 이전하거나 주변 지역에 새로운 산업 단지가 조성됨에 따라 대도시에서 주변 지역으로 통근하는 사람도 늘고 있어.

(2) **우리나라의 대도시권 확대**: 1980년대 이후 서울의 과밀화를 해결하기 위해 주거와 공업 기능이 인천, 경기 일대로 분산됨 → 주택 문제 해결을 위해 신도시 건설, 주민들의 통근 편의를 위해 지하철·고속 국도 등 광역 교통망 확충

부산, 인천, 대구, 대전, 광주, 울산 등의 대도시들도 주변 지역과 연결되는 교통망이 확충되면서 대도시권이 확대되고 있어.

2. 대도시권의 변화 자료⑤

(1) **토지 이용의 변화**

① 2·3차 산업 비중 증가로 대도시 주변의 경지 면적 감소 및 비농업적 토지 이용 확대

② 집약적 토지 이용으로 시설 재배 확대, 대도시와의 접근성을 바탕으로 화훼·양계·양돈·낙농 등 상업적 영농 증가

③ 대도시의 공업·상업·주거 시설이 주변으로 분산되면서 생활 편의 시설 증가

④ 자연환경이 쾌적한 곳은 주말 농장, 숙박 시설 등 도시민들의 여가 공간으로 활용

(2) **주민 생활의 변화**: *겸업농가 비율 증가, 외지 인구 유입으로 주민 구성이 다양해지면서 공동체 의식 약화, 대도시권의 급속한 개발로 지역의 전통 경관 및 자연환경 훼손 문제 발생

중심 도시에 직장을 둔 통근자나 주변 산업체 종사자가 증가하면서 지역 정체성이 약화되거나 전입자와 원주민 사이에 갈등이 발생하기도 해.

완자 자료 탐구

내 옆의 선생님

수능이 보이는 교과서 자료 대도시권의 구조와 범위

(가) 대도시권의 공간 구조

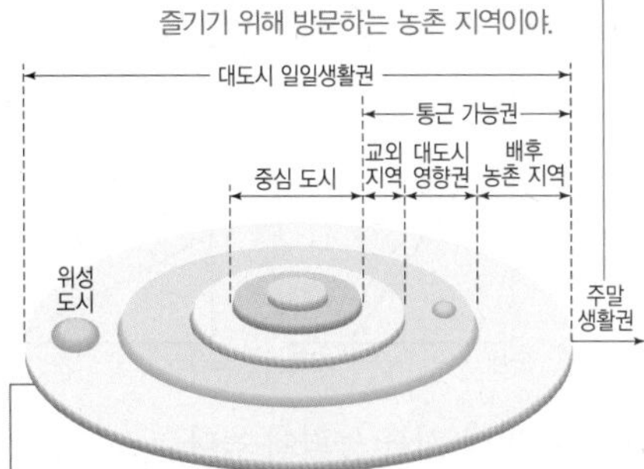

(나) 대도시 주변의 통근·통학권

대도시권은 대도시를 중심으로 일상적인 생활이 이루어지는 범위로, 기능적으로 밀접한 관계를 갖는 중심 도시와 주변 지역이 유기적으로 통합된 공간이다. 대도시권의 범위는 중심 도시로 통근할 수 있는 최대 통근권까지이며, 중심 도시를 둘러싼 교외 지역과 대도시 영향권, 배후 농촌 지역 등으로 구분된다.

완자샘의 탐 구 강 의

• **(가)의 통근 가능권의 각 지역별 경관 특색을 구분하여 써 보자.**
교외 지역은 주택과 상가, 공장 등 도시적 경관이 나타난다. 대도시 영향권은 도시 경관과 농촌 경관이 혼재되어 나타나며, 배후 농촌 지역은 상업적 농업이 이루어져 농촌 경관이 뚜렷하게 나타난다.

• **(가), (나)를 보고 대도시권의 확대에 영향을 준 요인을 서술해 보자.**
대도시권이 확대되는 근본적인 요인은 대도시의 경제 성장과 인구 집중 때문이며, 교통의 발달, 교외 지역으로의 취업 기회 확대 등도 영향을 미친다.

함께 보기 127쪽, 1등급 정복하기 3

자료 4 대도시권의 확대

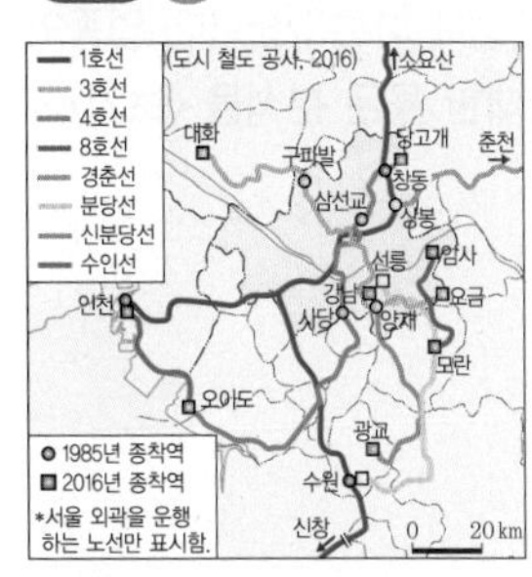

수도권 지하철 종착역 변화

1기 신도시는 1990년대, 2기 신도시는 2000년대에 건설되었어.

수도권 신도시 분포

교통의 발달로 중심 도시로의 접근성이 높아지면서 도시가 외연적으로 팽창하고, 이로 인해 대도시 주변 지역으로 거주지가 확대된다. 특히 정부가 대도시의 과밀화에 따른 주택 문제를 해결하기 위해 대규모 택지 지구인 신도시를 개발하면서 대도시권이 더욱 확대되고 있다.

자료 하나 더 알고 가자!

수도권 광역 교통망

광역 교통 체계가 확립되고 대도시 주변에 신도시가 건설되면서 대도시권이 확대되고 있다.

자료 5 대도시 주변의 토지 이용과 주민 생활 변화

대규모 아파트 단지(고양시)

대형 쇼핑센터(이천시)

주말농장(안산시)

대도시권이 확대됨에 따라 대도시 근교의 농촌 지역은 도시적 경관과 생활 양식이 보편화되고 있다. 교통이 편리한 곳에는 대형 마트나 쇼핑센터가 들어서기도 하며, 고속 국도 부근에는 대형 물류 창고가 들어서기도 한다. 또한 자연환경이 좋은 곳은 도시 주민들이 체험하며 여가 생활을 즐길 수 있는 공간으로 활용되기도 한다.

문제로 확인할까?

대도시 주변 근교 농촌의 변화에 대한 설명으로 옳지 않은 것은?

① 농경지 면적이 증가한다.
② 도시적 경관이 증가한다.
③ 주민들의 직업이 다양해진다.
④ 겸업농가의 비율이 증가한다.
⑤ 토지 이용의 집약도가 높아진다.

① 답

STEP 1 핵심 개념 확인하기

정답친해 38쪽

1 ㉠, ㉡에 들어갈 말을 각각 쓰시오.

> 지대 지불 능력이 높은 상업·업무 기능이 도심으로 집중하는 현상을 (㉠) 현상, 상대적으로 지대 지불 능력이 낮은 주거 기능이나 공업 기능들이 도심을 떠나 주변으로 분산되는 현상을 (㉡) 현상이라고 한다.

2 도시 내부 지역의 특징을 〈보기〉에서 골라 기호를 쓰시오.

보기
ㄱ. 부도심　　ㄴ. 중간 지역　　ㄷ. 주변 지역

(1) 도시 경관과 농촌 경관이 혼재되어 나타나며, 개발 제한 구역이 설정되어 있다. ( )

(2) 도심에 집중된 상업 및 서비스 기능을 분담하여 도심의 과밀화와 교통 혼잡을 완화한다. ( )

(3) 주택, 상가, 공장 등이 혼재된 점이 지대로, 도시 미관을 개선하기 위해 재개발이 이루어지기도 한다. ( )

3 다음에서 설명하는 용어를 쓰시오.

> 도심의 주거 기능 약화로 주간에는 인구 밀도가 높지만 야간에는 인구 밀도가 낮아지는 현상

4 다음 빈칸에 들어갈 내용을 쓰시오.

(1) 대도시권의 공간 구조에서 ( )은 중심 도시로의 최대 통근 가능 지역이다.

(2) 정부는 주택 문제를 해결하고 인구를 분산하기 위해 대도시 주변에 대규모 택지 지구인 ( )를 건설하였다.

(3) 인구와 기능 집중에 따른 도시 과밀화로 집적 불이익이 발생하면서 대도시의 기능 및 시설이 주변 지역으로 확산되는 ( ) 현상이 나타났다.

5 대도시권의 확대에 따른 주민 생활의 변화 모습으로 옳은 것을 〈보기〉에서 골라 기호를 쓰시오.

보기
ㄱ. 공동체 의식 강화　　ㄴ. 주민 구성의 다양화
ㄷ. 겸업농가 비율 감소　　ㄹ. 전통 경관 훼손 문제 발생

STEP 2 내신 만점 공략하기

01 그래프는 도시의 기능별 지대 변화를 나타낸 것이다. (가)~(다)에 대한 설명으로 옳지 않은 것은?

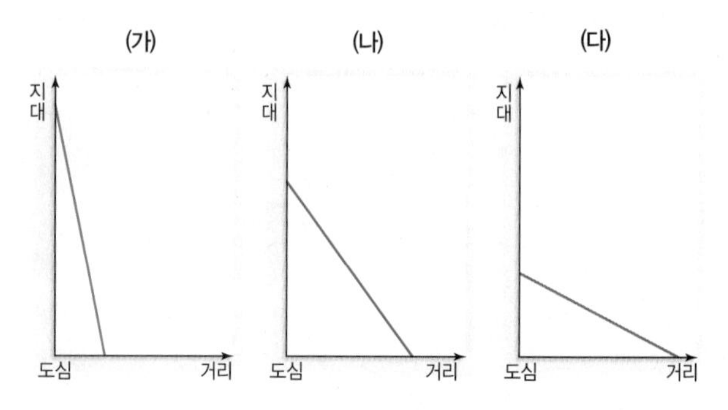

① (가)는 (나)에 비해 지대 지불 능력이 높다.
② (가)의 활동이 활발한 곳은 건물의 고층화가 뚜렷하다.
③ (나)는 가장 높은 접근성을 필요로 하는 기능이다.
④ (다)와 같은 기능은 교외화가 활발하게 이루어진다.
⑤ (가),(나),(다) 기능의 집심 현상과 이심 현상으로 도시 내부 지역이 분화된다.

02 그래프는 어느 지역에서 접근성에 따른 (가)~(다) 업종의 지대 변화를 나타낸 것이다. 이에 대한 옳은 분석을 〈보기〉에서 고른 것은?

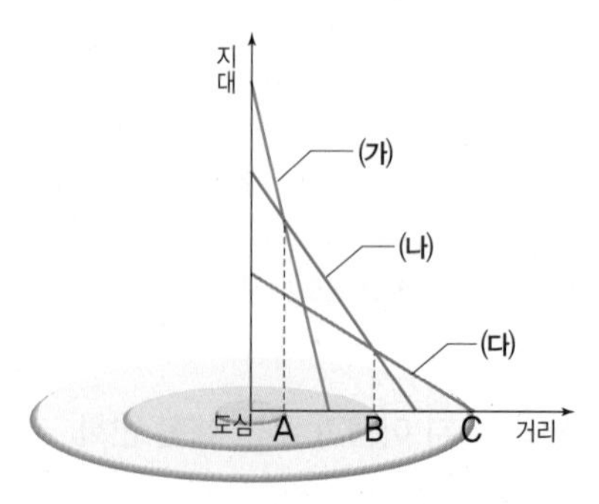

보기
ㄱ. B-C 구간에서는 (다) 업종만 지대가 발생한다.
ㄴ. 접근성에 따른 지대의 변화가 가장 큰 업종은 (가)이다.
ㄷ. A-B 구간은 B-C 구간보다 고층 건물이 들어설 가능성이 높다.
ㄹ. 접근성에 따른 지대 변화폭이 작은 업종일수록 도심 가까이에 입지한다.

① ㄱ, ㄴ　② ㄱ, ㄷ　③ ㄴ, ㄷ
④ ㄴ, ㄹ　⑤ ㄷ, ㄹ

[03~04] 그림은 도시 내부 구조를 나타낸 것이다. 이를 보고 물음에 답하시오.

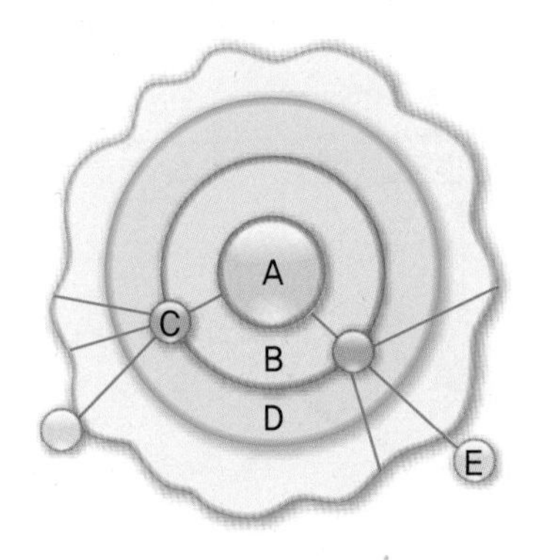

03 A~E 지역에 대한 설명으로 옳지 않은 것은?

① A – 고층 건물이 밀집되어 있다.
② B – 상업 기능, 주거 기능, 공업 기능이 혼재한다.
③ C – 교통의 결절점에 형성되어 도심의 기능 분담과 교통난 해소의 역할을 한다.
④ D – 쾌적한 주거 환경으로 단위 면적당 평균 지가가 A보다 높다.
⑤ E – 교통의 발달로 거주지의 교외화 현상이 나타나 형성된 위성 도시이다.

04 A, D 지역의 상대적 특성이 그래프와 같이 나타날 때 ㉠, ㉡에 들어갈 항목을 옳게 연결한 것은?

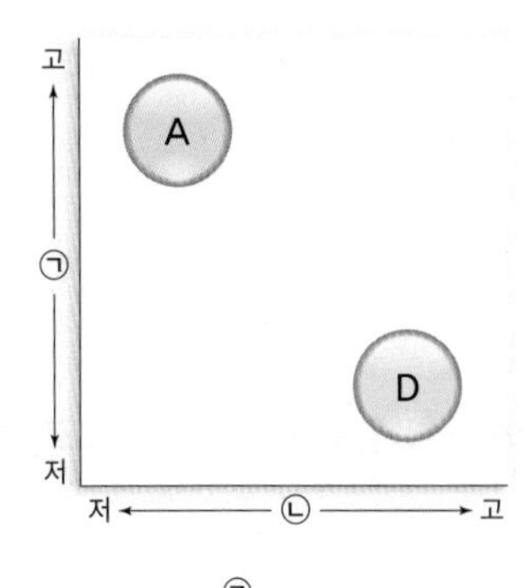

	㉠	㉡
①	금융 기관의 수	교통 혼잡도
②	금융 기관의 수	주거지 면적 비율
③	주간 인구의 수	교통 혼잡도
④	주간 인구의 수	금융 기관의 수
⑤	주거지 면적 비율	주간 인구의 수

05 사진은 서울시 내부의 토지 이용 모습이다. (가)~(다) 지역의 특성에 대한 설명으로 옳지 않은 것은?

(가)

중구

(나)

성동구

(다)

노원구

① 중심 업무 기능은 (가)에 주로 입지한다.
② (다)에는 녹지 공간 보전을 위해 개발 제한 구역이 설정되기도 한다.
③ (가)는 (나)보다 주간 유동 인구가 많다.
④ (가)는 (나)보다 상업 지역의 최고 지가가 높다.
⑤ (다)는 (가)보다 거주자의 평균 통근 거리가 짧다.

06 지도는 서울과 대구의 학교 이전 현황을 나타낸 것이다. 이와 같이 학교가 이전한 이유로 옳은 것을 〈보기〉에서 고른 것은?

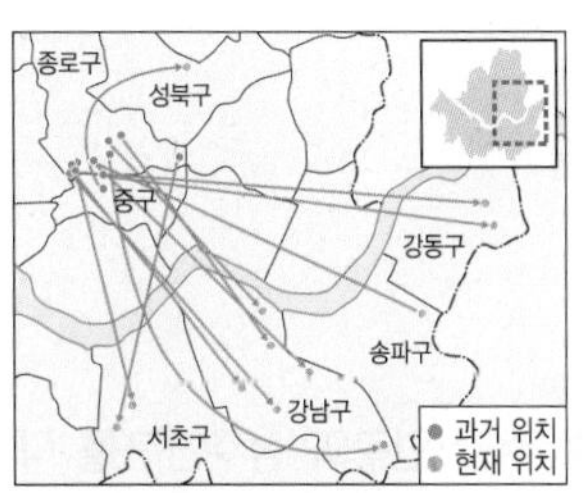

서울특별시의 학교 이전

대구광역시의 학교 이전

보기

ㄱ. 도심의 상주인구가 감소하였기 때문이다.
ㄴ. 도심의 성비 불균형이 심각해졌기 때문이다.
ㄷ. 도심의 교통 혼잡이 심화되어 접근성이 나빠졌기 때문이다.
ㄹ. 도심의 지대가 상승하면서 주거 기능이 외곽으로 빠져나갔기 때문이다.

① ㄱ, ㄴ ② ㄱ, ㄹ ③ ㄴ, ㄷ
④ ㄴ, ㄹ ⑤ ㄷ, ㄹ

중요
07 그래프는 도시 내부의 주야간 인구 밀도를 나타낸 것이다. 이를 통해 유추할 수 있는 내용으로 옳은 것을 〈보기〉에서 고른 것은?

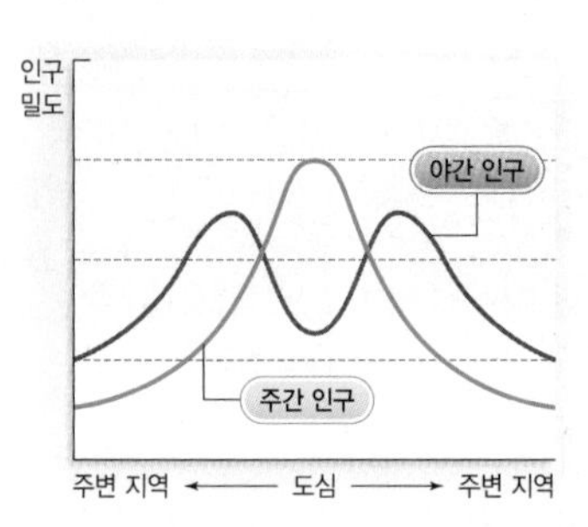

보기
ㄱ. 도심에서는 출퇴근 시간에 교통 혼잡이 발생할 것이다.
ㄴ. 도심에서는 상주인구가 감소하여 열섬 현상이 완화될 것이다.
ㄷ. 주변 지역에는 대규모 아파트 단지가 들어서 초등학교 수가 증가할 것이다.
ㄹ. 주변 지역에서는 행정 업무를 처리하는 관공서의 통폐합이 이루어질 것이다.

① ㄱ, ㄴ ② ㄱ, ㄷ ③ ㄴ, ㄷ
④ ㄴ, ㄹ ⑤ ㄷ, ㄹ

08 그래프는 서울의 구(區)별 주간 인구와 상주인구를 나타낸 것이다. (가)구와 비교한 (나)구의 상대적 특성을 그림의 A~E에서 고른 것은?

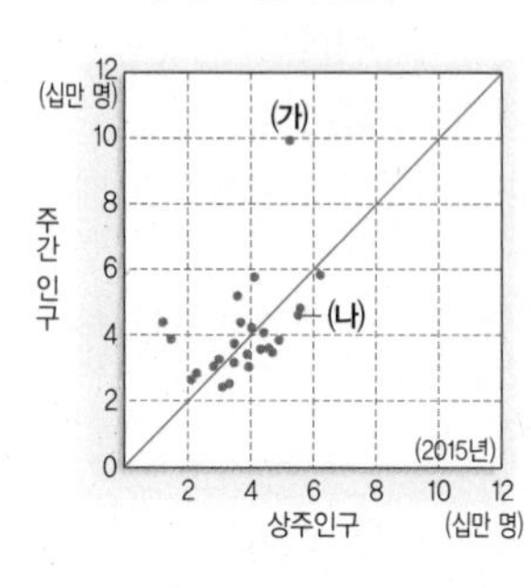

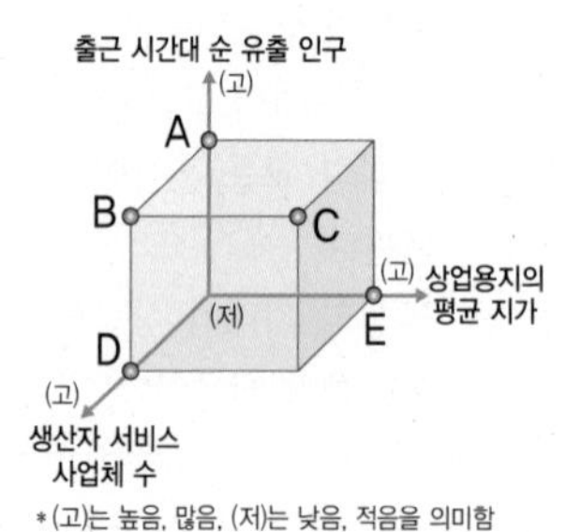

① A ② B ③ C ④ D ⑤ E

[09~10] 그림은 대도시권의 공간 구조를 나타낸 것이다. 이를 보고 물음에 답하시오.

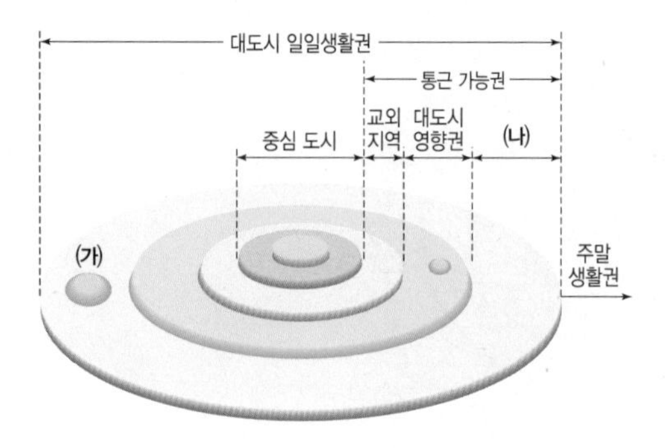

09 (가) 지역의 특성으로 옳은 것을 〈보기〉에서 고른 것은?

보기
ㄱ. 중심 도시로의 접근성이 낮아 땅값이 매우 저렴하다.
ㄴ. 대도시의 과밀화를 완화하기 위해 대도시의 기능을 일부 분담한다.
ㄷ. 중심 도시에 거주하는 사람들이 여가를 즐기기 위해 찾는 농촌 지역이다.
ㄹ. 대규모 아파트 단지가 조성되어 있으며 주간 인구보다 상주인구가 많다.

① ㄱ, ㄴ ② ㄱ, ㄷ ③ ㄴ, ㄷ
④ ㄴ, ㄹ ⑤ ㄷ, ㄹ

중요
10 교통의 발달이 (나) 지역에 미칠 영향을 추론한 것으로 옳지 않은 것은?

① 겸업농가의 비율이 증가할 것이다.
② 농업 외 소득의 비중이 증가할 것이다.
③ 주민들의 공동체 의식이 강화될 것이다.
④ 중심 도시로의 통근자 수가 증가할 것이다.
⑤ 중심 도시에서 이동해 온 젊은 연령층의 인구가 증가할 것이다.

11 (가), (나) 사례를 통해 탐구할 수 있는 '도시' 단원의 학습 주제를 옳게 연결한 것은?

> (가) 광주광역시 충장로와 금남로 주변은 오랫동안 광주의 상업·주거 중심지였다. 그러나 도시 인구의 급격한 증가로 인해 도시가 팽창하면서 도심 기능이 신시가지로 분산되었다. 이처럼 도시 내부 구조가 다핵화되면서 기존 도심의 기능은 점차 약화되고 있다.
> (나) 경기도 고양시는 과거 쌀 생산지였으나 수도권 신도시 개발 계획이 발표되면서 변화가 나타났다. 대규모 아파트 단지가 들어서고 인구가 늘어나 1992년 고양시로 승격되었고, 화훼업이 성장하여 현재 전국 화훼 재배 면적의 약 10%를 차지하고 있다.

	(가)	(나)
①	도심 재개발에 따른 도시 경관의 변화	도시 내부 구조 변화에 따른 도심 쇠퇴
②	대도시권의 확대와 주민 생활의 변화	도시 간 상호 작용에 의한 도시 체계의 변화
③	도시 내부 구조 변화에 따른 도심 쇠퇴	대도시권의 확대와 주민 생활의 변화
④	도시 간 상호 작용에 의한 도시 체계의 변화	도시의 무질서한 팽창에 따른 도시 문제 발생
⑤	도시의 무질서한 팽창에 따른 도시 문제 발생	도심 재개발에 따른 도시 경관의 변화

12 지도는 수도권 지하철의 종착역 변화를 나타낸 것이다. 이로 인해 나타난 변화를 추론한 내용으로 가장 적절한 것은?

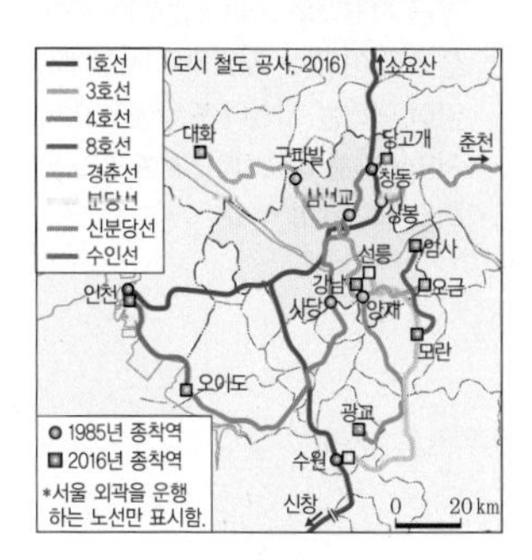

① 종착역 주변의 녹지 공간이 확대되었을 것이다.
② 수도권 인구의 서울 집중 현상이 심화되었을 것이다.
③ 근교 농촌에서 전업농가의 비중이 증가했을 것이다.
④ 서울 도심의 핵심 기능이 신도시로 이전되었을 것이다.
⑤ 서울로 통근하는 사람들의 거주 범위가 확대되었을 것이다.

서술형 문제

● 정답친해 40쪽

01 지도는 서울의 주간 인구 지수를 나타낸 것이다. 이를 보고 물음에 답하시오.

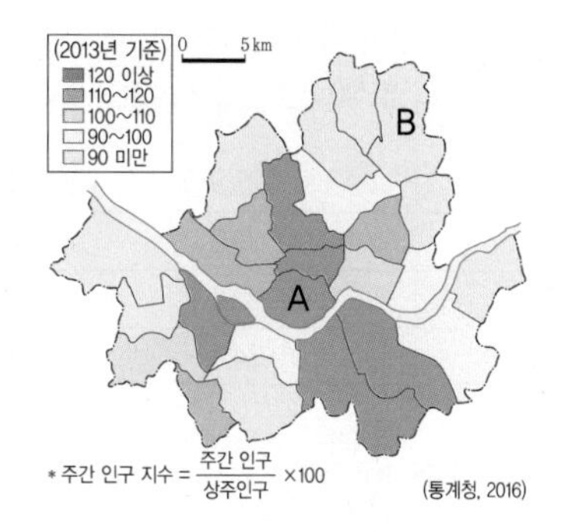

(1) A, B 중 평균 지가가 더 높은 지역을 쓰시오.

(2) A, B 지역의 상주인구 밀도를 비교하고, 이로 인해 나타나는 A 지역의 문제점을 서술하시오.

02 그림은 대도시권의 공간 구조를 나타낸 것이다. 이를 보고 물음에 답하시오.

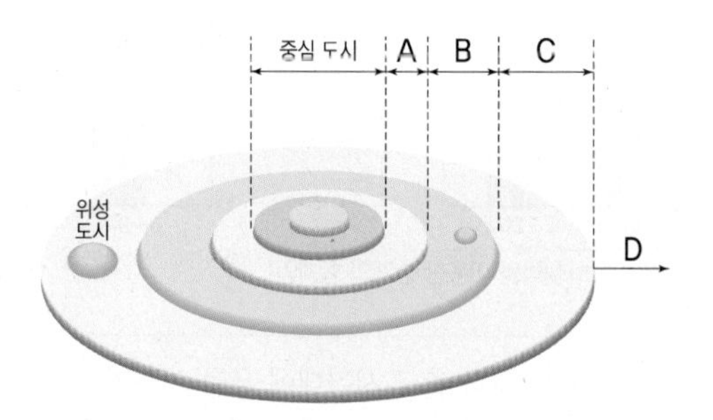

(1) A~D 지역의 명칭을 각각 쓰시오.

(2) C와 D 지역을 구분하는 기준과 토지 이용의 차이를 서술하시오.

STEP 3 1등급 정복하기

1 표는 대도시 내 두 지역의 특성을 나타낸 것이다. (가)와 비교한 (나) 지역의 상대적인 특성을 그림의 A~E에서 고른 것은?

구분		면적(㎢)	총인구(명)	동(개소)	
				법정동	행정동
(가)	○○구	23.9	163,822	87	17
	△△구	9.9	134,329	74	15
(나)	□□구	23.6	334,426	4	13
	◇◇구	34.4	586,056	5	19

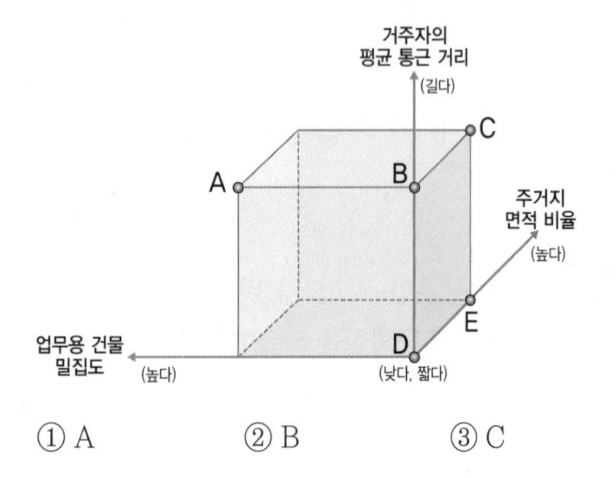

① A ② B ③ C ④ D ⑤ E

> 도시 내부 구조

완자 사전

• 법정동과 행정동
법정동은 법률로 정한 동이며, 행정동은 행정 업무의 원활한 처리를 위해 편의상 구분된 동이다.

교육청 응용

2 그래프는 서울시에 위치한 두 지하철역의 출퇴근 시간대 승하차 인원을 나타낸 것이다. 각 지하철역이 속한 (가), (나)구(區)에 대한 옳은 설명을 〈보기〉에서 고른 것은?

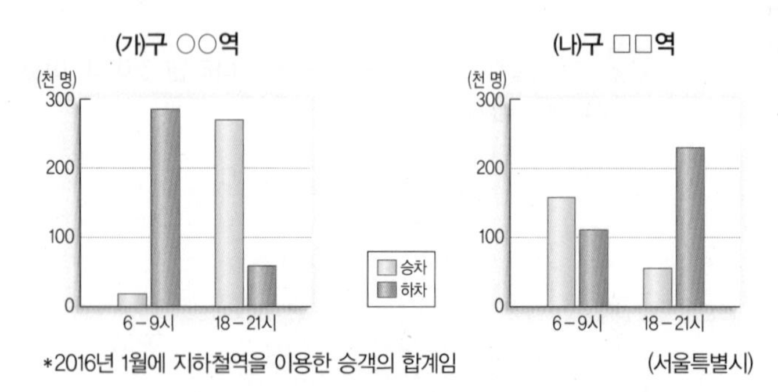

*2016년 1월에 지하철역을 이용한 승객의 합계임 (서울특별시)

보기

ㄱ. (가)구는 (나)구보다 출근 시간대에 유출 인구가 많을 것이다.
ㄴ. (가)구는 (나)구보다 교통량이 많아 대기 오염이 심할 것이다.
ㄷ. (나)구는 (가)구보다 상업 용지의 평균 지가가 낮을 것이다.
ㄹ. (나)구는 (가)구보다 접근성이 좋아 대기업 본사 수가 많을 것이다.

① ㄱ, ㄴ ② ㄱ, ㄷ ③ ㄴ, ㄷ
④ ㄴ, ㄹ ⑤ ㄷ, ㄹ

> 도시 내부 구조 분석

완자샘의 시험 꿀팁

출근 시간대와 퇴근 시간대에 지하철을 많이 타는 지역과 지하철에서 많이 내리는 지역이 도시에서 어떤 지역인지를 비교하여 그 지역의 특색을 정리해야 한다.

3 지도는 대도시 주변의 통근·통학권을 나타낸 것이다. 이러한 현상에 영향을 미친 요인으로 적절한 것을 〈보기〉에서 고른 것은?

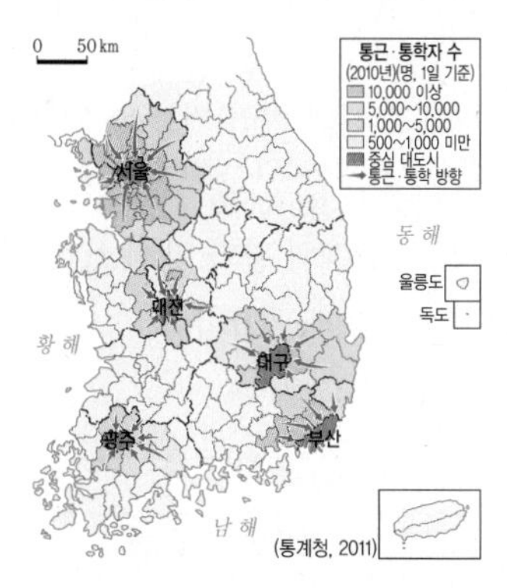

(통계청, 2011)

보기

ㄱ. 도심 재개발로 인해 도심형 아파트가 건설되었다.
ㄴ. 지하철과 광역 버스 등의 대중교통 수단이 발달하였다.
ㄷ. 주택 문제를 해결하기 위해 중심 도시 내부에 뉴타운을 건설하였다.
ㄹ. 대도시의 지가 상승, 환경 악화로 인해 쾌적한 주거 환경에 대한 수요가 급증하였다.

① ㄱ, ㄴ ② ㄱ, ㄷ ③ ㄴ, ㄷ
④ ㄴ, ㄹ ⑤ ㄷ, ㄹ

> 대도시권의 형성 원인

완자 사전

• **도심 재개발**
도심의 주거 지역을 상업·업무 지역으로 바꾸고, 낡은 건물을 현대식 첨단 건물로 바꾸는 사업

4 지도는 수도권의 인구 증감 추이를 나타낸 것이다. (가), (나)에 대한 설명으로 옳지 않은 것은?

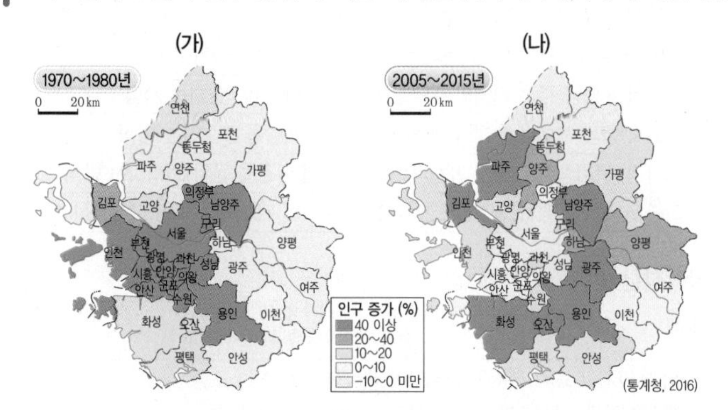

(통계청, 2016)

① (가) 시기에 서울에서는 과밀화로 인한 도시 문제가 발생하기 시작하였다.
② (가) 시기에는 서울을 중심으로 20㎞ 이내 지역의 인구 증가율이 높게 나타난다.
③ (나) 시기에는 전철, 고속 국도 등 광역 교통망이 확충된 도시의 인구 증가율이 높다.
④ (나) 시기에 파주, 화성의 인구 증가율이 높아진 것은 신도시가 건설되었기 때문이다.
⑤ (가), (나) 시기 모두 서울의 남서부 지역보다 북동부 지역의 인구 증가율이 높다.

> 대도시권의 인구 변화

03 도시 계획과 도시 재개발

학습 목표
- 도시 계획의 목적과 도시 계획에 따른 경관 변화를 설명할 수 있다.
- 도시 재개발이 주민 생활에 미친 영향을 파악할 수 있다.

이것이 핵심!

도시 계획

의미	도시민의 주거 환경 개선, 도시 기능의 합리적 배치 등을 위한 계획안을 수립·시행하는 것
필요성	도시 문제의 완화 및 해소, 난개발 방지, 도시 경관 정비를 통한 삶의 질 향상

★ **유비쿼터스 도시(U-city)**
첨단 정보 기술을 활용하여 언제 어디서나 필요한 서비스를 제공하는 도시

1 도시 계획

1. 도시 계획의 의미와 필요성

(1) **도시 계획**: 도시에 거주하는 사람들의 주거 환경을 개선하고 도시의 여러 기능을 합리적으로 배치하기 위한 계획안을 수립하여 시행하는 것

(2) **도시 계획의 필요성**: 급속한 산업화·도시화에 따라 발생한 도시 문제의 완화 및 해소, 난개발을 방지하고 도시 경관을 정비하여 주민의 삶의 질을 향상하기 위해 필요함

종합적인 도시 계획 없이 난개발이 이루어지면 토지 이용의 효율성이 낮아져.

2. 우리나라의 도시 계획 자료①

토지와 건물의 용도에 일정한 제한을 가함으로써 각 지역에 적합한 용도로 쓰이도록 지정된 지역을 말해.

1970년대	도시 계획법에서 용도 지역의 종류를 세분화하고 개발 제한 구역을 설정함
1980년대	도시 문제에 장기적으로 대처하기 위해 20년 단위의 도시 기본 계획을 제도화함(1981년)
1990년대 이후	• 지역 간 균형, 삶의 질, 환경 등에 초점을 맞춘 도시 계획 전개 예 *유비쿼터스 도시 • 최근에는 지역 주민이 참여하는 지속 가능한 도시 계획으로 변화하고 있음

도시 경쟁력과 주민의 삶의 질 향상을 위해 재난, 지능형 교통 시스템, 지하 시설물을 통합적으로 관리·운영하고 있어.

이것이 핵심!

도시 재개발의 구분

대상 지역에 따라	시행 방법에 따라
• 도심 재개발 • 산업 지역 재개발 • 주거지 재개발	• 철거 재개발 • 보전 재개발 • 수복 재개발

★ **도시 재생**
낙후된 도시에 새로운 기능을 부여함으로써 사회·경제·환경적으로 부흥시키는 것. 합리적인 도시 재개발 및 정비에 대한 필요성이 커지면서 도시 재개발보다 포괄적인 의미인 도시 재생에 대한 요구가 점차 높아지고 있다.

★ **젠트리피케이션**
낙후된 지역이 재개발로 활성화된 이후 대규모 상업 자본이 들어오면서 원거주민이 다른 지역으로 빠져나가는 현상

2 도시 재개발

1. 도시 재개발의 목적과 유형

(1) **도시 재개발의 필요성**: 도시 인구 급증에 따른 주택 부족 문제 발생, 불량 주택 및 건물 노후화로 인한 생활 환경 악화 → 새로운 시가지나 주거지의 건설 필요

(2) **도시 재개발의 목적**: 도시 환경 개선, 토지 이용의 효율성 증대, 지역 경제 활성화를 이루는 *도시 재생

해당 지역에 거주하는 주민 중심의 지역 공동체가 주체적으로 추진한다는 점에서 도시 재개발과 차이가 있어.

(3) **도시 재개발의 구분** 교과서 자료

대상 지역에 따라	도심 재개발	도심의 노후화된 건물이나 불량 주거 지역을 상업 및 업무 지역으로 변화시켜 토지 이용의 효율성을 높이는 사업
	산업 지역 재개발	도시 내 노후 산업 단지를 아파트형 공장 등으로 변화시키는 사업
	주거지 재개발	노후화된 불량 주거 지역의 주택을 재건축하거나 재개발하는 사업
시행 방법에 따라	철거 재개발	기존 건물과 시설을 완전히 철거하고 새로운 시설을 조성하는 방식
	보전 재개발	역사 및 문화적으로 보전 가치가 있는 지역의 환경을 유지·관리하는 방식
	수복 재개발	기존 골격을 유지하면서 필요한 부분을 수리 및 개조하여 보완하는 방식

2. 도시 재개발의 영향과 바람직한 방향

(1) **도시 재개발의 영향** 자료②

이로 인해 지역 공동체가 와해되거나 재개발 지역과 주변 지역의 교류가 단절되기도 해.

긍정적 영향	• 토지 이용의 효율성이 높아지고 도시 경관이 정비되어 쾌적한 도시 환경 조성 • 도로 및 주차 공간, 통신망 등이 개선되어 주민의 삶의 질 향상
부정적 영향	• 재개발로 늘어난 인구만큼 공공시설이 확충되지 못할 경우 주민 생활에 불편 초래 • 개발 과정에서 원거주민의 강제 이주가 이루어지거나, 개발 이후 높은 입주 분담금으로 원거주민 재정착률이 낮아지기도 함 예 철거 재개발 이후의 *젠트리피케이션

(2) **도시 재개발의 바람직한 방향**: 주민 참여를 통해 민주적 절차에 따라 개발 추진, 주민들의 재정착 방안을 마련하고 적절한 이주 대책을 제시하여 사회적 갈등을 최소화해야 함

도시 재개발은 추진 과정에서 비용 문제, 이해관계에 따른 갈등 등의 문제가 발생할 수 있으므로 충분한 토의와 의견 조정 과정을 거쳐야 해.

완자 자료 탐구

내 옆의 선생님

자료 1 서울시의 도시 계획 변화

시기	제1기: 기반 시설 확충기 (1960~1979년)	제2기: 도시 성장기 (1980~2000년)	제3기: 지속 가능한 발전기 (2001년~현재)
도시 계획 내용	인구 급증에 따른 도시 기반을 조성하는 가장 중요한 시기 → 상하수도 확충, 도로 및 하천 정비 사업 진행	도심 환경 개선 사업과 서울 인구 및 기반 시설의 포화에 대비한 시기 → 부도심 지역 개발, 교통 시설 정비	도시의 양적 성장 대신 질적 변화를 추구하는 시기 → 청계천 복원 사업 시행, 대중교통 시스템 개선
주요 계획	• 청계천 복개 및 고가 도로 건설 • 여의도 종합 개발 계획 • 난지도 쓰레기 매립지 지정	• 잠실 지구 개발 계획 • 올림픽대로, 남산 1호 터널 개통 • 난지도 생태 공원 조성	• 청계천 복원 • 서울 도심 역사·문화 보존 • 상암 디지털 미디어 시티 조성

도시 계획은 건축물·도로·공원 등을 해당 지역의 역사·문화·경제 활동과 조화롭게 배치하는 것으로, 인구·교통량·주택·산업 구조 등을 종합적으로 파악하여 계획을 수립해야 한다. 서울시의 도시 계획은 집중 억제와 과밀 해소라는 과제를 가지고 강남과 강북의 격차 완화 방안 모색 및 도심 지역 재개발 등을 추진하고 있다.

문제로 확인할까?

도시 계획 없이 난개발이 이루어졌을 경우 예상되는 현상이 아닌 것은?

① 교통 혼잡
② 도시 경관 훼손
③ 자연환경의 훼손
④ 생활여건의 악화
⑤ 효율적인 토지 이용

⑤ 답

수능이 보이는 교과서 자료 주거지 재개발

달동네가 아파트 단지로 변화한 모습

'달동네'는 1960년대 경제 개발 과정에서 인구가 늘어나고 주택이 부족해지자 저소득층이 한곳에 모여 살면서 형성된 곳으로, 오늘날 도시 재개발 사업이 진행되면서 대부분 사라졌다. 인천 ○○동은 1990년대 후반 '○○지구 주거 환경 개선 사업'으로 대규모 아파트 단지가 조성되고 공원, 박물관 등이 들어서면서 달동네가 사라지게 되었다.

주거지 재개발은 노후화된 불량 주거 지역의 주택을 재건축하거나 재개발하는 사업이다. 도시 인구가 늘어나면 저층 건물이나 낡은 주택 대신 고층 아파트를 건설함으로써 주택 공급을 늘리고 쾌적한 주거 환경을 조성할 수 있다.

완자샘의 탐구 강의

• 제시된 사례에서 채택한 도시 재개발 방법을 써 보자.
철거 재개발

• 제시된 사례와 같은 재개발 방식의 문제점을 서술해 보자.
철거 재개발은 공동체의 해체, 원거주민의 낮은 재정착률, 세입자와 재개발 주체 간의 갈등 등의 문제를 유발하기도 한다.

함께 보기 133쪽, 1등급 정복하기 2

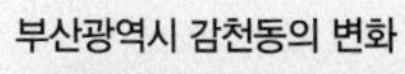

자료 하나 더 알고 가자!

부산광역시 감천동의 변화

감천 마을은 철거 재개발 대신 마을의 역사와 지역성을 보전하는 개발 방식을 선택해 성공적인 도시 재생 사례가 되고 있다.

자료 2 도시 재개발에 따른 변화

서울시 주택 유형별 추세

서울의 주택 재개발은 오래된 주택 단지를 철거하고 고밀도 공동 주택을 건설하는 경우가 많아 아파트의 비중이 급증하였어.

도시 재개발이 이루어지면 지역의 경제가 활성화되고 각종 시설이 들어서면서 주민 생활이 편리해진다. 그러나 재개발 사업이 기존 환경을 고려하지 않아 문제가 되거나 일부 주민에게 불리하게 작용하여 보상비와 이주비 등으로 갈등이 발생하기도 한다. 특히 철거 재개발이 이루어진 지역에서는 원거주민들의 삶터가 파괴되고 나아진 거주 환경에 상위 계층이 거주하는 젠트리피케이션이 발생하기도 한다.

STEP 1 핵심 개념 확인하기

정답친해 42쪽

1 ㉠, ㉡에 들어갈 말을 각각 쓰시오.

> (㉠)은 도시민의 주거 환경을 개선하고 도시 기능을 합리적으로 배치하기 위한 계획안을 수립하여 시행하는 것으로, 도시의 (㉡)을 방지하고 도시 경관을 정비하여 주민 삶의 질을 향상하기 위해 필요하다.

2 다음 빈칸에 들어갈 내용을 쓰시오.

(1) 우리나라는 1970년대 도시 계획법에서 용도 지역의 종류를 세분화하고 ( )을 설정하였다.

(2) 철거 재개발의 경우 높은 입주 분담금 등으로 원주민이 다른 지역으로 빠져 나가는 ( )이 발생하기도 한다.

(3) 최근에는 첨단 정보 기술을 활용해 언제 어디서나 필요한 서비스를 제공하는 ( )를 계획하여 도시의 경쟁력과 주민 삶의 질을 향상하기 위해 노력하고 있다.

3 표는 도시 재개발의 방법을 정리한 것이다. ㉠~㉢에 들어갈 내용을 각각 쓰시오.

(㉠) 재개발	기존 건물과 시설을 완전히 철거하여 새로운 시설을 조성하는 방식
(㉡) 재개발	역사 및 문화적으로 보전 가치가 있는 지역의 환경을 유지·관리하는 방식
(㉢) 재개발	기존 골격을 유지하면서 필요한 부분을 수리 및 개조하여 보완하는 방식

4 다음에서 설명하는 용어를 쓰시오.

> 낙후된 도시에 새로운 기능을 부여함으로써 사회·경제·환경적으로 부흥시키는 것으로, 합리적인 도시 재개발 및 정비에 대한 필요성이 커지면서 등장한 개념이다.

5 주거지의 철거 재개발에 따른 변화로 옳은 것을 〈보기〉에서 골라 기호를 쓰시오.

보기
ㄱ. 도시 경관 개선　　ㄴ. 지역 공동체 강화
ㄷ. 지역 경제 활성화　　ㄹ. 단독 주택 비중 증가

STEP 2 내신 만점 공략하기

01 (중요) 밑줄 친 ㉠~㉣에 대한 옳은 설명을 〈보기〉에서 고른 것은?

> ㉠ 도시 계획은 도시에 거주하는 사람들의 주거와 다양한 활동을 합리적으로 해결하기 위한 계획을 수립·실천하는 것을 의미한다. 우리나라는 1970년대 도시 계획법에 의해 용도 지역의 종류를 세분화하고 ㉡ 개발 제한 구역을 설정하였다. 또한 급격한 인구 증가에 대응하여 ㉢ 기존의 주거지를 철거하고, 신규 주택을 공급하는 개발을 활발히 진행하였다. 최근에는 획일화된 도시 계획에서 벗어나 ㉣ 지속 가능한 도시 계획으로 변화하는 추세이다.

보기
ㄱ. ㉠을 통해 난개발을 방지하고 도시 경관을 정비할 수 있다.
ㄴ. ㉡은 시가지의 무질서한 확산 방지를 위해 설정하였다.
ㄷ. ㉢은 수복 재개발에 해당한다.
ㄹ. ㉣은 서울시의 여의도 종합 개발 계획이 대표적이다.

① ㄱ, ㄴ　② ㄱ, ㄷ　③ ㄴ, ㄷ
④ ㄴ, ㄹ　⑤ ㄷ, ㄹ

02 그림은 서울 종로 피맛골의 변화를 나타낸 것이다. 이러한 변화로 인해 나타날 수 있는 현상으로 옳지 않은 것은?

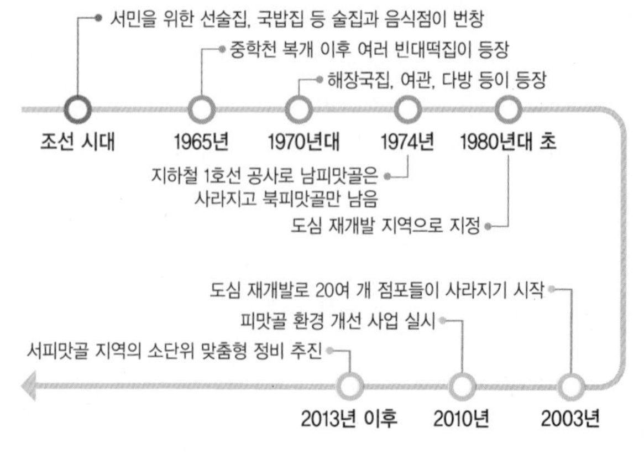

① 주간 인구가 증가하였다.
② 건물의 평균 층수가 높아졌다.
③ 도로 및 주차장이 정비되었다.
④ 상업·업무 기능이 강화되었다.
⑤ 상점들의 평균 임대료가 하락하였다.

중요

03 밑줄 친 ㉠, ㉡과 같은 재개발의 결과 나타난 현상으로 옳지 않은 것은?

> 우리나라의 도시는 급속한 산업화로 인구가 급증하면서 시가지 확장에 따른 도로·상하수도 등의 기반 시설 부족과 불량 주택 문제 등이 나타났다. 이러한 문제를 해결하기 위해 도시 재개발 사업이 이루어지고 있다. ㉠ 도심에서는 노후화된 건물을 신축하고 상업·업무 시설로 변화시켜 토지 이용의 효율성을 높이고 있으며, ㉡ 주변 지역에서는 불량 주거 지역에 대규모 아파트 단지를 건설함으로써 주택 공급을 늘리고 있다.

① ㉠ - 낙후된 도심의 기능이 회복된다.
② ㉠ - 교통 체계와 통신망이 개선된다.
③ ㉡ - 주거 환경이 개선되어 지가가 상승한다.
④ ㉡ - 야간에 인구의 공동화 현상이 나타난다.
⑤ ㉠, ㉡ - 건물의 고층화로 집약적 토지 이용이 이루어진다.

04 사진과 같은 재개발에 대한 옳은 설명을 〈보기〉에서 고른 것은?

재개발 전(대전역 부근)

재개발 후(대전역 부근)

보기
ㄱ. 기존의 낡은 건물을 헐고 현대식 건물로 재정비하는 사업이다.
ㄴ. 주요 도로 및 노후화된 시가지의 기능을 살리기 위한 사업이다.
ㄷ. 재개발 이후 상주인구 증가를 통한 주거 기능 확대를 목적으로 한다.
ㄹ. 용적률을 낮추어 상업·업무 공간을 여가 공간으로 재탄생시키고자 한다.

① ㄱ, ㄴ ② ㄱ, ㄷ ③ ㄴ, ㄷ
④ ㄴ, ㄹ ⑤ ㄷ, ㄹ

05 자료를 보고 이 지역에서 재개발 이후 나타날 수 있는 변화를 추론한 내용으로 가장 적절한 것은?

> '달동네'는 1960년대 경제 개발 과정에서 인구가 늘어나고 주택이 부족해지자 저소득층이 한곳에 모여 살면서 형성된 곳으로, 오늘날 도시 재개발 사업이 진행되면서 대부분 사라졌다. 인천 ○○동은 1990년대 후반 '○○지구 주거 환경 개선 사업'으로 대규모 아파트 단지가 조성되고 공원, 박물관 등이 들어서면서 달동네가 사라지게 되었다.

① 건물의 평균 고도는 낮아질 것이다.
② 범죄, 비행 등 사회 문제가 늘어날 것이다.
③ 전통 경관이 보존됨에 따라 도시의 상징성이 커질 것이다.
④ 원거주민이 다른 지역으로 빠져나가는 현상이 발생할 것이다.
⑤ 도로, 공원, 주차장 등 주민들을 위한 공공용지 면적은 줄어들 것이다.

06 그래프는 서울시의 주택 유형별 증감 추세를 나타낸 것이다. 이에 대한 옳은 설명을 〈보기〉에서 고른 것은?

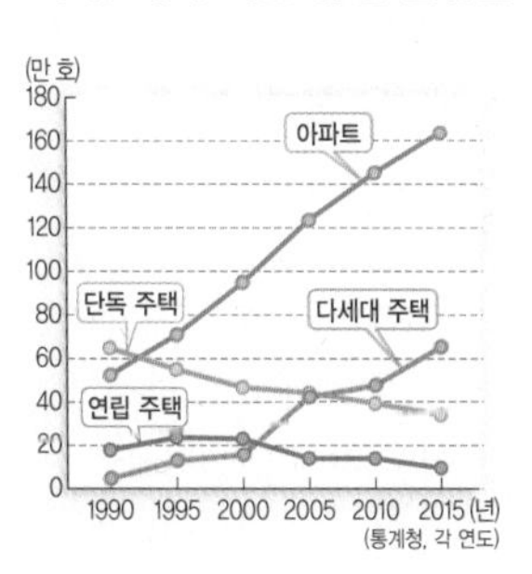

보기
ㄱ. 단독 주택의 비중이 지속적으로 감소하고 있다.
ㄴ. 철거 재개발의 영향으로 아파트 비중이 증가하고 있다.
ㄷ. 2000년대 이후에는 다세대 주택의 공급이 가장 활발하다.
ㄹ. 1990~2015년에 단독 주택의 감소율보다 연립 주택의 감소율이 더 크다.

① ㄱ, ㄴ ② ㄱ, ㄷ ③ ㄴ, ㄷ
④ ㄴ, ㄹ ⑤ ㄷ, ㄹ

07 다음 글의 밑줄 친 사업에 대한 옳은 설명을 〈보기〉에서 고른 것은?

> 대구광역시 중구는 도심의 중앙부로 근대 역사 자원이 많이 남아 있는 곳이지만, 신도심 개발이 진행되면서 점차 쇠퇴하였다. 최근 대구광역시는 40년간 방치되었던 원도심을 살리기 위해 도심에 근대 역사 문화 벨트를 조성하여 원도심을 활성화하는 사업을 진행하였다. 현재 이 지역에서는 일제 강점기 항일 운동의 흔적을 느낄 수 있는 '근대 골목 관광'을 통해 관광객들에게 역사적 의미를 알리고 있다.

보기

ㄱ. 철거 재개발 방식으로 이루어진다.
ㄴ. 지역의 문화유산을 활용하여 관광객을 유치하고 있다.
ㄷ. 전통 건축물을 보존함으로써 지역의 역사성을 유지하려고 한다.
ㄹ. 낡은 주택 대신 고층 아파트를 건설하여 주택 공급을 늘리고 있다.

① ㄱ, ㄴ ② ㄱ, ㄷ ③ ㄴ, ㄷ
④ ㄴ, ㄹ ⑤ ㄷ, ㄹ

08 다음은 도시 재개발을 주제로 한 한국지리 수업 장면의 일부이다. 교사의 질문에 옳지 않은 대답을 한 학생은?

- 교사: 도시 재개발은 효율적인 토지 공간 형성이라는 긍정적 영향도 있지만, 지역 여건을 고려하지 않은 개발로 부정적 영향을 미치기도 합니다. 도시 재개발로 발생하는 문제점을 줄이기 위한 방법은 어떤 것이 있을까요?
- 갑: 당사자 간의 충분한 토의와 의견 조정이 필요합니다.
- 을: 재개발 과정에서 소외받는 주민이 없도록 노력해야 합니다.
- 병: 지역 구성원과 행정 기관 등이 참여하여 민주적인 절차에 따라 개발을 추진해야 합니다.
- 정: 소득 수준이나 토지 소유 관계 등을 고려하여 원거주민에게 개발 이익이 돌아가도록 해야 합니다.
- 무: 도시 재개발 과정에서 많은 이해관계가 발생하기 때문에 최대한 신속하게 재개발이 이루어져야 합니다.

① 갑 ② 을 ③ 병 ④ 정 ⑤ 무

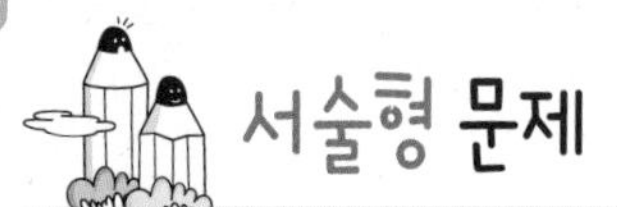

서술형 문제

● 정답친해 43쪽

01 다음은 서울시 도시 계획의 일부이다. 밑줄 친 ㉠과 ㉡의 도시 계획 특징을 비교하여 서술하시오.

> 위생 및 도시 경관 측면에서 열악한 청계천의 환경을 개선하고자 ㉠ 1955년부터 1977년까지 청계천 복개 공사 및 고가도로 건설이 진행되었다. 이후 주변 지역은 도매 및 소매 시장을 중심으로 상업 활동이 활발히 일어났으나 역사 유적 훼손, 교통 혼잡, 대기 오염, 건물의 노후화 등의 문제가 발생하였다. 이에 따라 서울시는 고가 도로를 철거하고 생태 도시 공간을 조성하고자 도시 기본 계획을 바탕으로 청계천 복원과 연계한 개발 기본 구상을 수립하고, ㉡ 2003년 7월부터 2005년 9월까지 청계천 복원 사업을 시행하였다.

02 사진은 어느 지역의 재개발 전후를 나타낸 것이다. 이를 보고 물음에 답하시오.

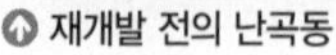
재개발 전의 난곡동

재개발 후의 난곡동

(1) 이 지역에서 시행한 재개발 방법을 쓰시오.

(2) (1)과 같은 재개발 방법의 장점과 단점을 각각 한 가지씩 서술하시오.

STEP 3 1등급 정복하기

정답친해 43쪽

1 밑줄 친 ㉠~㉤에 대한 설명으로 옳지 않은 것은?

> 도시 재개발로 인한 변화

서울시 마포구 염리동은 ㉠ 과거 서울에 소금을 공급하던 곳으로, 비탈길이 많은 산동네이지만 도심에 가까우면서도 집값이 싸서 서민들이 선호하던 지역이었다. ㉡ 1990년대 염리동이 재개발 구역으로 지정되면서 큰 변화가 왔다. 주민들 중에는 세입자가 많았는데 재개발이 늦어지면서 ㉢ 집값 상승을 기대한 집주인들이 집을 보수하지 않아 불량 주택이 늘어났다. 지역 주민들은 악화된 마을 환경을 살리기 위해 ㉣ 골목길 환경 개선 사업을 실시하여 염리동 소금길을 탄생시켰다. 담벼락에 벽화를 그리고 어두운 곳에는 가로등을 설치하는 등 범죄 예방 시설을 마련하고, 언덕길에는 '예쁜 종아리 만드는 길' 등의 이름을 붙여 관광 명소로 만들었다. 그러나 이 곳을 대규모 아파트 단지로 만드는 계획을 바꿀 수는 없었고 현재 ㉤ 옛 주택은 대부분 철거되어 고층 아파트가 지어지고 있다.

① ㉠ – 과거 하천을 이용한 교통이 발달한 곳이다.
② ㉡ – 노후화된 주거 시설을 개선하여 생활 공간의 쾌적성을 높이는 데 목적이 있다.
③ ㉢ – 해당 지역에 범죄나 비행 등의 사회 문제와 환경 오염이 증가하게 된다.
④ ㉣ – 문화 콘텐츠를 발굴하여 지역 이미지 개선에 활용하였다.
⑤ ㉤ – 높은 입주 분담금으로 원주민 재정착률이 낮아 상주인구가 줄어들 것이다.

2 (가), (나)는 도시 재개발 사업의 사례이다. (가) 지역 재개발과 비교한 (나) 지역 재개발의 상대적 특성을 그림의 A~E에서 고른 것은?

> 도시 재개발의 유형

완자샘의 시험 꿀팁
최근 도시 내부에서 활발히 이루어지고 있는 도시 재개발에 대한 출제가 늘어나고 있다. 도시 재개발의 특징을 유형별로 정확히 파악하고 비교할 수 있어야 한다.

(가) 부산광역시 사하구 감천동은 6·25 전쟁 때 피난민이 정착하여 만들어진 달동네였다. 2009년 이 지역의 빈집과 골목길을 문화 공간으로 바꾸는 계획이 진행되면서 학생과 작가, 주민들이 담벼락에 그림을 그리고 조형물을 설치하였다. 문화·예술 활동을 통해 마을의 역사와 지역 특수성을 보전하는 개발 방식을 선택한 감천 마을은 많은 방문객이 찾아오면서 지역 활성화 효과가 나타나 성공적인 도시 재생 사례가 되고 있다.

(나) 서울의 대표적인 달동네였던 관악구 신림동 난곡 지역은 1968년에 이촌동과 청계천, 왕십리 일대의 철거민들이 집단으로 이주하면서 형성된 마을이었다. 2001년 6월부터 재개발 사업이 진행되어 낡은 집을 철거하고 대규모 고층 아파트 지구가 조성되었다. 재개발 이후 1968년 난곡에 살던 약 2천 5백여 세대 중 약 8.7%만이 새로 지어진 고층 아파트에 살고 있다.

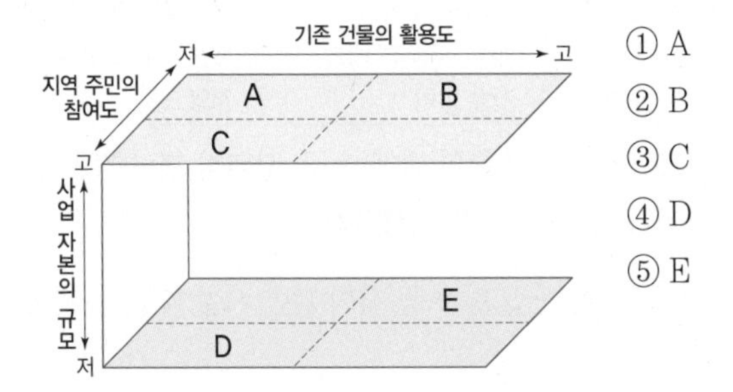

① A
② B
③ C
④ D
⑤ E

지역 개발과 공간 불평등

학습목표
- 지역 개발의 유형을 알고 우리나라 국토 개발 과정을 이해할 수 있다.
- 지역 개발의 영향으로 나타나는 공간 및 환경 불평등 문제를 파악할 수 있다.

이것이 핵심!

지역 개발 방법

구분	성장 거점 개발	균형 개발
방식	하향식 개발	상향식 개발
목표	경제 성장	균형 발전
장점	단기간에 개발 효과가 나타남	지역 특성을 살린 개발 가능
단점	역류 효과, 지역 격차 심화	효율성 낮음, 지역 이기주의

★ 역류 효과
개발에 따른 이익이 주변으로 파급되지 못하고, 오히려 주변 지역에서 거점 지역으로 인구 및 자본이 집중하여 지역 격차가 커지는 효과

1 지역 개발의 의미와 방법

1. 지역 개발의 의미와 목적

(1) **지역 개발**: 지역의 잠재력을 살려 지역 주민의 삶의 질을 높이기 위한 다양한 활동

(2) **지역 개발의 목적**: 지역 발전을 극대화하고 지역 격차를 완화함으로써 주민의 복지를 향상시키고 국토를 균형 있게 발전시킴

2. 지역 개발 방법 자료①

(하향식: 의사 결정 및 전달이 위(정부)에서 아래(국민)로 이루어진다는 뜻이야.)

구분	성장 거점 개발(불균형 개발) 방식	균형 개발 방식
추진 방식	주로 하향식 개발	주로 상향식 개발
개발 주체	중앙 정부	지역 주민과 지방 자치 단체
개발 방법	투자 효과가 큰 곳을 성장 거점으로 지정하여 집중 투자	낙후된 지역에 우선적으로 투자
개발 목표	경제 성장의 극대화, 경제적 효율성 추구	지역 간 균형 발전, 경제적 형평성 추구
장점	• 자원의 효율적 투자 가능 • 짧은 시간에 개발 효과가 나타남	• 지역 특성에 맞는 개발 가능 • 지역 주민의 의사 결정 존중
단점	• *역류 효과가 클 경우 지역 격차 심화 • 지역 주민의 참여도가 낮음	• 투자의 효율성이 낮음 • 지역 이기주의를 초래할 수 있음
채택 국가	주로 개발 도상국	주로 선진국

이것이 핵심!

우리나라의 국토 개발

제1차 (1970년대)	수도권, 남동 임해 지역 중심의 거점 개발
제2차 (1980년대)	광역 개발 추진, 국토의 불균형 지속
제3차 (1990년대)	수도권과 지방의 균형 개발 추진
제4차 (2000년대)	지역 균형 발전 촉진, 개발과 환경의 조화 강조

★ 광역 개발
대도시와 배후 지역을 하나의 광역권으로 설정하여 권역 내의 기능 분담과 연계 개발을 도모하는 종합 개발 방법

2 우리나라의 국토 개발

1. 우리나라의 국토 개발 계획

(1) **제1차~제4차 국토 개발 계획** 자료②

구분	제1차 국토 종합 개발 계획	제2차 국토 종합 개발 계획	제3차 국토 종합 개발 계획	제4차 국토 종합 계획
방식	성장 거점 개발	*광역 개발	균형 개발	균형 발전
시기	1972~1981년	1982~1991년	1992~1999년	2000~2020년
기본 목표	• 사회 간접 자본 확충 • 국민 생활 환경 개선 • 국토 이용 관리 효율화	• 인구의 지방 정착 유도 • 개발 가능성의 전국적 확대 • 국토 자연환경의 보존	• 지방 분산형 국토 골격 형성 • 국민 복지 향상 • 통일 대비 기반 조성	• 21세기 통합 국토 실현 • 균형 국토, 녹색 국토, 개방 국토, 통일 국토
특징	• 수도권, 남동 임해 지역 중심 발달 • 경부축 중심으로 인구와 산업 집중	• 국토 균형 발전 추구 • 구체적 집행 수단 결여 → 국토 불균형 지속 및 환경 문제 발생	• 서해안 신산업 지대와 지방 도시 육성 • 개발 지향적 사고, 난개발 방치	• 지역 균형 발전 촉진 • 국토 환경의 적극적인 보전을 위해 개발과 환경의 조화 강조

(2) **제4차 국토 종합 계획 수정 계획(2011~2020)**: 지역별 특화 발전 추구, 광역적 협력 강화, 자연 친화적·안전한 국토 공간 조성, 세계적 국토 경쟁력 강화 자료③

2. 국토 개발의 효과:
고속 국도, 항만, 다목적 댐, 산업 단지 등 사회 기반 시설 확충, 높은 경제 성장, 최근 환경친화적 개발 사례 증가

(예) 서울 숲 공원 조성, 울산 태화강변 생태 공원 조성 등

완자 자료 탐구

자료 1 파급 효과와 역류 효과

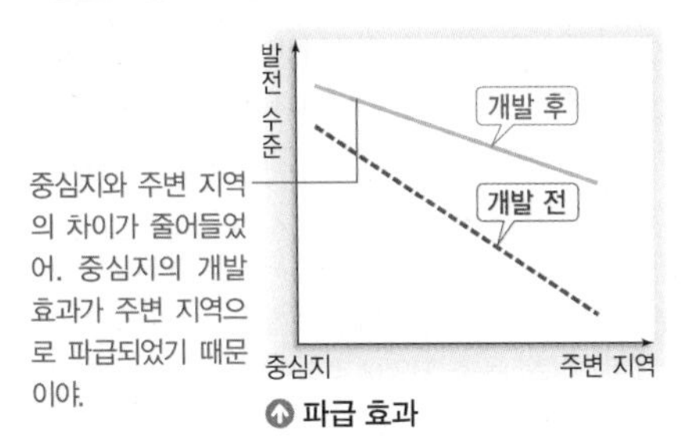

▲ 파급 효과

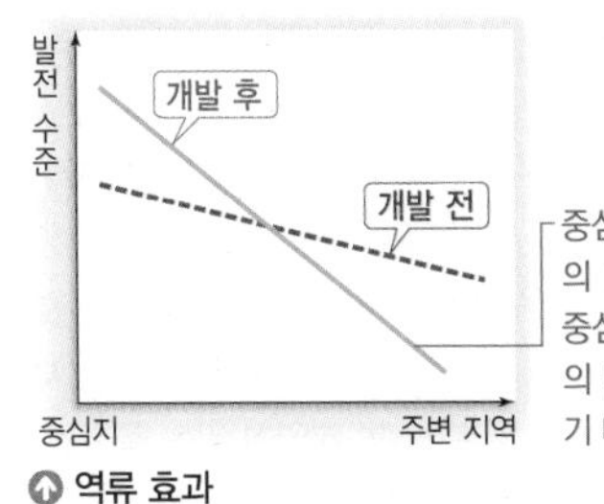

▲ 역류 효과

성장 거점 개발은 경제 활동의 기반이 잘 갖추어진 곳을 선정해 집중적으로 투자하여 주변 지역으로 성장의 효과를 파급하려는 개발 방식이다. 파급 효과가 나타나면 개발 전에 비해 중심지와 주변 지역의 발전 수준 격차가 줄어들 수 있다. 그러나 이와 반대로 성장 거점의 발전 성과가 주변으로 확산되지 않고 중심부에 인구와 산업이 더욱 집중되어 주변 지역의 발전을 저해하는 결과가 나타날 수도 있다. 이와 같은 효과를 역류 효과라고 하며 역류 효과가 발생하면 개발 후에 지역 간의 격차가 더욱 커지게 된다.

자료 2 우리나라의 국토 종합 개발 계획 변화

산업화, 경제 성장	지역 간 불균형 해소	국가 및 지방 경쟁력 강화	21세기 통합 국토축 형성
제1차 (1972~1981년)	제2차 (1982~1991년)	제3차 (1992~1999년)	제4차 (2000~2020년)
• 대규모 공업 기반 구축 • 국토, 교통, 통신, 수자원 및 에너지 공급망 정비	• 국토의 다핵 구조 형성과 지역 생활권 조성 • 지역 기능 강화를 위한 사회 간접 자본 확충 • 후진 지역의 개발 추진	• 수도권 집중 억제 • 국민 생활과 환경 부문의 투자 증대 • 남북 교류 지역의 개발 관리 • 통합적 고속 교류망 구축	• 개방형 통합 국토축 형성 • 지역별 경쟁력 고도화 • 건강하고 쾌적한 국토 환경 조성

1970년대에 시행된 제1차 국토 종합 개발 계획에서는 하향식 성장 거점 개발 방식을 통한 수도권과 남동 임해 지역의 집중적인 성장이 이루어졌다. 1990년대에 시행된 제3차 국토 종합 개발 계획에서는 균형 개발 방식을 택하여 서해안과 지방 도시 육성을 통한 지방 분산형 국토 개발에 중점을 두었다. 1~3차까지의 국토 개발은 경제 성장이라는 성과를 거두었으나, 불균형 발전과 자연환경 훼손이라는 문제점은 지속되었다. 이에 따라 2000년대에는 지역의 균형 발전과 더불어 환경친화적 국토 관리를 위해 노력하고 있다.

자료 3 제4차 국토 종합 계획 수정 계획

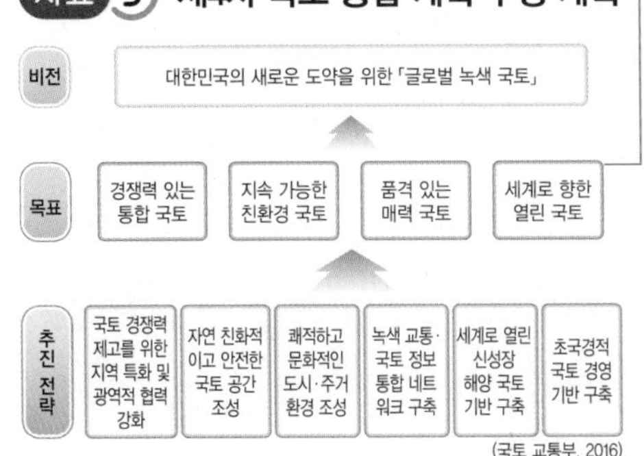

(국토 교통부, 2016)

제4차 국토 종합 계획에서는 균형 국토, 개방 국토, 녹색 국토, 통일 국토를 지향하였어.

제4차 국토 종합 계획은 국내외 여건 변화에 대응하기 위해 두 차례의 수정 과정을 거쳤다. 글로벌 녹색 국토 조성을 위한 제4차 국토 종합 계획 수정 계획(2011~2020년)은 유라시아-태평양 지역을 선도한다는 '글로벌 국토'의 실현과 저탄소 녹색 성장 기반을 마련하는 '녹색 국토'의 실현이라는 목표를 담고 있다.

내 옆의 선생님

자료 하나 더 알고 가자!

지역 개발 방식

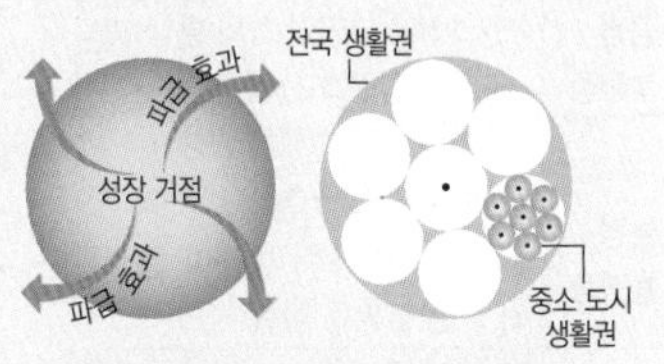

▲ 성장 거점 개발 ▲ 균형 개발

성장 거점 개발 방식은 성장 잠재력이 큰 지역에 투자를 집중하여 파급 효과를 기대하는 방식이며, 균형 개발 방식은 낙후 지역에 우선 투자하여 국토의 균형 발전을 꾀하는 방식이다.

정리 비법을 알려줄게!

우리나라의 국토 개발 과정

시기	내용
1970년대	산업 기반 조성
1980년대	국토의 다핵 구조 형성에 중점
1990년대	지방 육성 및 수도권 집중 억제
2000년대	환경친화적 국토 관리와 지역별 경쟁력 강화

문제로 확인할까?

제4차 국토 종합 계획 수정 계획의 전략으로 보기 어려운 것은?

① 세계적 국토 경쟁력 강화
② 지역 특화 및 광역적 협력 추구
③ 자연 친화적이고 안전한 국토 조성
④ 개방형 신성장 해양 국토 기반 구축
⑤ 성장 거점 지역에 대규모 산업 단지 조성

⑤ 답

04 지역 개발과 공간 불평등

이것이 핵심!

공간 및 환경 불평등

공간 불평등	• 수도권 중심의 개발 → 수도권과 비수도권의 격차 발생 • 도시에 인구와 산업 집중 → 도시와 농촌의 격차 발생
환경 불평등	오염 물질의 이동 → 지역 간·계층 간 대처 능력이 달라 환경 불평등 심화

★ 권역별 인구 변화

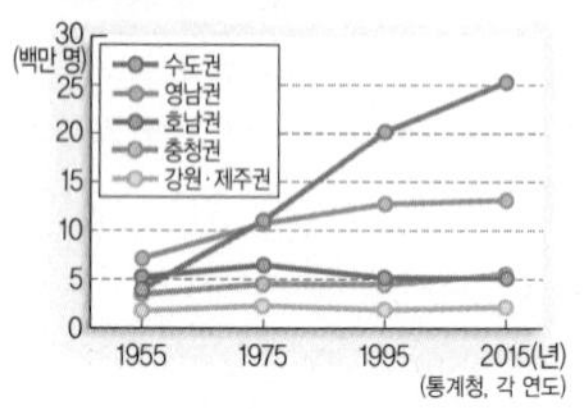

(통계청, 각 연도)

수도권의 인구는 지속적으로 증가하였으나 그 외 지역은 인구 성장이 둔화되거나 감소하는 추세를 보이고 있다.

★ 님비 현상과 핌피 현상

님비 현상	혐오 시설이 자기 지역으로 들어오는 것을 반대하는 현상
핌피 현상	지역 발전에 도움이 된다고 판단되는 시설을 서로 자기 지역에 유치하려고 하는 현상

3 지역 격차와 공간 불평등

1. 공간 불평등 

수도권은 국토 면적의 12% 정도를 차지하지만, 전체 인구의 50%가 거주하고 있어.

수도권과 비수도권의 격차	• 원인: 1960년대 이후 수도권을 중심으로 한 성장 위주의 국토 개발 → *인구 및 산업, 공공 서비스, 문화, 교육, 의료 등 핵심 기능의 수도권 집중도가 매우 높음 • 영향: 수도권은 집값 상승, 교통 혼잡 등의 문제 발생, 비수도권은 경제 침체 및 인구와 자본 유출 현상 심화
도시와 농촌의 격차	• 원인 및 영향: 급속한 산업화·도시화로 도시에 인구와 산업 집중 → 농촌 지역에서 고령화, 노동력 부족, 생활 기반 시설 부족, 교육 여건 불리 등의 문제 발생 • 해결 노력: 지역에 맞는 특화된 개발 전략 수립, 농촌 지역에 투자 확대 → 생활 기반 개선, 지역 경쟁력 확보

2. 환경 불평등 자료 ④

비수도권과 농촌 지역이 경제 성장 과정에서 나타난 환경 오염 피해를 겪고 있을 뿐만 아니라 이를 극복하기 위한 비용까지 부담하고 있어.

(1) **의미**: 환경을 이용함으로써 발생하는 혜택, 피해, 책임 등이 균등하게 배분되지 않는 것

(2) **발생 원인**: 오염 물질의 지역 간 이동으로 인해 개발 사업의 경제적 수혜 지역과 환경 오염 부담 지역이 일치하지 않을 때 발생함

(3) **영향**: 환경 오염에 대한 지역 간·계층 간 대처 능력이 달라 환경 불평등 심화 → 지역 간 갈등으로 이어져 불필요한 사회적 비용을 유발하기도 함

3. 지역 개발과 지역 갈등

지역 갈등을 해결하려면 객관적인 시각에서 원인을 규명하고, 당사자들의 이해관계를 충분히 검토하여 최선의 개발 방안을 모색해야 해.

(1) **지역 갈등의 발생 원인**: 지역 개발에 따른 이익과 피해 발생, 개발로 인한 지역 및 계층 간 격차 확대, 환경 문제, 개발에 대한 생각 차이 등

(2) **영향**: 지역 개발 과정에서 자기 지역의 이익을 지나치게 우선시하는 *님비 현상, 핌피 현상 등 지역 이기주의 심화

이것이 핵심!

바람직한 지역 개발

- 균형 발전 전략 추진
- 지역 행복 생활권 추구
- 상호 보완적 지역 개발

↓

지속 가능한 국토 공간 조성

★ 혁신 도시

공공 기관의 지방 이전과 기업, 학교, 연구소의 협력으로 지역의 성장 거점 지역에 조성되는 미래형 도시

4 바람직한 지역 개발 방법

1. 바람직한 지역 개발 자료 ⑤

(1) **균형 발전 전략의 지속적 추진**: 낙후 지역의 주거·보건·생활 기반 시설 등에 관한 투자, 균형 발전을 위한 *혁신 도시 건설, 지방으로 이전하는 기업에 세금 감면 및 규제 완화 혜택

(2) **지역 행복 생활권 추구**: 수도권, 지방 중심 도시, 농촌 지역의 주민이 불편함 없이 다양한 서비스에 접근할 수 있도록 함 → 농촌 지역은 지역에 맞는 자립적 개발 전략 수립이 필요함 예 친환경 농업, 체험 관광 마을, 장소 마케팅 등

(3) **상호 보완적 지역 개발**: 지역 간 협력을 바탕으로 조화로운 지역 개발을 추진하고, 개발로 발생하는 이익을 공평하게 분배함

2. 지속 가능한 국토 공간의 조성

지속 가능한 국토 공간의 조성: 국토 공간에 관한 사회적·경제적 요구와 환경 및 생태적 기능이 조화를 이룰 수 있도록 함 → 정부, 지역 주민, 전문가, 시민 단체가 합심하여 실천 가능한 구체적 활동 마련 예 탄소 배출량 감소, 친환경 산업 육성, 슬로시티 운동 등

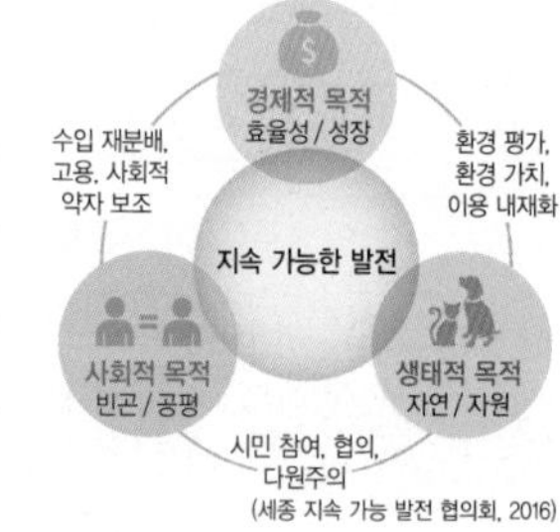

(세종 지속 가능 발전 협의회, 2016)

지속 가능한 발전 모형 ➲

완자 자료 탐구

내 옆의 선생님

수능이 보이는 교과서 자료 국토 개발에 따른 공간 불평등

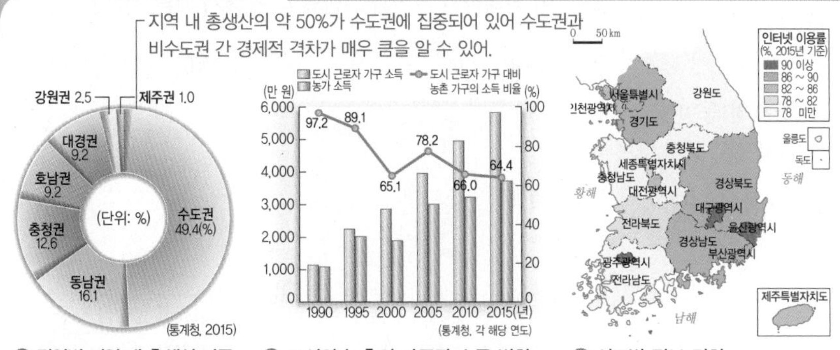

⊙ 권역별 지역 내 총생산 비중 ⊙ 도시와 농촌의 가구당 소득 변화 ⊙ 시도별 정보 격차

인구의 과도한 수도권 집중은 국토의 불균형한 이용과 삶의 질 하락 등의 문제를 일으키고 있다. 이로 인해 개발의 중심지에서 벗어난 지방 중소 도시나 농어촌 지역은 인구 감소에 따른 경제력 저하 문제가 발생하고 있으며 교육, 문화, 공공 서비스 등에서도 공간적 불평등이 나타나 정보 격차 등 생활 환경의 지역 격차가 커졌다.

완자샘의 탐구 강의

• **자료와 같이 우리나라에서 공간적 불평등이 나타나게 된 배경을 서술해 보자.**

1960년대 이후 시행된 성장 거점 개발 전략은 정부 투자의 지역 편중 현상을 초래하였다. 또한 수출 위주의 경제 정책은 사회 간접 자본이 잘 갖추어진 특정 공간에 투자를 집중시킴으로써 서울을 포함한 수도권과 비수도권의 격차가 커졌다.

함께 보기 141쪽, 1등급 정복하기 2

자료 4 환경 불평등

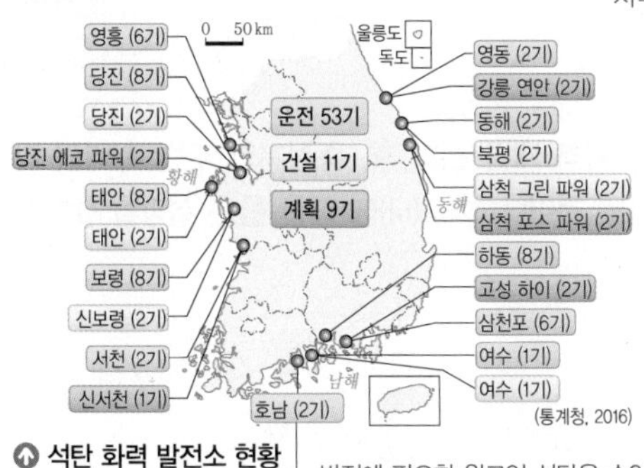

⊙ 석탄 화력 발전소 현황

발전에 필요한 원료인 석탄을 수입해야 하기 때문에 주로 해안가에 입지해.

대기 오염 물질은 바람을 따라 이동하기 때문에 지역 간 갈등의 원인이 되기 쉬워.

발전소에서 생산된 전기는 주로 대도시나 산업 단지에서 사용되지만 발전 과정에서 배출된 오염 물질로 인한 피해는 발전소 주변 지역에서 주로 나타난다. 이와 같은 환경 불평등 문제는 지역 간 갈등으로 이어져 불필요한 사회적 비용을 유발하거나 국민 통합과 국가 발전을 저해하는 요인으로 작용할 수 있다.

자료 하나 더 알고 가자!

환경 불평등의 사례

쓰레기 매립지 문제	서울, 경기, 인천에서 발생한 쓰레기는 인천의 수도권 매립지로 버려진다. 서울에서 배출되는 쓰레기가 가장 많지만 악취, 소음, 분진 등의 피해는 매립지 인근 인천 지역 주민들이 입고 있어 이에 따른 갈등이 발생하고 있다.
송전탑 건설	○○ 송전탑은 전기를 수도권으로 보내기 위해 세우고 있는데, 송전탑이 들어설 ○○ 지역에서는 주민들이 생존권과 공동체 보존 등을 이유로 반대하고 있다.

자료 5 바람직한 지역 개발

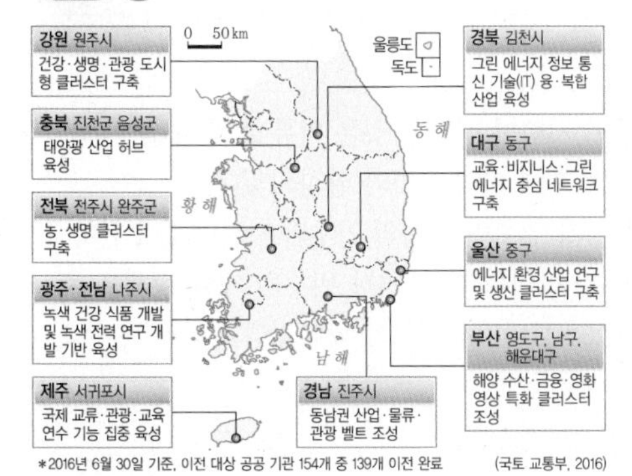

⊙ 혁신 도시 분포

지역 격차와 공간 불평등을 해결하기 위해 중앙 정부는 지방 중소 도시에 대한 지원을 강화하고 있다. 최근 혁신 도시를 통해 수도권 소재의 공공 기관을 지방으로 이전하여 지역 발전을 유도하고 있다. 또한 민간 기업이 주도하여 산업, 연구, 관광 등의 기능과 주거, 교육, 의료, 문화 등 자족적 복합 기능을 고루 갖춘 기업 도시 건설도 추진하고 있다.

현재 우리나라의 기업 도시는 4곳으로, 원주, 충주, 태안, 영암·해남에 분포해.

문제로 확인할까?

지역 간 격차를 줄일 수 있는 방법으로 가장 적절한 것은?

① 하향식 개발 추진
② 도시와 농촌의 분리
③ 수도권으로의 집중 강화
④ 의존형 지역 발전 기반 구축
⑤ 지역 특성을 고려한 전략 산업 발굴

⑤ 답

STEP 1 핵심 개념 확인하기

정답친해 44쪽

1 다음 빈칸에 들어갈 내용을 쓰시오.

(1) (　　　　)은 지역의 잠재력을 살려 지역 주민의 삶의 질을 높이기 위한 다양한 활동을 말한다.

(2) 환경을 이용함으로써 발생하는 혜택, 피해, 책임 등이 균등하게 배분되는 않는 것을 (　　　　)이라고 한다.

(3) 공원, 지하철역, 행정 기관 등 지역 발전에 도움이 된다고 판단되는 시설을 서로 자기 지역에 유치하려고 하는 현상을 (　　　　)이라고 한다.

2 다음 설명이 성장 거점 개발 방식에 대한 것이면 '성', 균형 개발 방식에 대한 것이면 '균'이라고 쓰시오.

(1) 낙후된 지역에 우선적으로 투자한다. (　　)

(2) 역류 효과가 발생할 경우 지역 격차가 심화될 수 있다. (　　)

(3) 투자 효과가 큰 곳을 선정하고 집중적으로 육성하여 파급 효과를 기대한다. (　　)

(4) 지역 주민의 참여가 활발한 상향식 개발 방식으로, 주로 선진국에서 채택한다. (　　)

3 표는 우리나라의 국토 개발 과정을 정리한 것이다. ㉠~㉢에 들어갈 말을 각각 쓰시오.

구분	방식	특징
제1차	성장 거점 개발	수도권과 (㉠　　　　) 지역 중심의 거점 개발
제2차	(㉡　　　　)	국토 불균형 지속 및 환경 문제 발생
제3차	균형 개발	신산업 지대 조성, 지방 도시 육성
제4차	균형 발전	자연 친화적 국토 조성을 위해 개발과 (㉢　　　　)의 조화를 강조

4 ㉠, ㉡에 들어갈 말을 각각 쓰시오.

수도권 소재 공공 기관의 지방 이전을 계기로 지방의 성장 거점 지역에 조성되는 미래형 도시를 (㉠　　　　)라고 한다. 또한 민간 기업이 주도하여 개발하며, 산업·연구·관광 등의 특정 경제 기능과 자족적 복합 기능을 갖춘 도시를 (㉡　　　　)라고 한다.

STEP 2 내신 만점 공략하기

01 표는 지역 개발 방식을 구분한 것이다. (가)와 비교한 (나)의 상대적인 특징을 그림의 A~E에서 고른 것은?

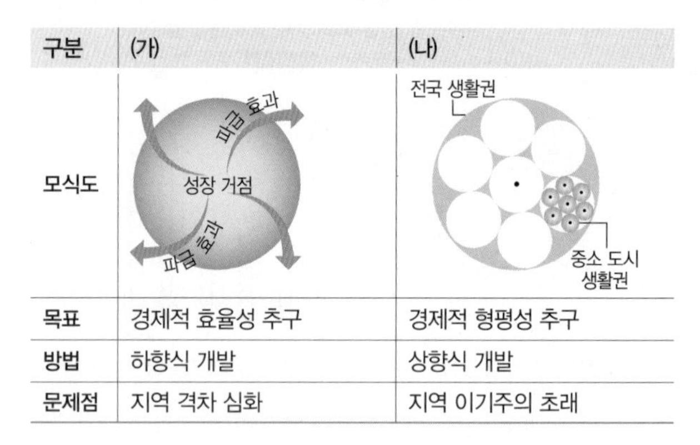

구분	(가)	(나)
모식도	(성장 거점, 파급 효과)	(전국 생활권, 중소 도시 생활권)
목표	경제적 효율성 추구	경제적 형평성 추구
방법	하향식 개발	상향식 개발
문제점	지역 격차 심화	지역 이기주의 초래

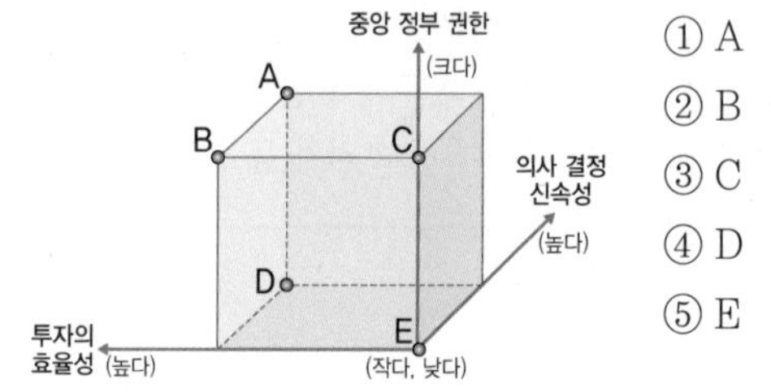

① A　② B　③ C　④ D　⑤ E

02 그래프는 지역 개발 전과 후, 중심지와 주변 지역의 발전 수준을 나타낸 것이다. (가), (나)에 대한 옳은 설명을 〈보기〉에서 고른 것은?

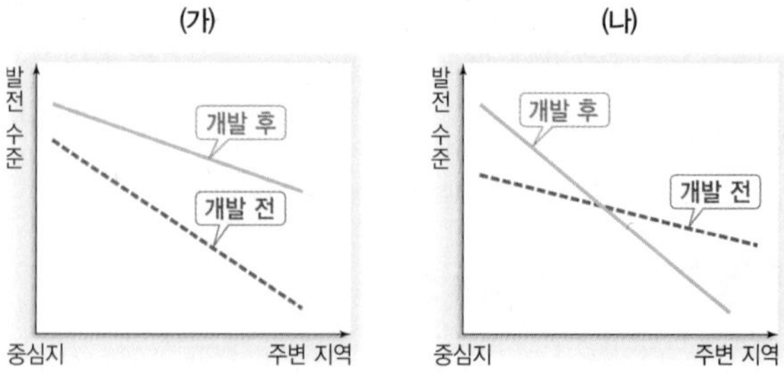

보기

ㄱ. (가)의 주변 지역이 성장한 것은 역류 효과 때문이다.
ㄴ. (나)는 개발 후에 지역 격차가 완화되었다.
ㄷ. (나)는 중심지가 주변 지역의 인구와 자본을 흡수한다.
ㄹ. 우리나라는 산업화 이후 성장 위주의 개발 정책을 추진하면서 (가)보다 (나)가 크게 나타났다.

① ㄱ, ㄴ　② ㄱ, ㄹ　③ ㄴ, ㄷ
④ ㄴ, ㄹ　⑤ ㄷ, ㄹ

03 중요 다음 대화에서 밑줄 친 ㉠, ㉡에 대한 설명으로 옳지 않은 것은?

지역 개발을 위해서는 ㉠ 경제 성장의 극대화와 투자의 효율성을 추구하는 개발 방식이 적합합니다.

그렇지 않아요. ㉡ 균형 발전과 형평성을 추구하는 개발 방식이 적합합니다.

① 남동 임해 지역에 대규모 공업 단지를 건설한 것은 ㉠의 사례이다.
② 서해안에 산업 단지를 조성한 것은 ㉡의 사례이다.
③ ㉠은 ㉡에 비해 상향식 개발에 가깝다.
④ ㉠은 ㉡에 비해 개발의 효과가 빠르게 나타난다.
⑤ ㉡은 ㉠에 비해 지역 주민의 참여도가 높다.

04 다음은 우리나라의 국토 개발 과정을 정리한 노트이다. ㉠~㉣에 들어갈 내용으로 옳은 것을 〈보기〉에서 고른 것은?

구분	제1차	제2차	제3차	제4차
시기	1972~1981	1982~1991	1992~1999	2000~2020
목표	㉠	인구의 지방 분산 유도	지방 분산형 국토 골격 형성	자연 친화적 국토 조성
전략	대규모 공업 기반 구축	㉡	통합적 고속 교류망 구축	㉢
방식	거점 개발	광역 개발	균형 개발	㉣

보기
ㄱ. ㉠ – 국민 복지 향상과 통일 대비 기반 조성
ㄴ. ㉡ – 국토의 다핵 구조 형성과 지역 생활권 조성
ㄷ. ㉢ – 사회 간접 자본 확충 및 국토 이용 관리 효율화
ㄹ. ㉣ – 개발과 환경의 조화를 중시하는 균형 발전

① ㄱ, ㄴ ② ㄱ, ㄷ ③ ㄴ, ㄷ
④ ㄴ, ㄹ ⑤ ㄷ, ㄹ

05 자료에 대한 옳은 분석을 〈보기〉에서 고른 것은?

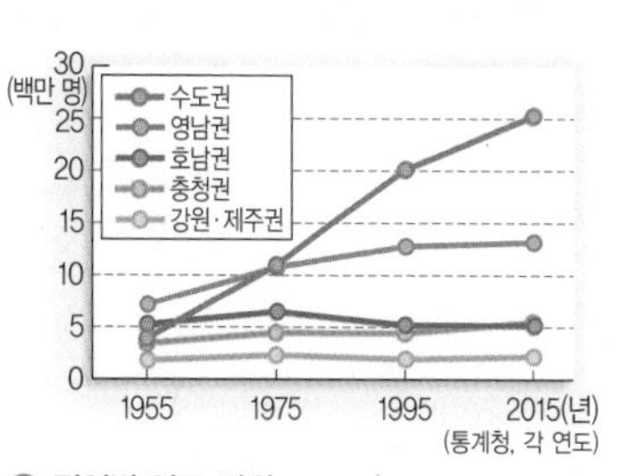

권역별 인구 변화

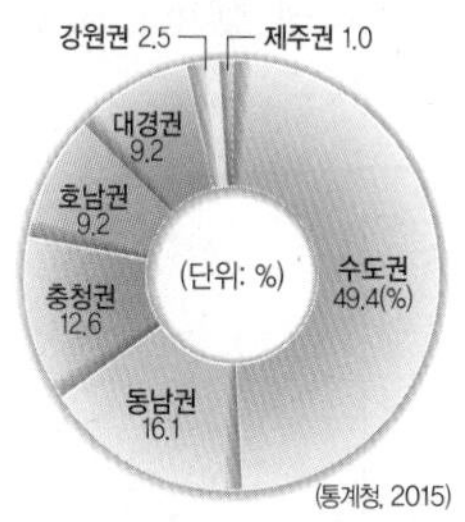

권역별 지역 내 총생산 비중

보기
ㄱ. 국토 공간의 불평등이 나타나고 있다.
ㄴ. 수도권과 비수도권의 경제적 격차가 크다.
ㄷ. 수도권의 인구 비중은 조금씩 낮아지고 있다.
ㄹ. 효율성보다 형평성을 강조한 상향식 개발의 결과이다.

① ㄱ, ㄴ ② ㄱ, ㄷ ③ ㄴ, ㄷ
④ ㄴ, ㄹ ⑤ ㄷ, ㄹ

06 지도는 우리나라의 혁신 도시 현황을 나타낸 것이다. 이와 같은 지역 개발에 대한 설명으로 옳지 않은 것은?

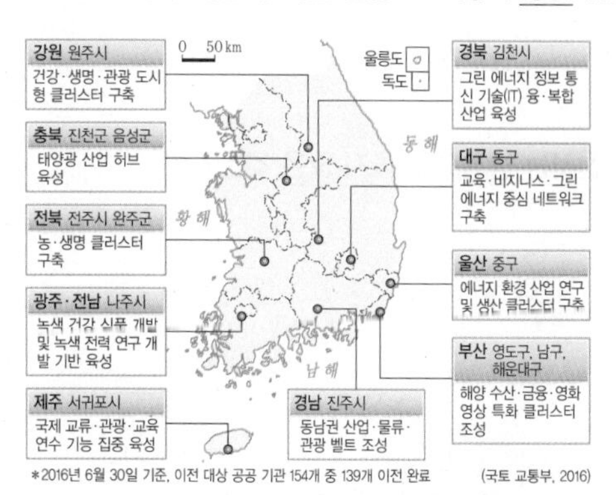

① 국토의 균형 발전을 도모할 수 있다.
② 민간 기업이 주도하여 건설을 추진하고 있다.
③ 수도권 집중에 따른 공간 불평등을 해소하기 위한 정책이다.
④ 공공 기관 및 기업, 학교, 연구소 등이 함께 입지하도록 계획되었다.
⑤ 지방 중소 도시에 대한 지원을 강화하여 지방 경제 활성화 효과를 기대한다.

07 그래프는 쓰레기 매립장 건설에 따른 환경 피해와 편익을 나타낸 것이다. A, B 지역에 대한 추론으로 적절하지 않은 것은?

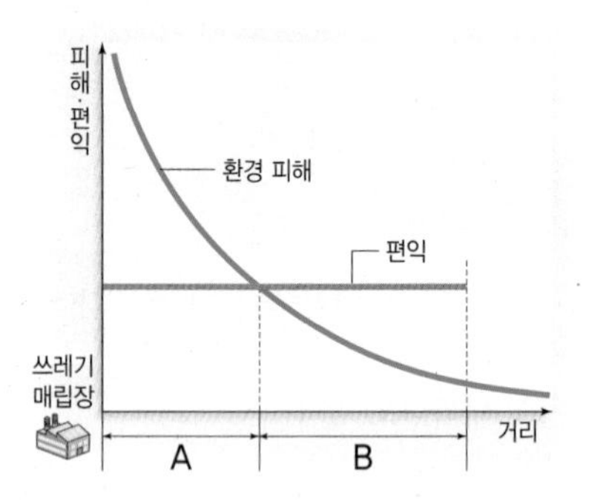

① A 지역에서는 님비 현상이 나타날 것이다.
② B 지역은 쓰레기 매립장 건설에 따른 적절한 보상이 필요할 것이다.
③ A 지역과 B 지역 간 환경 불평등이 발생할 것이다.
④ A 지역은 B 지역보다 지가 하락, 토양 오염 등의 피해가 심할 것이다.
⑤ B 지역은 A 지역보다 쓰레기 매립장 건설에 긍정적일 것이다.

08 ㉠을 실천하는 방안으로 옳지 않은 것은?

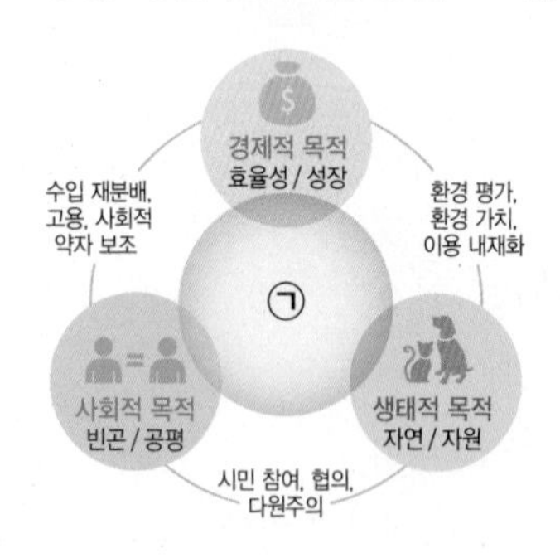

① 경제 활동에서 환경적 가치를 고려한다.
② 탄소 배출량을 감축시키기 위해 노력한다.
③ 자원 소비에 따른 환경 오염을 최소화한다.
④ 인간과 자연의 조화를 추구하는 슬로시티를 지정한다.
⑤ 국토의 효율적인 관리를 위해 개발 위주의 정책을 실시한다.

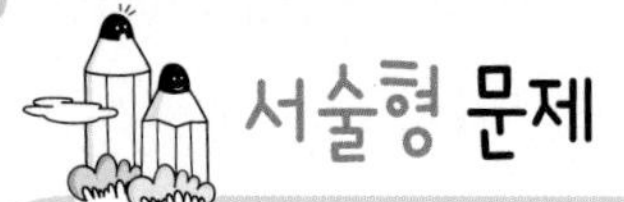

서술형 문제

● 정답친해 45쪽

01 지도를 보고 석탄 화력 발전소의 입지적 특성이 환경 불평등의 관점에서 어떤 문제점을 유발할 수 있는지 서술하시오.

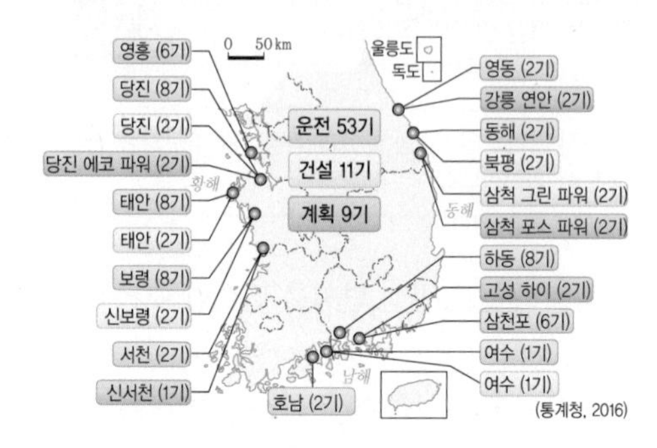

02 지도는 어떤 도시들의 분포를 나타낸 것이다. 이를 보고 물음에 답하시오.

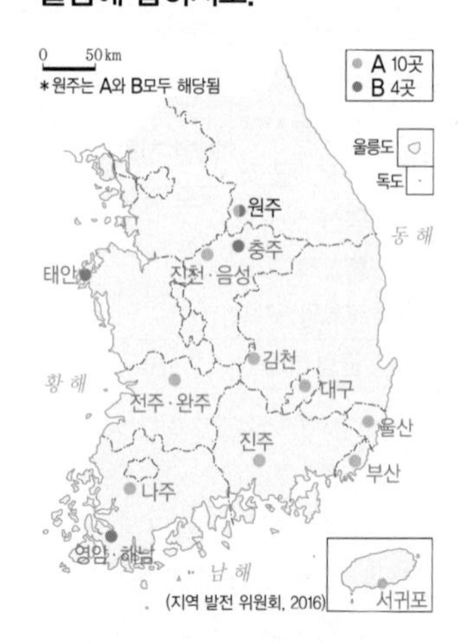

(1) A와 B를 각각 무엇이라고 하는지 쓰시오.

(2) A와 B를 조성하는 목적에 대하여 서술하시오.

STEP 3 1등급 정복하기

정답친해 46쪽

1 표는 우리나라의 국토 개발 계획을 정리한 것이다. 밑줄 친 ㉠~㉤에 대한 설명으로 옳은 것은?

구분	1차 국토 종합 개발 계획	2차 국토 종합 개발 계획	3차 국토 종합 개발 계획
시행 시기	1972~1981년	1982~1991년	1992~1999년
개발 방식	㉠ 성장 거점 개발	광역 개발	㉡ 균형 개발
개발 전략	㉢ 공업 기반 조성을 위한 대규모 교통망 구축 ⋮	㉣ 국토의 다핵 구조 형성 ⋮	㉤ 수도권 집중 억제와 지방 육성 ⋮

① ㉠은 주로 상향식 개발 방식으로 추진된다.
② ㉡은 경제적 효율성보다 지역 간 형평성을 중시한다.
③ ㉢의 일환으로 서해안 고속 도로를 건설하였다.
④ ㉣을 위해 혁신 도시와 기업 도시를 육성하였다.
⑤ ㉤을 위해 수도권 공장의 신축과 증축을 제한하는 제도를 폐지하였다.

> 우리나라의 국토 개발 계획

완자쌤의 시험 꿀팁
각 시기별 국토 종합 개발 계획에서 이루어진 구체적인 개발 내용 및 성과를 파악해 두어야 한다.

2 다음은 지역 격차와 관련된 조사 계획서의 일부이다. (가)~(라)에 들어갈 조사 항목으로 적절한 것을 〈보기〉에서 고른 것은?

• 조사 주제 : 도시와 농촌 간 격차
• 조사 내용 및 항목

구분	조사 내용	조사 항목
현황	인구 및 산업의 도시 집중	(가)
원인	산업화와 도시화로 인한 이촌 향도	(나)
문제점	농촌 인구 감소 및 정주 환경 악화	(다)
해결 방안	지역 자원을 활용한 개발	(라)

보기
ㄱ. (가) – 도시 위주의 개발로 인한 파급 효과
ㄴ. (나) – 연도별 귀농·귀촌 인구의 변화
ㄷ. (다) – 도시 근로자 가구 소득과 농가 소득 비교
ㄹ. (라) – 지역 특산물 축제의 경제적 효과

① ㄱ, ㄴ　② ㄱ, ㄷ　③ ㄴ, ㄷ
④ ㄴ, ㄹ　⑤ ㄷ, ㄹ

> 도시와 농촌 간의 격차

01 촌락의 변화와 도시 발달

1. 촌락의 형성과 변화

(1) 전통 촌락의 입지 요인

자연적 조건	물	• 제주도에서는 해안의 용천대를 따라 취락 분포 • 범람원에서는 (❶)에 취락 형성
사회·경제적 조건	교통	• 육상 교통: 역원 취락 형성 • 하천 교통: 수운의 요충지를 따라 나루터 취락 형성
	방어	국경 및 해안 지역에 병영촌 발달

(2) 전통 촌락의 기능과 경관 특징

농촌	농경지와 배후 산지가 만나는 산록면에 위치하며, 협동 노동의 필요성이 커 (❷)을 이루는 경우가 많음
어촌	항구 뒤쪽 산지에 마을이 위치하고 주거지 주변에 경지가 있어 반농 반어촌을 이룸
산지촌	경사가 급하고 경지가 좁아 주로 밭농사, 임산물 채취, 목축업이 이루어지며 산촌(散村)을 이루는 경우가 많음

(3) **촌락의 변화:** 청장년층 중심의 인구 유출로 폐교 증가, 노동력 부족 문제 발생 → 최근 자연환경을 활용한 여가 공간 및 체험 활동 공간으로 변화

2. 도시의 발달과 도시 체계

(1) **촌락과 도시의 상호 보완성:** 도시는 촌락에 재화와 서비스를 공급, 촌락은 도시에 농수산물과 축산물을 공급하고 도시민에게 휴식과 여가 공간을 제공

(2) 우리나라의 도시 발달

1960년대	경제 개발에 따른 이촌 향도 → 서울, 부산 등 대도시 성장
1970년대	지방 중심 도시 성장, 남동 임해 지역에 공업 도시 발달
1980년대	대도시의 과밀 완화를 위해 신도시와 위성 도시 성장

(3) **도시 체계:** 도시 간 상호 작용에 의해 나타나는 도시 간의 계층 질서

(4) 우리나라의 도시 체계

특징	서울을 중심으로 한 수직적 도시 체계, 서울은 인구와 기능이 집중하여 (❸) 현상이 나타남
개선 노력	혁신 도시 건설, 중추 도시 생활권 육성

02 도시 구조와 대도시권

1. 도시 지역 분화와 도시 내부 구조

(1) 지역 분화 과정

집심 현상	지대 지불 능력이 높은 상업·업무 기능이 접근성이 높은 도심에 집중하는 현상
(❹)	지대 지불 능력이 낮은 공업, 주거 기능이 도심을 떠나 주변으로 분산되는 현상

(2) 도시 내부 구조

도심	• 접근성이 좋고 지가가 높아 토지 이용이 집약적으로 이루어짐, 중심 업무 지구 형성 • 인구 공동화 현상 → 출퇴근시 교통 혼잡 발생
(❺)	교통의 결절점에 형성 → 도심의 각종 기능 분담, 교통 혼잡 완화
중간 지역	주택·상가·공장 등이 섞여 점이 지대 형성, 최근 도시 미관 개선을 위해 재개발이 이루어지기도 함
주변 지역	신흥 주거 지역 형성, 도시와 농촌 경관 혼재, 도시의 무질서한 팽창 방지를 위해 (❻) 설정

2. 대도시권의 형성과 확대

(1) 대도시권의 형성

형성 배경	인구 집중에 따른 과밀화, 교통 발달, 소득 수준 향상 등
형성 과정	급속한 산업화·도시화로 인구와 기능이 집중하여 집적 불이익 발생 → 주거와 공업 기능 등이 도시 외곽으로 분산(교외화 현상) → 대도시와 주변 지역이 기능적으로 연결되어 일일생활권 형성

(2) 대도시권의 공간 구조

중심 도시	대도시권의 중심부, 주변 지역에 재화와 서비스를 제공
(❼)	• 교외 지역: 주거·공업·상업 기능, 도시적 토지 이용 • 대도시 영향권: 도시와 농촌 경관 혼재 • 배후 농촌 지역: 최대 통근 가능 지역, 상업적 농업

(3) **대도시권의 확대:** 1980년대 이후 서울의 과밀화 해결을 위해 주거·공업 기능 분산 → 신도시 건설, 광역 교통망 확충

(4) 대도시권의 변화

토지 이용	도시적 토지 이용으로 전환, 집약적 토지 이용, 상업적 영농, 주말 농장 등으로 이용
주민 생활	겸업농가 비율 증가, 외지 인구 유입으로 주민 구성 다양화 → 촌락의 공동체 의식 약화

03 도시 계획과 도시 재개발

1. 도시 계획

(1) **도시 계획의 필요성:** 도시 문제의 완화 및 해소, 난개발 방지, 도시 경관 정비 → 주민의 삶의 질 향상

(2) **우리나라의 도시 계획**

1970년대	도시 계획법에서 용도 지역의 종류를 세분화하고 개발 제한 구역을 설정함
1980년대	도시 문제에 장기적으로 대처하기 위해 20년 단위의 도시 기본 계획을 제도화함
1990년대 이후	지역 간 균형, 삶의 질, 환경 등에 초점을 맞춘 지속 가능한 도시 계획 전개 예 유비쿼터스 도시

2. 도시 재개발의 유형

(1) **대상 지역에 따라**

(⑧) 재개발	도심의 노후화된 건물이나 불량 주거 지역을 상업·업무 지역으로 변화시켜 토지의 효율성을 높이는 사업
산업 지역 재개발	도시 내 노후 산업 단지를 아파트형 공장 등으로 변화시키는 사업
주거지 재개발	노후화된 불량 주거 지역의 주택을 재건축하거나 재개발하는 사업

(2) **시행 방법에 따라**

철거 재개발	기존 건물과 시설을 완전히 철거하여 새로운 시설을 조성하는 방식
보전 재개발	역사 및 문화적으로 보전 가치가 있는 지역의 환경을 유지·관리하는 방식
(⑨) 재개발	기존 골격을 유지하면서 필요한 부분을 수리 및 개조하여 보완하는 방식

3. 도시 재개발의 영향과 바람직한 방향

(1) **도시 재개발의 영향**

긍정적 영향	토지 이용의 효율성 향상, 도시 경관 정비 → 쾌적한 도시 환경 조성, 주민의 삶의 질 향상
부정적 영향	개발 과정에서 원거주민의 강제 이주, 개발 이후 높은 입주 분담금으로 원거주민 재정착률이 낮아지기도 함

(2) **바람직한 도시 재개발:** 민주적 절차에 따른 개발 추진, 주민 재정착 방안 및 적절한 이주 대책 마련

04 지역 개발과 공간 불평등

1. 지역 개발 방식

구분	성장 거점 개발	균형 개발
방식	하향식 개발	상향식 개발
주체	중앙 정부	지역 주민, 지방 자치 단체
개발 방법	투자 효과가 큰 곳을 성장 거점으로 지정하여 집중 투자	낙후 지역에 우선적으로 투자
목표	경제 성장, 효율성 추구	균형 발전, 형평성 추구
장점	• 자원의 효율적 투자 가능 • 단기간에 개발 효과가 나타남	• 지역 특성에 맞는 개발 가능 • 지역 주민의 의사 결정 존중
단점	(⑩)효과가 클 경우 지역 격차 심화	투자의 효율성이 낮고 지역 이기주의를 초래할 수 있음

2. 우리나라의 국토 개발 계획

제1차 (1972~1981년)	생산 기반 조성, 거점 개발, 경부축 중심의 양극화, 수도권과 남동 임해 지역에 공업 단지 건설
제2차 (1982~1991년)	광역 개발, 국토의 다핵 구조 형성에 초점, 인구의 지방 분산 유도, 국토의 불균형 지속
제3차 (1992~1999년)	지방 육성과 수도권 집중 억제, 서해안 신산업 지대 조성과 산업 구조의 고도화
제4차 (2000~2020년)	• 균형 국토, 녹색 국토, 개방 국토, 통일 국토 조성 • 수정 계획(2011~2020년): 지역별 특화 발전, 자연 친화적·안전 국토 조성, 세계적 국토 경쟁력 강화

3. 지역 격차와 공간 불평등

(1) **공간 불평등과 환경 불평등**

공간 불평등	• 수도권과 비수도권의 격차: 인구와 기능의 수도권 집중도가 매우 높음 → 수도권은 집값 상승, 교통 혼잡 문제 발생, 비수도권은 경제 침체 및 인구와 자본 유출 현상 심화 • 도시와 농촌의 격차: 도시에 인구와 산업 집중 → 농촌 지역에서 노동력 부족, 생활 기반 시설 부족 등의 문제 발생
환경 불평등	환경을 이용함으로써 발생하는 혜택, 피해, 책임 등이 균등하게 배분되지 않는 것 → 개발 사업 수혜 지역과 환경 오염 피해 지역이 일치하지 않아 발생

(2) **지역 개발과 지역 갈등:** 지역 개발 과정에서 자기 지역의 이익을 지나치게 우선시하는 님비·핌피 현상 심화

(3) **바람직한 지역 개발:** 지속 가능한 국토 공간 조성 → 국토 공간에 관한 사회적·경제적 요구와 환경 및 생태적 기능이 조화를 이룰 수 있도록 함

●정답● ① 자연 제방 ② 집촌 ③ 종주 도시화 ④ 이심 현상 ⑤ 부도심 ⑥ 개발 제한 구역 ⑦ 통근 가능권 ⑧ 도심 ⑨ 수복 ⑩ 역류

01 ㉠, ㉡에 대한 옳은 설명을 〈보기〉에서 고른 것은?

> 전통 촌락은 생산 기능에 따라 농촌, 어촌, 산지촌 등으로 구분할 수 있으며, 가옥의 분포 형태에 따라 특정 장소에 가옥이 밀집해 분포하는 (㉠)와/과 가옥이 드문드문 흩어져 분포하는 (㉡)(으)로 구분할 수 있다.

보기

ㄱ. ㉠은 밭농사보다는 논농사가 발달하였다.
ㄴ. ㉡은 같은 성씨가 모여 사는 동족촌에서 잘 나타날 것이다.
ㄷ. ㉠은 ㉡보다 주민들의 협동 노동에 유리할 것이다.
ㄹ. ㉠은 ㉡보다 가옥과 경지의 결합도가 높을 것이다.

① ㄱ, ㄴ ② ㄱ, ㄷ ③ ㄴ, ㄷ
④ ㄴ, ㄹ ⑤ ㄷ, ㄹ

02 밑줄 친 ㉠~㉤에 대한 설명으로 옳지 않은 것은?

> 사람들이 생활하는 정주 공간은 규모가 작은 ㉠ 촌락에서부터 지역의 중심지인 도시에 이르기까지 다양하다. 도시는 재화와 서비스를 주변 지역에 공급하는 중심지 역할을 한다. 또 주변 지역은 물론 다른 도시들과 ㉡ 상호 작용을 통해 보완적인 관계를 맺고 있다. ㉢ 서울은 수위 도시로 인구와 각종 기능이 집중하여 종주 도시화 현상이 나타난다. 서울 다음으로는 부산, 인천, 대구, 대전, 광주, 울산 등의 ㉣ 광역시, 그 다음으로는 ㉤ 시·군 중심지 등이 계층을 이루며 배열되어 있다.

① ㉠ – 도시에 비해 1차 산업 종사자의 비중이 큰 편이다.
② ㉡ – 지역 간 거리가 가까울수록 활발하게 나타난다.
③ ㉢ – 우리나라 전 지역을 배후지로 둔다.
④ ㉣ – 시·군 중심지에 비해 상대적으로 고차 중심지에 해당한다.
⑤ ㉤ – 광역시에 비해 도시의 수가 적다.

03 (가)와 (나)는 각기 다른 촌락의 가족 구성을 나타낸 것이다. (가) 촌락에 비해 (나) 촌락이 갖는 상대적 특징으로 옳은 것을 〈보기〉에서 고른 것은?

구분	가족 구성
(가)	• 할아버지(72세): 벼농사 • 할머니(68세): 벼농사
(나)	• 아버지(59세): 화훼, 비닐하우스 농업 • 어머니(57세): 인터넷 농산물 판매 사이트 운영 • 딸(26세): 대도시 소재 회사로 출퇴근 • 아들(21세): 대도시 소재 대학교로 통학, 집 근처 편의점에서 아르바이트

보기

ㄱ. 전업농가의 비율이 높다.
ㄴ. 주민들의 직업 구성이 다양하다.
ㄷ. 집약적인 토지 이용이 이루어진다.
ㄹ. 주곡 중심의 단일 작물의 재배가 이루어진다.

① ㄱ, ㄴ ② ㄱ, ㄷ ③ ㄴ, ㄷ
④ ㄴ, ㄹ ⑤ ㄷ, ㄹ

04 그래프는 시기별 우리나라 주요 도시의 인구 규모와 순위를 나타낸 것이다. 이에 대한 설명으로 옳은 것은?

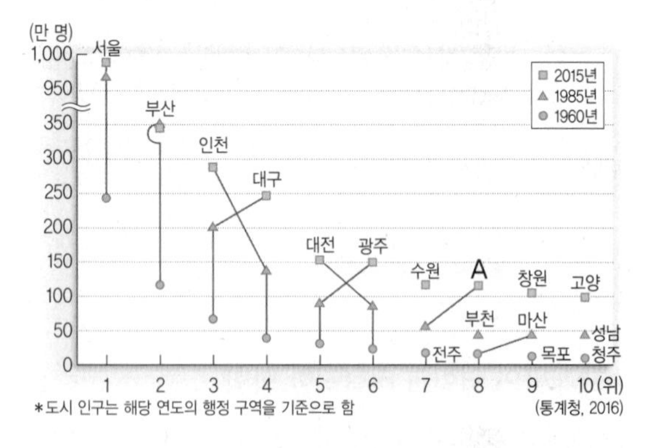

*도시 인구는 해당 연도의 행정 구역을 기준으로 함 (통계청, 2016)

① A는 수도권에 위치한 도시이다.
② 1985년보다 2015년에 종주 도시화 현상이 완화되었다.
③ 1985년~2015년에 광주는 수원에 비해 인구 증가율이 높다.
④ 1960년보다 2015년에 10위 안에 포함된 수도권 도시가 많다.
⑤ 1985년 이후 인구가 가장 많이 증가한 광역시는 대구이다.

정답친해 46쪽

05 그림은 도시 내부 구조를 나타낸 것이다. A 지역에 대한 설명으로 옳은 것은?

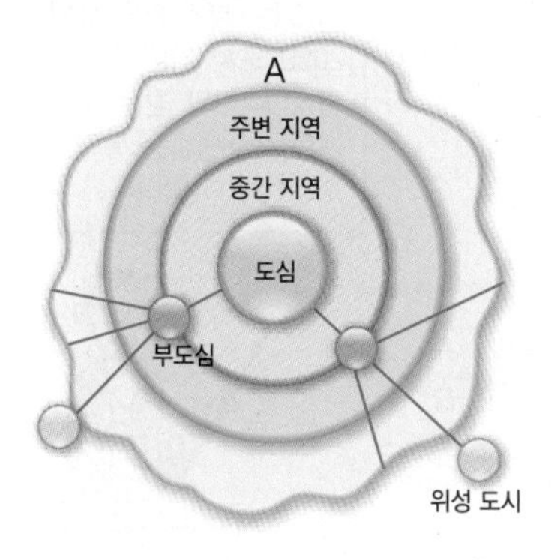

① 우리나라에는 1990년대에 도입되었다.
② 인구 공동화 현상이 뚜렷하게 나타난다.
③ 도시의 무질서한 팽창을 막기 위해 설정되었다.
④ 도시의 여러 기능 중 주거 기능이 밀집되어 있다.
⑤ 경관이 뛰어나 지대 지불 능력이 높은 기능이 입지한다.

06 그래프는 대도시 내부의 어느 지역에서 나타난 변화이다. 이 지역의 특색으로 옳지 않은 것은?

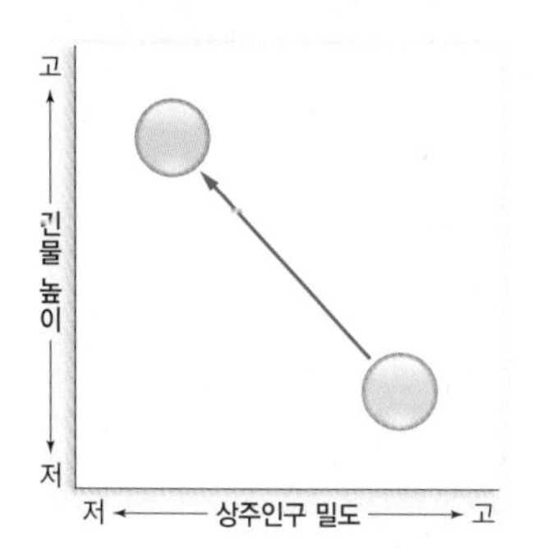

① 토지 이용의 집약도가 높다.
② 도시 내에서 접근성이 우수하다.
③ 중추 관리 기능이 집중되어 있다.
④ 최소 요구치가 큰 기능이 입지해 있다.
⑤ 초등학교의 수가 꾸준히 증가하고 있다.

07 그림은 도심으로부터의 거리에 따른 인구 밀도 변화를 나타낸 것이다. (가), (나) 지역에 대한 옳은 설명을 〈보기〉에서 고른 것은?

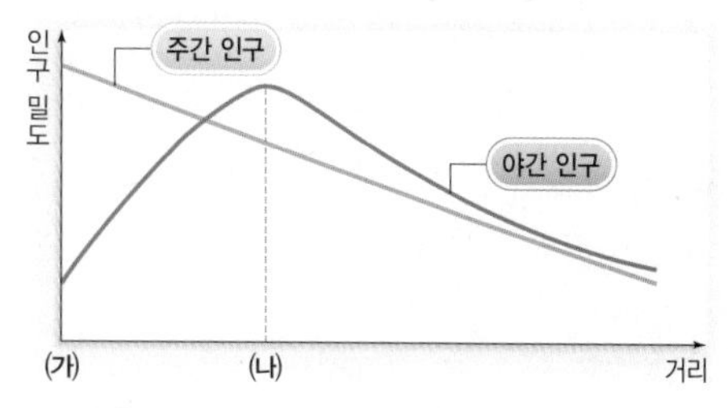

보기
ㄱ. (가)에서는 인구 공동화 현상이 나타난다.
ㄴ. (나)는 접근성이 높아 상업·업무 기능이 집중된다.
ㄷ. 퇴근 시간대에는 (가)에서 (나)로 향하는 도로의 교통량이 많아진다.
ㄹ. (나)는 (가)보다 시가지의 형성 시기가 이르다.

① ㄱ, ㄴ ② ㄱ, ㄷ ③ ㄴ, ㄷ
④ ㄴ, ㄹ ⑤ ㄷ, ㄹ

08 그래프는 서울시 두 구(區)의 상주인구와 주간 인구 지수의 변화를 나타낸 것이다. (가), (나) 지역에 대한 설명으로 옳은 것은? (단, (가), (나)는 도심과 주변 지역 중 하나이다.)

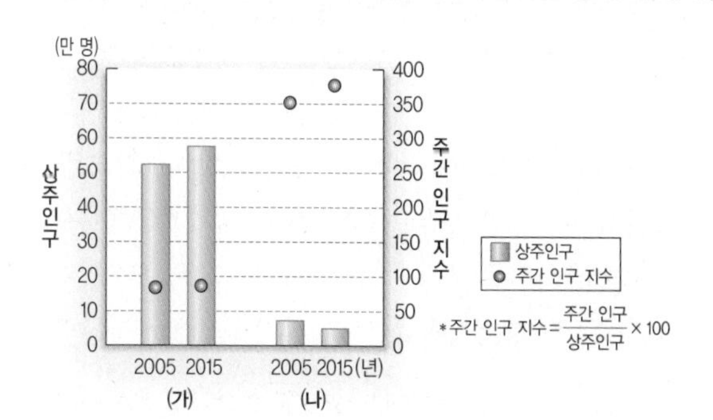

① (가)는 서울 내에서 접근성이 가장 좋은 지역이다.
② (가)는 2005년보다 2015년에 주간 인구가 감소하였다.
③ (나)는 출근 시간대 유입 인구가 유출 인구보다 많다.
④ (나)는 (가)보다 거주자의 평균 통근 거리가 길다.
⑤ (가), (나) 모두 2005~2015년 사이에 상주인구가 증가하였다.

09 그림은 대도시권의 공간 구조를 나타낸 것이다. A~E에 대한 옳은 설명을 〈보기〉에서 고른 것은?

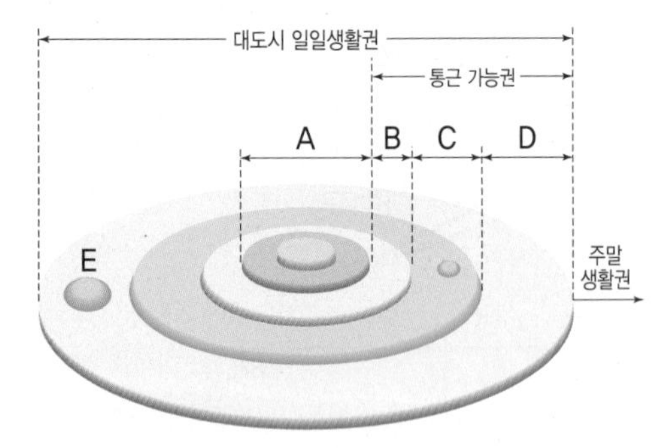

보기

ㄱ. A는 도심, 중간 지역, 주변 지역 등으로 구성된다.
ㄴ. B는 부도심으로 도심의 과밀화를 완화하는 역할을 한다.
ㄷ. C에서 D로 갈수록 도시적 경관이 증가한다.
ㄹ. E는 A의 기능 중 일부를 분담한다.

① ㄱ, ㄴ ② ㄱ, ㄹ ③ ㄴ, ㄷ
④ ㄴ, ㄹ ⑤ ㄷ, ㄹ

10 그림은 대도시권을 모식적으로 나타낸 것이다. A~D 지역에 대한 설명으로 옳지 않은 것은?

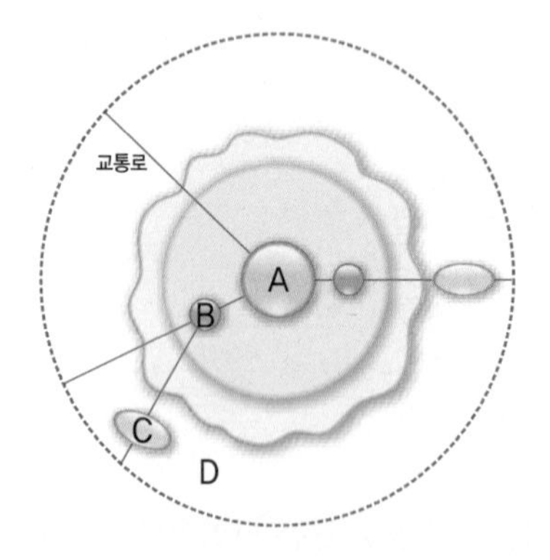

① A는 접근성이 높아 상주인구가 증가한다.
② C에는 최근에 신설된 초등학교가 많다.
③ D에서는 상품 작물의 시설 재배가 이루어진다.
④ A는 C보다 평균 지가가 비싸다.
⑤ B는 A의 상업·업무 기능을 분담하고 있다.

11 ㉠에 들어갈 내용으로 옳지 않은 것은?

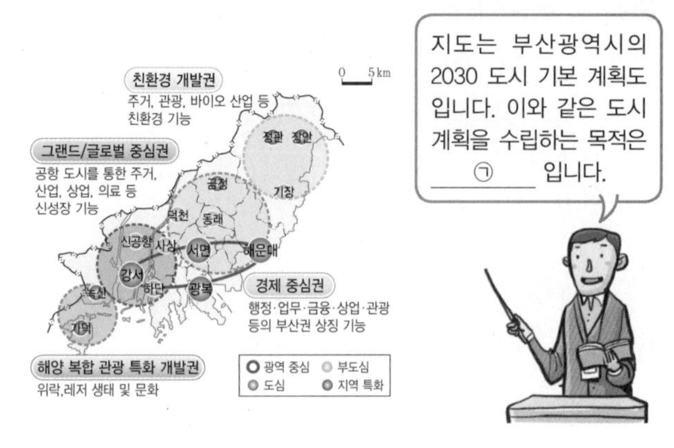

① 난개발을 방지하기 위해서
② 도시 경관을 정비하기 위해서
③ 도시 문제를 완화하기 위해서
④ 도시 환경을 획일화하기 위해서
⑤ 토지 이용의 효율성을 높이기 위해서

12 (가), (나) 도시 재개발의 상대적 특성을 그림으로 나타낼 때 A, B에 들어갈 항목으로 옳은 것은?

(가)	서울의 대표적인 달동네였던 □□ 지역은 1968년 철거민이 집단으로 이주하면서 형성된 마을이었다. 2001년부터 재개발 사업이 진행되어 낡은 집을 철거하고 대규모 고층 아파트가 조성되었다.
(나)	부산의 ◇◇ 문화 마을은 문화·예술 활동을 통해 마을의 역사성과 지역 특수성을 보전하는 개발 방식을 채택하였다. 최근 많은 방문객이 찾아오면서 성공적인 도시 재생의 사례가 되고 있다.

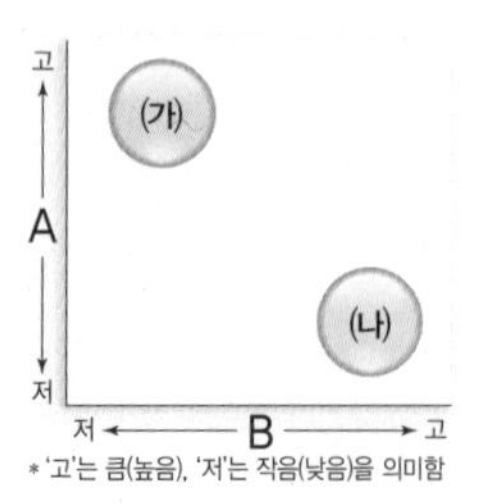

	A	B
①	원거주민 재정착률	기존 건물 활용도
②	지역 주민 참여도	상주인구 증가 폭
③	투입 자본의 규모	지역 주민 참여도
④	기존 건물 활용도	원거주민 재정착률
⑤	상주인구 증가 폭	투입 자본의 규모

13 다음 글을 통해 추론할 수 있는 내용으로 옳지 않은 것은?

> 대구광역시 중구는 대구역과 행정 기관이 있는 도심의 중앙부였으나, 신도심 개발이 진행되면서 점차 쇠퇴하였다. 이곳에는 많은 근대 역사 자원이 남아 있지만, 도심 공동화 현상이 심각해졌다. 이에 대구광역시는 도심에 역사, 장소, 거리, 건축물 등의 특성을 살려 '근대 역사 문화 벨트'를 조성함으로써 원도심을 활성화하는 사업을 진행하였다. 이곳에서는 일제 강점기 주민들의 항일 운동의 흔적을 느낄 수 있는 '근대 골목 관광'을 진행하여 역사적 의미를 알리고 있다.

① 원도심의 지역 상권이 쇠퇴되었을 것이다.
② 원도심은 신도심에 비해 생활 환경이 낙후되었을 것이다.
③ 주민들이 원도심을 떠나 신도심으로 많이 이주했을 것이다.
④ 역사·문화적 자원을 활용하여 관광 수익이 증가했을 것이다.
⑤ 원도심의 기반 시설을 대규모로 철거하여 건물이 고층화 되었을 것이다.

14 (가), (나) 지역 개발 방식에 대한 설명으로 옳은 것은?

> (가) 투자 효과가 크고 경제 활동의 기반이 잘 구축되어 있는 지역을 선정하고, 이곳에 이용 가능한 자본과 기술을 집중 투자하여 개발의 효과가 주변 지역으로 확산되도록 하는 개발 방식이다.
> (나) 지역 주민의 요구와 참여를 기초로 경제 활동 기반이 미약한 낙후 지역을 우선적으로 개발하여 주민 생활의 기본 수요를 충족시키며 다른 지역과의 격차를 줄여 지역 간 균형 발전을 추구하는 개발 방식이다.

① (가)는 제3차 국토 종합 개발 계획에서 채택되었다.
② (가) 방식을 시행하는 과정에서 지역 이기주의 문제가 자주 발생한다.
③ (나)는 재정 능력이 부족한 개발 도상국에서 주로 채택한다.
④ (가)는 상향식 개발, (나)는 하향식 개발 방식이다.
⑤ (가)는 (나)보다 한정된 자원의 효율적 배분에 유리하다.

15 (가), (나)는 지역 개발에 따른 비용과 수익 간의 관계를 나타낸 것이다. 이에 대한 옳은 설명을 〈보기〉에서 고른 것은?

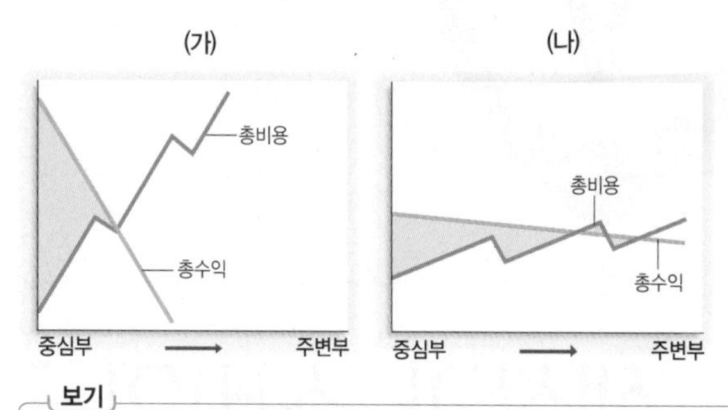

> **보기**
> ㄱ. (가)는 중심부에 집중 투자하여 파급 효과를 기대한다.
> ㄴ. (나)는 중심부와 주변부 간의 지역 격차를 완화한다.
> ㄷ. (가)는 선진국, (나)는 개발 도상국에서 주로 채택한다.
> ㄹ. 우리나라는 (나) 유형의 개발 방식에서 (가) 유형의 개발 방식으로 변화하고 있다.

① ㄱ, ㄴ　② ㄱ, ㄷ　③ ㄴ, ㄷ
④ ㄴ, ㄹ　⑤ ㄷ, ㄹ

16 그래프는 도시와 농촌의 인구 및 소득 변화를 나타낸 것이다. 이에 대한 설명으로 옳지 않은 것은?

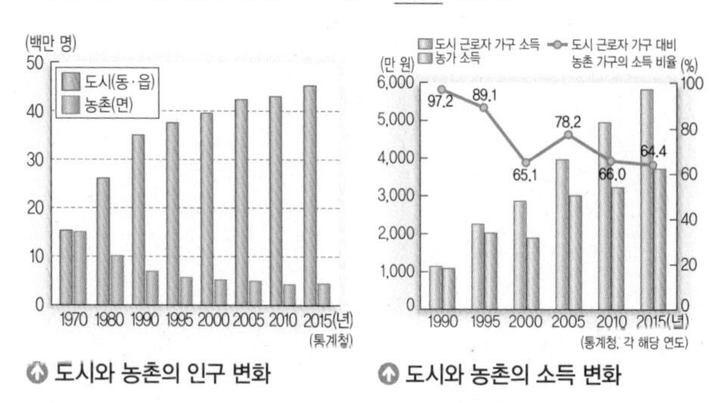

도시와 농촌의 인구 변화　도시와 농촌의 소득 변화

① 농촌 지역은 인구 유출에 따른 노동력 부족 문제가 발생하고 있다.
② 1990년보다 2015년에 도시와 농촌의 가구당 소득 격차가 확대되었다.
③ 1980년대 이후 이촌 향도 현상으로 도시와 농촌의 격차가 심화되었다.
④ 도시와 농촌 간 격차를 줄이기 위해서는 도시 지역의 거점 개발이 필요하다.
⑤ 1990~2015년에 농가 소득 증가보다 도시 근로자 가구의 소득 증가가 많았다.

생산과 소비의 공간

1 자원의 특성과 지속 가능한 이용 ······ 150

2 농업의 변화와 농촌 문제 ······ 160

3 공업의 발달과 지역 변화 ······ 166

4 서비스업의 변화와 교통·통신의 발달 ······ 176

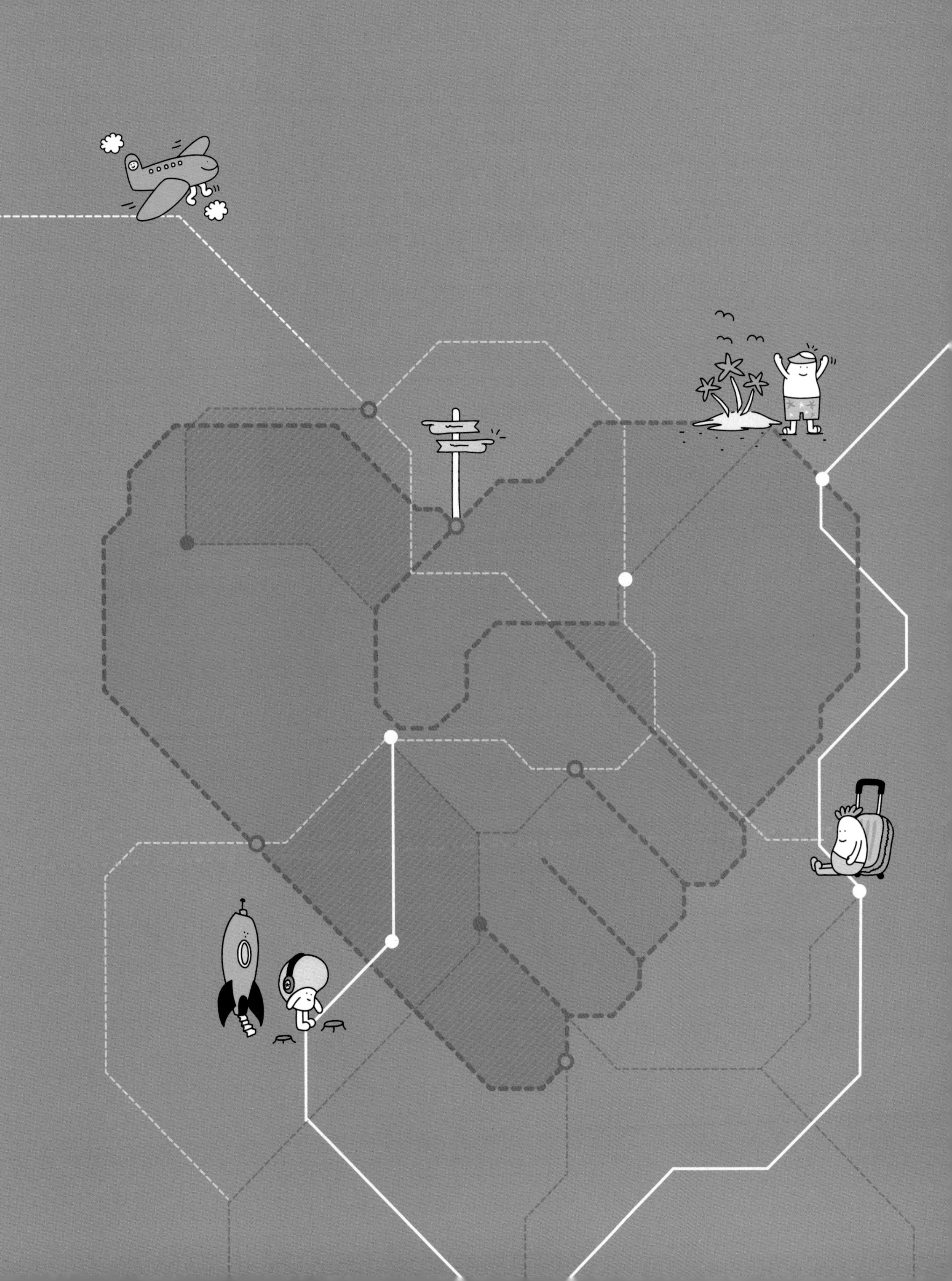

01 자원의 특성과 지속 가능한 이용

학습목표
- 우리나라 자원의 공간 분포와 생산 및 소비 특성을 파악할 수 있다.
- 자원의 생산 및 소비에 따른 문제를 파악하고, 지속 가능한 이용 방안을 제시할 수 있다.

이것이 핵심!

자원의 의미와 분류

자원	• 인간 생활에 유용하며 기술적·경제적으로 개발 가능한 것 • 가변성, 유한성, 편재성 지님
분류	• 의미에 따라: 좁은 의미의 자원과 넓은 의미의 자원으로 구분 • 재생 가능성에 따라: 재생 자원과 비재생 자원으로 구분

★ **자원 민족주의**
자원 보유국이 자원의 공급 및 가격 조정을 통해 자원을 전략 무기화하는 현상

1 자원의 특성과 분류

1. 자원의 의미와 특성

(1) **자원:** 자연에서 얻어 내어 인간이 유용하게 이용할 수 있으며, 기술적으로 개발할 수 있고 경제적으로도 이용 가치가 있는 것

(2) **자원의 특성** 자료 ①

검은 액체에 불과했던 석유가 오늘날에는 세계에서 가장 많이 소비되는 자원이 된 것은 자원의 가변성과 관련이 있어.

가변성	자원의 가치는 과학 기술의 발달 정도, 경제적 조건, 문화적 배경 등에 따라 달라짐
유한성	대부분의 자원은 매장량이 한정되어 있어 언젠가는 고갈될 수 있음
편재성	특정 자원은 지역적으로 고르게 분포하지 않고 일부 지역에 집중적으로 분포함 → *자원 민족주의로 이어져 국제적인 갈등 발생

석유는 전 세계 매장량의 절반 이상이 서남아시아와 북부 아프리카에 매장되어 있어.

2. 자원의 분류

(1) **의미에 따른 분류**

인간 생활과 경제 활동에 필요한 에너지를 얻을 수 있는 자원

좁은 의미의 자원	식량 자원, 광물 자원, 에너지 자원, 삼림 자원 등의 천연자원
넓은 의미의 자원	천연자원 + 문화적 자원(사회 제도, 조직, 전통 등) + 인적 자원(노동력, 기술, 창의력 등)

(2) **재생 가능성에 따른 분류** 자료 ②

재생 자원	지속적으로 공급·순환되는 자원 예 태양광(열), 풍력, 수력 등
비재생 자원	사용할수록 양이 점차 줄어들어 언젠가는 고갈되는 자원 예 석유, 석탄, 천연가스 등

장기적인 관점에서 석탄이나 석유도 계속해서 생성되고 있지만, 이러한 자원은 사용되는 속도가 보충되는 속도보다 빠르기 때문에 언젠가는 고갈돼.

이것이 핵심!

자원의 공간 분포와 이용

광물 자원의 이용	• 철광석: 철강 공업의 원료 • 석회석: 시멘트 공업의 원료 • 고령토: 도자기 공업의 원료
에너지 자원의 이용	• 석탄: 제철 공업 및 화력 발전의 원료 • 석유: 화학 공업 원료 및 수송용 연료 • 천연가스: 가정용, 발전용 연료
전력 자원의 입지	• 화력: 수도권, 공업 단지 • 원자력: 해안가 • 수력: 하천의 중·상류

2 자원의 공간 분포와 이용

1. 광물 자원의 분포와 이용

(1) **광물 자원:** 땅속에에서 채굴할 수 있는 경제적인 가치를 갖는 금속 광물 또는 비금속 광물

(2) **우리나라 광물 자원의 특징:** 한반도에는 다양한 종류의 자원이 매장되어 있음

왜? 오랜 지질 시대를 거쳐 형성되었기 때문이야.

① 철광석, 텅스텐 등의 금속 광물과 고령토, 석회석 등의 비금속 광물로 구분

② 금속 광물은 품위가 낮고 소규모로 매장되어 있음

③ 비금속 광물은 비교적 매장량이 풍부하고 개발하기 양호한 상태로 매장되어 있음

(3) **광물 자원의 분포와 이용** 자료 ③

철광석	• 분포: 대부분 북한 지역에 매장, 남한에는 강원도 양양, 홍천 등에 매장 • 특징: 제철 및 철강 공업의 원료로 이용, 매장량이 적어 오스트레일리아, 브라질 등지에서 수입
텅스텐	• 분포: 강원도 영월(상동) 등에 매장 • 특징: 특수강 및 합금용 원료로 이용, 매장량은 많지만 값싼 중국산이 수입되면서 생산 중단
석회석	• 분포: 고생대 조선 누층군이 분포하는 강원도 남부 및 충청북도 북부 지역 등 • 특징: 시멘트 공업의 원료로 이용, 매장량이 풍부한 편
고령토	• 분포: 강원도와 하동, 산청 등 경상남도 서부 지역 등 • 특징: 도자기 공업 및 종이, 화장품, 도료 등의 원료로 이용, 매장량이 풍부하고 품질도 좋은 편

완자 자료 탐구

자료 1 자원의 특성

> (가) 강원도 영월군의 상동 광산은 한때 우리나라 수출액의 70% 이상을 차지할 만큼 많은 텅스텐을 생산하였다. 그러나 값싼 중국산 텅스텐에 밀려 1980년대 중반부터 생산이 줄면서 결국 1994년에 폐광되었다. 그런데 최근 수요 급증에 따른 텅스텐 가격의 상승으로 2017년 10월부터 재생산에 들어갈 예정이다.
>
> (나) 영국은 2006년 유전 개발 기업에 관한 부가세율을 10%에서 20%로 인상하였고, 러시아는 2003년 석유 산업 국유화를 추진하였다. 또한, 에콰도르는 외국 기업의 석유나 천연가스 개발을 허용하지만, 소유권은 인정하지 않고 있다. 짐바브웨는 외국 기업에 관한 현지 자본의 비율을 51% 이상으로 의무화하였다.

(가)는 값싼 중국산 텅스텐에 밀려 가격 경쟁력을 잃고 폐광되었던 강원도 상동의 텅스텐 광산이 최근 텅스텐 가격의 상승으로 재개발될 예정이라는 내용으로, 자원의 가변성을 보여 준다. (나)는 자원의 유한성과 편재성의 영향으로 자원(석유, 천연가스) 보유국이 자국의 자원을 무기화하는 자원 민족주의가 나타나고 있음을 보여 준다.

자료 2 재생 가능성에 따른 자원의 분류

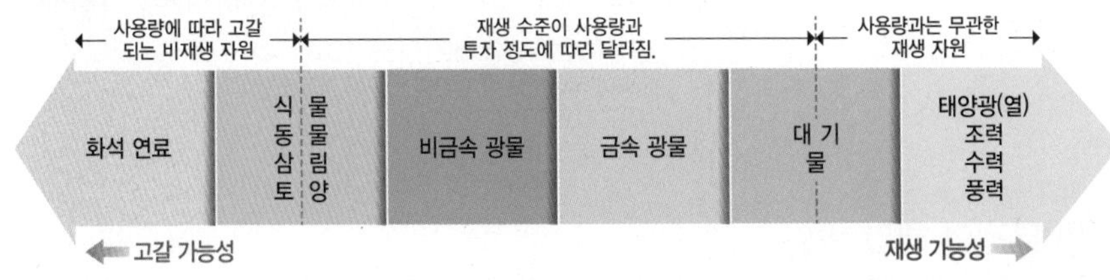

자원은 재생 가능성에 따라 재생 자원과 비재생 자원으로 구분할 수 있다. 재생 자원은 태양, 물, 바람처럼 지속적으로 이용할 수 있는 순환 자원을 말하며, 비재생 자원은 사용할수록 양이 점차 줄어들어 언젠가는 사라지는 고갈 자원을 말한다. 한편, 철, 구리 등의 금속 광물은 사용량과 재활용 수준에 따라 고갈 시기가 달라질 수 있다.

자료 3 광물 자원의 분포

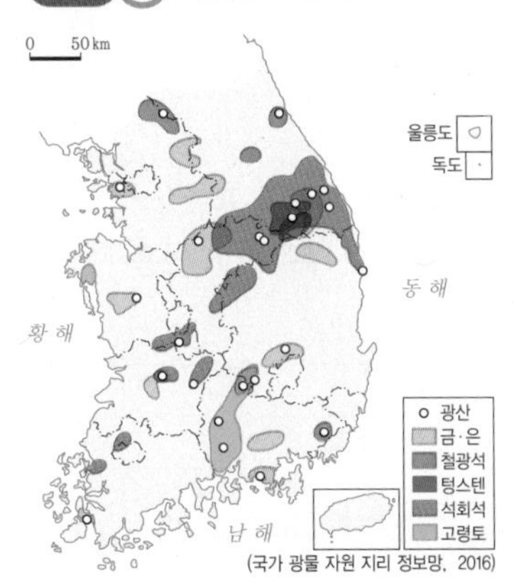

주요 광물 자원의 분포

한반도는 지질 구조가 복잡하기 때문에 다양한 종류의 광물 자원이 분포하지만 매장량은 적은 편이다. 대부분의 광물 자원은 북한 지역에 분포하며, 남한은 석회석, 고령토 등 비금속 광물의 매장량은 비교적 풍부하지만 금속 광물의 매장량은 적다. 따라서 각종 산업에 필요한 금속 광물은 대부분 수입에 의존하고 있다.

내 옆의 선생님

자료 하나 더 알고 가자!

자원의 분류

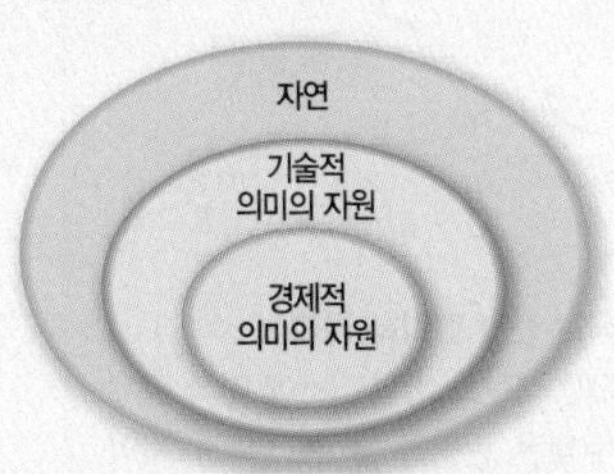

자연물 중에서 기술적으로 개발하여 사용할 수 있는 자원을 기술적 의미의 자원이라고 하고, 그중 경제성이 있어 상업적으로 널리 이용되고 있는 자원을 경제적 의미의 자원이라고 한다.

자료 하나 더 알고 가자!

우리나라 주요 자원의 가채 연수

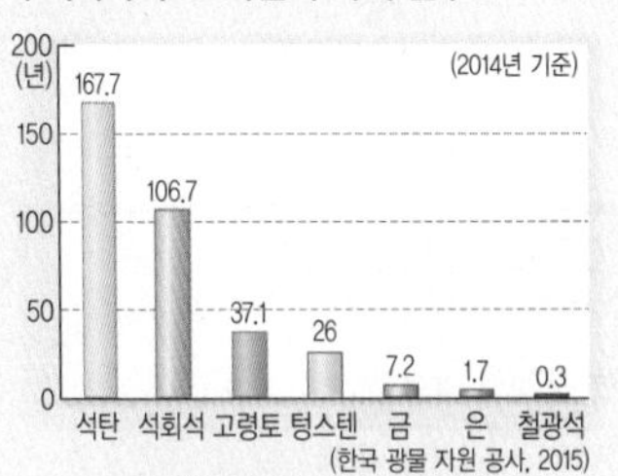

가채 연수는 현재와 같은 수준으로 자원을 생산했을 때 앞으로 몇 년이나 더 사용할 수 있는가를 나타낸 지표이다.

문제로 확인할까?

고생대 조선 누층군 지역에 주로 매장되어 있으며 시멘트 공업의 원료로 이용되는 광물 자원은?

① 구리 ② 고령토 ③ 석회석
④ 철광석 ⑤ 텅스텐

답 ③

01 자원의 특성과 지속 가능한 이용

★ 국내 석탄 생산량과 수입량 변화

(한국 지질 자원 연구원, 2016)

★ 석탄 산업 합리화 정책

1989년 석탄 소비의 감소에 따라 경제성이 낮은 탄광을 줄이고, 폐광 지역을 새롭게 개발하기 위해 실시한 정책

★ 발전 방식별 비교

발전량	화력 〉 원자력 〉 수력
발전 설비 용량	화력 〉 원자력 〉 수력
발전소의 수	화력 〉 수력 〉 원자력
원료의 해외 의존율	원자력 〉 화력 〉 수력

2. 에너지 자원의 분포와 이용 

우리나라는 산업 발달 이전에는 신탄(숯과 땔나무)의 소비 비중이 높았으나, 산업 발달 이후 석탄과 석유의 소비 비중이 증가하였어.

*석탄	무연탄	• 분포: 고생대 평안 누층군 일대, 강원도 남부 일대, 충청북도 단양, 경상북도 문경 등에 매장 • 이용: 1960년대부터 가정용 난방 연료로 이용 → 석유와 천연가스 소비 증가로 무연탄 소비 감소, 정부의 *석탄 산업 합리화 정책으로 대부분의 광산이 폐광되어 현재 생산량이 급감
	역청탄	제철 공업 및 화력 발전 원료로 이용, 국내에서 생산되지 않아 오스트레일리아, 인도네시아 등에서 전량 수입
석유		• 분포: 국내에서는 거의 생산되지 않아 수요량의 대부분을 서남아시아 등지에서 수입 • 이용: 화학 공업의 원료 및 수송용 연료로 이용, 우리나라에서 가장 많이 소비되는 에너지 자원
천연가스		• 분포: 울산 앞바다의 가스전에서 소량 생산됨, 동남아시아 및 서남아시아에서 대부분 수입 • 이용: 가정용 및 발전용 연료로 이용, 비교적 대기 오염 물질 배출이 적어 소비량이 증가함

왜? 석유는 신생대 제3기 배사 구조 지층에 주로 분포하는데 우리나라는 이러한 지층의 발달이 미약해.

3. *전력 자원의 분포와 특성 자료④

석탄, 석유, 천연가스 등 1차 에너지원을 변환시킨 2차 에너지원이야.

구분	화력 발전	원자력 발전	수력 발전
분포	발전소 입지 제약이 적음 → 전력 수요가 많은 수도권, 충청남도 서해안, 남동 임해 지역 등	지반이 단단하고 냉각수 확보가 쉬운 해안가에 입지 → 경상북도 울진과 경주, 전라남도 영광 등	유량이 풍부하고 낙차가 큰 곳 → 한강, 낙동강, 금강 등의 대하천 중·상류 지역
장점	발전소 건설 비용이 적게 들고 건설 기간이 짧음	적은 양의 연료(우라늄)로 대용량의 전력 생산이 가능해 발전 단가가 저렴한 편	연료비가 들지 않고, 발전 과정에서 대기 오염 물질 및 온실 기체 배출이 거의 없음
단점	화석 연료를 사용하여 연료비가 많이 들고 대기 오염 물질 배출량이 많음	발전소 건설 비용이 비쌈, 방사능 유출의 위험과 방사성 폐기물 처리 문제 발생	댐 건설비와 송전비가 비쌈, 계절별 하천 유량의 변동이 커 안정적인 전력 생산이 어려움

우리나라는 유량의 계절적 변동이 크고, 낙차가 큰 지형이 적어서 수력 발전의 비중이 작은 편이야.

이것이 핵심!

자원 문제와 해결 방안

자원 문제
해외 자원의 수입 비중 증가, 자원 고갈 및 환경 오염 문제 발생

해결 방안
자원 절약 및 재활용 확대, 에너지 절약형 산업 육성, 자원 수입처의 다변화와 해외 자원 개발 노력 등

★ 신·재생 에너지

기존 화석 연료를 변환하여 사용하는 신 에너지와 햇빛·물·지열 등을 이용해 에너지를 얻는 재생 에너지를 말한다.

3 자원 문제와 해결 방안

1. 자원 문제와 대책

우리나라는 대부분의 화석 연료를 해외에서 수입하고 있고, 에너지 소비가 많은 산업의 비중이 높아 자원의 국제 가격 변동에 민감한 편이야.

(1) **자원 개발과 이용에 따른 문제**: 산업의 발달 및 생활 수준의 향상으로 자원 소비량 급증 → 해외 자원의 수입 비중 증가, 자원 고갈 및 환경 오염 문제 발생

(2) **안정적인 자원 확보를 위한 노력**

① 효율적인 자원 이용: 자원 절약 및 재활용 확대, 에너지 절약형 산업 육성 등

② 안정적인 자원 확보: 자원 수입처의 다변화와 해외 자원 개발 노력 등

2. *신·재생 에너지 자료⑤

(1) **특징**

발전 시 지형이나 기후 조건의 영향을 많이 받아. 예를 들어 강수량이 적고 일사량이 풍부한 지역에서만 태양광 발전을 할 수 있어.

① 단점: 자연적 제약이 큼, 초기 투자 비용이 비싸고 화석 연료보다 경제적 효율성이 낮음

② 장점: 화석 연료 고갈 및 환경 오염 문제 해결에 도움을 줄 수 있어 주목받고 있음

(2) **분포**

태양광 발전	일조량이 풍부한 곳에서 유리 예 전라남도 등
풍력 발전	바람이 많이 부는 해안이나 산지 지역에서 유리 예 제주도, 대관령 일대
조력 발전	조석 간만의 차가 큰 지역에서 유리 예 시화호 조력 발전소
조류 발전	바닷물의 흐름이 빠른 지역에서 유리 예 울돌목 조류 발전소

내 옆의 선생님

수능이 보이는 교과서 자료 우리나라의 에너지 자원

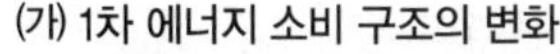

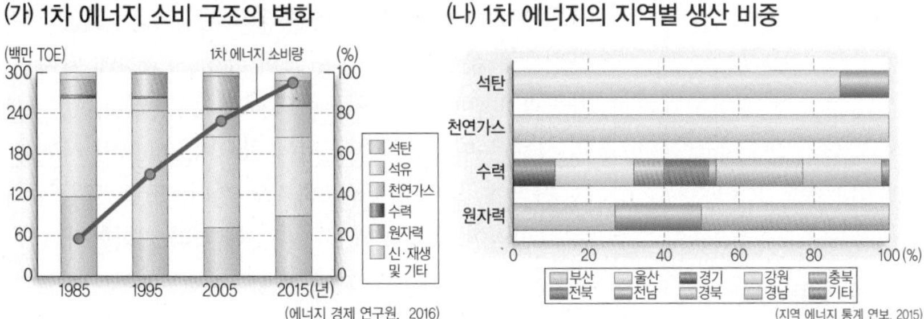

1970년대 이후 중화학 공업의 발달과 교통수단의 증가에 따라 석유의 소비 비중이 크게 증가하였다. 1980년대에는 원자력, 1990년대에는 천연가스의 소비 비중이 증가하였다. 우리나라는 지역별로 1차 에너지 생산 비중의 차이가 크다.

우리나라 1차 에너지별 발전량은 석탄 〉 원자력 〉 천연가스 〉 석유 순이야.

완자샘의 탐구 강의

- (가)를 참고하여 오늘날 에너지 소비 비중이 가장 높은 자원을 써 보자.

석유

- (나)를 통해 알 수 있는 지역별 1차 에너지 생산 특징을 설명해 보자.

석탄은 대부분 강원도에서, 천연가스는 울산에서 생산되고 있다. 수력은 비교적 전국적으로 고르게 생산되고 있으며, 원자력은 경북(울진, 경주), 부산, 전남(영광)에서 생산되고 있다.

함께 보기 158쪽, 1등급 정복하기 2

자료 4 전력 자원의 분포와 특성

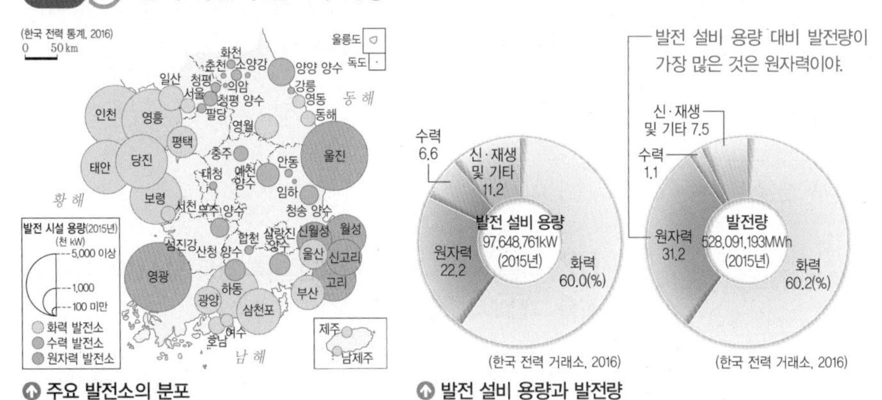

▲ 주요 발전소의 분포 ▲ 발전 설비 용량과 발전량

화력 발전소는 수도권과 남동 임해 지역에 집중되어 있으며, 원자력 발전소는 냉각수 확보에 유리한 해안가에 분포한다. 수력 발전소는 내륙 지역에 주로 분포한다. 발전 설비 용량과 발전량이 가장 많은 것은 화력이다.

정리 비법을 알려줄게!

1차 에너지 자원별 최종 소비 특성

석유		수송용, 공업용, 발전용
석탄	무연탄	가정용, 발전용
	역청탄	발전용, 제철 공업용
천연가스		가정용, 발전용
원자력		발전용
수력		발전용

자료 5 신·재생 에너지의 이용

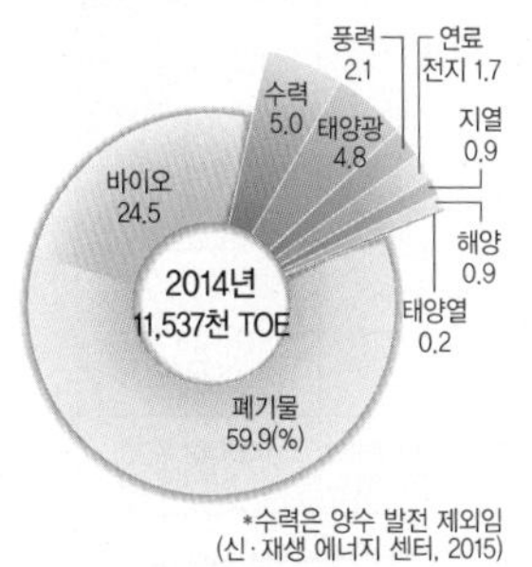

▲ 신·재생 에너지의 생산 비중

▲ 신·재생 에너지의 분포

우리나라의 신·재생 에너지는 폐기물 에너지, 바이오 에너지 순으로 생산 비중이 높다. 풍력 발전은 바람이 많이 부는 산지나 해안가에서, 태양광 발전은 일조량이 풍부한 호남 지방에서 많이 이루어진다.

자료 하나 더 알고 가자!

신·재생 에너지의 종류

신 에너지	연료 전지, 석탄 액화 가스, 수소 에너지 등
재생 에너지	태양열, 태양광, 풍력, 수력, 지열, 해양 에너지, 폐기물 에너지, 바이오 에너지 등

STEP 1 핵심 개념 확인하기

정답친해 49쪽

1 ㉠, ㉡에 들어갈 내용을 각각 쓰시오.

> (㉠)이란 자연에서 얻어 내어 인간이 유용하게 이용할 수 있으며, 기술적으로 개발할 수 있고 (㉡)으로도 이용 가치가 있는 것을 말한다.

2 자원의 특성과 그 설명을 옳게 연결하시오.

(1) 가변성 • • ㉠ 자원이 일부 지역에 집중적으로 분포함

(2) 유한성 • • ㉡ 대부분의 자원은 매장량이 한정되어 있음

(3) 편재성 • • ㉢ 자원의 가치는 과학 기술의 발달 정도 등에 따라 달라짐

3 다음에서 설명하는 광물 자원을 〈보기〉에서 골라 기호를 쓰시오.

> **보기**
> ㄱ. 고령토 ㄴ. 석회석 ㄷ. 철광석

(1) 시멘트 공업의 원료로 이용되며 강원도 남부 및 충청북도 북부 지역 등에 분포한다. ( )

(2) 제철 및 철강 공업의 원료로 이용되는 광물 자원으로 대부분 북한 지역에 매장되어 있다. ( )

(3) 도자기 공업 및 종이, 화장품, 도료 등의 원료로 이용되며, 매장량이 풍부하고 품질이 좋은 편이다. ( )

4 다음 괄호 안의 내용 중 알맞은 말에 ○표를 하시오.

(1) 1990년대 이후 소비가 증가하고 있는 (석탄, 천연가스)은/는 대기 오염 물질을 비교적 적게 배출한다.

(2) 오늘날 우리나라에서 가장 많이 소비하는 에너지 자원은 (석유, 석탄)(으)로, 수요량의 대부분을 해외에서 수입한다.

5 다음 설명이 맞으면 ○표, 틀리면 ×표를 하시오.

(1) 우리나라 전력 자원의 발전 설비 용량과 발전량 비중은 화력, 원자력, 수력 순이다. ( )

(2) 신·재생 에너지는 화석 연료보다 경제적 효율성이 낮지만 환경 오염 문제 해결에 도움을 줄 수 있다. ( )

STEP 2 내신 만점 공략하기

01 ㉠~㉤에 대한 설명으로 옳지 않은 것은?

> 자원은 의미에 따라 ㉠ 좁은 의미의 자원과 넓은 의미의 자원으로 분류할 수 있다. 또한 재생 가능성에 따라 재생 자원과 ㉡ 비재생 자원으로도 구분할 수 있다. ㉢ 대부분의 자원은 매장량이 한정되어 있으며, ㉣ 어떤 자원은 특정 지역에 집중하여 분포하기도 한다. 또한 자원의 가치는 고정되어 있지 않고 (㉤)에 따라 변화한다.

① ㉠은 기술, 노동력, 사회 제도 등을 포함한다.
② ㉡은 사용할수록 양이 점차 줄어들어 언젠가는 고갈되는 자원이다.
③ ㉢은 자원의 특성 중 유한성에 해당한다.
④ ㉣은 전 세계 매장량의 절반 이상이 서남아시아와 북부 아프리카에 매장되어 있는 석유를 사례로 들 수 있다.
⑤ ㉤에는 '과학 기술의 발달 정도, 경제적 조건, 문화적 배경' 등이 들어갈 수 있다.

02 다음 글에 나타난 1994년 이후 상동 텅스텐의 가치 변화를 그림에서 고른 것은?

> 강원도 영월군의 상동 광산은 한때 우리나라 수출액의 70% 이상을 차지할 만큼 많은 텅스텐을 생산하였다. 그러나 값싼 중국산 텅스텐에 밀려 1980년대 중반부터 생산이 줄면서 결국 1994년에 폐광되었다. 그런데 최근 수요 급증에 따른 텅스텐 가격의 상승으로 2017년 10월부터 재생산에 들어갈 예정이다.

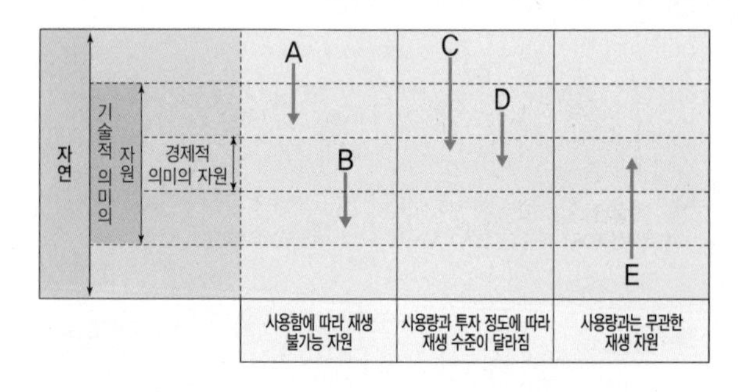

① A ② B ③ C ④ D ⑤ E

03 그림은 자원의 범위를 나타낸 것이다. A, B에 대한 설명으로 옳은 것은?

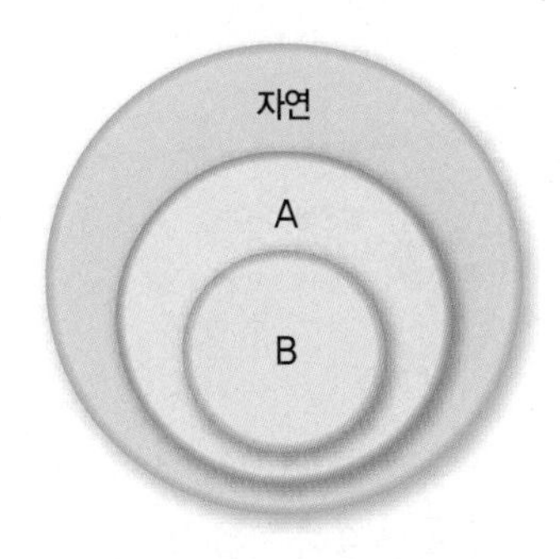

① A의 사례로 오늘날 가장 많이 소비되는 석유가 해당한다.
② B는 경제성이 있어 일상생활에서 사용되는 자원이다.
③ A는 B에 비하여 고갈되는 속성이 더 강하다.
④ A에서 B로 넘어온 자원은 다시 A로 넘어가지 않는다.
⑤ A와 B의 범위는 고정되어 있으며 어떠한 요인에 의해서도 변하지 않는다.

04 그래프는 재생 가능성에 따른 자원의 분류를 나타낸 것이다. A~C에 대한 설명으로 옳지 않은 것은?

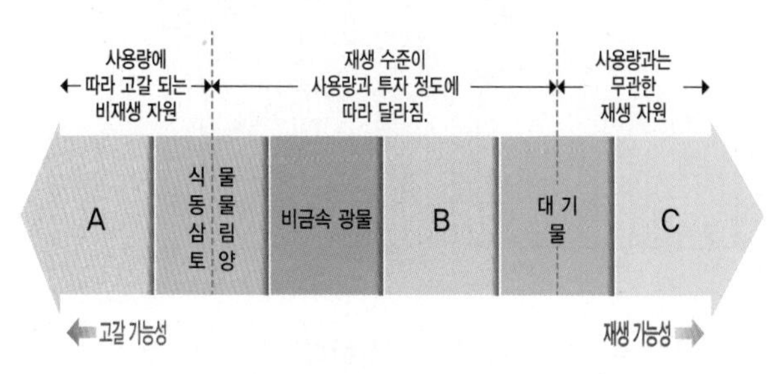

① 화석 연료는 A에 해당한다.
② A는 자연적으로 생성되지 않는 자원이다.
③ B는 사용량과 재활용 수준에 따라 고갈 시기가 달라질 수 있다.
④ C는 사용량보다 보충량이 많아서 인간이 이용하더라도 고갈되지 않는다.
⑤ C는 A보다 청정 에너지원으로 분류한다.

05 (가), (나)는 우리나라에서 생산되는 광물 자원의 분포를 나타낸 것이다. 이에 대한 옳은 설명을 〈보기〉에서 고른 것은?

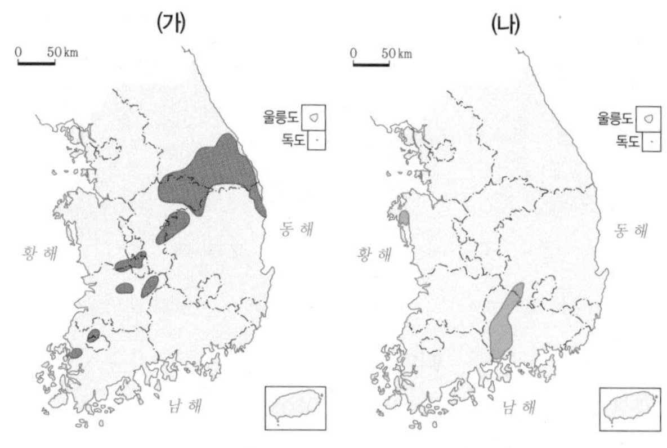

보기
ㄱ. (가)는 고생대 평안 누층군에 매장되어 있다.
ㄴ. (가)는 시멘트 공업의 원료로 이용되며, 매장량이 풍부하다.
ㄷ. (나)는 종이, 화장품, 도자기 공업의 원료로 사용된다.
ㄹ. (가)는 (나)보다 가채 연수가 짧다.

① ㄱ, ㄴ ② ㄱ, ㄷ ③ ㄴ, ㄷ
④ ㄴ, ㄹ ⑤ ㄷ, ㄹ

중요
06 그래프는 우리나라 1차 에너지원별 소비 구조의 변화를 나타낸 것이다. A~E에 대한 설명으로 옳지 않은 것은? (단, A~E는 석탄, 석유, 수력, 원자력, 천연가스 중 하나이다.)

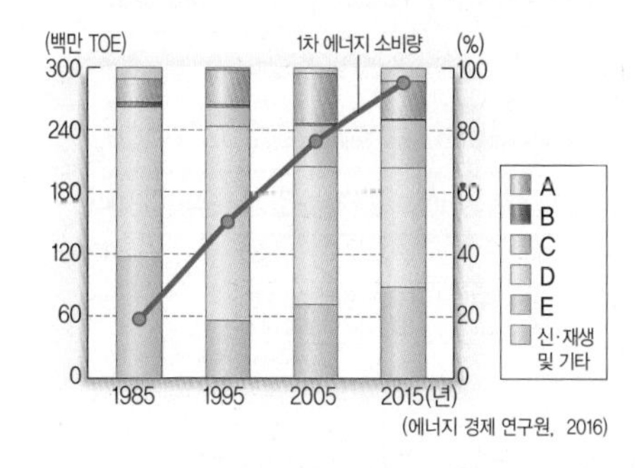

(에너지 경제 연구원, 2016)

① A는 현재 소비 비중이 가장 높은 에너지 자원이다.
② B는 발전 과정에서 대기 오염 물질의 배출이 적은 청정 에너지 자원이다.
③ C는 울산 앞바다에서 소량 생산되고 있다.
④ D는 1970년대 이후 소비량이 지속적으로 증가하였다.
⑤ E는 1989년 산업 합리화 정책으로 우리나라에서 생산량이 급격히 감소하였다.

07 그래프는 우리나라 주요 에너지 자원의 수입 현황을 나타낸 것이다. (가)~(다)에 해당하는 자원을 옳게 연결한 것은?

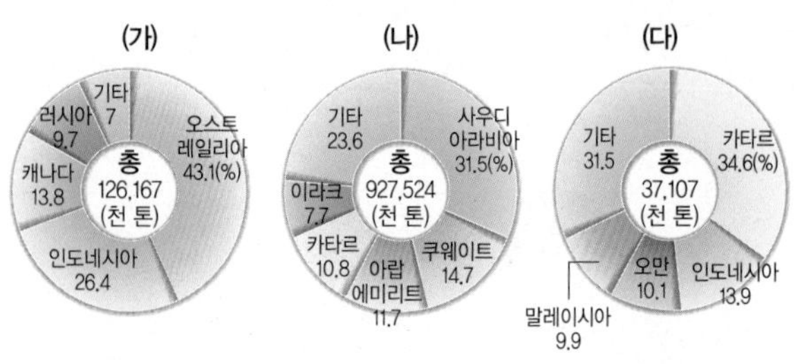

(대한 석탄 협회, 2015) (에너지 경제 연구원, 2015) (에너지 경제 연구원, 2015)

	(가)	(나)	(다)
①	석유	석탄	천연가스
②	석유	천연가스	석탄
③	석탄	석유	천연가스
④	석탄	천연가스	석유
⑤	천연가스	석탄	석유

중요

08 그래프는 1차 에너지의 지역별 생산 비중을 나타낸 것이다. A~D에 대한 옳은 설명만을 〈보기〉에서 있는 대로 고른 것은? (단, A~D는 석탄, 수력, 원자력, 천연가스 중 하나이다.)

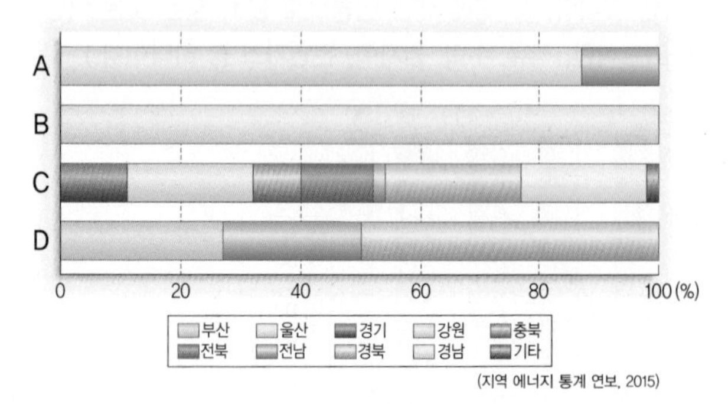

(지역 에너지 통계 연보, 2015)

보기

ㄱ. A는 고생대 평안 누층군에 주로 매장되어 있다.
ㄴ. B는 비교적 대기 오염 물질 배출량이 적어 최근 소비량이 증가하고 있다.
ㄷ. C는 주로 수송용 연료로 이용된다.
ㄹ. D 발전소는 지반이 단단한 해안가에 주로 입지한다.

① ㄱ, ㄴ ② ㄴ, ㄷ ③ ㄷ, ㄹ
④ ㄱ, ㄴ, ㄷ ⑤ ㄱ, ㄴ, ㄹ

09 그래프는 우리나라의 발전 설비 용량과 발전량 비중을 나타낸 것이다. A~C 발전 양식에 대한 설명으로 옳은 것은?

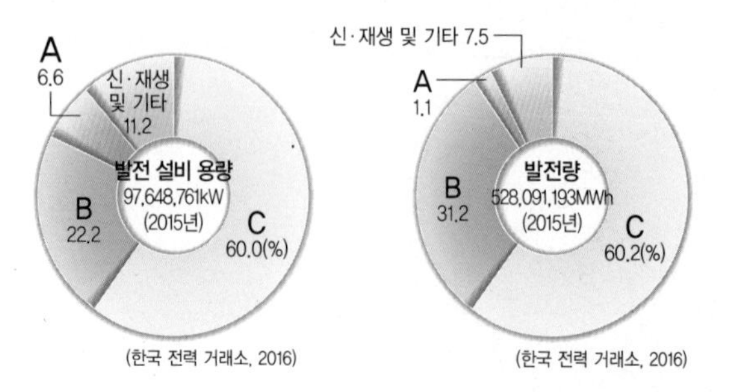

(한국 전력 거래소, 2016) (한국 전력 거래소, 2016)

① A는 발전 설비 용량 대비 발전량 효율이 가장 높다.
② A 발전소는 지반이 견고하고 냉각수 확보가 쉬운 해안가에 입지한다.
③ B는 소량의 연료로 대용량 발전이 가능하다.
④ B 발전에 사용되는 연료는 국내에서 생산된다.
⑤ C 발전소는 유량이 풍부하고 낙차가 큰 곳에 입지한다.

10 그래프는 우리나라의 주요 에너지 자원 수입량과 수입 의존도를 나타낸 것이다. 이러한 문제를 해결하기 위한 방안으로 적절하지 않은 것은?

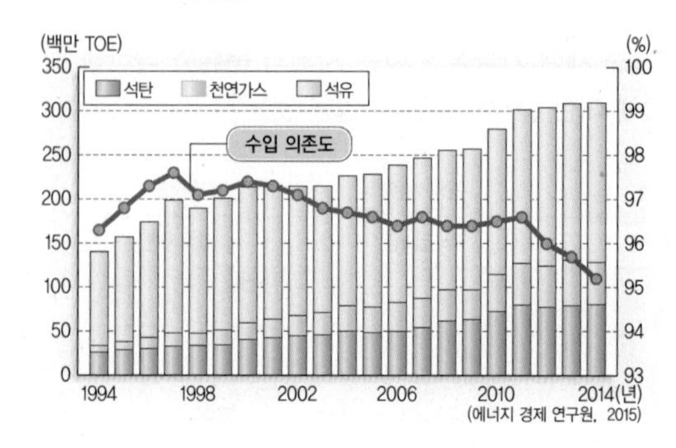

(에너지 경제 연구원, 2015)

① 자원 민족주의의 강화를 주장한다.
② 해외로 진출하여 자원의 자주 개발률을 높인다.
③ 첨단 산업과 같은 에너지 절약형 산업을 지속적으로 육성해야 한다.
④ 자원 보유국과의 활발한 외교 활동을 통해 자원 수입처를 다변화한다.
⑤ 화석 연료를 대체할 수 있는 다양한 신·재생 에너지를 개발하고 이용 분야를 확대한다.

11 중요 **지도는 우리나라의 신·재생 에너지 발전소 분포를 나타낸 것이다. A~D에 대한 설명으로 옳은 것은?**

① A는 바람이 많이 부는 해안 지역이나 산간 지역에서 유리하다.
② B는 바닷물의 흐름이 빠른 지역에서 유리하다.
③ C는 일조량이 풍부한 지역에서 유리하다.
④ D는 조석 간만의 차가 큰 지역에서 유리하다.
⑤ B와 C는 기후 조건의 영향을 많이 받는다.

12 **그래프는 1차 에너지 대비 신·재생 에너지의 생산량 변화를 나타낸 것이다. 이에 대한 분석 및 설명으로 옳은 것만을 〈보기〉에서 있는 대로 고른 것은?**

보기

ㄱ. 총1차 에너지 생산량은 해마다 증가하고 있다.
ㄴ. 2014년 총1차 에너지 생산량은 신·재생 에너지 생산량의 10배가 넘는다.
ㄷ. 총1차 에너지 대비 신·재생 에너지가 차지하는 비중은 지속적으로 증가하고 있다.
ㄹ. 2004년 대비 2014년 총1차 에너지 생산량 증가율은 같은 기간 신·재생 에너지 생산량 증가율보다 높다.

① ㄱ, ㄴ ② ㄴ, ㄷ ③ ㄷ, ㄹ
④ ㄱ, ㄴ, ㄷ ⑤ ㄱ, ㄴ, ㄹ

서술형 문제

● 정답친해 51쪽

01 **그래프는 우리나라의 석탄 생산량과 수입량 변화를 나타낸 것이다. 이를 보고 물음에 답하시오.**

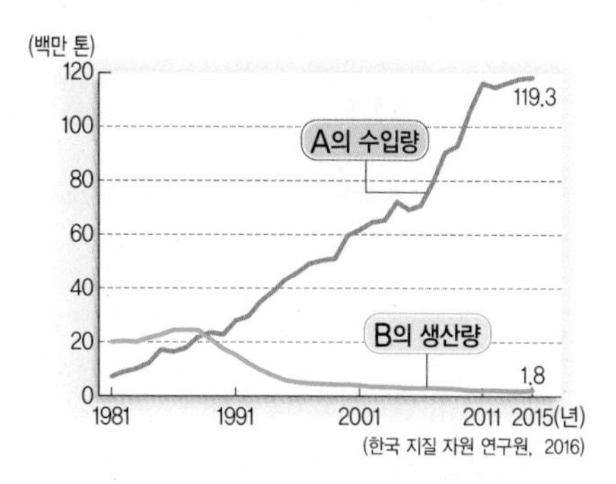

(1) A, B에 해당하는 석탄의 종류를 각각 쓰시오.

(2) 1980년대 후반 B의 생산량이 감소한 이유를 서술하시오.

02 **지도에 표시된 지역에서 유리한 전력 발전 방식을 쓰고, 입지 조건을 서술하시오.**

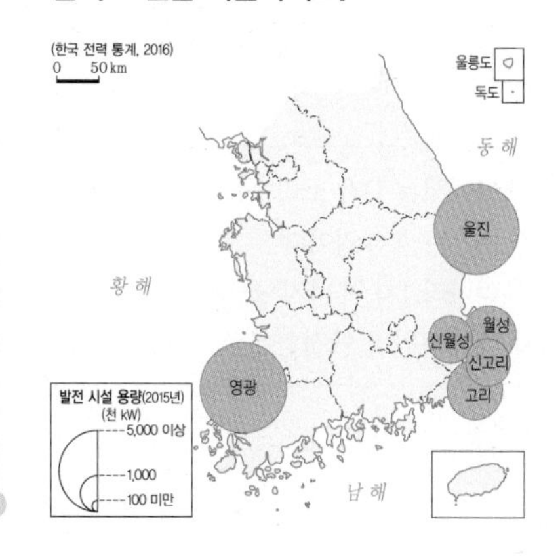

STEP 3 1등급 정복하기

1 그래프의 (가)~(다) 광물 자원에 대한 설명으로 옳지 않은 것은? (단, (가)~(다)는 고령토, 석회석, 철광석 중 하나이다.)

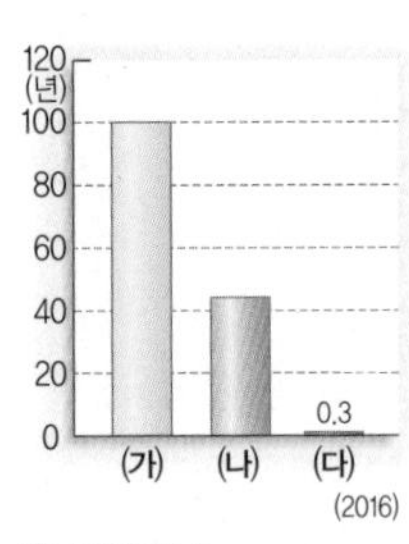

가채 연수

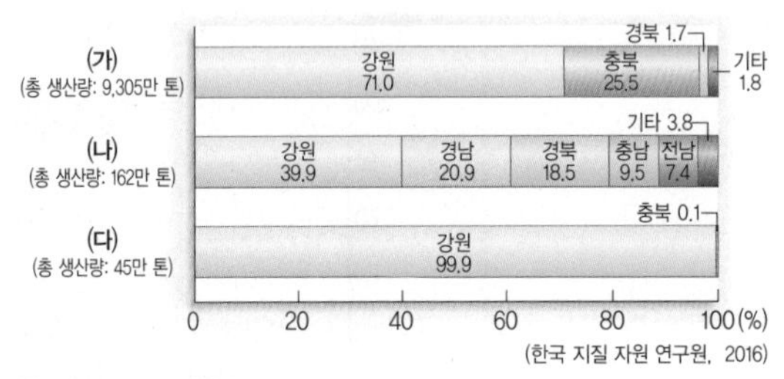

지역별 생산 현황

① (가)는 대부분 시멘트 공업의 원료로 이용된다.
② (나)는 주로 도자기 및 내화 벽돌의 원료로 이용된다.
③ (다)는 주로 제철 및 철강 공업에 이용된다.
④ (가)는 (다)보다 자원의 수입 의존도가 높다.
⑤ (나)는 (가)보다 국내 생산량이 적다.

> 광물 자원의 특성

완자 사전

• **내화 벽돌**
점토를 구워 압축한 단단한 블록 중 고온에도 변형되지 않고 견디는 벽돌

수능 응용

2 그래프는 권역별 1차 에너지 공급 구조를 나타낸 것이다. 이에 대한 옳은 설명만을 〈보기〉에서 있는 대로 고른 것은? (단, (가)~(라)는 수도권, 영남권, 충청권, 호남권 중 하나이다.)

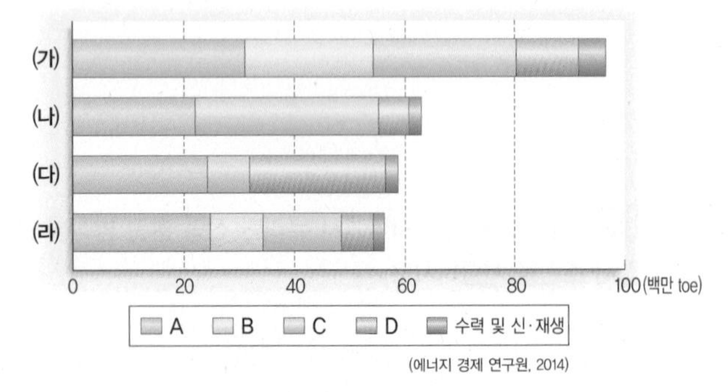

보기

ㄱ. (가)의 주변 해역에서는 D가 소량 생산되고 있다.
ㄴ. (다)는 수도권, (라)는 호남권이다.
ㄷ. A는 C보다 우리나라 1차 에너지 공급에서 차지하는 비중이 높다.
ㄹ. 우리나라 1차 에너지원별 발전량은 A > B > C > D 순이다.

① ㄱ, ㄴ ② ㄴ, ㄷ ③ ㄷ, ㄹ
④ ㄱ, ㄴ, ㄷ ⑤ ㄴ, ㄷ, ㄹ

> 권역별 1차 에너지 공급 구조

완자샘의 시험 꿀팁

우리나라에서 생산되는 1차 에너지 자원을 파악하고, 어느 지역에서 주로 공급되고 있는지 정리해야 한다.

3 그래프는 1차 에너지 자원의 공급 및 소비 과정을 나타낸 것이다. A~C에 대한 옳은 설명을 〈보기〉에서 고른 것은?

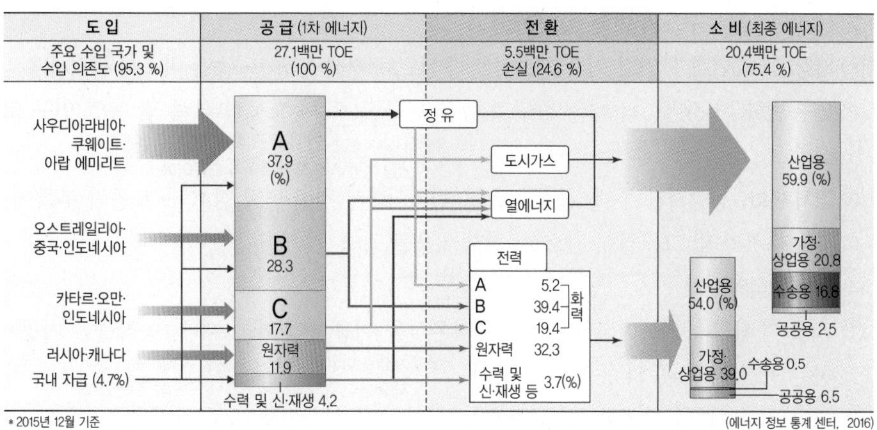

＊2015년 12월 기준 (에너지 정보 통계 센터, 2016)

보기

ㄱ. A는 정유, 전력 등으로 전환되어 최종 에너지로 소비된다.
ㄴ. B는 1차 에너지에서 차지하는 비중보다 전력에서 차지하는 비중이 낮다.
ㄷ. C는 원자력보다 해외 의존도가 낮으며, 다양한 에너지원으로 활용된다.
ㄹ. 발전량 비중은 원자력이 A, B, C를 합친 것보다 크다.

① ㄱ, ㄴ ② ㄱ, ㄷ ③ ㄴ, ㄷ
④ ㄴ, ㄹ ⑤ ㄷ, ㄹ

> 에너지 자원의 공급 및 소비 특성

교육청 응용

4 표는 우리나라 주요 신·재생 에너지 생산 비중 상위 3개 지역을 나타낸 것이다. (가)~(다)에 대한 설명으로 옳은 것은? (단, (가)~(다)는 수력, 풍력, 태양광 중 하나이다.)

(2014년, %)

구분	1위		2위		3위	
	지역	비중	지역	비중	지역	비중
(가)	강원도	22.2	충청북도	21.5	경기도	19.2
(나)	강원도	34.5	경상북도	25.5	제주도	21.6
(다)	전라남도	25.9	전라북도	17.4	경상북도	11.4

① (가)의 계절별 발전량은 여름이 봄보다 많다.
② (나)는 발전 가능 시간이 규칙적이다.
③ (다)는 낮과 밤의 발전량 차이가 거의 없다.
④ (나)는 (다)보다 주택에서의 설치 비율이 높다.
⑤ (가)~(다) 중 발전량이 가장 많은 것은 (다)이다.

> 신·재생 에너지의 특성

완자샘의 시험 꿀팁

지역별 생산량 비중을 통해 신·재생 에너지를 파악하는 문제가 출제된다. 주요 신·재생 에너지의 입지와 특징을 정리해야 한다.

02 농업의 변화와 농촌 문제

학습목표
- 농업 구조 변화의 원인 및 특징을 설명할 수 있다.
- 우리나라 농촌의 문제를 파악하고, 이에 대한 해결 방안을 제시할 수 있다.

1 농업의 변화

이것이 핵심!

농업 구조의 변화

산업화 영향	• 농업 비중 감소 → 농가 인구 감소, 경지 면적 감소 • 시설 재배의 증가 • 상업적 농업 중심으로 변화
세계화 영향	자유 무역 협정(FTA) 체결 → 농산물 시장 개방 → 식량 작물의 해외 의존도 상승 → 식량 안보 위협

1. 산업화와 농업 구조의 변화 교과서 자료

(1) **배경**: 1960년대 산업화 이후 제조업을 중심으로 경제 성장 → 농업 비중이 급격하게 감소

(2) **인구 변화**: 청장년층의 이촌 향도로 농촌 인구 감소 → 노동력 부족 및 농업 인구 고령화 심화

└ 왜? 도시와 농촌 간 소득 격차가 커지고, 농촌의 생활 기반 시설이 부족하기 때문이야.

(3) **경지 변화**: 농경지가 주택, 공장 등으로 전환되면서 경지 면적 감소 → 노동력 부족에 따른 휴경지 증가 및 그루갈이 감소로 *경지 이용률 감소

└ 그루갈이: 일 년에 같은 땅에서 서로 다른 작물을 두 번 농사짓는 일

(4) **영농 방식의 변화**

① 시설 재배의 증가: 비닐하우스나 유리온실을 이용하여 작물 재배, 농작물을 가공·보관하는 공장, 창고 등의 농업 시설 증가

└ 계절별로 다양한 채소와 화훼를 재배하기 때문에 토지 이용이 집약적이며 농업 소득도 높은 편이야.

② 영농의 다각화와 상업화: 소득 증가 및 생활 수준 향상으로 곡물 소비 감소, 채소와 과일, *축산물의 수요 증가 → 자급적 농업에서 상업적 농업 중심으로 변화 자료 ①

③ 영농의 기계화: 농촌의 노동력 부족 문제 해결 및 노동 생산성 향상

④ 영농의 기업화: 영농 규모가 확대되면서 영농 조합, 농업 회사 법인 등 증가

└ 영농 조합: 농민들이 농산물의 생산·판매 과정의 일부 또는 전부를 협동으로 하는 형태

└ 농업 회사 법인: 기업적 농업 경영을 통해 생산성을 향상하고, 농업의 부가 가치를 높이기 위해 설립된 법인

2. 세계화와 농업 구조의 변화

(1) **배경**: 세계 무역 기구(WTO) 출범 및 자유 무역 협정(FTA) 체결 확대로 농산물 시장 개방

(2) **농업 구조의 변화**: 값싼 외국산 농산물의 수입 급증으로 국내 농산물의 가격 경쟁력 약화 → 농가 소득 감소, 주요 식량 작물의 해외 의존도가 점차 높아짐 → 식량 안보 위협

└ 왜? 영농 규모가 작고 유통 구조가 복잡해 국제 경쟁력이 낮기 때문이야.

★ **경지 이용률**
전체 경지 면적에 대해 그루갈이 등을 포함하여 일 년 동안 실제로 농작물을 재배한 면적의 비율

★ **축산물의 소비와 생산 변화**

낙농업	우유, 유제품 등의 소비 증가 → 경기도 일대를 중심으로 발달
목축업	육류 소비 증가 → 제주도와 대관령 등지에서 발달

2 농업 문제와 해결 방안

이것이 핵심!

농업 문제와 해결 방안

문제점
• 농업 생산 기반 약화 • 복잡한 농산물 유통 구조 • 환경 오염 발생

↓

해결 방안
• 농산물의 차별화 예 지리적 표시제 확대 등 • 농산물 유통 구조 개선 예 농산물 직거래 확대 등

1. 우리나라 농촌의 문제

(1) **농업 생산 기반 약화**: 청장년층 인구 감소와 경지 면적 감소 → 농업 경쟁력 약화

(2) **복잡한 농산물 유통 구조**: 유통 비용이 늘어날수록 소비자 가격 상승으로 소비자의 부담 증가, 산지 가격과 소비자 가격의 격차 증대로 생산자의 근로 의욕 저하 등의 문제 발생

(3) **환경 오염**: 농업 생산량 증대를 위한 농약과 화학 비료의 사용으로 수질 및 토양 오염 발생

2. 농업 경쟁력 강화를 위한 노력

(1) **농산물의 차별화**: 농산물 브랜드화 및 지리적 표시제 확대, 친환경 농산물 재배 등을 통해 경쟁력 확보 자료 ②

└ 농산물 브랜드화: 농산물에 상표를 붙여 다른 상품과 차별을 꾀하는 것

(2) **농업 구조의 다각화**: 새로운 작물 및 재배 방식 도입, *경관 농업 및 체험 관광의 추진, 농산물 가공 판매 등을 통해 부가 가치 향상

(3) **농산물 유통 구조 개선**: 농산물 직거래와 전자 상거래 확대, 로컬푸드 운동 등을 통해 농가 소득 향상

└ 로컬푸드 운동: 해당 지역에서 생산한 농산물을 그 지역에서 소비하여 식품의 신선도와 안정성을 확보하고 환경 부담을 경감하고자 하는 운동

★ **경관 농업**
농지에 같은 품종의 작물을 심어 가꾼 아름다운 농업 경관 자체가 관광 자원으로 활용되어 소득을 창출하는 농업

완자 자료 탐구

내 옆의 선생님

수능이 보이는 교과서 자료 농업 구조의 변화

(가) 농가 인구 및 연령별 농가 인구 구성비의 변화

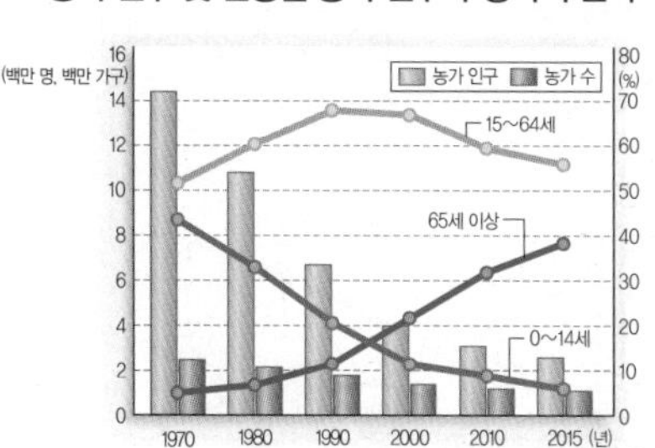

(나) 경지 면적과 경지 이용률의 변화

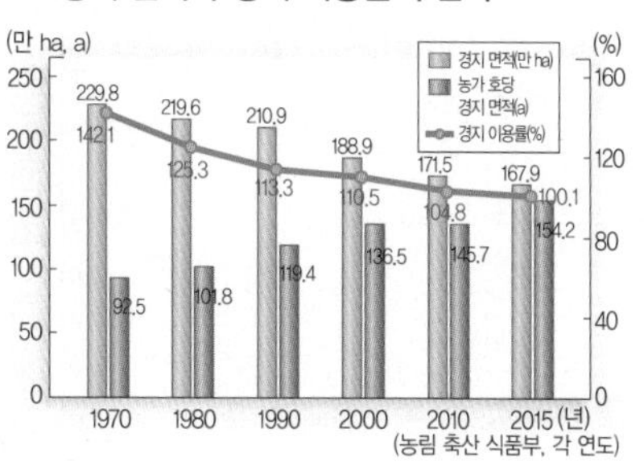

1960년대 이후 산업화와 도시화가 빠르게 진행되면서 농촌 인구는 지속적으로 감소하였다. 이로 인해 농촌에서는 노동력 부족, 인구 고령화, 휴경지 증가, 경지 이용률 감소 등의 문제가 나타났다.

완자샘의 탐구 강의

• (가)와 같이 농가 인구가 변화한 가장 큰 원인을 써 보자.
1960년대 이후 산업화와 도시화에 따른 농촌 청장년층의 이촌 향도 현상

• (나)를 보고 농가 호당 경지 면적이 증가하고 있는 원인을 설명해 보자.
경지 면적보다 농업 인구가 더 빠르게 감소하였기 때문이다.

함께 보기 162쪽, 내신 만점 공략하기 01

자료 1 주요 작물의 생산과 소비 변화

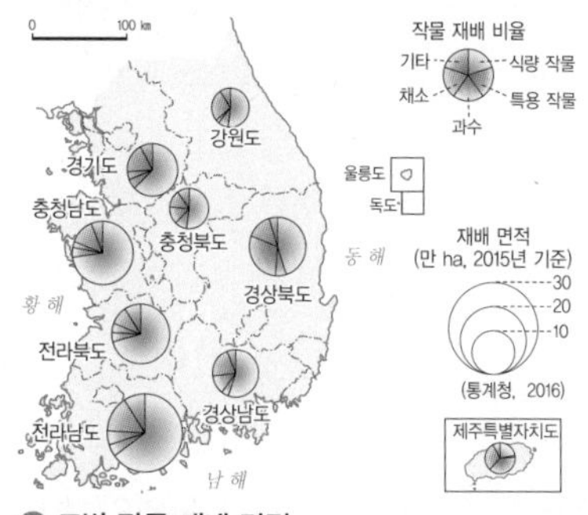

⊙ 도별 작물 재배 면적

연도	쌀	맥류	기타 식량 작물	특용 작물	채소·과실	기타
1975년 (314만 ha)	38.7	24.2	17.6	3.3	10.1	6.1
1985년 (259만 ha)	47.7	9.3	11.6	4.7	17.2	9.5
1995년 (220만 ha)	48.1	4.1	9.1	4.6	22.5	11.6
2005년 (192만 ha)	51.0	3.2	10.0	3.4	20.2	12.2
2015년 (168만 ha)	46.2	2.6	8.0	5.4	24.9	12.9

(%) (통계청, 2016)

⊙ 작물별 재배 면적 비중의 변화

식량 작물 중 쌀은 중·남부 지방의 평야 지역에서, 맥류의 대표적인 작물인 보리는 남부 지방에서 주로 재배된다. 채소, 과일 등과 같은 원예 작물은 대도시 주변의 근교 농촌에서 시설 재배를 통해 집약적으로 재배된다. 오늘날 식생활 구조 변화에 따라 쌀과 맥류 등의 곡물 소비는 줄고 채소, 과일 등의 수요가 늘면서 상업적 농업이 발달하고 있다.

주로 쌀의 그루갈이 작물로 재배돼.

자료 하나 더 알고 가자!

주요 곡물의 자급률 변화

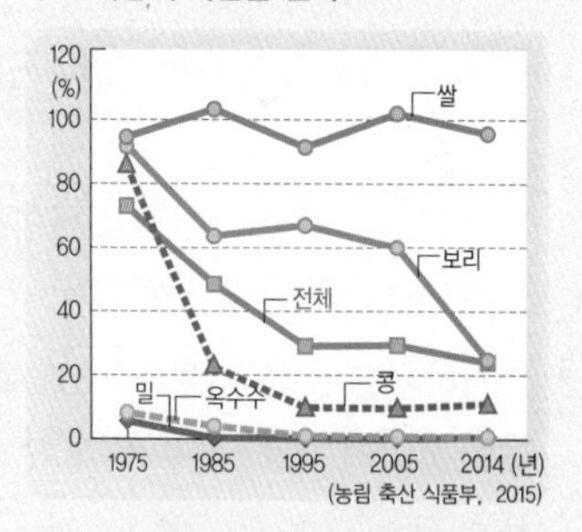

쌀을 제외한 주요 식량 작물의 자급률이 빠르게 감소하여 식량의 해외 의존도가 점차 높아지고 있다.

자료 2 농산물의 지리적 표시제

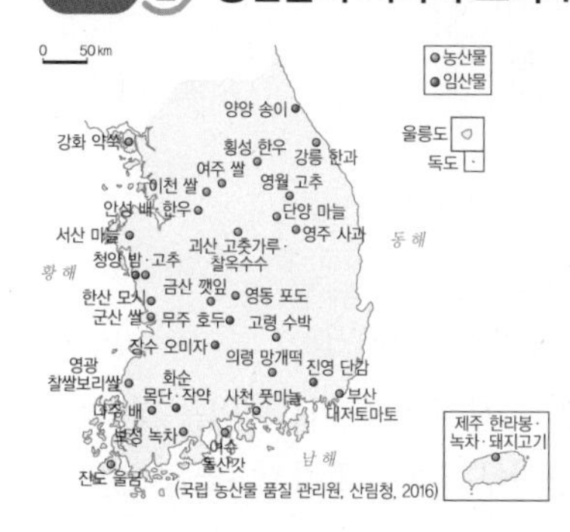

지리적 표시제는 농산물 및 그 가공품의 특징이 본질적으로 특정 지역의 지리적 특성에서 기인하는 경우 그 지역에서 생산된 특산품임을 표시하는 것을 말한다. 이는 우리나라의 지역 경제 활성화에 이바지할 뿐만 아니라 농산물의 국제 경쟁력을 확보하는 데 큰 역할을 할 수 있다.

⊙ 주요 지리적 표시 농산물

문제로 확인할까?

지리적 표시제 등록 상품으로 옳지 않은 것은?

① 보성 녹차 ② 영월 고추
③ 영주 사과 ④ 양양 송이
⑤ 여수 오미자

⑤ 답

STEP 1 핵심 개념 확인하기

정답친해 52쪽

1 ㉠, ㉡에 들어갈 내용을 각각 쓰시오.

> 1960년대 이후 산업화와 도시화의 영향으로 농촌 지역에서는 농촌의 청장년층이 대도시로 이동하는 이촌 향도 현상이 발생하였다. 이로 인해 농촌에서는 (㉠　　　　) 부족 문제와 농업 인구 (㉡　　　　)가 심화되었다.

2 다음 괄호 안의 내용 중 알맞은 말에 ○표를 하시오.

(1) 산업화의 영향으로 경지 면적은 (감소, 증가)하였고, 농가 호당 경지 면적은 (감소, 증가)하였다.

(2) 오늘날 농촌에서는 노동력 부족에 따른 휴경지의 증가와 그루갈이의 감소로 경지 이용률이 (감소, 증가)하고 있다.

3 다음 설명이 맞으면 ○표, 틀리면 ×표를 하시오.

(1) 쌀은 밀이나 옥수수에 비해 자급률이 매우 낮은 편이다. (　　)

(2) 원예 작물은 주로 대도시 주변의 근교 농촌에서 시설 재배를 통해 집약적으로 재배한다. (　　)

(3) 비닐하우스 등을 이용한 시설 재배가 늘어나면서 농산물 가공 공장과 저장 창고 등의 농업 시설도 증가하고 있다. (　　)

4 다음 빈칸에 들어갈 내용을 쓰시오.

(1) 오늘날 우리나라의 농업 구조는 벼농사 중심의 자급적 농업에서 (　　　　) 농업 중심으로 변화하고 있다.

(2) 세계 무역 기구(WTO)의 출범으로 농산물 시장의 개방이 진행되었으며, (　　　　) 체결로 값싼 외국산 농산물의 수입이 증가하였다.

5 다음에서 설명하는 용어를 쓰시오.

> 농산물에 상표를 붙여 다른 상품과의 차별화를 꾀하는 것으로, 이를 통해 농산물의 경쟁력을 확보할 수 있다.

STEP 2 내신 만점 공략하기

01 그래프는 우리나라 농가의 변화를 나타낸 것이다. 이에 대한 옳은 설명만을 〈보기〉에서 있는 대로 고른 것은?

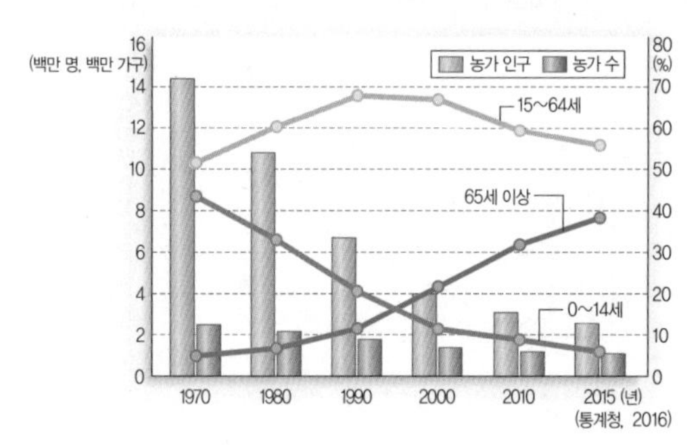

보기

ㄱ. 농촌 인구가 고령화되었다.
ㄴ. 농가 인구가 지속적으로 줄어들고 있다.
ㄷ. 이촌 향도 현상으로 농촌의 노동력이 부족해졌다.
ㄹ. 연령별 농가 인구 구성비를 보면 청장년층의 인구 비율이 가장 크게 감소하였다.

① ㄱ, ㄷ　② ㄱ, ㄹ　③ ㄴ, ㄹ
④ ㄱ, ㄴ, ㄷ　⑤ ㄴ, ㄷ, ㄹ

중요

02 그래프를 통해 추론할 수 있는 우리나라 농업의 변화 모습으로 적절하지 않은 것은?

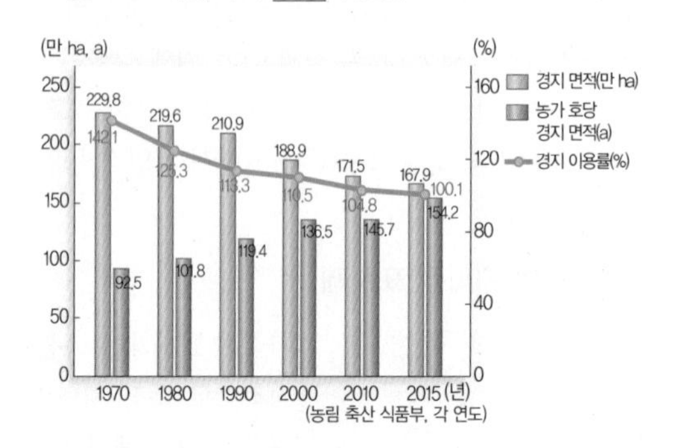

① 휴경지가 증가하였을 것이다.
② 그루갈이가 감소하였을 것이다.
③ 영농의 기계화가 이루어졌을 것이다.
④ 농경지가 주택, 도로, 공장 등으로 이용되었을 것이다.
⑤ 농업 인구보다 경지 면적이 더 빠르게 감소하였을 것이다.

중요
03 그래프는 작물별 재배 면적 비중의 변화를 나타낸 것이다. 이에 대한 분석으로 옳은 것은?

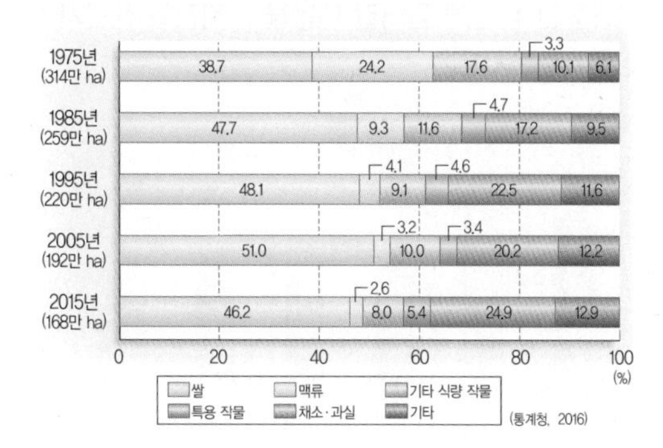

① 영농 구조가 단순해지고 있다.
② 주곡 작물의 재배 면적이 확대되고 있다.
③ 식생활 변화로 상품 작물의 재배 면적이 확대되고 있다.
④ 상업적 농업 중심에서 자급적 농업 위주로 변화하고 있다.
⑤ 과일, 채소 등 상품 작물의 재배 면적 증가로 수입량이 줄어들고 있다.

04 그래프는 우리나라의 1인당 농산물 소비 현황을 나타낸 것이다. 이에 대한 분석 및 추론으로 옳은 것은?

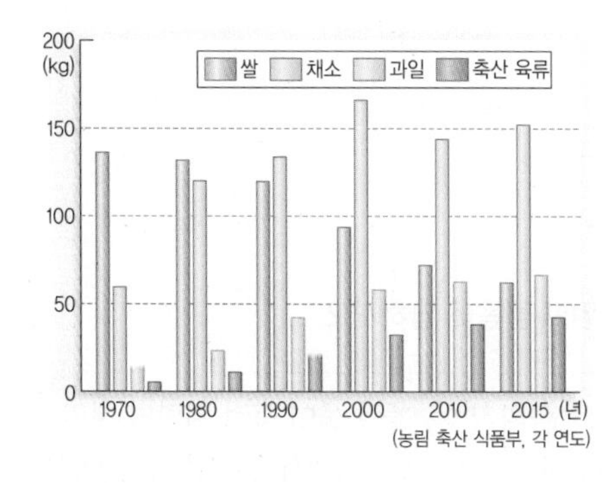

① 그루갈이 작물의 재배가 증가하였을 것이다.
② 육류 및 유제품의 수요가 증가하였을 것이다.
③ 식생활이 변하면서 1인당 연간 쌀 소비량은 증가하고 있다.
④ 수익성이 높은 상품 작물의 재배 면적 비중은 감소하였을 것이다.
⑤ 1인당 연간 채소, 과일, 축산물의 소비량은 감소하여 우리나라 농업 구조가 점차 상업화되고 있다.

05 지도는 도별 작물 재배 면적을 나타낸 것이다. A~C에 해당하는 작물을 옳게 연결한 것은?

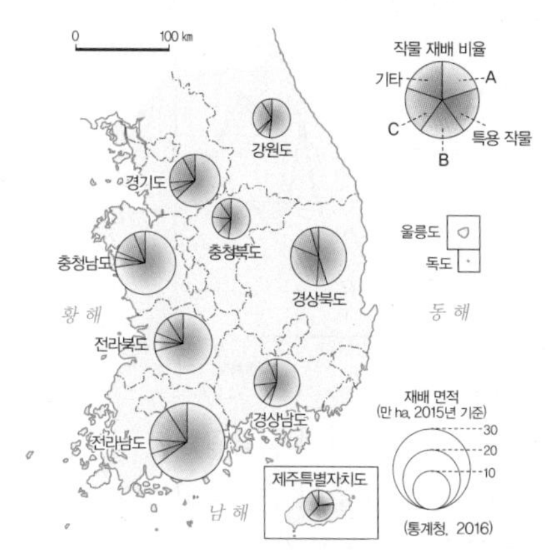

	A	B	C
①	과수	채소	식량 작물
②	채소	과수	식량 작물
③	채소	식량 작물	과수
④	식량 작물	과수	채소
⑤	식량 작물	채소	과수

06 그래프는 주요 곡물의 자급률 변화를 나타낸 것이다. A~C에 대한 옳은 설명을 〈보기〉에서 고른 것은? (단, A~C는 쌀, 보리, 옥수수 중 하나이다.)

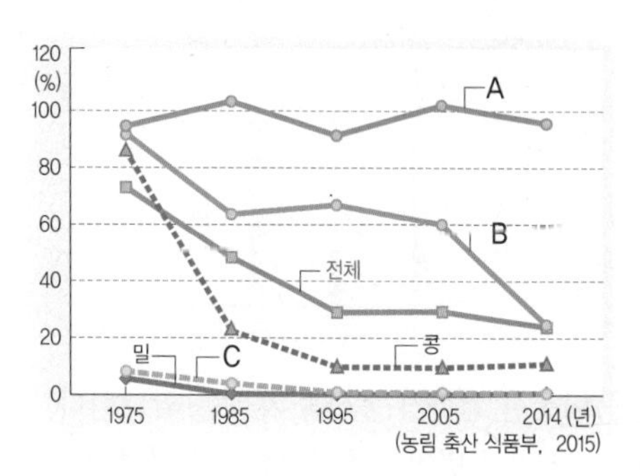

보기
ㄱ. A는 재배 면적이 감소하고 있는 추세이다.
ㄴ. C는 이천, 여주의 지리적 표시제 상품이다.
ㄷ. B는 주로 A의 그루갈이 작물로 재배된다.
ㄹ. B는 C보다 자급률이 낮다.

① ㄱ, ㄴ ② ㄱ, ㄷ ③ ㄴ, ㄷ
④ ㄴ, ㄹ ⑤ ㄷ, ㄹ

07 그래프는 외국산 농산물의 수입액 변화를 나타낸 것이다. 이에 대한 설명으로 옳지 않은 것은?

① 우리나라의 곡물 자급률이 낮아지고 있다.
② 해외에서 생산된 농산물의 수입이 증가하고 있다.
③ 농산물 시장 개방으로 농가의 실질 소득이 증대되고 있다.
④ 농업의 세계화와 개방화로 국내 농산물의 가격 경쟁력이 약화될 것이다.
⑤ 세계 무역 기구(WTO)의 출범과 자유 무역 협정(FTA)의 체결 확대로 나타나게 된 현상이다.

08 그래프는 농가 소득 구조의 변화를 나타낸 것이다. 이를 통해 파악할 수 있는 문제에 대한 대책으로 적절하지 않은 것은?

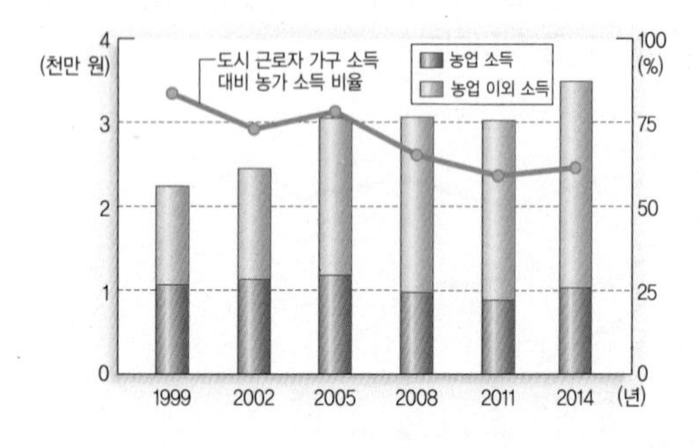

① 유기 농업을 비롯한 친환경 농산물 재배를 확대한다.
② 영농 조합, 농업 회사 법인 등을 통해 농업 경영의 규모를 확대한다.
③ 농업의 생산성을 높이기 위해 시설 재배보다 노지 재배를 권장한다.
④ 농산물 브랜드화 전략을 추진하여 다른 농산물과의 차별화를 꾀한다.
⑤ 직거래나 전자 상거래를 활성화시켜 농산물의 유통 구조를 단순화한다.

서술형 문제

● 정답친해 53쪽

01 다음 밑줄 친 부분에 들어갈 내용을 소비자와 생산자의 측면에서 각각 서술하시오.

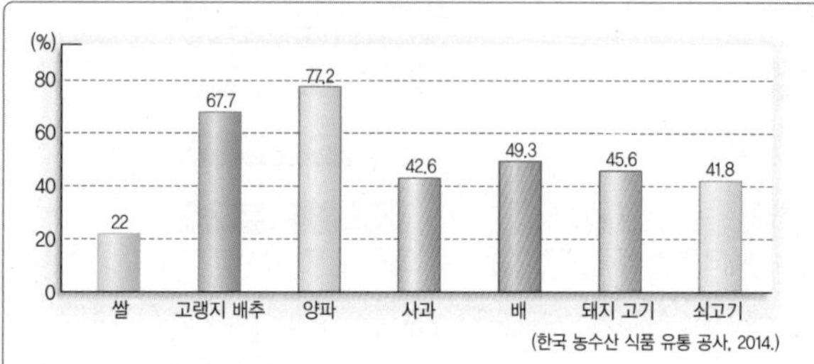

⬆ 주요 농·축산물의 유통 비용

소비자가 농·축산물을 구매할 때 지불하는 가격은 농·축산물의 생산 비용과 유통 비용 등을 합산한 금액이다. 그런데 그래프를 보면 우리나라는 농·축산물 가격에서 유통 비용이 차지하는 비율이 평균 40%가 넘는다. 따라서 농산물의 유통 구조가 복잡할수록 ________________

02 다음 글을 읽고 물음에 답하시오.

농산물 및 그 가공품의 명성, 품질 등이 특정 지역의 지리적 특성에서 기인하는 경우 그 지역에서 생산된 특산품임을 표시하는 제도를 (㉠)(이)라고 한다. 대표적으로 이천 쌀, 횡성 한우, 한산 모시, 제주 돼지고기 등이 있다.

(1) ㉠에 들어갈 용어를 쓰시오.

(2) ㉠을 시행함으로써 얻을 수 있는 효과를 두 가지 서술하시오.

STEP 3

1등급 정복하기

정답친해 54쪽

수능 응용

1 자료에 대한 옳은 설명을 〈보기〉에서 고른 것은? (단, (가)~(다)는 강원, 전남, 충북 중 하나이며, A~C는 과수, 맥류, 채소 중 하나이다.)

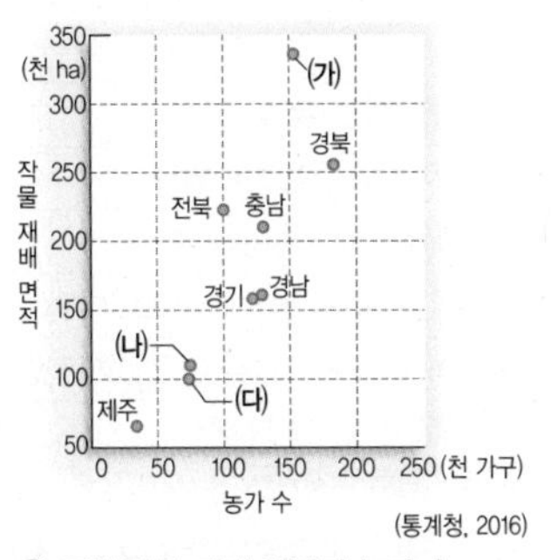

도별 작물 재배 면적과 농가 수

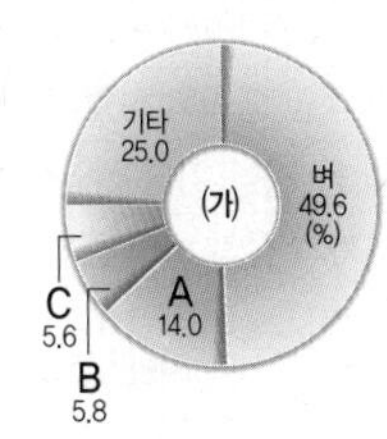

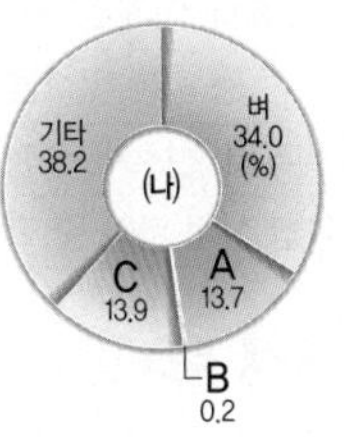

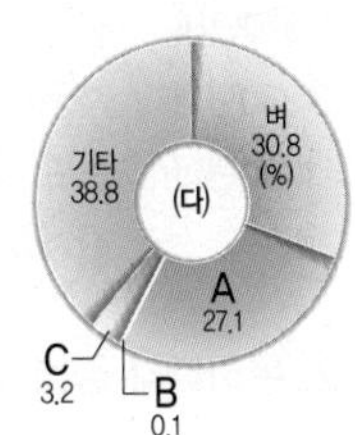

(가)~(다)의 작물 재배 면적 비중

보기

ㄱ. (가)~(다) 중 채소 재배 면적은 강원이 가장 넓다.
ㄴ. 농가당 작물 재배 면적은 (가)가 (나)보다 넓다.
ㄷ. 전남의 과수 재배 면적 비중은 강원보다 높다.
ㄹ. 충북의 맥류 재배 면적 비중은 강원보다 낮다.

① ㄱ, ㄴ　② ㄱ, ㄷ　③ ㄴ, ㄷ
④ ㄴ, ㄹ　⑤ ㄷ, ㄹ

> 지역별 농업 특성

완자샘의 시험 꿀팁

우리나라의 도별 농업 특색과 주요 작물의 생산 특성을 파악해 두어야 한다.

2 (가), (나)는 어느 지역을 여행하고 남긴 기록이다. 이에 해당하는 지역을 지도에서 골라 옳게 연결한 것은?

(가)

조선시대 임금님에게 진상할 정도로 이 지역에서 생산된 쌀은 밥맛이 좋다고 한다. 이에 지역 특산물의 인지도를 높이고 경쟁력을 확보하기 위해 '임금님표 ○○ 쌀'이라는 고유한 상표를 만들어 다양한 상품을 판매하고 있다.

(나)

한반도 남쪽에 위치해 바다와 가깝고, 날씨가 연중 따뜻해 차 재배지로서 좋은 조건을 갖추고 있다. 특히 계단식 녹차 밭의 독특한 농업 경관은 많은 관광객을 불러 모으고 있다. 이 지역의 녹차는 지리적 표시제 제1호로 등록되었다.

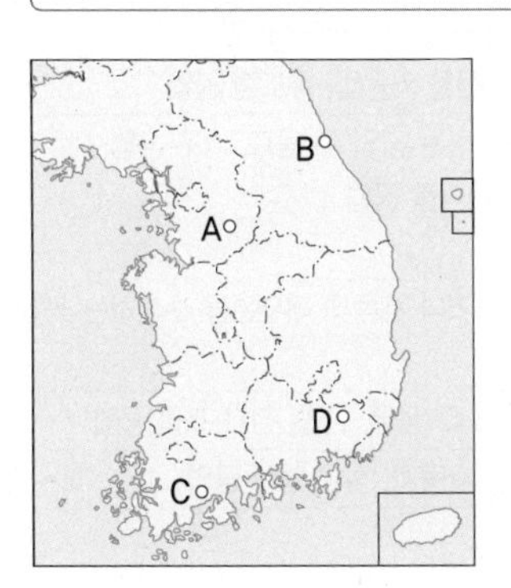

	(가)	(나)
①	A	B
②	A	C
③	B	D
④	C	B
⑤	C	D

> 지리적 표시제

03 공업의 발달과 지역 변화

학습목표
- 우리나라 공업 구조의 변화와 공업 특색을 설명할 수 있다.
- 공업의 입지 요인과 유형을 알고, 공업 입지의 변화 과정을 설명할 수 있다.

이것이 핵심!

우리나라 공업의 발달 과정

1960년대	노동 집약적 경공업
1970년대	자본 집약적 중화학 공업
1980년대 이후	기술 집약적 첨단 산업 발달

★ 시대별 주요 수출 품목의 변화

1960년대	철광석, 텅스텐, 인삼
1970년대	의류, 합판, 가발
1980년대	선박, 의류, 신발
1990년대	반도체, 자동차, 선박
2000년대	반도체, 자동차, 휴대 전화

1 우리나라의 공업 발달

1. 우리나라 공업의 발달 과정

1960년대	섬유, 신발 등 노동 집약적 경공업이 서울, 부산, 대구 등 대도시를 중심으로 발달
1970년대	철강, 석유 화학, 기계 등 자본 집약적 중화학 공업이 남동 임해 지역을 중심으로 발달
1980년대	자동차, 조선 등 자본 및 기술 집약적인 중화학 공업이 국제 경쟁력을 확보하며 성장
1990년대	반도체, 컴퓨터, 신소재, 생명 공학 등 지식·기술 집약적 첨단 산업이 수도권을 중심으로 발달
최근	신기술 융합 산업 분야 및 고부가 가치 산업 비중 증가, 제조업 비중 감소에 따른 탈공업화 진행

탈공업화: 생산과 고용에서 제조업의 비중이 감소하고, 서비스업의 비중이 증가하는 현상이야.

2. 우리나라 공업의 특색 자료 ①

(1) **공업 구조의 고도화**: 노동 집약적 공업 중심에서 자본 및 기술 집약적 공업 중심으로 전환

(2) **공업의 지역적 편재**: 정부 주도의 *수출 지향 정책 추진으로 수도권과 남동 임해 지역에 산업 시설 편중 → 지역 불균형 문제 발생

꼭! 제철, 석유 화학 등 해외에서 수입하는 자원을 원료로 하는 공업은 주로 임해 지역에 발달하였어.

(3) **원료의 높은 해외 의존도**: 원료를 수입하여 제품을 수출하는 가공 무역 발달

가공 무역: 원료나 반제품을 수입하여 만든 제품을 다른 국가에 수출하는 무역 형태를 말해.

(4) **공업의 이중 구조**: 소수의 대기업이 생산액의 절반 이상을 차지 → 대기업과 중소기업 간의 생산성 격차가 매우 큼 → 중소기업의 육성 필요

이것이 핵심!

공업의 입지

운송비 지향	원료 지향 공업, 시장 지향 공업, 적환지 지향 공업
노동력 지향	노동비의 비중이 큰 공업
집적 지향	계열화된 공업이나 조립형 공업
입지 자유	운송비에 비해 부가 가치가 큰 공업

★ 적환지

운송 수단이 바뀌는 지점으로, 자동차·철도에서 선박으로, 또는 선박으로 이동 후 자동차·철도로 운송 수단이 바뀌는 항구가 대표적인 적환지에 해당한다.

2 공업의 입지 요인과 입지 유형

1. 공업의 입지와 입지 요인

(1) **공업의 입지**: 기업이 최대 이윤을 얻을 수 있는 특정 장소에 위치하는 것

원료비, 운송비, 노동비 등의 생산비를 최소화할 수 있거나 수익을 극대화할 수 있는 곳에 입지해.

(2) **공업의 입지 요인**

① 자연적 요인: 기후, 토지, 용수, 원료 등

② 사회·경제적 요인: 교통, 소비 시장, 노동력, 기술, 자본, 정부 정책 등

(3) **입지 요인의 변화**

① 과거: 생산비에서 차지하는 운송비의 비중이 커 운송비가 저렴한 곳에 공장이 입지함

② 최근: 교통의 발달로 운송비보다 소비자 요구, 정부 정책, 환경 문제 등의 요인이 중요해짐

2. 공업의 입지 유형 교과서 자료

꼭! 생산비에 영향을 주는 원료비, 운송비, 노동비, 집적 이익에 따라 입지 유형이 달라져.

운송비 지향 공업	원료 지향 공업	• 제조 과정에서 원료의 무게나 부피가 감소하는 공업 예 시멘트 공업 • 원료가 쉽게 부패·변질·파손되는 공업 예 농수산물 가공업, 통조림 공업
	시장 지향 공업	• 제조 과정에서 제품의 무게나 부피가 많이 증가하는 공업 예 음료, 가구 공업 • 제품이 쉽게 부패·변질·파손되는 공업 예 유리, 식품 공업 • 소비자와 잦은 접촉이 필요한 공업
	*적환지 지향 공업	무거운 원료나 부품을 해외에서 대량으로 수입하거나 제품의 대부분을 수출하는 공업 예 정유, 제철 공업
노동력 지향 공업		생산비에서 노동비가 차지하는 비중이 높은 공업 예 섬유, 신발, 전자 조립 공업
집적 지향 공업		공정이 계열화된 공업이나 조립형 공업 예 조선, 자동차, 석유 화학 공업
입지 자유 공업		운송비에 비해 부가 가치가 큰 공업 예 첨단 산업

꼭! 전문 기술 인력 확보와 연구 개발 시설과의 접근성이 중요하기 때문에 수도권을 비롯한 대도시 주변에서 발달해.

내 옆의 선생님

자료 1 우리나라 공업의 특징

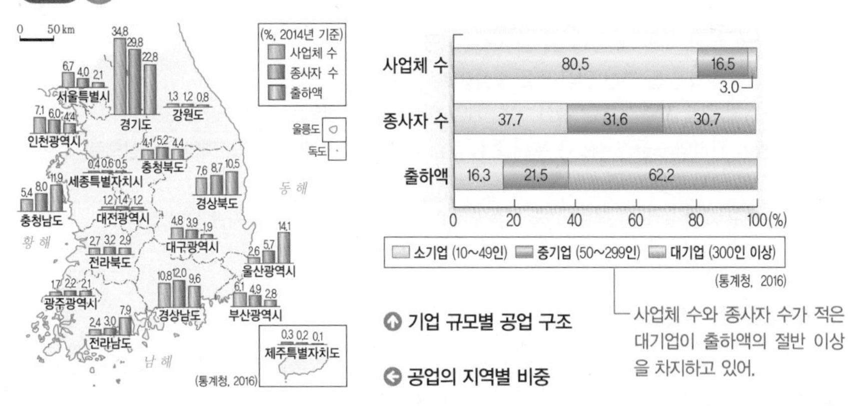

▲ 기업 규모별 공업 구조

◀ 공업의 지역별 비중

우리나라는 공업 구조가 고도화되는 과정에서 성장 잠재력이 큰 수도권과 영남권에 산업 시설이 집중되었다. 또한 정부 지원이 대기업에 집중되면서 공업의 이중 구조가 나타나고 있다.

자료 하나 더 알고 가자!

우리나라 공업 구조의 변화

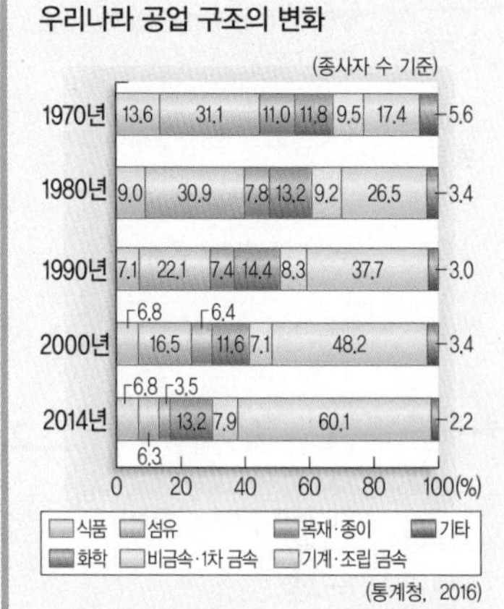

우리나라는 노동 집약적 경공업 중심에서 자본 집약적 중화학 공업, 기술·집약적 첨단 산업 중심으로 공업 구조가 고도화되었다.

수능이 보이는 교과서 자료 주요 공업의 입지 특성

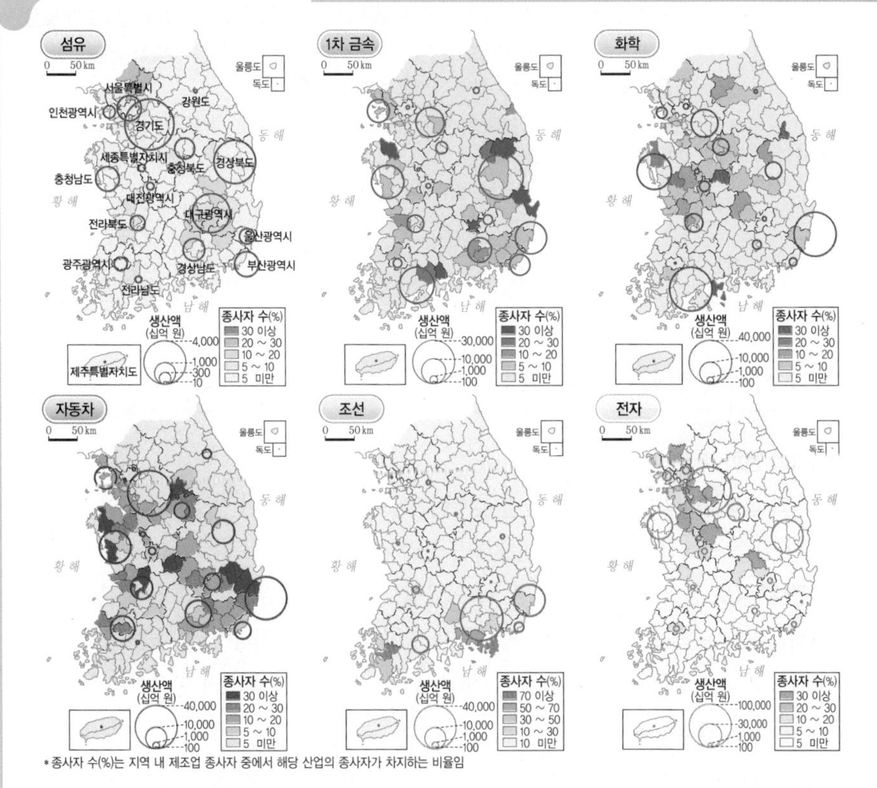

섬유, 전자 조립 공업은 노동력이 풍부한 곳에 주로 입지한다. 다양한 부품을 조립하는 자동차, 조선 공업은 관련 업체들이 집적된 곳에 입지한다. 철광석, 원유 등 대부분의 원료를 수입하여 가공하는 1차 금속, 화학 공업은 항구를 끼고 입지한다.

완자샘의 탐구 강의

• 제시된 공업 중 노동력 지향 공업을 찾아 써 보자.

섬유 공업, 전자 공업

• 지도를 참고하여 각 공업별 생산액 상위 3개 시도와 입지 특성을 써 보자.

섬유	• 대구, 경북, 경기 • 저렴한 노동력이 풍부함
1차 금속	• 경북(포항), 전남(광양), 충남(당진) • 대규모 제철소가 건설되어 있음
화학	• 울산, 전남(여수), 충남(서산) • 원유를 해외로부터 수입하기 유리함
자동차	• 울산, 경기(평택), 충남(서산) • 수출에 유리한 항구 또는 대도시 주변
조선	• 경남(거제), 울산, 전남(영암) • 제품 특성상 수출에 유리한 해안가
전자	• 경기, 경북(구미), 충남(아산) • 노동력이 풍부한 대도시 주변

함께 보기 174쪽, 1등급 정복하기 1

03 공업의 발달과 지역 변화

이것이 핵심!

우리나라의 주요 공업 지역

지역	특징
수도권	우리나라 최대의 종합 공업 지역
충청	수도권 공업 분산, 편리한 교통
호남	중국과의 교역에 유리
태백산	원료 지향 공업 발달
영남 내륙	전자 조립·섬유 공업 등 노동 집약적 공업 발달
남동 임해	우리나라 최대의 중화학 공업 지역

★ **산업 집적지(클러스터)**
기업, 연구소, 대학 등이 특정 지역에 모여 연계망을 구축함으로써 기술 개발, 부품 조달, 정보 교류 등 상승효과를 추구하는 지역

3 공업 지역의 형성

1. 공업 지역의 형성

시기	내용
1960년대	서울, 부산, 대구 등 대도시를 중심으로 경공업 발달
1970~80년대	• 수도권의 인천·부천·안산 등을 중심으로 다양한 공업 발달 • 남동 임해 지역의 포항·울산·창원·광양·여수 등을 중심으로 중화학 공업 발달
1990년대 이후	공업 지역의 불균형 해소를 위해 충청 공업 지역과 호남 공업 지역의 해안을 중심으로 새로운 산업 단지 조성
최근	• 연구 개발 및 관련 정보, 고급 기술 인력이 풍부한 수도권에 지식 기반 산업 집중 • 기존 산업 단지에 연구 개발 기능이 강화된 ★산업 집적지 형성

2. 우리나라의 공업 지역 자료 ②

지역	내용
수도권 공업 지역	• 풍부한 자본과 노동력, 넓은 소비 시장, 편리한 교통 등을 바탕으로 경공업, 중공업, 첨단 산업이 고르게 발달 → 우리나라 최대의 종합 공업 지역 • 최근 집적 불이익 현상의 심화 → 주변 지역으로 공업 분산 추진
충청 공업 지역	• 편리한 교통, 수도권에 인접한 지리적 특성을 바탕으로 수도권에서 이전해 온 공업 입지 • 내륙 지역(대전)은 첨단 산업, 해안 지역(서산, 당진 등)은 중화학 공업 발달
호남 공업 지역	• 공업의 지역적 불균형 문제 완화를 위해 조성 • 최근 중국과의 교역 증가로 다양한 공업 성장
태백산 공업 지역	• 풍부한 지하자원을 바탕으로 원료 지향 공업 발달 • 교통이 불편하고 소비 시장과 거리가 멀어 다른 공업 지역보다 공업의 집적도가 낮음
영남 내륙 공업 지역	• 과거 풍부한 노동력을 바탕으로 전자 조립·섬유 공업 등의 노동 집약적 경공업 발달 • 최근 기술 집약적인 첨단 산업 지역으로 변모
남동 임해 공업 지역	• 정부의 정책과 원료 수입 및 제품 수출에 유리한 조건을 바탕으로 우리나라 최대의 중화학 공업 지역으로 성장 • 최근 과도한 공업 집중으로 집적 불이익 발생

이것이 핵심!

공업 지역의 변화

공업 지역 변화에 영향을 미치는 요인
- 집적 이익과 집적 불이익
- 정부의 정책
- 교통·통신의 발달
- 기업 조직의 성장과 세계화

↓

공업 지역 형성	공업 지역 쇠퇴
일자리 창출 → 지역 경제 활성화	실업률 증가 → 지역 경제 위축

4 공업 지역의 변화와 주민 생활

1. 공업 지역의 변화 자료 ③

(1) **집적 이익과 집적 불이익**: 기반 시설이 잘 갖추어진 곳은 집적 이익이 발생하여 공업 지역 형성 → 과도한 집중으로 집적 불이익이 발생하면 공업 지역 분산

(2) **정부의 정책**: 국토 공간 효율성 도모 및 국토 균형 성장 발전을 위해 공업 입지 분산

(3) **교통·통신의 발달**: 운송비가 공업 입지에 미치는 영향 감소 → 공업의 입지 가능 지역 확대

(4) **기업 조직의 성장과 세계화**: 본사, 연구소, 생산 공장 등이 분산 입지 → 공간적 분업

└ 해외로 이전하면서 일부 기업은 다국적 기업으로 성장하기도 해.

2. 공업 지역의 주민 생활 자료 ④

(1) **공업 지역 형성**: 일자리 창출, 인구 증가, 주택·도로·학교 등 각종 편의 시설 증가 → 지역 경제 활성화, 서비스업 성장

(2) **공업 지역 쇠퇴 및 이전**: 고용 기회 감소에 따른 실업률 증가로 인구 유출 → 지역 경제 위축 → 신산업 유치를 통한 지역 경제 활성화 대책 필요

내 옆의 선생님

자료 2 우리나라 공업 지역의 형성

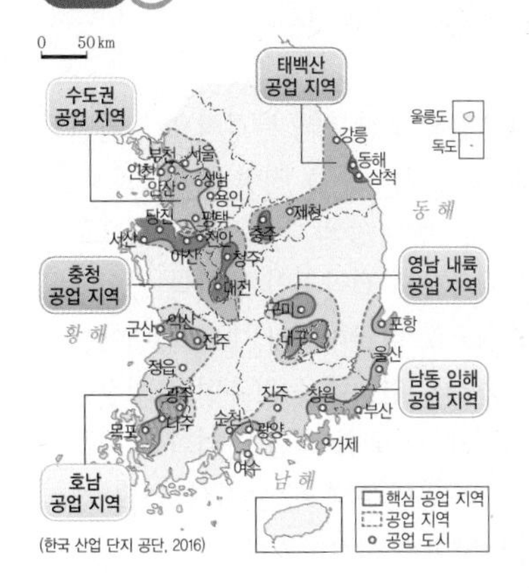

(한국 산업 단지 공단, 2016)

우리나라의 공업 지역은 정부의 공업 정책에 따라 조성된 경우가 많다. 1960년대 공업 발달 초기에는 서울과 인천을 연결하는 경인축과 대구, 부산 등 노동력이 풍부한 대도시 지역을 중심으로 경공업이 발달하였다. 1970~80년대에는 수도권의 인천, 안산 등과 남동 임해 지역의 포항, 울산, 광양, 여수 등 주요 도시를 중심으로 중화학 공업이 발달하였다. 1990년대 이후에는 공업 지역의 불균형을 해소하기 위해 충청 공업 지역과 호남 공업 지역의 해안을 중심으로 새로운 산업 단지가 조성되었다.

자료 3 '구로 공단'에서 '서울 디지털 산업 단지'로의 변화

구로 공단(1976년)

서울 디지털 산업 단지(2016년)

서울 구로구와 금천구 일대에 위치한 한국 수출 산업 공단은 '구로 공단'으로 불리며 과거 섬유·봉제 산업 등 노동 집약형 산업이 발달한 지역이었다. 1970년대에는 우리나라 총수출액의 10% 이상을 차지할 정도로 활기를 띠었으나, 1980년대 산업 구조의 고도화와 국내 임금 상승으로 침체를 겪게 되었다. 2000년대 중반부터 지식 기반 산업 위주로 업종을 전환함에 따라 첨단 산업 중심의 서울 디지털 산업 단지로 변화하였다.

자료 4 공업 지역의 형성과 주민 생활의 변화

당진의 등록 공장 수 변화

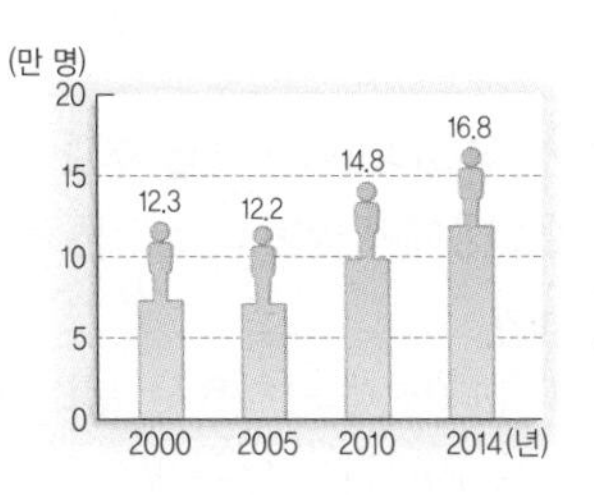

당진의 인구수 변화

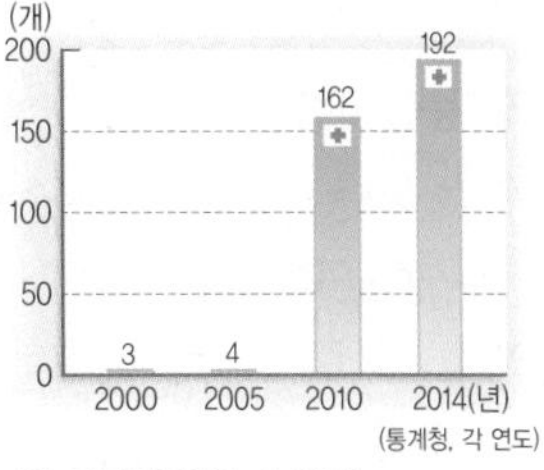

(통계청, 각 연도)
당진의 병원 수 변화

평범한 농촌이었던 충청남도 당진군은 2004년 제철소가 입지하면서 새로운 변화가 일어났다. 이후 부설 연구소와 연관 기업이 잇달아 입지하면서 인구가 지속적으로 증가하여 2012년에는 시로 승격되었다. 공업의 발달과 함께 병원, 음식점 등 편의 시설도 급격히 늘어났다. 그러나 한편에서는 대기 오염 증가, 지가 상승 등의 문제가 발생하고 있다.

정리 비법을 알려줄게!

집적 이익과 집적 불이익

집적 이익
• 공업이 특정 장소에 집중하여 발생하는 이익 • 원료의 공동 구매, 기술 및 정보 교환, 판매 시장 확보, 시설의 공동 이용 등

↕

집적 불이익
• 공업의 과도한 집중으로 나타나는 불이익 → 공업의 분산 유발 • 지가 상승, 교통 혼잡, 환경 오염, 노동비 상승 등

자료 하나 더 알고 가자!

H 대기업의 공간적 분업

관리 기능을 하는 본사와 연구 개발 기능을 하는 연구소는 자본 확보 및 정보 수집에 유리한 대도시에 위치하고, 생산 공장은 지가와 임금이 저렴한 지방이나 해외로 이전하는 공간적 분업이 일어난다.

문제로 확인할까?

공업 지역이 형성되면 나타나는 지역의 변화 모습으로 적절하지 않은 것은?

① 인구가 감소한다.
② 일자리가 증가한다.
③ 서비스업이 발달한다.
④ 상업 시설이 증가한다.
⑤ 지역 경제가 활성화된다.

① 답

STEP 1 핵심 개념 확인하기

정답친해 54쪽

1 ㉠, ㉡에 들어갈 용어를 각각 쓰시오.

> 우리나라는 1960년대에는 (㉠　　　) 집약적 경공업, 1970년대에는 (㉡　　　) 집약적 중화학 공업이 발달하였다.

2 다음 설명이 맞으면 ○표, 틀리면 ×표를 하시오.

(1) 오늘날 원료 및 제품의 운송비가 생산비에서 차지하는 비중이 점차 높아지고 있다. (　　)

(2) 우리나라는 소수의 대기업이 생산액의 절반 이상을 차지하는 공업의 이중 구조가 나타나고 있다. (　　)

3 공업의 입지 유형과 그 사례를 옳게 연결하시오.

(1) 시장 지향 공업 • 　　• ㉠ 정유 공업
(2) 원료 지향 공업 • 　　• ㉡ 시멘트 공업
(3) 노동력 지향 공업 • 　　• ㉢ 음료, 가구 공업
(4) 적환지 지향 공업 • 　　• ㉣ 섬유, 전자 조립 공업

4 다음에서 설명하는 우리나라의 공업 지역을 〈보기〉에서 골라 기호를 쓰시오.

> **보기**
> ㄱ. 충청 공업 지역　　ㄴ. 수도권 공업 지역
> ㄷ. 태백산 공업 지역　　ㄹ. 남동 임해 공업 지역

(1) 풍부한 지하자원을 바탕으로 원료 지향 공업이 발달하였다. (　　)

(2) 내륙 지역은 첨단 산업, 해안 지역은 중화학 공업이 발달하였다. (　　)

(3) 풍부한 자본과 노동력 및 넓은 소비 시장 등을 바탕으로 다양한 공업이 발달하였다. (　　)

(4) 원료 수입과 제품 수출에 유리한 조건을 바탕으로 우리나라 최대의 중화학 공업 지역으로 발달하였다. (　　)

5 빈칸에 들어갈 용어를 쓰시오.

> 공장이 지나치게 집적하면 지가 상승, 교통 혼잡, 환경 오염 등과 같은 (　　　)이 발생하여 공업 지역이 분산된다.

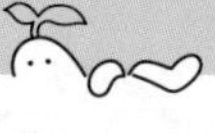

STEP 2 내신 만점 공략하기

01 다음 글은 우리나라의 공업 발달에 대한 내용이다. 밑줄 친 ㉠~㉤에 대한 설명으로 옳지 않은 것은?

> 우리나라의 공업은 1960년대 초반부터 본격적으로 발달하기 시작하였다. 이후 ㉠ 정부의 수출 지향 정책으로 ㉡ 노동 집약적 경공업이 서울, 부산 등의 대도시를 중심으로 발달하였다. 1970년대에는 자본 집약적인 중화학 공업이 ㉢ 남동 임해 지역을 중심으로 발달하였다. 1980년대에는 기술 집약적인 중화학 공업이 경쟁력을 갖추면서 성장하였고, ㉣ 환경 변화에 대응하기 위한 첨단 산업화 정책을 추진하기 시작하였다. 1990년대 이후에는 지식·기술 집약적인 ㉤ 첨단 산업이 발달하기 시작하였다.

① ㉠ – 공업 지역이 형성되거나 변화하는 데 영향을 미친다.
② ㉡ – 선박, 자동차 등의 생산이 이루어졌다.
③ ㉢ – 원료의 수입과 제품의 수출에 유리하기 때문이다.
④ ㉣ – 국내 임금 상승, 가격 경쟁력 약화 등을 사례로 들 수 있다.
⑤ ㉤ – 연구 개발 및 관련 정보, 고급 기술 인력이 풍부한 수도권을 중심으로 발달하고 있다.

02 우리나라의 시대별 주요 수출 품목이 옳게 연결된 것만을 〈보기〉에서 있는 대로 고른 것은?

> **보기**
> ㄱ. 1960년대 – 철광석, 텅스텐, 인삼 등
> ㄴ. 1970년대 – 의류, 반도체, 선박 등
> ㄷ. 1980년대 – 의류, 신발, 선박 등
> ㄹ. 2000년대 – 반도체, 자동차, 휴대 전화 등

① ㄱ, ㄴ　② ㄴ, ㄷ　③ ㄷ, ㄹ
④ ㄱ, ㄷ, ㄹ　⑤ ㄴ, ㄷ, ㄹ

03 그래프는 우리나라의 업종별 공업 구조 변화를 나타낸 것이다. 이에 대한 설명으로 옳지 <u>않은</u> 것은?

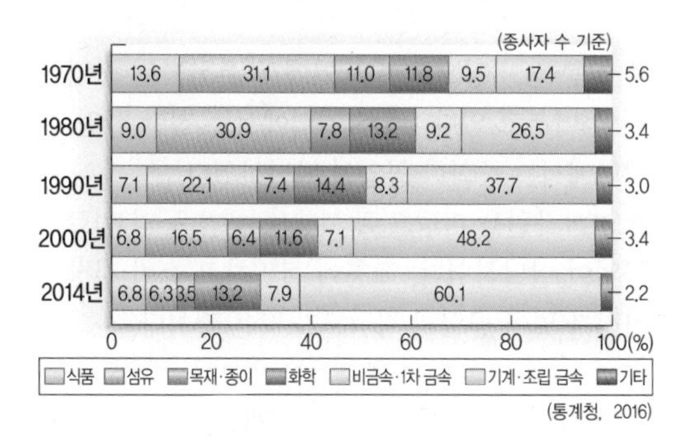

(통계청, 2016)

① 경공업의 비중이 줄어들고 있다.
② 공업 구조의 고도화가 이루어지고 있다.
③ 자본 중심에서 원료 중심의 공업 구조로 변하고 있다.
④ 1970년대에는 정부 정책이 공업 구조에 영향을 주었다.
⑤ 노동 생산성이 높은 산업 위주로 공업 구조가 변화하고 있다.

중요

04 지도는 공업의 지역별 비중을 나타낸 것이다. 이를 통해 알 수 있는 내용으로 가장 적절한 것은?

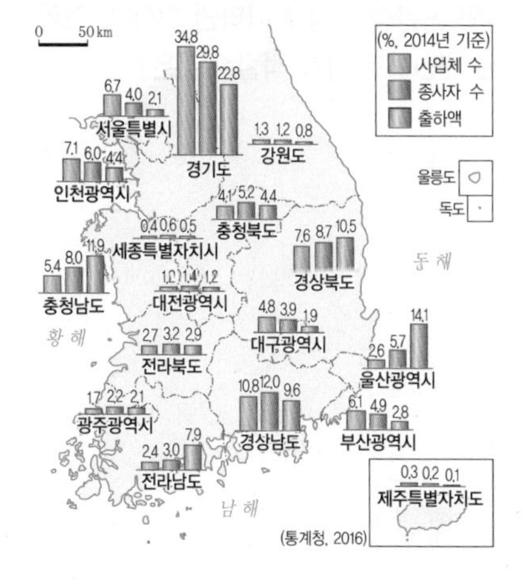

(통계청, 2016)

① 공업의 이중 구조 현상이 나타난다.
② 가공 무역 형태의 공업이 발달하였다.
③ 지역 간 공업 생산이 불균형을 이루고 있다.
④ 공업의 대부분은 원료 지향형 입지를 보인다.
⑤ 노동 집약형 경공업이 빠르게 성장하고 있다.

05 그래프는 운송비와 공업 입지의 관계를 나타낸 것이다. (가)~(다)에 대한 설명으로 옳은 것은?

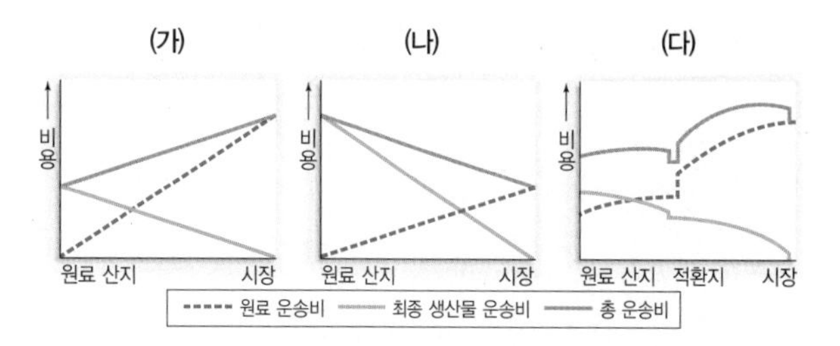

① (가)는 시멘트 공업이 대표적이다.
② (가)는 저렴한 노동력이 풍부한 지역에 공장이 입지한다.
③ (나)는 제품을 만드는 과정에서 무게나 부피가 현저하게 줄어드는 공업이다.
④ (다)는 소비자가 많은 곳에 입지하는 특성이 있다.
⑤ (가)~(다) 중 오늘날 우리나라에서 가장 발달한 공업 유형은 (가)이다.

06 다음 글에서 파악할 수 있는 산업 단지 발달에 가장 크게 영향을 미친 요인으로 옳은 것은?

> 판교 테크노 밸리는 정보 통신, 생명 과학 기업들의 집합소이다. 2015년 기준으로 정보 통신 기업이 77%, 생명 공학 기업이 12%를 차지하고 있다. 대부분 서울 강남의 테헤란로와 구로 디지털 산업 단지에서 이전한 기업들로, 서울 여의도 공원의 3배 넓이인 66만 m^2 부지에 1,120개 기업, 72,000명의 인력이 모여들었다. 이곳은 제조업 중심의 다른 산업 단지와 다르게 정보 통신·바이오 기업 본사와 연구소 인력으로 구성되어 있다.

① 원료 확보와 제품 수출에 유리하다.
② 기술 혁신을 위한 관련 업종 간의 정보 교류에 유리하다.
③ 긴 공업의 역사와 함께 관련 산업이 집적되어 있어 유리하다.
④ 대소비지에 인접하여 소비자와의 잦은 접촉을 하기에 유리하다.
⑤ 저렴하고 풍부한 노동력을 활용하여 경쟁력을 높이기에 유리하다.

07 지도는 어느 공업의 지역별 분포를 나타낸 것이다. 이 공업에 대한 설명으로 옳은 것은?

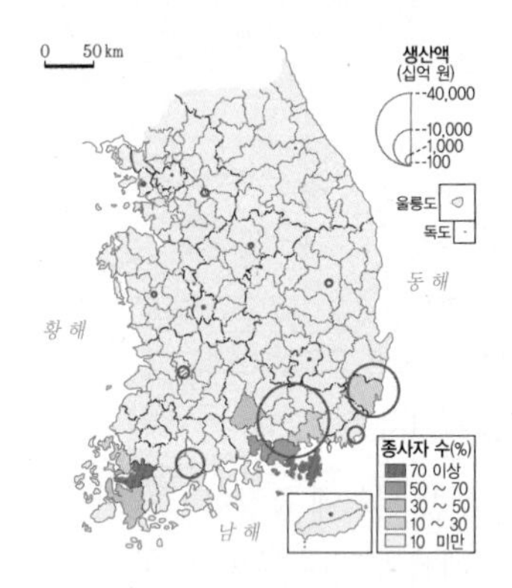

① 원료의 해외 의존도가 높은 기초 소재 공업이다.
② 전체 생산비에서 노동비가 차지하는 비중이 높다.
③ 계열화된 조립 공정이 필요한 집적 지향 공업이다.
④ 제조 과정에서 제품의 부피가 증가하는 시장 지향 공업이다.
⑤ 운송비에 비해 부가 가치가 크며 입지가 자유로운 공업이다.

중요
08 (가), (나) 공업에 대한 옳은 설명을 〈보기〉에서 고른 것은?

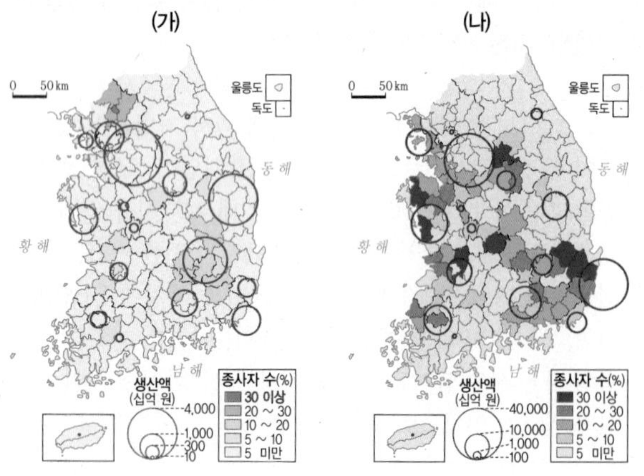

보기

ㄱ. (가)는 (나)보다 초기 설비 투자 비용이 적다.
ㄴ. (나)는 (가)보다 최종 제품의 무게가 무겁고 부피가 크다.
ㄷ. (가)는 적환지 지향 공업, (나)는 원료 지향 공업이다.
ㄹ. (가)와 (나)는 모두 1960년대 우리나라 공업화를 주도하였다.

① ㄱ, ㄴ ② ㄱ, ㄷ ③ ㄴ, ㄷ
④ ㄴ, ㄹ ⑤ ㄷ, ㄹ

09 (가), (나)에서 설명하는 공업 지역을 지도의 A~E에서 고른 것은?

(가) 편리한 교통을 바탕으로 수도권에서 분산되는 공업이 많이 들어서고 있다. 내륙 지역에서는 첨단 산업, 해안 지역에서는 중화학 공업이 발달하였다.
(나) 풍부한 지하자원을 바탕으로 시멘트 공업 등의 원료 지향 공업이 발달하였다. 교통이 불편하고 소비 시장과의 거리가 멀어 공업의 집적도가 낮은 편이다.

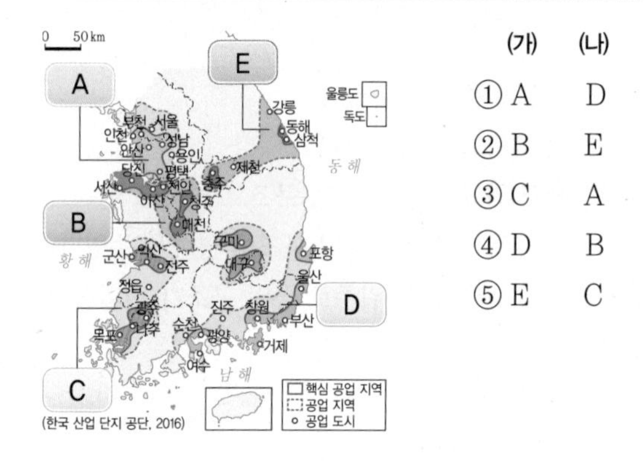

	(가)	(나)
①	A	D
②	B	E
③	C	A
④	D	B
⑤	E	C

10 지도는 어느 기업의 공간적 분업을 나타낸 것이다. 이와 같은 변화가 나타나게 된 원인으로 가장 적절한 것은?

① 기업 조직의 성장 및 세계화
② 교통·통신 발달에 따른 운송비의 증가
③ 과도한 기능 집중에 따른 집적 이익의 발생
④ 국토 공간의 효율성 극대화를 위한 정부의 정책
⑤ 지식·기술 집약적 첨단 산업 중심으로의 산업 구조 변화

11 (가) 시기와 비교한 (나) 시기의 상대적 특징을 그림의 A~E에서 고른 것은?

서울 구로구와 금천구 일대에 위치한 한국 수출 산업 공단은 (가) '구로 공단'으로 불리며 과거 섬유·봉제 산업 등 노동 집약형 산업이 발달한 지역이었다. 1970년대에는 우리나라 총수출액의 10% 이상을 차지할 정도로 활기를 띠었으나, 1980년대 산업 구조의 고도화와 국내 임금 상승으로 침체를 겪게 되었다. 이후 지식 기반 산업 위주로 업종을 전환함에 따라 첨단 산업 중심의 (나) 서울 디지털 산업 단지로 변화하였다.

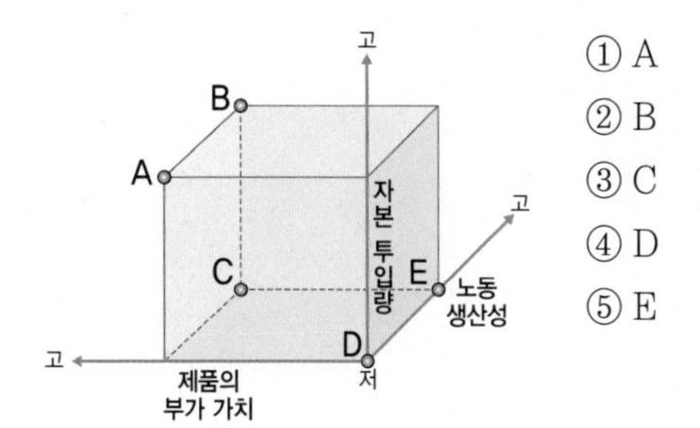

① A
② B
③ C
④ D
⑤ E

12 다음 내용을 통해 파악할 수 있는 오늘날의 변화 모습을 옳게 추론한 것을 〈보기〉에서 고른 것은?

충청남도 당진군은 1997년 지역의 철강 업체가 부도 처리되면서 인구가 유출되고 지역 경제가 침체되는 심각한 위기를 맞았다. 그러나 2004년 제철소가 입지하면서 변화하기 시작하였다. 인구가 증가하여 2012년에는 당진시로 승격되었다.

보기

ㄱ. 농업 종사자 비율이 증가하였을 것이다.
ㄴ. 병원, 음식점 등 편의 시설이 늘어났을 것이다.
ㄷ. 연구소와 연관 기업의 입지가 감소하였을 것이다.
ㄹ. 도로, 주택, 공장 등 인공적인 토지 이용이 확대되었을 것이다.

① ㄱ, ㄴ ② ㄱ, ㄷ ③ ㄴ, ㄷ
④ ㄴ, ㄹ ⑤ ㄷ, ㄹ

서술형 문제

● 정답친해 56쪽

01 그래프는 우리나라 공업의 권역별 비중을 나타낸 것이다. 이를 보고 물음에 답하시오.

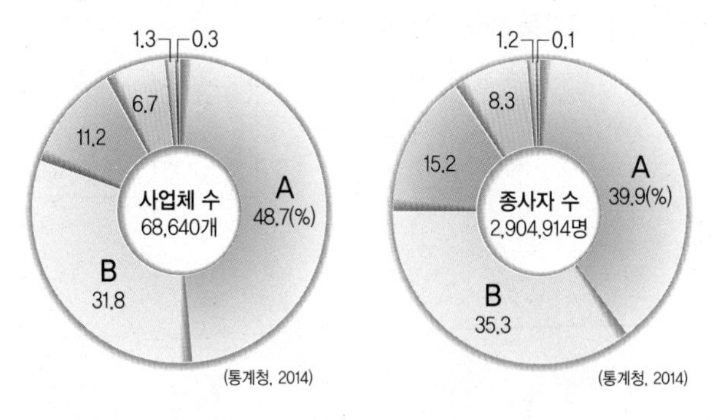

(1) A, B 권역을 각각 쓰시오.

(2) (1)의 지역에 공업이 편재된 원인과 이로 인해 발생할 수 있는 문제점을 서술하시오.

02 지도를 보고 물음에 답하시오.

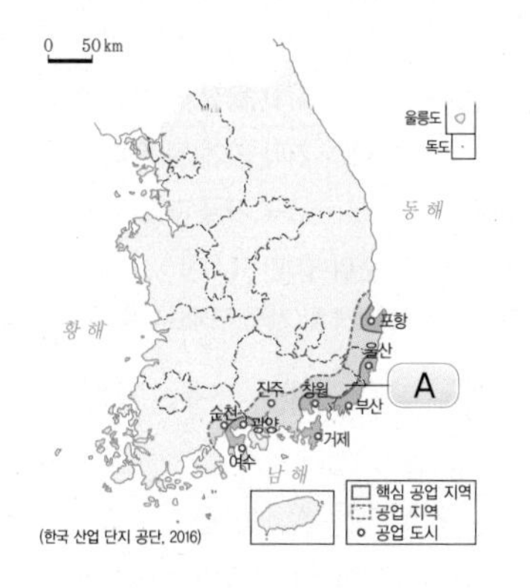

(1) A 공업 지역의 이름을 쓰시오.

(2) A 공업 지역의 특징을 세 가지 서술하시오.

STEP 3 1등급 정복하기

1 그래프는 (가)~(라) 지역의 제조업 업종별 출하액 비중을 나타낸 것이다. A~D 공업에 대한 설명으로 옳지 않은 것은? (단, A~D는 전자, 1차 금속, 자동차 및 트레일러, 화학 물질 및 화학 제품(의약품 제외) 중 하나이다.)

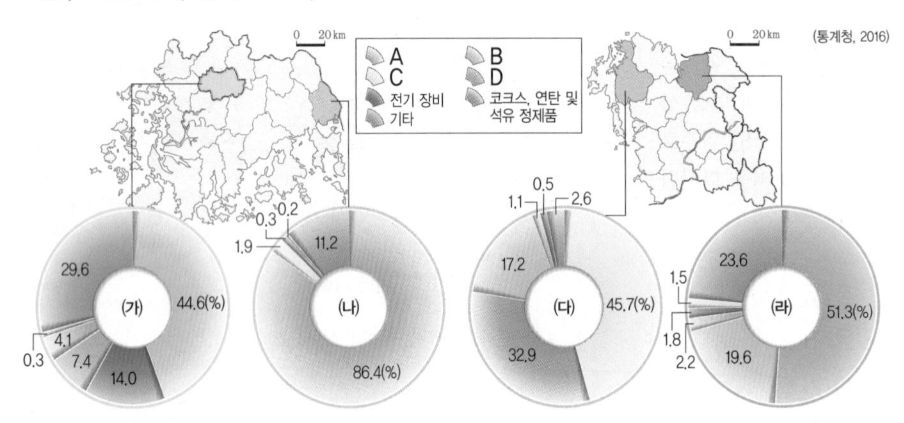

① A는 1960년대 우리나라의 수출 주력 제조업이었다.
② B는 집적 효과가 큰 계열화된 조립형 공업이다.
③ C는 원자재의 해외 의존도가 높다.
④ D는 B보다 최종 제품의 무게가 가볍고 부피가 작다.
⑤ A에서 생산된 최종 제품은 B의 주요 재료로 이용된다.

> 공업의 분포와 특징

완자샘의 시험 꿀팁
'주요 공업의 분포'는 출제 비중이 매우 높은 주제이다. 특정 공업의 입지 원리를 파악한 뒤 출하액이 높은 지역의 순위와 해당 지역의 위치를 파악해 두어야 한다.

2 표는 세 지역의 지역 내 제조업 부문별 종사자 수 비중을 나타낸 것이다. (가)~(다)에 해당하는 지역을 지도의 A~C에서 골라 옳게 연결한 것은?

(통계청, 2014)

순위	(가)		(나)		(다)	
	부문	비중	부문	비중	부문	비중
1	자동차 및 트레일러	17.0	자동차 및 트레일러	29.2	기타 기계 및 장비	14.9
2	금속 가공 제품	16.4	기타 운송 장비	28.0	금속 가공 제품	13.0
3	섬유 제품	15.3	화학 물질 및 화학 제품	9.4	자동차 및 트레일러	8.7
4	기타 기계 및 장비	13.3	기타 기계 및 장비	5.8	1차 금속	7.9
5	고무 및 플라스틱 제품	8.1	금속 가공 제품	5.6	고무 및 플라스틱 제품	7.6

* 10인 이상 제조업체만 포함되며, 상위 5순위까지만 표시함
** 섬유 제품(의복 제외), 금속 가공 제품(기계 및 가구 제외), 화학 물질 및 화학 제품(의약품 제외)

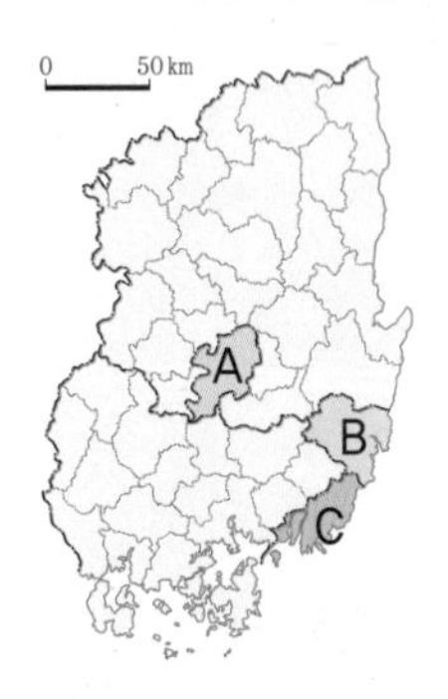

	(가)	(나)	(다)
①	A	B	C
②	A	C	B
③	B	A	C
④	B	C	A
⑤	C	A	B

> 주요 공업의 입지

3 표는 주요 공업의 시도별 에너지 소비량을 나타낸 것이다. (가)~(다)에 대한 설명으로 옳은 것은? (단, (가)~(다)는 1차 금속, 섬유 제품(의복 제외), 화학 물질 및 화학 제품(의약품 제외) 제조업 중 하나이다.)

(단위: 천 TOE)

(가)		(나)		(다)	
지역	사용량	지역	사용량	지역	사용량
전라남도	11,380	전라남도	4,682	경상북도	113
경상북도	9,549	충청남도	3,847	경기도	103
충청남도	7,006	울산광역시	3,759	대구광역시	64

(통계청, 2014)

* 공업별 에너지 소비량 상위 3개 시도만 나타냄

① (가)는 원료의 국내 자급률이 높다.
② (나)는 최종 제품의 제조 과정에서 주요 원료의 무게와 부피가 감소하는 공업이다.
③ (다)는 지식 기술 집약적 산업으로 입지가 비교적 자유롭다.
④ (나)는 (다)보다 생산비에서 노동비가 차지하는 비중이 작다.
⑤ (다)는 (나)보다 초기 설비 투자 비용이 큰 장치 산업이다.

> 주요 공업의 분포

완자 사전

• **장치 산업**
어떤 제품을 생산하는 데 거대한 설비와 각종 장치를 필요로 하는 산업

교육청 응용

4 자료의 (가) 공업에 대한 옳은 설명을 〈보기〉에서 고른 것은?

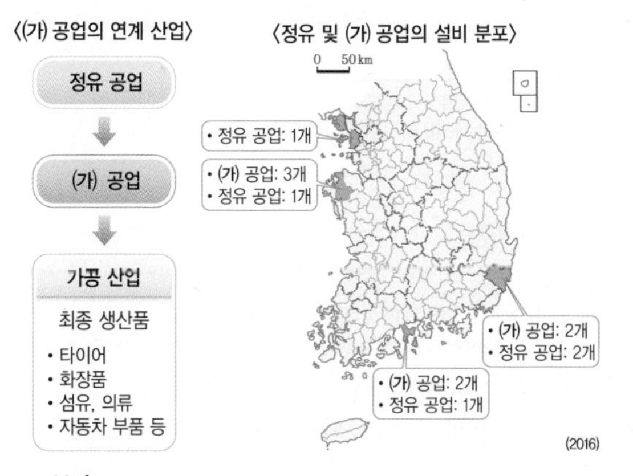

보기

ㄱ. 제품의 부가 가치가 큰 공업으로 입지가 자유롭다.
ㄴ. 대량의 원료를 수입하기 때문에 적환지에 입지한다.
ㄷ. 한 가지 원료로 여러 제품을 생산하는 계열화된 공업이다.
ㄹ. 1960년대 말부터 대표적인 수출 지향 산업으로 육성되었다.

① ㄱ, ㄴ ② ㄱ, ㄷ ③ ㄴ, ㄷ
④ ㄴ, ㄹ ⑤ ㄷ, ㄹ

> 공업의 입지 특성

04 서비스업의 변화와 교통·통신의 발달

학습목표
- 상업 및 서비스업의 입지 요인과 최근의 변화상을 설명할 수 있다.
- 교통·통신의 발달이 생산 및 소비 공간에 미치는 영향을 평가할 수 있다.

이것이 핵심!

상업 및 소비 공간의 변화

상업 입지의 변화 요인
인구 증가, 교통·통신의 발달, 소비자의 구매 행태 변화

↓

소비 공간의 변화
• 전문화된 상업 시설 발달 → 백화점, 대형마트, 편의점 등 • 소규모 상점과 재래시장의 쇠퇴

★ **상업의 발달 과정**
물물 교환의 형태로 이루어지던 초기의 상업 활동은 점차 발달하여 사람들이 일정한 장소에 모여 물건을 사고파는 시장으로 발전하였다. 시장은 일정 기간에만 장이 열리는 정기 시장의 형태를 띠다가 점차 상설 시장으로 변화하였다.

1 상업 및 소비 공간의 변화

1. 상업의 입지

(1) ★**상업**: 생산과 소비를 연결하는 여러 가지 유통 활동 ─ 넓은 의미로 운송업, 보관업, 금융업, 보험업, 정보 통신업, 무역업 등도 상업에 해당돼.

(2) **상업의 입지** 교과서 자료

① 상점의 유지 조건: 최소 요구치의 범위보다 재화의 도달 범위가 넓어야 함

② 상점의 입지: 상점의 규모와 기능, 상품의 구매 빈도와 가격 등에 따라 달라짐

생활용품 판매점	상점의 수가 많고, 상점 간 거리가 가까운 편이며 소비자의 분포에 따라 분산되어 입지
전문 상품 판매점	상점의 수가 적고, 상점 간 거리가 멀거나 특정 지역에 집중되어 입지

2. 상업과 소비 공간의 변화

(1) **상업 입지의 변화 요인**

① 인구 증가: 인구가 증가하고 교통이 발달하면서 상설 시장 형성

② 교통·통신의 발달: 시공간의 제약이 줄어들면서 상권 확대, 상품 유통 구조의 단순화, 무점포 상점 증가

③ 소비자의 구매 행태 변화: 자동차 보급 증대, 맞벌이 부부 증가 등이 원인 → 대량 복합 구매 활동 증가, 복합 상업 시설에서 소비 생활과 여가 활동을 동시에 즐김
└ 주로 야간이나 휴일에 구매 활동을 하는 경우가 많아.

(2) **상업과 소비 공간의 변화** 자료 ①

백화점	주로 고급 상품 판매, 접근성이 좋은 도심이나 부도심에 입지
대형 마트	주로 일상용품 판매, 도시 내 주거 지역을 중심으로 교외 지역까지 확산
편의점	바쁜 현대인들의 일상생활에 필요한 다양한 제품 판매, 도시 곳곳에 분포
소규모 상점과 재래시장	시설의 노후화, 편의 시설 부족, 대형 마트의 증가 등으로 경쟁력 약화 → 판매 환경 개선과 다양한 마케팅 전략 시도

지가가 저렴하고 교통이 발달한 대도시 외곽 지역에는 대형 아웃렛 매장이 입지해 있어.

이것이 핵심!

서비스 산업 구조의 고도화

산업 구조가 고도화되면서 탈공업화 진행

↓

서비스 산업의 고도화
서비스업 외부화 경향의 강화로 생산자 서비스업이 성장함

★ **서비스업 외부화**
기업이 경영 효과 및 효율의 극대화를 위한 방안으로 업무의 일부를 전문 업체에게 위탁해 처리하는 것

2 서비스 산업의 고도화와 공간 변화

1. 탈공업화와 정보화 사회 자료 ②

노동력과 자본 중심의 산업 사회에서 지식 중심의 정보화 사회로 바뀌고 있음을 의미해.

(1) **탈공업화**: 산업 구조가 2차 산업에서 3차 산업 중심으로 바뀌어 가는 현상

(2) **정보화 사회로 전환**: 지식과 정보가 중요한 생산 요소가 되는 지식 기반 서비스업의 비중이 높아짐
정보·통신 서비스업, 교육·문화·디자인 산업 등이 있어.

2. 서비스 산업의 고도화

(1) **서비스 산업의 유형**: 수요자 유형에 따라 소비자 서비스와 생산자 서비스로 구분

소비자 서비스업	도·소매업, 음식업, 숙박업 등 개인이 이용하는 서비스업
생산자 서비스업	금융·보험업, 방송업, 사업 서비스업 등 기업의 생산 활동을 지원하는 서비스업

(2) **서비스 산업의 고도화**: ★서비스업 외부화 경향의 강화로 업종 및 규모가 다양해지고, 기능이 전문화됨 → 생산자 서비스업의 비중이 증가함

완자 자료 탐구

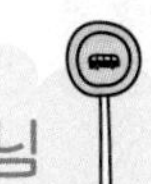

내 옆의 선생님

수능이 보이는 교과서 자료 상업의 입지

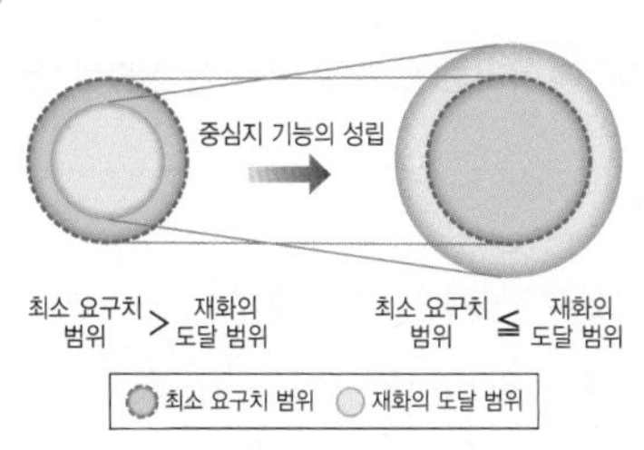

* 최소 요구치 : 상점이 유지하는 데 필요한 최소한의 수요
* 재화의 도달 범위 : 상점으로부터 재화가 도달할 수 있는 최대한의 범위

└ 소비자가 상품 구입을 위해 기꺼이 교통비를 지불하고 오는 거리를 말해.

최소 요구치와 재화의 도달 범위

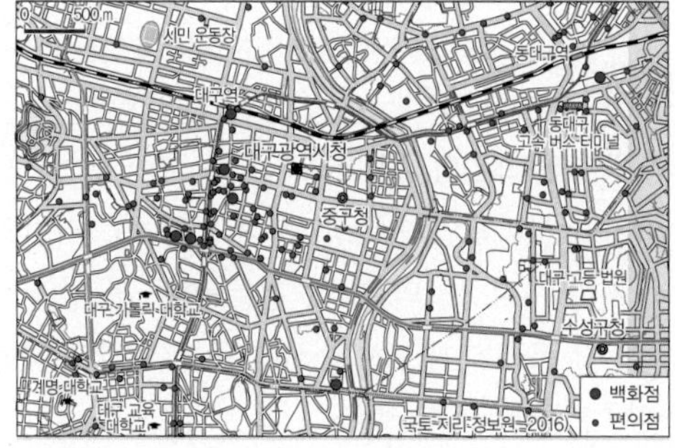

백화점과 편의점의 입지(대구광역시)

상점이 유지되기 위해서는 최소 요구치의 범위보다 재화의 도달 범위가 넓어야 하며, 이는 상점의 규모, 상품의 구매 빈도와 가격 등에 따라 달라진다. 백화점은 편의점보다 최소 요구치가 크기 때문에 점포의 수가 적으며, 점포 간 거리가 멀다.

완자샘의 탐구 강의

• 백화점과 편의점의 입지 특성을 비교해 보자.

구분	백화점	편의점
점포 수	적다	많다
점포 간의 거리	멀다	가깝다
최소 요구치	크다	작다
재화의 도달 범위	넓다	좁다

함께 보기 185쪽, 1등급 정복하기 1

자료 1 주요 소매업의 유형별 매출액 변화

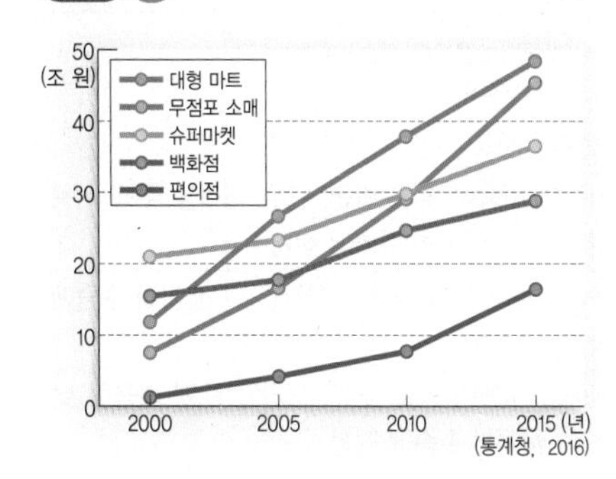

자동차 보급률이 증가하고 맞벌이 부부가 늘어나면서 주차 시설이 잘 갖추어지고 야간 및 휴일에 이용할 수 있는 대형 마트의 매출액이 빠르게 증가하고 있다. 무점포 판매는 통신 기술이 발달하면서 증가하게 된 소매 업태로 홈 쇼핑, 인터넷 쇼핑, 소셜 커머스 등을 말하는데, 최근 들어 매출액이 빠르게 증가하고 있다.

자료 2 우리나라 산업 구조의 변화

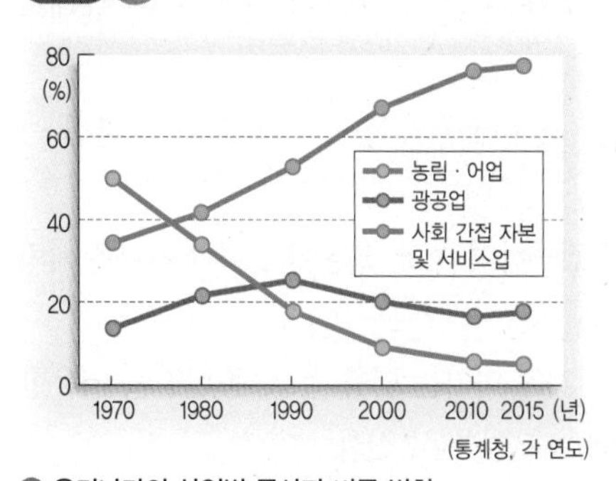

우리나라의 산업별 종사자 비중 변화

우리나라는 1960년대 이전까지 농업 중심의 1차 산업 종사자 비중이 높았으나, 이후 공업이 빠르게 성장하면서 제조업 중심의 2차 산업 종사자 비중이 증가하였다. 1990년대부터는 제조업 종사자 비중이 감소하였고, 서비스업 중심의 3차 산업 종사자 비중이 증가하면서 탈공업화 현상이 나타났다. 최근에는 지식 기반 서비스업이 서비스 산업의 성장을 주도하고 있다.

└ 1, 2, 3차 산업 간의 상호 의존성이 커지면서 고부가 가치 지식 서비스업이 발달해.

자료 하나 더 알고 가자!

오프라인 유통 구조와 온라인 유통 구조

오프라인 유통 구조

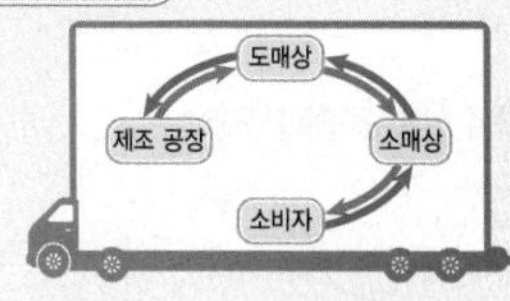

온라인 유통 구조

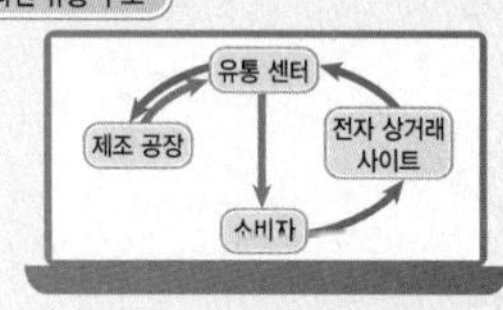

→ 상품 이동 → 정보 이동

온라인 유통 구조는 오프라인 유통 구조와는 달리 최종 소비자에게 제품이 직접 배달된다.

문제로 확인할까?

기업의 생산 활동을 지원하는 서비스업으로 산업이 발달함에 따라 그 비중이 점차 높아지는 것은?

답 생산자 서비스업

04 서비스업의 변화와 교통·통신의 발달

★ 통신 서비스 가입자 수 변화

최근 컴퓨터, 스마트폰 등 각종 통신 수단이 발달하면서 다양한 형태의 정보를 공간적 제약 없이 주고받을 수 있게 되었다.

3. 서비스 산업의 공간 변화

(1) 서비스 산업의 입지 자료 ③

대도시의 도심에서 집적 불이익이 발생하면서 소비자 서비스업은 대도시 교외 지역으로, 생산자 서비스업은 교통 조건이 유리하고 업무 및 생활 환경이 쾌적한 주변 도시로 확대되고 있어.

소비자 서비스업	소비자의 이동 거리를 최소화하고 업체 간 경쟁을 줄이기 위해 서로 일정한 거리를 두고 분산하여 입지
생산자 서비스업	교통과 통신이 편리하고 정보 및 전문 인력 획득에 유리하며, 기업의 본사가 집중된 대도시의 도심이나 부도심에 집적하여 입지

관련 산업의 발달 및 집적을 유도하는 효과가 있어 지역의 고용 창출과 경제 성장에 많은 영향을 주지.

(2) 지식 기반 서비스업의 공간 변화

① 지식 기반 서비스업의 특성: 지식과 정보를 기반으로 부가 가치를 창출함

② 지식 기반 서비스업의 입지: 전문 연구 및 경영 인력을 확보하기 쉽고, *정보 통신 기반 시설이 잘 구축된 대도시를 선호 → 수도권과 지방 중소 도시 간 격차 발생

3 교통·통신의 발달과 공간의 변화

이것이 핵심!

교통수단별 특징

도로	기동성·문전 연결성이 높음, 기종점 비용이 저렴함
철도	정시성·안전성이 높음, 중거리 수송에 적합
해운	기종점 비용이 높음, 장거리 수송에 적합
항공	신속한 장거리 수송에 유리함

1. 우리나라의 교통 발달

1960년대	경부 고속 국도 개통으로 도로 교통 성장 → 여객과 화물 수송의 중심을 이룸
1970년대	서울 등 대도시의 교통 혼잡을 해결하기 위해 지하철 개통
2000년대	• 경부 및 호남 고속 철도 개통으로 지역 간 교류가 더욱 활발해짐 • 인천 국제공항 개항 → 동북아시아의 허브 공항 역할

2. 교통수단별 특징 자료 ④

기동성은 상황에 따라 신속하게 이동하는 정도를, 문전 연결성은 사람이나 물자를 문앞까지 전달해 주는 정도를 말해.

구분	특징	*운송비 구조
도로	지형적 제약이 적음, 기동성·문전 연결성 높음	기종점 비용이 낮은 반면, 단위 거리당 주행 비용이 높음 → 단거리 수송에 적합
철도	지형적 제약이 많음, 정시성·안전성 높음	운송비가 도로와 해운의 중간임 → 중거리 수송에 적합
해운	속도가 느림, 최근 무역량 증가로 화물 수송의 비중 증가	기종점 비용이 높고, 단위 거리당 주행 비용이 낮음 → 장거리 수송에 적합
항공	기상 조건에 따른 제약이 많음, 신속성 높음, 최근 여객 수송 비중이 늘어남	기종점 비용과 단위 거리당 주행 비용이 모두 높음 → 신속한 장거리 수송에 유리

★ 교통수단별 운송비 구조

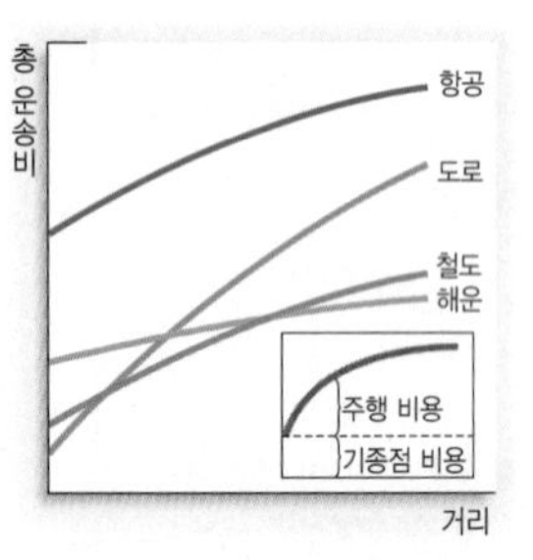

총 운송비는 거리에 따라 증가하는 주행 비용과 창고비, 하역비, 보험료 등 운송 업무에 관련된 비용인 기종점 비용의 합으로 구할 수 있다.

3. 교통·통신의 발달과 공간의 변화 자료 ⑤

(1) **시공간적 제약의 완화**: 지역 간 인적 및 물적 교류 증가, 통근·통학권 등 생활권 확대, 대도시권 형성, 재택근무 및 화상 회의 등 확대

(2) **공간의 재조직**: 교통이 편리한 지역에 인구와 산업, 경제 활동의 '집중 → 과밀화 → 분산 → 재집중' 현상 반복

과밀화: 지가 상승, 교통 혼잡 등이 발생해.

(3) **공간 불균형**: 교통이 편리한 지역은 인구와 산업이 집중하여 성장, 교통이 불편한 지역은 쇠퇴하거나 정체 → 지역 격차 심화

(4) **기업 활동의 변화**: 원료나 제품의 운송비가 공장 입지에 미치는 영향 감소, 통신망을 이용한 정보 공유 가능 → 관리 기능과 생산 기능의 공간적 분업 현상 심화

(5) **전자 상거래의 발달**: 무점포 상점 증가 → 택배 산업과 대형 물류 창고업 성장

전자 상거래를 이용하면 소비자 입장에서는 매장을 방문하는 데 걸리는 시간을 줄일 수 있고, 사업자 입장에서는 점포 임대료, 인건비 등을 절감할 수 있어.

도시 외곽 지역에 물류 단지, 복합 화물 터미널 등이 들어서 있어.

완자 자료 탐구

내 옆의 선생님

자료 3 서비스 산업의 분포

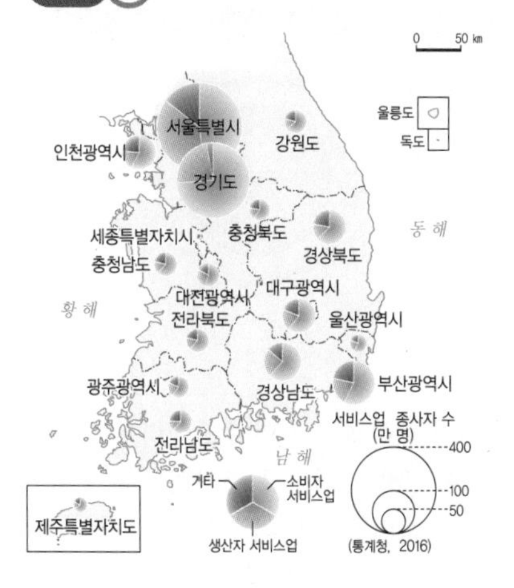

도·소매업, 음식, 숙박업, 관광업 등의 소비자 서비스업은 소비자의 이동 거리를 최소화하고 비용이 저렴한 곳을 선호하기 때문에 업체들 간에 일정한 간격을 유지하며 입지하려는 경향이 있다. 그러나 특화된 상업 지구와 같이 전문화된 소비자 서비스업은 집적 이익을 추구하여 한 곳에 집적하는 경향이 있다. 반면, 광고·회계·보험·부동산·법률 서비스 등의 생산자 서비스업은 주요 고객인 기업과의 접근성이 좋고 정보 획득이 쉬운 대도시의 도심이나 부도심에 입지하려는 경향이 있다.

자료 4 우리나라의 교통 수송 분담률

국내 여객(명 기준) (%)

(년)	철도	지하철	도로	해운	항공
1970	4.6		95.2	0.2	
1980	5.0	0.8	94.1	0.1	
1990	4.5	7.6	87.8	0.1	
2000	6.0	16.6	77.1	0.1	0.2
2010	8.2	17.7	73.8	0.1	0.2
2014	9.2	18.5	72.0	0.1	0.2

국내 화물(톤 기준) (%)

(년)	철도	도로	해운	항공
1970	30.3	59.4	10.3	
1980	28.4	60.5	11.1	
1990	17.2	63.8	19.0	
2000	6.7	73.6	19.6	0.1
2010	5.0	79.1	15.8	0.1
2014	4.6	80.8	14.5	0.1

(통계청, 2016)

⬆ 국내 교통수단별 수송 분담률

해운 교통은 여객 수송보다 화물 수송의 비율이 더 높아.

우리나라는 철도를 중심으로 교통 체계가 갖추어지기 시작하였으며, 1960년대 이후 경부 고속 국도를 시작으로 구축된 도로망은 여객과 화물 수송의 중심이 되었다. 2014년 기준 교통수단별 국내 여객 수송 분담률은 도로 〉 지하철 〉 철도 〉 항공 〉 해운 순이다. 그리고 국내 화물 수송 분담률은 도로 〉 해운 〉 철도 〉 항공 순이다.

자료 5 고속 철도 개통에 따른 지역의 변화

(가) 2015년 호남 고속 철도 개통 이후 광주광역시를 찾는 관광객이 증가하면서 고속 철도가 정차하는 광주 송정역 주변은 경제 활동이 활성화되고, 고속 철도가 정차하지 않는 광주역 주변은 경제 활동이 침체되고 있다.

(나) 2015년 서울~포항 고속 철도가 개통됨에 따라 서울역에서 포항역까지 평균 2시간 30분이면 갈 수 있게 되었다. 고속 철도 개통 이후 포항을 찾는 관광객이 증가하였지만, 포항 지역 백화점의 매출액과 지역 대형 병원의 진료 건수는 감소하였다.

(가)는 교통수단이 새롭게 구축되는 지역은 경제 활동이 활성화되지만, 상대적으로 교통 발달의 혜택에서 소외된 지역은 성장 잠재력이 약화하거나 경제 활동이 위축될 수 있음을 보여 준다. (나)는 교통 조건이 좋은 대도시가 오히려 주변 중소 도시의 인구와 기능을 흡수하면서 지역 격차가 커질 수도 있음을 보여 준다.

정리 비법을 알려줄게!

소비자 서비스와 생산자 서비스의 공간 분포

소비자 서비스	소비자가 많은 곳에 입지. 업체 간 경쟁을 최소화하기 위해 일정한 간격을 두고 분산 입지
생산자 서비스	교통과 통신이 발달하고 정보 및 전문 인력 획득에 유리한 대도시 내 도심이나 부도심에 입지

문제로 확인할까?

국내 여객과 화물 수송 분담률이 가장 큰 교통수단은?

① 도로 ② 철도 ③ 항공
④ 해운 ⑤ 지하철

① 답

자료 하나 더 알고 가자!

교통 발달에 따른 지역의 변화

동해안과 수도권의 거리가 더욱 가까워질 것으로 전망된다. 원주~강릉 철도가 2017년 12월에 개통하는 것을 시작으로 속초, 양양 등 동해안 교통망이 잇따라 크게 개선된다.

수도권과의 이동 시간이 단축되면 다양한 경제적 효과가 발생할 수 있다. 하지만 경제적 이익이 수도권으로 더욱 집중하거나 관광객이 체류하는 시간이 단축되는 문제도 발생할 수 있어 대책 마련이 필요하다.

정답친해 58쪽

STEP 1 핵심 개념 확인하기

1 다음에서 설명하는 상업 시설을 〈보기〉에서 골라 기호를 쓰시오.

보기
ㄱ. 편의점　　ㄴ. 백화점　　ㄷ. 재래시장

(1) 고급 상품을 주로 판매하며 접근성이 좋은 도심이나 부도심에 입지한다. (　　)

(2) 최근 경쟁력이 약화되었으나 다양한 마케팅 전략으로 변화를 모색하고 있다. (　　)

(3) 바쁜 현대인들이 일상생활에 필요한 다양한 제품을 구입할 수 있으며 도시 곳곳에 분포한다. (　　)

2 ㉠, ㉡에 들어갈 내용을 각각 쓰시오.

서비스 산업은 수요자의 유형에 따라 도·소매업, 음식업 등 개인이 이용하는 (㉠　　　) 서비스업과 금융·보험업, 방송업 등 기업의 생산 활동을 지원하는 (㉡　　　) 서비스업으로 구분된다.

3 다음 설명이 맞으면 ○표, 틀리면 ×표를 하시오.

(1) 탈공업화는 산업 구조가 고도화되면서 제조업의 비중이 줄어드는 현상이다. (　　)

(2) 오늘날 연구·개발, 정보 통신 기술 등 지식 기반 서비스업의 비중이 증가하고 있다. (　　)

4 교통수단과 그 특징을 옳게 연결하시오.

(1) 도로 •　　• ㉠ 지형적 제약이 많음

(2) 철도 •　　• ㉡ 기동성·문전 연결성이 높음

(3) 항공 •　　• ㉢ 신속한 장거리 수송에 유리함

5 다음 빈칸에 들어갈 내용을 쓰시오.

(1) 전자 상거래가 발달하면서 (　　　) 산업과 대형 물류 창고업이 성장하고 있다.

(2) 교통이 편리한 지역은 성장하고, 불편한 지역은 발전이 정체되어 (　　　)가 심화되기도 한다.

STEP 2 내신 만점 공략하기

01 그림은 상점의 최소 요구치와 재화의 도달 범위를 나타낸 것이다. A, B에 대한 옳은 설명을 〈보기〉에서 고른 것은?

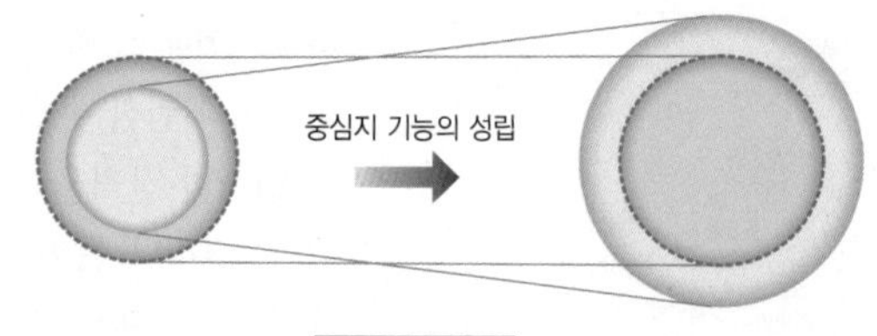

보기
ㄱ. A는 상점이 유지되기 위한 최소한의 수요이다.
ㄴ. 다른 조건은 모두 동일하고 인구가 증가하거나 소비자의 구매력이 높아진다면 A의 범위는 확대된다.
ㄷ. 다른 조건은 모두 동일하고 상점으로 연결되는 교통로가 건설되면 B의 범위는 확대된다.
ㄹ. 상점이 유지되기 위해서는 A의 범위가 B의 범위보다 넓어야 한다.

① ㄱ, ㄴ　② ㄱ, ㄷ　③ ㄴ, ㄷ
④ ㄴ, ㄹ　⑤ ㄷ, ㄹ

02 다음과 같은 현상이 나타나게 된 원인으로 보기 어려운 것은?

편의성과 즐거움, 감각적 체험을 위한 복합 상업 시설이 철도 역사, 신도시의 상업 지구 등을 중심으로 들어서고 있다. 다양한 시설을 갖춘 복합 상업 시설에서는 쇼핑, 외식, 영화 관람 등 소비 생활과 여가 활동을 동시에 즐길 수 있다. 복합 상업 시설은 소비 문화의 패러다임 변화에 큰 획을 그을 것으로 예상되고 있다.

① 재래시장이 발달하였다.
② 맞벌이 부부가 증가하였다.
③ 자동차 보급률이 증가하였다.
④ 소비자들의 수요가 다양해졌다.
⑤ 편리성을 추구하는 소비자가 증가하였다.

중요

03 지도는 대구광역시의 소매 업체 분포를 나타낸 것이다. A, B 소매 업체에 대한 설명으로 옳지 않은 것은?

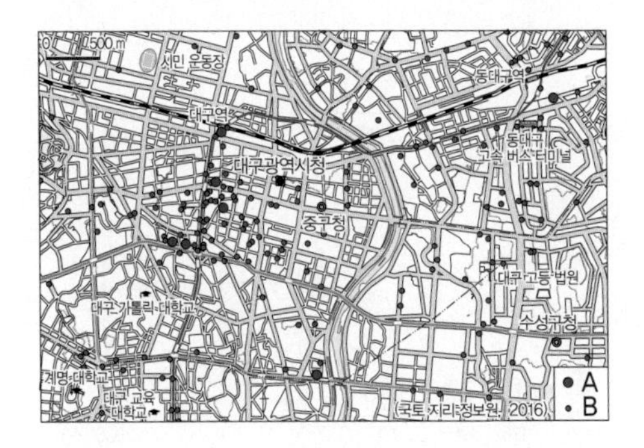

① A는 B보다 점포 간의 평균 거리가 멀다.
② A는 B보다 하루 평균 방문 횟수가 적다.
③ A는 B보다 고가 상품의 판매 비중이 높다.
④ B는 A보다 점포 수가 많다.
⑤ B는 A보다 최소 요구치가 크다.

04 그래프는 주요 소매업 유형별 매출액 변화를 나타낸 것이다. A～D에 대한 옳은 설명을 〈보기〉에서 고른 것은?

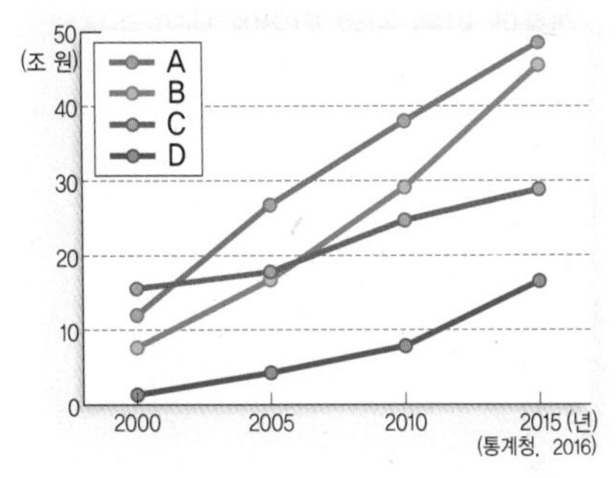

보기

ㄱ. A는 편의 시설 부족과 시설의 노후화로 어려움을 겪고 있다.
ㄴ. B는 TV 홈쇼핑, 인터넷 쇼핑 등을 포함하며, 입지가 자유로운 편이다.
ㄷ. C는 접근성이 좋은 도심이나 부도심에 입지한다.
ㄹ. D는 넓은 주차 공간을 확보할 수 있는 대도시 외곽 지역에 위치한다.

① ㄱ, ㄴ ② ㄱ, ㄷ ③ ㄴ, ㄷ
④ ㄴ, ㄹ ⑤ ㄷ, ㄹ

05 그림은 상품의 유통 구조를 나타낸 것이다. (가)와 비교할 때 (나)의 상대적인 특징으로 옳은 것은?

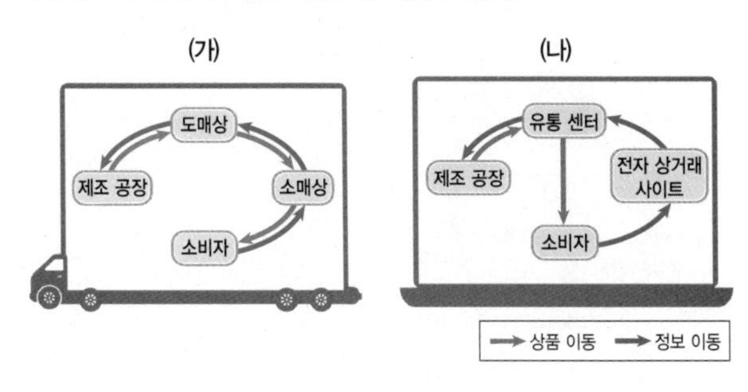

① 재화의 도달 범위가 좁다.
② 매장 관리 비용이 비싸다.
③ 상품의 유통 단계가 복잡하다.
④ 인근 지역 주민들이 주요 고객이다.
⑤ 시공간을 초월한 거래가 이루어진다.

06 그래프는 우리나라의 산업별 종사자 비중 변화를 나타낸 것이다. 이와 같은 변화가 나타나게 된 원인으로 보기 어려운 것은?

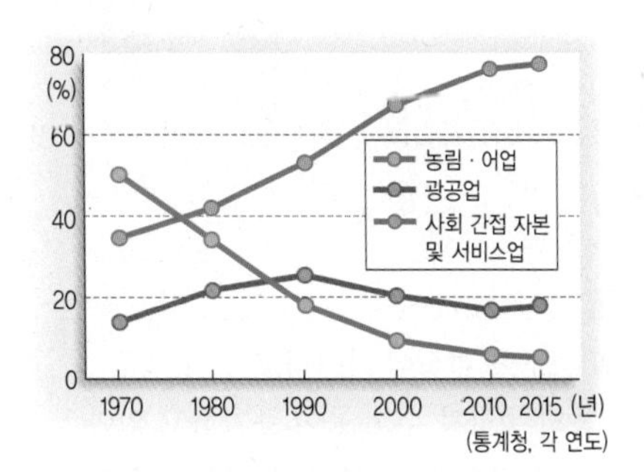

① 정보 통신 기술의 발달
② 첨단 기술 산업의 성장
③ 인구 증가와 고령화 현상
④ 다양하고 전문화된 서비스에 대한 요구 확대
⑤ 국내 인건비 상승으로 인한 공장의 해외 이전

중요

07 지도는 서비스업의 분포를 수요자의 유형에 따라 구분한 것이다. A, B에 대한 설명으로 옳은 것은?

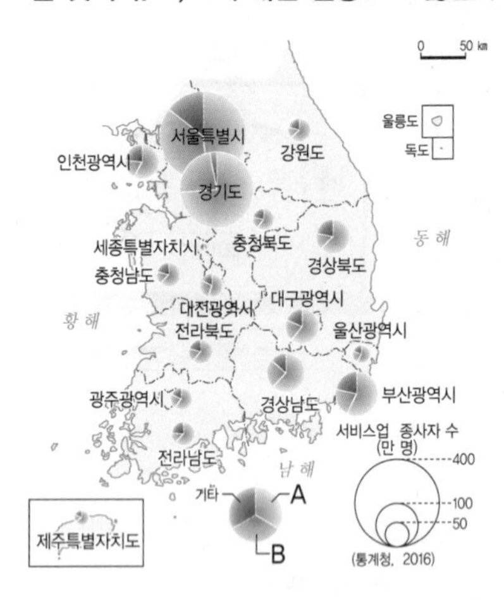

① A는 기업을 주요 대상으로 한다.
② A는 서울과 경기에 집적하여 분포한다.
③ B는 관련 산업의 발달과 집적을 유도한다.
④ A는 B보다 노동 생산성이 높은 편이다.
⑤ A는 생산자 서비스업, B는 소비자 서비스업이다.

08 그래프는 서비스 산업의 업종별 종사자 수 비율 변화를 나타낸 것이다. 이에 대한 분석으로 옳은 것을 〈보기〉에서 고른 것은?

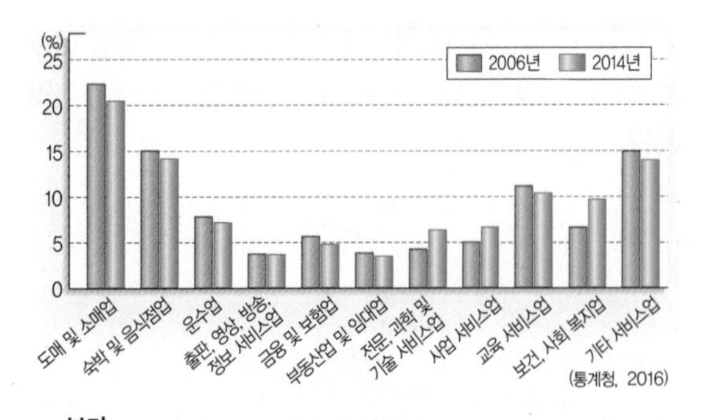

보기

ㄱ. 서비스 산업의 고도화 현상이 나타나고 있다.
ㄴ. 숙박, 음식업 등의 종사자 수 비율이 증가하고 있다.
ㄷ. 기업에 제공되는 서비스업의 비율이 높아지고 있다.
ㄹ. 기계화·자동화되기 쉬운 사업 서비스업의 발달이 두드러진다.

① ㄱ, ㄴ　② ㄱ, ㄷ　③ ㄴ, ㄷ
④ ㄴ, ㄹ　⑤ ㄷ, ㄹ

09 그래프는 서울－부산 간 이동 시간 변화를 나타낸 것이다. 이를 통해 파악할 수 있는 오늘날의 변화 모습으로 옳지 않은 것은?

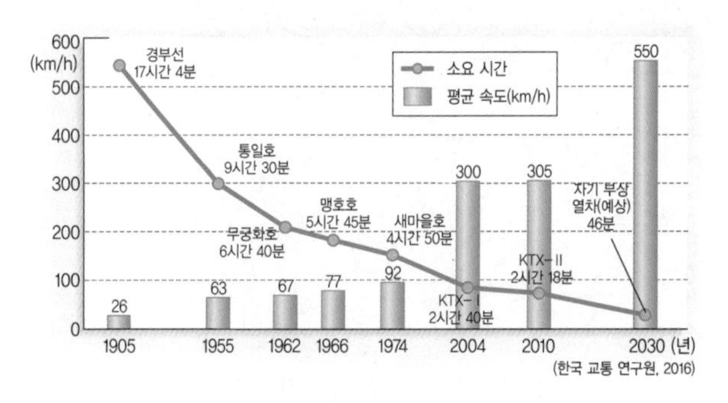

① 일상생활 공간의 범위가 넓어졌다.
② 이동에 소요되는 시간이 증가하였다.
③ 다른 지역과의 접근성이 향상되었다.
④ 국내 여행 관광객이 늘어났을 것이다.
⑤ 지역 간 물적 교류가 확대되었을 것이다.

10 지도는 우리나라의 주요 교통망을 나타낸 것이다. 고속 국도와 고속 철도의 개통에 따른 지역 변화에 대한 추론으로 옳지 않은 것은?

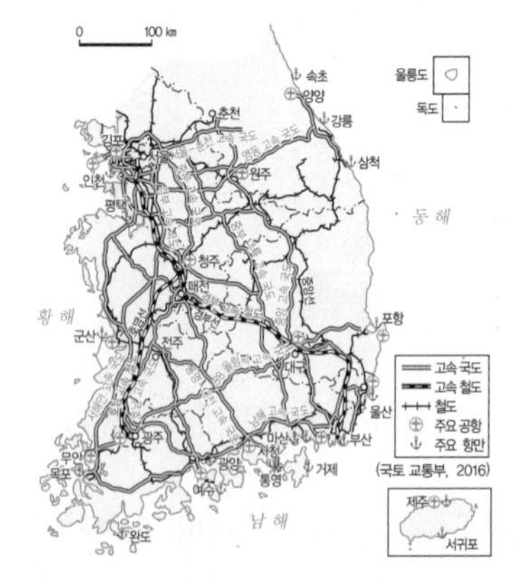

① 대도시로의 접근성이 높아졌을 것이다.
② 상품 작물의 재배 지역이 확대되었을 것이다.
③ 인구와 산업이 도시로 더욱 집중하게 될 것이다.
④ 교통의 발달로 지역 간 경제 격차가 크게 줄어들 것이다.
⑤ 교외화로 인한 도시 광역화 현상이 발생할 가능성이 높을 것이다.

11 그래프는 교통수단별 운송비의 구조를 나타낸 것이다. A~C에 대한 설명으로 옳은 것은?

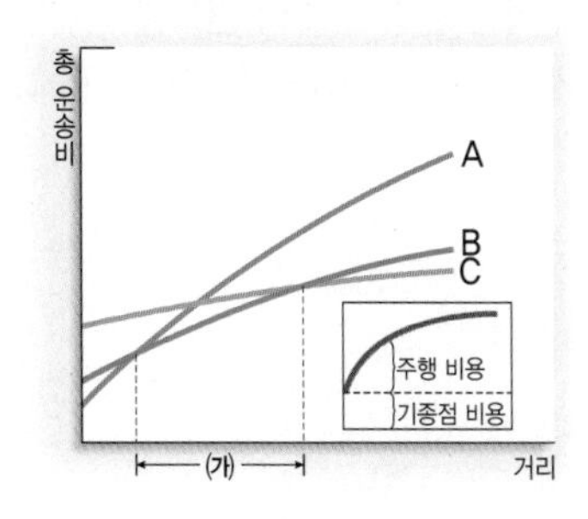

① (가) 구간에서는 A의 총 운송비가 가장 저렴하다.
② B는 기종점 비용이 가장 저렴하다.
③ A는 C보다 문전 연결성이 우수하다.
④ C는 B보다 정시성과 안전성이 우수하다.
⑤ 도로는 B, 해운은 C에 해당한다.

중요

12 그래프는 교통수단별 국내 여객 및 화물 수송 분담률을 나타낸 것이다. A~E에 대한 설명으로 옳은 것은?

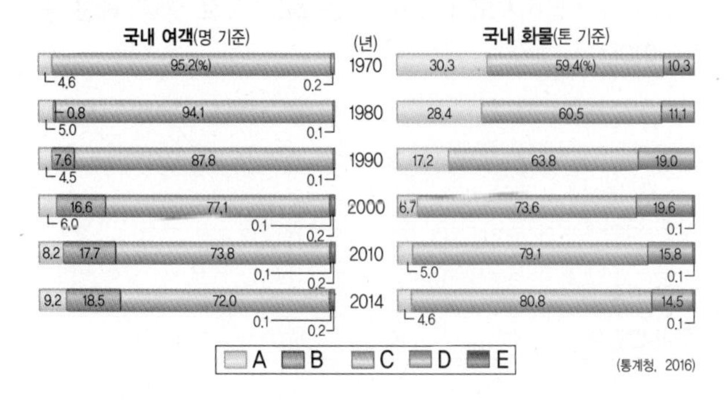

① A는 최근 여객 수송보다 화물 수송의 분담률이 높다.
② B는 대도시의 출퇴근 교통 문제 개선에 기여하였다.
③ C를 이용한 국내 화물 수송량은 감소하는 추세이다.
④ D는 주로 고부가 가치 제품의 해외 수송에 이용되고 있다.
⑤ E는 1970년대 이후 여객 수송 분담률이 급격하게 증가하였다.

13 다음 글을 통해 파악할 수 있는 내용으로 가장 적절한 것은?

> 고속 철도 호남선은 2015년 4월 2일 개통 이후 8개월여 동안 약 280만 명 이상이 이용한 것으로 나타났다. 이는 개통 이전인 2014년 같은 기간 대비 약 340% 증가한 수치이다. 고속 철도 호남선 개통과 함께 광주의 관문은 기존 광주역에서 새로운 역인 광주 송정역으로 변화하고 있다. 실제 송정역 인근 상가는 고속 철도 호남선 개통 이후 매출이 5~20%가량 증가했지만, 광주역은 일주일간 이용객이 평균 13만여 명에서 4만여 명으로 줄었다.

① 교통의 발달로 국토 이용의 효율성이 증가하였다.
② 교통수단의 증가로 생태 환경에 변화가 나타났다.
③ 새로운 교통수단이 생기면서 지역 격차가 완화되었다.
④ 새로운 교통로가 등장하면서 기존 교통로 주변 지역이 쇠퇴하였다.
⑤ 대도시의 교통이 발달하면서 중소 도시의 인구와 기능을 흡수하였다.

14 다음 내용과 가장 관계 깊은 주제는?

> • 섬에 사는 사람들은 병원 진료를 받는 일이 쉽지 않다. 육지에 있는 큰 병원에 가기 위해서는 교통비와 숙박비 등의 비용 부담도 크고, 날씨가 좋지 않을 때는 육지로 나가는 배가 없어 병원을 갈 수도 없다. 하지만 지금은 힘들게 섬에서 나갈 필요 없이 원격 의료로 진료를 받을 수 있게 되었다.
> • 다양한 첨단 정보 통신 기술(ICT)이 접목된 스마트 공항이 실현되고 있다. 셀프 체크인, 자동 수하물 위탁 서비스 등 탑승과 출입국 수속 과정이 자동화되고 있다. 과거 공항의 경쟁력은 활주로 길이, 여객 터미널 규모 같은 외형적인 요소에 따라 좌우되었지만, 앞으로는 이용객들이 얼마나 편리하고 신속하게 이용할 수 있는지에 따라 공항 경쟁력이 판가름나게 될 것으로 보인다.

① 원격 근무의 적극적인 도입
② 정보 통신 기업의 네트워크화
③ 대도시와 중소 도시의 격차를 좁히는 방법
④ 정보 통신 사회에서의 기업 및 도시의 전략
⑤ 정보 통신 기술 발달에 따른 공간 구조의 변화

15 그래프는 전자 상거래액의 변화를 나타낸 것이다. 이러한 현상이 지속될 경우 나타날 사회의 변화 모습으로 옳지 않은 것은?

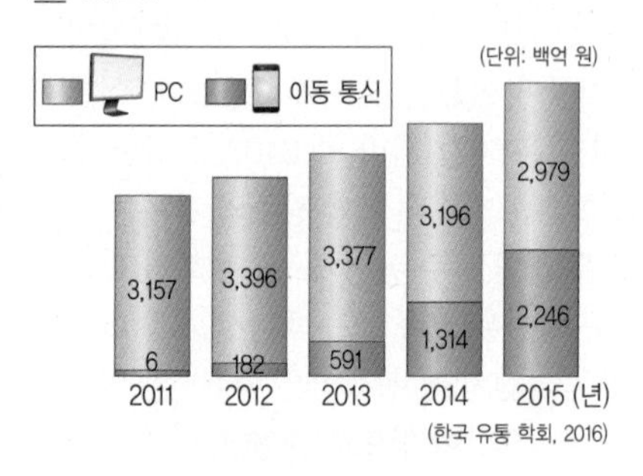

(한국 유통 학회, 2016)

① 무점포 업체가 증가한다.
② 상품 구입을 위한 이동 거리가 짧아진다.
③ 상점이 위치하는 장소의 중요성이 커진다.
④ 전자 상거래를 통한 소비 활동이 늘어난다.
⑤ 상품을 포장·보관·분류하는 물류 센터가 증가한다.

16 그래프는 우리나라 통신 서비스 가입자 수 변화를 나타낸 것이다. 이를 통해 추론할 수 있는 내용으로 옳지 않은 것은?

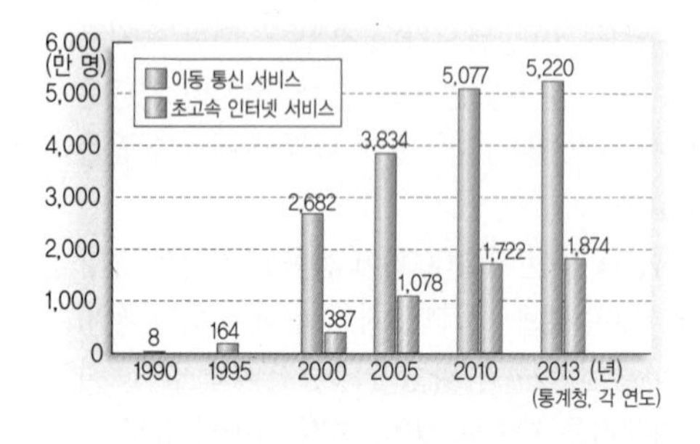

(통계청, 각 연도)

① 지역 간 교류가 더욱 증가하였을 것이다.
② 이동 통신 서비스의 성장으로 공간적 거리 제약이 감소하였을 것이다.
③ 전자 상거래가 활발해짐에 따라 임대료와 인건비가 상승하였을 것이다.
④ 택배 산업이 발달하고 도시 외곽에 물류 센터가 발달하게 되었을 것이다.
⑤ 기업의 관리 기능을 담당하는 본사와 생산 기능을 담당하는 공장이 서로 분산되어 입지할 것이다.

서술형 문제

● 정답친해 60쪽

01 그래프는 경제 발달에 따른 산업 구조의 변화를 나타낸 것이다. A를 쓰고, 이 시기에 나타나는 현상을 두 가지 서술하시오.

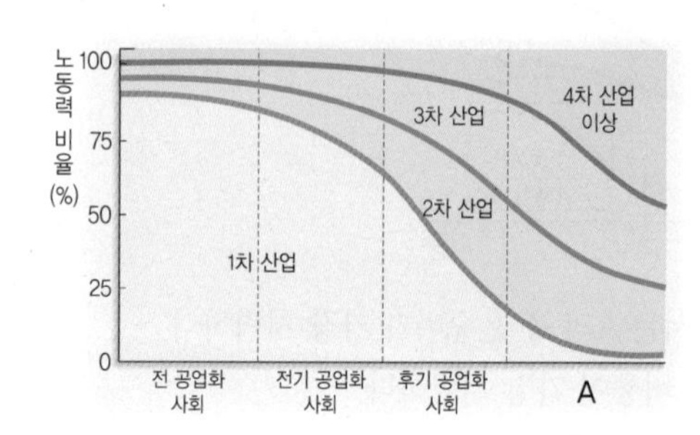

02 표는 교통수단별 상대적인 특성을 비교한 것이다. 이를 보고 물음에 답하시오. (단, A~D는 철도, 도로, 항공, 해운 중 하나이다.)

※ ◎: 매우 뛰어남, ○: 보통, △: 불리함

구분	A	B	C	D
정시성	△	◎	○	○
신속성	○	◎	◎	△
대량 수송	△	◎	○	◎
문전 연결성	◎	○	△	△

(1) A~D에 해당하는 교통수단을 쓰시오.

(2) A, D의 특징을 제시어를 사용하여 서술하시오.

• 거리 • 주행 비용 • 기종점 비용

STEP 3 1등급 정복하기

정답친해 60쪽

1 소매 업태 ㉠과 비교한 ㉡의 상대적 특징을 그림의 A~E에서 고른 것은? (단, ㉠, ㉡은 대형 마트, 편의점 중 하나이다.)

▶ 다양한 상업 시설의 입지

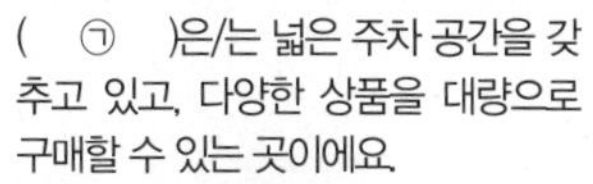

(㉡)은/는 일상생활에 필요한 기본적인 생필품을 가까이에서 손쉽게 살 수 있는 곳이에요.

점포 간 평균 거리 (멂)
A, B, C, D, E
최소 요구치 (큼)
점포당 종사자 수 (많음)
(적음, 가까움, 작음)

① A
② B
③ C
④ D
⑤ E

수능 응용

2 그래프의 (가)~(다) 소매 업태에 대한 옳은 설명을 〈보기〉에서 고른 것은? (단, (가)~(다)는 무점포 소매업체, 백화점, 편의점 중 하나이다.)

▶ 소매업체의 비교

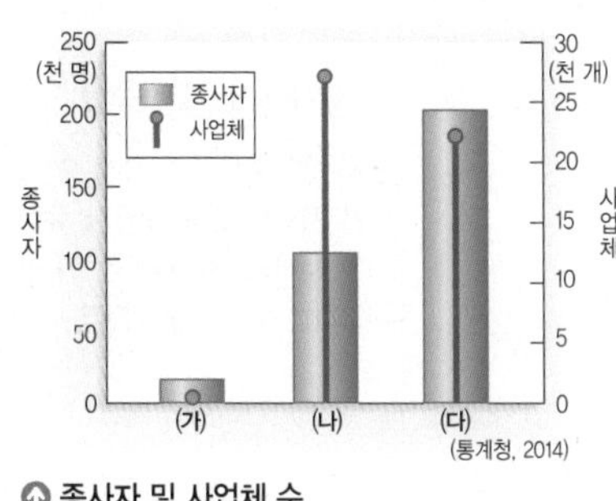

종사자 및 사업체 수

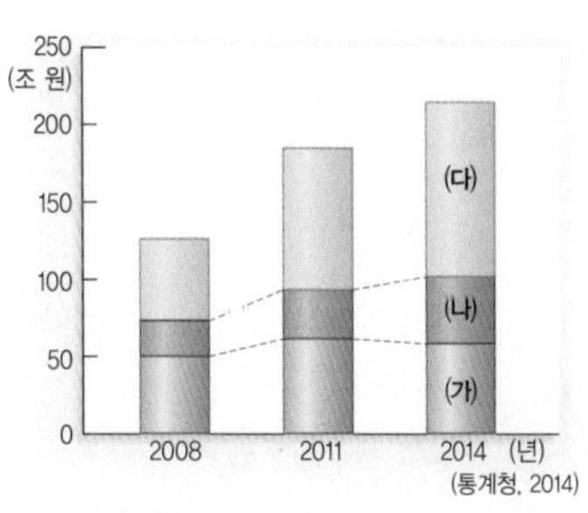

매출액 변화

보기

ㄱ. (가)는 (나)보다 평균 이용 빈도 수가 많다.
ㄴ. (가)는 (다)보다 2008년부터 2014년까지 매출액 증가율이 낮다.
ㄷ. (나)는 (다)보다 업체당 종사자 수가 적다.
ㄹ. (가)는 (나), (다)에 비해 대도시의 도심에 입지하려는 경향이 약하다.

① ㄱ, ㄴ ② ㄱ, ㄷ ③ ㄴ, ㄷ
④ ㄴ, ㄹ ⑤ ㄷ, ㄹ

완자샘의 시험 꿀팁

주요 소매업체의 업체 수, 종사자 수, 매출액 등을 그래프로 제시한 다음 해당 소매업체를 서로 비교하는 문항이 주로 출제되므로 주요 소매업체의 특징을 정리해 두어야 한다.

3 그래프는 A, B 업종의 종사자 수 증가율(2005~2015년) 변화를 나타낸 것이다. 이에 대한 설명으로 옳지 않은 것은? (단, A, B는 제조업 또는 서비스업 중 하나이다.)

> 산업 구조의 변화

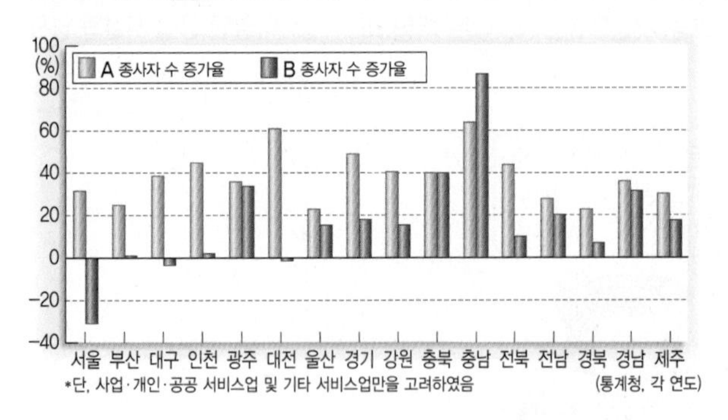

① A 업종은 모든 지역에서 종사자 수가 증가하였다.
② A 업종은 지역 규모가 클수록 큰 폭으로 증가하였다.
③ 서울의 B 업종의 감소는 탈공업화의 영향을 받았을 것이다.
④ 충남권의 B 업종의 증가는 수도권과의 지리적 인접성의 영향이 클 것이다.
⑤ A는 서비스업, B는 제조업에 해당한다.

4 지도는 수요자 유형에 따른 서비스업의 분포를 나타낸 것이다. (가), (나)에 대한 설명으로 옳은 것은?

> 서비스업의 유형별 특징

완자샘의 시험 꿀팁
지역별 종사자, 사업체 수 등과 같은 자료를 통해 수요자 유형에 따른 서비스업을 파악한 뒤 이를 비교하는 문제가 출제된다.

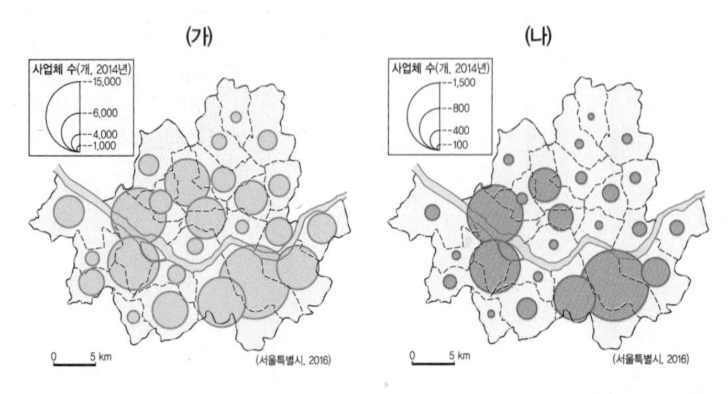

① (가)는 (나)보다 전체 사업체 수가 적다.
② (가)는 기업, (나)는 개인이 주요 고객이다.
③ (나)보다 (가)가 지역 간에 고르게 분포한다.
④ 산업 구조가 고도화되면서 (나)의 비중이 낮아지고 있다.
⑤ (가)는 (나)보다 정보 획득이 유리한 지역에 집적하여 입지하려는 경향이 크다.

5 그래프는 교통수단별 단위 거리당 운송비 변화를 나타낸 것이다. (가)~(다)의 상대적 순위를 그림의 A~E에서 골라 옳게 연결한 것은? (단, (가)~(다)는 도로, 철도, 해운 중 하나이다.)

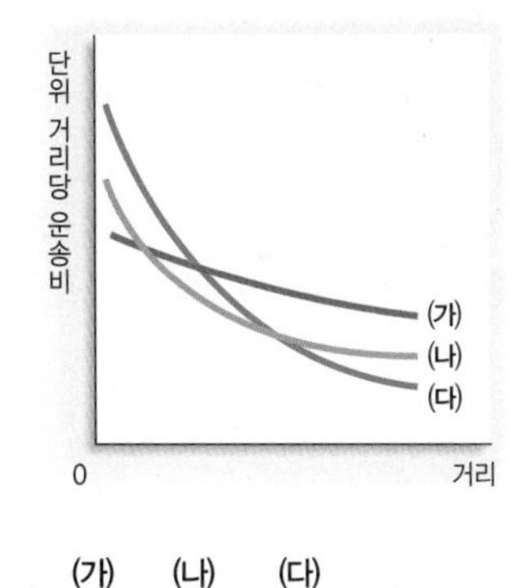

고 ↑ 기종점 비용 ↓ 저

	3위	2위	1위
1위	A		B
2위		C	
3위	D		E

저 ← 문전 연결성 → 고

	(가)	(나)	(다)
①	A	C	E
②	B	C	D
③	C	B	D
④	C	E	A
⑤	E	C	A

6 그래프는 교통수단별 국내 수송 분담률을 나타낸 것이다. A~E에 대한 설명으로 옳은 것은? (단, A~E는 도로, 지하철, 철도, 해운, 항공 교통 중 하나이다.)

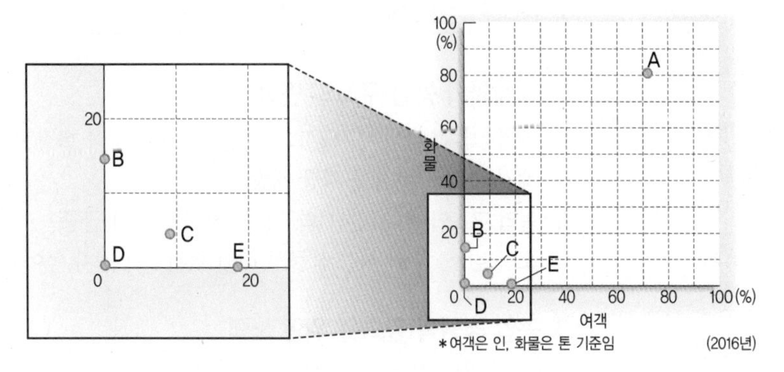

① A는 D보다 운행 시 평균 속도가 빠르다.
② B는 C보다 정시성과 안정성이 우수하다.
③ C는 B보다 운행 시 기상 조건의 제약을 많이 받는다.
④ D는 A보다 기동성과 문전 연결성이 우수하다.
⑤ E는 C보다 이용객의 1회당 평균 이동 거리가 짧다.

> 교통수단별 특징

완자 사전

• **단위 거리당 운송비**
총 운송비를 이동 거리로 나눈 값으로 이동 거리가 증가할수록 감소한다.

> 국내 운송 수단의 특징

완자샘의 시험 꿀팁

조건에 따른 수송 분담률을 통해 교통수단의 유형을 구분하는 문제가 출제된다. 도로, 철도, 지하철, 해운, 항공의 상대적 특징을 정리해 두어야 한다.

01 자원의 특성과 지속 가능한 이용

1. 자원의 특성

가변성	자원의 가치는 과학 기술의 발달 정도, 경제적 조건, 문화적 배경 등에 따라 달라짐
유한성	대부분의 자원은 매장량이 한정되어 있음
(❶)	특정 자원은 일부 지역에 집중적으로 분포함

2. 자원의 공간 분포와 이용

(1) 광물 자원

철광석	• 분포: 대부분 북한 지역에 매장 • 특징: 제철 및 철강 공업의 원료로 이용, 매장량이 적어 오스트레일리아, 브라질 등지에서 수입
(❷)	• 분포: 강원도 영월(상동) 등 • 특징: 특수강 및 합금용 원료로 이용, 매장량은 많지만 값싼 중국산이 수입되면서 생산 중단
석회석	• 분포: 고생대 조선 누층군이 분포하는 강원도 남부 등 • 특징: 시멘트 공업의 원료로 이용, 매장량이 풍부한 편
고령토	• 분포: 강원도와 하동, 산청 등 경상남도 서부 지역 등 • 특징: 도자기 공업, 종이, 화장품 등의 원료로 이용

(2) 에너지 자원

석탄	무연탄	고생대 평안 누층군 일대 등에 매장, 대부분의 광산이 폐광되어 현재 생산량이 급감
	역청탄	제철 공업 및 화력 발전 원료로 이용, 오스트레일리아, 인도네시아 등에서 전량 수입
석유		• 분포: 수요량의 대부분을 수입에 의존 • 이용: 화학 공업의 원료 및 수송용 연료로 이용
천연가스		• 분포: 울산 앞바다의 가스전에서 소량 생산됨 • 이용: 가정용 및 발전용 연료로 이용, 비교적 대기 오염 물질 배출이 적어 소비량이 증가함

(3) 전력 자원

화력 발전	발전소 입지 제약이 적음, 전력 소비가 많은 대도시나 공업 단지에 입지
원자력 발전	지반이 단단하고 냉각수를 확보가 쉬운 해안가에 입지
(❸)	유량이 풍부하고 낙차가 큰 한강, 낙동강 등의 중·상류 지역에 분포

3. 자원 문제와 해결 방안

(1) **자원 개발과 이용에 따른 문제:** 해외 자원의 수입 비중 증가, 자원 고갈 및 환경 오염 문제 발생

(2) **자원 확보를 위한 노력:** 자원의 절약 및 재활용 확대, 자원 수입처의 다변화와 해외 자원 개발 노력

(3) **신·재생 에너지의 특징:** 화석 연료보다 경제적 효율성이 낮음, 화석 연료 고갈 및 환경 오염 문제 해결에 도움을 줄 수 있음

(4) **신·재생 에너지의 분포**

태양광 발전	일조량이 풍부한 곳에서 유리 예 전라남도 등
(❹)	바람이 많이 부는 해안이나 산지 지역에서 유리 예 제주도, 대관령 일대
조력 발전	조석 간만의 차가 큰 지역에서 유리 예 시화호
조류 발전	바닷물의 흐름이 빠른 지역에서 유리 예 울돌목

02 농업의 변화와 농촌 문제

1. 산업화와 농업 구조의 변화

인구 변화	이촌 향도 현상으로 농촌 인구 감소
경지 변화	농경지가 주택, 공장 등으로 전환되면서 경지 면적 감소 → 휴경지 증가 및 그루갈이 감소로 경지 이용률 감소
영농 방식의 변화	• (❺)의 증가: 비닐하우스나 유리온실을 이용하여 작물 재배, 농작물을 가공·보관하는 공장 농업 시설 증가 • 영농의 다각화와 상업화: 곡물 소비 감소, 채소와 과일, 축산물의 수요 증가

2. 세계화와 농업 구조의 변화

(1) **배경:** 세계 무역 기구(WTO) 출범 및 자유 무역 협정(FTA) 체결 확대로 농산물 시장 개방

(2) **농업 구조의 변화:** 값싼 외국산 농산물의 수입 급증 → 농가 소득 감소, 주요 식량 작물의 해외 의존도가 점차 높아짐

3. 농업 경쟁력 강화를 위한 노력

농산물의 차별화	농산물 브랜드화 및 지리적 표시제 확대, 친환경 농산물 재배 등을 통해 경쟁력 확보
농업 구조의 다각화	새로운 작물 및 재배 방식 도입, 경관 농업 및 체험 관광, 농산물 가공 판매 등을 통해 부가 가치 향상

03 공업의 발달과 지역 변화

1. 우리나라 공업의 발달 과정

1960년대	섬유, 신발 등 (❻) 경공업이 서울, 부산 등 대도시를 중심으로 발달
1970년대	철강, 석유 화학 등 자본 집약적 중화학 공업이 남동 임해 지역을 중심으로 발달
1980년대	자동차, 조선 등 자본 및 기술 집약적인 중화학 공업이 국제 경쟁력을 확보하며 성장
1990년대	반도체, 컴퓨터 등 지식·기술 집약적 첨단 산업이 수도권을 중심으로 발달
최근	신기술 융합 산업 분야 및 고부가 가치 산업 비중 증가, 제조업 비중 감소에 따른 탈공업화 진행

2. 우리나라 공업의 특색

공업 구조의 고도화	노동 집약적 공업 중심에서 자본 및 기술 집약적 공업 중심으로 전환
공업의 지역적 편재	정부 주도의 수출에 지향 정책 추진으로 수도권과 남동 임해 지역에 산업 시설 편중 → 지역 불균형 문제 발생
원료의 높은 해외 의존도	원료를 수입하여 제품을 수출하는 가공 무역 발달
공업의 (❼)	소수의 대기업이 생산액의 절반 이상을 차지 → 대기업과 중소기업 간의 생산성 격차가 매우 큼

3. 우리나라 주요 공업 지역의 특징

(❽) 공업 지역	풍부한 자본과 노동력, 넓은 소비 시장, 편리한 교통 등을 바탕으로 경공업, 중공업, 첨단 산업이 고르게 발달 → 우리나라 최대의 종합 공업 지역
충청 공업 지역	• 편리한 교통, 수도권과 인접한 지리적 특성 → 수도권 공장의 이전 • 내륙 지역(대전)은 첨단 산업, 해안 지역(서산, 당진 등)은 중화학 공업 발달
호남 공업 지역	• 공업의 지역적 불균형 문제를 완화하기 위해 조성 • 최근 중국과의 교역 증가로 성장
태백산 공업 지역	• 풍부한 지하자원을 바탕으로 원료 지향 공업 발달 • 다른 공업 지역보다 공업의 집적도가 낮음
영남 내륙 공업 지역	과거 풍부한 노동력을 바탕으로 전자 조립·섬유 공업 등의 경공업 발달 → 최근 기술 집약적인 첨단 산업 지역으로 변모
남동 임해 공업 지역	정부의 정책적 지원, 원료 수입과 제품 수출에 유리한 조건 → 우리나라 최대의 중화학 공업 지역으로 성장

04 서비스업의 변화와 교통·통신의 발달

1. 상업과 소비 공간의 변화

(1) 상업 입지의 변화 요인

인구 증가	인구가 증가하고 교통이 발달하면서 상설 시장 형성
교통·통신의 발달	시공간의 제약이 줄어들면서 상권 확대, 상품 유통 구조의 단순화, 무점포 상점 증가
소비자의 구매 행태 변화	대량 복합 구매 활동 증가, 복합 상업 시설에서 소비 생활과 여가 활동을 동시에 즐김

(2) 상업과 소비 공간의 변화

백화점	주로 고급 상품 판매, 접근성이 좋은 도심이나 부도심에 입지
(❾)	주로 일상용품 판매, 도시 내 주거 지역을 중심으로 교외 지역까지 확산
편의점	일상생활에 필요한 다양한 제품 판매, 도시 곳곳에 분포

2. 서비스 산업의 고도화

(1) 서비스 산업의 유형

소비자 서비스업	도·소매업, 음식업 등 개인이 이용하는 서비스업
(❿) 서비스업	금융·보험업, 방송업, 사업 서비스업 등 기업의 생산 활동을 지원하는 서비스업

(2) 서비스 산업의 고도화: 서비스 산업이 다양화·전문화되면서 생산자 서비스업의 비중이 증가함

3. 교통·통신의 발달과 공간의 변화

(1) 교통수단별 특징

도로	지형적 제약이 적음, 문전 연결성 높음, 단거리 수송에 적합
철도	지형적 제약이 많음, 정시성·안전성 높음, 중거리 수송에 적합
해운	화물 수송 비중이 여객 수송 비중보다 높음, 최근 무역량 증가로 수요 증가, 장거리 수송에 적합
항공	기상 조건에 따른 제약이 많음, 신속성 높음, 최근 여객 수송 비중이 늘어남, 신속한 장거리 수송에 적합

(2) 교통·통신의 발달에 따른 변화

시공간적 제약의 완화	지역 간 인적 및 물적 교류 증가, 통근·통학권 등 생활권 확대, 대도시권 형성 등
공간의 재조직	교통이 편리한 지역에 인구와 산업, 경제 활동의 '집중 → 과밀화 → 분산 → 재집중' 현상 반복

●정답● ① 편재성 ② 희소성 ③ 수력 발전 ④ 풍력 발전 ⑤ 시설 재배 ⑥ 노동 집약적 ⑦ 이중 구조 ⑧ 수도권 ⑨ 대형 마트 ⑩ 생산자

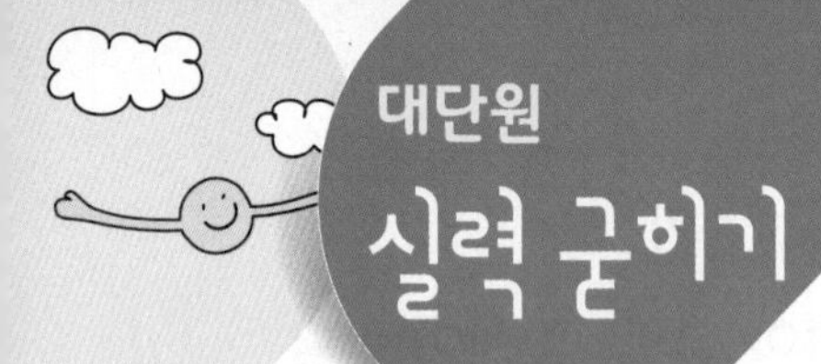

01 다음 글에 제시된 자원의 유형 변화를 표에서 찾아 옳게 나타낸 것은?

> 강원도 ○○광업소는 1964년부터 운영되던 탄광으로, 3,000명이 넘는 광부가 2,500여 개의 갱도에서 연간 수십만 톤의 석탄을 생산하던 국내 최대 탄광이었다. 그러나 1980년대 후반 채산성이 떨어지면서 2001년 10월 폐광되었다.

자원의 의미 / 자원 재생 수준	기술적 의미의 자원	경제적 의미의 자원
사용량에 따라 고갈되는 재생 불가능한 자원	A	B
사용량과 투자에 따라 재생 수준이 달라지는 자원	C	D
사용량과 무관한 재생 가능한 자원	E	F

① A → B　② B → A　③ C → D
④ D → C　⑤ E → F

02 지도는 우리나라 주요 광물 자원의 분포를 나타낸 것이다. A～D에 대한 설명으로 옳지 않은 것은?

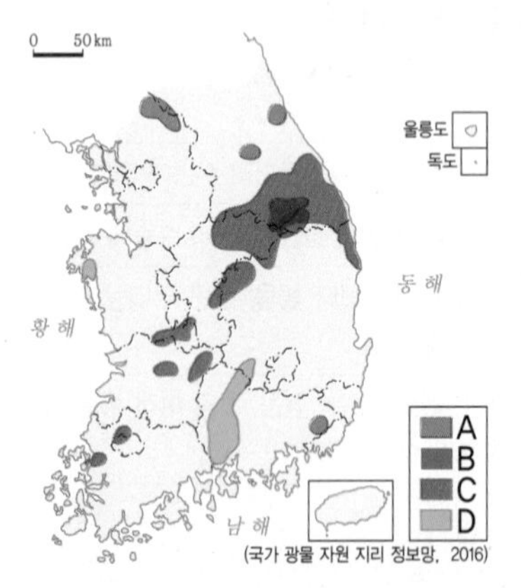

① A는 주로 제철용·발전용으로 이용된다.
② B는 국내 생산량이 적어 해외 의존도가 높다.
③ C는 고생대 조선 누층군 지층에 매장되어 있다.
④ D는 주로 종이, 화장품 등의 원료로 이용된다.
⑤ A, B는 비금속 광물, C, D는 금속 광물에 해당한다.

03 지도는 지역별 1차 에너지 공급을 나타낸 것이다. A～E에 대한 설명으로 옳은 것은? (단, A～E는 수력, 석유, 석탄, 원자력, 천연가스 중 하나이다.)

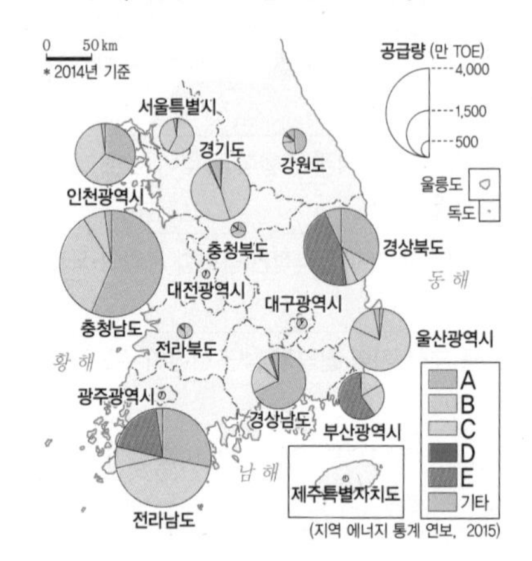

① A는 주로 조선 누층군에서 채굴된다.
② B는 주로 수송용 및 화학 공업 원료로 이용된다.
③ C는 전량 해외에서 수입하고 있다.
④ D는 대기 오염 물질 배출이 많은 화석 에너지이다.
⑤ E는 울산 앞바다에서 소량 생산되고 있다.

04 (가), (나)의 발전 양식에 대한 설명으로 옳은 것은?

(가)

(나)

① (가)는 비재생 자원을 이용하여 전력을 생산한다.
② (나)는 우리나라 신·재생 에너지 중 생산량 비중이 가장 높다.
③ (나)는 일조 시수가 긴 지역에서 유리하다.
④ (가), (나)는 대기 오염 물질을 많이 발생시킨다.
⑤ (가), (나)의 발전량은 기후 조건의 영향을 거의 받지 않는다.

05 그래프는 농촌의 전업·겸업농가 비율의 변화를 나타낸 것이다. 이를 통해 우리나라 농촌의 변화에 대해 추론한 것으로 가장 적절한 것은?

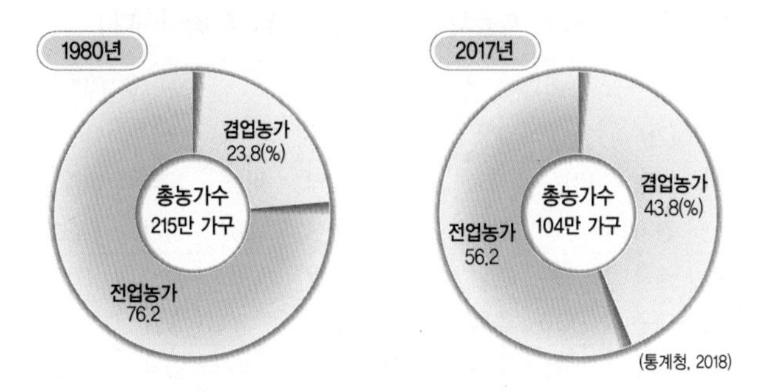

① 도농 간 소득 격차가 줄어들었을 것이다.
② 농가 인구의 중위 연령이 낮아졌을 것이다.
③ 농가 1호당 경지 면적이 감소하였을 것이다.
④ 상품 작물의 재배 면적이 감소하였을 것이다.
⑤ 농가 소득 중 농업 외 소득의 비중이 증가하였을 것이다.

06 그래프는 우리나라의 곡물별 자급률 변화를 나타낸 것이다. A~C 작물을 옳게 연결한 것은?

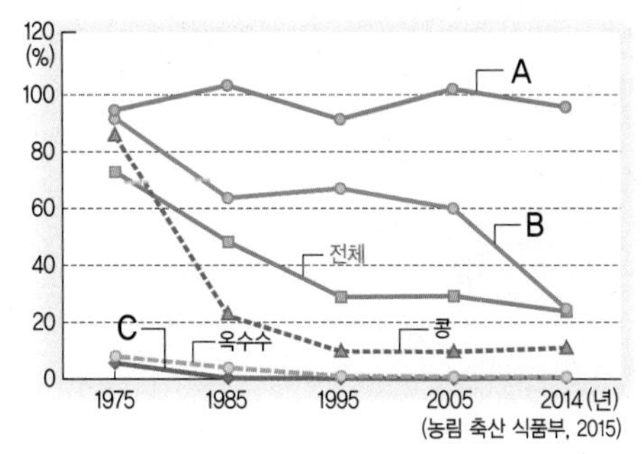

	A	B	C
①	쌀	밀	보리
②	쌀	보리	밀
③	밀	쌀	보리
④	보리	밀	쌀
⑤	보리	쌀	밀

07 그래프는 지도에 표시된 네 지역의 농업 특성을 나타낸 것이다. A~D 지역에 대한 설명으로 옳은 것은?

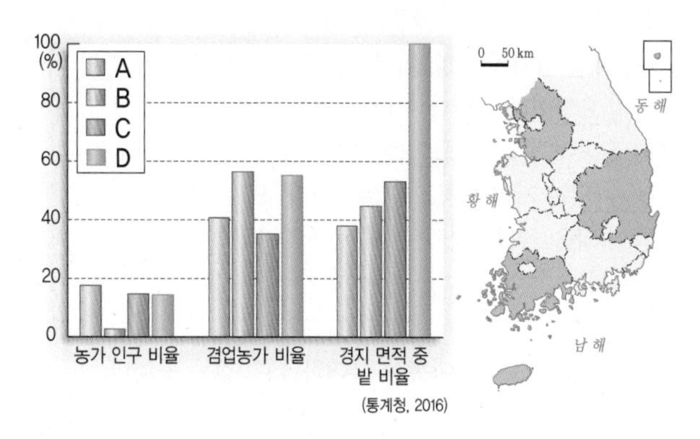

① A는 B보다 우유 생산량이 많다.
② B는 C보다 과수 재배 면적이 좁다.
③ C는 D보다 농가 인구가 적다.
④ D는 A보다 맥류 재배 면적이 넓다.
⑤ 쌀 생산량은 B〉C〉A〉D 순으로 많다.

08 밑줄 친 ㉠~㉤에 대한 설명으로 옳지 <u>않은</u> 것은?

> 우리나라의 농업 비중은 1960년대 이후 제조업 중심으로 경제가 성장하면서 급감하였다. ㉠ <u>농촌 인구는 도시로 유출</u>되었으며 이로 인해 ㉡ <u>노동력 부족 문제</u>가 심각하다. 최근 세계 각국과 자유 무역 협정(FTA)을 추진하면서 ㉢ <u>농산물 시장의 개방이 확대</u>되고 있다. 이에 따라 ㉣ <u>가격 경쟁력이 낮은 우리나라의 농업</u>은 어려움을 겪고 있다. 이를 해결하기 위해서는 ㉤ <u>농산물의 차별화</u>가 필요하다.

① ㉠은 도농 간 소득 격차, 생활 기반 시설 부족 등이 원인이다.
② ㉡은 영농의 기계화를 통해 해결하고 있다.
③ ㉢의 영향으로 주요 식량 작물의 자급률이 높아지고 식량의 해외 의존도가 낮아지고 있다.
④ ㉣은 영농 규모가 작고 유통 구조가 복잡하기 때문이다.
⑤ ㉤을 위해 다양한 품종의 작물을 재배하고, 유기 농업을 비롯한 친환경 농업을 도입해야 한다.

09 밑줄 친 ㉠~㉤에 대한 설명으로 옳지 않은 것은?

> 공장이 ㉠ 특정 장소에 위치하는 것을 공업 입지라고 하며, 공업 입지에 영향을 끼치는 다양한 요인을 ㉡ 공업의 입지 요인이라고 한다. 기업가는 생산비를 최소화하기 위해 운송비 및 ㉢ 노동비를 절감하거나 ㉣ 집적 이익을 얻을 수 있는 지역에 공장을 설립한다. 또는 제품 판매를 통한 수익을 극대화하기 위해 ㉤ 시장 가까이에 공장을 설립한다.

① ㉠ - 일반적으로 이윤을 극대화할 수 있는 곳이다.
② ㉡ - 지형, 원료 등의 자연적 요인과 시장, 노동력, 자본 등의 사회적 요인으로 나눌 수 있다.
③ ㉢ - 절감 효과는 섬유, 전자 조립과 같은 노동력 지향 공업이 가장 크다.
④ ㉣ - 공업의 입지 유형 중 집적 지향에 해당한다.
⑤ ㉤ - 제조 과정에서 원료의 부피나 무게가 감소하는 시멘트 공업 등이 해당한다.

10 지도는 우리나라의 주요 공업 지역을 나타낸 것이다. A~E 공업 지역에 대한 설명으로 옳지 않은 것은?

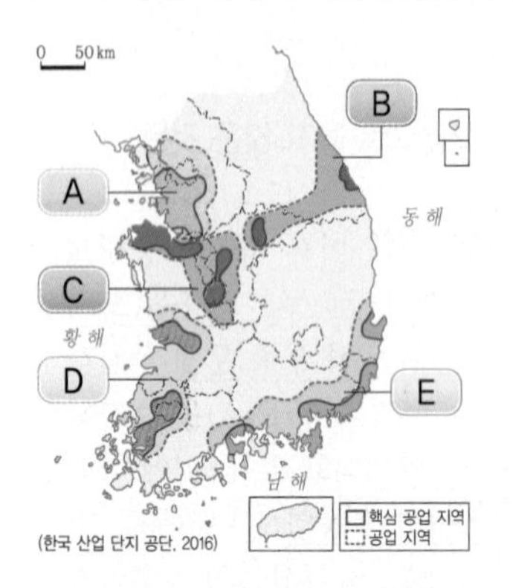

(한국 산업 단지 공단, 2016)

① A는 원료의 수입과 제품 수출에 유리하여 최대의 중화학 공업 지역으로 성장하였다.
② B는 풍부한 지하자원을 바탕으로 시멘트 공업 등 원료 지향 공업이 발달하였다.
③ C는 수도권에서 인접한 지리적 위치를 바탕으로 수도권에서 분산되는 공업이 많이 입지하였다.
④ D는 중국과의 접근성이 뛰어나 대중국 교역의 거점 지역으로서 성장 가능성이 높다.
⑤ E의 주요 공업 도시인 포항·광양에는 제철 공업이, 울산은 자동차와 석유 화학, 조선 공업이 발달하였다.

11 표는 우리나라 주요 공업의 생산액 상위 5개 시도를 나타낸 것이다. (가)~(라) 공업에 대한 설명으로 옳은 것은? (단, (가)~(라)는 섬유 제품(의복 제외), 1차 금속, 화학 물질 및 화학 제품(의약품 제외), 자동차 및 트레일러 공업 중 하나이다.)

(2014년, %)

순위	(가)		(나)		(다)		(라)	
	지역	비중	지역	비중	지역	비중	지역	비중
1	경기	26.5	경북	24.4	울산	26.5	경기	23.1
2	경북	19.1	전남	14.7	전남	26.4	울산	20.6
3	대구	15.6	충남	13.1	충남	17.9	충남	11.9
4	서울	6.5	울산	11.9	경기	10.3	경남	8.2
5	부산	6.4	경기	9.8	전북	4.6	광주	7.0

① (가)는 원료의 해외 의존도가 높아 대부분 해안가에 입지한다.
② (나)는 지식·기술 집약적 산업으로 입지가 자유롭다.
③ (다)는 생산비에서 노동비가 차지하는 비중이 높다.
④ (라)는 계열화된 공정이 필요한 조립형 산업이다.
⑤ (가)는 (라)보다 우리나라의 공업화를 선도한 시기가 늦다.

12 지도는 어느 공업의 전국 종사자 수와 출하액을 나타낸 것이다. 이 공업의 입지 특성으로 옳은 것은?

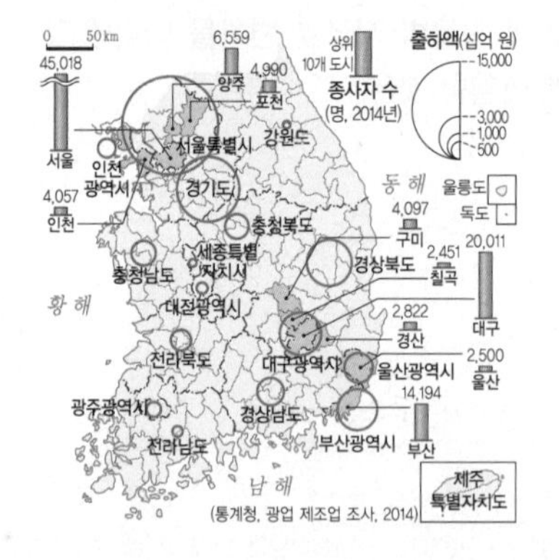

(통계청, 광업 제조업 조사, 2014)

① 노동력이 풍부한 지역에 입지한다.
② 전문 연구 및 경영 인력 확보가 쉬운 곳에 입지한다.
③ 원료 수입과 제품 수출에 유리한 적환지에 입지한다.
④ 제품이 쉽게 상하거나 깨지기 쉬우므로 시장 주변에 입지한다.
⑤ 제조 과정에서 원료의 무게와 부피가 현저하게 줄어들기 때문에 원료 산지에 입지한다.

13 자료는 소매 업태별 연간 판매액과 사업체 수를 나타낸 것이다. A~C에 대한 옳은 설명을 〈보기〉에서 고른 것은? (단, A~C는 백화점, 편의점, 대형 마트 중 하나이다.)

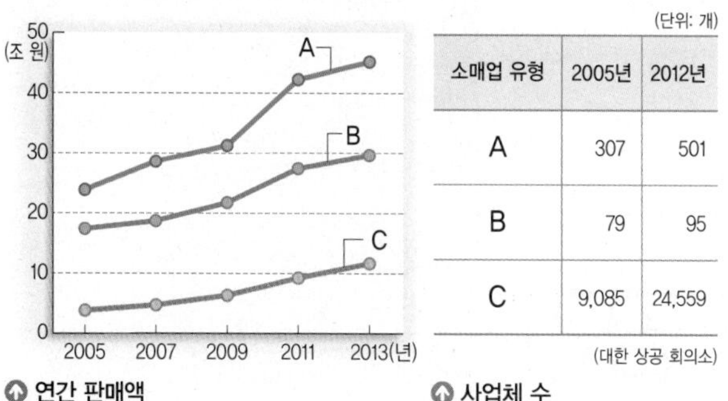

(단위: 개)

소매업 유형	2005년	2012년
A	307	501
B	79	95
C	9,085	24,559

(대한 상공 회의소)

▲ 연간 판매액 ▲ 사업체 수

보기

ㄱ. A는 B보다 도심에 입지하는 경향이 강하다.
ㄴ. B는 C보다 고가 제품의 판매액이 높다.
ㄷ. C는 A보다 자가용 이용 고객의 비율이 높다.
ㄹ. 재화의 도달 범위는 B〉A〉C 순이다.

① ㄱ, ㄴ ② ㄱ, ㄷ ③ ㄴ, ㄷ
④ ㄴ, ㄹ ⑤ ㄷ, ㄹ

14 다음은 서비스 산업을 분류한 것이다. B보다 A의 입지에 중요하게 작용하는 요인을 〈보기〉에서 고른 것은?

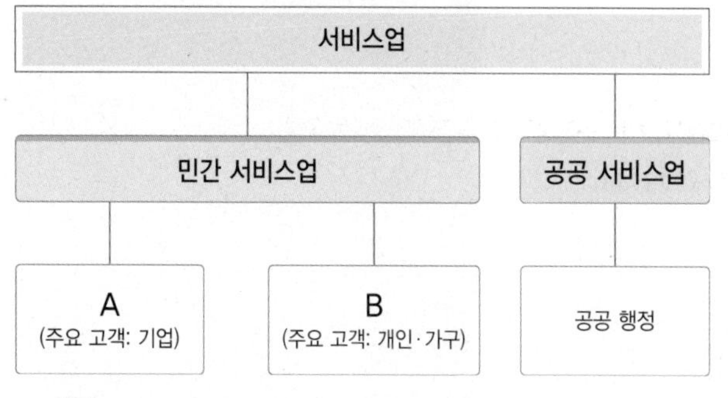

보기

ㄱ. 전문 인력의 확보
ㄴ. 정보 획득의 편의성
ㄷ. 업체 간의 경쟁 최소화
ㄹ. 값싸고 풍부한 노동력의 확보

① ㄱ, ㄴ ② ㄱ, ㄷ ③ ㄴ, ㄷ
④ ㄴ, ㄹ ⑤ ㄷ, ㄹ

15 그래프는 교통수단별 국내 수송 분담률을 나타낸 것이다. A~C의 상대적 특징을 그림과 같이 표현할 때 (가), (나)에 들어갈 항목을 옳게 연결한 것은?

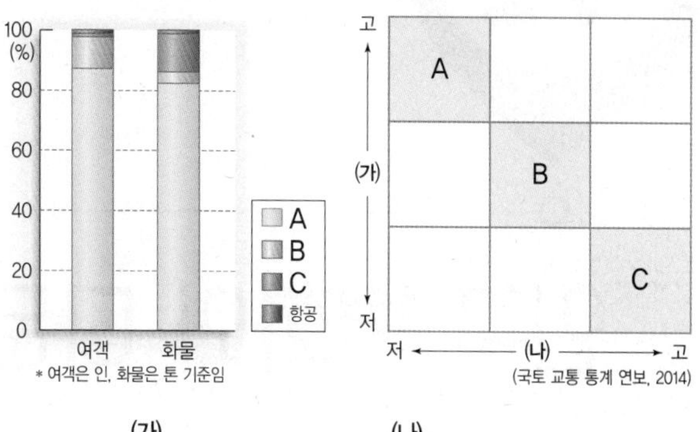

	(가)	(나)
①	기종점 비용	문전 연결성
②	기종점 비용	주행 비용 증가율
③	문전 연결성	기종점 비용
④	문전 연결성	주행 비용 증가율
⑤	주행 비용 증가율	문전 연결성

16 다음 글을 읽고 이로 인해 예상되는 변화로 적절한 것만을 〈보기〉에서 있는 대로 고른 것은?

2015년 4월 포항 직결선(신경주~포항)의 건설이 완료되어 수도권에서 새로 건설된 포항역까지 2시간 10분대로 갈 수 있게 되었다. 서울~포항 간 고속 철도 최단 시간은 2시간 15분으로, 현 새마을호와 비교하면 3시간 5분이 단축된다. – 한국 철도 공사 누리집, 2015.

보기

ㄱ. 서울과 포항 간의 교류가 감소할 것이다.
ㄴ. 포항시를 방문하는 관광객 수가 증가할 것이다.
ㄷ. 서울의 백화점과 대학 병원의 이용객이 증가할 것이다.
ㄹ. 서울과 포항을 오가는 고속버스 이용객이 줄어들 것이다.

① ㄱ, ㄴ ② ㄴ, ㄷ ③ ㄷ, ㄹ
④ ㄱ, ㄴ, ㄷ ⑤ ㄴ, ㄷ, ㄹ

인구 변화와 다문화 공간

❶ 인구 분포와 인구 구조의 변화 196

❷ 인구 문제와 공간 변화

~❸ 외국인 이주와 다문화 공간 202

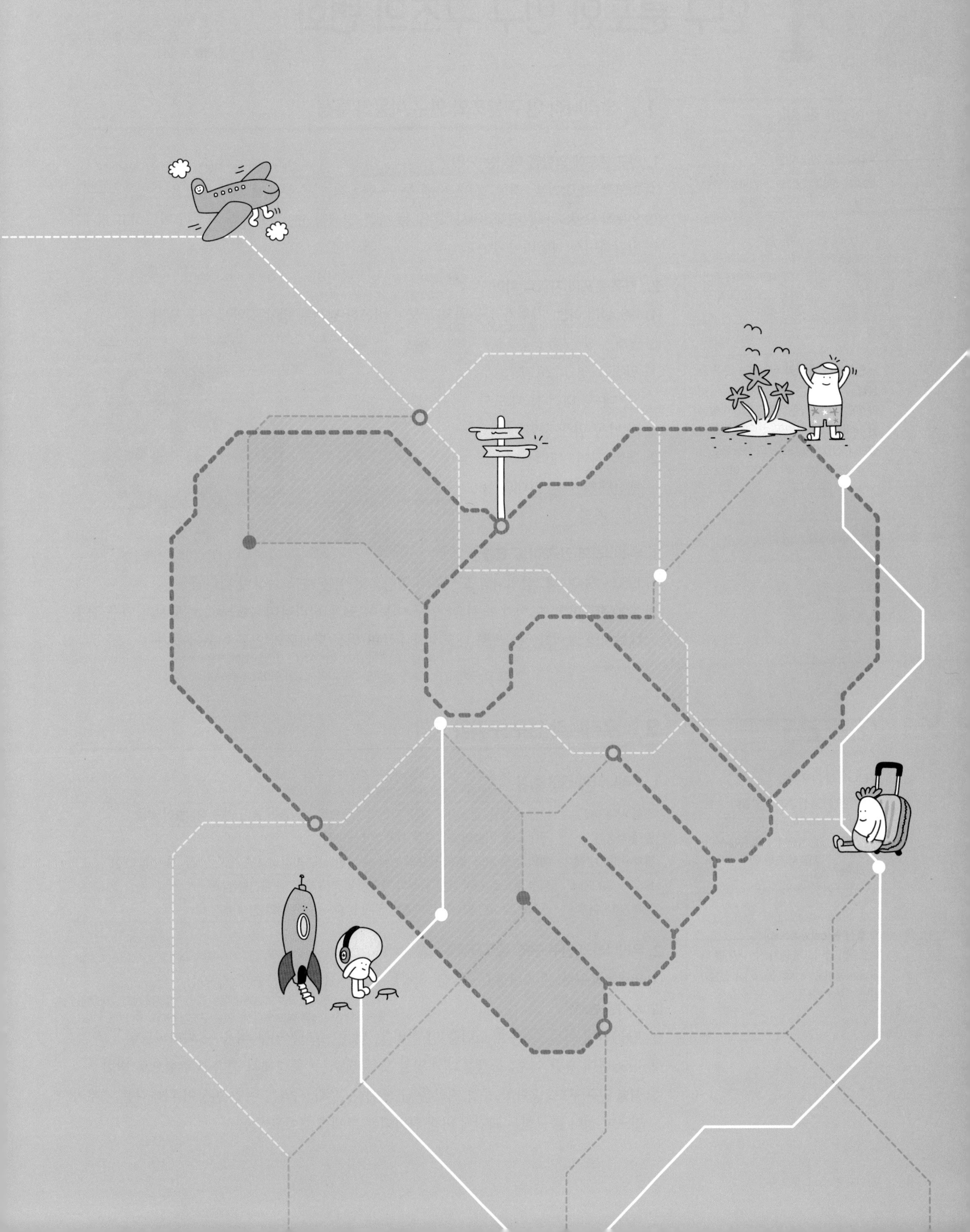

01 인구 분포와 인구 구조의 변화

학습목표

- 우리나라 인구 분포의 특성을 설명할 수 있다.
- 우리나라 인구 구조의 변화 과정을 설명할 수 있다.

1 우리나라 인구 분포와 인구 이동의 특성

이것이 핵심!

우리나라의 인구 이동

1960~1980년대	산업화·도시화로 인한 이촌 향도 현상
1990년대 이후	• 도시와 도시 간 인구 이동 증가 • 대도시의 교외화 현상으로 대도시에서 주변 위성 도시로의 인구 이동 증가

★ **인구 분포에 따라 달라지는 인구 중심점**
과거에는 기후가 온화하고 평야가 발달한 남서부 지역에 많은 인구가 분포하였으나, 산업화와 대도시의 성장으로 인구 중심점이 점차 북서쪽으로 이동하고 있다.

1. 인구 분포에 영향을 미치는 요인

(1) **자연적 요인**: 기후, 지형, 토양, 자원 등 → 전통적 인구 분포에 크게 영향을 주었음

왜? 과거에는 과학 기술이 부족해 자연환경을 극복하기 어려웠기 때문이야.

(2) **인문적 요인**: 정치, 경제, 역사, 교육 등 사회·경제적 요인 → 과학 기술이 발달하고 경제가 발달하면서 영향력이 증가함

2. *인구 분포의 지역적 차이

왜? 1960년대부터 본격적인 산업화와 도시화가 이루어지면서 인구 분포에 큰 변화가 발생했어.

(1) **1960년대 이전**: 기후가 따뜻하고 토양이 비옥한 남서부 평야 지역에 인구 밀집

(3) **현재** — 수도권과 일부 대도시에 밀집해 있어 지역 간 인구 분포 차이가 큰 편이야.

① 밀집 지역: 수도권 및 부산, 대구, 대전 등 대도시와 남동 임해 지역

② 희박 지역: 태백산맥, 소백산맥의 산간 지대와 농어촌 지역

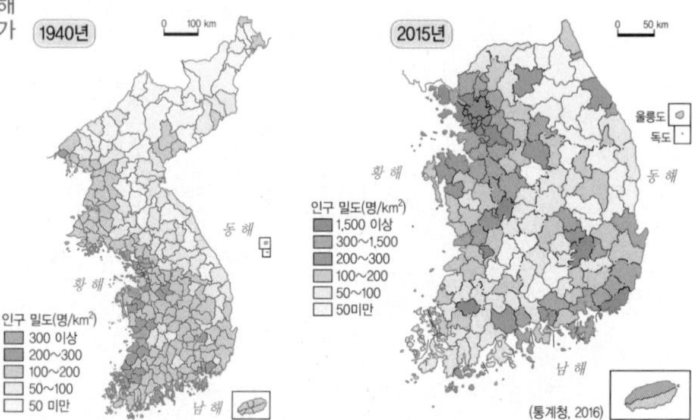

3. 우리나라의 인구 이동 자료①

(1) **1960~1980년대**: 산업화와 도시화의 영향으로 이촌 향도 현상이 나타남

(2) **1990년대 이후**: 도시와 도시 간 인구 이동이 크게 나타나며 수도권과 대도시의 인구 집중, 대도시의 교외화 현상으로 대도시에서 주변 위성 도시로의 인구 이동이 증가

└ 교외화 현상: 대도시의 인구나 기능 및 시설들이 도시 주변 지역으로 확산되어 가는 과정으로, 광역 교통 체계의 발달 및 대도시의 과밀화 등이 원인이야.

2 우리나라 인구 구조의 변화

이것이 핵심!

우리나라의 인구 구조

1960년대 이전	출생률과 사망률이 높은 피라미드형 인구 구조
1990년대 후반 이후	출생률과 사망률이 낮아지면서 종형 인구 구조로 변화

★ **출산 붐(baby boom)**
출생률이 급격하게 증가하는 시기를 나타내는 용어로 대체로 불경기나 전쟁이 끝난 이후에 나타난다.

1. 우리나라의 인구 성장

인구 성장: 출생과 사망에 따른 자연적 증감과 인구 이동에 따른 사회적 증감을 합한 것

조선 시대 이전	높은 출생률, 질병이나 기근, 자연재해 등으로 사망률이 높아 인구 성장률이 낮음
일제 강점기	근대 의료 기술의 도입으로 사망률이 낮아짐
광복~1950년대	해외 동포 귀국, 북한 동포의 월남 → 남한 인구의 사회적 증가, 전쟁 후 *출산 붐 현상
1960~1990년대	정부 주도로 산아 제한 중심의 가족계획 정책 추진 → 출산율 감소
2000년대 이후	급격히 낮아진 출산율로 저출산 문제 발생 → 출산 장려 정책 추진

2. 우리나라의 인구 구조 교과서 자료 자료②

(1) **연령층의 구분**: 유소년층(0~14세), 청장년층(15~64세), 노년층(65세 이상)

(2) **시기별 변화**

① 1960년대 이전: 높은 유소년층 인구 비율, 낮은 노년층 인구 비율 → 피라미드형

② 1990년대 후반 이후: 출생률과 사망률 모두 감소 → 종형에서 점차 방추형으로 변화

이러한 추세가 지속되면 2030년경에는 총인구가 감소하고, 2060년경에는 노년층이 많은 역피라미드형 인구 구조가 나타날 수 있어.

(3) **성별 인구 구조**: 중화학 공업 지역은 남초 현상, 촌락 지역은 여초 현상이 나타나는 경우가 많으며 성비 불균형은 과거에 비해 완화되는 추세를 보이고 있음

완자 자료 탐구

자료 1 우리나라의 인구 이동

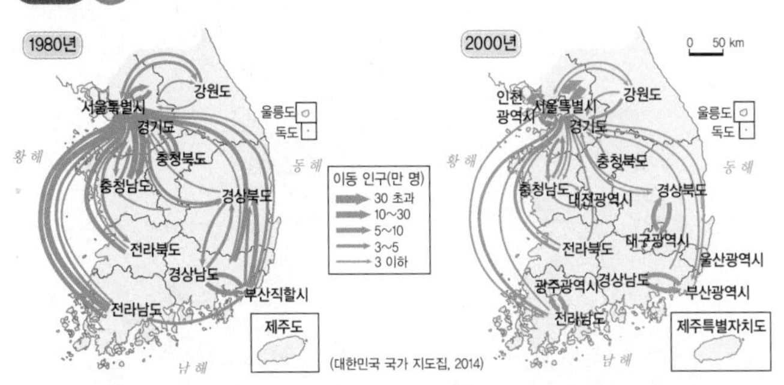

1970년대와 1980년대에는 급격하게 진행된 산업화와 도시화의 영향이 크게 반영되어 촌락에서 서울, 부산과 같은 대도시로의 인구가 이동하는 이촌 향도 현상이 뚜렷하게 나타났다. 1990년대 이후에는 교외화 현상이 지역적으로 나타나게 되었다.

문제로 확인할까?

2000년의 우리나라 인구 이동 지도를 통해 알 수 있는 내용으로 옳은 것은?

① 소도시 간 인구 이동이 증가하였다.
② 수도권으로의 인구 이동이 증가하였다.
③ 우리나라 전체 인구 이동이 증가하였다.
④ 농촌에서 도시로의 인구 이동이 증가하였다.
⑤ 대도시와 주변 지역 간 인구 이동이 증가하였다.

⑤ 답

수능이 보이는 교과서 자료 우리나라의 인구 구조

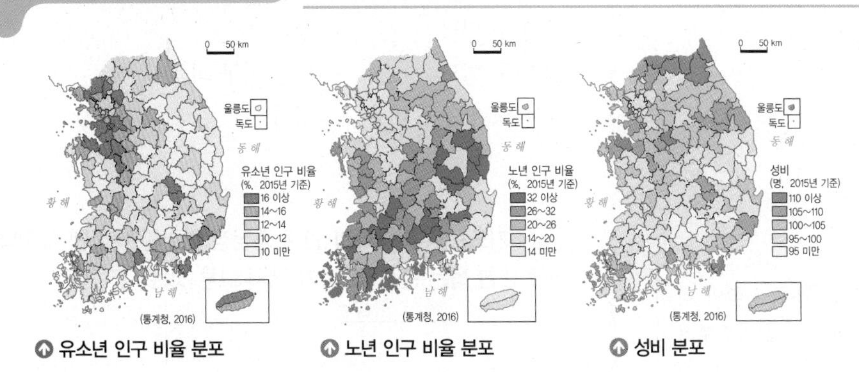

▲ 유소년 인구 비율 분포 ▲ 노년 인구 비율 분포 ▲ 성비 분포

유소년 인구 비율은 교육 기회가 많은 도시에서 높고 노년 인구 비율은 농어촌 지역에서 높다. 성비가 높으면 남초 현상이 나타나는데, 중화학 공업이 발달한 도시와 휴전선 부근은 남초 현상이 주로 나타나고, 대도시와 관광 도시 등은 여초 현상이 주로 나타난다.

완자샘의 탐구 강의

• 노년 인구 비율이 높은 지역의 특징과 그 이유를 서술하시오.

경북 북부, 경남 서부, 호남 지방의 촌락 지역 등은 노년 인구 비율이 20%를 넘는다. 이는 촌락의 청장년층이 더 나은 일자리와 교육 환경을 찾아 도시로 이동하였기 때문이다.

함께 보기 198쪽, 내신 만점 공략하기 01

자료 2 우리나라 인구 피라미드의 변화

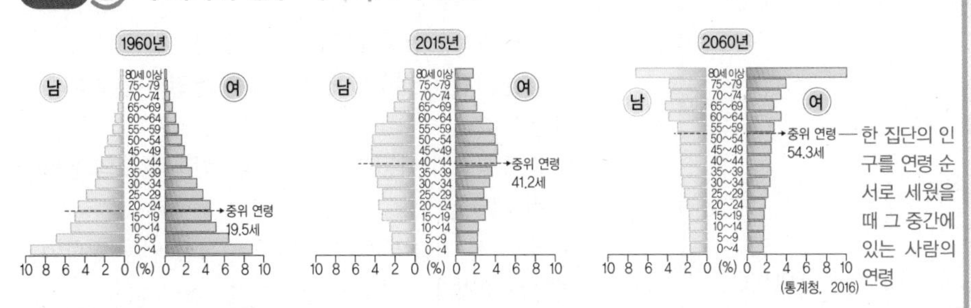

중위 연령 — 한 집단의 인구를 연령 순서로 세웠을 때 그 중간에 있는 사람의 연령

우리나라의 인구 구조는 1960년대 인구 증가율이 높은 전형적인 피라미드형이었으며, 이후 출생률이 감소하면서 종형으로 변화하였다. 앞으로 저출산 현상이 지속되고 기대 수명이 증가함에 따라 노년층 비율이 더욱 높아져 방추형 인구 구조를 보일 것으로 예상된다.

기대 수명 — 연령별·성별 사망률이 현재 수준으로 유지된다고 가정했을 때 올해 태어날 아기가 향후 몇 년을 더 생존할 것인가를 통계적으로 추정한 기대치

자료 하나 더 알고 가자!

인구 변천 모형

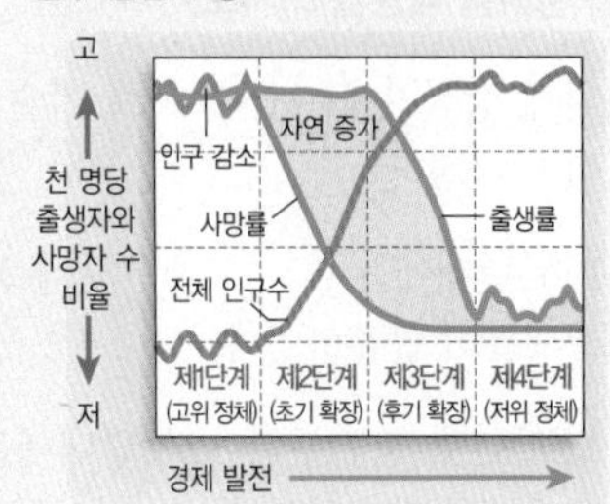

사회·경제 발전 과정에서 나타나는 인구의 자연적 증감에 의한 변화를 잘 보여준다.

STEP 1 핵심 개념 확인하기

정답친해 64쪽

1 다음 설명이 맞으면 ○표, 틀리면 ×표를 하시오.

(1) 우리나라의 성비 불균형은 과거에 비해 심화되는 추세를 보이고 있다. ( )

(2) 우리나라는 1990년대 후반 이후 출생률이 감소하면서 인구 구조가 종형으로 변화하고 있다. ( )

(3) 과거에는 인구 분포에 있어서 자연적 요인이 중요하였으나, 교통과 과학 기술이 발달하면서 사회·경제적 요인이 더 중요시되고 있다. ( )

2 다음에서 설명하는 현상을 쓰시오.

> 출생률이 급격히 증가하는 현상으로 대체로 전쟁이나 불경기가 끝난 후 경제적·사회적으로 안정된 시기에 발생한다.

3 ㉠, ㉡에 들어갈 말을 각각 쓰시오.

> 1960~1980년대에는 급격하게 진행된 산업화와 도시화의 영향으로 (㉠) 현상이 활발해졌다. 1990년대 이후부터 도시와 도시 간의 인구 이동이 크게 나타났으며, (㉡) 현상이 나타나 대도시 주변의 위성 도시로 인구 이동이 증가하였다.

4 우리나라의 인구 성장을 시기별로 나누어 설명한 것이다. 빈칸에 들어갈 내용을 쓰시오.

(1) 일제 강점기에는 근대 의료 기술의 보급으로 ( )이 낮아졌다.

(2) 1950년대에는 ( ) 이후 나타난 출산 붐 현상으로 출생률이 급증하였다.

(3) 1960년대 중반부터 1990년대에는 ( ) 정책으로 출생률이 감소하였다.

(4) 2000년대 이후에는 ( ) 현상이 지속됨에 따라 출산 장려 정책이 추진되고 있다.

STEP 2 내신 만점 공략하기

01 (가), (나) 지도의 인구 지표로 옳은 것은?

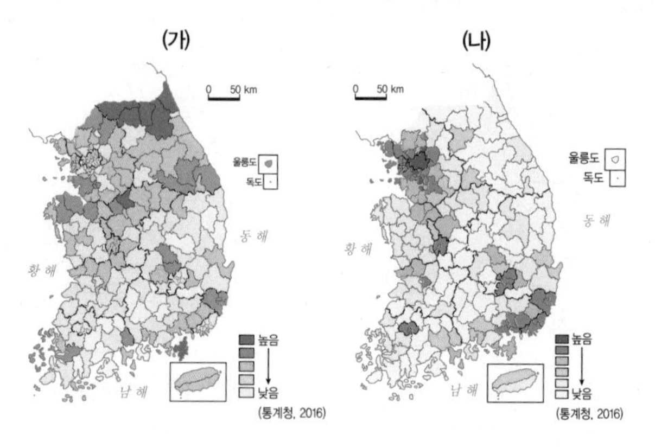

	(가)	(나)
①	성비	인구 밀도
②	성비	노년 인구 비율
③	인구 밀도	성비
④	인구 밀도	노년 인구 비율
⑤	유소년 인구 비율	성비

02 지도는 우리나라의 인구 중심점 변화를 나타낸 것이다. 이에 대한 옳은 분석을 〈보기〉에서 고른 것은?

2010년 충청북도 청주시
1990년 충청북도 보은군
1970년 충청북도 옥천군
대전광역시
(국토 지리 정보원, 2014.)

보기

ㄱ. 인구 중심점은 남동쪽으로 이동하였다.
ㄴ. 1970년보다 2010년 전체 인구 중 충청권의 인구 비중이 높아졌다.
ㄷ. 인구 중심점의 이동은 시간에 따른 인구 분포의 변화를 반영한다.
ㄹ. 교통·통신 기술의 발달이 인구 중심점 이동 방향에 영향을 주었다.

① ㄱ, ㄴ ② ㄱ, ㄷ ③ ㄴ, ㄷ ④ ㄴ, ㄹ ⑤ ㄷ, ㄹ

03 중요 다음은 두 시기의 인구 분포를 나타낸 것이다. (가) 시기에 비해 (나) 시기에 상대적으로 인구 분포에 영향을 크게 미친 요인을 그림의 A~E에서 고른 것은?

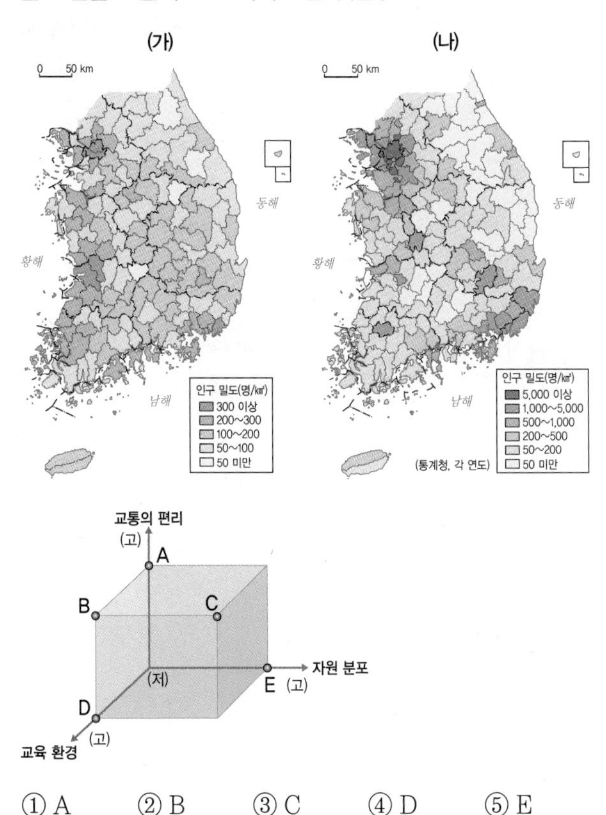

① A ② B ③ C ④ D ⑤ E

04 그래프는 (가), (나) 시기의 우리나라 인구 구조를 나타낸 것이다. 이에 대한 설명으로 옳은 것은?

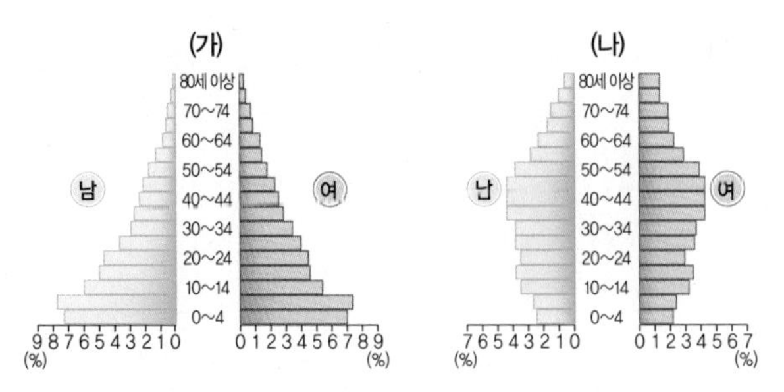

① (가) 시기는 (나) 시기보다 출생률이 높다.
② (가) 시기는 (나) 시기보다 노년층의 비중이 높다.
③ (나) 시기는 (가) 시기보다 이르다.
④ (나) 시기는 (가) 시기보다 기대 수명이 감소하였다.
⑤ 인구 변천 모형에서 (가) 시기는 4단계, (나) 시기는 3단계에 해당한다.

05 그래프는 광역 자치 단체의 인구 순위를 나타낸 것이다. 이에 대한 옳은 설명을 〈보기〉에서 고른 것은?

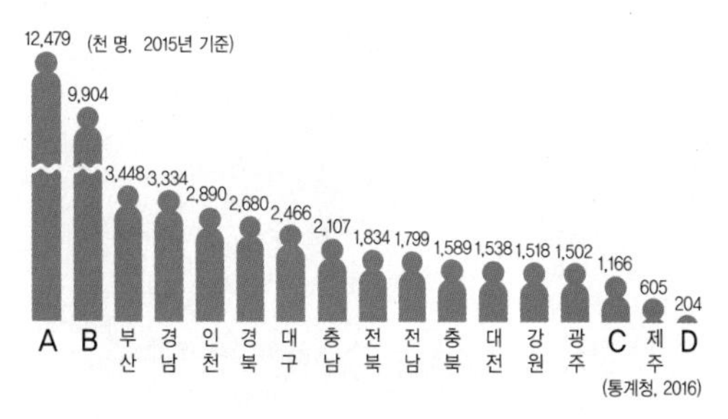

보기

ㄱ. A는 서울, B는 경기이다.
ㄴ. C는 1960년대 산업화 이후 인구가 성장한 도시이다.
ㄷ. D는 우리나라의 인구 분산과 균형 성장을 위해 출범한 자치시이다.
ㄹ. 우리나라의 인구는 주로 광역시에 집중되어 분포한다.

① ㄱ, ㄴ ② ㄱ, ㄷ ③ ㄴ, ㄷ
④ ㄴ, ㄹ ⑤ ㄷ, ㄹ

06 그래프는 인구 변천 모형이다. (가)~(라) 단계에 대한 설명으로 옳지 않은 것은?

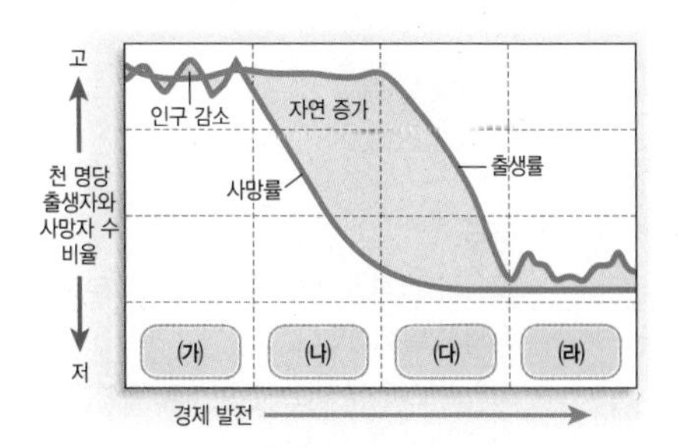

① (가)는 출생률과 사망률이 모두 높은 고위 정체기이다.
② (나)는 의료 기술의 발달로 사망률이 낮아진다.
③ (라)는 산아 제한 정책의 실시로 출생률이 감소한다.
④ (다)는 (나)보다 총 인구 수가 많다.
⑤ (라)는 (나)보다 기대 수명이 길다.

07 지도는 1980년과 2000년 우리나라의 인구 이동을 나타낸 것이다. 이에 대한 설명으로 옳지 않은 것은?

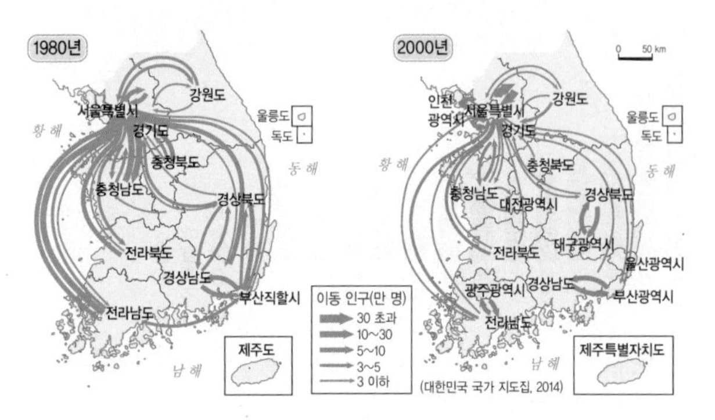

① 1980년은 이촌 향도 현상이 강했다.
② 1980년은 서울로의 인구 유입이 유출보다 많았다.
③ 1980년이 2000년에 비해 부산으로 유입되는 인구가 더 많았다.
④ 2000년이 1980년보다 전체 인구 이동량이 더 많다.
⑤ 2000년은 1980년에 비해 수도권 내 인구 이동이 증가하였다.

08 다음은 시기별 우리나라의 인구 이동을 나타낸 자료이다. (가)에 들어갈 사진과 설명으로 옳은 것은?

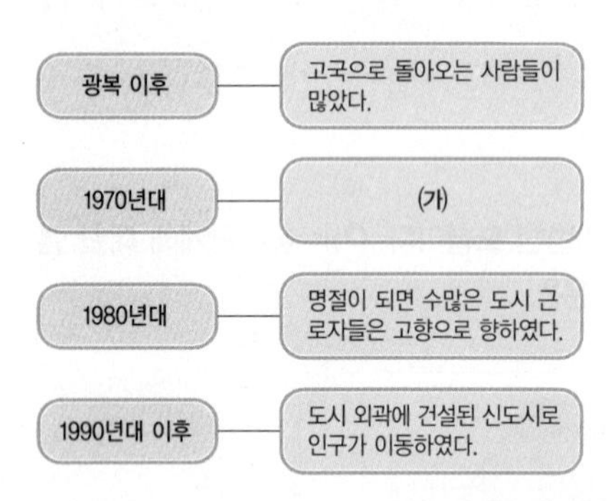

	사진	설명
①	달동네의 모습	도시의 급격한 인구 증가로 주택 부족 문제가 발생하였다.
②	달동네의 모습	교외화로 인해 대도시 주변의 위성 도시 인구가 증가하였다.
③	전원 주택의 모습	도시의 급격한 인구 증가로 주택 부족 문제가 발생하였다.
④	전원 주택의 모습	교외화로 인해 대도시 주변의 위성 도시 인구가 증가하였다.
⑤	대규모 아파트 단지의 모습	교외화로 인해 대도시 주변의 위성 도시 인구가 증가하였다.

서술형 문제

● 정답친해 65쪽

01 그래프는 우리나라의 시기별 인구 성장을 나타낸 것이다. 제시된 용어를 활용하여 우리나라의 인구 성장 과정을 서술하시오.

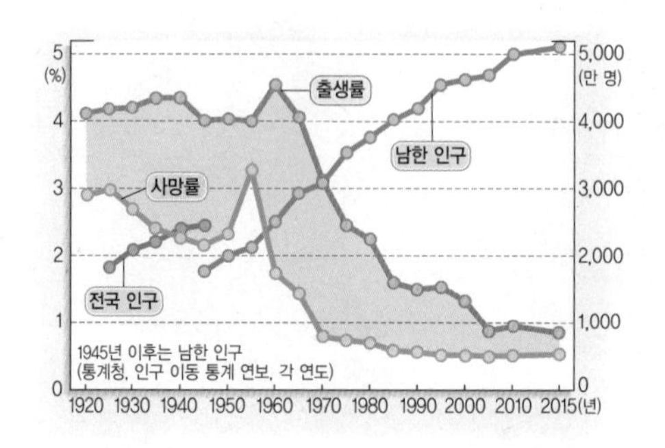

• 출산 붐	• 가족계획
• 사회적 증가	• 의료 기술 보급

02 자료는 도시와 촌락 지역의 인구 피라미드이다. 이를 보고 물음에 답하시오.

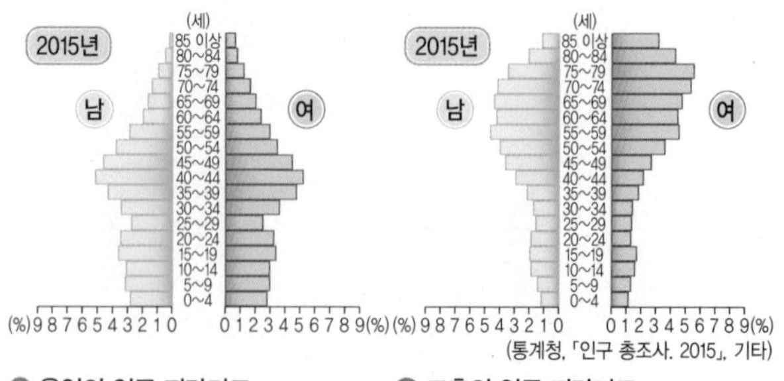

▲ 용인의 인구 피라미드 ▲ 고흥의 인구 피라미드

(1) 두 지역의 인구 피라미드를 보고 도시와 촌락을 구분하시오.

(2) 두 지역의 인구 구조 특징을 비교해 보고, 이러한 차이가 나타나게 된 배경을 서술하시오.

정답친해 66쪽

STEP 3 1등급 정복하기

평가원 응용

1 (가)~(라)에 대한 옳은 설명을 〈보기〉에서 고른 것은?(단, (가)~(라)는 경기, 울산, 전남, 충북 중 하나이다.)

> 우리나라의 지역별 인구 구조

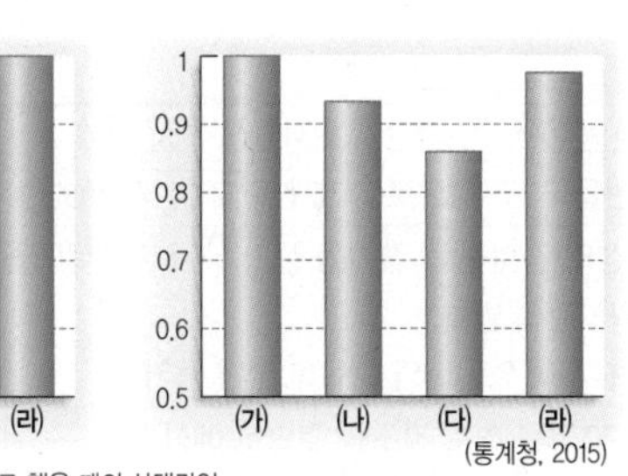

*수치는 가장 높은 지역의 값을 1로 했을 때의 상댓값임.

▲ 유소년층 인구 비중　　▲ 청장년층 인구 비중

보기

ㄱ. (가)는 충북, (나)는 울산에 해당한다.
ㄴ. (가)는 (나)보다 각종 공업이 발달해 있어 청장년층 인구 비중이 높다.
ㄷ. (다)는 (나)보다 촌락이 많은 지역으로, 인구 유출이 활발하다.
ㄹ. (다)는 경기, (라)는 전남에 해당한다.
ㅁ. (다)는 (라)보다 노년층 인구 비중이 높다.

① ㄱ, ㄴ, ㄷ　② ㄱ, ㄴ, ㅁ　③ ㄴ, ㄷ, ㄹ
④ ㄴ, ㄷ, ㅁ　⑤ ㄷ, ㄹ, ㅁ

2 그래프는 (가), (나) 지역의 인구 피라미드를 나타낸 것이다. 이에 대한 옳은 설명을 〈보기〉에서 고른 것은? (단, (가), (나)는 광주광역시, 전라남도 중 하나이다.)

> 지역별 인구 특성 비교

완자샘의 시험 꿀팁

출생률과 사망률의 변화에 따른 인구 피라미드 유형뿐만 아니라 전입과 전출 등 사회적 증감에 따라 나타나는 인구 피라미드 유형도 정리해야 한다.

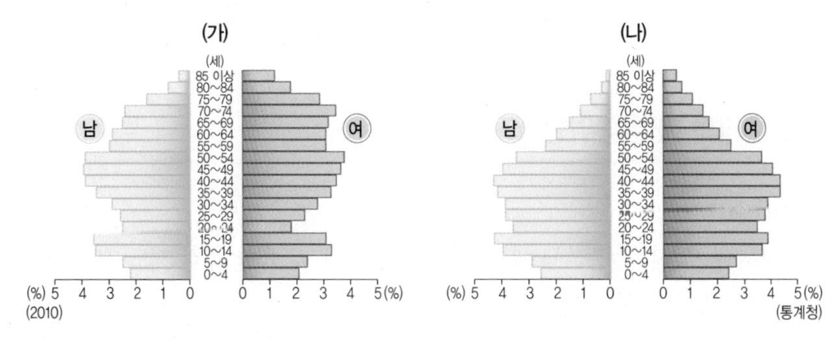

보기

ㄱ. (가)는 노년층 성비가 유소년층 성비보다 높다.
ㄴ. (가)는 (나)보다 노년층의 인구 비중이 높다.
ㄷ. (가) 지역이 (나) 지역보다 도시적 특성이 강하다.
ㄹ. (가)는 (나)에 비해 1차 산업에 종사하는 인구의 비율이 높다.

① ㄱ, ㄴ　② ㄱ, ㄷ　③ ㄴ, ㄷ
④ ㄴ, ㄹ　⑤ ㄷ, ㄹ

02~03 인구 문제와 공간 변화 ~ 외국인 이주와 다문화 공간

학습목표
- 우리나라의 인구 문제를 파악하고, 이에 따른 국토 공간의 변화를 설명할 수 있다.
- 외국인 이주자 유입과 결혼 이민자 증가에 대한 현상을 파악할 수 있다.

이것이 핵심!

저출산 및 고령화 현상

저출산	• 원인: 결혼에 대한 가치관 변화 등 • 영향: 2030년 이후 총인구 감소 등
고령화	• 원인: 출생률 감소 및 기대 수명 증가 등 • 영향: 사회 복지 비용 지출 증가 등

★ 합계 출산율
출산 가능한 여성(15~49세)이 평생 낳을 수 있는 자녀의 수

★ 고령화 사회 구분

구분	65세 이상 인구 비율
고령화 사회	노년층 인구 7% 이상
고령 사회	노년층 인구 14% 이상
초고령 사회	노년층 인구 20% 이상

★ 인구 부양비
생산 연령 인구인 청장년층에 대한 유소년층과 노년층 인구의 비율
- 총 부양비=유소년 부양비+노년 부양비
- 유소년 부양비=(0~14세 인구/15~64세 인구)×100
- 노년 부양비=(65세 이상 인구/15~64세 인구)×100

1 저출산·고령화 현상

1. 저출산 현상 자료①

현황	• 2001년부터 *합계 출산율이 1.3명 미만인 초저출산 현상 발생 (OECD 평균 출산율은 1.7명이야.) • 2015년 기준 합계 출산율이 1.24명으로 경제 협력 개발 기구(OECD) 국가 내에서 최저 수준
원인	• 교육 수준 향상 및 여성의 경제 활동 참가율 증가 → 초혼 연령 상승, 미혼 인구 증가 • 결혼과 가족에 대한 가치관의 변화 • 출산과 육아 비용 증가, 자녀 양육비와 교육비 부담 증가 등
영향 자료②	• 우리나라의 총인구가 2030년 이후 감소할 것으로 예상 (꼭! 유소년 부양비는 감소하는 반면, 노년 부양비는 증가할거야.) • 전체 인구에서 청장년층과 유소년층 인구 비중의 감소하는 반면 노년층 인구의 비중 증가 → 장기적으로 경제 활동에 투입되는 노동력 부족 및 소비 감소와 투자 위축 등 경기 침체 예상

2. 고령화 현상

우리나라의 중위 연령은 1980년 21.7세에서 2015년 41.2세로 두 배 가까이 증가했어.

현황	• 노년층 인구 비중 증가 → 중위 연령 상승 • 2000년 노년층 인구 비율이 7%를 넘어 *고령화 사회 진입 • 2015년 노년층 인구 비율이 13%를 넘어 고령 사회 진입 예상 (고령화 사회에서 고령 사회에 도달되는 기간이 프랑스는 115년, 미국은 73년 정도가 소요되었지만, 우리나라는 18년 정도 소요될 것으로 예상돼.)
원인	• 경제 수준 향상 및 의학 기술 발달, 복지 수준 향상으로 사망률 감소 및 기대 수명 증가 • 출생률 감소로 유소년층 인구 비율 감소
영향 자료②	• *노년 부양비를 증가시켜 청장년층의 사회적 부담 가중 • 연금 및 국민 건강 보험비 등의 사회 복지 비용 지출 증가 • 노동 인력의 고령화, 노동력 부족, 노동 생산성 저하로 국가 경제의 활력을 떨어뜨림

3. 저출산·고령화에 따른 공간 변화

(1) **불평등한 인구 분포**: 보건·의료 시설 및 문화 시설 등이 갖춰진 대도시는 인구 유입이 활발해지는 반면, 촌락 지역은 인구 유출이 가속화되어 인구 순환의 악순환 발생 교과서 자료

(2) **사회 기반 시설에 대한 수요 변화**: 유소년층을 위한 문화·교육 시설보다 노년층을 위한 시설의 수요가 상대적으로 증가

이것이 핵심!

인구 문제의 해결을 위한 노력

저출산	임신과 출산에 대한 지원, 양성 평등 문화 확립 등
고령화	공적 연금 강화, 정년 연장 등

★ 실버산업
노년층을 위한 상품이나 편의 시설 등을 생산 및 제공하는 산업

2 인구 문제의 해결을 위한 노력

1. 저출산 대책

(1) **결혼과 출산 지원**: 임신 및 출산에 대한 지원, 출산 휴가 및 육아 휴직 제도 개선, 직장 내 보육 시설 활성화, 신혼 부부의 주택 마련 지원 강화 등

(2) **사회적 인식 변화**: 양성평등 문화 확립, 가족 친화적 사회 분위기 조성, 출산과 양육에 대한 가치관 변화 등

2. 고령화 대책

(1) **경제적 기반 마련**: 공적 연금 강화, 정년 연장, 재취업 기회 확대 등을 추진해 노인 스스로 자립할 수 있는 토대 마련 예 임금 피크제 (근로자의 고용을 위해 노사 간 합의를 통해 일정 연령을 기준으로 임금을 조정하고, 소정의 기간 동안 고용을 보장하는 제도)

(2) **안정적인 노후 생활 조성**: 노인 복지 정책과 편의 시설 확대, 고령 친화 산업 육성, *실버산업 적극 육성 등

완자 자료 탐구

내 옆의 선생님

자료 1 인구 정책의 변화와 인구 구성비의 변화

1970년대

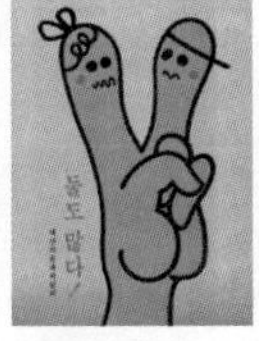

1980년대

1990년대

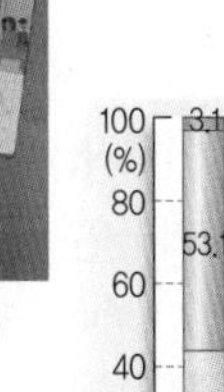

2000년대

2010년대

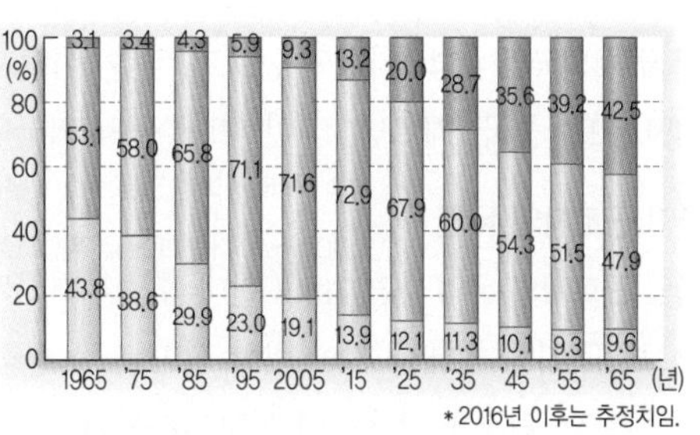

연령별 인구 구성비의 변화

1960~1980년대는 출생률을 낮추기 위한 산아 제한 정책이 실시되었고, 2000년대는 낮은 출생률로 인해 출산 장려 정책이 실시되고 있다. 연령별 인구 구성비 변화를 보면 유소년층과 청장년층 인구 비중은 감소하고 노년층 인구 비중은 증가해 고령화 현상이 심화될 것으로 보인다.

자료 2 저출산·고령화의 영향

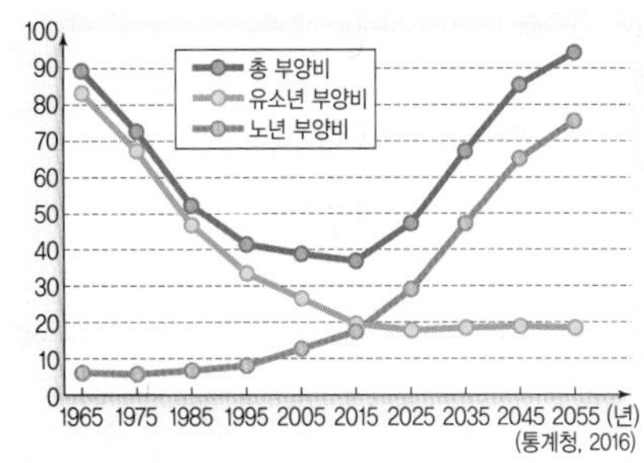

인구 부양비의 변화

최근의 저출산·고령화 현상으로 유소년층 인구의 비중은 감소하고, 평균 수명이 증가하면서 노년층 인구의 비중은 증가하고 있다. 따라서 앞으로는 유소년 부양비는 정체하고 노년 부양비는 큰 폭으로 증가해 총 부양비는 증가할 것으로 예상된다. 그리고 노년 부양비 증가로 노령화 지수도 증가할 것으로 보인다.

└ 노령화 지수: 유소년층 인구에 대한 노년층 인구의 비율

정리 비법을 알려줄게!

인구 정책의 변화

1970~1980년대	출산 억제 정책 → 출생률 감소
1990년대	출생률은 낮아졌지만 남아 선호 사상에 따른 성비 불균형 문제 부각
2000년대 이후	지나치게 낮은 출생률로 인해 출산 장려 정책

문제로 확인할까?

생산 연령 인구인 청장년층 인구에 대한 유소년층과 노년층 인구의 비율은?

① 성비
② 총 부양비
③ 노령화 지수
④ 노년 부양비
⑤ 유소년 부양비

② 답

수능이 보이는 교과서 자료 우리나라의 시도별 인구 부양비

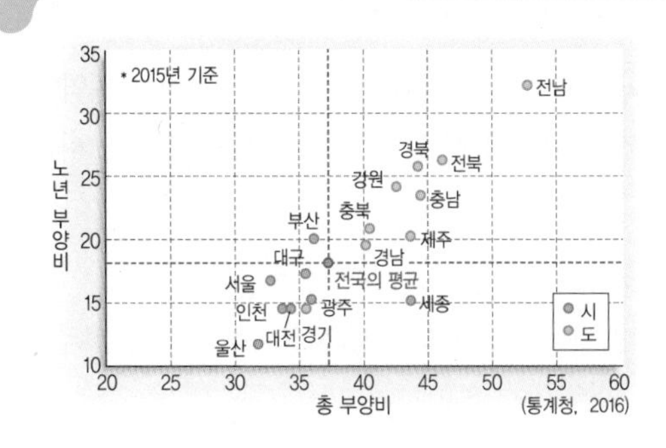

2·3차 산업의 비중이 높은 시 지역과 1차 산업의 비중이 높은 도 지역 간 인구 부양비 차이가 나타난다. 일반적으로 시 지역은 청장년층 인구 비중이 높아 노년 부양비와 총 부양비가 전국 평균보다 낮다. 도 지역은 청장년층 인구 비중이 낮아 노년 부양비와 총 부양비가 전국 평균보다 높다.

└ 인구 부양비 식을 통해 청장년층 인구와 총 부양비는 반비례 관계임을 알 수 있어.

완자샘의 탐구 강의

• 울산과 전남의 인구 부양비 특징을 서술해 보자.

울산은 청장년층의 인구 비중이 높아 총 부양비가 가장 낮다. 반면, 상대적으로 1차 산업의 비중이 높은 전남은 노년층의 인구 비중이 높아 총 부양비가 가장 높다.

함께 보기 209쪽, 1등급 정복하기 1

이것이 핵심!

외국인 이주자의 증가

1990년대 이후 3D 업종에 대한 수요 증가	결혼 적령기 성비 불균형 문제 발생
↓	↓
외국인 노동자 증가	결혼 이민자 증가

↓

다문화 사회·공간 형성

↓

바람직한 사회 발전을 위한 정책 및 개인의 노력 필요

★ 세계화
세계가 상호 의존성이 높아지면서 개인과 집단이 국경을 넘어 하나의 세계 안에서 살아가는 것

★ 한류
영화, 음악 등 대중문화를 포함한 우리나라와 관련된 것들이 다른 나라에서 인기를 얻는 현상

3 외국인 이주자의 증가

1. 국내에 거주하는 외국인의 현황 자료③ — 2015년 기준 약 175만 명으로 우리나라 전체 인구의 3.7% 정도를 차지하고 있어.

(1) **원인**: *세계화의 영향으로 노동 시장 개방, 우리나라의 국가적 위상 향상 및 *한류 열풍 강화 등

(2) **국내 체류 외국인 유형**: 외국인 근로자, 결혼 이민자, 유학생 등

(3) **국적별 분포**: 중국, 베트남, 타이, 미국 등의 외국인 비중이 높은 편
— 왜? 우리나라보다 임금 수준이 낮은 나라들이 대부분이야.

2. 외국인 근로자의 유입

(1) **외국인 근로자의 유입 배경**: 1990년대 후반부터 국내 근로자의 임금 상승과 생활 수준의 향상으로 3D 업종에 대한 기피 현상 심화 → 생산직을 중심으로 노동력 부족 현상 심화
— 3D 업종: 어렵고(Difficult), 더럽고(Dirty), 위험하여(Dangerous) 일반적으로 사람들이 기피하는 업종을 말해.

(2) **국가별 분포**: 중국을 비롯하여 동남아시아와 남부 아시아 지역에서 저임금 노동력 유입

(3) **공간 분포**: 산업 단지와 서비스업이 발달한 수도권에 약 60% 집중 자료④

(4) **주요 취업 업종**: 제조업과 서비스업에 종사하는 비중이 높음, 최근 연구 개발 및 국제 금융 등 외국인 전문직·고임금 인력의 유입도 증가

3. 국제결혼의 증가 자료⑤

배경	• 세계화에 따라 외국인에 대한 거부감 감소, 결혼에 대한 가치관 변화 • 농촌 지역의 경우 결혼 적령기의 성비 불균형이 심화되어 농촌 총각들의 결혼 문제 발생
현황	• 2000년대부터 국제결혼이 증가하면서 결혼 이민자가 증가하였지만 최근에는 감소 추세 • 한국인 여성과 외국인 남성보다 외국인 여성과 한국인 남성의 국제결혼 비율이 높음 • 인구 대비 국제결혼 비율은 촌락이 높지만, 총 국제결혼 건수는 대도시 지역이 높음
영향	인구 구조 변화, 다문화 가정 증가 등

— 꼭! 1970년대 이후 급격한 산업화와 도시화의 영향으로 농촌의 젊은 여성들이 일자리를 찾아 도시로 떠나면서 농촌에서 결혼 적령기 성비 불균형 현상이 심화되었어.
— 외국인 아내의 출신 국가는 중국, 베트남 등 우리나라보다 소득 수준이 낮은 국가의 비중이 높아.

이것이 핵심!

다문화 사회의 갈등 해결 방안

의식적 차원	공존과 상생의 시민 의식 함양, 문화 상대주의 관점 지향
정책적 차원	다문화 가정을 지원하는 사회적 통합 제도 구축

★ 대표적인 다문화 공간
프랑스 서래마을, 김해 동상동 외국인 거리, 대림동 차이나타운, 왕십리 베트남 거리 등

★ 문화 상대주의
문화가 발생한 환경과 상황을 고려하여 문화를 바라보는 태도

4 다문화 사회 및 다문화 공간의 형성

1. 다문화 사회의 영향

(1) **긍정적 영향**: 저렴한 노동력 유입으로 인한 경제 성장, 저출산·고령화에 대한 대안, 다양한 문화 접촉을 통한 새로운 문화 창출, 다양한 문화적 자산 공유 등

(2) **부정적 영향**: 외국인과 내국인 간 일자리 경쟁, 민족주의와 인종주의에 따른 사회적 편견 및 차별, 다문화 가정 자녀의 정체성 혼란과 사회 부적응 등

2. *다문화 공간의 형성: 국적·종교 등의 문화적 배경이 유사한 이주자들이 일정한 지역에 모여 정보를 교환하고 자국 문화를 공유하기 위한 공동체를 형성함 예 안산 원곡동, 서울 이태원, 광희동 몽골 타운 등

3. 다문화 사회를 위한 발전 노력

(1) **의식적 차원**: 공존과 상생의 시민 의식 함양, 문화적 다양성을 존중하는 다문화주의와 *문화 상대주의 관점 지향 등

(2) **정책적 차원**: 다문화 수용성을 높이기 위한 교육 및 실천 대안 마련, 다문화 가정을 지원하는 사회적 통합 제도 구축 등

완자 자료 탐구

내 옆의 선생님

자료 3 국내 체류 외국인의 특징

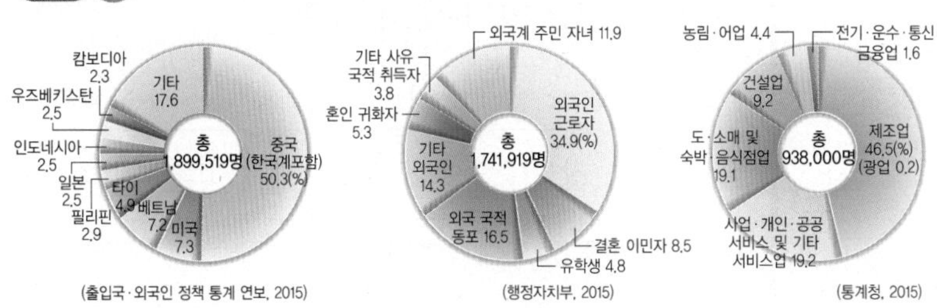

⊙ 국내 체류 외국인의 국적 ⊙ 국내 체류 외국인의 유형 ⊙ 외국인의 산업별 취업 직종

1990년대 이후 급격히 증가한 국내 체류 외국인은 2015년에는 약 175만 명에 이르렀다. 국내 체류 외국인의 절반 이상은 중국인이며, 그 다음으로 미국, 베트남, 타이 순으로 비중이 높다. 그리고 국내 체류 외국인의 약 35%는 우리나라에 취직한 외국인 근로자이며, 다음으로 결혼 이민자, 유학생 등의 순으로 나타난다. 외국인 근로자는 제조업에 가장 많이 종사하고 있다.

자료 4 국내 체류 외국인의 공간 분포

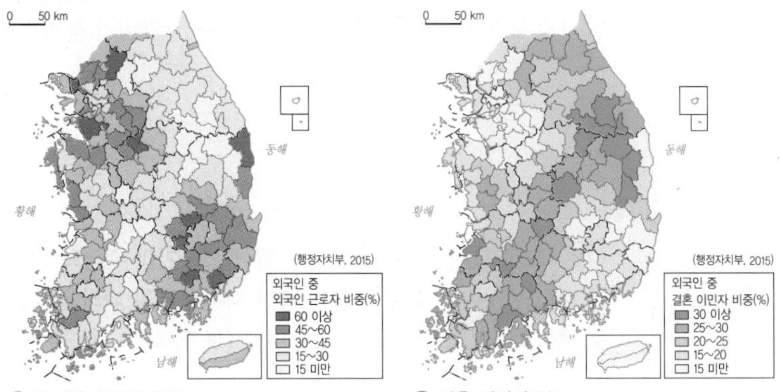

⊙ 외국인 근로자 분포 ⊙ 결혼 이민자 분포

우리나라에서 거주하는 외국인 근로자 대부분은 대도시와 그 주변 지역에 주로 분포해 있으며, 특히 산업이 발달한 수도권과 남동 임해 지역에 밀집해 있다. 결혼 이민자 분포를 보면 촌락 지역이 도시 지역보다 결혼 이민자의 비중이 높다. 그러나 총 결혼 이민자의 수는 서울과 경기도에 집중해 있다.

자료 5 우리나라의 시도별 국제결혼 건수

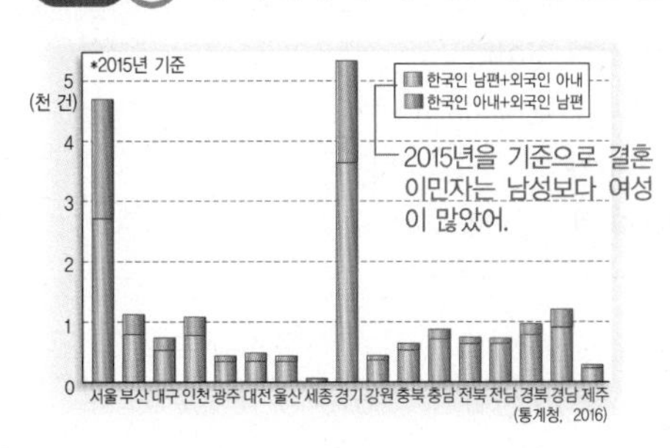

1970년대 이후 산업화와 도시화로 농촌의 젊은 여성들이 도시로 떠나면서 농촌에서 결혼 적령기의 성비 불균형 현상이 심화되었다. 1990년대부터는 농촌을 중심으로 외국인 여성과의 국제결혼이 활발해지기 시작하였으며, 최근 도시 지역에서도 국제결혼이 증가하고 있다.

문제로 확인할까?

국내 체류 외국인 중 가장 많은 비중을 차지하는 국가는?

① 중국 ② 미국
③ 일본 ④ 베트남
⑤ 필리핀

① 답

정리 비법을 알려줄게!

국내에 거주하는 외국인의 분포 특징

외국인 근로자	• 대도시와 그 주변 지역에 분포 • 수도권 및 남동 임해 지역에 밀집하여 분포
결혼 이민자	• 결혼 이민자의 지역 내 인구 비중은 촌락 지역이 높음 • 총 결혼 이민자 수는 서울, 경기 등 수도권에 집중

자료 하나 더 알고 가자!

국내 거주 외국인이 겪는 어려움

⊙ 결혼 이민자가 겪는 어려움

결혼 이민자는 자녀 보육 및 적응 문제 등의 어려움을 겪고 있으며, 외국인 근로자는 차별과 임금 체불 등의 문제를 경험하기도 한다. 또한 문화적 이질감 등으로 인하여 갈등이 나타나기도 한다.

STEP 1 핵심 개념 확인하기

정답친해 66쪽

1 ㉠, ㉡에 들어갈 내용을 쓰시오.

> 교육열이 높은 우리나라는 자녀 보육비와 사교육비의 부담이 커지면서 (㉠) 현상이 더욱 심화되고 있다. 또한 출산율이 낮아지는 반면 노년층 인구는 빠르게 증가하여 (㉡) 현상이 급격하게 진행되고 있다.

2 다음에서 설명하는 용어를 쓰시오.

(1) 전체 인구에서 노년층 인구가 차지하는 비중이 7~14%인 사회를 말한다. ( )

(2) 노인을 위한 상품이나 편의 시설 등을 생산 및 제공하는 산업을 의미한다. ( )

(3) 출산 가능한 여성(15~49세)이 평생 낳을 것으로 예상되는 자녀의 수를 나타낸다. ( )

3 다음 설명이 맞으면 ○표, 틀리면 ×표를 하시오.

(1) 국내 체류 외국인의 절반 이상은 미국인이며, 그다음으로는 베트남, 중국, 필리핀 순으로 비중이 높다. ( )

(2) 우리나라에 체류하는 외국인의 대부분은 일자리를 구하기 쉽고, 교육의 기회가 많은 수도권에 주로 분포하고 있다. ( )

4 다음에서 설명하는 용어를 쓰시오.

> 국적·종교 등의 문화적 배경이 유사한 이주자들이 일정한 지역에 모여 정보를 교환하고 자국 문화를 공유하기 위해 형성한 공간이다. 대표적으로 안산시의 원곡동 국경 없는 마을, 서울의 혜화동 필리핀 장터 등이 있다.

5 다문화 사회의 갈등 해결을 위한 의식적 차원의 노력을 〈보기〉에서 골라 기호를 쓰시오.

보기

ㄱ. 관용의 자세 ㄴ. 다문화 교육 강화
ㄷ. 다문화주의 관점 지향 ㄹ. 다문화 정책과 제도 마련

STEP 2 내신 만점 공략하기

01 다음은 두 시기의 인구 정책을 보여주는 표어이다. (가), (나) 시기의 특징으로 옳지 않은 것은?

(가)

> 딸·아들 구별 말고 둘만 낳아 잘 기르자.

(나)

> 가가 호호 아이 둘 셋
> 하하 호호 희망 한국

① (가)는 출산율이 매우 높은 시기였다.
② (가)는 출산 억제 정책을 홍보하고 있다.
③ (나)는 종형의 인구 구조가 나타난다.
④ (가)는 (나)보다 시기가 이르다.
⑤ (가) 시기보다 (나) 시기에 유소년 인구 부양비가 높았다.

02 그래프는 우리나라의 합계 출산율과 기대 수명의 변화를 나타낸 것이다. 이와 같은 상황이 지속될 경우 나타날 것으로 예상되는 인구 문제로 적절한 것을 〈보기〉에서 고른 것은?

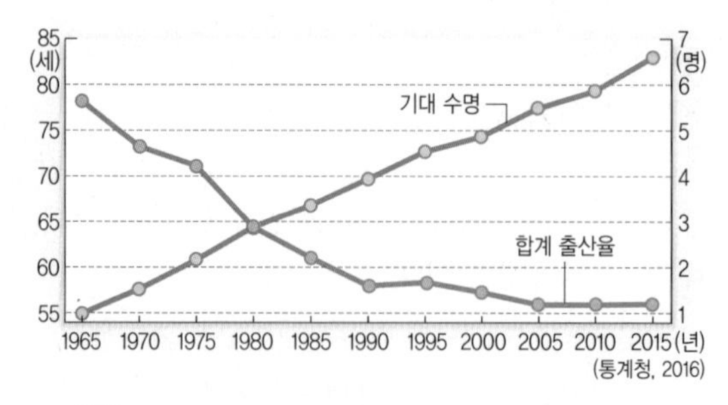

(통계청, 2016)

보기

ㄱ. 총인구가 감소할 것이다.
ㄴ. 노년 부양비가 감소할 것이다.
ㄷ. 생산 가능 인구가 증가할 것이다.
ㄹ. 유소년 부양비가 감소할 것이다.

① ㄱ, ㄴ ② ㄱ, ㄹ ③ ㄴ, ㄷ
④ ㄴ, ㄹ ⑤ ㄷ, ㄹ

03 중요 그래프는 우리나라의 연령별 인구 구성비 추이를 나타낸 것이다. 이를 토대로 인구 지표를 옳게 나타낸 것은?

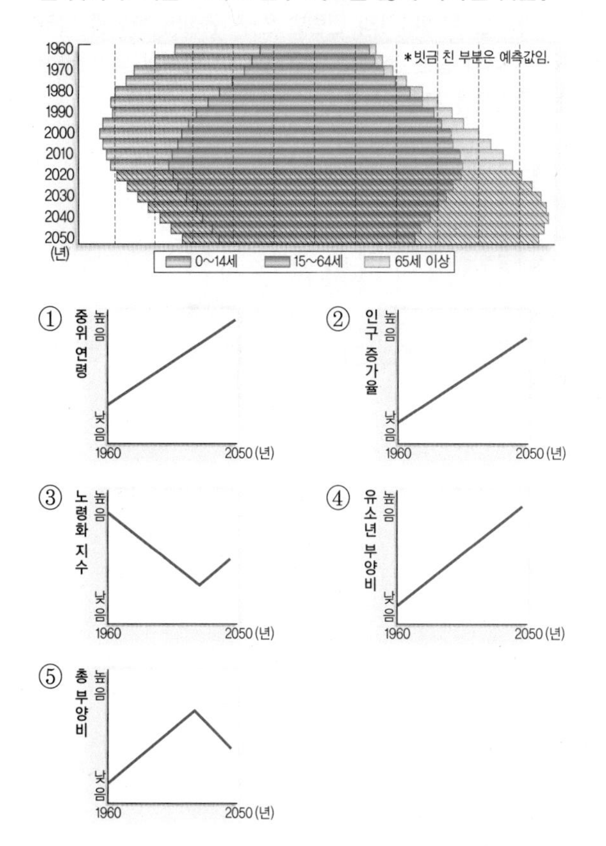

04 그래프는 여러 국가의 고령화 진행 속도를 나타낸 것이다. 이를 보고 알 수 있는 우리나라 고령화의 특징으로 옳은 것은?

	대한민국	미국	일본	독일	프랑스
고령화 사회 진입 65세 이상 인구 7%	2000년	1942년	1970년	1932년	1864년
고령 사회 진입 65세 이상 인구 14%	2018년	2015년	1994년	1972년	1979년
초고령 사회 진입 65세 이상 인구 20%	2026년	2036년	2006년	2009년	2018년

(통계청, 『국제 통계 연감』, 2016년)

① 생산 가능 인구가 급증하고 있다.
② 고령화 현상이 도시 지역에서만 나타나고 있다.
③ 다른 국가들에 비해 고령화가 일찍 시작되었다.
④ 노년층 인구와 유소년층 인구가 급격히 증가하고 있다.
⑤ 다른 국가들에 비해 고령화 현상이 빠르게 진행되고 있다.

05 그래프는 우리나라의 인구 부양비 변화를 나타낸 것이다. 이에 대한 분석 및 추론으로 옳지 않은 것은?

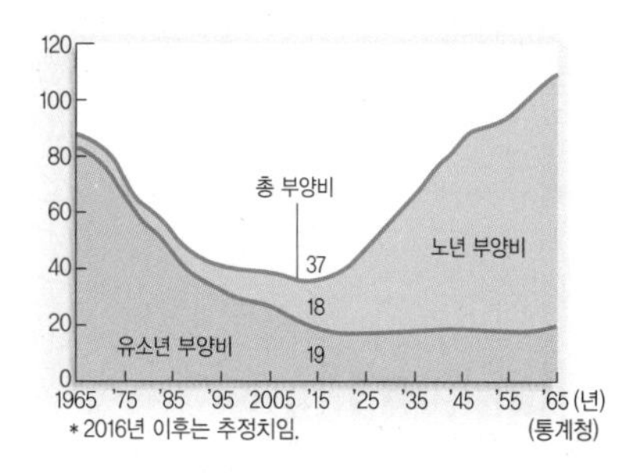

① 2015년 총 부양비는 37이다.
② 2015년 이후 총 부양비는 증가할 것이다.
③ 2005년 총 부양비는 1965년의 절반 수준으로 감소하였다.
④ 2035년 노년층 인구는 유소년층 인구의 3배 정도일 것이다.
⑤ 1965~2015년 총 부양비의 감소는 부양 대상인 유소년층 인구와 노년층 인구가 감소하였기 때문이다.

06 다음은 어떤 학생이 필기한 학습지의 일부이다. (가)에 들어갈 내용으로 적절한 것은?

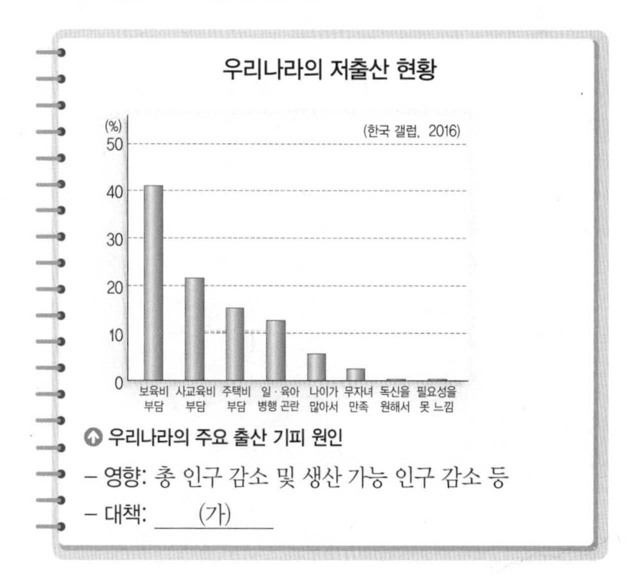

① 산아 제한 정책을 강화한다.
② 노년층의 경제 활동을 적극 지원한다.
③ 태아 성 감별을 막는 제도적 장치를 마련한다.
④ 출산과 양육에 따른 부담을 낮추기 위한 정책을 마련한다.
⑤ 출산과 육아를 전담하기 위해 여성의 사회 진출을 억제한다.

07 그래프를 보고 나눈 대화 중 옳은 내용을 제시한 학생을 고른 것은?

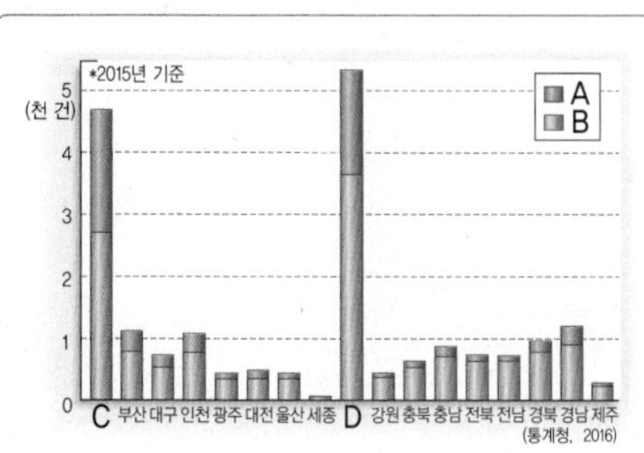

시도별 국제결혼 건수

- 갑: 한국인과 국제결혼을 하는 외국인 여성이 외국인 남성보다 더 많아.
- 을: A는 한국인 남성과 외국인 여성과의 혼인이야.
- 병: 국제결혼에서 가장 큰 비중을 차지하는 D는 서울이야.
- 정: C와 D 두 지역의 비중이 전체 국제결혼의 절반을 넘고 있어.

① 갑, 을 ② 갑, 정 ③ 을, 병
④ 을, 정 ⑤ 병, 정

08 (가), (나)는 우리나라에 거주하는 외국인의 유형별 공간 분포를 나타낸 것이다. 이에 대한 설명으로 옳은 것은?

중요

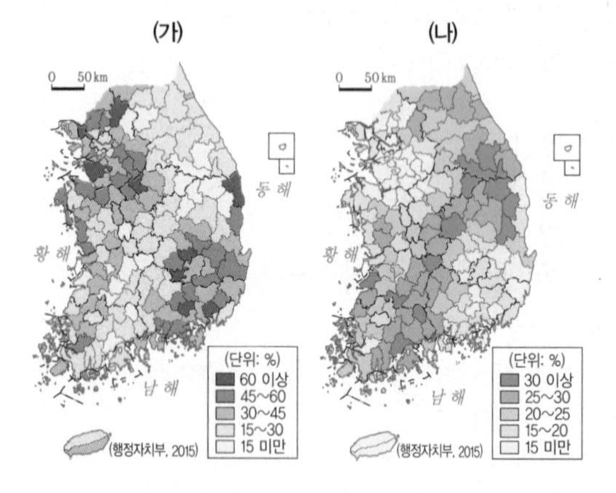

① (가) 유형은 개발 도상국보다 선진국 출신의 인구수가 많다.
② (나) 유형은 산업 단지의 분포 지역과 연관성이 높다.
③ (나) 유형은 외국인 여자보다 외국인 남자의 비중이 높다.
④ (가)보다 (나) 유형의 인구수가 많다.
⑤ (나) 유형은 (가) 유형에 비해 전국에 고르게 분포한다.

서술형 문제

● 정답친해 68쪽

01 그래프는 우리나라의 연령별 인구 구성비 변화를 나타낸 것이다. 이와 같은 추세로 인구 구성이 변화할 때 나타날 수 있는 문제점을 서술하시오.

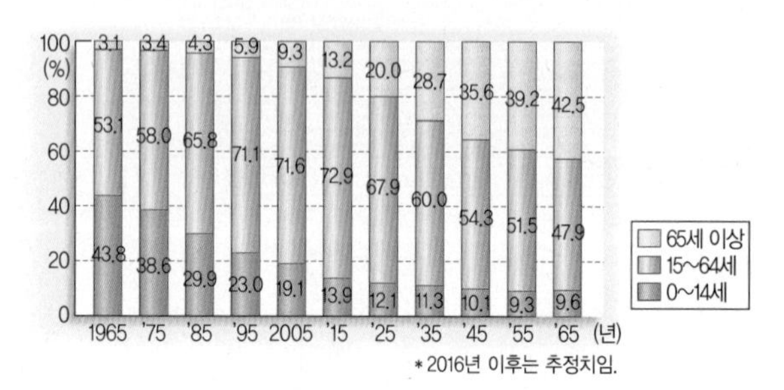

02 그래프는 국내 체류 외국인 유형을 나타낸 것이다. 이를 보고 물음에 답하시오.

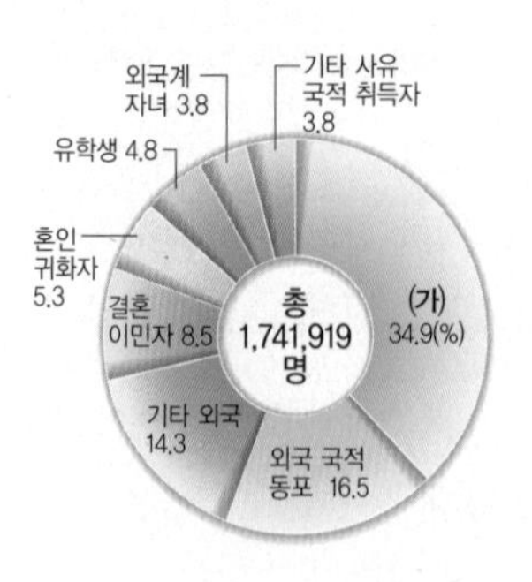

(1) (가)에 들어갈 말을 쓰시오.

(2) (가)의 유입 배경을 두 가지 서술하시오.

STEP 3 1등급 정복하기

정답친해 69쪽

1 그래프는 우리나라 각 시도의 인구 부양비를 나타낸 것이다. 이에 대한 분석으로 옳은 것을 〈보기〉에서 고른 것은?

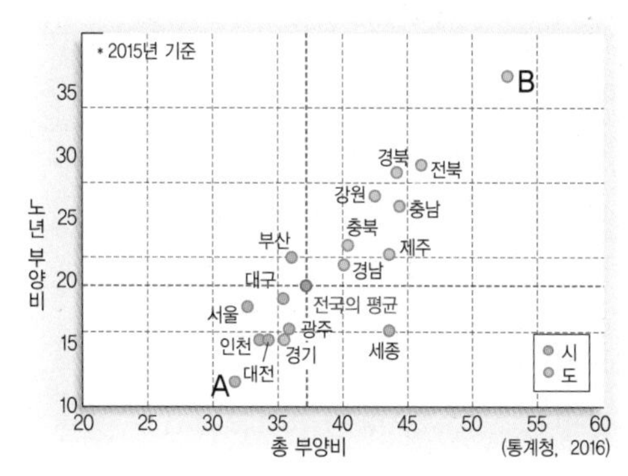

보기

ㄱ. A는 중화학 공업이 발달한 도시이다.
ㄴ. B는 다른 지역에 비해 1차 산업이 발달한 곳이다.
ㄷ. 세종은 광주보다 유소년층 인구의 비중이 낮을 것이다.
ㄹ. 대체로 도 지역이 시 지역보다 청장년층 인구의 비중이 높은 편이다.

① ㄱ, ㄴ ② ㄱ, ㄷ ③ ㄴ, ㄷ
④ ㄴ, ㄹ ⑤ ㄷ, ㄹ

> 지역별 인구 부양비

완자 사전

• **인구 부양비**
생산 연령 인구인 청장년층(15~64세)에 대한 비생산 연령 인구인 유소년층(0~14세)과 노년층(65세 이상)의 비율

교육청 응용

2 그래프는 (가)~(다) 지역의 인구 구조를 나타낸 것이다. (가)~(다) 지역에 대한 설명으로 옳지 않은 것은?

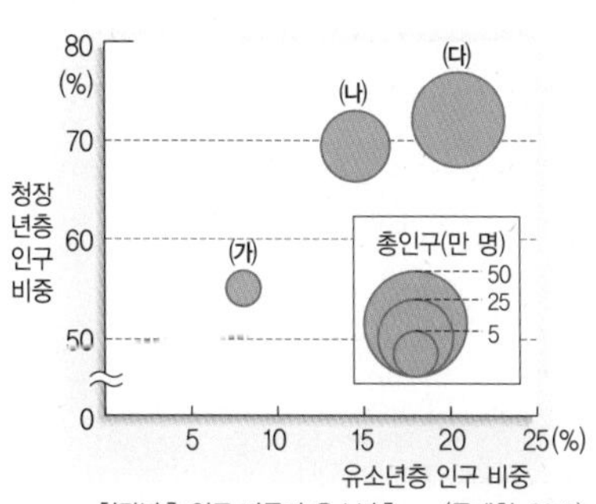

• 청장년층 인구 비중과 유소년층 인구 비중은 원의 중앙값임.

① (가)의 노년 부양비는 유소년 부양비보다 높다.
② (가)는 (나)보다 총 부양비가 낮다.
③ (가)는 (나)보다 노년층 인구가 적다.
④ (나)는 (다)보다 유소년 부양비가 낮다.
⑤ (나)는 (다)보다 노년층 인구 비중이 높다.

> 지역별 인구 구조

3 그래프는 우리나라의 인구 변화를 나타낸 것이다. A~D 시기에 대한 설명으로 옳지 않은 것은?

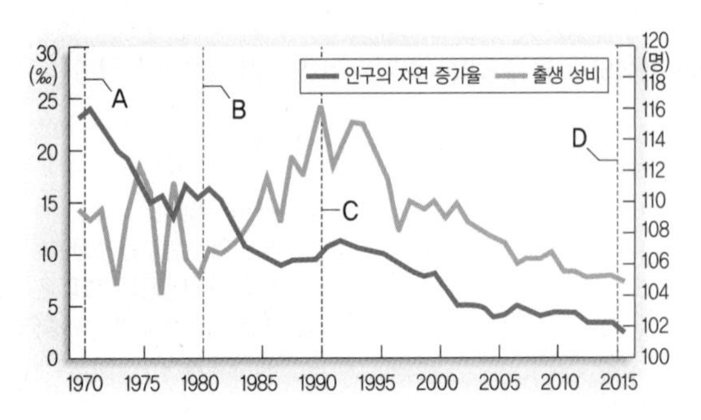

① A 시기에는 출생률을 낮추기 위한 인구 정책이 실시되었을 것이다.
② C 시기에는 여아 출생아 수가 남아 출생아 수보다 10% 이상 많았을 것이다.
③ D 시기 이후에는 저출산을 해결하기 위한 인구 정책이 실시되었을 것이다.
④ B 시기에는 A 시기에 비해 인구 증가율이 감소하였다.
⑤ A 시기에서 C 시기로 가면서 우리나라 전체 인구는 증가하였을 것이다.

> 우리나라의 인구 변화

완자 사전
- **인구의 자연 증가율**
인구 1천명 당 인구 증가 수

교육청 응용

4 지도는 (가), (나) 인구 지표의 상위, 하위 5개 지역을 나타낸 것이다. 이에 대한 옳은 설명을 〈보기〉에서 고른 것은? (단, (가), (나)는 노년 부양비, 유소년 부양비 중 하나이다.)

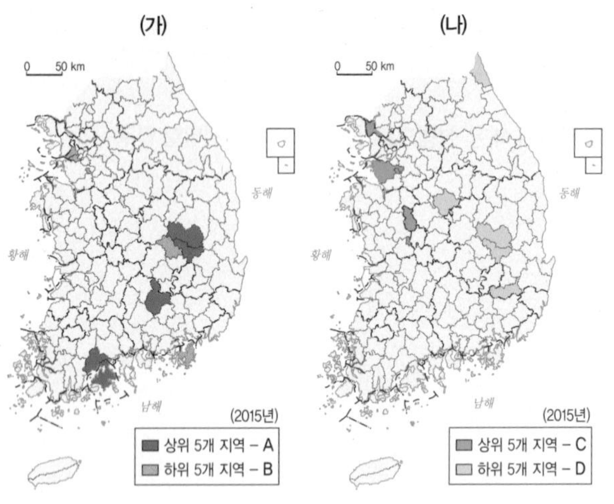

보기
ㄱ. (가)는 유소년 부양비, (나)는 노년 부양비이다.
ㄴ. A는 B보다 1차 산업 종사자 비율이 높다.
ㄷ. B는 D보다 외국인 노동자 수가 적다.
ㄹ. C는 A보다 중위 연령이 낮다.

① ㄱ, ㄴ ② ㄱ, ㄷ ③ ㄴ, ㄷ
④ ㄴ, ㄹ ⑤ ㄷ, ㄹ

> 노년 부양비와 유소년 부양비의 지역별 분포 특징

완자샘의 시험 꿀팁
도시와 촌락의 인구 구조 차이에 따라 노년 부양비와 유소년 부양비가 다르다는 점을 파악해야 한다.

5 **자료는 외국인 근로자의 취업 현황을 나타낸 것이다. 이를 통해 알 수 있는 내용으로 가장 적절한 것은?**

> 외국인 근로자의 유입

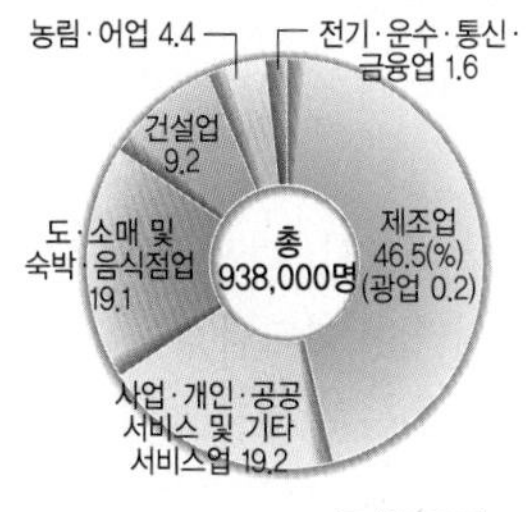

(통계청, 2015)

(출입국·외국인 정책 통계 연보, 2015)

외국인의 산업별 취업 직종

국내 체류 외국인의 국적

① 외국인 근로자는 도시보다 농촌에 거주하는 비중이 높을 것이다.
② 외국인 근로자는 제조업에서 생산직보다 영업직의 비율이 훨씬 높을 것이다.
③ 외국인 근로자 유입으로 수도권 지역으로의 산업·고용의 집중이 완화될 것이다.
④ 외국인 근로자의 출신 국가는 우리나라보다 임금 수준이 낮은 국가가 대부분이다.
⑤ 외국인 근로자의 유입은 국내 제조업 종사자의 임금을 상승시키는 요인으로 작용하였을 것이다.

수능 응용

6 **지도와 같은 분포를 보이는 국내 체류 외국인의 지역적 차이가 나타나는 원인으로 가장 적절한 것은?**

> 국내 체류 외국인의 분포

완자샘의 시험 꿀팁
유형에 따라 국내 체류 외국인이 분포하는 지역을 파악해야 한다.

(행정자치부, 2015)

① 대도시 청장년층의 귀농 증가
② 유아 사망률 감소와 노인 인구 증가
③ 촌락 지역의 청장년층 성비 불균형
④ 국가 균형 발전을 위한 혁신 도시의 건설
⑤ 다국적 기업의 국내 진출에 의한 외국 고급 인력 유입

01 인구 분포와 인구 구조의 변화

1. 인구 분포

요인	• 자연적 요인: 기후, 지형, 토양 등 → 전통적 인구 분포에 크게 영향을 주었음 • 인문적 요인: 정치, 경제, 역사, 교육 등 → 과학 기술 발달과 경제 성장으로 인문적 요인의 영향력이 증가함
지역적 차이	• 1960년대 이전: 평야가 많은 남서부 지역은 인구 밀도가 높고 산지가 많은 북동부 지역은 인구 밀도가 낮음 • 현재: 도시가 밀집하고 2·3차 산업이 발달한 수도권, 대도시, 남동 임해 지역의 인구 밀도가 높음

2. 우리나라의 인구 이동

1960~80년대	산업화와 도시화의 영향으로 농촌에서 대도시 및 공업 도시로의 (❶) 현상이 나타남
1990년대 이후	• 도시와 도시 간 인구 이동이 크게 나타나며 수도권과 대도시로의 인구 집중 • 대도시의 (❷) 현상으로 대도시에서 주변 위성 도시로의 인구 이동이 증가함

3. 인구 구조의 변화

(1) 우리나라의 인구 성장

조선 시대 이전	높은 출생률, 질병이나 기근, 자연재해 등으로 사망률이 높아 인구 성장률이 낮음
일제 강점기	근대 의료 기술의 도입으로 사망률이 낮아짐
광복~1950년대	해외 동포의 귀국, 북한 동포의 월남으로 남한 인구의 사회적 증가, 전쟁 후 출산 붐 현상
1960~1990년대	정부 주도의 가족계획 정책 추진으로 출산율 감소
2000년대 이후	급격히 낮아진 출산율로 (❸) 문제 발생 → 출산 장려 정책 추진

(2) 연령별 인구 구조

① 출생률 감소: 유소년층 인구 비중 감소

② 사망률 감소: 노년층 인구 비중 증가

③ 청장년층 인구 비중은 감소할 것으로 예상됨

(3) 성별 인구 구조

① 지역의 특성에 따라 여초 현상(대도시, 관광 도시)과 남초 현상(중화학 공업 도시, 접경 지역)이 나타남

② 성비 불균형은 과거에 비해 완화되는 추세를 보이고 있음

(4) 시기별 인구 구조의 변화

1960년대 이전		1990년대 후반 이후		2060년
(❹) 형	→	종형에서 방추형으로 변화	→	역피라미드형 예상

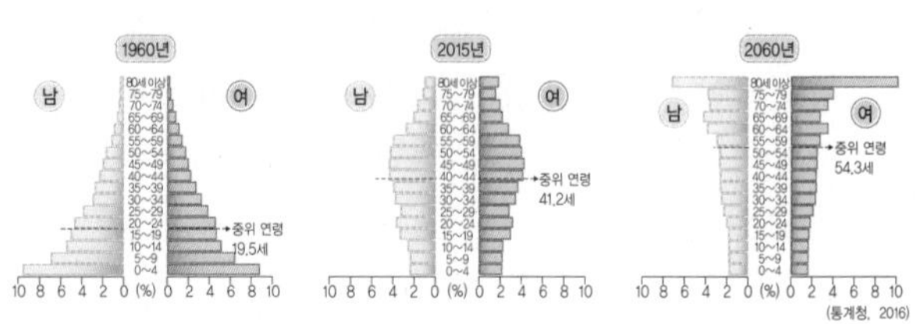

▲ 우리나라 인구 피라미드의 변화

(5) 우리나라 인구 구조의 변화: 유소년층 인구 비중 감소와 노년층 인구 비중 증가로 중위 연령이 높아지고 있음

02 인구 문제와 공간 변화

1. 인구 정책의 변화

1970~1980년대	출산 억제 정책 → 출생률 감소
1990년대	출생률은 낮아졌지만 남아 선호 사상에 따른 성비 불균형 문제 부각
2000년대 이후	지나치게 낮은 출생률로 인해 출산 장려 정책

2. 저출산 현상

현황	• 2001년부터 (❺)이 1.3명 미만인 초저출산 현상 • 2015년 기준 합계 출산율이 1.24명으로 경제 협력 개발 기구(OECD) 국가 내에서 최저 수준
원인	• 교육 수준 향상 및 여성의 경제 활동 참가율 증가 • 결혼과 가족에 대한 가치관의 변화 • 출산과 육아 비용 증가, 자녀 양육비와 교육비 부담 증가 등
영향	• 우리나라의 총인구는 2030년 이후 감소할 것으로 예상 • 전체 인구에서 청장년층과 유소년층 인구 비중이 감소하는 반면 노년층 인구의 비중 증가

3. 고령화 현상

현황	• 노년층 인구 비중 증가 → (❻) 연령 상승 • 2000년 노년층 인구 비중이 7%를 넘어 고령화 사회 진입 • 2015년 노년층 인구 비중이 13%를 넘어 고령 사회 진입 예상
원인	• 경제 수준 향상 및 의학 기술 발달, 복지 수준 향상으로 사망률 감소 및 기대 수명 증가 • 출생률 감소로 유소년층 인구 비중 감소
영향	• 노년 부양비를 증가시켜 청장년층의 사회적 부담 가중 • 연금 및 국민 건강 보험비 등의 사회 복지 비용 증가 • 노동 인력의 고령화, 노동력 부족, 노동 생산성 저하로 국가 경제의 활력을 떨어뜨림

4. 저출산·고령화 현상에 따른 공간 변화

(1) **불평등한 인구 분포**: 보건·의료 시설 및 문화 시설 등이 갖춰진 대도시는 인구 유입이 활발해지는 반면, 정주 여건이 열악한 촌락 지역은 인구 유출이 가속화되어 인구 순환의 악순환이 발생

(2) **사회 기반 시설에 대한 수요 변화**: 유소년층을 위한 시설보다 노년층을 위한 시설의 수요가 상대적으로 증가

5. 인구 문제의 해결을 위한 노력

저출산	• 결혼과 출산 지원: 임신 및 출산에 대한 적극적인 재정 지원, 출산 휴가 및 육아 휴직 제도 개선 • 사회적 인식 변화: 가족 친화적인 사회 분위기 조성 및 (❼) 문화 확립, 출산과 양육에 대한 가치관 변화
고령화	• 경제적 기반 마련: 공적 연금 강화, 정년 연장, 재취업 기회 확대 등을 통한 노년층의 경제적 기반 마련 • 안정적인 노후 생활 조성: 노인 전문 병원, 요양원 등 노인 복지 시설 확충, 노인 복지 정책, 고령 친화 산업, 실버 산업 육성 등

03 외국인 이주와 다문화 공간

1. 국내 거주 외국인의 현황

원인	세계화의 영향으로 노동 시장 개방, 우리나라의 국가적 위상 향상 및 한류 열풍 강화 등
국내 체류 외국인 유형	외국인 근로자, 결혼 이민자, 유학생 등의 순서로 비중이 높음
국적별 분포	중국, 베트남, 타이 등 우리나라보다 임금 수준이 낮은 외국인의 비중이 높은 편임

2. 외국인 근로자의 유입

유입 배경	1990년대 후반 국내 3D 업종에 대한 노동력 부족 현상 및 국내 노동자의 생활수준 향상과 임금 상승 등
현황	• 중국을 비롯하여 베트남, 필리핀 등 동남아시아와 남부 아시아 지역에서 저임금 노동력 유입 • 산업 단지와 서비스업이 발달한 (❽)에 약 60% 집중 → 대부분 제조업에 종사 • 최근 외국인 전문직·고임금 인력의 유입 증가

3. 국제결혼의 증가

배경	• 세계화에 따라 외국인에 대한 거부감 감소, 결혼에 대한 가치관 변화 • 농촌 지역의 경우 결혼 적령기의 성비 불균형이 심화되어 농촌 총각들의 결혼 문제 발생
현황	• 2000년대부터 국제결혼이 증가하면서 결혼 이민자가 증가하였지만 최근에는 감소 추세 • 한국인 여성과 외국인 남성보다 (❾)의 국제결혼 비율이 높음 • 인구 대비 국제결혼 비율은 촌락이 높지만, 총 국제결혼 건수는 대도시 지역이 높음
영향	인구 구조 변화, 다문화 가정 증가 등

4. 다문화 사회 및 다문화 공간의 형성

(1) 다문화 사회의 영향

긍정적 영향	저렴한 노동력 유입으로 인한 경제 성장, 저출산·고령화에 대한 대안, 다양한 문화 접촉을 통한 새로운 문화 창출, 다양한 문화적 자산 공유 등
부정적 영향	외국인과 내국인 간 일자리 경쟁, 민족주의와 인종주의에 따른 사회적 편견 및 차별, 다문화 가정 자녀의 정체성 혼란과 사회 부적응 등

(2) 다문화 공간의 형성

다문화 공간	국적·종교 등의 문화적 배경이 유사한 이주자들이 일정한 지역에 모여 정보를 교환하고 자국 문화를 공유하기 위한 공동체를 형성함
사례	안산 원곡동, 서울 이태원, 광희동 몽골 타운 등

5. 다문화 사회를 위한 발전 노력

의식적 차원	공존과 상생의 시민 의식 함양, 문화적 다양성을 존중하는 다문화주의와 (❿) 관점 지향 등
정책적 차원	다문화 수용성을 높이기 위한 교육 및 실천 대안 마련, 다문화 가정을 지원하는 사회적 통합 제도 구축 등

● 정답 ● ① 이촌 향도 ② 교외화 ③ 저출산 ④ 피라미드 ⑤ 합계 출산율 ⑥ 중위 ⑦ 양성평등 ⑧ 수도권 ⑨ 한국인 남성과 외국인 여성 ⑩ 문화 상대주의

01 지도는 우리나라의 인구 밀도를 나타낸 것이다. 이에 대한 옳은 설명을 〈보기〉에서 고른 것은?

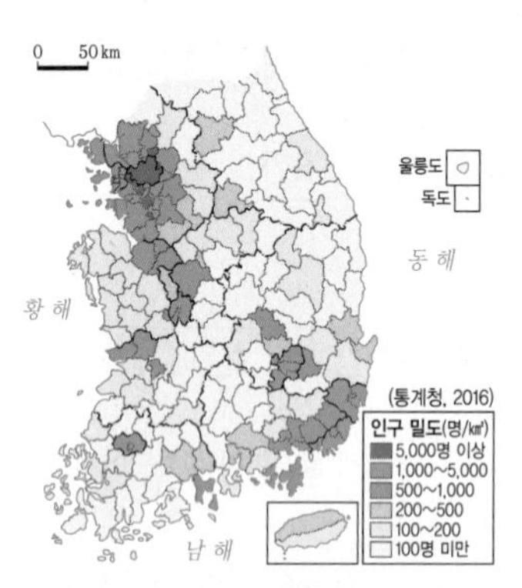

보기

ㄱ. 수도권은 우리나라 최대의 인구 밀집 지역이다.
ㄴ. 강원도에는 인구가 ㎢당 500명 이상인 지역이 없다.
ㄷ. 모든 광역시의 인구 밀도는 ㎢당 5,000명 이상이다.
ㄹ. 현재의 인구 분포에는 사회·경제적 요인보다는 자연적 요인이 더 중요하게 작용한다.

① ㄱ, ㄴ ② ㄱ, ㄷ ③ ㄴ, ㄷ
④ ㄴ, ㄹ ⑤ ㄷ, ㄹ

02 그래프는 우리나라의 시기별 인구 성장을 나타낸 것이다. 이에 대한 설명으로 옳지 않은 것은?

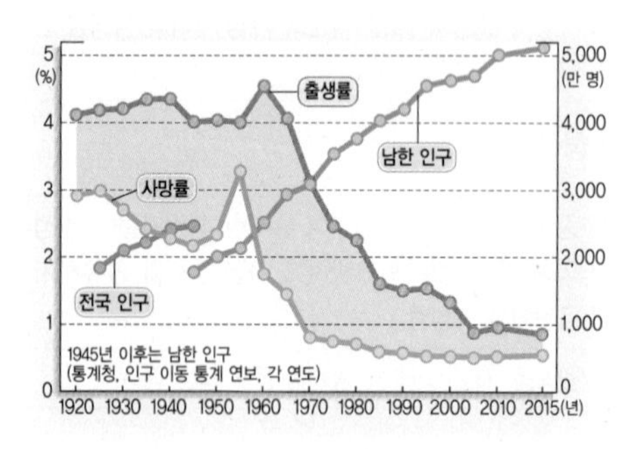

① 1920~1940년은 인구 변천 모형의 2단계에 해당한다.
② 1950~1955년 사망률이 급증한 것은 전염병 때문이다.
③ 1960년을 전후하여 출산 붐이 발생하였다.
④ 1960~1990년의 출생률 감소는 정부의 가족계획 정책의 영향 때문이다.
⑤ 2015년 남한의 인구는 1950년의 두 배 이상이다.

03 그래프는 우리나라의 연령별 인구 구성비의 변화를 나타낸 것이다. 이에 대한 옳은 설명을 〈보기〉에서 고른 것은?

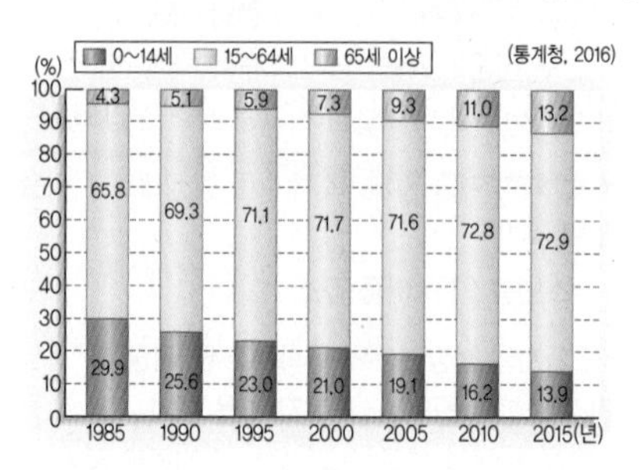

보기

ㄱ. 유소년층의 부양 부담이 증가하였다.
ㄴ. 1985~2015년 총 부양비는 감소하였다.
ㄷ. 2015년은 1985년보다 피라미드형 인구 구조에 가깝다.
ㄹ. 2015년 유소년 부양비는 1985년의 절반으로 감소하였다.

① ㄱ, ㄴ ② ㄱ, ㄷ ③ ㄴ, ㄷ
④ ㄴ, ㄹ ⑤ ㄷ, ㄹ

04 다음 지도가 나타내는 인구 관련 지표로 가장 적절한 것은?

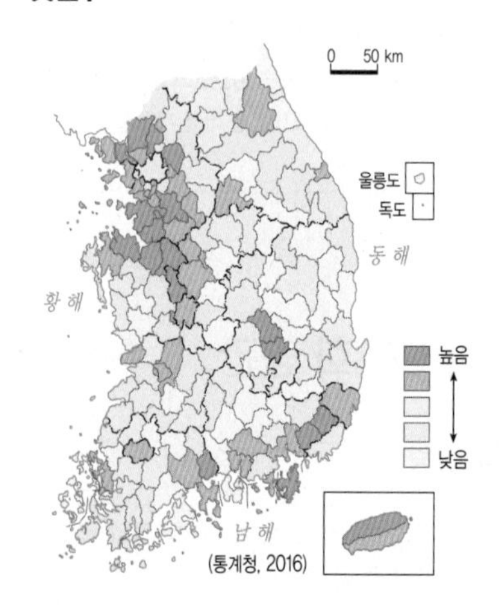

① 성비
② 인구 밀도
③ 중위 연령
④ 노년층 인구 비중
⑤ 유소년층 인구 비중

05 (가)~(라)는 우리나라의 인구 정책 포스터이다. 시기 순으로 옳게 나열한 것은?

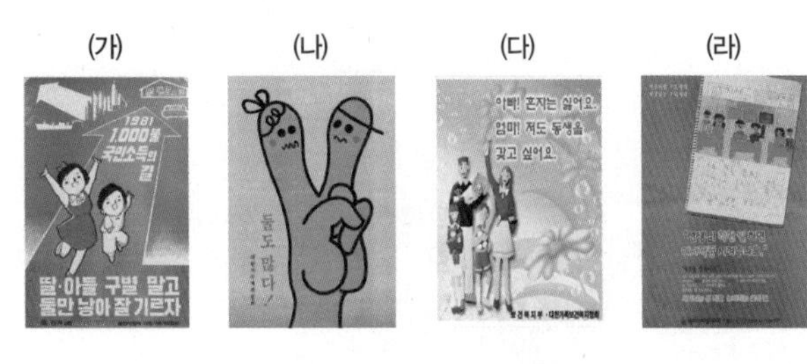

① (가)→(나)→(다)→(라) ② (가)→(나)→(라)→(다)
③ (나)→(가)→(다)→(라) ④ (나)→(가)→(라)→(다)
⑤ (나)→(라)→(가)→(다)

06 교사의 질문에 옳게 답변한 학생을 〈보기〉에서 고른 것은? (단, (가), (나)는 울산광역시와 전라남도 중 하나이다.)

보기
갑: (가)는 전라남도, (나)는 울산광역시입니다.
을: (가)가 (나)보다 노년 부양비가 높습니다.
병: (나)가 (가)보다 중위 연령이 높습니다.
정: (가), (나) 지역 모두 노년층의 성비는 100보다 높습니다.

① 갑, 을 ② 갑, 병 ③ 을, 병
④ 을, 정 ⑤ 병, 정

07 다음은 우리나라의 인구 구조 변화를 나타낸 것이다. 1960년과 비교한 2015년의 상대적 특징을 그림의 A~E에서 고른 것은?

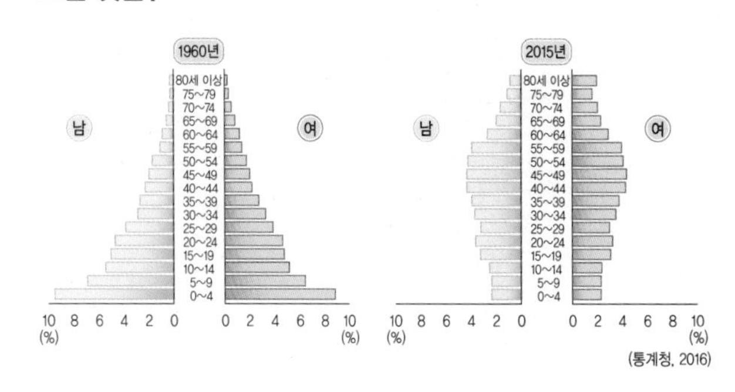

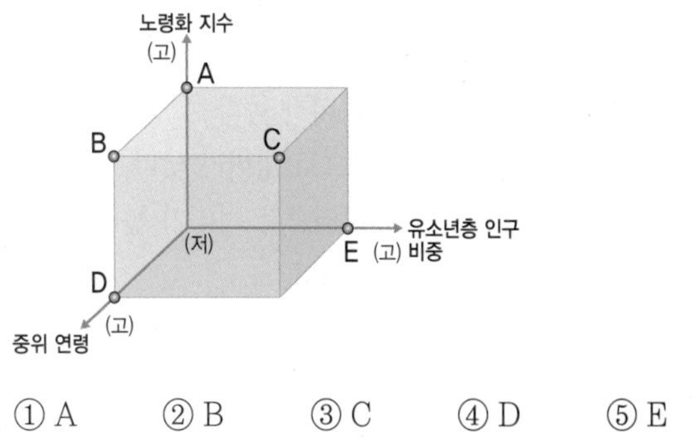

① A ② B ③ C ④ D ⑤ E

08 그래프는 각 시도의 인구 부양비를 나타낸 것이다. 이에 대한 옳은 분석을 〈보기〉에서 고른 것은? (단, A~D는 울산, 세종, 경북, 전남 중 하나이다.)

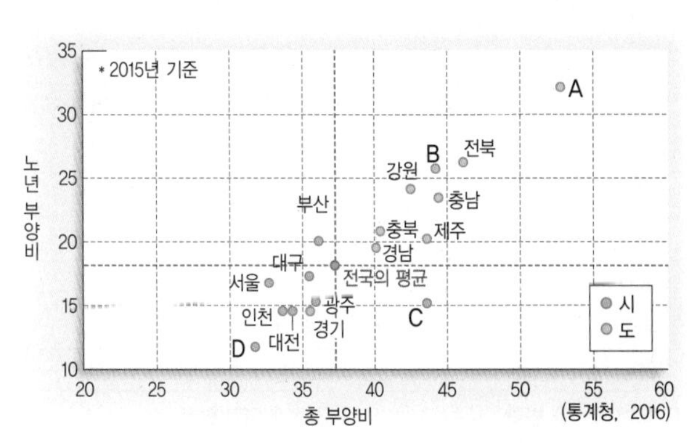

보기
ㄱ. A는 자동차 및 석유 화학 산업이 발달한 지역이다.
ㄴ. C는 국토 균형 발전을 위해 건설된 자치시이다.
ㄷ. D는 관광 도시로 여초 현상이 주로 나타난다.
ㄹ. C는 B보다 유소년층의 인구 비중이 높다.

① ㄱ, ㄴ ② ㄱ, ㄷ ③ ㄴ, ㄷ
④ ㄴ, ㄹ ⑤ ㄷ, ㄹ

09 지도는 우리나라의 성비 분포를 나타낸 것이다. A~C 지역에 대한 설명으로 옳은 것은?

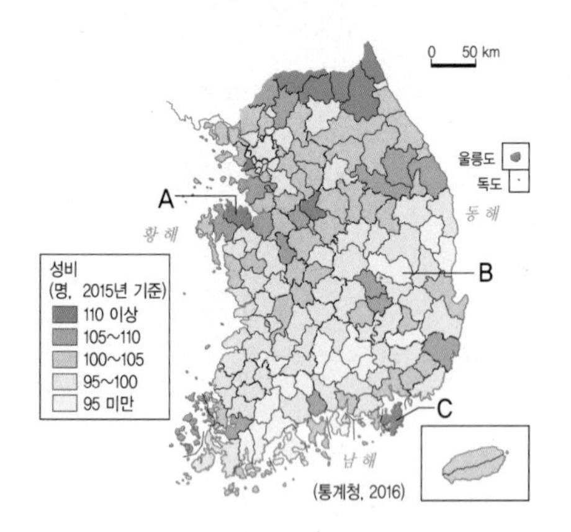

① A는 군부대가 집중해 있어 성비가 높다.
② B는 서비스업이 발달한 지역으로 성비가 낮다.
③ C는 중화학 공업이 발달한 지역으로 성비가 높다.
④ A는 B보다 노년층의 비중이 높다.
⑤ A와 C 지역은 노년층 성비가 청장년층 성비보다 높을 것이다.

10 자료와 같은 변화가 나타난 원인으로 옳은 것을 〈보기〉에서 고른 것은?

(단위: 명)

연도	합계 출산율
1970	4.53
1980	2.83
1990	1.59
2000	1.47
2010	1.23
2014	1.21

합계 출산율 변화

(단위: 세)

연도	남자	여자
1990	27.8	24.8
1995	28.4	25.8
2000	29.3	26.5
2005	30.9	27.7
2010	31.8	28.9
2014	32.4	29.8

초혼 연령 변화

보기

ㄱ. 여성들의 사회 진출이 확대되었다.
ㄴ. 양육비와 교육비의 부담이 감소하였다.
ㄷ. 정부의 산아 제한 정책이 지속적으로 시행되었다.
ㄹ. 젊은 세대의 결혼과 자녀에 대한 가치관이 변하였다.

① ㄱ, ㄴ ② ㄱ, ㄹ ③ ㄴ, ㄷ
④ ㄴ, ㄹ ⑤ ㄷ, ㄹ

11 (가) 지역과 비교한 (나) 지역의 상대적 특징을 그림의 A~E에서 고른 것은?

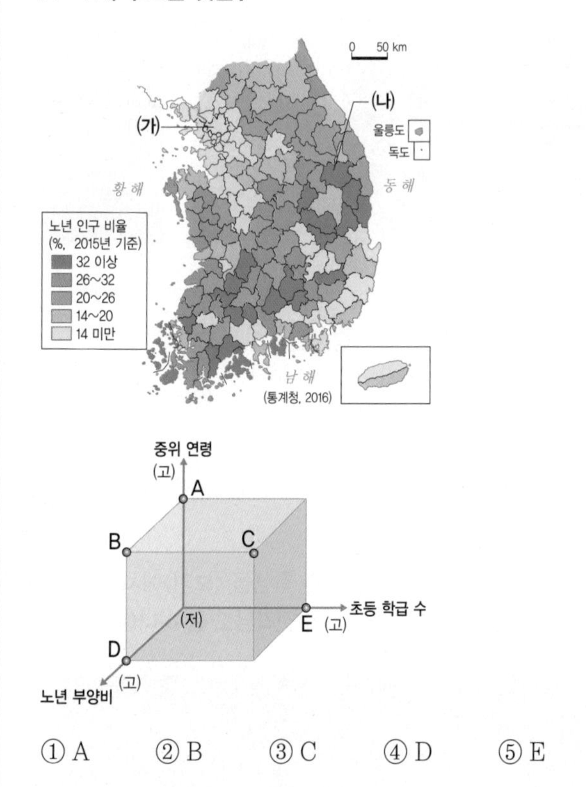

① A ② B ③ C ④ D ⑤ E

12 밑줄 친 ㉠~㉤ 중 옳지 않은 것은?

국내 체류 외국인의 수는 매년 증가하는 추세이다. ㉠ 출신 국가별로는 한국계 중국인을 포함한 중국 국적자 수가 절반 이상을 차지하고 있으며, ㉡ 체류 유형별로는 단순 기능 인력, 결혼 이민자 순으로 많다. 1990년대 후반부터 점차 ㉢ 내국인 노동자들이 3D 업종을 기피함에 따라 생산직을 중심으로 노동력 부족 현상이 심화되었다. 이에 따라 중국, 동남아시아, 남부 아시아 지역으로부터 저임금 노동력이 유입되기 시작하였다. 또한, ㉣ 농촌에서는 결혼 적령기 성비 불균형 현상이 심화되면서 국제결혼이 활발해졌다. 이러한 ㉤ 국제결혼 대부분은 한국인 아내와 외국인 남성과의 결혼이다.

① ㉠ ② ㉡ ③ ㉢ ④ ㉣ ⑤ ㉤

13 다음에서 설명하는 인구 집단의 인구 피라미드 유형으로 가장 적절한 것은?

1990년대 이후부터 우리나라의 국가적 위상이 높아지고, 세계화와 개방화의 영향으로 외국인 유학생과 근로자, 국제결혼 이주 여성의 유입이 증가하고 있다. 2015년 기준 우리나라에 체류하는 외국인은 전체 인구의 약 3.7%를 차지한다.

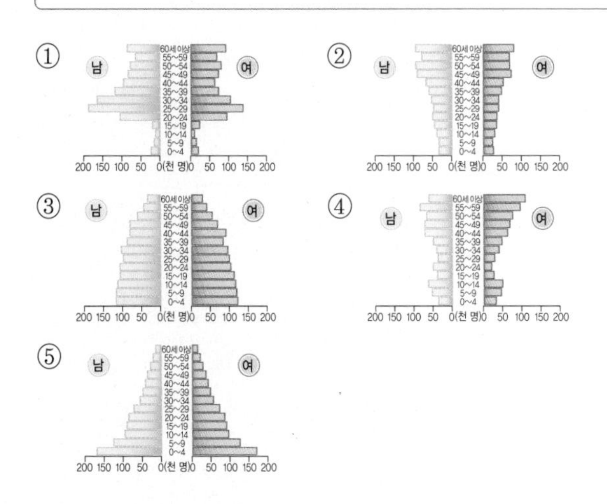

14 그래프는 국내 체류 외국인 현황을 나타낸 것이다. A~D에 대한 옳은 내용을 말한 학생을 〈보기〉에서 고른 것은?

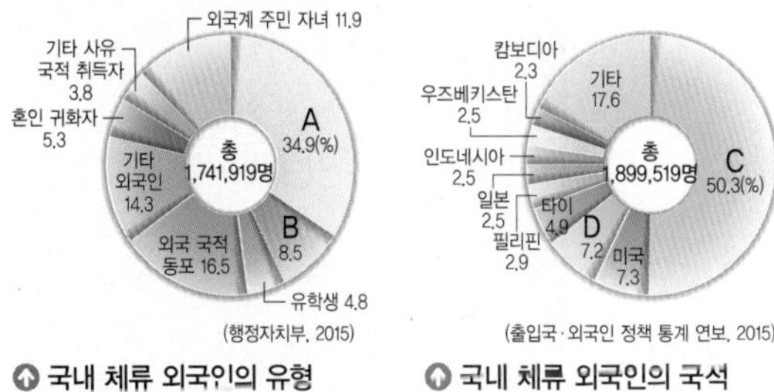

국내 체류 외국인의 유형　　국내 체류 외국인의 국적

보기

갑: A는 단순 기능 인력보다는 전문 기술 인력의 비중이 큰 편이야.

을: B에 해당하는 외국인의 국적은 대부분 C와 D 국가야.

병: C는 중국으로 국내 체류 외국인 중 가장 많은 비중을 차지해.

정: D는 유럽에 위치한 국가야.

① 갑, 을　② 갑, 병　③ 을, 병　④ 을, 정　⑤ 병, 정

15 그래프는 우리나라의 국제결혼 현황을 나타낸 것이다. 이에 대한 옳은 설명을 〈보기〉에서 고른 것은? (단, (가), (나)는 한국인 남편과 결혼한 외국인 아내의 국적, 한국인 아내와 결혼한 외국인 남편의 국적 중 하나이다.)

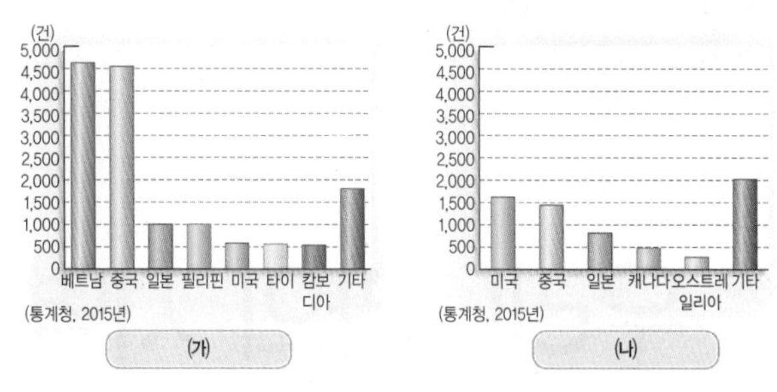

보기

ㄱ. (가)는 (나)보다 촌락에 거주하는 비중이 낮다.

ㄴ. (가)는 한국인 남편과 결혼한 외국인 아내, (나)는 한국인 아내와 결혼한 외국인 남편의 국적이다.

ㄷ. 2015년 한국인과 국제결혼을 가장 많이 한 외국인은 중국인이다.

ㄹ. 한국인과 결혼하는 외국인 여성은 외국인 남성보다 선진국 출신인 경우가 많다.

① ㄱ, ㄴ　② ㄱ, ㄷ　③ ㄴ, ㄷ　④ ㄴ, ㄹ　⑤ ㄷ, ㄹ

16 교사의 질문에 옳게 답변한 학생만을 있는 대로 고른 것은?

① 갑, 을　② 갑, 병　③ 병, 정　④ 갑, 을, 병　⑤ 을, 병, 정

우리나라의 지역 이해

❶ 지역의 의미와 지역 구분 ---- 220

❷ 북한 지역의 특성과 통일 국토의 미래 ---- 226

❸ 수도권과 강원 지방 ---- 236

❹ 충청 지방과 호남 지방 ---- 246

❺ 영남 지방과 제주도 ---- 252

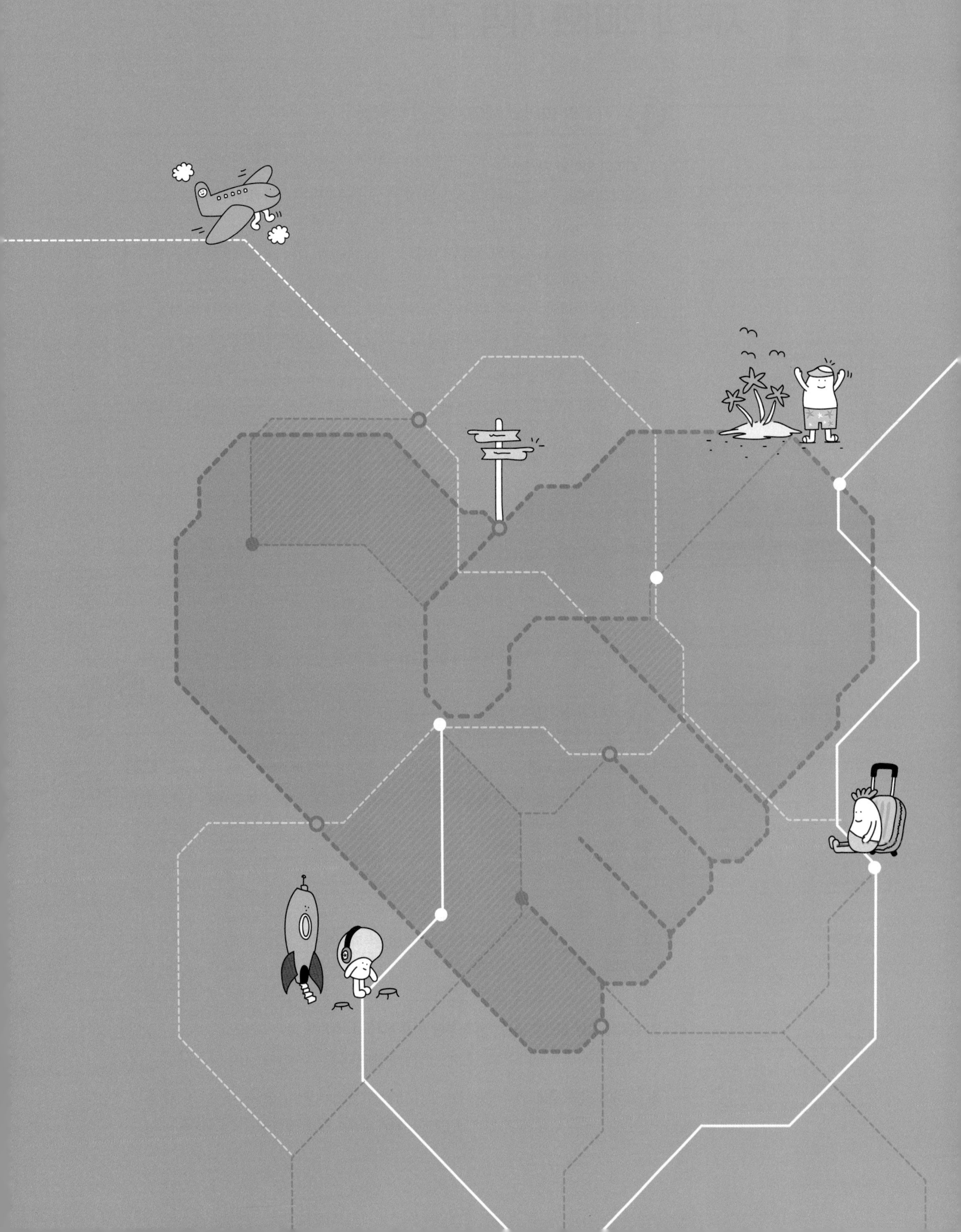

01 지역의 의미와 지역 구분

학습목표
- 구체적인 사례를 통해 지역의 의미와 지역 구분 기준의 다양성을 파악할 수 있다.
- 다양한 기준에 따라 우리나라를 여러 지역으로 구분할 수 있다.

1 지역의 의미와 지역 구분의 다양성

이것이 핵심!

지역의 의미와 유형

지역	주변의 다른 곳과 지리적 특성이 구분되는 공간적 범위
동질 지역	특정한 지리적 현상이 동일하게 분포하는 공간적 범위
기능 지역	하나의 중심지와 그 영향을 받는 범위로 나타낼 수 있는 지역

★ 점이 지대

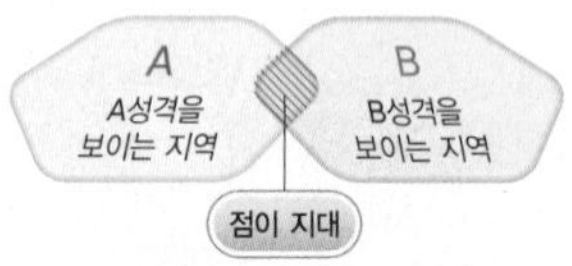

서로 인접한 A, B 지역 사이에는 경계가 불분명하며 두 지역의 특성이 함께 나타나는 점이 지대가 발달한다. 예를 들어 튀르키예의 이스탄불은 지중해와 흑해로 이어지는 보스포루스 해협을 사이에 두고, 유럽, 아시아와 마주해 있어 동서양의 문화가 공존하는 점이 지대의 특성이 나타난다.

1. 지역의 의미와 지역성

(자연적 요소에 의해 만들어진 지역 특성인 자연적 경관과 문화적 특성에 의해 만들어진 문화적 경관으로 구분할 수 있어.)

(1) **지역의 의미**: 주변의 다른 곳과 지리적 특성이 구분되는 공간적 범위

① 경관이 비슷하거나 기능적으로 관련된 장소들의 범위

② 국가와 같은 넓은 범위에서부터 내가 사는 마을과 같이 상대적으로 좁은 범위에 이르기까지 다양한 규모로 표현

(2) **지역성**: 지역의 자연적·문화적 특성이 오랜 기간 동안 상호 작용하여 형성된 그 지역만의 독특한 성격 → 교통·통신의 발달 및 지역 간 교류에 따라 변화함

(왜? 지역 간 인적·물적 교류가 활발해지기 때문에 지역성은 변화하기도 하고 지역의 고유한 특성이 약화되기 때문이야.)

2. 지역 구분과 지역의 유형

(1) **지역 구분**: 다양한 지표를 기준으로 구분할 수 있으며, 지역 구분의 규모도 다양함

자연적 요인	기후, 지형, 식생, 토양 등에 의한 구분
문화적 요인	언어, 종교, 민족 등에 의한 구분
사회·경제적 요인	농업, 상업, 공업, 인구 등에 의한 구분

(2) **지역의 유형** 자료①

① 동질 지역: 특정한 지리적 현상이 동일하게 분포하는 공간적 범위 예 기후 지역, 농업 지역, 문화 지역 등

② 기능 지역: 하나의 중심지와 그 영향을 받는 범위로 나타낼 수 있는 지역 예 치킨이나 피자의 배달 범위, 통근권, 통학권, 상권 등

(꼭! 중심지와 주변 지역의 공간 관계에 따라서 형성되고, 중심에서 주변으로 갈수록 기능의 영향이 줄어들어.)

③ *점이 지대: 두 지역의 특성이 함께 섞여 나타나는 지역으로 지역 간의 경계부에 나타남

(문화권, 언어권의 경계 지역에서 잘 나타나.)

2 우리나라의 다양한 지역 구분

이것이 핵심!

다양한 지역 구분

전통적 지역 구분	관북, 관서, 관동, 해서, 경기, 호서, 호남, 영남 지방
위치에 따른 구분	북부 지방, 중부 지방, 남부 지방
권역에 따른 구분	수도권, 충청권, 호남권, 영남권, 강원권, 제주권

★ 철령관

현재 북한의 강원도 고산군과 회양군 사이에 있는 677m 정도의 고개

★ 행정 구역에 의한 지역 구분

우리나라는 특별시, 광역시, 도, 특별자치시, 특별자치도 등으로 구분할 수 있고, 시, 군, 구로 세분화할 수 있다. 현재 남한의 행정 구역은 1특별시, 6광역시, 8도, 1특별자치도, 1특별자치시로 구분한다.

1. 전통적인 지역 구분: 고개, 산줄기, 대하천 등의 자연적 요소를 기준으로 구분 자료②

(지역 간 교류에 장애가 되어 지역성을 형성하는 역할을 했어.)

구분	구분 기준 및 특징	행정 구역	주요 도시
관북 지방	*철령관 북쪽	함경도	함흥, 경성
관서 지방	철령관 서쪽	평안도	평양, 안주
관동 지방	철령관 동쪽	강원도	강릉, 원주
해서 지방	황해도 일대로 한양을 기준으로 바다(경기만) 건너 지역	황해도	황주, 해주
경기 지방	도읍지를 둘러싸고 있는 지역	경기도	서울(한성)
호서 지방	제천 의림지 서쪽 또는 금강(호강) 상류의 서쪽	충청도	충주, 청주
호남 지방	금강(호강)의 남쪽, 전라북도 김제의 벽골제 남쪽	전라도	전주, 나주
영남 지방	조령(문경 새재)의 남쪽	경상도	경주, 상주

(도의 명칭은 지역 중심지의 이름을 따서 정했어.)

2. 위치에 따른 일반적 구분: 남북 분단 이후 휴전선 북쪽을 북부 지방으로, 수도권·강원권·충청권을 묶어 중부 지방으로, 전라권·영남권·제주도를 묶어 남부 지방으로 구분

3. *권역에 따른 구분: 수도권(서울, 경기, 인천), 충청권(충남, 충북, 대전, 세종), 호남권(전북, 전남, 광주), 영남권(경북, 경남, 부산, 대구, 울산), 강원권(강원), 제주권(제주)

완자 자료 탐구

내 옆의 선생님

자료 1 동질 지역과 기능 지역

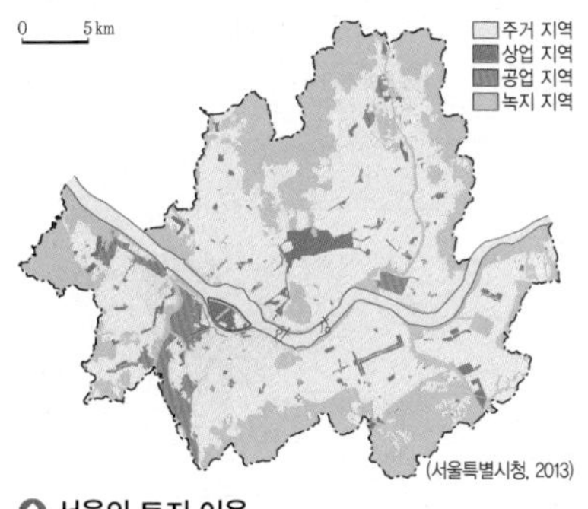

⊙ 서울의 토지 이용

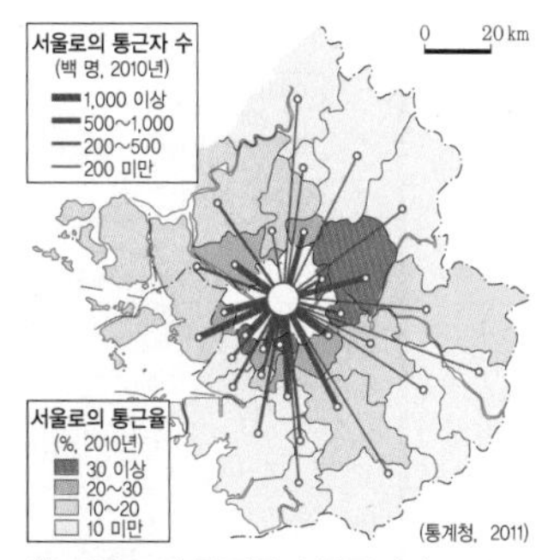

⊙ 서울로의 통근율과 통근자 수

지역을 구분하는 방법에는 여러 가지가 있다. 이 중에서 가장 일반적으로 언급되는 것은 동질 지역과 기능 지역으로 구분하는 것이다. 제시된 자료 중 서울의 토지 이용은 동질 지역, 서울로의 통근·통학자 수는 기능 지역으로 구분한 것이다. 동질 지역은 특정한 지리적 현상이 동일하게 분포하는 공간적 범위를 나타낸다. 동질 지역의 다른 사례로는 기후 지역, 문화권, 농업 지역 등을 들 수 있다. 서울로의 통근율과 통근자 수 지도는 서울이라는 중심지와 서울 주변 지역 간의 기능적 결합 정도를 지도로 표현한 것으로 기능 지역 구분의 사례이다. 기능 지역의 다른 사례로는 상권, 도시권 등이 있다.

자료 2 다양한 지역 구분

— 일정한 기준에 따라 지역을 구분하면 국토 공간을 보다 쉽게 이해할 수 있고, 지역 구분의 과정을 통해 지역성과 각 지역 간의 차이점을 파악할 수 있어.

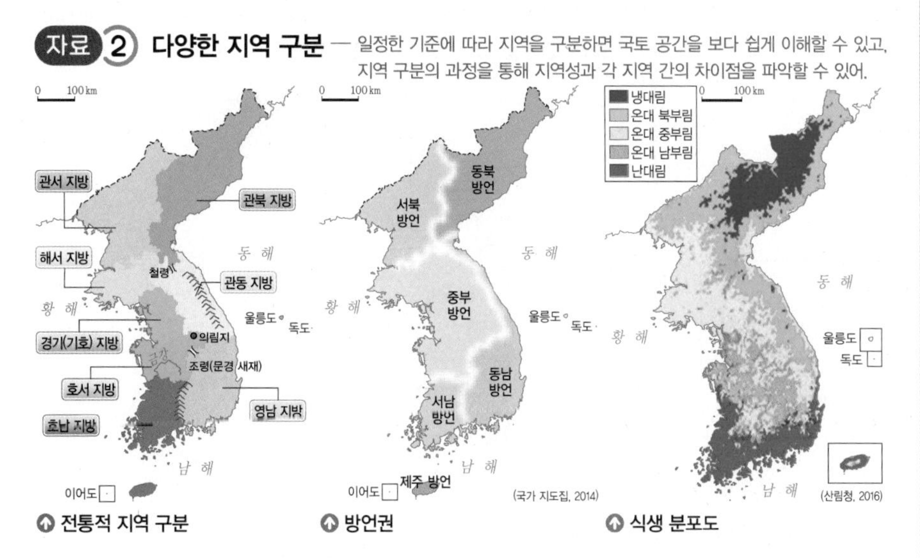

⊙ 전통적 지역 구분 ⊙ 방언권 ⊙ 식생 분포도

우리나라는 다양한 기준에 따라 여러 지역으로 구분할 수 있다. 전통적인 지역 구분은 주로 산맥, 하천 등의 지형이나 시설물을 기준으로 하였다. 남부와 중부 지방은 소백산맥과 금강 하류를 잇는 선을 경계로, 중부와 북부 지방은 멸악산맥을 경계로 구분하였다. 관서와 관북 지방은 낭림산맥, 영동과 영서 지방은 태백산맥의 대관령을 기준으로 구분하였으며, 영남과 호남은 소백산맥과 섬진강을 기준으로 구분하였다. 또한 문화적 특성에 의한 구분으로 지역의 방언에 따라 지역을 구분할 수도 있으며, 자연적 특성에 따라 식생에 의해서도 지역을 구분할 수 있다.

문제 로 확인할까?

특정한 지리적 현상이 동일하게 분포하는 공간적 범위를 나타내는 지역을 무엇이라 하는가?

답 동질 지역

정리 비법을 알려줄게!

지역의 구분

자연적 요소	기후, 지형, 토양 등에 의한 구분
사회·경제적 요소	농업, 상업, 공업, 인구 등에 의한 구분
문화적 요소	언어, 종교, 민족 등에 의한 구분
규모에 따른 구분	마을, 도시, 국가, 대륙 단위 등에 의한 구분

자료 하나 더 알고 가자!

강원도의 20대 총선 선거구

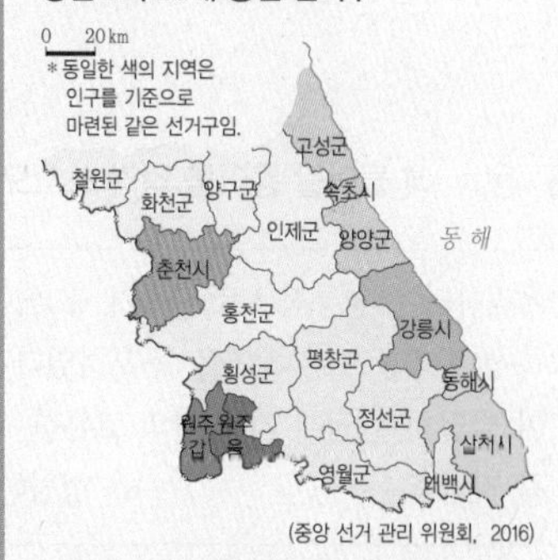

지도는 강원도의 총선 선거구를 나타낸 것으로, 동일한 색의 지역이 같은 선거구를 의미한다. 선거구는 인구수를 기준으로 마련되기 때문에 행정 구역과 선거구가 일치하지 않는 경우가 발생한다. 춘천시 같은 경우는 행정 구역과 선거구가 같은 반면, 고성군, 속초시, 양양군은 세 개의 행정 구역이 같은 선거구로 묶여 있다. 그러나 원주시 같은 경우는 원주 갑과 원주 을로 하나의 행정 구역이 두 개의 선거구로 나누어져 있다.

정답친해 73쪽

STEP 1 핵심 개념 확인하기

1 다음에서 설명하는 용어를 〈보기〉에서 고르 기호를 쓰시오.

보기
ㄱ. 지역 ㄴ. 지역성
ㄷ. 동질 지역 ㄹ. 기능 지역

(1) 다른 지역과 구분되는 그 지역만의 독특한 특성을 의미한다. ( )

(2) 특정한 지리적 현상이 동일하게 나타나는 공간적 범위를 가리킨다. ( )

(3) 지리적 특성이 다른 곳과 구별되는 지표상의 공간적 범위를 의미한다. ( )

(4) 하나의 중심지와 그 영향을 받는 범위로 나타낼 수 있는 지역을 가리킨다. ( )

2 그림의 (가)에 들어갈 용어를 쓰시오.

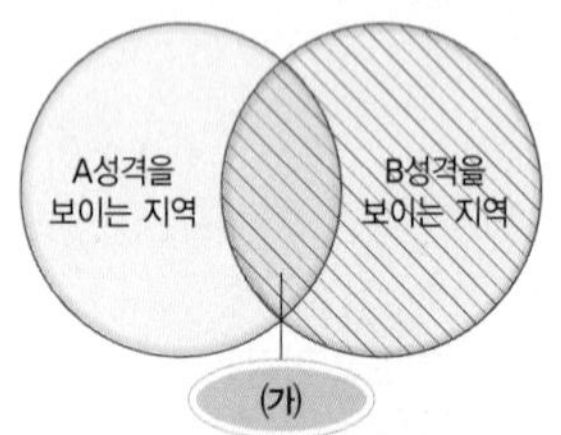

3 ㉠, ㉡에 들어갈 용어를 각각 쓰시오.

우리나라는 전통적으로 산줄기, 고개, 하천 등의 (㉠) 특성을 기준으로 지역을 구분하였다. 산줄기는 교통과 통신이 발달하기 전에 지역 간의 교류를 어렵게 하는 장애물로서 각 지역 특유의 (㉡)을 형성하는 역할을 하였다.

4 빈칸에 들어갈 내용을 쓰시오.

(1) 수도권, 강원권, 충청권을 묶어서 ( ) 지방으로 구분한다.

(2) 한양을 기준으로 바다 건너 서쪽에 있는 지역을 ( ) 지방이라고 불렀다.

(3) 남부와 중부 지방은 ( )산맥과 ( ) 하류를 잇는 선을 경계로 구분하였다.

STEP 2 내신 만점 공략하기

01 (가), (나) 지역 구분에 대한 설명으로 옳은 것은?

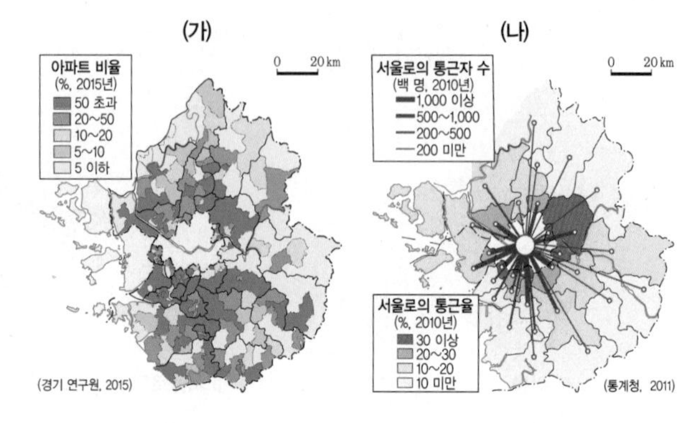

① (가)와 같은 지역 구분으로 통근권, 상권 등이 있다.
② (나)의 범위는 교통 발달로 확대될 수 있다.
③ (나)는 특정 지리적 현상이 동일한 공간 범위이다.
④ (나)와 같은 지역 구분으로 문화권, 언어권이 있다.
⑤ (가)는 기능 지역, (나)는 동질 지역이다.

중요
02 지도는 전통적인 지역 구분을 나타낸 것이다. 이에 대한 옳은 설명을 〈보기〉에서 고른 것은?

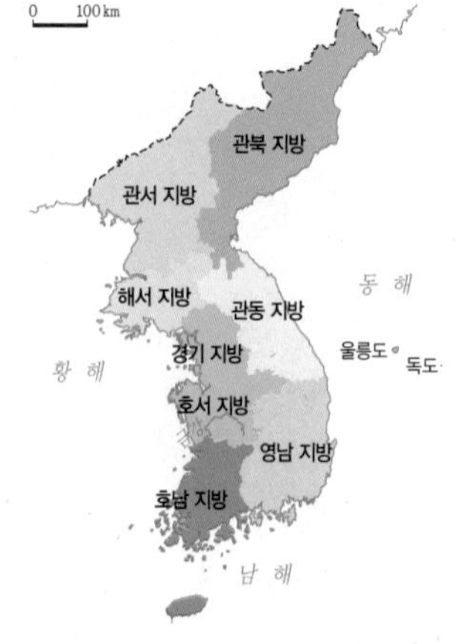

보기
ㄱ. 영남의 '영'은 대관령을 뜻한다.
ㄴ. 호서 지방은 금강의 서쪽 지역을 의미한다.
ㄷ. 관북 지방은 평안도를 중심으로 하는 지역이다.
ㄹ. 관북, 관서, 관동을 구분하는 기준은 철령관이다.

① ㄱ, ㄴ ② ㄱ, ㄷ ③ ㄴ, ㄷ
④ ㄴ, ㄹ ⑤ ㄷ, ㄹ

03 ㉠~㉤에 대한 설명으로 옳지 않은 것은?

> (㉠)(이)란 주변의 다른 곳과 지리적 특성이 구분되는 공간적 범위를 의미한다. 지역은 ㉡ 자연환경, 인문환경 등 여러 가지 지리적 특성의 분포에 따라 구분한다. 지역을 구분할 때 기준이 되는 그 지역의 고유한 특성을 (㉢)(이)라고 하며, (㉢)은/는 시간의 흐름, 교통·통신의 발달, 사람 및 물자의 이동 등에 따라 변화하기도 한다. 지역은 다양한 지표를 기준으로 구분할 수 있다. ㉣ 동질 지역은 특정한 지리적 현상이 동일하게 분포하는 공간적 범위를 말하며, ㉤ 기능 지역은 중심 기능이 영향을 미치는 범위로 나타낼 수 있다.

① ㉠에는 '지역'이 들어간다.
② ㉡의 기준이 달라지면 지역의 경계도 달라진다.
③ ㉢에는 '지역성'이 들어간다.
④ ㉣에는 점이 지대가 나타나지 않는다.
⑤ ㉤은 중심에서 주변으로 갈수록 기능의 영향이 점차 약해진다.

04 그림은 지역 구분에 관한 모식도이다. A~C에 대한 옳은 설명만을 〈보기〉에서 있는 대로 고른 것은?

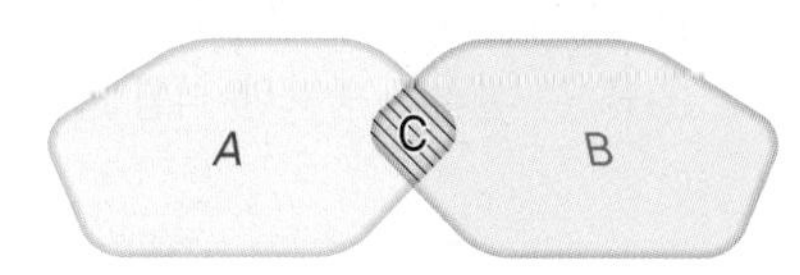

> **보기**
> ㄱ. A는 A의 성격이 나타나는 공간적 범위를 의미한다.
> ㄴ. B는 자연환경만으로 구성되어 있다.
> ㄷ. C를 점이 지대라고 한다.
> ㄹ. C에서는 A와 B의 특징이 모두 나타난다.

① ㄱ, ㄴ ② ㄷ, ㄹ ③ ㄱ, ㄷ, ㄹ
④ ㄴ, ㄷ, ㄹ ⑤ ㄱ, ㄴ, ㄷ, ㄹ

05 (가), (나)의 사례에 해당하는 지도를 A~C에서 골라 옳게 연결한 것은?

중요

> (가) 특정한 지리 현상이 동일하게 나타나는 공간 범위이다.
> (나) 중심지와 그 영향을 받는 범위로 나타낼 수 있는 지역이다.

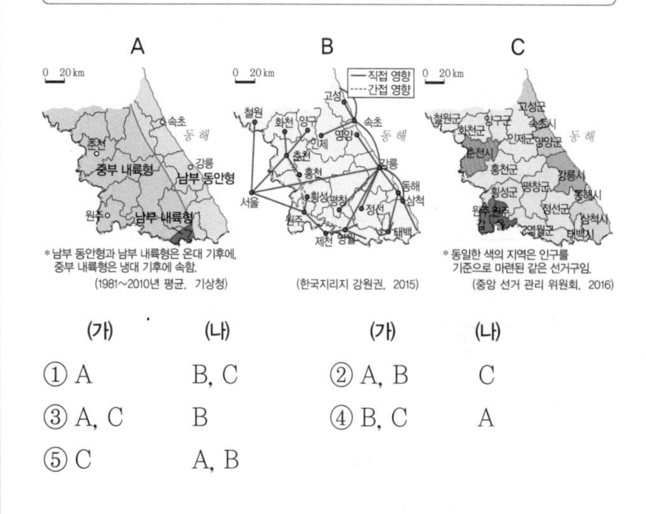

* 남부 동안형과 남부 내륙형은 온대 기후에, 중부 내륙형은 냉대 기후에 속함.
(1981~2010년 평균, 기상청)
(한국지리지 강원권, 2015)
* 동일한 색의 지역은 인구를 기준으로 마련된 같은 선거구임.
(중앙 선거 관리 위원회, 2016)

	(가)	(나)		(가)	(나)
①	A	B, C	②	A, B	C
③	A, C	B	④	B, C	A
⑤	C	A, B			

06 밑줄 친 ㉠~㉤에 대한 설명으로 옳지 않은 것은?

> 우리나라는 하나의 지역으로 볼 수도 있지만, 다양한 기준에 따라 여러 지역으로 구분할 수도 있다. 기후, 지형 등의 자연적 요소를 기준으로 구분할 수도 있고, 공업, 상업, 인구 등의 사회·경제적 지표나 언어, 음식 등의 문화적 요소를 기준으로 나눌 수도 있다. 어떤 기준을 적용하는가에 따라 지역의 규모도 다양해진다. 우리나라는 전통적으로 ㉠ 고개, 산줄기, ㉡ 대하천 등의 자연적 요소를 기준으로 지역을 구분하였다. 그 밖에도 중부, ㉢ 호남, ㉣ 영남, 관서, 관북 등 5개 지방으로 나누기도 하고, 북부, 중부, 남부로 나누기도 한다. 현재 남한의 행정구역은 1특별시, 6광역시, 8도, ㉤ 1특별자치도, 1특별자치시로 구분한다.

① ㉠의 대표적 예로 대관령과 철령관이 있다.
② ㉡의 대표적 예는 한강으로, 호서 지방과 호남 지방의 구분 기준이다.
③ ㉢은 전라북도 김제의 벽골제 남쪽을 의미한다.
④ ㉣은 소백산맥과 섬진강을 경계로 호남 지방과 구분된다.
⑤ ㉤에는 제주도와 세종시가 있다.

07 (가), (나)에 해당하는 지형을 지도의 ㉠~㉤에서 골라 옳게 연결한 것은?

> (가) 영동 지방과 영서 지방을 나누는 기준이다.
> (나) 호서 지방은 이것의 서쪽을 의미한다.

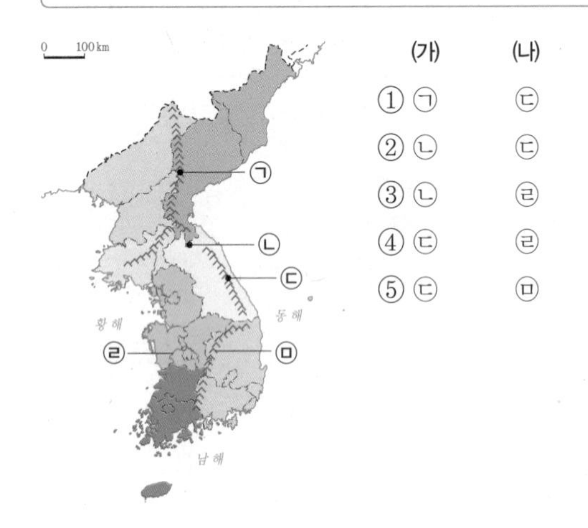

	(가)	(나)
①	㉠	㉢
②	㉡	㉢
③	㉡	㉣
④	㉢	㉣
⑤	㉢	㉤

08 다음 교사의 질문에 옳은 답변을 한 학생을 고른 것은?

① 갑, 을 ② 갑, 병 ③ 을, 병
④ 을, 정 ⑤ 병, 정

서술형 문제

● 정답친해 74쪽

01 자료를 통해 튀르키예의 이스탄불이 가지고 있는 지역의 특성을 서술하시오.

> 튀르키예 이스탄불의 성 소피아 대성당은 초기 비잔티움 제국의 건축물로, 오스만 제국이 이 지역을 점령한 이후 이슬람교 사원으로 개축되었다. 크리스트교 성화 모자이크와 이슬람 양식인 첨탑이 공존하는 성 소피아 대성당은 현재 두 종교의 역사를 그대로 간직한 박물관으로 개조되어 많은 관광객이 찾고 있다.

성 소피아 대성당

02 다음은 충청북도 단양군에 대한 글이다. 이를 보고 물음에 답하시오.

> 충청북도 단양군은 산지의 비율이 높고 카르스트 지형이 발달해 있어 밭작물의 비중이 매우 높다. 그중 마늘이 특히 유명한데 단양군의 지리적 표시 농산물로 지정되면서 단양군을 대표하는 지역 농산물로 자리매김하게 되었다. 단양군 곳곳에서는 마늘을 재료로 한 음식점, 마늘 모양의 가로등, 마늘 모양의 화분 등 마늘을 형상화한 지형지물들을 쉽게 볼 수 있다. 또한 마늘 축제를 개최하는 등 마늘은 단양군의 (㉠)을/를 살리는 중요한 역할을 하고 있다.

(1) ㉠에 들어갈 개념을 쓰시오.

(2) ㉠의 특징을 제시된 용어를 활용하여 서술하시오.

> • 자연환경 • 인문 환경
> • 상호 작용 • 교통·통신의 발달

정답친해 74쪽

STEP 3 1등급 정복하기

1 지도를 토대로 추론한 내용으로 옳은 것을 〈보기〉에서 고른 것은?

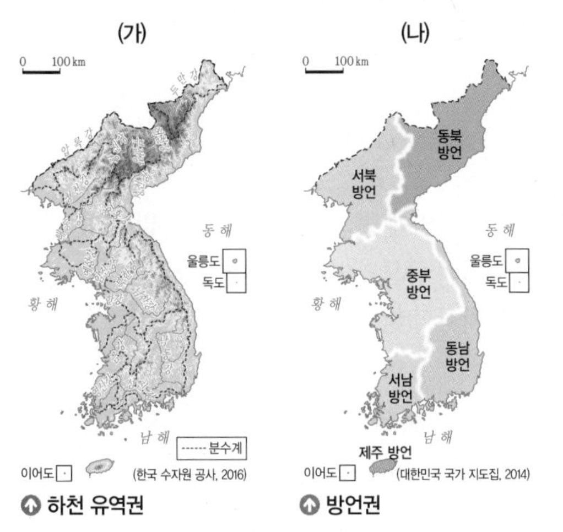

하천 유역권

방언권

보기

ㄱ. (가)는 자연환경 요소, (나)는 인문 환경 요소에 의한 지역 구분이다.
ㄴ. (가)는 기능 지역, (나)는 동질 지역의 대표적 사례이다.
ㄷ. 임진강 유역, 한강 유역은 중부 방언권에 해당된다.
ㄹ. 영서 지방과 영동 지방은 모두 동남 방언권에 속한다.

① ㄱ, ㄴ ② ㄱ, ㄷ ③ ㄴ, ㄷ
④ ㄴ, ㄹ ⑤ ㄷ, ㄹ

> **우리나라의 지역 구분**
>
> **완자샘의 시험 꿀팁**
>
> 하천 유역 지도와 방언권 지도의 비교 분석을 통해 자연환경인 산지와 하천 유역과 인문 현상인 방언권의 연관성을 파악할 수 있다.

교육청 응용

2 (가)~(다)의 설명에 해당하는 지역을 지도에서 골라 옳게 연결한 것은?

(가) 한양을 기준으로 바다 건너 서쪽에 있는 지역을 의미한다.
(나) 과거 금강을 뜻하는 호강(湖江) 또는 김제의 벽골제 이남을 가리킨다.
(다) 북방 민족과 영토 문제에 있어 중요한 요충지 역할을 하던 철령관 이북을 일컫는다.

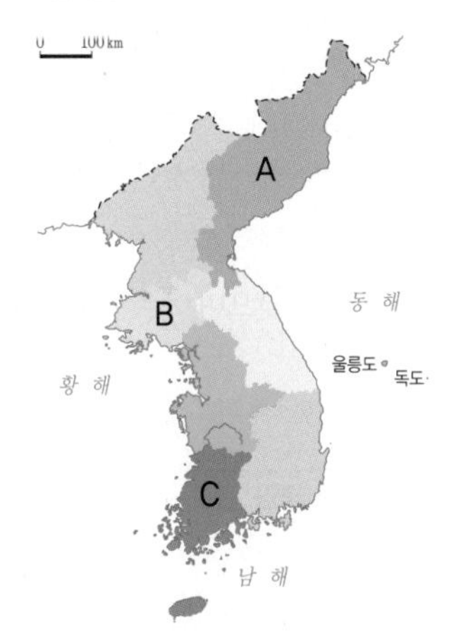

	(가)	(나)	(다)
①	A	B	C
②	A	C	B
③	B	A	C
④	B	C	A
⑤	C	B	A

> **우리나라의 전통적 지역 구분**
>
> **완자 사전**
>
> • **김제 벽골제**
> 전라북도 김제시에 위치하며, 우리나라에서 가장 오래된 저수지 둑으로 백제 비류왕 때에 쌓았다.

02 북한 지역의 특성과 통일 국토의 미래

학습목표
- 북한의 자연환경 및 인문 환경 특성을 파악할 수 있다.
- 북한의 개방 지역과 남북 교류 현황을 파악하고, 통일 국토의 미래를 설계할 수 있다.

이것이 핵심!

북한의 자연환경

구분	내용
지형	• 남한에 비해 산지와 고원이 많고 북동부 지역에 높고 험준한 산지가 많음 • 황해로 유입하는 하천 하류를 중심으로 평야 발달
기후	• 남한에 비해 대륙성 기후 특색이 뚜렷하며, 연 강수량이 적은 편임 • 동해안 원산 일대와 청천강 중·상류는 다우지, 관북 해안 지역과 대동강 하류는 소우지

★ 북한의 농업
북한은 서해안의 평야 지역을 제외하면 대부분의 농경지는 경사지와 구릉지를 개간하여 조성하였다. 강수량이 적은 편이고 겨울이 길고 추워 벼농사보다는 옥수수, 조, 밀, 콩 등을 재배하는 밭농사를 주로 한다. 쌀은 주로 관서 지방의 평야 지대와 동해안의 좁은 해안 평야에서 생산된다.

★ 다락밭
급경사의 산비탈을 개간하여 만든 밭으로, 식량 부족 문제를 극복하기 위해 조성되었다.

1 북한의 자연환경

1. 북한의 지형 특색 자료①

(1) 산지

① 북한은 남한보다 산지와 고원의 비중이 높음 (고원: 한반도의 지붕이라 불리는 개마고원이 있어.)

② 마천령산맥과 함경산맥이 분포하는 북동부 지역에 높고 험준한 산지가 많음

③ 낭림산맥을 중심으로 서쪽은 동쪽보다 산지의 규모와 밀도가 낮은 편임 (낭림산맥 서남쪽으로 갈수록 산지의 해발 고도가 낮아져.)

④ 백두산 일대에 천지(칼데라 호)같은 화산 지형 발달

(2) 하천

구분	동해로 유입하는 하천	황해로 유입하는 하천
특색	두만강을 제외한 대부분의 하천은 유로가 짧으며 경사가 급함	유로가 길고 유역 면적이 넓음
예	두만강, 성천강 등	압록강, 청천강, 대동강 등

(3) 평야: 동해안에는 해안을 따라 규모가 작은 해안 평야 발달, 황해로 유입하는 하천의 하류에 평야 발달(평양평야, 재령평야 등)
(왜? 동해안을 따라 태백산맥과 함경산맥이 발달하기 때문이야.)

2. 북한의 기후 특색 교과서 자료

(1) 기온

① 북한은 남한보다 위도가 높으며, 유라시아 대륙에 접해 있어 대륙성 기후 발달

② 남한보다 겨울이 춥고 길며 여름은 짧고 서늘, 연평균 기온이 낮고, 기온의 연교차가 큼 (개마고원의 삼지연 일대는 고위도에 위치하고 해발 고도가 높아 우리나라에서 연평균 기온이 가장 낮은 곳이야.)

③ 산맥과 바다의 영향으로 동해안은 서해안보다 겨울 기온이 높음

(2) 강수: 연 강수량은 남한보다 적은 편이며, 지형과 풍향의 영향으로 강수량의 지역 차가 큼

구분	지역
다우지	동해안의 원산 일대, 청천강 중·상류 지역 (왜? 다습한 기류가 산맥에 부딪쳐 비를 뿌리기 때문이야.)
소우지	대동강 북부 내륙 지역, 관북 해안 지역, 대동강 하류 지역 (왜? 지형이 낮고 평탄하여 상승 기류가 형성되기 어렵기 때문이야.)

3. 북한의 농업과 주민 생활

(1) *농업: 산지가 많고 기후가 한랭하여 밭농사 발달, *다락밭 등을 통해 농경지 개간 (밭농사 발달: 밀, 메밀, 감자 등 밭작물을 이용한 음식이 발달하였어.) (산지가 많고 기후가 한랭하여: 북한은 남한보다 경지 면적이 넓지만, 경사지가 많고 작물의 생장 가능 기간이 짧아 토지 생산성이 낮아.)

(2) 전통 가옥: 관북 지방에서는 폐쇄적인 가옥 구조가 나타남 → 전(田)자형 가옥, 정주간 (정주간: 부뚜막과 부엌 사이에 벽을 두지 않은 공간)

이것이 핵심!

북한의 인구와 도시 분포

인구 분포
서부 평야 지역과 동해안의 해안 평야에 주로 분포, 북동부 내륙 지역은 인구가 희박함
↓
도시 분포
남한보다 도시화율이 낮으며, 관서 지방에 도시 발달

2 북한의 인문 환경

1. 북한의 인구와 도시 자료②

(1) 인구 성장 특징: 남한보다 면적이 넓지만 인구는 적어 인구 밀도가 낮으며, 낮은 출생률과 경제적 어려움으로 인구 증가율이 둔화되고 있음 (최근 노동력 확보를 위해 출산 장려 정책을 추진하고 있어.)

(2) 인구 분포

지역	특징
서부 평야 지역	농업과 공업이 발달한 지역으로 북한 인구의 40% 이상이 분포(평양, 남포, 개성, 신의주)
북동부 내륙 지역	산지가 많고 기후가 한랭하여 인구가 희박함(개마고원)
동해안 지역	좁은 해안 평야 지역을 따라 인구가 집중해 있음(청진, 함흥, 원산)

완자 자료 탐구

내 옆의 선생님

자료 1 북한의 지형

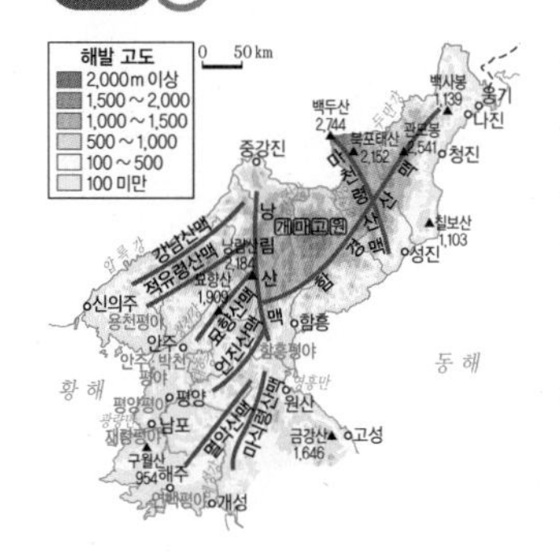

북한은 남한에 비해 산지와 고원이 많다. 낭림산맥 북동쪽에는 함경산맥, 마천령산맥을 따라 백두산을 비롯한 높고 험준한 산지가 많으며 해발 고도가 높고 평탄한 개마고원이 분포한다. 낭림산맥의 서남쪽으로 갈수록 산지의 해발 고도는 낮아진다. 따라서 북한의 대하천은 동해로 유입되는 두만강을 제외하면 대부분 서쪽으로 흐르며, 대동강, 압록강, 청천강 등의 하천을 따라 서해안에 넓은 평야가 발달하였다.

정리 비법을 알려줄게!

북한의 지형

산지	전체 면적의 80% 정도가 산지이며, 북동부에 험준한 산맥 분포, 백두산 일대에 화산 지형 발달
하천	황해로 유입하는 하천은 유로가 길고 유역 면적이 넓으며, 동해로 유입하는 하천은 대부분 유로가 짧고 경사가 급함
평야	황해로 유입하는 하천의 하류 지역에 평야 발달

수능이 보이는 교과서 자료 북한의 기후

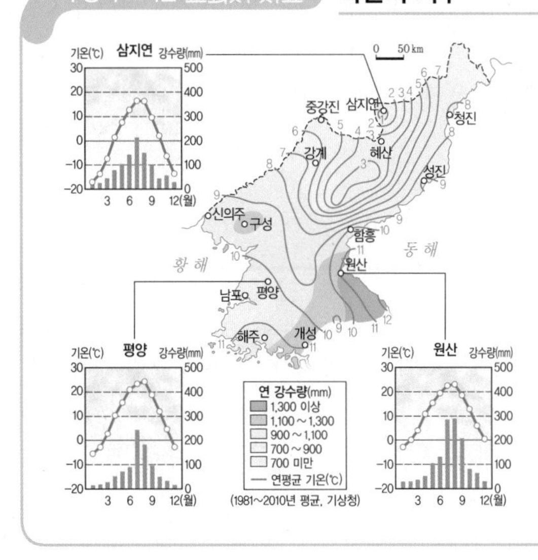

북한은 기온의 연교차가 큰 대륙성 기후가 나타난다. 연평균 기온이 특히 낮은 곳은 개마고원 일대와 백두산 및 그 주변이다. 해안의 평야 지역에서 내륙의 산지 지역으로 갈수록 겨울이 춥고 기온의 연교차가 커지며, 지형과 바다의 영향으로 동해안은 서해안보다 겨울 기온이 높다. 북한은 지형의 영향으로 강수량의 지역 차가 크며, 연 강수량이 비교적 많은 지역은 원산과 개성을 잇는 선의 남동부 지역이다.

완자샘의 탐구 강의

• 평양과 원산의 기온, 강수량의 차이를 지형과 관련지어 설명해 보자.

원산은 동해와 지형의 영향으로 비슷한 위도에 위치한 평양보다 1월 평균 기온이 높다. 원산은 북동 기류에 의한 지형성 강수가 빈번하게 발생하여 연 강수량이 많은 반면, 평양은 저평한 지역에 위치하여 연 강수량이 적다.

• 삼지연의 기온 특색을 설명해 보자.

삼지연은 고위도 지역이며, 해발 고도도 높기 때문에 연평균 기온이 매우 낮다.

함께 보기 234쪽, 1등급 정복하기 1

자료 2 북한의 인구와 도시 분포

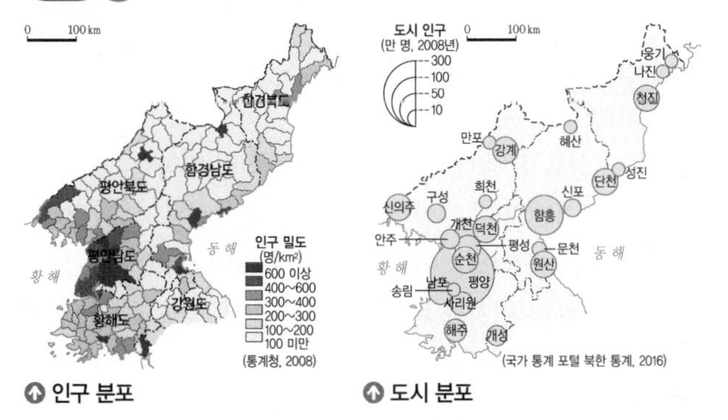

인구 분포 · 도시 분포

북한은 남한보다 면적이 넓지만 인구는 적어 인구 밀도가 낮다. 북한의 인구는 약 2,478만 명(2015년)으로 남한 인구의 절반 정도이다. 인구 분포를 보면, 북한 최대 도시인 평양을 비롯한 평안도에 전체 인구의 40% 이상이 거주하며, 총인구의 60% 정도가 도시 지역에 집중해 있다. 도시는 주로 서부 지역의 평야와 동해 연안에 분포한다.

문제로 확인할까?

북한 관서 지방의 대표적인 도시로 인구가 제일 많은 도시는?

① 평양 ② 원산
③ 남포 ④ 신의주
⑤ 삼지연

답 ①

02 북한 지역의 특성과 통일 국토의 미래

(3) **북한의 도시**: 서부 평야 지역을 중심으로 발달하였으며, 남한보다 도시화율이 낮음

지역	주요 도시 및 특색
관서 지역	• 평양: 북한 최대 도시로, 북한의 정치·경제·사회의 중심지 • 남포: 평양의 *외항, *서해 갑문 설치 후 물류 기능 성장 • 신의주: 다리를 통해 중국과 연결되어 있어 중국 교역의 중요 통로
관북 지역	함흥, 원산, 청진: 일제 강점기 공업 도시로 성장
해서 지역	개성: 고려 시대 역사 유적지(유네스코 세계 유산), 개성 공업 지구

2. 북한의 경제

(1) **공업**: 군수 산업(군대 유지와 전쟁 수행에 필요한 군수품을 생산하는 산업) 중심의 중공업 우선 정책, 식량과 생활필수품 부족 현상 발생

평양·남포 공업 지역	북한 최대의 공업 지역, 편리한 교통·풍부한 노동력과 자원을 바탕으로 발달
관북 해안 공업 지역	일제 강점기부터 풍부한 지하자원을 바탕으로 발달(함흥, 청진)
강계 공업 지역	군수 공업과 기계 공업 발달

(2) **자원**: 석회석, 무연탄, 철광석, *마그네사이트 등 지하자원 풍부, 석탄이 전체 에너지 자원의 소비량에서 45% 정도를 차지, 지형적으로 수력 발전에 유리함 자료③

(3) **교통 체계**: 철도 중심의 교통 체계, 도로 교통은 철도 수송의 보조적인 역할을 함

왜? 공업용 원자재와 농수산물 등을 주로 산업 철도를 이용해 수송하기 때문이야.

높은 산지가 많고 하천의 폭이 좁아 수력 발전에 유리해.

★ **외항(外港)**
어떤 대도시의 외곽에 있어서 그 도시의 문호 역할을 하는 항구

★ **서해 갑문**
대동강 하구의 남포와 황해도 은율 사이에 건설된 북한 최대의 갑문으로 1986년 완공되었다. 남포항의 항만 기능 확충, 홍수 조절, 용수 확보, 교통로 확보 등의 목적으로 건설되었다.

★ **마그네사이트**
산화 마그네슘, 금속 마그네슘 형태로 가공하여 내화 벽돌, 각종 금속 소재로 이용한다.

3 개방 정책과 통일 국토의 미래

1. 북한의 개방 정책 자료④

(사회주의 국가들의 붕괴 이후 수·출입 시장이 축소되었고, 자연재해로 식량난이 겹치면서 경제 위기가 심화되었어.)

(1) **개방의 원인**: 1990년 사회주의 경제권의 붕괴로 산업 연관 관계가 단절됨에 따라 대외 경제 개방을 모색하기 시작함

(2) **주요 개방 지역** (외국과의 교역에 유리하고 내부 체제에 미치는 영향을 최소화할 수 있는 지역)

① 나선 *경제특구: 1991년 북한 최초의 개방 지역으로 지정, 중국, 러시아와의 인접 지역 (지리적 이점을 활용하여 육성하고자 하였으나 현재 큰 성과를 거두지 못하고 있어.)

② 신의주 특별 행정구: 2002년 중국 홍콩을 거울삼아 외자 유치 및 교역 확대를 위해 지정 (중국과의 마찰 등을 이유로 중단되었다가 최근 압록강 하구 지역이 개발되면서 다시 주목받고 있어.)

③ 금강산 관광 특구: 관광객 유치를 목적으로 조성되었으나, 2008년 이후 중단됨

④ 개성 공업 지구: 수도권과 인접해 있다는 지리적 이점을 이용해 남한의 기업을 유치할 목적으로 조성되어 운영되었으나, 2016년 이후 중단됨

2. 남북 교류 현황 자료⑤

(1) **교류의 필요성**: 남북 간 이질화 극복 → 상호 간 적대의식을 감소시켜 신뢰 회복

(2) **교류 현황**: 1970년대 들어 활발해졌으며, 1980년대 후반 제도적 기반이 마련됨

(3) **교류 특징**: 초기에는 단순 상품 교역만 이루어졌으나, 이후 *위탁 가공 교역, 대북 직접 투자 등의 형태로 발달하였으며, 이산가족 상봉 등 인적 교류도 진행되고 있음

3. 통일 국토의 미래 (남북한 비무장 지대 및 접경 지역의 발전 종합 계획을 수립하여 평화 지대를 구축하고, 교통로를 연결하여 인적·물적 협력을 꾸준히 전개해야 해.)

(1) **효율적 국토 이용**: 남북 통일로 한반도가 하나의 경제권으로 통합될 수 있음

(2) **경제적 상호 보완**: 남한은 자본과 기술, 경제 성장의 경험에서 우위에 있고 북한은 광물, 에너지 자원 등에서 우위에 있기 때문에 통일 이후 남북한 경제 성장을 기대할 수 있음

(3) **동아시아 주축 경제권으로 성장**: 유라시아 횡단 철도 및 아시안 하이웨이 연결

이것이 핵심!

북한의 주요 개방 지역

나선 경제특구	북한 최초의 개방 지역, 중국, 러시아와의 접경 지역
신의주 특별 행정구	외자 유치 및 교역 확대를 위해 지정
금강산 관광 특구	관광객 유치를 목적으로 조성되었으나 현재는 중단됨
개성 공업 지구	수도권과 인접해 있어 남한의 기업을 유치하였으나, 2016년 이후 중단됨

★ **경제특구**
각종 기반 시설, 세금과 행정 특혜 등을 제공함으로써 외국 자본과 기술을 적극적으로 유치하기 위해 선정한 지역

★ **위탁 가공 교역**
원자재와 부자재, 설비 등을 제공하고 완제품을 들여오는 교역 방식. 남북 간 위탁 가공 교역은 남북의 필요와 장점을 살린 기초적인 형태의 경제 협력 사업이라고 할 수 있다.

내 옆의 선생님

자료 3 북한의 전력 생산과 1차 에너지 소비 구조

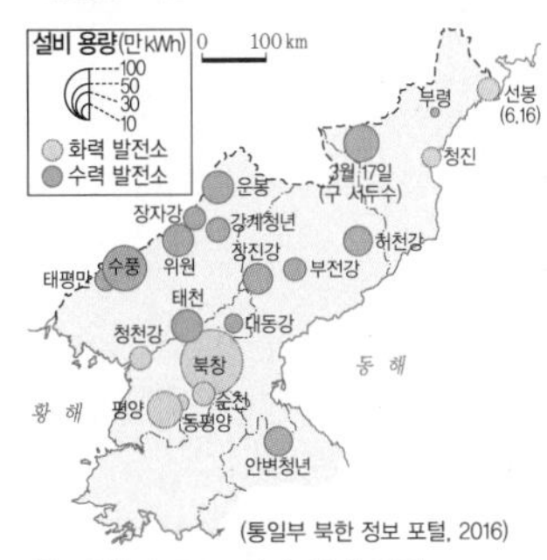

북한의 주요 발전 설비 용량

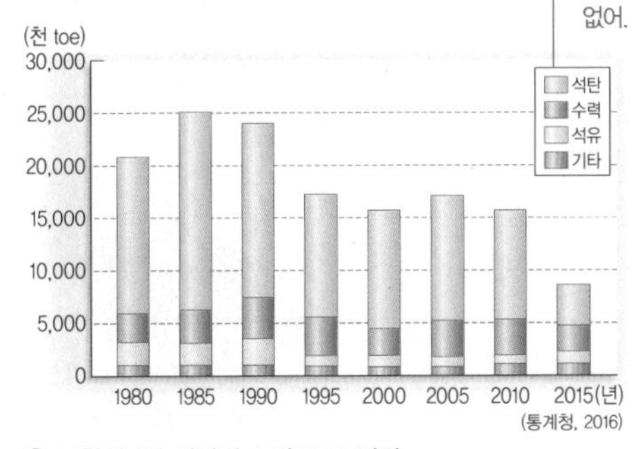

북한의 1차 에너지 소비 구조 변화

북한은 산지가 많고 낙차가 커 수력 발전에 유리하며, 압록강, 장진강, 부전강 등지에 수력 발전소가 건설되어 있다. 화력 발전소는 전력 소비가 많은 평양과 그 주변 지역을 중심으로 건설되어 있다. 북한의 1차 에너지 소비량은 석탄>수력>석유 순으로 많다.

자료 4 북한의 주요 개방 지역

신의주 특별 행정구는 홍콩처럼 개발하기 위해 2002년 지정된 독립적인 개방 지역으로, 중국 자본의 투자를 유치하고자 하였으나 2004년 이후 추진이 중단되었다. 최근 신의주와 인접한 압록강 하구의 황금평이 개발되면서 다시 주목받고 있다.

나선 경제특구는 유엔 개발 계획(UNDP)의 지원을 계기로 1991년 경제특구로 지정되었다. 두만강 하류에 위치한 나선 경제특구는 중국, 러시아와 지리적으로 인접해 있다. 북한은 이 지역을 외자 유치를 통해 국제 교류의 거점으로 만들려고 구상하고 있다.

개성 공업 지구는 남한의 기술과 자본, 북한의 노동력을 결합하여 남북 경제 협력을 활성화하는 데 기여하였다. 그러나 남북 간 정치적 갈등으로 2016년 폐쇄된 상태이다.

(금강산 종합 개발 계획, 2005)
원산
원산 지구
동정호 지구
시중호 지구
1단계 사업 지구
통천
통천 지구
동해
고윤산 지구
삼일포 지구
전체 사업 지구
고성항 지구
해금강 지구
고성
고성봉 지구
온정리 지구
0 10 km 내금강 지구

금강산은 화강암이 기반암인 산지로 기암괴석이 웅장한 명산이다. 1998년 남한 정부와 민간 기업의 노력으로 개방되기 시작하였고, 2002년 관광 특구로 지정되었다. 2008년 우리나라 관광객 피격 사건 이후 관광이 중단되었다.

자료 5 남북 교류 현황

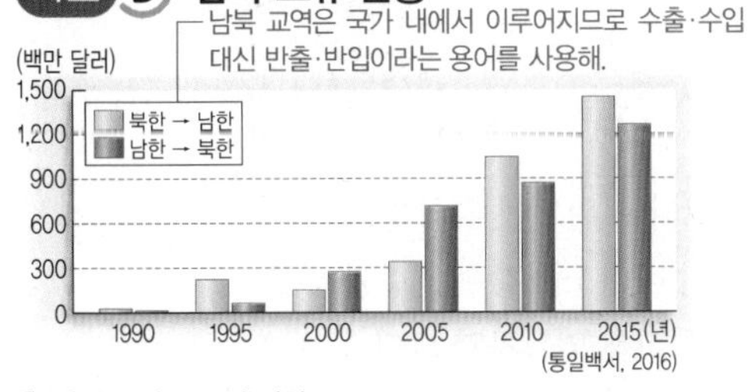

남북 교역 규모의 변화

광산물 1.4
철강 금속 제품 1.5
농림 수산물 1.2
화학 공업 제품 4.0
기타 2.4
기계류 6.1
생활용품 9.7
2,714,476 천 달러 (2015년)
전기·전자 제품 39.4(%)
섬유류 33.7
(통일백서, 2016)

2015년까지 개성 공업 지구를 중심으로 전기·전자 제품, 섬유류 등의 교역이 많이 이루어졌어.

남북 교역 품목

남북 교역 규모는 꾸준히 증가해 왔으며, 초기에는 단순 물자 중심이었으나 점차 경제 협력과 사회·문화 교류, 위탁 가공을 통한 공산품 생산 등으로 확대되었다.

문제로 확인할까?

북한의 전력 생산과 1차 에너지 소비 구조에 대한 설명으로 옳은 것은?

① 원자력 발전의 비중이 가장 크다.
② 1차 에너지 소비량은 석유가 가장 많다.
③ 산지가 많고 낙차가 커 수력 발전에 유리하다.
④ 화력 발전소는 주로 관북 지역에 집중 분포한다.
⑤ 1차 에너지 소비량은 과거 수력이 많았으나 최근 석탄으로 변하였다.

③ 답

자료 하나 더 알고 가자!

북한의 산업 구조 변화

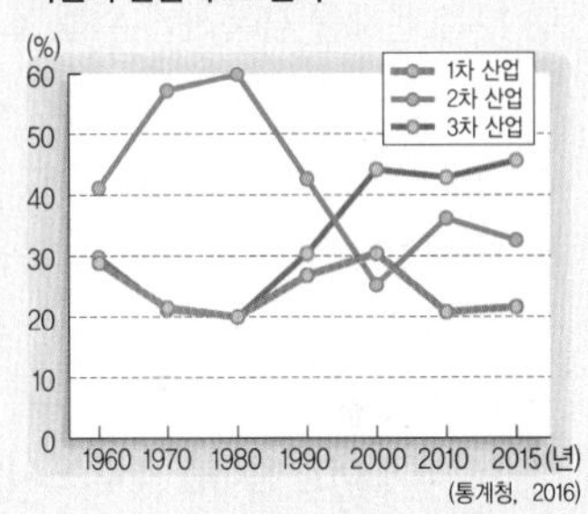

북한은 농림·어업과 광공업의 비중이 높아 1·2차 산업 중심의 산업 구조가 나타나고 있으나 최근 서비스업 및 사회 간접 자본 중심의 3차 산업 비중이 증가하고 있다. 오늘날은 2·3차 산업의 비중이 높고 1차 산업의 비중이 가장 낮다.

문제로 확인할까?

남북한의 교류 특징에 대한 설명으로 옳지 않은 것은?

① 북한의 경제난이 개방의 원인이 되었다.
② 남북 교류는 2000년대 이후 시작되었다.
③ 남북 교류 초기에는 단순 물자 중심이었다.
④ 최근 남북 교역 품목은 전기·전자 제품, 섬유류가 주를 이룬다.
⑤ 점차 경제 협력과 사회·문화 교류 등으로 범위를 넓혀 가고 있다.

② 답

STEP 1 **핵심 개념 확인하기**

정답친해 75쪽

1 괄호 안의 내용 중 알맞은 말에 ○표를 하시오.

(1) 북한은 비슷한 위도에서 서해안이 동해안보다 겨울 기온이 (높다, 낮다).

(2) 낭림산맥 동쪽 지역은 낭림산맥 서쪽 지역보다 해발 고도가 (높다, 낮다).

(3) 청천강 중·상류 지역은 대동강 하류 지역보다 연 강수량이 (많다, 적다).

2 빈칸에 들어갈 내용을 쓰시오.

(1) 북한은 남한보다 위도가 높고 유라시아 대륙에 접해 있어 (　　　　) 기후의 특징이 나타난다.

(2) (　　　　)은 산비탈을 개간하여 만든 밭으로, 북한의 식량 부족 문제를 극복하기 위해 조성되었다.

(3) (　　　　)은 함경도와 평안도 일대에 있는 고원으로 한반도의 지붕이라고 불리며, 위도가 높기 때문에 여름철에도 기온이 낮으며 침엽수림이 분포한다.

3 ㉠~㉢에 들어갈 용어를 각각 쓰시오.

> 북한의 전력 생산 구조는 크게 (㉠　　　　)과 (㉡　　　　)으로 나눌 수 있다. 북한은 높은 산지가 많고 하천의 폭이 좁을 뿐만 아니라 급경사의 사면에서 큰 낙차를 얻을 수 있어 (㉠　　　　)에 유리하다. 이로 인하여 남한보다 북한의 (㉠　　　　) 비중이 높다. 비교적 입지가 자유로운 (㉡　　　　)은 전력 수요가 많은 (㉢　　　　) 주변에 주로 분포하고 있다.

4 북한의 주요 개방 지역을 옳게 연결하시오.

(1) 1991년에 지정된 북한 최초의 개방 지역 •		• ㉠ 나선 경제특구
(2) 2002년에 남북 합작으로 건설된 공업 단지 •		• ㉡ 개성 공업 지구
(3) 2002년 관광객 유치를 목적으로 설치 •		• ㉢ 금강산 관광 특구
(4) 2002년 외자 유치를 위해 만든 경제특구 •		• ㉣ 신의주 특별 행정구

STEP 2 **내신 만점 공략하기**

01 지도는 북한의 지형을 나타낸 것이다. 이에 대한 설명으로 옳은 것은?

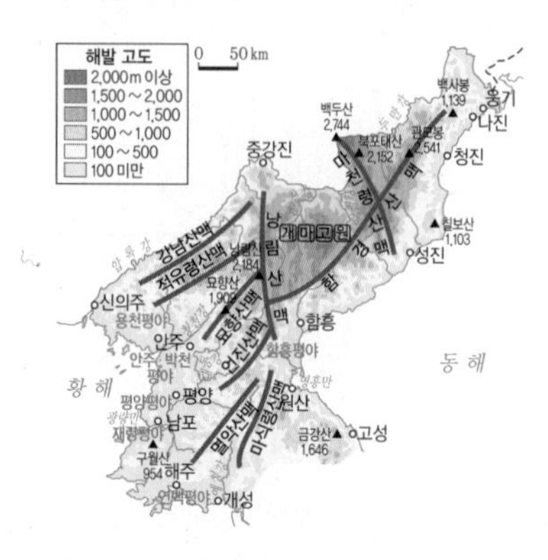

① 압록강은 동해로 유입된다.
② 대부분의 넓은 평야는 동해안 지역에 분포한다.
③ 동해보다 황해로 유입하는 하천의 유로가 길다.
④ 황해보다 동해로 흐르는 하천의 경사가 더 완만하다.
⑤ 해발 고도가 높은 산지는 북한의 남서부 지역에 주로 분포한다.

02 중요 다음은 북한 두 도시의 기후 그래프이다. (가), (나) 도시의 기후 특징에 대한 설명으로 옳은 것은? (단, (가)와 (나)는 삼지연과 평양 중 하나이다.)

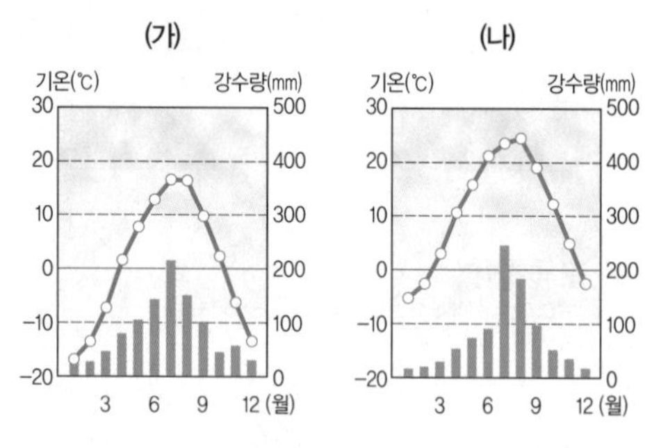

① (가)는 (나)보다 고위도에 위치할 것이다.
② (가)는 (나)에 비해 7월 강수 집중률이 높다.
③ (나)는 (가)에 비해 연교차가 크다.
④ (나)는 (가)에 비해 무상 일수가 짧을 것이다.
⑤ (나)는 (가)에 비해 대륙성 기후의 특징이 더 강하게 나타난다.

03 중요 지도의 A~D에 대한 옳은 설명을 〈보기〉에서 고른 것은?

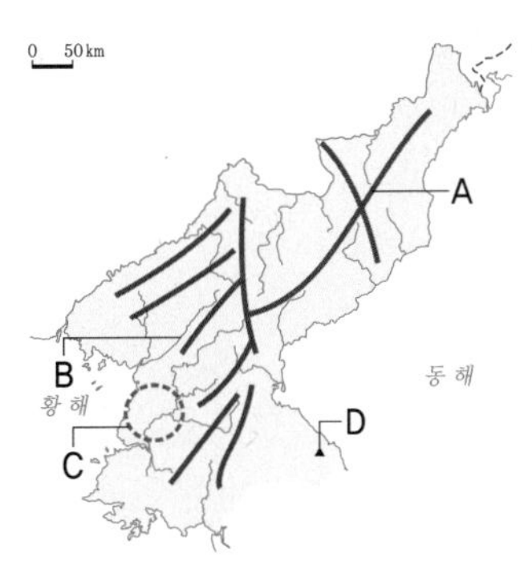

보기
ㄱ. A - 동해 쪽 사면은 경사가 급하지만, 내륙 쪽 사면은 경사가 완만하다.
ㄴ. B - 중·상류 지역은 다우지에 해당한다.
ㄷ. C - 중생대 퇴적층이 분포한다.
ㄹ. D - 산지의 정상에 칼데라 호가 있다.

① ㄱ, ㄴ ② ㄱ, ㄷ ③ ㄴ, ㄷ
④ ㄴ, ㄹ ⑤ ㄷ, ㄹ

04 그래프의 (가), (나) 도시에 대한 옳은 설명을 〈보기〉에서 고른 것은? (단, (가), (나)는 지도에 표시된 두 도시 중 하나이다.)

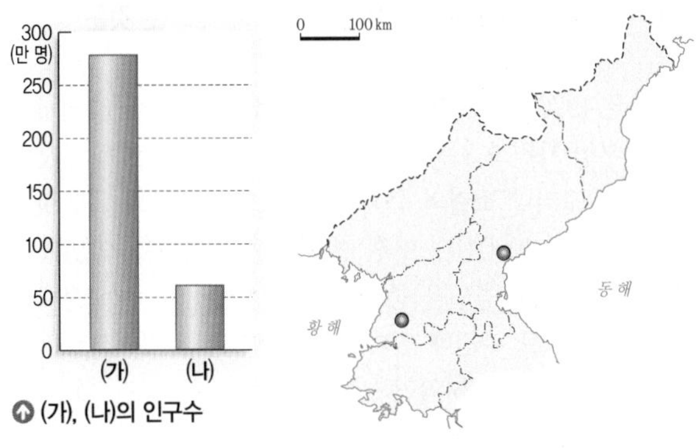

(가), (나)의 인구수

보기
ㄱ. (가)는 북한의 정치 및 행정의 중심지이다.
ㄴ. (나)는 최근 경제특구로 지정되면서 개발이 이루어지고 있다.
ㄷ. (가)는 (나)보다 위도가 낮다.
ㄹ. (가)는 함흥, (나)는 평양이다.

① ㄱ, ㄴ ② ㄱ, ㄷ ③ ㄴ, ㄷ
④ ㄴ, ㄹ ⑤ ㄷ, ㄹ

05 그래프는 북한의 인구 피라미드이다. 1993년과 비교한 2015년의 상대적 특징을 그림의 A~E에서 고른 것은?

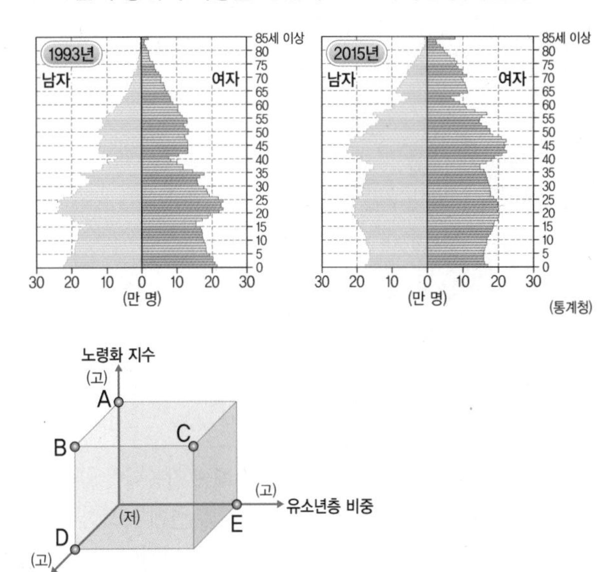

① A ② B ③ C ④ D ⑤ E

06 자료를 통해 알 수 있는 북한 경제의 특징으로 옳은 내용을 〈보기〉에서 고른 것은?

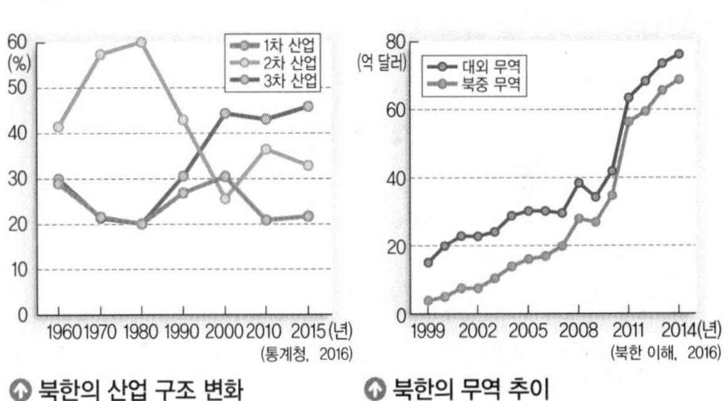

북한의 산업 구조 변화 북한의 무역 추이

보기
ㄱ. 1980년 이후 산업 구조의 고도화가 나타나고 있다.
ㄴ. 2014년에 대외 무역 교역 비중이 가장 높은 국가는 중국이다.
ㄷ. 경공업 위주의 성장 정책을 추진하여 2차 산업의 비중이 높아졌다.
ㄹ. 대외 무역액에서 중국과의 무역액이 차지하는 비중은 2014년이 2005년보다 높다.

① ㄱ, ㄴ ② ㄱ, ㄷ ③ ㄴ, ㄷ
④ ㄴ, ㄹ ⑤ ㄷ, ㄹ

07 지도는 북한의 전력 생산 현황을 나타낸 것이다. 이에 대한 옳은 설명만을 〈보기〉에서 있는 대로 고른 것은?

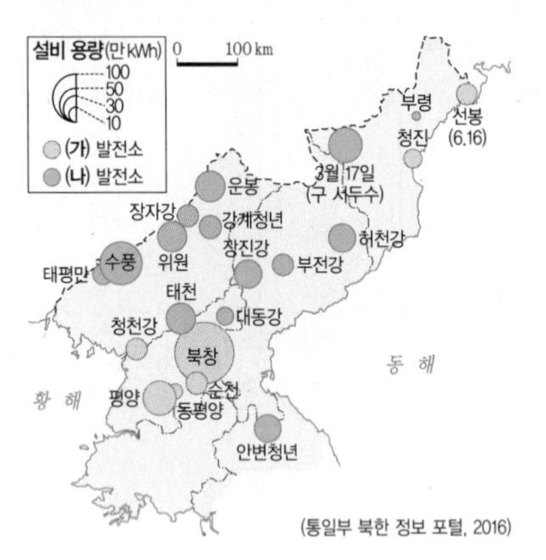

(통일부 북한 정보 포털, 2016)

보기

ㄱ. 수력 발전은 두만강보다 압록강 수계에 집중되어 있다.
ㄴ. 화력 발전은 전력 소비가 많은 도시 주변에 분포한다.
ㄷ. (나)는 산지가 많은 북한의 자연 조건과 관련이 있다.
ㄹ. (가)는 수력 발전, (나)는 화력 발전이다.

① ㄱ, ㄴ ② ㄱ, ㄷ ③ ㄱ, ㄴ, ㄷ
④ ㄱ, ㄴ, ㄹ ⑤ ㄴ, ㄷ, ㄹ

중요
08 지도는 북한의 주요 도시의 인구 분포를 나타낸 것이다. 이에 대한 설명으로 옳은 것은?

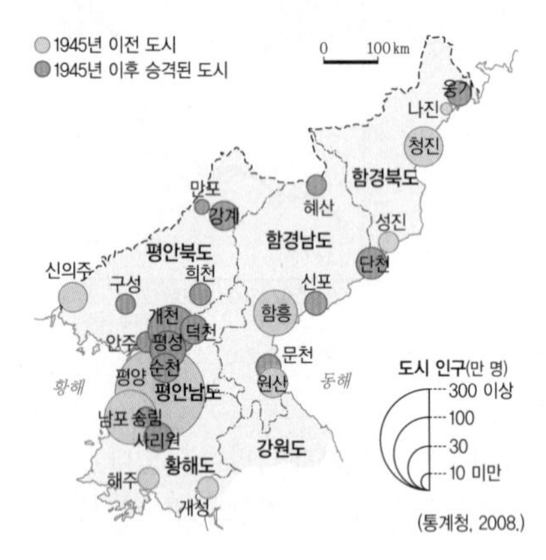

(통계청, 2008.)

① 북한의 인구는 균형적으로 분포한다.
② 접경 지역에 도시가 집중적으로 발달한다.
③ 인구가 가장 많은 도시는 관북 지방에 있다.
④ 도시의 수는 1945년 이전 도시가 1945년 이후 승격된 도시보다 많다.
⑤ 1945년 이전 도시의 인구가 1945년 이후 승격된 도시의 인구보다 많다.

09 지도는 북한의 농작물 생산량과 재배 면적을 나타낸 것이다. 이에 대한 설명으로 옳지 않은 것은?

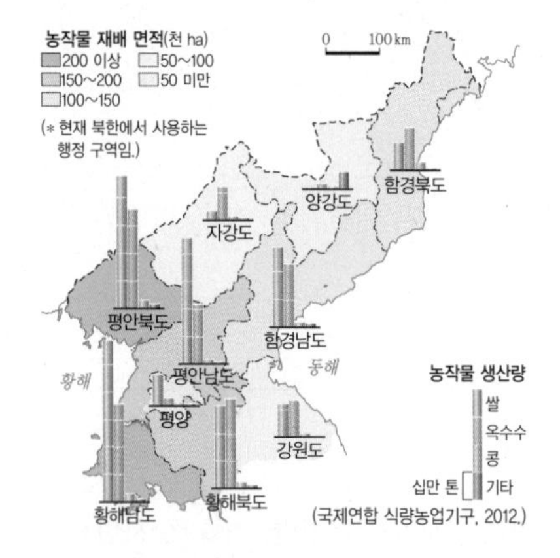

(국제연합 식량농업기구, 2012.)

① 관서 지방은 쌀이 옥수수보다 생산량이 많다.
② 관서 지방이 관북 지방보다 농작물의 생산량이 많다.
③ 관북 내륙 지역은 밭농사보다는 논농사가 발달하였다.
④ 무상 일수가 짧은 지역일수록 농작물의 생산량이 적다.
⑤ 농작물의 재배 면적은 관북 지방이 관서 지방보다 좁다.

10 ㉠~㉣에 대한 옳은 설명을 〈보기〉에서 고른 것은?

북한은 1970년대 초반까지 사회주의 경제 체제 하에서 ㉠ 풍부한 자원과 노동력을 바탕으로 공업이 빠르게 성장하였다. 그러나 소련의 붕괴를 시작으로 한 사회주의 정권의 붕괴로 1990년대 이후 경제에 큰 어려움을 겪었다. 북한은 ㉡ 군수 공업을 중심으로 하는 중공업 우선 정책을 지속적으로 추진해 왔다. 대표적인 공업 지역으로는 북한 최대의 공업 지역인 (㉢)와/과 ㉣ 청진·나선, 원산·함흥 공업 지역 등이 있다.

보기

ㄱ. ㉠은 석탄, 철광석, 마그네사이트 등이 대표적이다.
ㄴ. ㉡은 2000년대 이후 북한 경제 성장의 원동력이다.
ㄷ. ㉢에 들어갈 내용은 '평양·남포 공업 지역'이다.
ㄹ. ㉣은 관북 내륙 지역에 위치해 있다.

① ㄱ, ㄴ ② ㄱ, ㄷ ③ ㄴ, ㄷ
④ ㄴ, ㄹ ⑤ ㄷ, ㄹ

11 다음은 A~D 지역에 관한 학생들의 대화이다. 옳은 내용을 제시한 학생을 고른 것은?

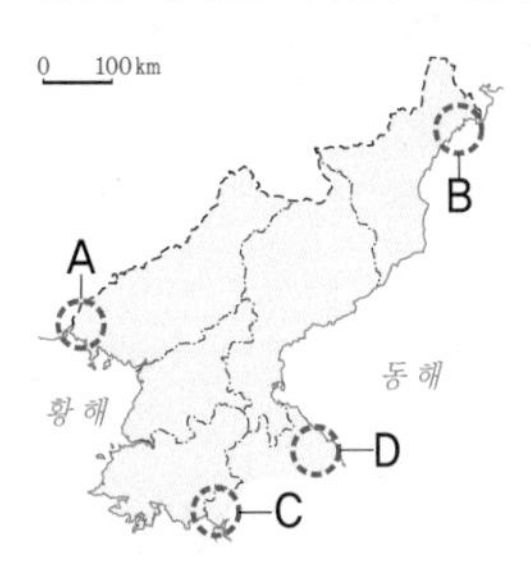

갑: A는 중국과의 교류 거점으로 중요한 지역이야.

을: B는 북한에서 최초로 지정된 개방 지역이야.

병: C는 유엔 개발 계획의 적극적 지원을 바탕으로 조성되었어.

정: D는 수려한 화산 지형을 이용해 관광객을 유치하기 위해 만들었어.

① 갑, 을 ② 갑, 병 ③ 을, 병
④ 을, 정 ⑤ 병, 정

12 그래프는 남북한의 산업 구조 변화를 나타낸 것이다. 이에 대한 설명으로 옳지 않은 것은? (단, (가), (나)는 남한과 북한 중 하나이며, A~C는 농림 어업, 광공업, 서비스업 중 하나이다.)

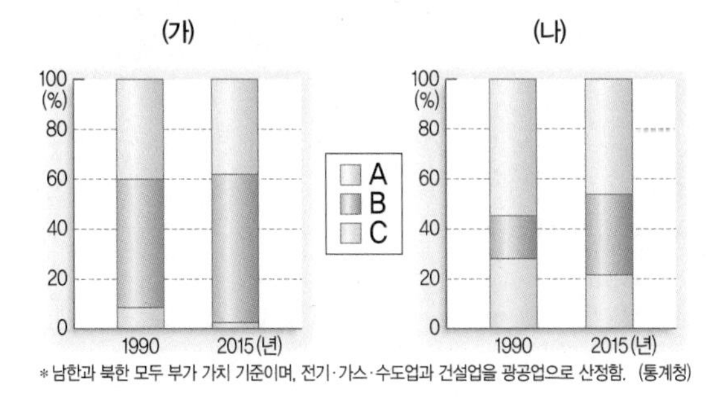

＊남한과 북한 모두 부가 가치 기준이며, 전기·가스·수도업과 건설업을 광공업으로 산정함. (통계청)

① 오늘날 북한은 남한보다 광공업의 비중이 더 높다.
② 북한은 1990년보다 2015년 서비스업의 비중이 증가하였다.
③ A는 광공업, B는 서비스업, C는 농림 어업이다.
④ (가)는 남한, (나)는 북한이다.
⑤ (가)보다 (나)의 산업 구조가 고도화되어 있다.

서술형 문제

● 정답 친해 77쪽

01 자료를 보고 남한과 북한이 함께 지하자원을 개발할 경우 얻을 수 있는 경제적 효과에 대해 서술하시오.

(단위: 톤)

지하자원	남한	북한
금	42.7	2,000
구리	5.1만	290만
아연	55.8만	2,110만
철광석	0.4억	50억
텅스텐	12.9만	24.6만
몰리브데넘	2.4만	5.4만
흑연	12.2만	200만
인회석	0	1.5억
마그네사이트	0	60억
무연탄	13.6억	45억

(통일연구원, 2013)

▲ 남한과 북한의 지하자원 매장량 ▲ 남한의 지하자원 수입 의존율

02 다음은 남북 교역 현황을 나타낸 자료이다. 이를 보고 물음에 답하시오.

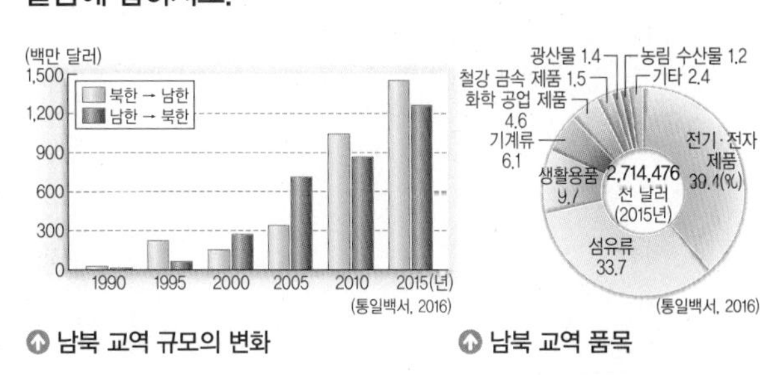

▲ 남북 교역 규모의 변화 ▲ 남북 교역 품목

(1) 북한에서 남한으로, 남한에서 북한으로의 물자의 이동을 무엇이라 하는지 각각 쓰시오.

(2) 위 자료를 토대로 아래 제시어를 사용해 남북 교역의 변화 내용을 서술하시오.

• 섬유류 • 전기·전자 제품 • 개성 공업 지구

STEP 3 1등급 정복하기

1 지도에 표시된 A~C 지역의 기후 그래프를 〈보기〉에서 골라 옳게 연결한 것은?

> 북한의 지역별 기후 특색

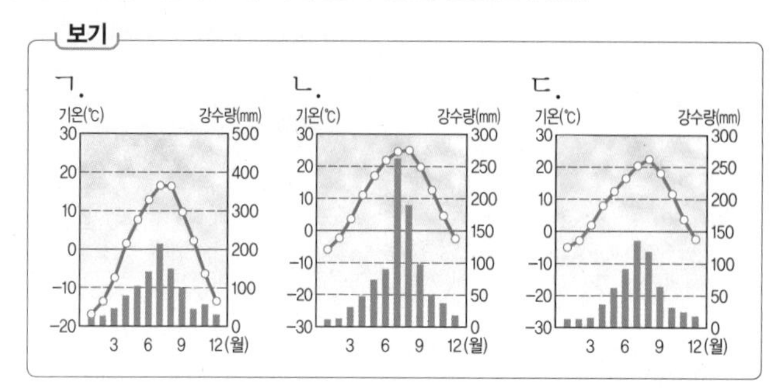

	A	B	C
①	ㄱ	ㄴ	ㄷ
②	ㄱ	ㄷ	ㄴ
③	ㄴ	ㄱ	ㄷ
④	ㄴ	ㄷ	ㄱ
⑤	ㄷ	ㄱ	ㄴ

평가원 응용

2 자료에 대한 옳은 설명을 〈보기〉에서 고른 것은? (단, (가), (나)는 화력 발전, 수력 발전 중 하나이며, A~C는 석유, 석탄, 수력 중 하나이다.)

> 북한의 전력 생산 및 1차 에너지 소비 구조

(통일부 북한 정보 포털, 2016)

⊙ 북한의 주요 발전 설비 용량

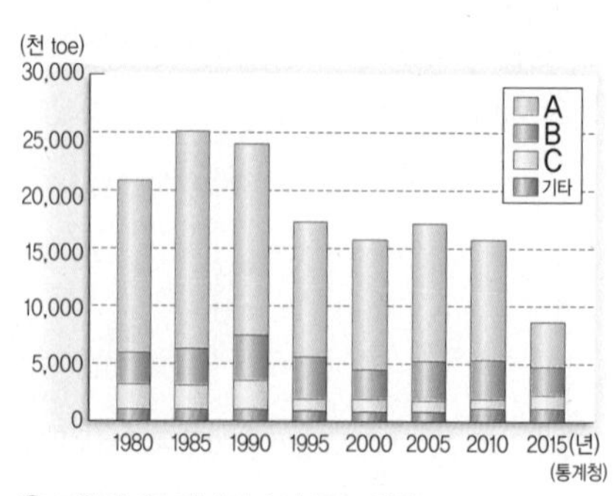

⊙ 북한의 1차 에너지 소비 구조 변화

보기

ㄱ. (가)는 A, C를 원료로 한다.
ㄴ. (나)는 C를 이용해 전기를 생산한다.
ㄷ. (가)는 (나)보다 대기 오염 물질 배출량이 많다.
ㄹ. 남한에서 A는 B, C보다 해외 의존도가 높다.

① ㄱ, ㄴ ② ㄱ, ㄷ ③ ㄴ, ㄷ
④ ㄴ, ㄹ ⑤ ㄷ, ㄹ

완자샘의 시험 꿀팁

북한의 지형 조건과 발전 방식의 특징을 연결시키는 문제가 출제될 수 있으며, 북한의 1차 에너지 소비 구조의 특징도 기억해 두어야 한다.

3 다음은 (가), (나) 지역의 인구 구조를 나타낸 것이다. (가), (나)에 대한 설명으로 옳지 않은 것은? (단, (가), (나)는 남한과 북한 중 하나이다.)

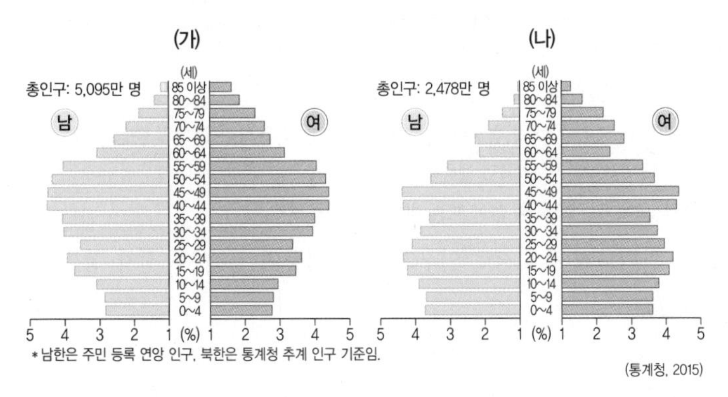

* 남한은 주민 등록 연앙 인구, 북한은 통계청 추계 인구 기준임.

(통계청, 2015)

① (가)는 (나)보다 유소년 부양비가 작다.
② (가)는 (나)보다 종형의 인구 구조에 가깝다.
③ (나)는 (가)보다 노령화 지수가 높다.
④ (가)는 남한, (나)는 북한의 인구 피라미드이다.
⑤ (가), (나) 모두 65세 이상 노년층의 성비가 100 이하이다.

> 남한과 북한의 인구 구조

완자 사전

- **연앙 인구**
출생률과 사망률을 산출할 때 그 해의 중간인 7월 1일을 기준으로 하는 것

- **추계 인구**
향후 인구 변동 요인(출생, 사망, 이동)별 가정에 따라 추계한 인구 규모, 인구 구조 등의 추정치

- **유소년 부양비**
(유소년층 인구÷청장년층 인구)×100

- **노령화 지수**
(노년층 인구÷유소년층 인구)×100

교육청 응용

4 자료는 남북한 농업을 비교한 것이다. 이에 대한 옳은 설명을 〈보기〉에서 고른 것은?

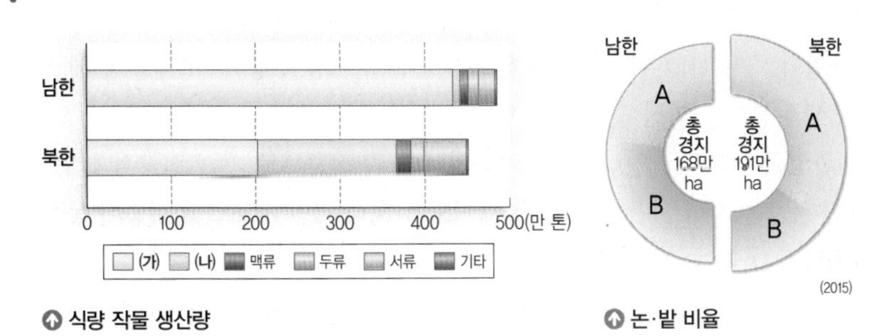

식량 작물 생산량

논·밭 비율

보기

ㄱ. (가)는 관북 지방보다 관서 지방에서 생산량이 많다.
ㄴ. 남한은 (가)보다 (나)의 자급률이 높다.
ㄷ. (가)는 B에서, (나)는 A에서 주로 생산된다.
ㄹ. 북한에서 (나)는 주로 (가)의 그루갈이 작물로 재배된다.

① ㄱ, ㄴ ② ㄱ, ㄷ ③ ㄴ, ㄷ
④ ㄴ, ㄹ ⑤ ㄷ, ㄹ

> 남북한의 농업 특색

완자 사전

- **그루갈이**
한 해에 두 가지의 작물을 번갈아 심어 수확하는 방식으로, 이모작이라고도 한다.

03 수도권과 강원 지방

학습목표
- 수도권의 지역 특성 및 공간 구조 변화 과정을 파악할 수 있다.
- 영동·영서 지방의 지역 차와 강원 지방의 산업 구조 변화가 주민 생활에 미친 영향을 설명할 수 있다.

1 인구와 산업이 집중된 수도권

1. 수도권의 지역 특성
(한반도의 중서부에 위치하며, 북부 지방과 중·남부 지방을 연결하는 역할을 해.)

(1) 수도권의 범위: 서울특별시, 인천광역시, 경기도를 포함하는 지역

서울특별시	한반도 중앙에 위치, 조선 시대 이후부터 우리나라의 정치·경제·사회·문화의 중심지 역할
인천광역시	인천항과 인천 국제공항이 있는 국제 물류의 중심 도시
경기도	인구와 산업의 *교외화, 제조업의 성장 등을 바탕으로 빠르게 성장

(2) 집중도가 높은 수도권: 한반도의 중심지로 인구와 각종 기능이 집중 → 정치·경제·문화의 중심지 자료① 교과서 자료

인구 집중	면적은 우리나라 전체의 약 12% 정도, 전체 인구의 절반 가량(약 2,500만 명)이 밀집해 있음
다양한 기능 집중	• 중앙 정부 기관을 비롯한 대기업 본사 및 각종 언론사, 금융 기관의 본점, 각종 문화 시설 등이 집중해 있음 • 서비스업 및 제조업의 집중으로 국내 총생산(GDP)의 절반 정도 점유 → 산업 및 고용의 집중도가 높음
교통망 집중	• 대부분의 교통망이 수도권을 중심으로 연결되어 있음 → 다른 지역으로의 접근성이 뛰어남 • 도로, 철도, 항공 교통 등 교통 여건이 잘 갖추어져 있음

2. 수도권의 공간 구조 변화

(1) 수도권의 경제적 *공간 구조의 변화

① 시기별 변화 자료②

(왜? 지가 상승 및 환경 오염 등 집적 불이익이 나타났기 때문이야.)

1960년대	정부 주도의 산업화 과정에서 서울에 한국 수출 산업 공단(구로 공단) 조성 → 제조업 성장
1970년대	제조업체가 서울 주변 지역으로 분산
1980년대	수도권 외곽 지역의 산업 성장 가속화 → 인천 남동 공단, 경기도 안산 반월 공단 조성
1990년대	탈공업화 → 서울을 중심으로 2차 산업의 비중 감소, 3차 산업의 비중 증가
2000년대 이후	지식 및 기술 집약적 산업 구조로 재편 → 지식 기반 산업의 집중

② 서울의 탈공업화: 2차 산업 비중이 감소하고 3차 산업 비중이 증가 → 서울의 제조업이 경기도나 충청권 등으로 이전 (산업 구조의 고도화)

③ *지식 기반 산업 성장: 고급 인력, 연구 기능의 수도권 집중으로 기술 집약적 산업 입지에 유리하며, 서울은 지식 기반 서비스업(연구 개발, 사업 지원 등), 경기도는 지식 기반 제조업(정보 통신 기기, 반도체 등)의 비중이 높음

(2) 수도권의 문화적 특성

① 오랜 역사성: 고려 시대에는 불교문화가 발전하였고, 조선 시대에는 한양을 중심으로 유교 문화가 발전, 조선 후기에 외래문화가 유입되면서 수도권은 전통 문화와 외래문화가 공존하는 공간으로 발전

② 지역별 특성 (경기도 수원은 세계 문화유산 화성을, 파주는 출판 도시를 내세워 문화를 활용한 지역 브랜드화를 추진하고 있어.)

서울	• 경복궁, 창덕궁 등 궁궐과 한양 도성의 성곽 및 사대문 등 다양한 문화 유적이 남아 있음 • 대학로, 홍대 거리, 이태원 거리, 명동 거리 등 다양한 현대적 문화 공간 발달
인천	• 강화도 조약(1876년)에 따라 1883년에 개항 → 근대 문화유산이 많이 남아 있음 • 인천 국제공항과 인천항이 수도권의 관문 역할을 수행
경기도	서울을 둘러싸고 있는 지역으로 예로부터 서울의 배후지로 경제·문화적 토대를 제공

(인천: 경인선과 경인 고속 국도 등이 개통되면서 서울과 관계가 더욱 긴밀해졌어.)

(경기도: 수원은 서울과 남쪽 지방을 연결하는 경기도의 중심 도시이며, 의정부는 경기 북부 지역의 문화·교육·교통·산업의 중심 도시야.)

이것이 핵심!

집중도가 높은 수도권

인구 집중	면적은 국토의 약 12% 정도이지만 인구의 절반이 밀집
기능 집중	중앙 정부 기관 및 대기업 본사, 언론사 등이 집중, 산업과 고용의 집중도가 높음
교통망 집중	대부분의 교통 시설이 서울을 중심으로 하는 수도권에 집중

★ 교외화
도시의 과밀화로 인해 각종 기능과 인구가 주변 지역으로 분산되는 현상

★ 수도권 공간 구조의 다핵화
수도권은 광역 교통망의 구축에 따라 교외화가 나타나면서 인천, 수원, 성남, 고양 등 서울 주변 도시의 기능이 커져 공간 구조의 다핵화가 이루어지고 있다.

★ 지식 기반 산업
기술과 정보를 포함한 지적 능력과 아이디어를 이용해 상품과 서비스의 부가가치를 크게 향상하거나 고부가 가치의 지식 서비스를 제공하는 산업

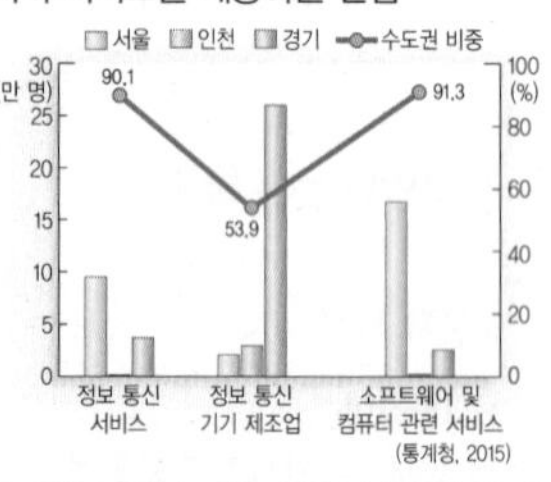

▲ 정보 통신 기술 산업 부문별 종사자 수

완자 자료 탐구

내 옆의 선생님

자료 1 수도권의 인구 변화

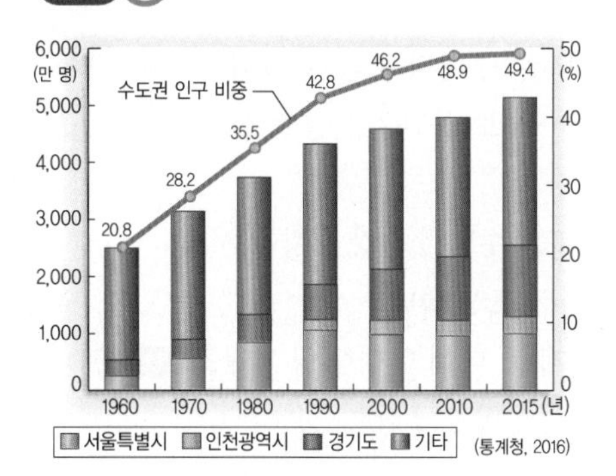

1960년대부터 본격적인 산업화와 도시화의 영향으로 수도권의 인구 비중은 1960년 20.8%에서 2015년 49.4%로 급격히 증가하였다. 그러나 지나친 과밀화의 영향으로 서울의 인구는 주변의 인천이나 경기도 지역으로 이동하면서 1990년대 이후부터 감소하는 추세이다.

문제로 확인할까?

수도권의 인구 집중으로 발생하는 문제로 옳지 않은 것은?

① 주택 부족
② 교통 혼잡
③ 지가 상승
④ 대기 오염 증가
⑤ 서울로의 통근 인구 감소

⑤ 답

수능이 보이는 교과서 자료 인구와 산업이 집중한 수도권

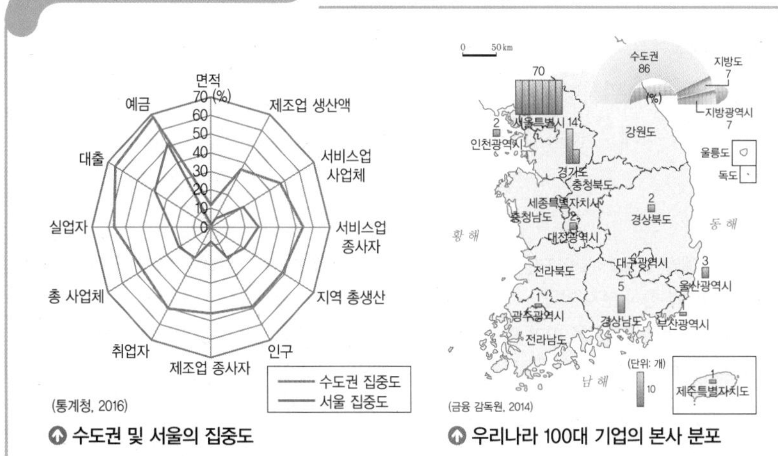

⊙ 수도권 및 서울의 집중도

⊙ 우리나라 100대 기업의 본사 분포

수도권은 정치·경제·문화 등 여러 측면에서 우리나라의 중심지 역할을 수행하고 있으며, 특히 서울에는 중앙 정부 기관, 언론사 및 대기업 본사 등이 집중해 있다.

완자샘의 탐구 강의

• 자료를 보고 수도권의 산업 집중도의 특징을 서술해 보자.

수도권은 제조업을 제외한 서비스업, 지역 총생산, 인구, 총 사업체 등의 분야에서 50% 내외의 집중을 보이고 있다. 이를 통해 수도권은 면적에 비해 많은 기능이 과도하게 집중되어 있음을 알 수 있다. 또한 기업 활동에 유리하여 우리나라 100대 기업 본사 중 80% 이상이 수도권에 집중 분포해 있다.

함께 보기 244쪽, 1등급 정복하기 1

자료 2 수도권의 산업 변화

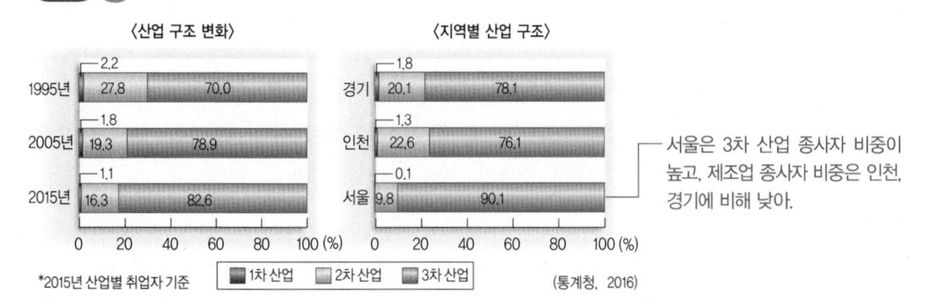

수도권의 산업 구조를 보면 1995년 1차 산업 종사자 수 비중은 2.2%, 2차 산업 종사자 수 비중이 27.8%였으나, 탈공업화 현상이 나타나면서 2005년 2차 산업 종사자 수 비중이 19.3%로 감소하였다. 지역별로 살펴보면 상대적으로 경기와 인천의 2차 산업 종사자 수 비중이 상대적으로 높고, 서울은 2015년 3차 산업 종사자 수 비중이 90.1%로 높다.

정리 비법을 알려줄게!

수도권의 산업 변화

산업 구조의 변화	• 1차 산업의 비중이 가장 낮고 3차 산업의 비중이 가장 높음 • 탈공업화 현상이 나타나고 있음
지역별 특징	서울은 3차 산업의 비중이 매우 높은 데 비해, 인천·경기는 2차 산업의 비중이 상대적으로 높음

03 수도권과 강원 지방

★ **과밀 부담금 제도**
인구 집중을 유발하는 상업·업무 시설이 들어설 때 부담금을 부과하는 제도

★ **수도권 공장 총량제**
매년 새로 지을 공장 건축 면적을 총량으로 설정하여 이를 초과하는 공장의 건축을 규제하는 제도

★ **수도권 정비 계획**
수도권에 과도하게 집중된 인구와 산업을 적정하게 배치하여 수도권을 균형 있게 발전시키기 위한 종합 계획

3. 수도권이 당면한 문제와 해결책

(1) **수도권의 문제** — 정부는 수도권의 인구와 기능을 분산시키기 위해 지속적인 노력을 하고 있지만, 여전히 수도권으로의 집중은 해소하기 어려운 실정이야.

① 인구와 산업 및 기능의 지나친 집중 → 집적 불이익 발생

② 교통 체증 및 주차난, 집값 상승과 일부 도심의 노후화, 대기 오염 → 사회적 비용 증가

③ 수도권과 비수도권의 인구 및 기능의 격차 확대 → 국토 공간의 불균형 심화

(2) **수도권 문제 해결을 위한 노력**

① 과도한 인구 및 기능 집중 억제: *과밀 부담금 제도, *수도권 공장 총량제 시행

② 국토 균형 발전 추구: 세종특별자치시 출범 및 혁신 도시 확대

③ 지속 가능한 성장 관리 기반 구축: *수도권 정비 계획, 다핵 연계형 공간 구조 자료③

왜? 통근권, 생활권, 역사성 등을 고려하여 다양한 분야에서 도시권별 자족성을 높이고, 지역별 중심 도시 간 연계를 강화하여 수도권의 균형 있는 발전을 추구할 수 있어.

이것이 핵심!

영서와 영동 지방의 특색

영서 지방	• 경사가 완만한 편이며, 고위 평탄면과 침식 분지 발달 • 기온의 연교차가 큰 대륙성 기후
영동 지방	• 동해안을 따라 좁은 해안 평야 발달, 동서의 폭이 좁아 하천의 유로가 짧고 경사가 급함 • 태백산맥과 동해의 영향으로 영서 지방에 비해 겨울철 기온이 온화함

2 태백산맥으로 동서로 나뉘는 강원 지방

1. 영서·영동 지방의 특성

(1) **위치**: 중부 지방의 동쪽에 위치함

(2) **지역 구분**: 태백산맥을 경계로 동쪽을 영동 지방, 서쪽을 영서 지방으로 구분

(3) **자연환경** 자료④

지역	지형	기후
영서 지방	서쪽으로 갈수록 해발 고도가 낮아지면서 경사가 완만함, 고위 평탄면과 침식 분지 발달	기온의 연교차가 큰 대륙성 기후가 나타남, 여름철 남서 기류 유입으로 지형성 강수와 집중 호우 발생
영동 지방	급경사를 이루는 산지와 동해안을 따라 좁은 해안 평야 발달, 동서의 폭이 좁아 하천의 유로가 짧고 경사가 급함	태백산맥과 동해의 영향으로 여름이 서늘하고 겨울이 온난함, 겨울철 북동 기류 유입과 지형의 영향으로 강설량이 많음

└ 높은 산지가 많아 지형성 강수가 많아.

(4) **주민 생활**

영서 지방	• 태백 산지 주변의 고위 평탄면에서 고랭지 농업과 목축업이 이루어짐 • 산지 지형의 영향으로 밭농사 비율이 높아 옥수수, 감자, 메밀 등을 활용한 음식 발달
영동 지방	• 반농 반어촌의 경관이 나타나며, 아름다운 해안 지형과 항만을 바탕으로 관광 산업 발달 • 바다와 접해 있어 오징어, 명태 등 해산물을 이용한 음식 발달

2. 강원 지방의 산업 구조 변화와 주민 생활

(1) **산업 구조의 변화** 자료⑤

① 석회석, 무연탄 등이 풍부하게 매장되어 있음 → 국내 최대의 광업 지역으로 성장

② 에너지 소비 구조 변화와 해외 자원의 수입량 증가 및 *석탄 산업 합리화 정책 등으로 1980년대 후반부터 광업 쇠퇴 → 산업 구조를 관광 산업 중심으로 전환

(2) **새로운 성장을 모색하는 강원 지방**

① 깨끗한 자연환경을 바탕으로 한 생태 관광(비무장 지대), 휴양 관광 및 폐광 지역을 관광 자원으로 활용 예 *석탄 박물관, 레일 바이크

② 강원권의 주요 도시별 전략 산업 육성: 춘천(바이오 산업)·*원주(의료 산업 클러스터)·강릉(해양·신소재 산업)을 선정, 도시별 특성화 전략 추진

③ 2018년 평창 동계 올림픽 개최: 사회 기반 시설 확충 및 지역 경제 활성화 기대

└ 오늘날 강원 지방은 바이오, 의료 기기, 신소재, 정보 통신 기술 산업 간의 복합화 전략을 통해 고부가 가치를 창출하는 산업을 육성하고 있어.

★ **석탄 산업 합리화 정책**
석탄 산업의 채산성 악화에 따른 폐광으로 인한 사회적 문제 발생을 방지하기 위하여 정부가 1989년 취한 정책으로, 경제성이 약한 탄광을 정리하여 경제성이 높은 탄광을 집중 육성하기 위한 석탄 산업 조정 정책을 말한다.

★ **석탄 박물관**
과거 무연탄을 생산하던 강원도 태백, 충청남도 보령, 경상북도 문경에 있다. 석탄 박물관은 지역의 산업 시설을 관광 자원으로 개발한 사례에 해당한다.

★ **원주 의료 산업 클러스터**
원주시는 첨단 의료 기기 산업을 21세기 전략 산업으로 선정하여 세계적인 의료 기기 산업 도시로 도약하기 위해 노력하고 있다. 클러스터는 산업 집적지로, 유사 업종에서 다른 기능을 수행하는 기업, 기관들이 한 곳에 모여 있는 것을 의미한다.

완자 자료 탐구

내 옆의 선생님

자료 3 제3차 수도권 정비 계획의 공간 구조

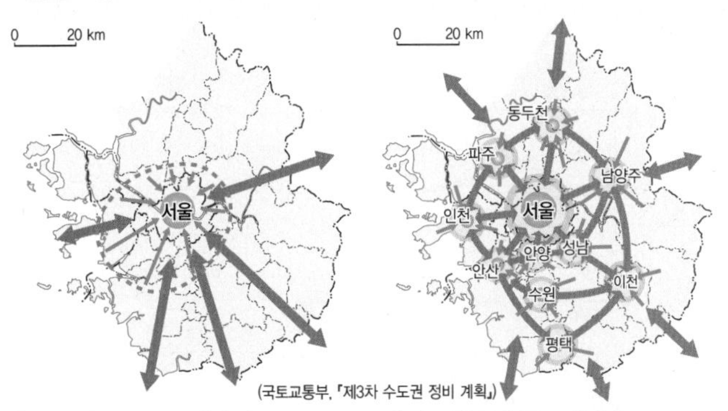

수도권 공간 구조 개편 전 / 수도권 공간 구조 개편 후

제3차 수도권 정비 계획(2006~2020년)은 수도권에 과도하게 집중된 인구와 기능을 적정하게 분산 배치하여 수도권을 균형 있게 발전시키기 위한 종합 계획이다. 수도권을 다핵 연계형 공간 구조로 전환, 지역별 특성을 고려한 클러스터형 산업 벨트 구축, 서울 중심의 방사형 교통 체계에서 환상 격자형 교통 체계로 전환, 수도권 내 낙후 지역 개발을 통한 균형 있는 발전 촉진 등을 기본 방향으로 설정하였다.

자료 4 영서와 영동 지방의 기후 특성

꼭! 태백산맥과 수심이 깊은 동해의 영향으로 겨울이 온난해.

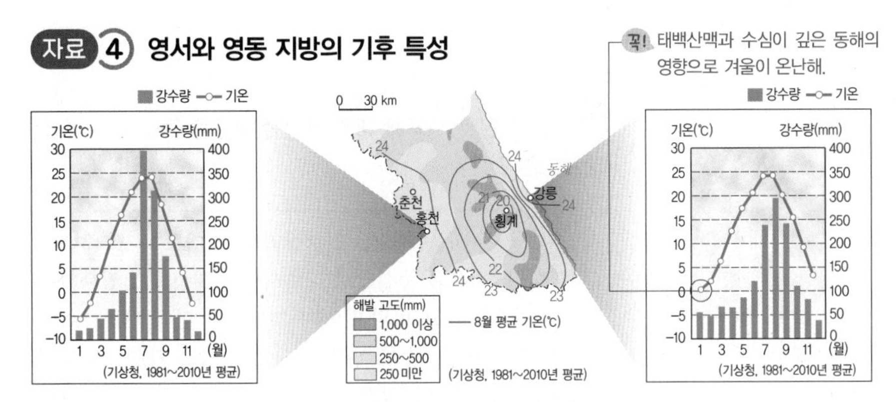

해발 고도가 높은 영서 지방(홍천)은 여름철이 짧고 서늘하지만, 겨울철이 길고 추운 편이다. 반면, 영동 지방(강릉)은 태백산맥이 한랭한 북서 계절풍을 막아 주고 상대적으로 따뜻한 동해의 영향 때문에 영서 지방보다 겨울철이 따뜻하다.

자료 5 태백시의 산업별 종사자 비중 변화

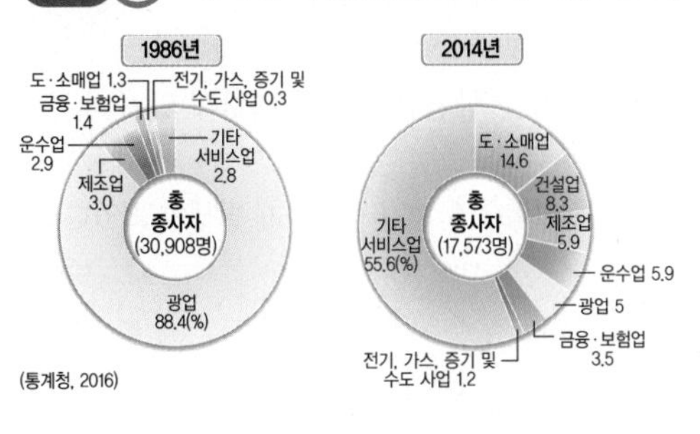

광산 개발로 호황을 누리던 태백시는 석탄 생산량 감소로 지역 경제가 침체되었고, 인구의 절반 이상이 감소하였다. 현재 태백시의 산업 구조는 광업으로 대표되던 2차 산업 중심에서 도·소매업과 숙박 및 음식업 위주의 3차 산업 중심으로 변화되었다.

정리 비법을 알려줄게!

제3차 수도권 정비 계획

목표	수도권에 과도하게 집중된 인구와 기능을 적정하게 분산 배치하여 수도권을 균형 있게 발전시킴
공간 계획	다핵 연계형 공간 구조로 전환, 지역별 특성을 고려한 클러스터형 산업 벨트 구축
교통망	서울 중심의 방사형에서 환상 격자형으로 개편

문제로 확인할까?

영동과 영서 지방의 기후 특징에 대한 설명으로 옳은 것은?

① 두 지역은 소백산맥의 영향을 크게 받는다.
② 영서 지방의 고위 평탄면은 여름철이 서늘하다.
③ 영서 지방은 영동 지방보다 연중 강수량이 고르다.
④ 영동 지방은 바다의 영향으로 기온의 연교차가 크다.
⑤ 영동 지방은 북서 계절풍의 영향으로 영서 지방보다 겨울철에 춥다.

② 답

문제로 확인할까?

1986년에 비해 2014년 태백시의 산업별 종사자 비중이 감소한 산업은?

① 광업
② 제조업
③ 운수업
④ 금융·보험업
⑤ 기타 서비스업

① 답

STEP 1 **핵심 개념 확인하기**

정답친해 78쪽

1 빈칸에 들어갈 내용을 쓰시오.

(1) 수도권은 행정 구역상 서울특별시, (　　　　), 경기도를 포괄하는 지역이다.

(2) 강원 지방은 (　　　　)을 경계로 동쪽을 영동 지방, 서쪽을 영서 지방으로 구분한다.

(3) 수도권에서는 2차 산업의 비중이 감소하고 3차 산업의 비중이 증가하는 (　　　　) 현상이 나타나고 있다.

2 다음 설명이 맞으면 ○표, 틀리면 ×표를 하시오.

(1) 산업 구조의 고도화로 경기도에는 지식 기반 서비스업이, 서울에는 지식 기반 제조업이 발달하고 있다. (　　)

(2) 영동 지방은 반농 반어촌의 경관이 나타나며, 아름다운 해안 지형과 항만을 바탕으로 관광 산업이 발달하였다. (　　)

(3) 인천은 경인선과 경인 고속 국도 등이 개통되면서 서울과 관계가 더욱 긴밀해졌으며, 오늘날에는 인천국제공항과 인천항이 수도권의 관문 역할을 하고 있다. (　　)

3 수도권 문제 해결을 위한 제도를 옳게 연결하시오.

(1) 인구 집중을 유발하는 업무 및 상업 시설이 들어설 때 부담금을 부과하는 제도 •　　• ㉠ 수도권 공장 총량제

(2) 매년 새로 지을 공장 건축 면적을 총량으로 설정하여 이를 초과하는 공장의 건축을 규제하는 제도 •　　• ㉡ 과밀 부담금 제도

4 ㉠~㉣에 들어갈 용어를 각각 쓰시오.

태백산 지역 일대인 영월, 정선, 태백, 삼척 등은 (㉠　　　　)과 무연탄 매장량이 풍부하여 산업화 과정에서 국내 최대의 (㉡　　　　) 지역으로 성장하였다. 그러나 1989년 (㉢　　　　) 정책으로 폐광이 늘면서 인구가 감소하고 지역 경제가 침체되었다. 이러한 문제를 해결하기 위해 2000년대 이후부터는 탄광 관련 시설을 (㉣　　　　) 자원으로 활용하고, 리조트 등 각종 관광 시설을 지어 지역 경제를 활성화하려는 노력이 진행되고 있다.

STEP 2 **내신 만점 공략하기**

01 그래프는 수도권의 제조업 사업체 수 변화를 나타낸 것이다. (가)~(다)에 해당하는 지역을 옳게 연결한 것은?

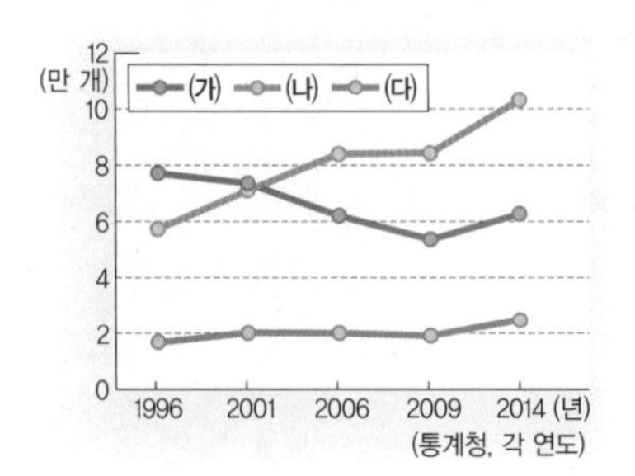

	(가)	(나)	(다)
①	경기	서울	인천
②	경기	인천	서울
③	서울	경기	인천
④	서울	인천	경기
⑤	인천	경기	서울

02 밑줄 친 ㉠~㉣에 대한 옳은 설명만을 〈보기〉에서 있는 대로 고른 것은?

> ㉠ 수도권은 서울특별시, 인천광역시, 경기도를 포함하는 지역이다. 서울을 중심으로 대도시권을 형성하고 있으며, ㉡ 수도권의 공간 범위가 점차 확대되고 있다. 서울특별시는 우리나라의 수도로 주요 국가 기관과 각종 기능이 집중적으로 분포해 있고, 인천광역시는 ㉢ 국제 물류 기능이 발달하였다. 경기도는 인구와 산업의 교외화, 제조업의 성장 등을 바탕으로 빠르게 성장하여 오늘날 ㉣ 우리나라에서 인구가 가장 많은 지역이 되었다.

보기

ㄱ. ㉠은 우리나라의 중서부에 위치해 있다.
ㄴ. ㉡의 원인으로는 교통수단의 발달이 해당된다.
ㄷ. ㉢이 발달한 이유는 항만과 공항이 위치해 있기 때문이다.
ㄹ. ㉣로 인해 최근 고령화 문제가 심각하게 발생하고 있다.

① ㄱ, ㄴ　② ㄱ, ㄷ　③ ㄱ, ㄴ, ㄷ
④ ㄱ, ㄴ, ㄹ　⑤ ㄴ, ㄷ, ㄹ

중요
03 자료에 대한 옳은 설명을 〈보기〉에서 고른 것은?

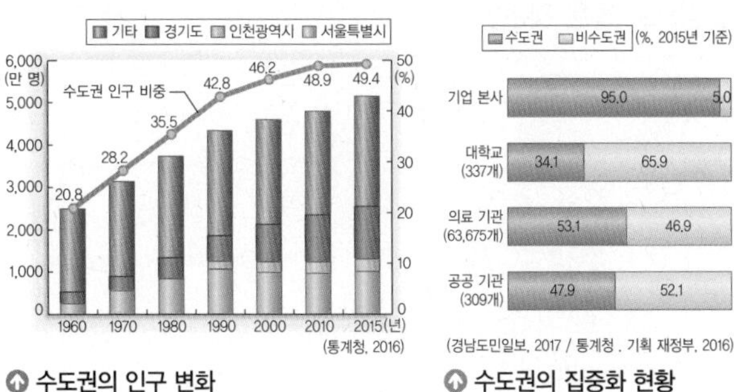

수도권의 인구 변화　　수도권의 집중화 현황

보기
ㄱ. 비수도권이 수도권보다 기업 활동에 유리하다.
ㄴ. 수도권의 공공 기관 집중도는 대학교 집중도보다 높다.
ㄷ. 경기·인천의 인구가 서울의 인구를 추월한 것은 1980년대이다.
ㄹ. 수도권의 인구 증가율은 2000~2010년보다 1970~1980년이 높다.

① ㄱ, ㄴ　② ㄱ, ㄷ　③ ㄴ, ㄷ　④ ㄴ, ㄹ　⑤ ㄷ, ㄹ

04 다음에서 설명하는 (가), (나) 지역을 지도의 A~D에서 골라 옳게 연결한 것은?

(가) 출판 도시라는 지역 브랜드화를 추진하고 있다. 또한 예술인들의 작업실이 갖추어져 있으며, 일반인들도 이용할 수 있는 다양한 문화 공간이 마련되어 있다.
(나) 정조가 주민 거주 공간 마련과 국가 방어 등의 이유로 축성한 계획 도시이며, 역사·문화적 가치를 인정받아 세계 문화 유산으로 등재된 전통문화 공간이다.

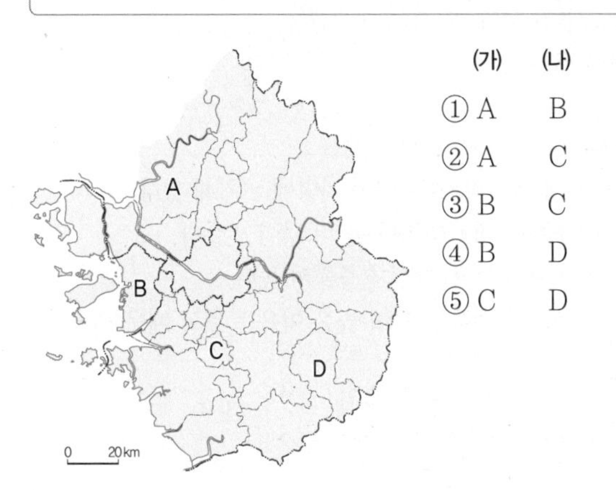

	(가)	(나)
①	A	B
②	A	C
③	B	C
④	B	D
⑤	C	D

05 지도의 철도가 완공될 경우 나타날 현상에 대한 추론으로 옳은 것은?

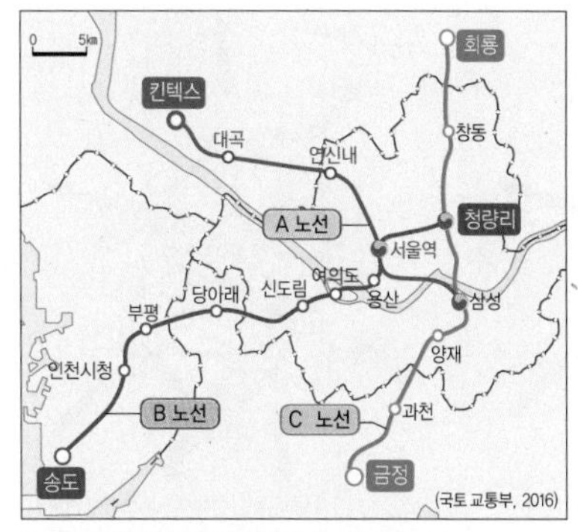

수도권 광역 급행 철도 노선 계획

① 교통 발달로 서울의 인구가 급증할 것이다.
② 서울의 거주지 교외화 현상이 축소될 것이다.
③ 서울로 통근·통학하는 인구가 증가할 것이다.
④ 서울의 동부쪽 경기도 지역의 개발이 가속화될 것이다.
⑤ 서울과 주변 도시 간 주거·산업 등의 기능이 철저하게 구분될 것이다.

06 그래프는 수도권 산업 구조 변화를 나타낸 것이다. 이에 대한 옳은 설명을 〈보기〉에서 고른 것은?

보기
ㄱ. 수도권의 산업 구조가 고도화되고 있다.
ㄴ. 수도권의 산업 구조는 탈공업화가 진행되고 있다.
ㄷ. 인천의 2차 산업 종사자 수는 서울의 2배 이상이다.
ㄹ. 2차 산업의 비중이 감소하면서 제조업의 생산액이 감소하였다.

① ㄱ, ㄴ　② ㄱ, ㄷ　③ ㄴ, ㄷ　④ ㄴ, ㄹ　⑤ ㄷ, ㄹ

07 지도는 제3차 수도권 정비 계획을 나타낸 것이다. 이와 관련된 옳은 설명만을 〈보기〉에서 있는 대로 고른 것은?

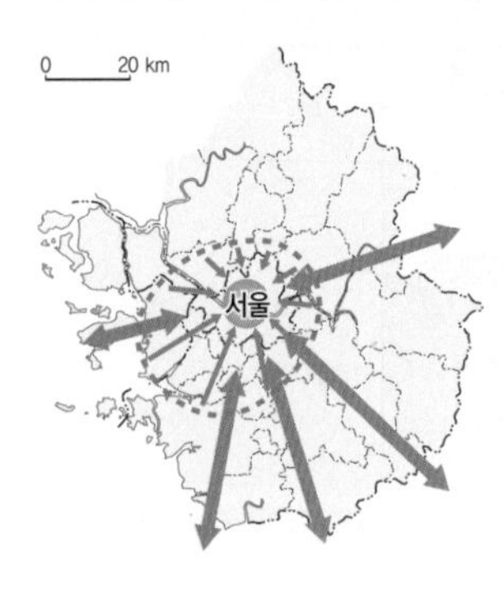

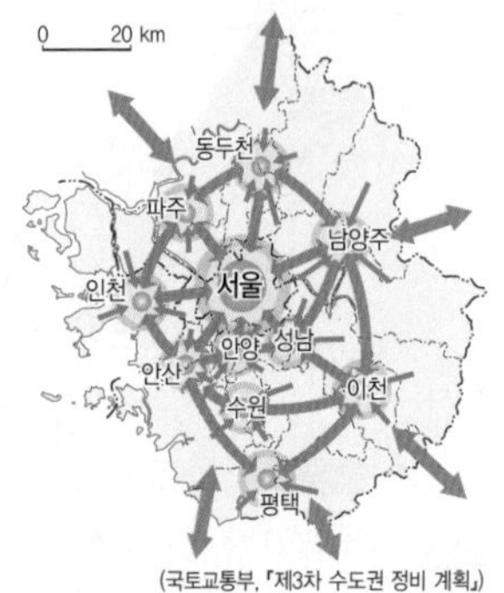

(국토교통부, 「제3차 수도권 정비 계획」)

▲ 수도권 공간 구조 개편 전 ▲ 수도권 공간 구조 개편 후

보기

ㄱ. 환상 격자형 교통 체계 구축
ㄴ. 서울 중심의 단핵형 공간 구조 구축
ㄷ. 안양, 성남, 수원 등 지역 중심 도시 간 연계 강화
ㄹ. 통근권과 생활권 등을 고려하여 인천과 경기 지역에 자립적 도시권 형성

① ㄱ, ㄴ ② ㄱ, ㄷ ③ ㄱ, ㄴ, ㄷ
④ ㄱ, ㄷ, ㄹ ⑤ ㄴ, ㄷ, ㄹ

08 다음 수행 평가의 탐구 주제로 가장 적절한 것은?

〈수행 평가: 수도권의 문제〉

▲ 수도권과 비수도권의 통근 시간 비교

[과제] 그래프를 통해 알 수 있는 수도권 문제를 찾고, 이와 관련된 탐구 주제로 보고서를 작성하시오.

① 수도권과 비수도권의 지가 차이 비교
② 통근 시간 증가와 인구 감소와의 관계
③ 수도권 교통 문제로 인한 사회적 비용 증가
④ 수도권 내 철도망 확충에 따른 자연환경 파괴
⑤ 교통수단의 발달이 도시권 확대에 미치는 영향

09 (중요) 지도는 강원도의 지역 구분을 나타낸 것이다. 이에 대한 설명으로 옳은 것은?

① A 지역은 과거 경기 지방보다 영남 지방과의 교류가 활발하였다.
② B 지역은 봄철 높새바람에 의한 가뭄 피해가 발생한다.
③ A 지역은 B 지역보다 강수의 하계 집중률이 낮다.
④ B 지역은 A 지역보다 고랭지 농업이 발달하였다.
⑤ A 지역은 침식 분지, B 지역은 해안 평야에 주요 도시가 입지해 있다.

10 A, B는 강원도의 두 지역의 기후 그래프이다. 이에 대한 옳은 설명을 〈보기〉에서 고른 것은? (단, 지도에 표시된 지역은 A, B 기후 그래프가 나타나는 두 곳이다.)

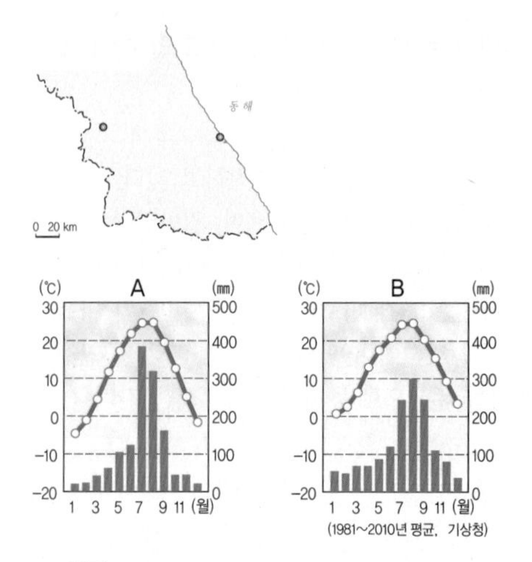

보기

ㄱ. A는 영서 지방, B는 영동 지방에 위치해 있다.
ㄴ. A가 B보다 바다의 영향을 더 많이 받는다.
ㄷ. B가 A보다 겨울 강수 집중률이 높다.
ㄹ. B가 A보다 겨울 기온이 높은 이유는 위도 때문이다.

① ㄱ, ㄴ ② ㄱ, ㄷ ③ ㄴ, ㄷ
④ ㄴ, ㄹ ⑤ ㄷ, ㄹ

● 정답 친해 80쪽

11 다음 글에서 설명하는 지역을 지도에서 고른 것은?

> ○○시는 강원도 영서 지역의 대표적인 도시로, 각종 용수 공급 및 홍수 조절, 전력 생산 등의 역할을 하는 소양강 댐이 유명하다. 댐 건설로 조성된 소양호는 규모가 크고 경관이 아름다워 ○○시를 대표하는 관광지 중 하나이다. 최근 ○○시는 바이오 산업을 기반으로 한 첨단 산업 중심의 산업 구조 고도화를 추진하고 있다.

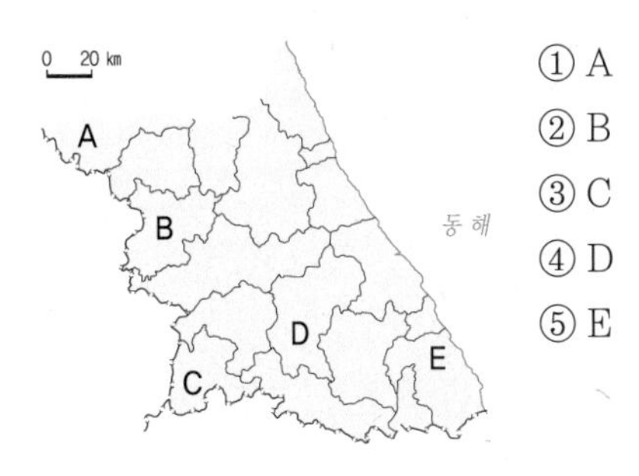

① A
② B
③ C
④ D
⑤ E

12 그래프는 태백시의 산업별 종사자 비율 변화를 나타낸 것이다. A~C 산업을 옳게 연결한 것은?

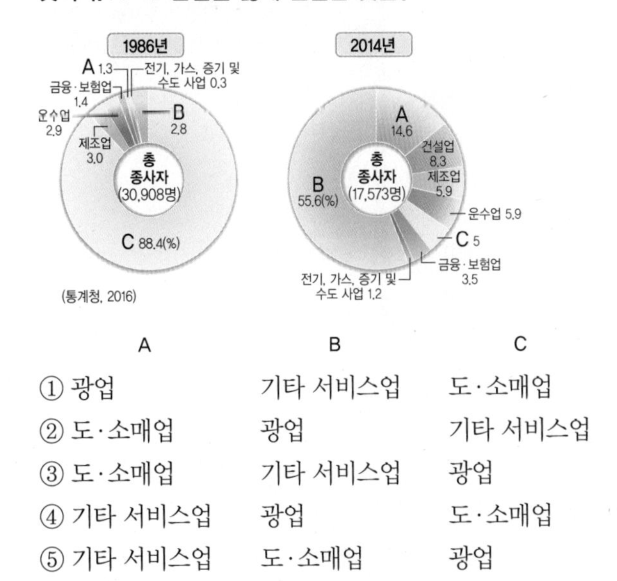

	A	B	C
①	광업	기타 서비스업	도·소매업
②	도·소매업	광업	기타 서비스업
③	도·소매업	기타 서비스업	광업
④	기타 서비스업	광업	도·소매업
⑤	기타 서비스업	도·소매업	광업

01 그래프를 보고 수도권에 지식 기반 산업이 발달한 이유와 수도권 내에서의 공간적 분업 특징을 서술하시오.

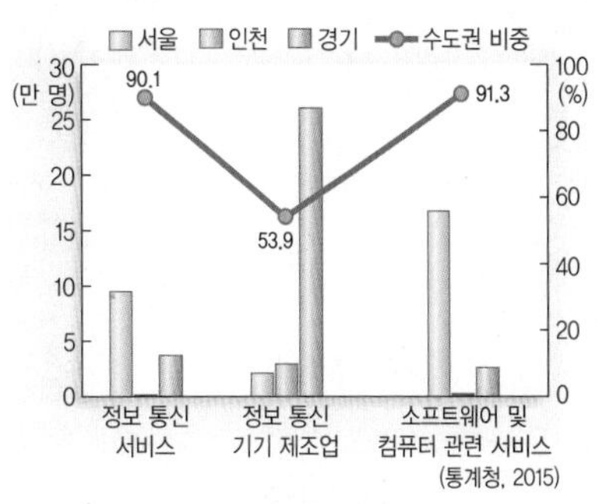

⊙ 정보 통신 기술 산업 부문별 종사자 수

02 자료는 홍천과 강릉의 기후를 비교한 것이다. 이를 보고 물음에 답하시오.

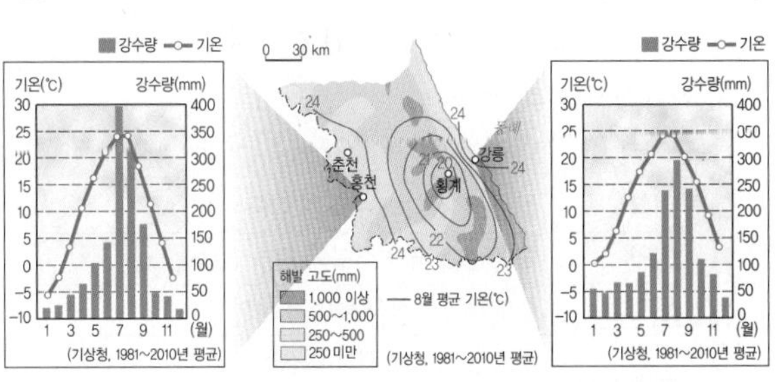

(1) 위도가 비슷한 홍천과 비교했을 때 강릉의 겨울철 기온이 높은 이유를 서술하시오.

(2) 홍천의 여름철(6~8월) 강수 집중률이 높은 이유와 강릉의 겨울철(12~2월) 강수 집중률이 높은 이유를 서술하시오.

STEP 3 1등급 정복하기

1 자료에 대한 설명으로 옳지 않은 것은?

▶ 서울 및 수도권의 집중도

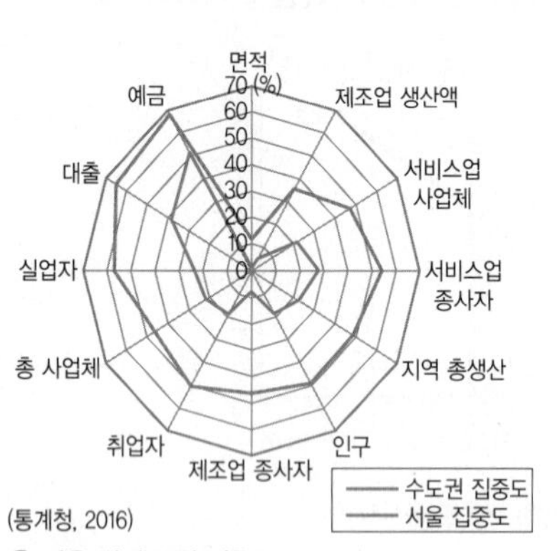

(통계청, 2016)

⊙ 서울 및 수도권 집중도

(금융 감독원, 2014)

⊙ 우리나라 100대 기업의 본사 분포

① 예금액은 서울이 전국에서 가장 많다.
② 서울의 인구 비중과 취업자 비중은 거의 비슷하다.
③ 제조업 생산액 비중은 비수도권이 수도권보다 높다.
④ 100대 기업의 본사는 수도권에 80% 이상 집중해 있다.
⑤ 수도권의 제조업 종사자당 생산액 비중은 비수도권보다 높다.

교육청 응용

2 다음은 지역 격차와 관련된 조사 계획서의 일부이다. (가)~(마)에 들어갈 항목에 대한 설명으로 옳지 않은 것은?

▶ 주요 공업의 입지

완자샘의 시험 꿀팁
수도권이 당면한 문제를 생각하고 그 원인과 해결 방안을 정리해야 한다.

1) 조사 주제: 수도권과 비수도권 간 격차
2) 조사 내용 및 항목

구분	내용	조사 항목
현황	인구 및 산업의 수도권 집중	(가)
원인	1960년대 국가 주도의 개발 정책	(나)
문제점	수도권에서 집적 불이익 발생	(다)
해결 노력	수도권 기능의 지방 이전	(라)
	수도권의 과도한 인구 및 기능 집중 억제	(마)

① (가) – 전국 대비 수도권의 인구 및 지역 내 총생산 비중
② (나) – 지역의 특성을 살린 상향식 지역 개발 정책의 사례
③ (다) – 수도권의 지가 및 대기 오염의 사회적 비용
④ (라) – 공공 기관의 세종특별자치시 이전 효과
⑤ (마) – 수도권 공장 총량제와 과밀 부담금 제도의 효과

교육청 응용

3 **자료는 어느 군(郡)에서 개최되는 주요 축제를 정리한 것이다. 이 지역에 대한 설명으로 옳은 것은?**

> 강원도의 지역별 특징

완자쌤의 시험 꿀팁

지역의 자연환경과 인문 환경을 통합적으로 묻는 문제가 출제될 수 있다.

- 2월 눈꽃 축제: 설원에 펼쳐진 대형 눈 조각 감상
- 5월 곤드레 축제: 건강에 좋고 맛도 좋은 산채 맛보기
- 7~8월 국제 음악제: 서늘한 고원과 고전 음악의 앙상블 감상
- 9월 효석 문화제: 하얗게 흐드러진 메밀꽃 감상
- 11월 고랭지 김장 축제: 속이 꽉 찬 맛있는 배추로 김치 담그기

① 一 자형의 개방적인 홑집 구조가 나타난다.
② 바다의 영향으로 겨울철 기온이 높고 강수량이 많은 편이다.
③ 수직의 현무암 협곡 사이에서 래프팅하는 경관을 볼 수 있다.
④ 고온 다습한 기후로 인해 활엽수림이 자라며 적색토가 분포한다.
⑤ 신생대 제3기 경동성 요곡 운동으로 형성된 고위 평탄면이 나타난다.

4 **다음 글의 (가), (나) 지역을 지도의 A~D에서 골라 옳게 연결한 것은?**

> 강원도의 지역 특성

- (가)는 2018년 동계 올림픽 개최지이다. 풍력 발전이 많이 이루어지며 고랭지 채소 재배가 활발하다.
- (나)는 1990년 인구가 약 9만 명이었으나, 석탄 산업 합리화 정책의 영향으로 폐광이 늘어나면서 2015년 약 4만 5천명으로 인구가 감소하였다.

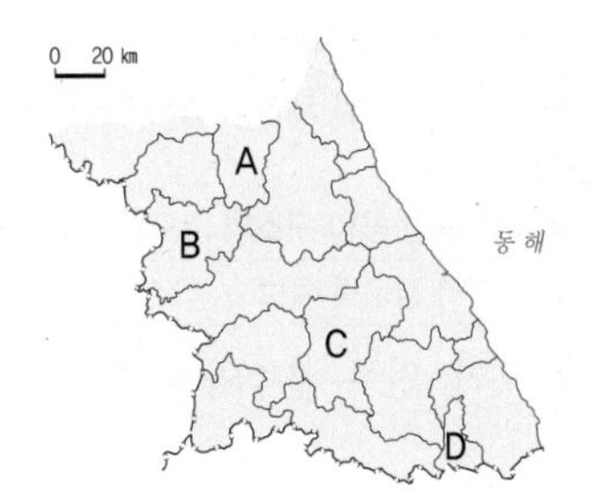

	(가)	(나)
①	A	B
②	B	C
③	C	A
④	C	D
⑤	D	A

04 충청 지방과 호남 지방

학습목표
- 충청 지방의 입지 특성과 교통 발달, 도시 및 산업 단지 조성에 따른 지역의 변화 모습을 설명할 수 있다.
- 호남 지방의 농지 개간과 최근 산업 구조 변화를 파악할 수 있다.

1 빠르게 성장하는 충청 지방

1. 충청 지방의 특색

(1) **위치와 특색**: 세종특별자치시, 대전광역시, 충청북도, 충청남도 – 남한의 중앙에 위치
(충청북도, 충청남도 ─ 전통적 지역 구분에서 호서 지방이라고 해.)
(남한의 중앙에 위치 ─ 경기도, 전라북도, 강원도, 경상북도와 맞닿아 있어.)

(2) **교통의 발달로 성장하는 충청 지방**

① 과거: 금강 유역은 전통적으로 하천 교통의 중심지(공주, 부여, *강경)였으나, 일제 강점기 이후 육상 교통 발달과 금강 하굿둑 건설로 내륙 수운 쇠퇴

② 현재: 경부·호남·중부 내륙·중앙·서해안 고속 국도 및 고속 철도 개통, 수도권 전철 연장 → 교통·물류 중심지
(현재 ─ 수도권의 산업, 행정, 대학 등 다양한 기능이 이전해 있어.)

2. 충청 지방의 지역 구조 변화

(1) **도시 성장** 자료①

기업 도시	충주는 지식 기반형 산업 발달, 태안은 관광 레저형 산업 성장
혁신 도시	충청북도 진천 및 음성은 정부 기관의 이전 및 산·학·연·관의 협력을 바탕으로 한 도시 성장
세종특별자치시	2012년 7월 1일 수도권에 집중된 행정 기능을 분담하기 위해 출범
내포 신도시	홍성·예산 일대에 건설, 충청남도 도청, 도의회 등 충청남도의 행정 기능 이전

(2) **공업 발달**: 편리한 교통 조건, 수도권 공장 총량제 및 규제에 따른 공업 이전 등 자료②

중화학 공업	서산(석유 화학 공업), 당진(제철 공업), 아산(전자 공업과 자동차 공업)
첨단 산업	• 대전광역시: 대덕 연구 단지를 중심으로 첨단 산업 발달 • 청주: *오송 생명 과학 단지 및 첨단 의료 복합 단지, 오창 과학 산업 단지

이것이 핵심!

충청 지방의 도시 성장

기업 도시	충북 충주와 충남 태안
혁신 도시	충북 진천 및 음성 일대
세종특별자치시	중앙 행정 기능 분담을 위해 2012년 출범
내포 신도시	홍성과 예산 지역으로 충남 도청 등의 행정 기능 이전

★ **강경**
강경은 강경포(江景浦)에서 유래된 지명이다. 강경은 과거 바다와 하천을 연결하는 중요한 포구였으나 호남선 철도의 개통으로 강경의 중심지도 포구에서 철도역 주변으로 이동하였다.

★ **오송 생명 과학 단지**
2008년 준공된 바이오 산업 전문 단지로 기업, 대학, 연구소, 국책 기관이 연계되어 인력 양성 및 연구 개발, 제조, 판매에 이르는 과정을 지원한다.

왜? 내포 신도시가 건설된 이유는 상대적으로 낙후된 충남 서북부 내륙 지역을 활성화시키기 위해서야.

2 다양한 산업이 발달하는 호남 지방

1. *호남 지방의 농지 개간과 간척 사업

(호남 지방 ─ 광주광역시, 전라북도, 전라남도)
(농지 개간과 간척 사업 ─ 산미 증식 계획을 위해 넓은 면적의 저습지와 갯벌이 농지로 바뀌었어.)

(1) **일제 강점기**: 수탈을 위해 수리 시설 확충, 간척 사업을 통해 농지와 마을을 조성

(2) **광복 이후**: 지속적으로 농지 개간과 간척 사업 진행

① 계화도 간척지: 1965년 섬진강 댐이 건설되면서 삶의 터전을 잃게 된 사람들을 수용하기 위해 조성되었으며, 간척지는 농경지로 이용되어 식량 증산에 큰 역할을 했음

② 새만금 간척 사업: 우리나라 최대의 간척 사업
(새만금 간척 사업 ─ 초기에는 농업 용지로 계획되었으나, 공업·관광·신·재생 에너지 개발 등 다양한 용도로 활용될 계획이야.)

2. 호남 지방의 산업 구조의 변화

(1) **호남 지방의 산업 구조** 교과서 자료

농업	벼농사가 활발하게 이루어져 국내 쌀 생산량의 1/3 차지, 우리나라 최대의 곡창 지대
공업	• 과거: 여수 석유 화학 산업 단지가 조성되며 공업화 시작(1970년대), 광양 제철소 입지(1980년대), 중국과의 교역 확대를 위해 대불 및 군산 산업 단지 조성(1990년대) • 오늘날: 광주는 광(光) 산업, 전주는 첨단 부품 소재 산업 육성을 통한 공업 구조의 고도화 추진
관광 산업	다양한 관광 자원을 활용한 지역 축제 개최, 생태 관광 발달 → 지역 경쟁력 확보

(2) **호남 지방의 발전 방향**: 새만금·광양만 일대는 경제 자유 구역, 전주·완주와 나주 일대는 혁신 도시로 지정 → 지역 개발 추진

(광(光) 산업 ─ 영상, 음성 등의 전기 신호를 빛의 신호로 바꾸어 보내는 광학 기술을 중심으로 한 산업)

이것이 핵심!

호남 지방의 공업 변화

과거
1970년대 여수 석유 화학 산업 단지, 1980년대 광양 제철소, 1990년대 대불·군산 산업 단지 완공으로 중화학 공업 발달

오늘날
광(光) 산업, 첨단 부품 소재 산업 육성을 통한 공업 구조의 고도화 추진

★ **호남 지방의 지형**

동부 산지	노령산맥과 소백산맥 일대의 산지
서·남부의 평야 및 도서 지역	• 호남평야, 나주평야 • 서남부 해안 지역 – 갯벌과 리아스 해안 발달

완자 자료 탐구

내 옆의 선생님

자료 1 충청 지방의 인구 증감

▲ 충청 지방의 인구 변화(2000~2015년)

충청 지방의 인구 변화를 보면 수도권과 인접한 천안·아산, 제조업이 발달한 당진·서산 등은 수도권의 인구와 기능이 분산되면서 인구가 성장하였다. 충청남도 내륙에 위치한 청양, 경상북도와 전라북도에 인접한 내륙 지역인 괴산, 보은, 옥천, 영동, 금산, 논산 등은 인구가 정체하거나 감소하였다.

자료 2 충청 지방의 제조업 발달

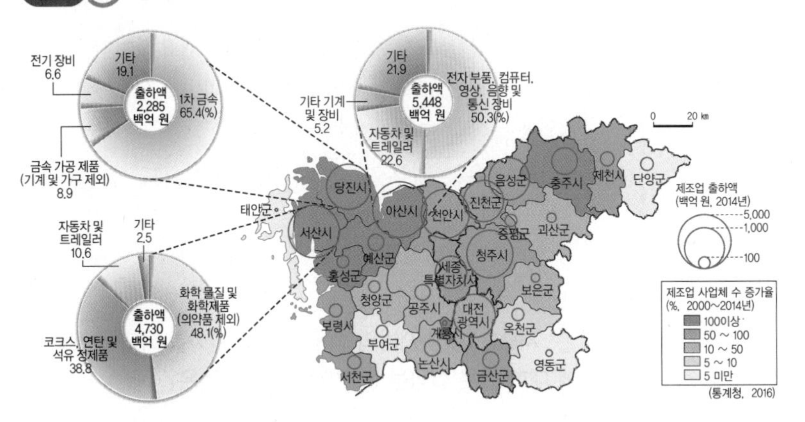

충청 지방의 제조업 사업체 수 증가율은 서산, 당진, 아산, 천안, 충주 등에서 높게 나타나는데 주로 수도권과 인접한 지역이다. 이는 수도권에 있던 제조업체들이 이들 지역으로 분산되면서 나타나는 현상이다. 제조업 출하액은 아산, 서산, 당진 등이 많은데, 아산은 전자 부품, 컴퓨터, 영상, 음향 및 통신 장비 제조업, 당진은 1차 금속 제조업, 서산은 화학 물질 및 화학 제품 제조업의 출하액 비중이 가장 높게 나타난다.

자료 하나 더 알고 가자!

충청남도 도청의 이전지, 내포 신도시

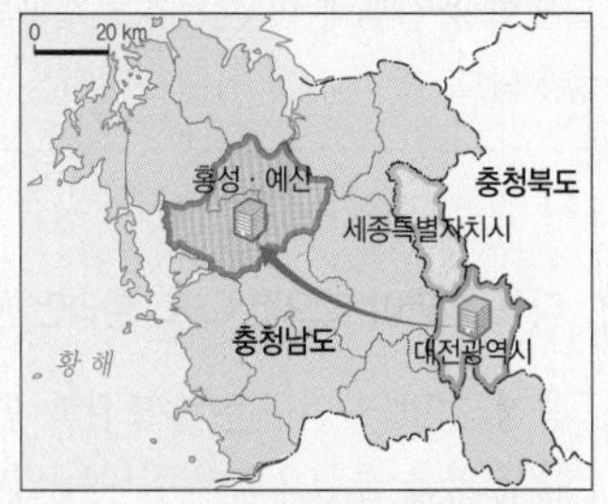

충청남도의 균형 발전과 환황해권 중심 도시의 개발을 위해 2013년 홍성군 홍북면과 예산군 삽교읍 지역에 조성된 내포 신도시로 충청남도 도청이 이전하였다.

문제로 확인할까?

충청 지방에서 1차 금속 제조업이 발달한 도시와 화학 물질 및 화학 제품 제조업이 발달한 도시를 순서대로 나열하면?

① 당진, 천안
② 당진, 서산
③ 서산, 아산
④ 서산, 천안
⑤ 천안, 당진

답 ②

수능이 보이는 교과서 자료 제조업이 발달한 호남 지방의 도시

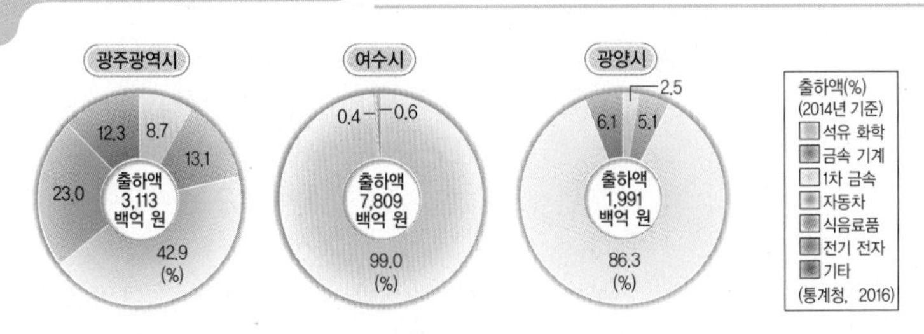

호남 지방은 1970년대 여수 석유 화학 산업 단지, 1980년대 광양 제철소가 입지하면서 광양만을 중심으로 중화학 공업이 발달하였다. 또한 1990년대 중반 이후 광주는 호남 지방의 자동차 공업 중심지로 크게 성장하였다.

완자샘의 탐구 강의

• 광주, 여수, 광양의 공업 구조의 특징을 서술하시오.

광주는 자동차 공업이 발달하여 자동차 및 트레일러 공업의 비중이 높으며, 여수는 석유 화학 공업의 비중이 높고, 광양은 제철 공업 발달로 1차 금속 공업의 비중이 높다.

함께 보기 250쪽, 내신 만점 공략하기 08

STEP 1 핵심 개념 확인하기

정답친해 81쪽

1 ㉠에 들어갈 도시를 쓰시오.

> 국토의 중심부에 위치한 충청 지방은 대전광역시, 충청북도, 충청남도, (㉠)를 포함하는 지역이다.

2 다음 설명이 맞으면 ○표, 틀리면 ×표를 하시오.

(1) 충청 지방의 인구는 수도권과 인접하거나 제조업이 발달한 지역을 중심으로 밀집되어 있다. ( )

(2) 충청 지방은 수도권 공장 총량제가 시행됨에 따라 수도권의 공업이 이전하면서 제조업이 꾸준하게 성장하고 있다. ( )

3 다음에서 설명하는 도시를 〈보기〉에서 골라 기호를 쓰시오.

> **보기**
> ㄱ. 강경 ㄴ. 대전 ㄷ. 진천 ㄹ. 청주

(1) 대덕 연구 단지를 중심으로 첨단 산업이 발달하였다. ( )

(2) 오송 첨단 의료 복합 단지 등의 국책 사업 추진으로 지식 기반 제조업 및 연구 개발 기능이 발달하고 있다. ( )

(3) 금강 유역에 위치한 도시로, 전통적인 하천 교통의 중심지였지만 일제 강점기 이후 육상 교통이 발달하면서 쇠퇴하였다. ( )

4 빈칸에 들어갈 내용을 쓰시오.

(1) 호남 지방의 ( )는 광(光) 산업, 전주는 첨단 부품 소재 산업으로 공업 구조의 고도화를 꾀하고 있다.

(2) 호남평야와 나주평야는 우리나라 최대의 곡창 지대로서 국내 ( ) 생산량의 약 1/3을 차지하고 있다.

5 ㉠~㉢에 들어갈 내용을 각각 쓰시오.

> 호남 지방의 공업은 1970년대 (㉠) 석유 화학 산업 단지, 1980년대 (㉡) 제철소가 조성되면서 발달하기 시작하였다. 1990년대 이후에는 중국과의 교역 확대를 목표로 (㉢), 군산 국가 산업 단지 등이 조성되면서 제조업의 비중이 증가하였다.

STEP 2 내신 만점 공략하기

01 ㉠~㉤에 대한 설명으로 옳지 않은 것은?

> ㉠ 충청 지방은 조선 시대부터 한양과 남부 지방을 연결하는 교통의 요충지였고, 각종 물자의 교류가 활발하였다. 특히 금강 유역에 있는 (㉡) 등은 전통적인 하천 교통의 중심지였다. 그러나 1900년대 초 ㉢ 경부선과 호남선 철도가 개통되면서 철도역이 들어선 도시들이 상업과 공업이 발달하였다. 이에 해당하는 대표적인 도시가 1989년 광역시로 승격한 (㉣)이다. 충청 지방은 철도와 ㉤ 도로 교통의 중심지로서 위상을 갖게 되었다.

① ㉠은 대전광역시, 세종특별자치시, 충청북도, 충청남도를 포함한다.
② ㉡에 들어갈 도시로는 '홍성, 예산'이 대표적이다.
③ ㉢으로 하천 교통이 쇠퇴하게 되었다.
④ ㉣에 들어갈 도시는 '대전'이다.
⑤ ㉤의 이유는 경부·호남·서해안 고속 국도 등 많은 고속 국도가 지나기 때문이다.

02 지도는 충청 지방의 시군별 인구 변화를 나타낸 것이다. 이에 대한 옳은 설명을 〈보기〉에서 고른 것은?

(통계청, 2016)

> **보기**
> ㄱ. 영남권에 가까운 지역은 인구가 증가하고 있다.
> ㄴ. 천안, 아산의 인구 증가는 교통로 확충과 관련이 있다.
> ㄷ. 수도권과 인접해 있는 지역의 인구 증가율이 대체로 높다.
> ㄹ. 인구가 증가하는 지역은 시 단위보다 군 단위에서 더 많이 나타나고 있다.

① ㄱ, ㄴ ② ㄱ, ㄷ ③ ㄴ, ㄷ
④ ㄴ, ㄹ ⑤ ㄷ, ㄹ

03 그래프는 충청 지방에 위치한 어느 지역의 제조업 업종별 출하액 비중을 나타낸 것이다. 이 지역을 지도의 A~E에서 고른 것은?

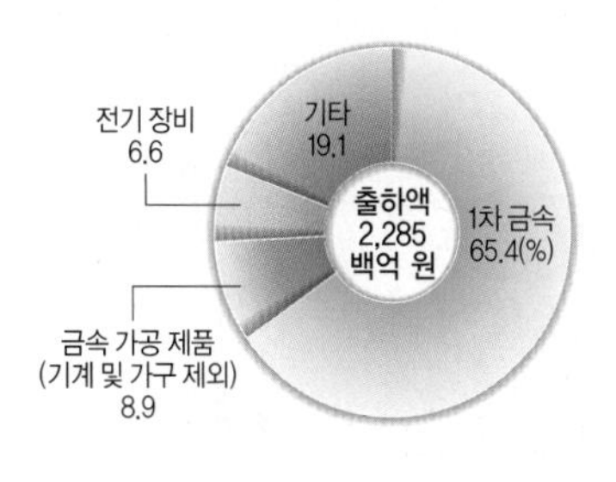

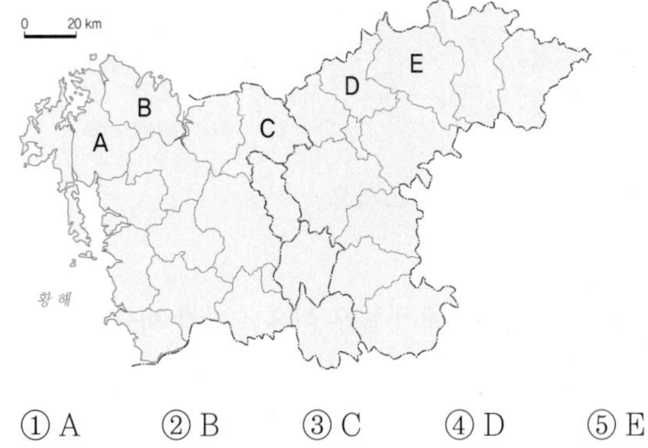

① A ② B ③ C ④ D ⑤ E

04 자료를 참고하여 보고서를 작성할 때 주제로 가장 적절한 것은?

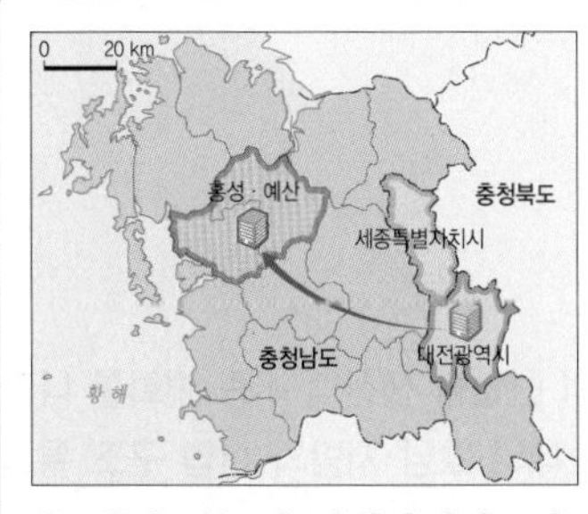

세종특별자치시는 수도권 과밀화 문제를 해결하기 위해 조성된 행정 중심 복합 도시이다. 내포 신도시로는 충남도청, 도의회 등 충청남도의 중추 행정 기능이 이전하였다. 이 도시들은 상대적으로 낙후된 충남 서북부 내륙 지역의 활성화에 도움을 줄 것으로 기대되고 있다.

① 혁신 도시의 지정에 따른 기대 효과
② 대중국 수출을 위한 공업 도시 건설의 필요성
③ 기업과 대학 등의 클러스터 조성이 미치는 영향
④ 교통 발달에 따른 충청 지방의 성장 가능성 확대
⑤ 국토의 균형 발전을 통해 성장이 기대되는 충청 지방

05 밑줄 친 ㉠~㉤에 대한 설명으로 옳지 않은 것은?

호남 지방은 북쪽으로는 ㉠ 충청 지방과 접하고, 동쪽으로는 ㉡ 영남 지방과 접해 있다. ㉢ 호남 지방은 우리나라 최대의 곡창 지대로 ㉣ 호남평야와 나주평야를 중심으로 대규모 농경지가 조성되어 있다. 호남 지방에서 대규모 벼농사가 본격적으로 시작된 것은 일제 강점기부터이며, 광복 이후 농지 개간과 ㉤ 간척 사업이 계속되었다.

① ㉠ – 금강을 경계로 한다.
② ㉡ – 차령산맥을 사이에 두고 있다.
③ ㉢ – 전국 쌀 생산량의 약 1/3을 차지하고 있다.
④ ㉣ – 만경강과 동진강 유역에 펼쳐진 평야이다.
⑤ ㉤ – 부안군 계화도, 영산강 하구 등에서 행해졌다.

06 자료는 호남 지방의 (가) 지역에 관한 내용이다. 이에 대한 옳은 설명을 〈보기〉에서 고른 것은?

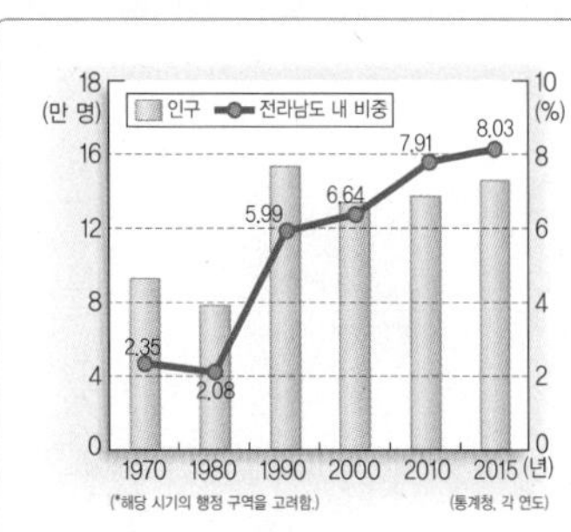

▲ (가)의 인구 변화

과거 (가) 지역은 1차 산업의 비중이 높았다. 1980년 당시 농가 인구는 약 6.3만 명, 어가 인구는 약 1.5만 명이었으며 제조업 종사자는 400여 명에 불과하였다. 그러나 1982년 제철소 건설이 시작되고 1992년 제철소가 완공됨에 따라 (가) 지역의 산업 구조는 크게 변화하였다.

보기

ㄱ. 전라남도의 인구는 2015년이 1990년보다 많을 것이다.
ㄴ. 1980년에 비해 2015년 (가)의 농가 인구는 증가했을 것이다.
ㄷ. 1980년에 비해 2015년 (가)의 제조업 종사자 인구는 증가했을 것이다.
ㄹ. (가)는 전라남도 광양시이다.

① ㄱ, ㄴ ② ㄱ, ㄷ ③ ㄴ, ㄷ
④ ㄴ, ㄹ ⑤ ㄷ, ㄹ

07 다음 답사 계획표를 보고 일정에 따른 경로를 지도에서 찾아 순서대로 나열한 것은?

구분	1일차	2일차
주요 일정	• 산비탈을 따라 펼쳐진 푸른 녹차밭 탐방 • 녹차를 활용한 음식 먹어 보기	• 람사르 협약에 등록되어 있는 갯벌 탐방 • 아름다운 갈대밭과 노을 감상

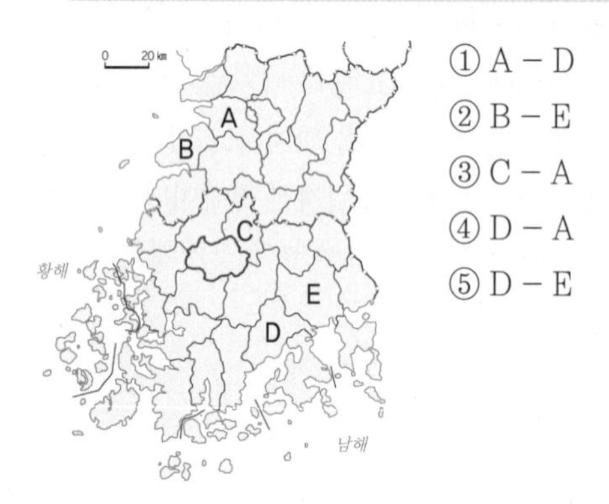

① A – D
② B – E
③ C – A
④ D – A
⑤ D – E

중요

08 그래프는 지도에 표시된 두 지역의 제조업 업종별 출하액 비중을 나타낸 것이다. A, B 제조업에 대한 옳은 설명을 〈보기〉에서 고른 것은?

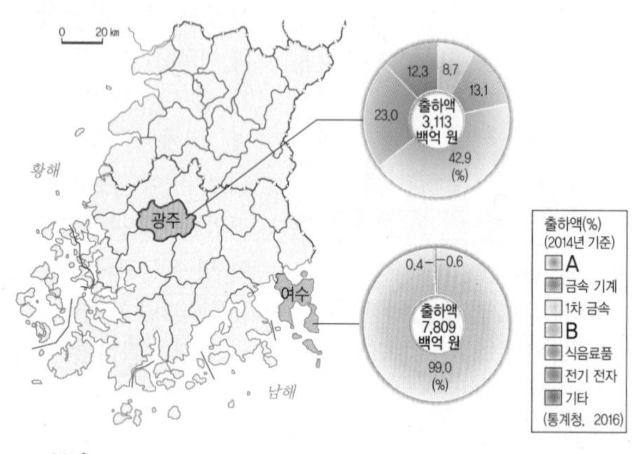

보기

ㄱ. A는 관련 공업의 집적이 이루어지는 종합 조립 공업이다.
ㄴ. B는 소비자와의 잦은 접촉을 필요로 하는 공업이다.
ㄷ. 호남권의 경우 A보다 B의 출하액 비중이 높다.
ㄹ. A에서 생산된 제품은 B의 주요 원료로 사용된다.

① ㄱ, ㄴ ② ㄱ, ㄷ ③ ㄴ, ㄷ
④ ㄴ, ㄹ ⑤ ㄷ, ㄹ

서술형 문제

● 정답친해 82쪽

01 지도는 충청 지방의 제조업 출하액을 나타낸 것이다. 이를 보고 물음에 답하시오.

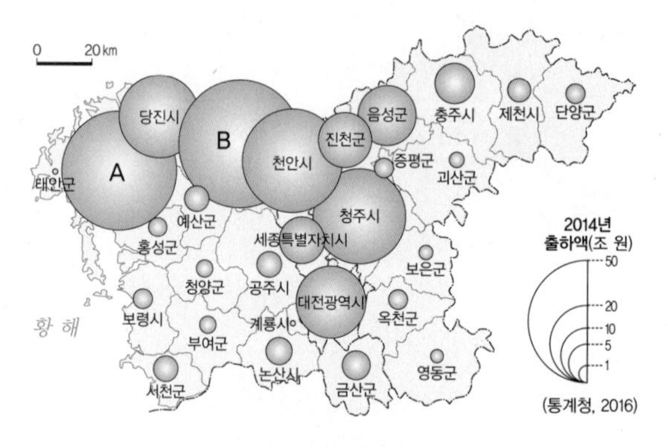

(1) A, B의 도시명을 각각 쓰시오.

(2) A, B의 제조업 출하액이 높은 이유를 각각 서술하시오.

02 그래프는 호남 지방의 산업별 생산액 비중 변화를 나타낸 것이다. 이를 보고 전국 대비 호남 지방의 산업 구조 특징을 서술하시오.

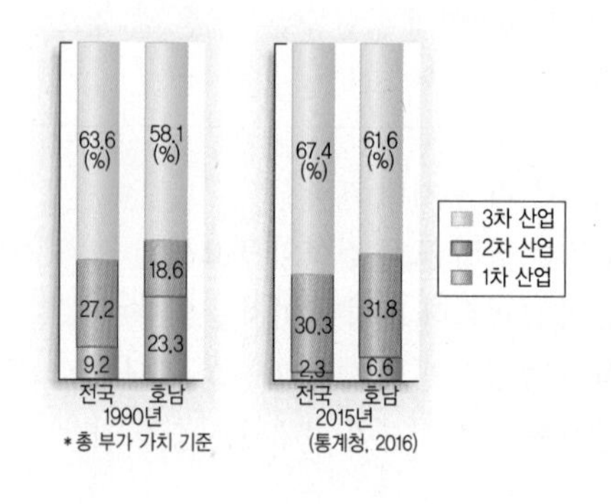

정답친해 83쪽

STEP 3 1등급 정복하기

1 자료를 통해 추론할 수 있는 충청 지방의 변화 모습으로 가장 적절한 것은?

수도권 전철 중 가장 노선이 긴 1호선은 2005년 1월 경기도 화성 병점역에서 충청남도 천안역까지 연장 개통되며 수도권과 충청 지방을 연결하였다. 2008년 12월에는 장항선(충청남도 천안역~전라북도 익산역)의 전철화 구간인 아산 신창역까지 연장 개통되어 현재 운행 중이다. 수도권 전철의 확장은 충청 지방에 많은 변화를 가져왔다. 수도권으로의 통근·통학 인구가 증가하였으며, 수도권에서 유입되는 인구가 증가하였다.

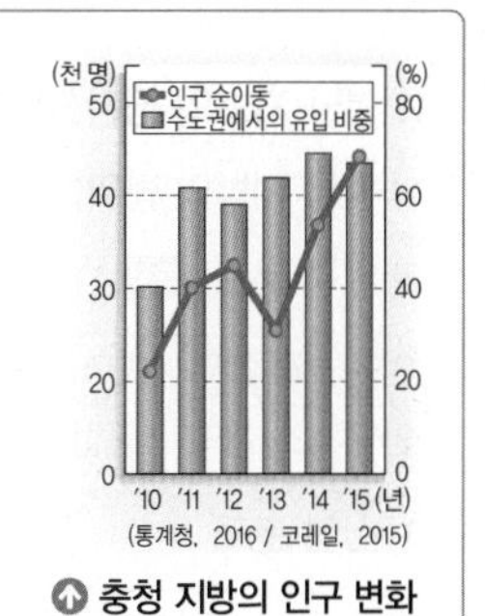

충청 지방의 인구 변화

① 다국적 기업의 본사가 이전해 올 것이다.
② 수도권과의 연계성이 더욱 높아질 것이다.
③ 항만과 연계한 산업 기능이 발달할 것이다.
④ 대중국 수출 기지로서의 역할을 담당하게 될 것이다.
⑤ 지식 기반 제조업의 발달로 지역 경제가 활성화될 것이다.

> 충청 지방의 변화

완자 사전

- **다국적 기업**
두 국가 이상에 제조 공장, 계열 회사 등의 법인을 등록하고 세계적 범위에서 생산·판매 등 경제 활동을 벌이는 기업

평가원 응용

2 (가)~(나) 지역을 지도의 A~D에서 골라 옳게 연결한 것은?

지역	관광 자원
(가)	매년 10월이면 호남평야의 벽골제에서 황금빛 들판과 지평선을 보며 즐기는 전통 농경 문화 체험 축제가 열린다.
(나)	한옥 마을은 일제 강점기 일본인들이 ○○성의 성곽을 헐고 성 안으로 들어오자, 이에 반발하여 우리나라 사람들이 풍남문 동쪽에 한옥촌을 형성하면서 생겨났다.

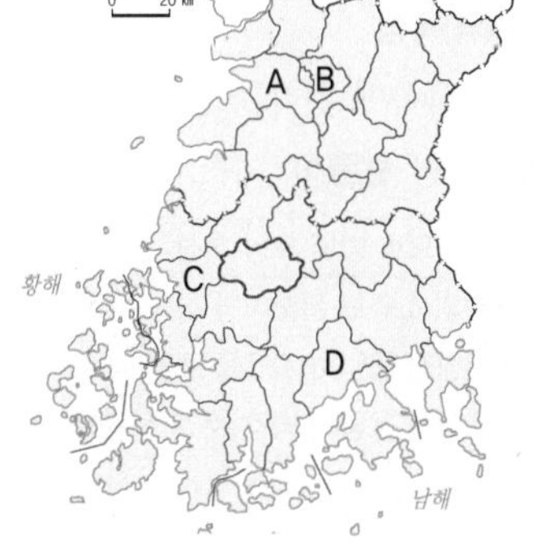

	(가)	(나)
①	A	B
②	A	C
③	B	C
④	B	D
⑤	C	D

> 호남 지방의 관광 자원

완자샘의 시험 꿀팁

호남 지방은 청정한 자연환경과 다양한 문화 유산을 기반으로 관광 산업을 발전시키고 있음을 알고 이를 정리해야 한다.

05 영남 지방과 제주도

학습목표
- 영남 지방의 공간 구조를 파악하고 주요 도시의 특징을 설명할 수 있다.
- 제주특별자치도의 자연적·인문적 특성을 파악할 수 있다.

이것이 핵심!

영남 지방의 주요 도시의 특징

부산	우리나라 제2의 도시이자 최대의 무역항, 영상 및 물류 산업 발달
대구	섬유 공업의 첨단화를 통해 고부가 가치 산업 육성
울산	우리나라의 산업화를 주도한 중화학 공업의 중심지
창원	기계 공업 단지가 입지해 있으며 인근의 마산, 진해와 통합

★ 영남 지역의 특화 공업

구미	전자 공업
대구	기계·섬유 공업
포항	철강 공업
울산	석유 화학·조선·자동차 공업
부산	기계·자동차 공업
창원	기계 공업
거제	조선 공업

1 공업과 함께 발달한 영남 지방

1. 영남 지방의 공간 구조

북쪽과 서쪽으로는 소백산맥, 동쪽으로는 태백산맥이 위치해 있어.

(1) 영남 지방의 범위: 부산광역시, 대구광역시, 울산광역시, 경상남도, 경상북도

(2) 인구 분포 자료 ①

인구 성장 지역	1970년대 이후 산업 단지가 입지한 영남 내륙과 남동 해안의 도시 예 대구, 울산, 창원 등
인구 감소 지역	공업 발달이 미약한 경상북도 북부와 경상남도 서부 지역 → 인구 고령화 현상 발생

(3) 산업 분포

농업	북부 내륙 지역은 과수 농업, 낙동강 하구 삼각주와 대도시 근교 지역은 시설 원예 농업이 발달함
제조업	• 영남 내륙 공업 지역: 편리한 육상 교통과 풍부한 노동력을 바탕으로 섬유, 전자 조립 산업 발달 • 남동 임해 공업 지역: 원료 및 제품 수출입에 유리하여 중화학 공업 발달

임해: 조차가 작고 수심이 깊어 물자 수송을 위한 대형 선박의 입·출항이 편리해.

2. *영남 지방 주요 도시의 특성

(1) 산업이 발달한 거점 도시 교과서 자료

부산	• 우리나라 제2의 도시, 최대의 무역항 → 물류 기능 강화 • 과거 신발 산업의 메카였으나 최근 영상 산업, 국제 물류, 금융 산업 중심으로 산업 구조 변화
대구	• 섬유 공업 경쟁력 약화 → 섬유 공업의 첨단화를 통해 고부가 가치 산업 육성 • 최근 조성되고 있는 국가 산업 단지와 대구 테크노폴리스를 통해 첨단 산업의 기반 조성
울산	우리나라의 산업화를 견인한 중화학 공업의 중심지 → 신성장 동력 산업 육성
창원	2010년 마산, 진해와 통합 및 경상남도 도청 이전, 기계 공업 단지로 제조업이 높은 비중을 차지

테크노폴리스: 지역 내부 또는 근교에 고급 기술과 연구 시설이 집중된 작은 도시

(2) 전통문화 도시

안동	조선 시대 고택과 서원, 향교 등 유교 문화 자원 풍부, 경상북도 도청 이전으로 행정 기능 강화
경주	신라의 수도였으며 불교와 관련된 유적이 많은 문화 관광 도시로 유네스코 세계 문화 유산 보유

유네스코 세계 문화 유산: 세계 문화 유산으로 불국사, 석굴암, 경주 역사 유적 지구, 양동 마을이 있어.

이것이 핵심!

제주도의 잠재력

지역 특성	연평균 기온이 높으며, 다양한 화산 지형과 제주도만의 독특한 문화가 나타남
발전 전략	MICE 산업 및 고부가 가치 관광 산업 육성 → 세계적인 관광지로 도약

★ 마이스(MICE) 산업

Meetings(회의), Incentives(기업의 포상 및 연수 목적의 여행), Conventions(학회, 협회가 주최하는 총회 및 회의), Exhibitions(전시회, 박람회, 스포츠 이벤트 등)의 약어로 종합 관광 산업을 의미한다.

제주도는 귀농·귀촌을 원하는 이주민들과 창업자들의 제주도 정착이 늘면서 인구가 증가하고 있어.

2 세계적인 관광지로 발전하는 제주도

제주도는 다채로운 자연환경을 바탕으로 생물권 보전 지역, 세계 자연 유산, 세계 지질 공원으로 지정되었어.

1. 제주도의 지역 특성

(1) 해양성 기후: 남쪽에 위치한 섬으로 난류가 흘러 연평균 기온이 높고 연교차가 작음

(2) 다양한 화산 지형 자료 ②

한라산	전체적으로 방패 모양 화산, 산정부는 종 모양 화산으로 정상에 화구호인 백록담이 있음
오름	용암의 소규모 분출이나 화산 쇄설물의 퇴적으로 형성
용암동굴	현무암질 용암이 지표를 흐를 때 표면과 내부의 냉각 속도 차이로 형성 예 만장굴, 협재굴 등
주상 절리	현무암질 용암의 냉각·수축 작용에 의해 형성, 절리 발달로 전통 취락은 해안에 발달

(3) 제주도의 독특한 문화: 그물 지붕과 돌담, 따뜻한 기후로 인해 난방과 취사가 분리, 독특한 방언, 지표수가 부족하여 논농사 불리(밭농사 발달)

왜? 강한 바람으로부터 가옥을 보호하기 위해서야.

왜? 지하수가 솟아오르는 용천이 해안가에 분포하기 때문이야.

2. 제주도의 발전을 위한 노력과 전망

(1) 제주특별자치도 지정: 2006년 경제활동의 자유를 최대한 보장하기 위해 자치권을 부여

(2) 발전 전략: *마이스(MICE) 산업 및 고부가 가치 관광 산업 확충 → 세계적인 관광지로 도약

국방, 외교, 사법을 제외한 다양한 분야에서 특별 자치권을 부여하고 있어.

완자 자료 탐구

내 옆의 선생님

자료 1 영남 지방의 인구 분포 변화

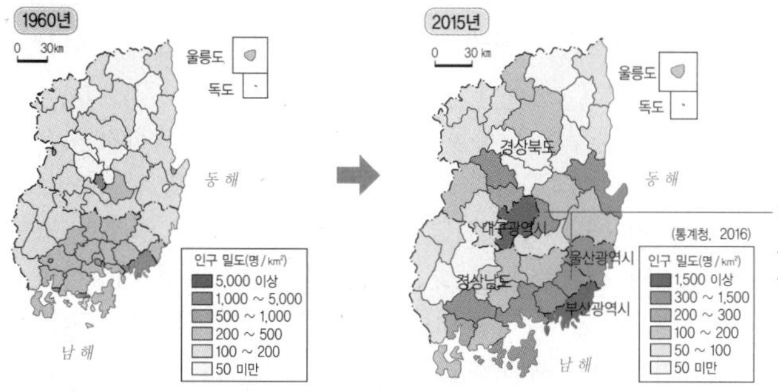

최근 부산과 대구의 교외화 현상으로 위성 도시인 양산, 김해, 경산 등으로 인구가 분산되고 있어.

과거 영남 지방의 인구는 낙동강 중·상류에 위치한 안동, 진주 등을 중심으로 분포하였다. 그러나 1970년대 이후 영남 내륙과 남동 해안에 산업 단지가 들어서면서 대구, 울산, 부산, 창원 등을 중심으로 인구가 급증하였다. 반면, 산지가 많아 교통이 불편한 경상북도 북부와 경상남도 서부 지역은 지속적인 인구 유출로 인구 감소와 고령화 현상이 나타나고 있다.

문제로 확인할까?

영남 지방 주요 도시의 인구 변화에 대한 설명으로 옳은 것은?

① 대구는 경상남도청이 이전하면서 대도시로 성장하였다.
② 경상북도 북부 및 서부 내륙 지역의 인구는 꾸준히 증가해 왔다.
③ 울산은 공업 단지가 대규모로 조성되면서 광역시로 성장하였다.
④ 김해와 양산은 대구의 교외화 현상으로 위성 도시로 성장하였다.
⑤ 창원은 섬유 공업의 첨단화를 통해 첨단 산업 기반이 조성되면서 인구가 급성장하고 있다.

③ 답

수능이 보이는 교과서 자료 영남 지방의 광역시별 공업 구조

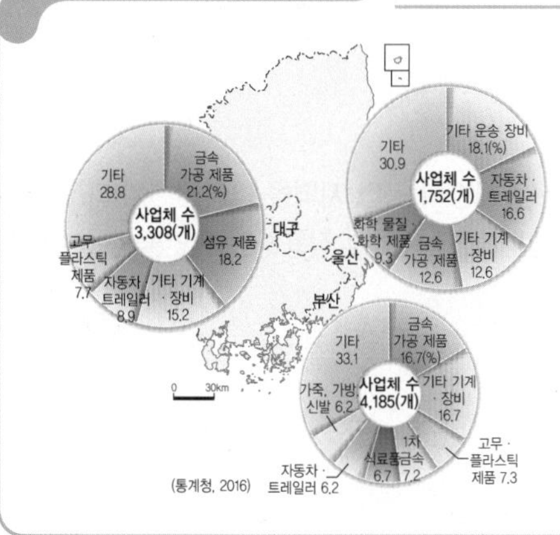

부산은 국제 물류 도시로서 기반을 갖추어 나가고 있으며, 첨단 및 지식 서비스 산업을 육성하고 있다. 대구는 금속·기계 공업 등의 비중을 높이고 있고, 의료 기기, 자동차 부품, 정보 통신 융·복합 산업의 발전을 추구하고 있다. 울산은 자동차·조선·석유 화학 공업을 기반으로 첨단 융합 부품 소재와 신·재생 에너지 관련 첨단 산업 단지를 조성하고 있다.

완자샘의 탐구 강의

• 대구·울산·부산광역시에서 발달한 공업을 정리해 보자.

대구는 금속 가공 제품, 섬유 제품의 비중이 가장 높으며, 울산은 기타 운송 장비, 자동차 트레일러, 금속 가공 제품 제조업이 발달하였다. 부산은 금속 가공 제품, 기타 기계 장비, 고무 플라스틱 제품 제조업이 발달하였다.

함께 보기 257쪽, 1등급 정복하기 1

자료 2 제주도의 화산 지형

성산 일출봉

만장굴(용암동굴)

중문 대포 해안 주상 절리대

제주도는 신생대 화산 활동으로 형성되었으며, 독특하고 다양한 화산 지형이 많다. 제주도의 성산 일출봉은 바닷속에서 폭발하여 만들어진 화산체이다. 만장굴은 용암이 흐르면서 겉은 식어서 굳고, 안은 계속 흘러 형성된 동굴이다. 그리고 주상 절리는 지표면으로 분출한 용암이 식는 과정에서 수직 균열이 발생하여 형성된 기둥 모양의 절리이다.

자료 하나 더 알고 가자!

제주도의 산업 구조

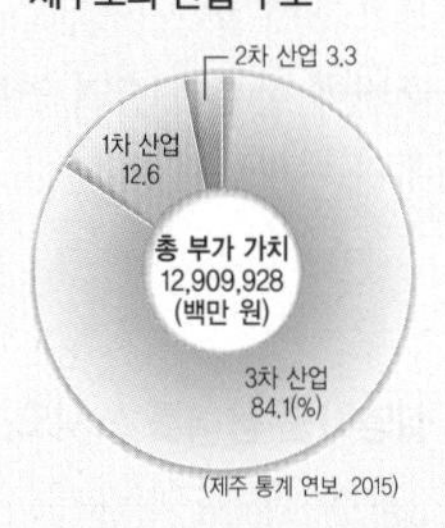

제주도는 감귤, 원예 농업 등이 발달하여 1차 산업 종사자 비중이 높고, 3차 산업 중 관광 산업 종사자 비중이 높다.

STEP 1 핵심 개념 확인하기

정답친해 83쪽

1 빈칸에 들어갈 내용을 쓰시오.

(1) (   ) 공업 지역은 원료의 수입 및 제품 수출에 유리하여 중화학 공업이 발달하였다.

(2) (   ) 공업 지역은 풍부한 노동력과 편리한 교통을 바탕으로 섬유 및 전자 공업이 발달하였다.

2 다음에서 설명하는 도시를 쓰시오.

(1) 신라의 수도였으며, 다양한 세계 문화 유산을 바탕으로 관광 산업이 발달하였다. (   )

(2) 섬유 산업의 경쟁력이 약화되면서 최근 섬유 산업의 첨단화를 통해 고부가 가치 산업을 육성하고 있다. (   )

(3) 첨단 및 지식 서비스 산업을 육성하고, 항만 및 도시 기반 시설을 바탕으로 국제 물류 도시로서 기반을 갖추어 나가고 있다. (   )

3 ㉠, ㉡에 들어갈 내용을 쓰시오.

> 제주도는 (㉠   ) 화산 활동으로 형성되었다. 섬 중앙부에는 (㉡   )이 자리 잡고 있으며, 산기슭에는 소규모의 화산 폭발로 형성된 (㉢   )이 곳곳에 있다.

4 다음 내용이 맞으면 ○표, 틀리면 ×표를 하시오.

(1) 제주도는 지표수가 부족하여 논농사가 불리하다. (   )

(2) 제주도의 전통 취락은 물을 얻기 쉬운 해안가의 용천대를 중심으로 발달하였다. (   )

(3) 제주도는 주변에 한류가 흘러 연평균 기온이 낮고, 온화한 해양성 기후가 나타난다. (   )

5 다음에서 설명하는 용어를 쓰시오.

> 기업 회의, 기업의 포상 및 연수 목적의 여행, 학회가 주최하는 총회, 전시회, 각종 국제회의 등을 망라하는 종합 관광 산업이다.

STEP 2 내신 만점 공략하기

01 ㉠~㉤에 대한 설명으로 옳지 않은 것은?

> 영남 지방은 수도권과 함께 우리나라의 산업화를 이끌어 온 주요 ㉠ 공업 지역이다. 1960년대 (㉡) 등 노동력이 풍부한 도시를 중심으로 경공업이 발달하기 시작하였으며, 1970년대 조성된 대규모 국가 산업 단지는 ㉢ 지역에 큰 영향을 끼쳤다. 영남 내륙 지역은 풍부한 노동력과 편리한 도로 및 철도 교통을 바탕으로 성장하였으며, (㉣)에 유리한 남동 해안 지역에는 ㉤ 중화학 공업 단지가 세워졌다.

① ㉠에는 영남 내륙 및 남동 임해 공업 지역이 있다.
② ㉡에는 '창원, 거제' 등이 들어갈 수 있다.
③ ㉢으로는 인구 증가와 산업 구조 변화 등이 있다.
④ ㉣에는 '원료의 수입과 제품의 수출'이 들어갈 수 있다.
⑤ ㉤이 들어선 도시로는 포항과 울산이 대표적이다.

02 지도는 영남 지방의 공업 지역을 나타낸 것이다. A보다 B 공업 지역의 입지에 중요하게 작용하는 요인을 〈보기〉에서 고른 것은?

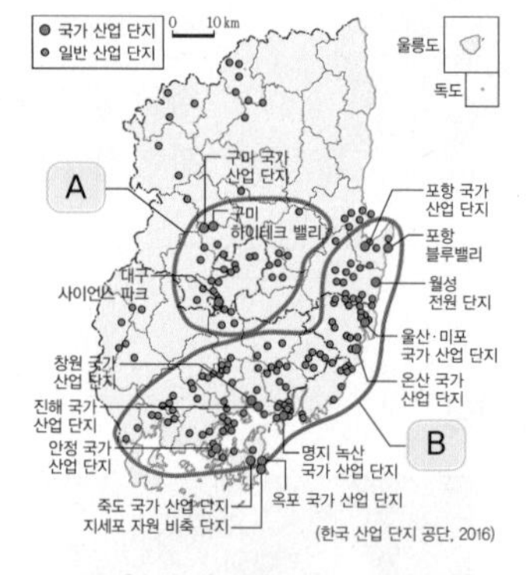

(한국 산업 단지 공단, 2016)

> **보기**
> ㄱ. 저임금의 풍부한 노동력
> ㄴ. 편리한 도로 및 철도 교통
> ㄷ. 정부의 중화학 공업 육성 정책
> ㄹ. 원료의 수입과 제품의 수출에 유리한 항만

① ㄱ, ㄴ ② ㄱ, ㄷ ③ ㄴ, ㄷ
④ ㄴ, ㄹ ⑤ ㄷ, ㄹ

03 그래프는 영남 지방에 위치한 광역시의 산업별 사업체 수를 나타낸 것이다. (가), (나) 지역을 옳게 연결한 것은?

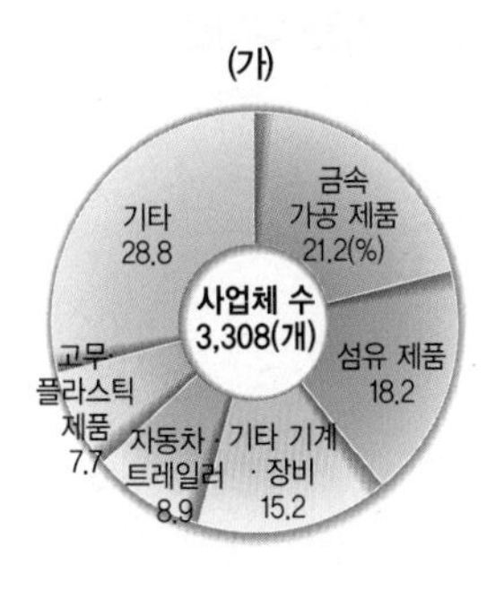

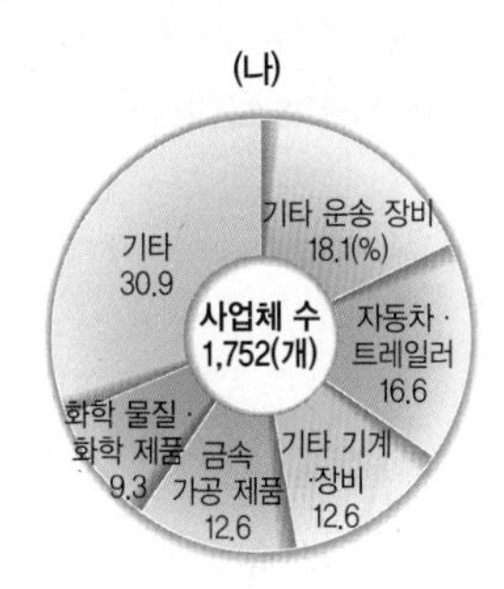

	(가)	(나)
①	부산	울산
②	부산	대구
③	대구	부산
④	대구	울산
⑤	울산	대구

04 밑줄 친 '이 도시'를 지도의 A~E에서 고른 것은?

> 이 도시는 한반도를 천 년 이상 지배한 신라 왕조의 수도였다. 남산을 포함한 이 도시 주변에 우리나라 건축물과 불교 발달에 중요한 유적과 기념물들이 많이 있다. 또한, 일본 교토·나라의 역사 유적과 비교하여 유적의 밀집도와 다양성이 더 뛰어나다고 평가된다.

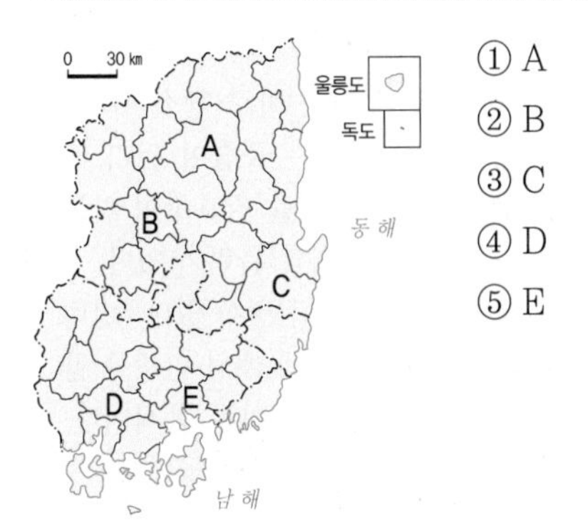

① A
② B
③ C
④ D
⑤ E

05 자료는 제주도의 인구 변화에 대한 것이다. 이에 대한 옳은 설명을 〈보기〉에서 고른 것은?

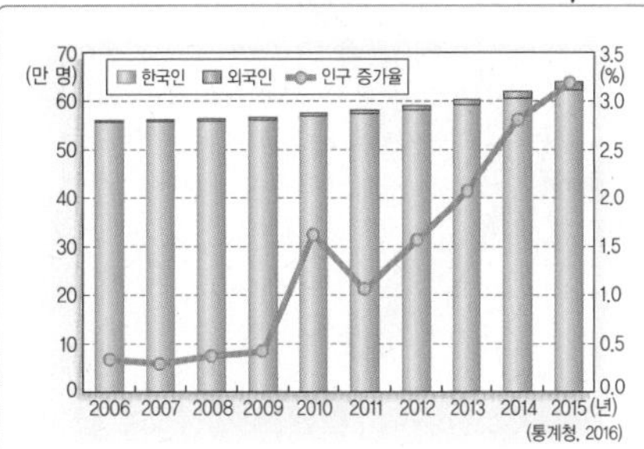

제주도의 인구 증가 추세

우리나라는 연평균 인구 증가율이 0.5% 정도로 증가세가 둔화되고 있는 추세지만, 제주도는 인구 증가율이 높은 편이다. 이는 (㉠) 이주민들이 증가하고 있기 때문인 것으로 분석된다.

보기

ㄱ. ㉠에는 '귀농 및 귀촌'이 들어간다.
ㄴ. 제주도의 인구는 유입보다 유출이 많다.
ㄷ. 제주도는 전국 평균보다 인구 증가율이 높은 편이다.
ㄹ. 2015년 제주도 전체 인구의 10% 정도가 외국인이다.

① ㄱ, ㄴ　② ㄱ, ㄷ　③ ㄴ, ㄷ
④ ㄴ, ㄹ　⑤ ㄷ, ㄹ

06 사진은 제주도의 전통 가옥을 촬영한 것이다. 이와 같은 경관이 나타나게 된 배경으로 가장 적절한 것은?

① 풍속이 강하기 때문이다.
② 하천 발달이 미약하기 때문이다.
③ 주변에 화강암이 풍부하기 때문이다.
④ 위도가 낮아 겨울이 온난하기 때문이다.
⑤ 취락이 주로 해안가에 입지하기 때문이다.

07 지도의 A~C 지역에 대한 설명으로 옳은 것은?

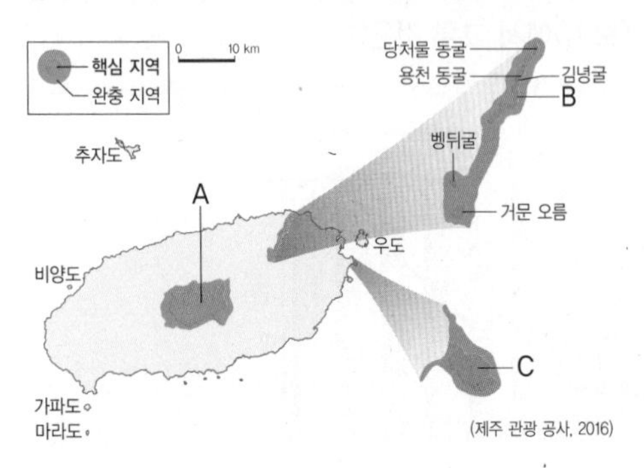

① A에서는 경사가 급한 화산체와 화구호를 볼 수 있다.
② B에는 석회암의 용식에 의해 형성된 동굴이 분포한다.
③ C는 용암이 급속히 냉각되며 수축하는 과정에서 기둥 모양의 절리를 만들면서 형성된다.
④ A~C 중 A, B만 세계 자연 유산에 등재되었다.
⑤ A, B는 신생대에, C는 고생대에 형성되었다.

08 자료는 제주도의 관광객 수 변화를 나타낸 것이다. 이에 대한 옳은 설명을 〈보기〉에서 고른 것은?

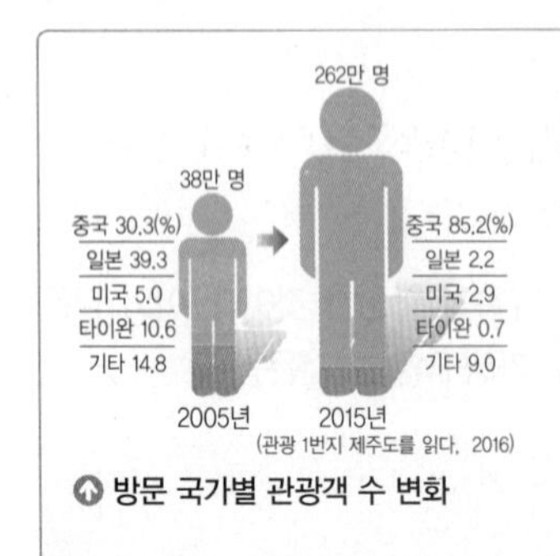

⊙ 방문 국가별 관광객 수 변화

제주도는 1960년대 이후 관광 산업이 꾸준히 성장하고 있다. (㉠) 등의 이유에 이끌려 많은 관광객이 찾고 있으며, ㉡ 3차 산업의 비중이 높아 지역 경제의 중심을 차지하고 있다.

보기

ㄱ. ㉠에는 '항공 교통 발달과 아름다운 화산 지형'이 들어갈 수 있다.
ㄴ. ㉡은 2005년에 비해 2015년 비중이 감소하였다.
ㄷ. 2015년 중국인 관광객은 2005년에 비해 200만 명 이상 증가하였다.
ㄹ. 중국, 일본, 미국, 타이완 모두 2005년에 비해 2015년 관광객 수가 증가하였다.

① ㄱ, ㄴ ② ㄱ, ㄷ ③ ㄴ, ㄷ
④ ㄴ, ㄹ ⑤ ㄷ, ㄹ

서술형 문제

● 정답친해 85쪽

01 그래프 영남 지방 도시의 인구 순위를 나타낸 것이다. 이를 보고 물음에 답하시오.

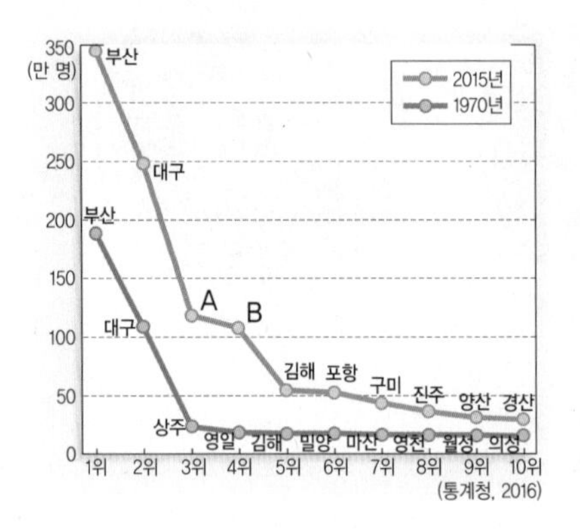

(1) A, B 도시의 이름을 쓰시오.

(2) A, B 도시의 인구 변화 특징을 서술하시오.

02 다음 글은 제주도의 독특한 음식 문화를 나타낸 것이다. 이와 같은 특징이 나타나는 이유를 제주도의 자연환경과 관련지어 서술하시오.

- 제주도의 제과점이 가장 바쁜 시기는 바로 명절이라고 한다. 제주도는 제사상에 빵을 올리는 풍습이 있기 때문이다. 제주도의 제사상에 보리나 밀을 발효하여 만든 빵이 올라가는 이유는 제주도의 지형과 관련이 있다.
- 제주도에는 '빙떡'이라는 이름의 메밀전병이 있다. 빙떡은 제주도의 향토 음식으로 돼지기름에 메밀 반죽을 얇게 부친 뒤, 볶은 무채를 얹고 말아서 만든 음식이다. 메밀과 무는 제주도에서도 재배가 가능한 작물이다.

STEP 3 1등급 정복하기

정답친해 85쪽

평가원 응용

1 그래프는 A~C 지역의 지역 내 총 생산액을 나타낸 것이다. 표의 (가), (나)에 해당하는 업종을 옳게 연결한 것은? (단, A~C는 영남 지방의 세 광역시 중 하나이다.)

> 영남 지방 세 광역시의 공업 구조

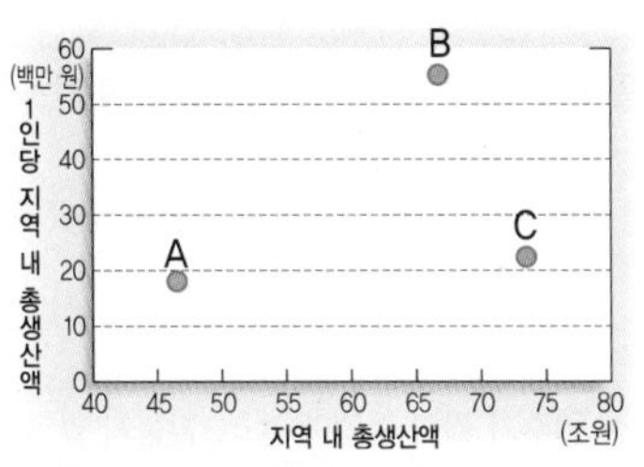

지역 내 제조업 부문별 종사자 수 비중 (단위: %)

순위	A		B		C	
	부문	비중	부문	비중	부문	비중
1	(가)	17.0	(가)	29.2	기타 기계 및 장비	14.9
2	금속 가공 제품	16.4	기타 운송 장비	28.0	금속 가공 제품	13.0
3	(나)	15.3	화학 물질 및 화학 제품	9.4	(가)	8.7
4	기타 기계 및 장비	13.3	기타 기계 및 장비	5.8	1차 금속	7.9
5	고무 및 플라스틱 제품	8.1	금속 가공 제품	5.6	고무 및 플라스틱 제품	7.6

(통계청, 2014)

* 10인 이상 제조업체만 포함되며, 상위 5순위까지만 표시함

** 섬유 제품(의복 제외), 금속 가공 제품(기계 및 가구 제외), 화학 물질 및 화학 제품(의약품 제외)

	(가)	(나)
①	섬유 제품	1차 금속
②	섬유 제품	자동차 및 트레일러
③	자동차 및 트레일러	1차 금속
④	자동차 및 트레일러	섬유 제품
⑤	자동차 및 트레일러	화학 물질 및 화학 제품

완자샘의 시험 꿀팁

지역별 지역 내 총생산액, 1인당 지역 내 총생산액 자료를 보고 지역을 유추하고, 지역별 대표적인 공업을 묻는 문제가 출제될 수 있다.

2 밑줄 친 ㉠~㉤에 대한 설명으로 옳지 않은 것은?

> 제주도의 자연환경

우리나라에서 가장 큰 섬인 ㉠ 제주도는 남해상에 위치하여 겨울이 온화한 ㉡ 해양성 기후가 나타난다. 이러한 기후 특성으로 난대성 식물을 비롯한 ㉢ 다양한 식생이 분포한다. 신생대 화산 활동으로 형성된 화산섬인 제주도는 곳곳에 다양한 ㉣ 화산 지형이 분포한다. 제주도는 ㉤ 하천 발달이 미약하여 전통 취락은 지하수가 용천하는 해안가를 중심으로 형성되었다.

① ㉠ – 아름다운 자연환경으로 일부 지역이 세계 유산으로 등재되었다.

② ㉡ – 기온의 연교차가 크다는 특징이 있다.

③ ㉢ – 한라산은 식생의 수직적 분포가 뚜렷하게 나타난다.

④ ㉣ – 기생 화산과 주상 절리 등이 대표적이다.

⑤ ㉤ – 이 지역 기반암의 특성과 관련이 깊다.

완자 사전

• **세계 유산**

유네스코에서는 인류 전체를 위해 보호되어야 할 보편적 가치가 있다고 인정한 것을 세계 유산으로 지정하고 있다. 세계 유산은 문화유산, 자연 유산, 복합 유산으로 구분된다.

01 지역의 의미와 지역 구분

1. 지역의 의미와 지역 구분의 다양성

(1) 지역의 의미와 지역성

(❶)	주변 다른 곳과 지리적 특성이 구분되는 공간적 범위
지역성	지역의 자연적·문화적 특성이 오랜 기간 동안 상호 작용하여 형성된 그 지역만의 독특한 성격

(2) 지역 구분과 지역의 유형

동질 지역	특정한 지리적 현상이 동일하게 분포하는 공간적 범위 예 기후 지역, 농업 지역, 문화 지역 등
(❷)	하나의 중심지와 그 영향을 받는 범위로 나타낼 수 있는 지역 예 통근권, 통학권, 상권 등
점이 지대	두 지역의 특성이 함께 섞여 나타나는 지역으로 지역 간의 경계부에 나타남

2. 우리나라의 다양한 지역 구분

구분	전통적 지역 구분	행정 구역
관북 지방	철령관 북쪽	함경도
관서 지방	철령관 서쪽	평안도
관동 지방	철령관 동쪽	강원도
해서 지방	한양을 기준으로 바다(경기만) 건너 지역	황해도
경기 지방	도읍지를 둘러싸고 있는 지역	경기도
호서 지방	제천 의림지 서쪽 또는 금강(호강) 상류의 서쪽	충청도
호남 지방	금강(호강)의 남쪽	전라도
영남 지방	조령(문경 새재)의 남쪽	경상도

02 북한 지역의 특성과 통일 국토의 미래

1. 북한의 자연환경

지형	남한보다 산지와 고원의 비중이 높음, 동해로 유입하는 하천은 하천의 유로가 짧으며 경사가 급함
기후	• 남한보다 고위도에 위치하여 (❸) 기후의 특색이 뚜렷함, 동해안은 동위도의 서해안보다 겨울 기온이 높음 • 강원도 해안 지역과 청천강 중·상류는 다우지, 대동강 하류와 관북 지방은 소우지

2. 북한의 인문 환경

(1) 북한의 인구와 도시

인구	서부 평야 지역은 인구 밀도가 높고, 북동부 내륙 지역은 기후가 한랭하여 인구가 적음
도시	• (❹)은 인구 300만의 북한 최대 도시, 남포는 평양의 외항 • 신의주는 다리를 통해 중국과 연결 → 중국 교역의 중요 통로

(2) 북한의 경제

농업	경사지가 많고 무상 일수가 짧아 농업에 불리, 밭농사 발달
공업	군수 산업 중심의 중공업 우선 정책 → 생활필수품 부족 현상
자원	무연탄, 철광석 등 지하자원 풍부, 석탄이 중요한 에너지 자원
교통	철도 중심의 교통 체계로 도로 교통은 보조적 역할

3. 개방 정책과 통일 국토의 미래

(1) 북한의 주요 개방 지역

나선 경제특구	북한 최초의 개방 지역, 중국, 러시아와의 접경 지역
신의주 특별 행정구	외자 유치 및 교역 확대를 위해 지정
금강산 관광 특구	관광객 유치를 목적으로 조성되었으나 현재는 중단
(❺)	수도권과 인접해 있어 남한의 기업을 유치하였음

(2) **통일 국토의 미래:** 남북 통일은 한반도를 하나의 경제권으로 통합, 남한은 자본과 기술, 경제 성장의 경험, 북한은 광물, 에너지 자원 등에서 우위에 있어 경제적 상호 보완 가능

03 수도권과 강원 지방

1. 인구와 산업이 집중된 수도권

(1) **수도권의 지역 특성:** 전체 인구의 절반 가량이 밀집해 있음, 서비스업 및 제조업 집중 → 국내 총생산 약 48% 집중

(2) 수도권의 공간 구조 변화

경제적 공간 구조 변화	• 1960년대 정부 주도의 산업화, 1970년대 제조업체가 서울 주변으로 분산 • 1980년대 수도권 외곽 지역의 산업 성장, 1990년대 서울의 (❻) 현상 • 2000년대 이후 지식 기반 산업 발달 • 서울은 지식 기반 서비스업, 경기도는 지식 기반 제조업의 비중이 높음
문화적 특성	전통 문화와 외래문화가 공존하는 공간으로 발전

(3) 수도권이 당면한 문제와 해결책

문제점	• 교통 혼잡, 주차난, 집값 상승, 일부 도심의 노후화, 대기 오염 • 수도권과 비수도권의 인구 및 기능의 격차 확대
해결책	• 과도한 인구 및 기능 집중 억제 → 과밀 부담금 제도, 수도권 공장 총량제 • 지속 가능한 성장 관리 기반 → 수도권 정비 계획 등

2. 태백산맥으로 동서로 나뉘는 강원 지방

(1) 영서 및 영동 지방의 특성

영서 지방	• 경사가 완만한 편, 고위 평탄면 발달, 침식 분지 발달 • 여름과 겨울의 기온 차이가 큰 대륙성 기후
영동 지방	• 급경사의 산지 지형 발달, 하천의 유로가 짧고 경사가 급함 • 태백산맥과 수심이 깊은 동해의 영향으로 여름 서늘, 겨울 온난 • 좁은 해안 평야, 겨울철 북동 기류의 영향으로 많은 눈이 내림

(2) 강원 지방의 산업 구조 변화와 주민 생활

산업 구조의 변화	에너지 소비 구조 변화와 해외 자원의 수입량 증가 및 석탄 산업 합리화 정책 등으로 1980년대 후반부터 광업 쇠퇴 → 산업 구조를 (❼) 중심으로 전환
성장 전략	생태 관광, 폐광 지역을 관광 자원으로 활용

04 충청 지방과 호남 지방

1. 빠르게 성장하는 충청 지방

(1) **특색** : 과거 하천 교통의 중심지(공주, 부여, 강경)가 발달, 일제 강점기 이후 육상 교통 중심지(대전, 천안)가 성장

(2) 충청 지방의 지역 구조 변화

산업 발달 도시	서산(석유 화학 공업), 당진(제철 공업), 아산(자동차 공업)
기업 도시	충주(지식 기반형 산업), 태안(관광 레저형 산업)
(❽)	충청북도 진천 및 음성 → 정부 기관의 이전
세종특별자치시	2012년 7월 1일 중앙 행정 기능을 분담하기 위해 출범
내포 신도시	충청남도의 행정 기능 이전

2. 다양한 산업이 발달하는 호남 지방

(1) 호남 지방의 농지 개간과 간척 사업

일제 강점기	수리 시설 확충, 간척 사업을 통해 농지와 마을을 조성
광복 이후	• 계화도 간척지는 1965년 섬진강 댐이 건설되면서 삶의 터전을 잃게 된 사람들을 수용하기 위해 조성 • 우리나라 최대의 간척 사업인 새만금 간척 사업 진행 중

(2) 호남 지방의 산업 구조의 변화

1970년대	여수 일대에 석유 화학 산업 단지 조성
1980년대	광양 제철소가 조성되어 인근에 연관 산업 발달
1990년대 이후	우리나라의 중요 무역 상대국으로 중국이 부상하면서 중요성 증대 → 대불 산업 단지 조성

05 영남 지방과 제주도

1. 공업과 함께 발달한 영남 지방

(1) 영남 지방의 공간 구조

인구 분포	• 1970년대 이후 영남 내륙과 남동 해안 지역은 산업 단지 입지로 성장 → 대구, 구미, 포항, 울산, 창원 등 • 인구 감소 및 고령화 지역: 경북 북부와 경남 서부 지역
산업 분포	• 낙동강 하구 삼각주와 대도시 근교 지역은 시설 원예 농업 발달 • 제조업은 영남 내륙(편리한 교통과 풍부한 노동력), 남동 임해(원료 및 제품 수출입에 유리) 지역에 발달

(2) 영남 지방 주요 도시의 특징

(❾)	우리나라 제2의 도시, 최대의 무역항 → 물류 기능 강화
대구	섬유 공업의 첨단화를 통해 고부가 가치 산업 육성
울산	우리나라의 산업화를 견인한 중화학 공업의 중심지
창원	2010년 마산, 진해와 통합 및 경상남도 도청 이전
안동	풍부한 유교 문화 자원, 경상북도 도청 이전
경주	신라의 수도, 불교 관련 유적이 많은 문화 관광 도시로 유네스코 세계 유산 보유

2. 세계적인 관광지로 발전하는 제주도

(1) 제주도의 지역 특성

해양성 기후	낮은 위도와 난류의 영향으로 연평균 기온이 높고, 연교차가 작음
화산 지형	한라산, 오름, 용암동굴, 주상 절리 등이 발달
독특한 문화	그물 지붕과 돌담, 따뜻한 기후로 인해 난방과 취사가 분리, 지표수가 부족하여 (❿)농사 발달

(2) 제주도의 발전을 위한 노력과 전망

제주특별자치도 지정	2006년 경제활동의 자유를 최대한 보장하기 위해 자치권을 부여
발전 전략	국제 관광 도시, 마이스(MICE) 산업 등 고부가 가치 산업 육성, 세계 유산 등 활용

●정답● ① 지역 ② 기능 지역 ③ 대륙성 ④ 평양 ⑤ 개성 공업 지구 ⑥ 탈공업화 ⑦ 관광 산업 ⑧ 혁신 도시 ⑨ 부산 ⑩ 밭

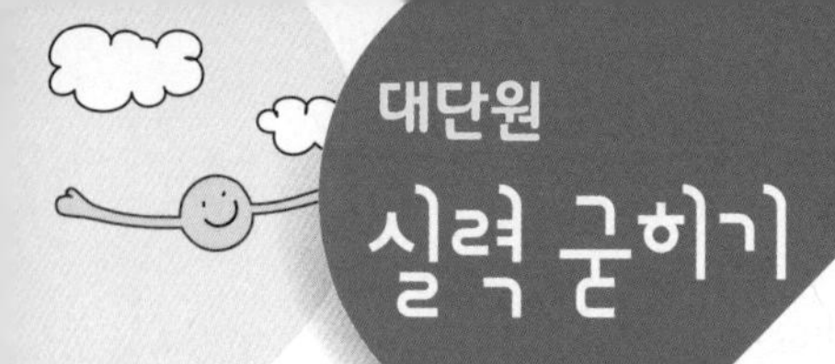

01 다음 글의 ㉠~㉤에 대한 설명으로 옳지 않은 것은?

> 지역은 다양한 기준에 의해 구분할 수 있다. 우리나라는 크게 ㉠ 북부, 중부, 남부 지방으로 구분한다. 또한 자연 지리적 요소에 따라 전통적으로 관북, 관서, 관동, 해서, 경기, ㉡ 호서, 호남, 영남 지방으로 구분하며, 태백산맥의 대관령을 기준으로 (㉢)(으)로 구분하기도 한다. 현재 사용하는 ㉣ 도의 이름은 주요 도시의 앞 글자를 따서 만들었다. 현재 우리나라의 행정 구역은 1개의 특별시, 6개의 광역시, 8개의 도, ㉤ 1개의 특별자치시, 1개의 특별자치도로 행정 구역을 구분하고 있다.

① ㉠은 낭림산맥을 경계로 구분하였다.
② ㉡의 지명에서 '호'는 일반적으로 금강을 의미한다.
③ ㉢에는 '영동과 영서 지방'이 들어간다.
④ ㉣의 예로는 충주와 청주의 이름을 딴 충청도가 있다.
⑤ ㉤에는 세종시와 제주도가 있다.

02 그래프는 남한과 북한의 농업을 비교한 것이다. 이에 대한 설명으로 옳은 것은?(단, A~C는 쌀, 옥수수, 서류 중 하나이다.)

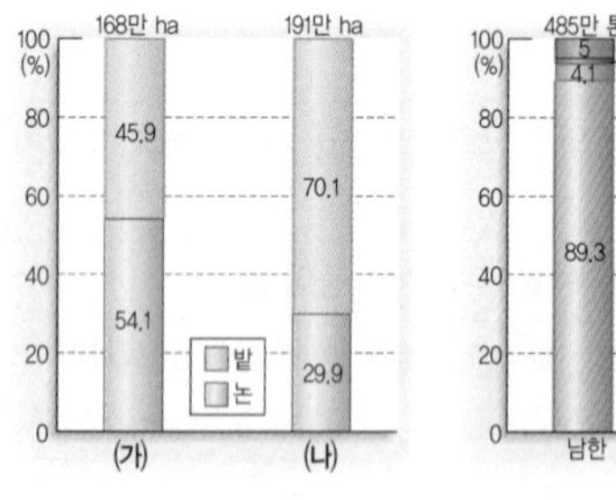

남북한의 논·밭 비율

남북한의 식량 작물 생산량

① 북한은 남한보다 논의 면적이 넓다.
② (가)는 북한, (나)는 남한에 해당한다.
③ (가)에서 A는 대부분 사료용으로 소비된다.
④ (나)에서 B, C는 주로 관서 지방의 평야에서 재배된다.
⑤ (가)에서 A 생산량은 (나)보다 두 배 이상 많다.

03 지도에 표시된 A~C 지역의 상대적 기후 특징을 옳게 나타낸 그래프만을 〈보기〉에서 있는 대로 고른 것은?

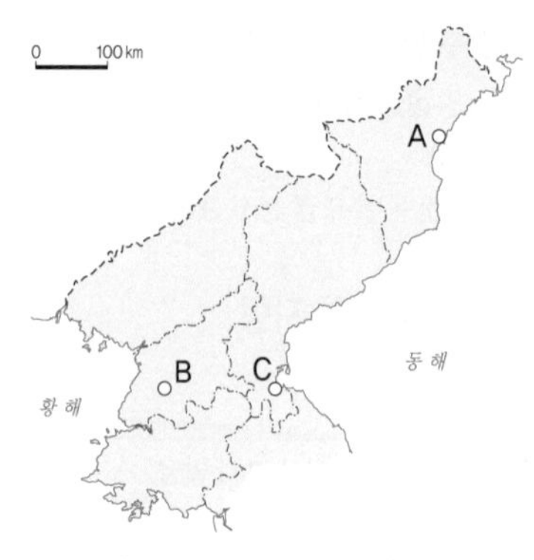

보기

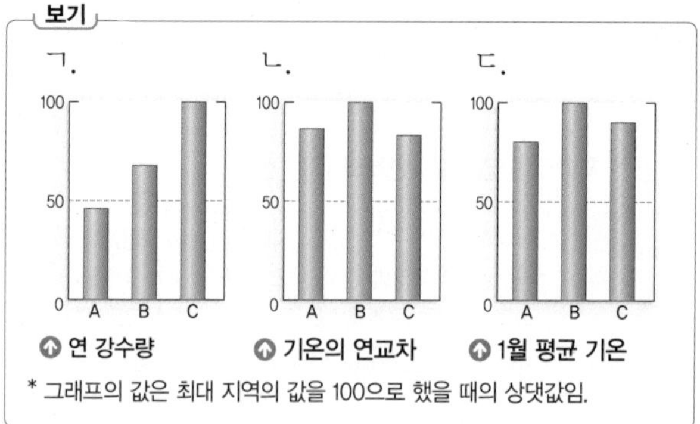

연 강수량 기온의 연교차 1월 평균 기온

* 그래프의 값은 최대 지역의 값을 100으로 했을 때의 상댓값임.

① ㄱ ② ㄴ ③ ㄱ, ㄴ
④ ㄱ, ㄷ ⑤ ㄴ, ㄷ

04 A~C에 해당하는 지역을 옳게 연결한 것은?

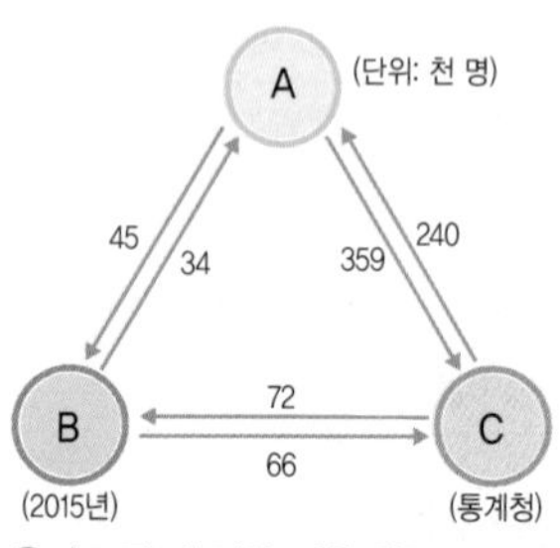

수도권 내 전입·전출 인구

	A	B	C
①	경기	서울	인천
②	경기	인천	서울
③	서울	경기	인천
④	서울	인천	경기
⑤	인천	경기	서울

05 자료의 (가)~(다) 지역을 지도의 A~E에서 고른 것은?

지역	조사 주제
(가)	• 국제도시 조성이 지역에 미친 영향 • 수도권의 관문 역할을 하는 국제공항
(나)	• 출판 도시 지역 브랜드화 전략의 효과 • 예술 마을 조성에 따른 관광객 증가
(다)	• 종묘, 창덕궁의 문화적 가치 • 대학로, 명동 등 현대적 문화 공간의 특징

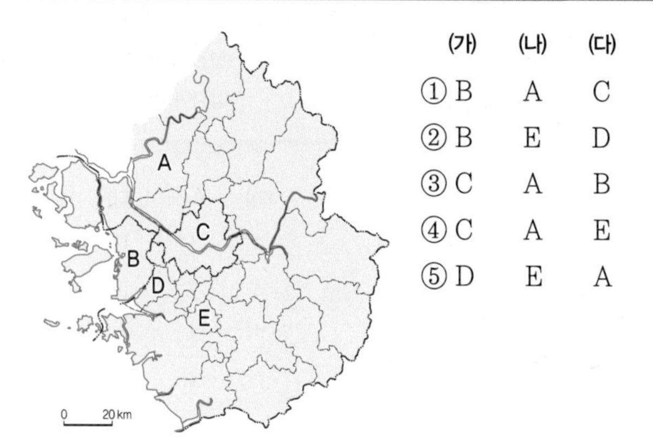

	(가)	(나)	(다)
①	B	A	C
②	B	E	D
③	C	A	B
④	C	A	E
⑤	D	E	A

06 그래프는 수도권 주택 보급률 변화를 나타낸 것이다. 이에 대한 설명으로 옳은 것을 〈보기〉에서 고른 것은?

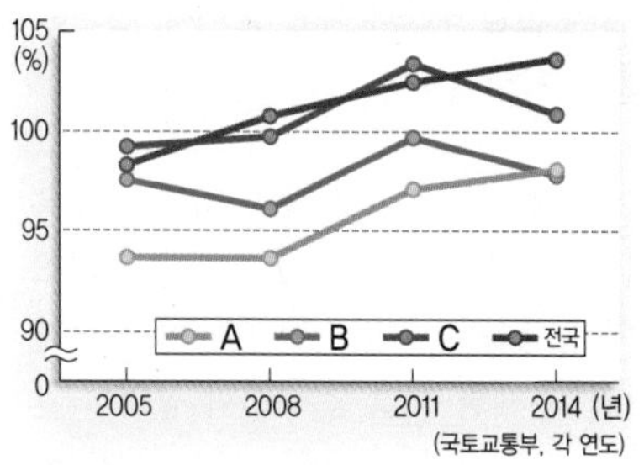

수도권 주택 보급률 변화

보기

ㄱ. 2014년 우리나라의 주택은 수요에 비해 공급이 많은 편이다.
ㄴ. 서울은 수도권의 다른 지역에 비해 주택 문제가 심각하지 않다.
ㄷ. 2008년 이전에는 전국 평균에 비해 수도권 모든 지역의 주택 보급률이 낮았다.
ㄹ. A는 서울, B는 경기, C는 인천이다.

① ㄱ, ㄴ　② ㄱ, ㄹ　③ ㄴ, ㄷ
④ ㄴ, ㄹ　⑤ ㄷ, ㄹ

07 강원 지방에 대한 수업 중 일부이다. ㉠~㉤에 대한 설명으로 옳지 않은 것은?

① ㉠은 태백산맥이다.
② ㉡은 경사가 완만하고 침식 분지가 분포한다.
③ ㉢은 하천 중·상류 지역을 중심으로 하안 단구, 감입 곡류 하천이 발달한다.
④ ㉣의 이유는 배후 산지가 북서풍을 막아주기 때문이다.
⑤ ㉤에서는 고랭지 채소가 재배된다.

08 표는 강원 지방의 산업별 특화도를 나타낸 것이다. A~C에 들어갈 산업을 옳게 연결한 것은?

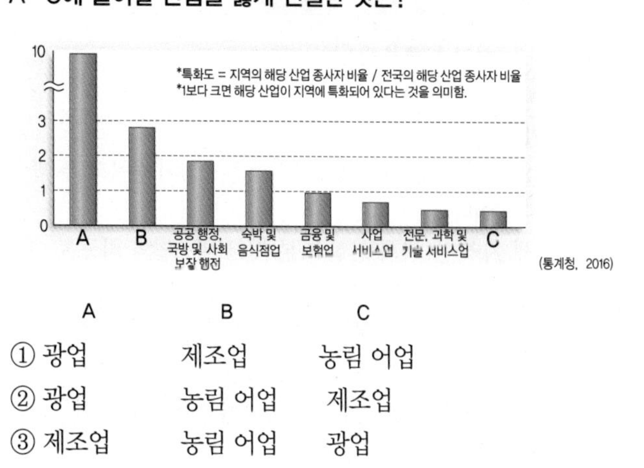

	A	B	C
①	광업	제조업	농림 어업
②	광업	농림 어업	제조업
③	제조업	농림 어업	광업
④	제조업	광업	농림 어업
⑤	농림 어업	광업	제조업

09 밑줄 친 '이 도시'를 지도에서 고른 것은?

> 교통로는 지역의 성쇠에 큰 영향을 미친다. 오늘날 이 도시는 우리나라 교통의 요지이자 충청 지방의 중심지이지만 1900년대 초 이 지역의 경제 및 교통 중심지는 공주였다. 이 도시는 우리말로 한밭, 즉 넓은 들판이라는 의미의 한자식 표현으로 지명에서 당시 이 도시가 한가로운 농촌이었음을 알 수 있다. 1905년 경부선이 개통되면서 도시로 성장하기 시작하였다.

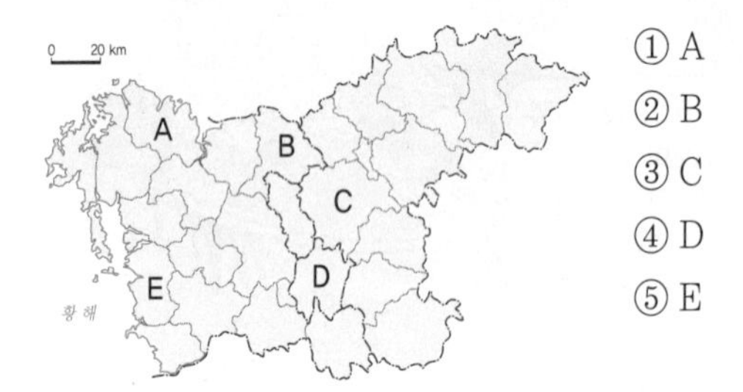

① A
② B
③ C
④ D
⑤ E

10 그래프는 충청 지방의 산업별 생산액 비중을 나타낸 것이다. 이에 대한 옳은 설명을 〈보기〉에서 고른 것은? (단, A~C는 사회 간접 자본 및 서비스업, 광업·제조업, 농림·어업 중 하나이다.)

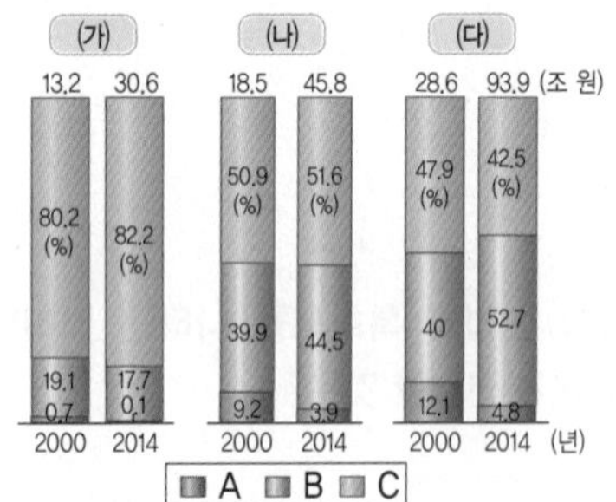

(*세종특별자치시는 과거 행정 구역을 기준으로 충청북도 및 충청남도에 포함함. / *총 부가 가치 기준임.) (통계청, 각 연도)

> **보기**
> ㄱ. 2014년 광업·제조업의 생산액은 충남이 충북의 두 배 이상이다.
> ㄴ. 세 지역 중 사회 간접 자본 및 서비스업의 비중은 대전이 가장 높다.
> ㄷ. 2014년 세 지역 모두 사회 간접 자본 및 서비스업의 생산액 비중이 가장 높다.
> ㄹ. (가)는 대전, (나)는 충청남도, (나)는 충청북도이다.

① ㄱ, ㄴ ② ㄱ, ㄷ ③ ㄴ, ㄷ
④ ㄴ, ㄹ ⑤ ㄷ, ㄹ

11 다음은 어떤 학생이 정리한 여행 노트 중 일부이다. (가)~(다) 지역을 지도의 A~F에서 찾아 옳게 연결한 것은?

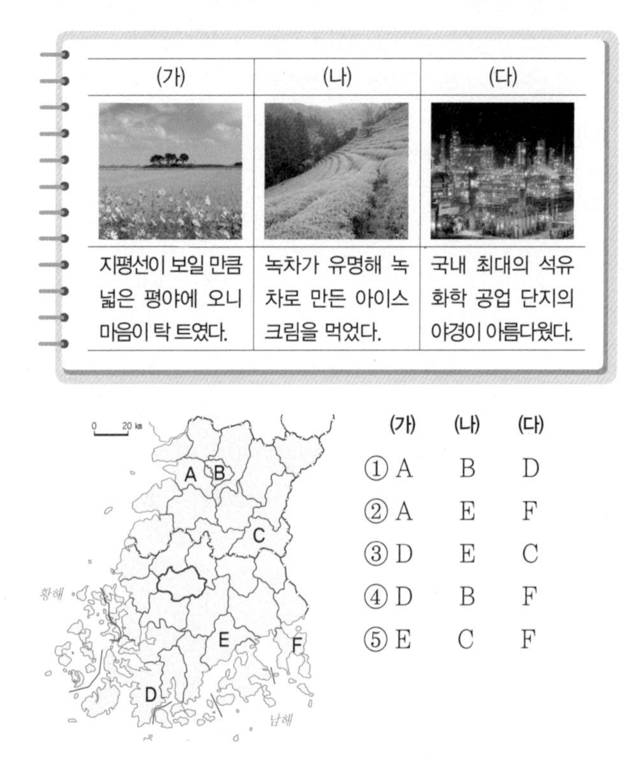

	(가)	(나)	(다)
①	A	B	D
②	A	E	F
③	D	E	C
④	D	B	F
⑤	E	C	F

12 다음은 호남 지방의 산업 구조에 대한 글이다. ㉠~㉤에 대한 설명으로 옳지 않은 것은?

> 호남 지방은 다른 지역에 비해 (㉠)의 비중이 높은 반면 산업화는 더디게 진행되어 (㉡) 문제를 겪기도 하였다. 호남 지방의 공업화는 1970~80년대 여수 국가 산업 단지가 건설되고 ㉢ 제철 공업 등 중화학 공업이 발달하면서 이루어졌다. 1990년대 이후에는 대불 국가 산업 단지와 군산 국가 산업 단지가 조성되면서 ㉣ 대중국 교역의 거점으로 부상하고 있다. 또한 최근에는 광양만권을 경제 자유 구역으로 지정하고, ㉤ 혁신 도시를 통한 발전을 도모하고 있다.

① ㉠에 들어갈 내용은 '1차 산업'이다.
② ㉡에 들어갈 내용은 '이촌 향도 현상에 따른 인구 감소'이다.
③ ㉢이 발달한 대표적 도시로는 광주가 있다.
④ ㉣인 이유는 중국과 지리적으로 가깝기 때문이다.
⑤ ㉤은 전주·완주와 나주 일대이다.

13 (가), (나)에 해당하는 지역을 지도의 A~E에서 골라 옳게 연결한 것은?

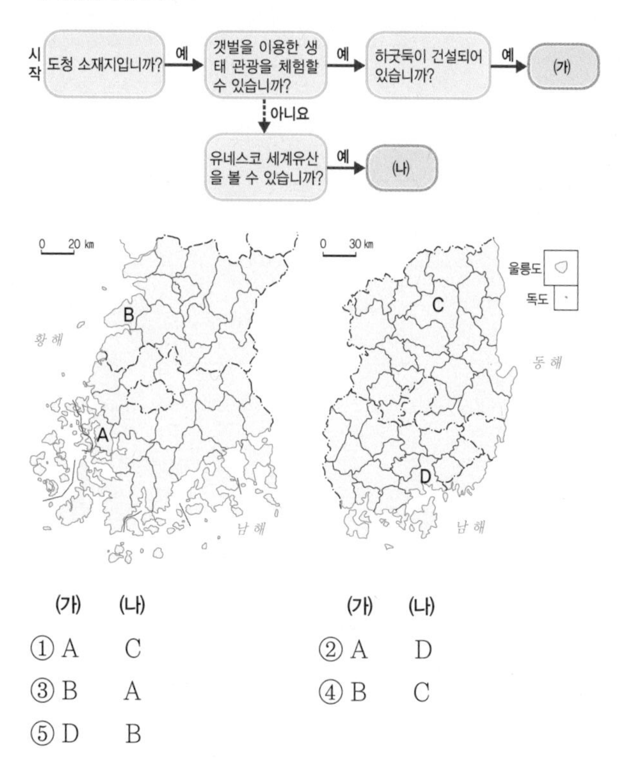

	(가)	(나)		(가)	(나)
①	A	C	②	A	D
③	B	A	④	B	C
⑤	D	B			

14 그래프는 지도에 표시된 두 지역의 제조업 업종별 출하액 비중을 나타낸 것이다. A~D 제조업에 대한 설명으로 옳은 것은?(단, A~D는 코크스·연탄 및 석유 정제품, 섬유 제품, 화학 물질 및 화학 제품, 자동차 및 트레일러 중 하나이다.)

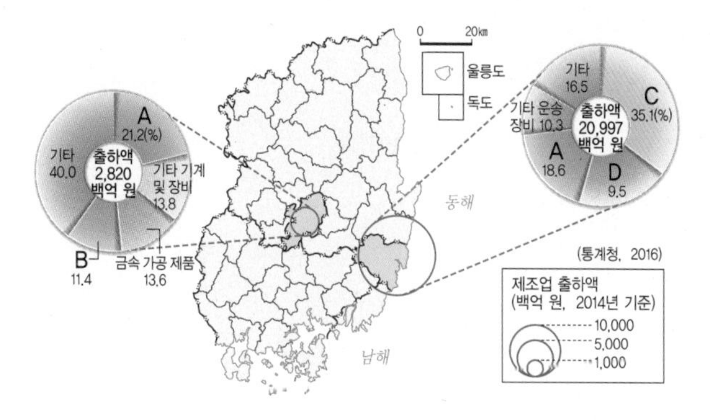

① A는 종합 조립형 산업이다.
② B는 원료 수입과 제품 수출에 유리한 적환지에 입지한다.
③ C의 제품은 주로 소량 주문 생산 방식으로 제작된다.
④ D는 소비자와의 잦은 접촉을 필요로 하는 공업이다.
⑤ B는 A보다 남성 종사자의 비중이 높은 편이다.

15 다음은 제주도의 자연과 문화 특성에 대한 대화이다. ㉠~㉣에 대한 옳은 설명을 〈보기〉에서 고른 것은?

제주도는 신생대 ㉠ 화산 활동으로 형성되었어. 또한 아름다운 자연환경은 유네스코 생물권 보전 지역, ㉡ 유네스코 세계 유산으로 등재되었어.

제주도에서는 주변에서 쉽게 구할 수 있는 현무암을 이용하여 돌담을 쌓고, ㉢ 새(띠)로 엮은 그물 지붕을 볼 수 있어. 또한 ㉣ 논농사가 불리하여 대부분의 경지는 밭으로 이용하고 있어.

보기

ㄱ. ㉠ – 오름, 주상 절리 등의 지형을 볼 수 있다.
ㄴ. ㉡ – 올레길과 산방산이 등재되어 있다.
ㄷ. ㉢ – 강한 바람에 대비한 시설이다.
ㄹ. ㉣ – 강수량이 적기 때문이다.

① ㄱ, ㄴ ② ㄱ, ㄷ ③ ㄴ, ㄷ
④ ㄴ, ㄹ ⑤ ㄷ, ㄹ

16 그래프는 제주도를 방문하는 내국인들의 방문 목적에 따른 비중의 변화를 나타낸 것이다. 이에 대한 옳은 설명을 〈보기〉에서 고른 것은?

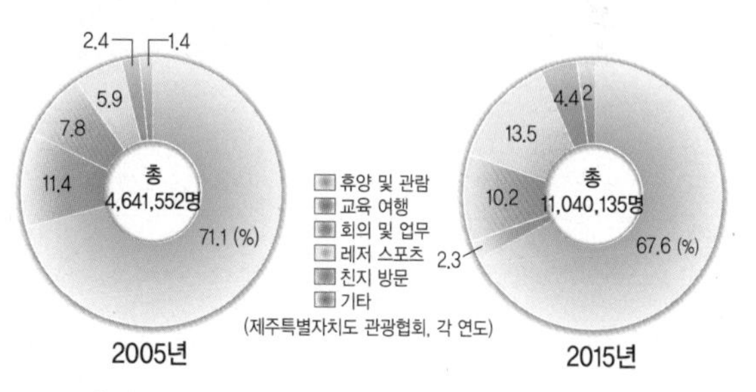

보기

ㄱ. 마이스(MICE) 산업이 성장할 것이다.
ㄴ. 교육 여행 방문객은 2005년에 비해 2015년 증가하였다.
ㄷ. 2015년 휴양 및 관람 목적의 방문객은 2005년의 두 배 이상이다.
ㄹ. 내국인 관광객의 증가로 외국인의 제주도 방문은 감소하였다.

① ㄱ, ㄴ ② ㄱ, ㄷ ③ ㄴ, ㄷ
④ ㄴ, ㄹ ⑤ ㄷ, ㄹ

Memo

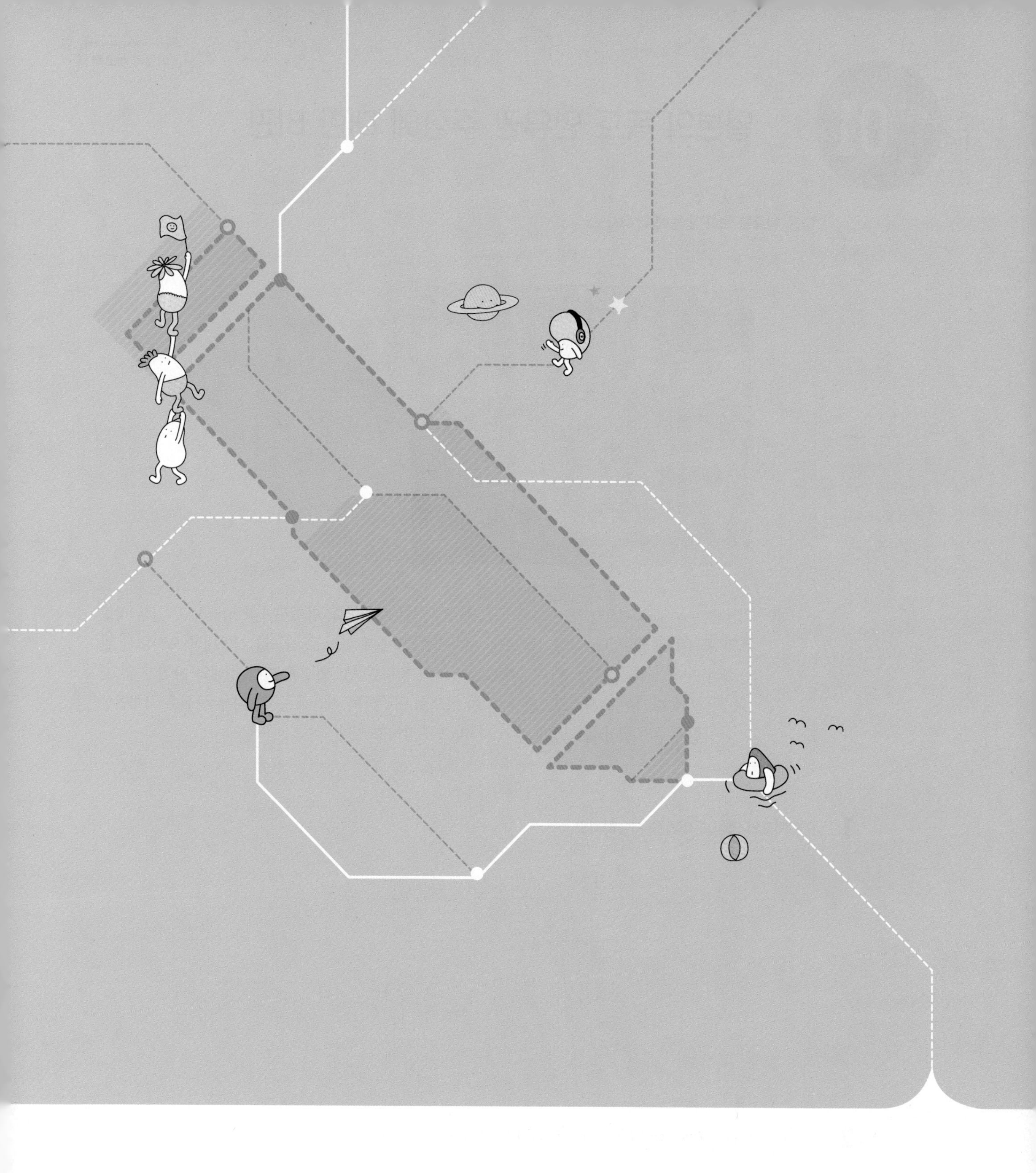

논술형 문제

≫ 정답친해 89쪽

주제 01 일본의 독도 영유권 주장에 대한 비판

다음 자료를 보고 물음에 답하시오.

(가)

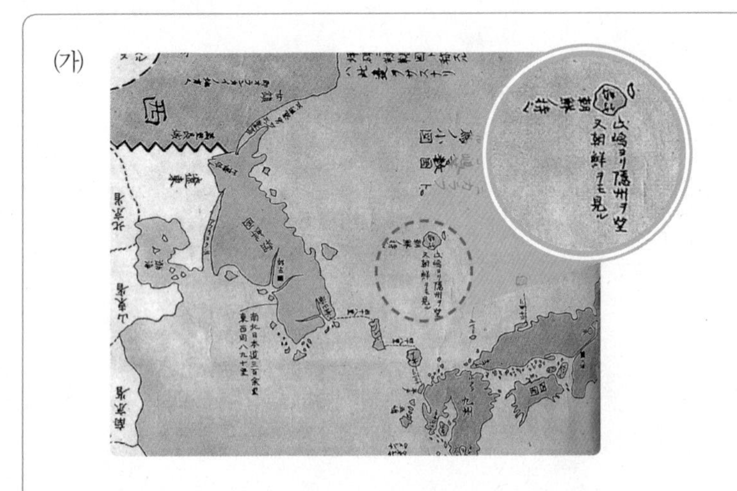

(나) 일본 정부는 1905년 1월 28일 동해상에 위치한 작은 무인도를 '다케시마'라 명명하고, 일본 영토로의 편입을 결정하였다. 그해 2월 22일 시마네현 고시 제 40호로 독도를 시마네현 오키도사 관할로 두었다. 일본 정부는 "다케시마에는 타국이 점령했다고 인정할 만한 형태와 자취가 없고, 1903년 이래 나카이 요사부로라는 자가 이 섬으로 이주하여 어업에 종사했다는 사실은 국제법상 점령 사실(무주지 선점)을 인정할 수 있다."라고 주장하고 있다.

1 (가) 지도의 명칭과 의의를 서술하시오.

2 (가)를 참고하여 (나)에 나타난 일본의 주장에 대한 반론을 서술하시오.

조선 전기와 후기의 지리지

(가), (나) 지리지의 제작 주체, 제작 시기, 제작 목적, 서술 방식을 비교하여 서술하시오. (단, (가), (나)는 『택리지』와 『세종실록지리지』 중 일부 내용이다.)

(가) [연혁] 본래 고구려의 국원성인데, 신라에서 빼앗아, 진흥왕이 소경을 설치하였고, 경덕왕이 중원경으로 고치었다. 고려 태조(太祖) 23년에 지금의 이름으로 불리게 되었다.
[인구와 군정] 호수는 1천 8백 71호요, 인구는 7천 4백 52명이다. 군정은 시위군(侍衛軍)이 4백 40명이요, 선군(船軍)이 4백 65명이다.
[토양과 물산] 땅이 기름지고 메마른 것이 반반이다. 간전(墾田)이 1만 9천 8백 93결이요, 토의(土宜)는 오곡, 팥, 대추, 뽕나무, 참깨요, 토산(土産)은 모과, 신감초, 송이 등이다.

(나) 충주는 청주에서 동북쪽 백여리, 한양에서 동남쪽으로 삼백리 거리에 위치한다. 이 읍은 한강 상류이어서 물길로 왕래하기가 편리하므로 예부터 경성 사대부가 살 곳을 정한 곳이 많다. 경상도에서는 서울로 가는 길이, 좌도(左道)에서는 죽령을 지나서 이 읍에 통하고, 우도(右道)에서는 조령을 지나 이 읍과 통한다. 두 영의 길이 모두 이 읍에 모여서, 물길 또는 육로로 한양과 통한다. 읍이 경기도와 영남과 왕래하는 길의 요충에 해당하므로 유사시에는 반드시 서로 점령하려는 곳이 될 것이다.

주제 03 산지 지형의 이용

다음은 산지 지형을 이용하는 인간 생활 모습을 나타낸 것이다. 이를 보고 물음에 답하시오.

▲ 댐(충청북도 충주시)
▲ 스키장(강원도 평창군)
▲ 계단식 경작(경상남도 산청군)
▲ 자연 휴양림(제주특별자치도 제주시)
▲ 생태 이동 통로(서울 은평구)
▲ 자연 휴식년제 시행(제주 송악산)

1 (가)를 보고 산지 지형이 어떻게 이용되고 있는지 서술하시오.

2 (나)와 같이 생태 이동 통로를 설치하고 자연 휴식년제를 시행하는 이유에 대해 논술하시오.

비판적 사고력 + 문제 해결 능력

주제 04 우리나라 하천의 특징

다음 자료를 보고 물음에 답하시오.

(가) 이렇게 어렵사리 서로 만나 한데 합쳐진 한줄기 물은 고개를 서남으로 돌려 공주를 끼고 계룡산을 바라보면서 우줄거리고 부여로 …… 부여를 한 바퀴 휘돌려다가는 급히 남으로 꺾여 단숨에 논뫼(논산), 강경에까지 들이닫는다. 여기까지가 백마강이라고, 이를테면 금강의 색동이다. …… 강경에 다다르면 장꾼들의 흥정하는 소리와 생선 비린내에 고요하던 수면의 꿈은 깨어진다. 물은 탁하다. 예서부터가 옳게 금강이다. 향은 서서남으로, 충청, 전라 양도의 접경을 골 타고 흐른다. 이로부터 물은 조수(潮水)까지 섭슬려 더욱 흐리나 그득하니 벅차고, 강 너비가 훨씬 퍼진 게 제법 양양하다. 이름난 강경 벌은 이 물로 해서 아무 때고 갈증을 잊고 촉촉하다. – 채만식, 『탁류』 –

(나) 금강 하굿둑은 농업 개발 사업의 일환으로 농업 기반 공사가 8년 동안 1천억 원의 사업비를 투입하여 1990년도에 완공하였다. 금강 하굿둑은 금강이 바다를 만나는 곳에 만들어진 대규모 수리 시설로 충청남도 서천군 장항읍에서 전라북도 군산시 성산면 성덕리로 이어져 충남 서천과 전북 군산을 잇는 교량 역할도 한다.

▲ 금강 하굿둑

1 (가), (나)의 내용을 토대로 과거 금강 하구의 강경이 발달하게 된 배경에 대해 서술하시오.

2 금강 하구에 하굿둑을 건설하게 된 배경을 쓰고, 하굿둑 건설로 얻을 수 있는 장점과 이로 인한 문제점에 대해 논술하시오.

통합적 사고력 + 문제 해결 능력

도시 기후와 지속 가능한 발전

다음 자료를 보고 물음에 답하시오.

(가)

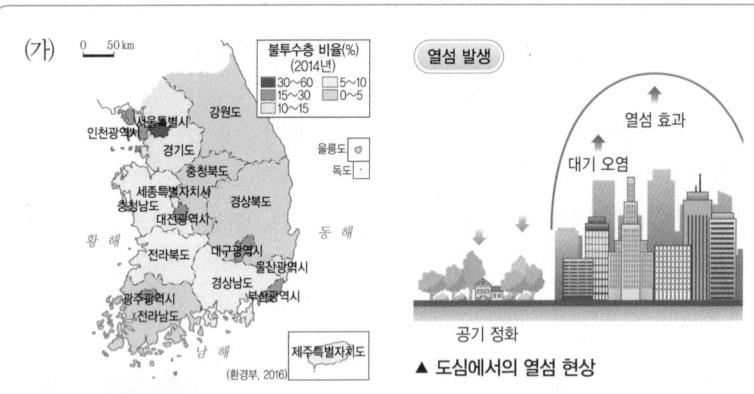

▲ 불투수층 비율

▲ 도심에서의 열섬 현상

(나) 도심을 가로지르는 가로수길은 바람의 이동 통로가 되어서 냉·난방기 및 자동차 등의 인공 열을 도시 외곽으로 빼내는 역할을 한다. 또한 버즘나무(플라타너스)는 하루 평균 잎 1㎡ 당 664㎉의 대기 열을 흡수하며 이는 하루에 15평형 에어컨 8대를 5시간 틀어두는 것과 같은 효과를 보인다. 한편 도시 숲은 지역 내에 떨어진 비를 토양으로 침투하게 하고 저장시킨 후, 적절히 방출하는 녹색 댐 역할을 한다.

1 (가)를 토대로 도심에서 나타날 수 있는 기후 현상에 대해 서술하시오.

2 (가)에서 나타나는 도시 문제의 완화 방법을 (나)를 참고하여 논술하시오.

지구 온난화와 윤리적 입장

(가)에서 밑줄 친 ㉠와 같은 내용이 포함된 이유를 (나), (다)를 활용하여 논술하시오.

(가)

교토 의정서	구분	파리 협정
일본 교토 제3차 당사국 총회	개최	제21차 국제 연합 기후 변화 협약 당사국 총회
1997년 12월 채택, 2005년 발효	채택	2015년 12월 12일 채택
주요 선진국 37개국	대상 국가	195개 협약 당사국
2008~2020년까지 기후 변화 대응	적용 시기	2020년 이후 '신 기후 체제'
• 기후 변화의 주범인 주요 온실가스를 정의함 • 온실 기체 총 배출량을 1990년 수준보다 평균 5.2% 감축 • 온실 기체 감축 목표치 차별적 부여(선진국에만 온실 기체 감축 의무 부여) • 탄소 배출권 거래제 실시	목표 및 주요 내용	• 지구 평균 온도의 상승폭을 산업화 이전과 비교해 2℃ 이하로 유지하고, 1.5℃까지 제한하도록 노력함 • ㉠ <u>좀 더 오랜 기간 온실 기체를 배출해 온 선진국이 개발 도상국의 기후 변화 대처를 지원</u> • 선진국은 2020년부터 개발 도상국의 기후 변화 대처 사업에 매년 최소 1,000억 달러(약 118조 1,500억) 지원 • 협정은 구속력이 있으며 2023년부터 5년마다 당사국이 탄소 감축 약속을 지키는지 검토

(나) 기후 변화의 영향을 받는 정도는 지역의 지리적 차이, 사회·경제·문화적 차이 등에 따라 다르다. 도시 지역은 지구 온난화와 맞물려 열섬 현상이 더욱 가속화되기도 하고, 저지대나 해안 및 섬 지역은 침수 위험이 더욱 증가한다. 특히 개발 도상국은 선진국에 비해 이산화 탄소 배출량이 적지만 재난에 대비할 사회 시스템이 부족하여 기후 변화에 따른 질병 발생률 증가, 물 부족, 농업 생산성 저하, 식량 부족 등의 문제가 발생할 수 있다.

(다) 자유 경쟁 체제에서는 다양한 이유로 사회 불평등이 발생할 수 있으며, 일부 계층 사람들은 인간으로서 품위 있는 삶을 유지하기 어려운 경우가 생겨난다. 이에 국가는 단순히 개인의 자유권이 침해 받지 않도록 보호하는 소극적인 역할을 넘어 국민들이 인간으로서 최소한의 삶을 누릴 수 있도록 적극적인 역할을 수행할 의무가 있다. 그리고 국민은 국가에 인간으로서 최소한의 생존을 누릴 수 있는 적극적인 권리, 즉 복지권을 주장할 수 있다.

비판적 사고력 + 문제 해결 능력

도시의 지역 분화

다음 자료를 보고 물음에 답하시오.

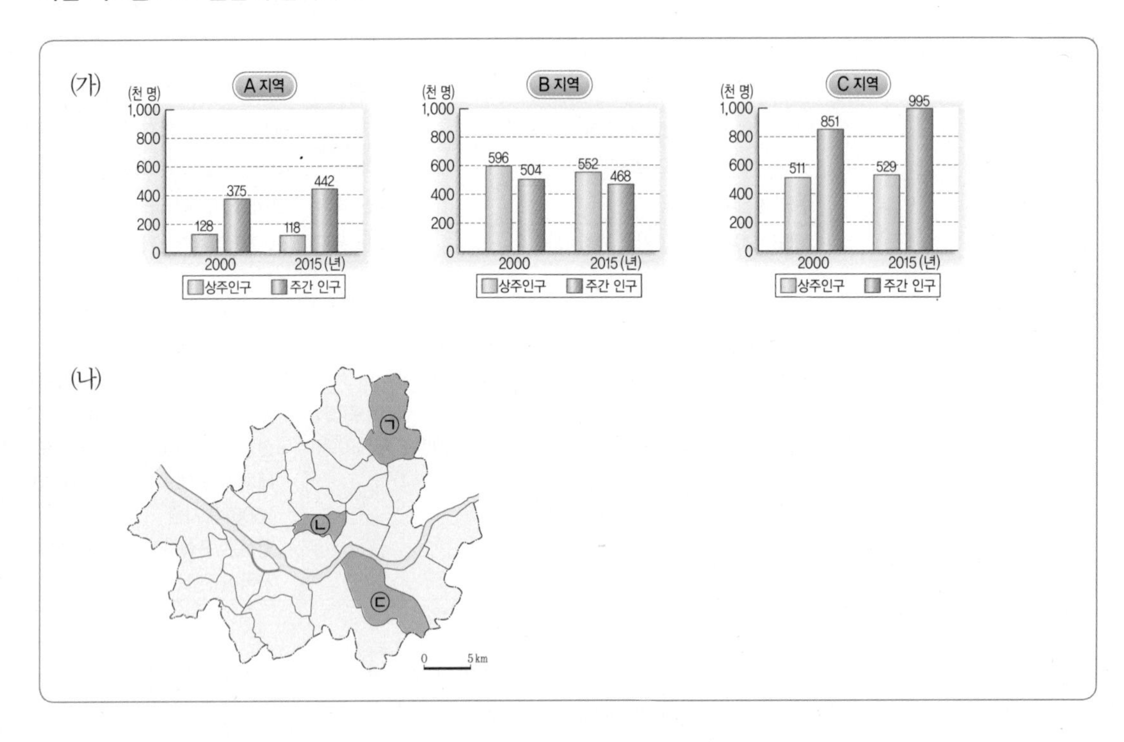

1 (가)에 제시된 A~C 지역의 상주인구와 주간 인구 변화 그래프를 보고 (나)의 ㉠~㉢ 지역 중 어디인지를 찾고 그 이유를 서술하시오.

2 2015년에 주간 인구 지수가 가장 높은 지역을 찾아 그 지역의 교통 흐름에 대해 출·퇴근 시간대별로 구분하여 서술하시오.

도시 재개발과 주민 생활의 변화

다음 (가), (나)의 도시 재개발 방법이 주민 생활에 미치는 긍정적·부정적 영향을 논술하시오.

(가) 경기도 안양시 재개발 사업 지구 두 곳이 정비 구역으로 지정된지 6년만에 본격적인 재개발 사업이 추진된다. 시는 동안구 임곡 3지구와 만안구 예술 공원 입구 주변 지구 등 두 곳에 대한 주택 재개발 사업 관리 처분 계획 인가를 고시했다고 27일 밝혔다. 2009년 12월 재개발 사업 정비 구역으로 지정된 임곡 3지구는 동안구 비산 1동에 2,229세대가 거주하는 지역으로, 조합원 1,461명 가운데 77%의 찬성을 얻어 재개발이 추진됐다. 이 지구에는 2021년까지 지하 5층 지상 29층 21개 동의 공동 주택과 공공 청사, 학교, 공원 등이 지어져 2,637세대가 입주할 예정이다. 거주자들은 빠르면 내년 3월부터 이주를 시작하고 같은 해 7월부터는 철거 공사에 들어갈 계획이다.

– 「중앙일보」, 2016. 11. 27.

(나) 서울시는 2015년 익선동을 중심으로 낙원 상가, 돈화문 일대를 도시 재생 활성화 지역으로 지정한 후 창덕궁 앞 '역사의 길' 재생 계획을 발표하였다. 서울시는 이 중 익선동을 서울의 마지막 한옥마을로 지정하고, 한옥 보전 및 진흥을 위한 사업 지원을 추진하기로 하였다. 익선동은 종로구 소재 법정동으로 동쪽은 와룡동, 서쪽으로 경운동, 남쪽으로 돈의동, 북쪽으로 운니동과 접해 있으며 1930년대 이전 조성된 118채의 한옥이 밀집해 있다. 서울시는 특별한 경우를 제외하고 한옥의 보존을 위해 익선동 일대의 건축물 높이를 1~5층으로 제한하기로 하였으며, 젠트리피케이션 방지를 위해 체인점 형태의 업종을 제한하는 용도 계획도 마련할 계획이다.

– 서울 한옥포털 누리집, 국토교통부 공식 블로그, 2018.

에너지 공급 문제와 대책

다음 자료를 보고 물음에 답하시오.

(가)

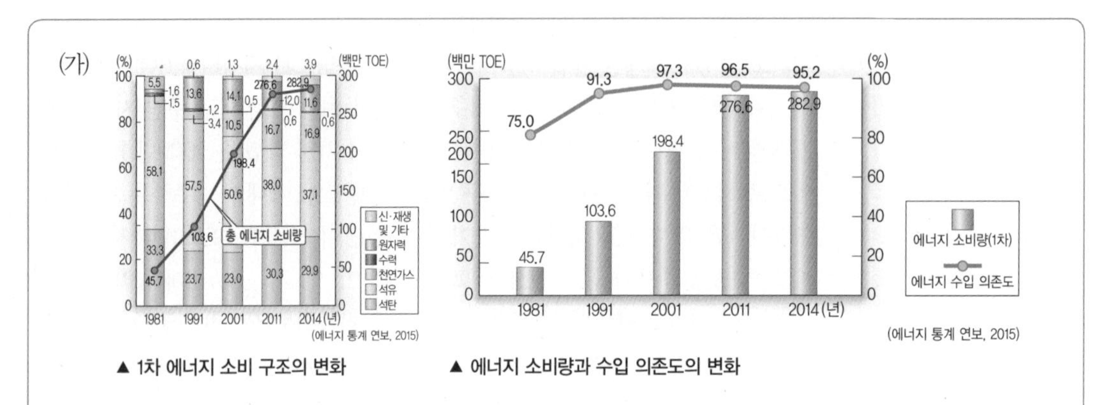

▲ 1차 에너지 소비 구조의 변화

▲ 에너지 소비량과 수입 의존도의 변화

(나) 에너지 업계에 따르면 신·재생 에너지 발전 비율을 20%까지 높이려면 풍력 발전은 16GW, 태양광은 37GW 규모의 발전 설비를 추가로 설치해야 한다. 37GW 태양광 발전을 위해선 서울 면적의 61%인 약 370㎢에 빼곡히 태양광 시설을 지어야 하고, 풍력 발전도 목표만큼 늘리려면 제주도의 1.6배인 2,975㎢가 필요한 것으로 추산된다.

– 「조선일보」, 2017. 6. 29.

(다) 정부에서는 기존의 정책이었던 안정적인 에너지 공급과 에너지 저소비형 산업 구조 개편 노력에서 한 단계 도약하여, 에너지 자립도를 높이고 나아가 '저탄소형 녹색 성장'을 이룩하겠다는 계획을 마련하였다. 이에 따르면 지난해 말까지 2.4%에 불과한 신·재생 에너지 비중을 2030년까지 11%로 대폭 확대하기 위한 목표를 설정하고, 이를 달성하기 위한 핵심 기술의 연구 개발 강화, 시장 확대를 위한 제도 개선, 보급 지원 확대, 관련 산업 육성 등 지원 계획을 담고 있다.

1 (가)를 통해 우리나라 에너지 소비 구조의 문제점을 서술하시오.

2 (다)를 토대로 (나)의 한계점을 극복할 방법을 논술하시오.

농업 문제와 해결 방안

다음 자료를 보고 물음에 답하시오.

(가) 지난 30년 사이 우리나라 농가의 평균 소득이 5.5배 증가하였다. 하지만 같은 기간 도시 근로자의 소득이 더 빠르게 증가하면서 도농 간 소득 격차는 심화된 것으로 나타났다. 농가 소득 증가율이 가장 큰 부문은 축산 농가로, 1993년 2,400여만 원에서 7,964여만 원으로 약 223% 늘었다. 이어 논벼(70%), 채소(56%), 과수(51%) 순으로 농가 소득이 늘었다. 다만 보고서는 여기에 물가 상승률 등을 따져보면 농산물 시장 개방이 본격화된 1995년 이후 농가의 실질 소득은 사실상 정체 현상을 보이고 있다고 지적하였다.

– 「연합뉴스」, 2016. 6. 17.

(나)

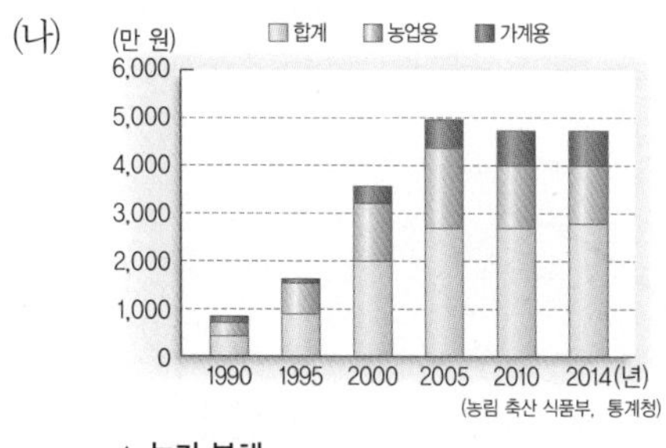

▲ 농가 부채

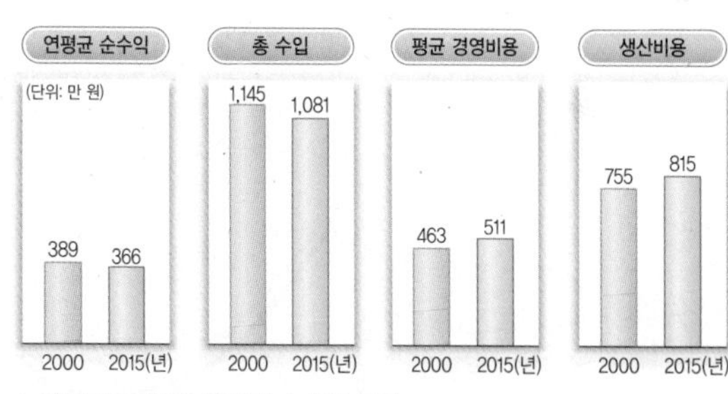

▲ 강원도 도내 쌀 생산비·순수익 추이

(다) '농촌다움(농촌 어메니티)'이란 농촌 고유의 자연 경관, 전통문화, 공동체 등 농촌을 방문하는 사람들에게 친근함과 쾌적함을 주는 모든 소재와 그것이 연출하는 이미지를 의미한다. 이를 활용하여 지역을 대표하는 이미지를 형성할 수 있고, 상품화하여 소득 증대를 꾀할 수도 있다.

1 (가)와 같은 현상이 나타나게 된 원인을 (나)에서 찾아 농업 소득 구조에 대해 서술하시오.

2 (다)를 토대로 (가)의 결과를 개선할 해결책을 논술하시오.

주제 11 우리나라 인구 구조의 변화

다음은 우리나라의 인구 구조 변화에 관한 자료이다. 이를 보고 물음에 답하시오.

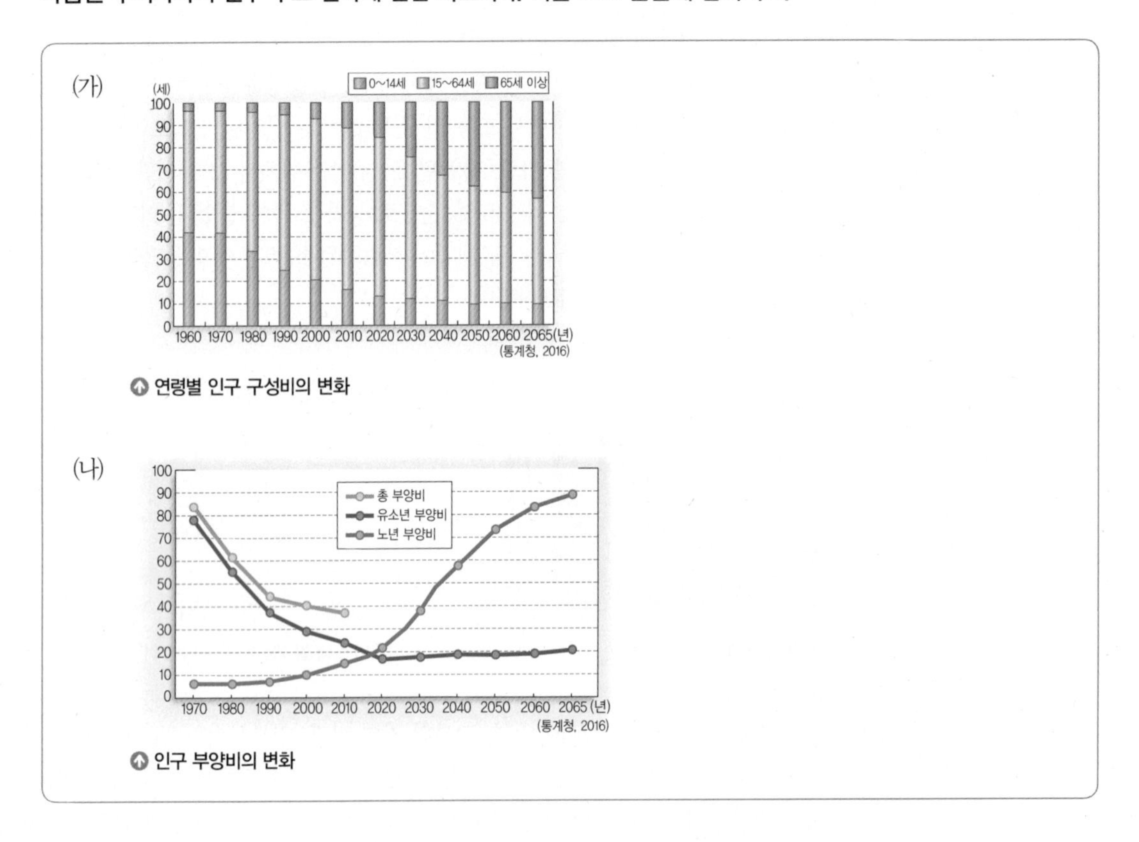

연령별 인구 구성비의 변화

인구 부양비의 변화

1 (가)를 통해 연령별 인구 구성비 변화의 특징을 서술한 후 미래에 일어날 인구 변화에 대해 서술하시오.

2 (가)를 토대로 (나)의 인구 부양비 곡선에서 총 부양비는 어떻게 변화할지 서술하시오.

통합적 사고력 + 공감 능력 + 공동체적 역량

바람직한 다문화 사회 건설을 위한 노력

다음은 바람직한 다문화 정책을 만들기 위해 참고한 자료이다. (가)를 참고하여 (나)의 A에 들어갈 내용을 쓰고, 다문화 가정의 결혼 이민자 또는 자녀들에게 실시할 A 관련 정책에 대해 논술하시오.

(가) 경기도 오산시는 오는 1월 20일부터 전국 최초로 시청 민원실, 보건소, 주민 센터 등 주요 관공서에서 '외국인 주민 화상 통역 서비스'를 실시할 예정이다. '외국인 주민 화상 통역 서비스'는 오산시가 자체 개발한 화상 통역 미니 키오스크 통해 공무원, 민원인, 통역 요원 등 3자 간 화상 연결로 통역을 지원하는 서비스이다. 중국어를 비롯하여 베트남어, 영어, 일본어, 러시아어, 필리핀어, 태국어, 몽골어 등 8개 국어를 지원한다. 오산시 관계자는 "오산시는 전체 인구 대비 외국인 주민 비율이 6%를 넘는 지역으로, 화상 통역 서비스를 통해 외국인 주민의 행정 편의 및 생활 편의 향상에 큰 도움이 될 것"이라고 말하였다.

– 오산시청 누리집, 2016. 1. 20.

(나)

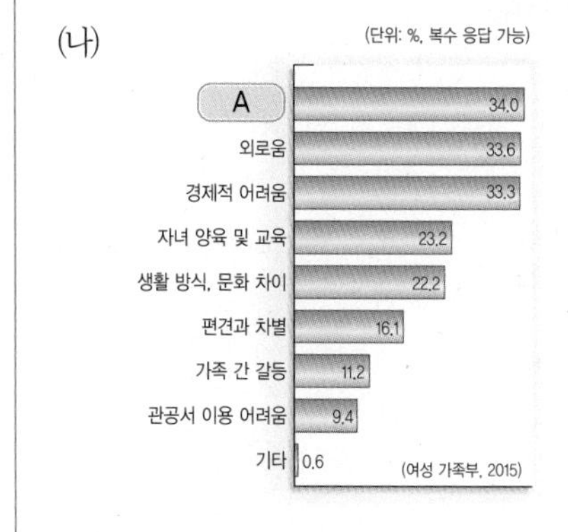

주제 13 우리나라의 전통적인 지역 구분

(가)를 참고하여 (나)의 A~D 지역 이름을 쓰고, 이들 지역을 구분할 때 기준이 되는 것을 서술하시오.

(가) 우리 조상들은 산맥과 강을 기준으로 지역을 나누었다. 남부 지방과 중부 지방은 소백산맥과 금강 하류를 잇는 선을 경계로, 중부 지방과 북부 지방은 멸악산맥을 경계로 구분하였다. 또한 함경도 안변군과 강원도 회양군의 경계에 있는 철령관을 기준으로 관북, 관서, 관동 지방을 구분하였으며, 관북 지방과 관서 지방은 다시 낭림산맥을 기준으로 나누었다.

(나)

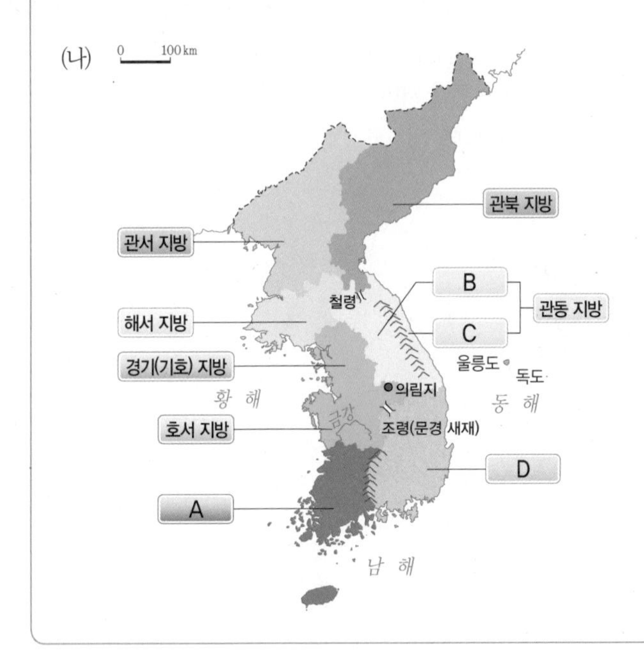

국가 균형 발전과 수도권 문제의 관련성

다음은 일부 지방 소재 대학의 수도권으로의 캠퍼스 이전에 관한 자료이다. 찬성측 입장과 반대측 입장에 서서 각각의 주장을 논술하시오.

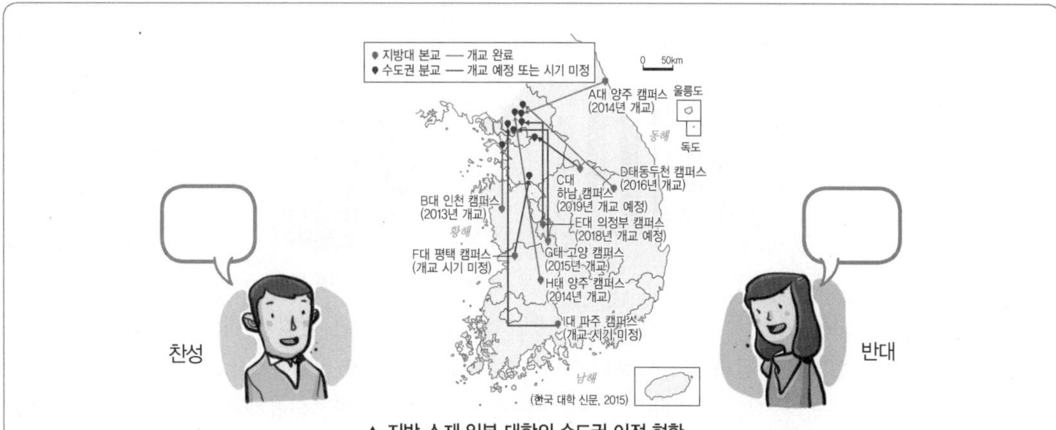

▲ 지방 소재 일부 대학의 수도권 이전 현황

충북 제천에 소재한 세명대가 경기도 하남에 제 2캠퍼스를 조성키로 하고 행정 절차에 나서자 제천시가 강력히 반발하고 나섰다. 제천시는 ○○대가 일부 캠퍼스를 하남으로 이전하는 내용을 담은 대학 위치 변경 신청서를 이달 중 교육부에 제출하기로 하자 주민들은 교육부를 상대로 하남 캠퍼스 조성의 부당성을 알리고 있다.

– 「연합뉴스」, 2017. 11. 7.

찬성:

반대:

비판적 사고력 + 문제 해결 능력

주제 15 산업 구조 변화에 따른 지역의 공간 변화

다음은 강원도 태백시의 변화에 대한 자료이다. 물음에 답하시오.

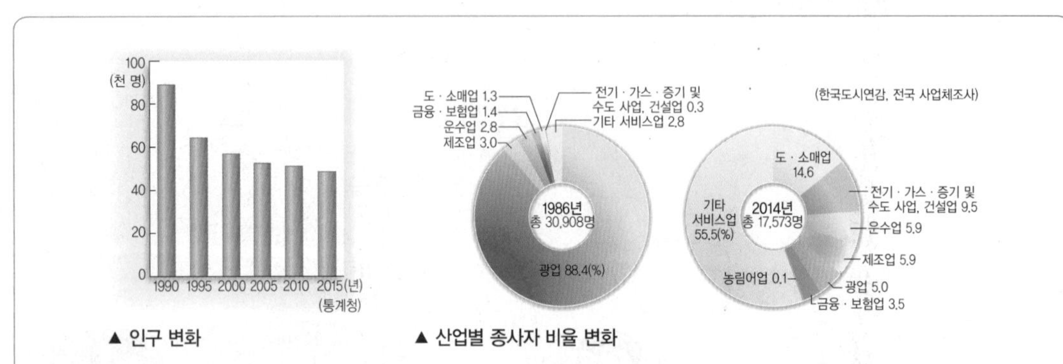

▲ 인구 변화　　▲ 산업별 종사자 비율 변화

1988년 전국 347개에 이르던 광업소는 1989년 석탄 산업 합리화가 시행되면서 8년만인 1996년에는 11개로 급감하였다. 그뿐만 아니라 탄광 노동자도 68,500명에서 2000년에 들어서는 8,200명으로 급감하였다. 석탄 산업이라는 단일 업종으로 구성된 탄광촌이었기에 폐광은 곧 지역의 몰락을 의미하였다. 탄광촌으로 시(市)가 된 전국 최대 규모의 탄광 도시인 태백시는 1989년부터 1996년까지 43개 광업소가 폐광하면서 16,195명의 탄광 노동자가 3,674명으로 급감하였다. 태백시는 1987년 12만 명을 넘던 인구가 2009년 5만여 명으로 감소하는 동안 전국에서 가장 작은 꼬마 시(市)라는 별명까지 붙었다. 광부들이 살던 주택은 물론이거니와 철암 기차역 앞의 상가들까지 문을 닫은 폐허의 풍경은 우리나라 대표적 폐광촌의 상징으로 전국에 알려지기도 하였다. 2018년 현재도 운영 중인 철암역 뒤편의 대형 역두 저탄장은 탄광에서 폐광으로 가는 탄광촌의 과거와 현재를 한눈에 보여 준다. – 지역N문화 누리집

1 태백시의 인구가 변화한 이유를 산업별 종사자 비율 변화 자료를 바탕으로 서술하시오.

2 태백시의 산업 구조 변화를 통해 파악할 수 있는 태백시의 노력에 대해 서술하시오.

15개정 교육과정

· 완벽한 자율학습서 ·

완자네 새주소

자율학습시 비상구

정확한 답과 친절한 해설

정답친해로 53

정답친해로
오삼~

한국지리

책 속의 가접 별책 (특허 제 0557442호)
'정답친해'는 본책에서 쉽게 분리할 수 있도록 제작되었으므로
유통 과정에서 분리될 수 있으나 파본이 아닌 정상제품입니다.

visang

ABOVE IMAGINATION

우리는 남다른 상상과 혁신으로
교육 문화의 새로운 전형을 만들어
모든 이의 행복한 경험과 성장에 기여한다

· 완벽한 자율학습서 ·

자율학습시 비상구 정답친해로 53

정확한 답과 친절한 해설

한국지리

Ⅰ. 국토 인식과 지리 정보

01 우리나라의 위치 특성과 영토

STEP 1 핵심 개념 확인하기 014쪽

1 (1) ㄴ (2) ㄷ (3) ㄱ 2 ㉠ 영역 ㉡ 영공 3 (1) ㄴ, ㄹ, ㅂ (2) ㄱ, ㄷ, ㅁ 4 (1) ○ (2) ○ 5 (1) 독도 (2) 이어도

STEP 2 내신 만점 공략하기 014~016쪽

01 ⑤ 02 ③ 03 ⑤ 04 ④ 05 ⑤ 06 ③ 07 ⑤ 08 ①

01 우리나라의 위치 특성

우리나라는 국토의 삼면이 바다로 둘러싸인 반도국으로 동아시아의 중심에 위치하여 인적·물적·문화적 교류에 유리하다.

바로 알기 ① 우리나라의 표준 경선은 동경 135°로 우리나라의 표준시는 본초 자오선이 지나는 영국보다 9시간 빠르다. ② 삼면이 바다로 둘러싸인 반도국으로, 해양으로의 진출에 유리하다. ③ 우리나라는 일본, 중국 등 세계 경제를 주도하는 국가들 사이에 위치한다. ④ 유라시아 대륙의 동쪽, 태평양의 서쪽에 위치한 우리나라는 대륙의 영향을 받아 기온의 연교차가 큰 대륙성 기후가 나타난다.

02 동아시아의 중심지

우리나라는 대륙과 해양을 연결하는 곳에 있어 세계의 도로, 해상, 항공 교통의 중심지로서 잠재력이 매우 크다. 아시안 하이웨이가 개통되면 평균 운송 속도가 해운보다 빠른 도로에 의해 화물을 유럽으로 수송할 수 있다. 또한 해운을 이용할 때보다 유럽과의 이동 거리가 가까워지는 것은 물론, 우리나라가 태평양과 유라시아 대륙을 연결하는 물류 네트워크의 중심이 될 수 있다.

바로 알기 ③ 동남 및 남부 아시아와 아시안 하이웨이 1번 도로로 연결되므로 교류가 줄어든다고 보기는 어렵다.

03 우리나라의 위치 특성

지도의 A는 백령도, B는 강원도 양구군, C는 마라도, D는 독도를 나타낸 것이다. 백령도는 우리나라의 서쪽에 위치한 섬으로 북한과 매우 인접해 있다. 강원도 양구군은 우리나라 4극 지점을 기준으로 중앙 경선과 중앙 위선이 교차하는 지점이다. 양구군은 매년 이러한 수리적 위치를 활용해 '배꼽 축제'를 개최한다. 마라도는 우리나라 국토의 최남단, 독도는 우리나라의 최동단에 위치하며, 모두 신생대 화산 활동에 의해 형성된 화산섬이다.

바로 알기 ① 우리나라 영토의 최서단은 평안북도 용천군 마안도이다. ② 우리나라의 표준 경선은 동경 135°선으로, 독도의 동쪽을 통과한다. ③ 종합 해양 과학 기지가 건설되어 있는 곳은 이어도이다. ④ 독도가 백령도보다 더 동쪽에 위치하고 있으므로 일출 시각이 이르다.

04 영역의 특성

A는 영해, B는 영토, C는 영공, D는 배타적 경제 수역에 해당한다. ㄱ. 영해는 해안선으로부터 일정한 범위 내에 있는 바다를 의미하며, 해수면에서 해저에 이르는 곳을 포함한다. ㄴ. 영토는 국가의 영역이 미치는 지표상의 범위이며, 간척 사업에 의해 범위가 확대될 수 있다. ㄹ. 배타적 경제 수역은 기선으로부터 200해리까지의 수역 중 영해를 제외한 수역이다.

바로 알기 ㄷ. 영공은 영토와 영해의 수직 상공으로 일반적으로 대기권까지 해당한다.

05 우리나라 영해의 범위

영해의 범위는 일반적으로 해안선으로부터 12해리까지이며 최저 조위선이 영해 설정의 기준이 된다. 우리나라는 영해의 범위를 정할 때 해안선의 특징에 따라 통상 기선과 직선 기선을 적용한다. 서·남해안은 해안선이 복잡하고 섬이 많아 최외곽 섬을 직선으로 연결한 직선 기선을 적용한다. 동해안, 제주도, 울릉도, 독도는 최저 조위선이 기준이 되는 통상 기선을 적용한다. 동해안은 대부분 통상 기선을 사용하지만, 예외적으로 영일만과 울산만은 직선 기선을 사용한다.

바로 알기 ⑤ 대한 해협에서는 우리나라와 일본 간 거리가 가까워 직선 기선에서 3해리까지를 영해로 설정하였다.

완자 정리 노트 우리나라의 영역

영토	한반도와 부속 도서
영해	• 기선으로부터 12해리까지 인정(단, 대한 해협은 3해리) • 동해안, 제주도, 울릉도, 독도: 통상 기선에서부터 12해리까지 • 서해안, 남해안: 직선 기선에서부터 12해리까지
영공	영토와 영해의 수직 상공으로 일반적으로 대기권까지 인정

06 배타적 경제 수역

배타적 경제 수역은 영해 기선으로부터 200해리까지의 바다에서 영해를 제외한 수역이다. 이 수역에서 연안국은 해양 자원을 탐사, 개발, 이용, 보전, 관리할 권리가 있다. 우리나라도 배타적 경제 수역을 선포하였으나 우리나라 주변 바다가 일본, 중국과 인접해 있어 배타적 경제 수역의 경계 획정 문제가 발생하였다. 현재 우리나라는 한·일 어업 협정을 통해 중간 수역을 설정하였으며, 한·중 어업 협정을 통해 잠정 조치 수역을 정해 놓고 양측이 모두 어업 활동을 할 수 있도록 하였다.

바로 알기 ③ 우리나라의 주권이 미치는 영해에서 다른 국가의 어선은 어업 활동을 할 수 없다.

07 이어도와 독도

자료분석

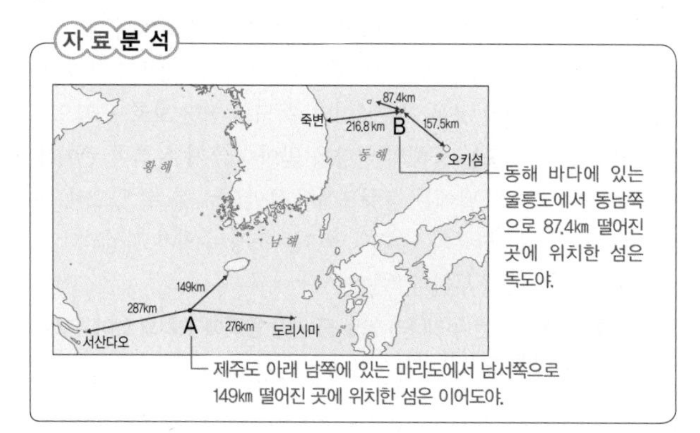

지도의 A는 이어도, B는 독도이다. 우리나라는 2003년 이어도에 종합 해양 과학 기지를 건설하여 태풍의 이동 경로, 해수 온도 변화 등 해양 관측 자료를 얻고 있다. 이어도 주변 해역은 우리나라의 배타적 경제 수역에 포함되며, 무인도나 암초는 가장 가까운 유인도에 귀속된다는 국제 해양법에 따르면 이어도의 관할권은 우리나라에 있다. 독도는 우리나라의 가장 동쪽에 위치한 섬으로 우리나라의 영토이다. 독도는 신라 지증왕 때 이사부가 우산국을 정복한 이후 우리나라의 영토가 되었으며, 섬 전체가 천연 보호 구역으로 지정되어 있다.

바로 알기 ⑤ 이어도는 국토 최남단인 마라도에서 남서쪽으로 약 149㎞ 떨어져 있는 수중 암초로, 사람이 살 수 없는 무인도이다. 반면 독도는 주민들, 독도 경비대원, 등대 관리원 등이 거주하고 있는 유인도이다.

08 고지도에 나타난 독도와 동해

(가)는 「삼국접양지도」, (나)는 「조선일본유구국도」이다. 「삼국접양지도」는 우리나라, 일본, 중국, 러시아 영토를 각각 다른 색으로 표현하였다. 동해에 위치한 울릉도와 독도는 조선과 같은 색으로 표현되어 있으며 그 아래 '조선의 것'이라는 내용이 적혀 있다. 「조선일본유구국도」는 조선에서 제작된 지도로 우리나라 동쪽의 바다가 동해로 표현되어 있다.

바로 알기 ㄷ. 「조선일본유구국도」는 「삼국접양지도」보다 조선의 영토가 사실적으로 표현되어 있다. ㄹ. 「삼국접양지도」는 일본에서, 「조선일본유구국도」는 조선에서 제작된 지도이다.

서술형 문제

016쪽

01 주제: 영해 설정 기준

(1) A – 통상 기선, B – 직선 기선

(2) 예시 답안 해안선이 단조로운 동해안과 제주도, 울릉도, 독도는 썰물 때의 해안선인 통상 기선을 적용하고 있으며, 해안선이 복잡하고 섬이 많은 서해안과 남해안에서는 최외곽 도서를 연결한 직선 기선을 적용하고 있다.

채점 기준

상	통상 기선과 직선 기선이 적용되는 해안과 그 이유를 정확히 서술한 경우
중	통상 기선과 직선 기선이 적용되는 해안을 썼으나, 그 이유에 대한 서술이 미흡한 경우
하	통상 기선과 직선 기선 중 한 가지만 서술한 경우

02 주제: 독도의 영역적 가치

(1) 독도

(2) 예시 답안 독도는 배타적 경제 수역 설정의 기준이 되며, 동해의 교통 요지로 태평양을 향한 해상 전진 기지 역할도 할 수 있다.

채점 기준

상	독도의 영역적 가치 두 가지를 정확히 서술한 경우
하	독도의 영역적 가치를 한 가지만 서술한 경우

STEP 3 1등급 정복하기

017~019쪽

1 ③ 2 ④ 3 ④ 4 ⑤ 5 ③ 6 ②

1 우리나라의 위치 특성

우리나라는 경도 상으로 동경 124°~132°에 위치하며, 표준 경선은 동경 135°로 우리나라의 표준시는 본초 자오선이 지나는 영국보다 9시간 빠르다. 우리나라는 국토의 삼면이 바다로 둘러싸인 반도국이기 때문에 대륙과 해양으로 진출하는 데 유리하다. 이러한 지리적 위치를 기반으로 임해 공업 지역이 발달하였으며, 국제 무역과 문화 교류가 활발하다.

바로 알기 ㄱ. 우리나라는 북위 33°~43°에 위치하여 냉·온대 기후가 나타나고, 사계절이 뚜렷하다. ㄹ. 우리나라는 유라시아 대륙의 동쪽, 태평양의 서쪽에 위치하여 기온의 연교차가 큰 대륙성 기후가 나타난다.

2 우리나라의 위치 특성

일출 시각은 동쪽에 위치한 지역일수록 빠르다. 따라서 일출 시각이 가장 빠른 A는 ㉢, B는 ㉡, 일출 시각이 가장 늦은 C는 ㉠이다. ① 우리나라의 표준 경선은 동경 135°이다. 따라서 A인 ㉢이 B인 ㉡보다 표준 경선과 가깝다. ② 서쪽보다 동쪽에 위치한 지역이 일몰 시각이 이르기 때문에 A는 C보다 일몰 시각이 이르다. ③ B와 C는 비슷한 위도에 위치해 있지만 동해안에 위치한 B가 서해안에 위치한 C보다 기온의 연교차가 작다.

바로 알기 ④ 영해 설정 시 동해안에 위치한 B는 통상 기선, 서해안에 위치한 C는 직선 기선을 적용한다.

3 영해와 배타적 경제 수역

지도의 A, B는 우리나라의 배타적 경제 수역, C는 우리나라의 영해이다. 배타적 경제 수역에서는 연안국의 자원 탐사 및 개발에 관한 권리가 인정된다. 하지만 다른 국가의 선박과 항공기 등이 배타적 경제 수역을 자유롭게 통행하는 것을 제한할 수는 없다. 따라서 A에서 인접 국가 간 사전 허가 없이 우리나라 자원 탐사선이 탐사 활동을 할 수 있다. B에서 외국 화물선의 항행이 허용된다. C는 우리나라의 영해이기 때문에 우리나라 해군 함정이 항해를 할 수 있다.

바로 알기 ㄹ. C는 우리나라의 영해이기 때문에 국가 간 사전 허가 없이 외국의 어선이 어업 활동을 할 수 없다.

4 영해와 배타적 경제 수역

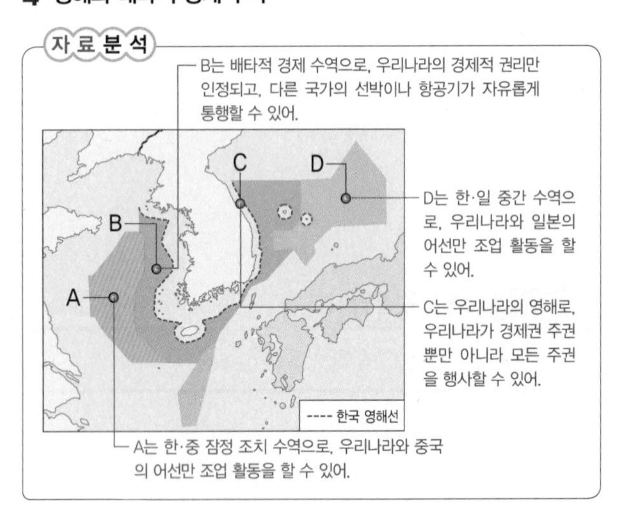

지도의 A는 한·중 잠정 조치 수역, B는 우리나라의 배타적 경제 수역, C는 우리나라의 영해, D는 한·일 중간 수역을 나타낸 것이다. (가)는 외국 선박의 자유로운 항해가 가능하지만 우리나라와 일본의 어선만 조업 활동이 가능한 것으로 볼 때 이는 한·일 중간 수역(D)임을 알 수 있다. (나)는 우리나라의 독점적 권리가 인정되고 다른 국가의 비행기가 통과할 수 없는 것으로 볼 때 우리나라의 영해(C)임을 알 수 있다.

5 독도의 지리적 특징

신생대 제3기 말 화산 활동으로 형성되었고, 주변 해역에 메탄 하이드레이트가 매장되어 있는 지역은 독도이다. 섬 전체가 세계 자연 유산으로 지정된 곳은 제주도이며, 독도는 천연 보호 구역으로 지정되어 있다. 독도는 동해의 영향을 받아 기후가 온화한 편이다. 독도는 날씨가 맑은 날에는 울릉도에서 육안으로 볼 수 있으며, 독도 주변 해역에는 한류와 난류가 만나는 조경 수역이 형성되기 때문에 어족 자원이 풍부하다.

바로 알기 ③ 독도는 우리나라 영토 중 가장 동쪽에 위치해 있어 우리나라에서 일출과 일몰 시각이 가장 이르다.

6 마라도와 독도의 지리적 특징

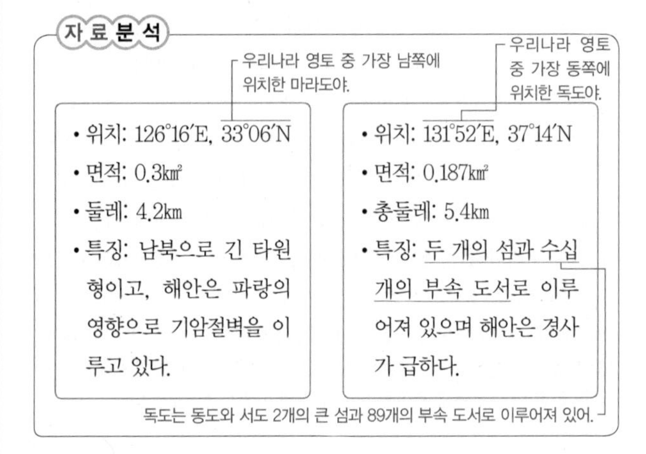

(가)는 마라도, (나)는 독도이다. ㄱ. 마라도는 독도보다 저위도에 위치해 있어 연평균 기온이 높다. ㄷ. 마라도와 가장 가까운 유인도는 제주도, 독도와 가장 가까운 유인도는 울릉도이다. 마라도와 제주도는 가까이 인접해 있는 반면 독도와 울릉도는 약 87.4km 떨어져 있다.

바로 알기 ㄴ. 마라도와 독도 모두 사람이 거주하는 유인도이다. ㄹ. 마라도와 독도 모두 영해를 설정할 때 통상 기선을 적용하고 있다.

02~03 국토 인식의 변화 ~ 지리 정보와 지역 조사

STEP 1 핵심 개념 확인하기 024쪽

1 (1) 혼일강리역대국도지도 (2) 대동여지도　2 ㉠ 실학 ㉡ 관찬 지리지 ㉢ 택리지　3 (1) ㄱ (2) ㄴ (3) ㄷ　4 (1) 유선도 (2) 등치선도　5 ㉠ 야외 조사 ㉡ 조사 보고서 작성

STEP 2 내신 만점 공략하기 024~027쪽

01 ②　02 ②　03 ④　04 ③　05 ①　06 ③　07 ④
08 ④　09 ①　10 ⑤　11 ②　12 ②

01 우리나라의 전통 지리 사상

그림은 풍수지리 사상의 명당도이다. 우리 조상들은 국토를 살아 있는 생명체로 인식하고 자연과 조화를 이루고자 하였는데, 이러한 전통적 국토 인식을 체계화한 것이 풍수지리 사상이다. 풍수지리 사상은 지모(地母) 사상과 중국의 음양오행설이 결합하여 형성되었다. 산의 모양과 기복, 바람과 물의 흐름을 바탕으로 명당을 찾는 일종의 입지론으로 통일 신라 말기부터 널리 퍼져 고려와 조선의 도읍 선정, 취락과 묘지의 입지 선정 등에 영향을 주었다.

바로 알기 ② 풍수지리 사상은 인간과 자연의 조화를 중시하기 때문에 자연을 개발하고 이용하려는 국토 인식과는 거리가 멀다.

02 혼일강리역대국도지도의 특징

「혼일강리역대국도지도」는 1402년 국가 주도로 제작된 세계 지도로 ㄱ. 지도의 중앙에 중국을 크게 표현하고 있어 중국 중심의 세계관이 반영되어 있음을 알 수 있다. ㄹ. 지도에 표시된 ㉠은 아프리카, ㉡은 아라비아반도, ㉢은 중국이다. 또한 유럽과 일본 등을 표현하고 있지만 아메리카 대륙, 오세아니아의 신대륙은 표현되어 있지 않다. 따라서 「혼일강리역대국도지도」를 통해 그 당시 사람들의 세계 인식 범위를 파악할 수 있다.

바로 알기 ㄴ. 국가 주도로 제작된 세계 지도로 현존하는 우리나라에서 가장 오래된 세계 지도이다. ㄷ. 상상의 국가와 지명이 표현된 지도로는 「천하도」를 들 수 있다.

03 조선 시대의 지도 비교

(가)는 「조선방역지도」, (나)는 「동국대지도」를 나타낸 것이다. 「조선방역지도」는 조선 전기인 1557~1558년 관청에서 전국의 공물 진상 내용을 파악하기 위해 제작한 지도이다. 중남부 지방의 지형 표현은 실제에 가깝지만 북부 지방은 다소 왜곡되어 있으며, 해안선과 하계망은 비교적 정확하게 표현되어 있다. 「동국대지도」는 조선 후기인 18세기 중반에 제작되었으며 백리척이라는 축척을 활용하였다. 「조선방역지도」에 비해 북부 지방의 모습이 실제와 가깝게 표현되어 있다.

바로 알기 ㄷ. (가)는 「조선방역지도」, (나)는 「동국대지도」이다.

04 대동여지도 읽기

「대동여지도」는 조선 후기 실학사상의 영향을 받아 제작되었다. 축척은 약 1:16만으로 조선 시대를 통틀어 가장 축척이 크고 자세하게 묘사된 지도에 해당한다. 선의 굵기와 흐름으로 산줄기를 표현하였으며, 하천은 항해가 가능하면 쌍선, 불가능하면 단선으로 표현하였다. 도로는 하천과 구분하기 위해 직선으로 그렸으며, 10리마다 방점을 찍어 실제 거리를 알 수 있도록 하였다.

바로 알기 ③ 산줄기의 방향과 대략적인 규모는 알 수 있으나, 정확한 해발 고도는 파악할 수 없다.

완자 정리 노트 대동여지도의 특징

제작자	김정호
제작 방식	• 목판본으로 대량 인쇄 가능 • 분첩 절첩식 지도로 접어서 휴대하기 편리함
표현 방식	• 오늘날 지도의 범례와 같은 지도표 사용 • 도로는 직선, 하천은 곡선으로 표현 • 도로 10리마다 방점(눈금)을 찍어 지역 간 거리 계산이 가능 • 가항 하천은 쌍선, 불가항 하천은 단선으로 표현 • 산지를 이어진 산줄기 형태로 표현

05 조선 전기 지리지의 특징

제시된 내용은 『신증동국여지승람』의 전라도 나주에 대한 서술의 일부이다. 『신증동국여지승람』은 국가 경영과 지방 통치를 위한 기초 자료로 활용하기 위해 중앙 정부가 제작한 조선 전기의 관찬 지리지이다. 이 책의 내용을 보면, 한성을 비롯한 도별로 책머리에 전도(全圖)를 싣고, 이어 연혁, 성씨, 풍속, 산천, 향교, 성곽, 역원 등을 수록하였다.

바로 알기 ② 조선 전기에 제작된 지리지이다. ③ 지역에 대한 저자의 해석 대신에 각 지역의 연혁, 토지, 호구, 성씨, 인물 등에 대한 정보가 백과사전과 같이 기술되어 있다. ④ 특정 주제를 깊이 있게 탐구하기 위해 종합적이고 체계적으로 서술한 지리지는 조선 후기에 주로 제작되었다. ⑤ 이중환의 『택리지』, 신경준의 『도로고』는 조선 후기에 제작된 지리지이다.

06 택리지의 가거지 조건

제시된 글은 이중환의 『택리지』 중 가거지의 조건 일부를 서술한 것이다. 『택리지』는 총론, 사민총론, 팔도총론, 복거총론으로 구성되어 있으며, 복거총론에 가거지 조건이 제시되어 있다. 가거지는 조선 시대 사대부들이 거주하기 좋은 장소의 조건에 해당하며 지리, 인심, 산수, 생리가 있다. (가)는 지리, (나)는 생리, (다)는 인심, (라)는 산수에 대한 설명이다.

완자 정리 노트 **택리지의 가거지 조건**

구분	특징
지리(地理)	풍수지리적으로 명당인 곳
생리(生利)	경제적으로 유리한 곳 → 그 당시의 상황을 고려할 때 땅이 비옥하거나 하천 교통이 편리한 곳
산수(山水)	산과 물이 조화를 이루며 경치가 좋아 풍류를 즐기기 좋은 곳
인심(人心)	이웃의 인심이 온화하고 순박하며 당쟁이 없는 곳

07 우리나라의 국토관 변화

우리나라는 산업화 시기를 거치면서 자원이 남용되고 자연환경이 파괴되었다. 오늘날 이러한 문제를 해결하기 위해 생태학적 국토 인식이 확대되고 있다. 생태학적 국토 인식은 자연환경을 보전하고 환경적으로 건전하며 지속 가능한 발전을 추구하여 자연과 인간의 조화와 균형을 이루고자 한다.

바로 알기 ①, ③, ⑤ 경제적 효율성을 우선적으로 추구하며 국토를 이용의 대상으로 보는 것은 산업화 시대의 국토관이다. 이 시기에는 국토 개발을 통해 삶의 질을 높이려는 능동적이고 진취적인 국토관이 강조되었다. ② 일제 강점기에는 식민 지배를 공고히 하려는 일제에 의해 부정적이고 소극적인 국토 인식을 강요당하였다.

08 지리 정보의 유형과 표현

㉠은 강원도 양구군의 수리적 위치를 표현하는 공간 정보, ㉡은 양구군의 지형적 특징을 나타내는 속성 정보, ㉢은 양구군과 다른 지역과의 상호 작용 및 관계를 알려 주는 관계 정보이다. 이러한 지리 정보들은 사용자의 필요에 따라 도표, 그래프, 지도 등 다양한 형태로 표현될 수 있다.

바로 알기 ㄴ. ㉡은 장소의 자연적·인문적 특성을 나타내는 속성 정보이다. 장소나 현상의 위치와 형태를 나타내는 것은 공간 정보이다.

09 유형에 따른 통계 지도의 사례

제시된 그래프는 1차 에너지의 지역별 생산 비중을 나타낸 것이다. 이와 같이 지역별로 통계 자료를 비교할 때는 도형 표현도를 활용하는 것이 적절하다.

바로 알기 ② 단계 구분도는 경지 이용률, 인구 밀도와 같은 등급을 나눌 수 있는 자료를 표현하는 데 적절하다. ③ 점묘도는 인구 분포와 같은 통계 값을 일정한 단위의 점으로 환산하여 지리 현상의 분포나 밀도를 표현하는 데 적절하다. ④ 등치선도는 통계 값이 같은 지점을 연결하여 표현하기 때문에 등온선, 등고선과 같이 연속적인 자료를 표현하는 데 적절하다. ⑤ 유선도는 어떤 현상의 이동을 표현하는 데 적절하다.

10 지리 정보 시스템(GIS)의 활용

지리 정보 시스템(GIS)은 다양한 지표면의 정보를 컴퓨터에 입력·저장한 후 이를 원하는 대로 분석·출력하여 활용하는 시스템이다. 제시된 산사태 정보 시스템은 집중 호우시 산사태가 일어날 수 있는 지역을 알려 주기 때문에 재난에 대비해 효과적으로 이용할 수 있다. 또한 모든 정보가 수치화되어 컴퓨터에 입력되기 때문에 수록된 정보를 갱신하고 관리하기 편하다. 이러한 자료는 지형이나 식생, 경사도 등 여러 가지 정보를 중첩시켜 만든 것이다.

바로 알기 ⑤ 산사태 위험 정보는 관찰과 면담을 통해서는 정확하게 파악할 수 없으며, 이 지도를 제작하기 위해 실측을 하는 것이 아니라 기존에 실측된 정보를 활용해서 제작한다.

11 지역 조사 방법

그림은 지역 조사 과정을 나타낸 것이다. (가)는 지리 정보 수집, (나)는 야외 조사, (다)는 지리 정보의 분석, (라)는 조사 보고서 작성에 해당한다. (가) 단계에서는 조사 목적과 주제에 맞게 지리 정보를 수집하는 활동이 이루어지며, (나) 단계에서는 조사 지역을 직접 방문하여 미리 계획한 여러 가지 사항을 관찰, 측정, 촬영, 면담, 설문 등을 통해 확인한다. (다) 단계에서는 실내 조사와 야외 조사를 통해 수집한 지리 정보를 분석하고 표, 그래프, 지도 등으로 정리한다. 끝으로 (라) 단계에서는 정리한 자료를 활용하여 조사 보고서를 작성하는 활동이 이루어진다.

바로 알기 ② 주민들에게 배부할 설문지를 작성하는 것은 실내 조사 단계에 해당한다.

12 지리 정보와 지역 조사

제시된 그림은 ○○군의 시설 농업 현황을 조사하기 위해 학생들이 모여 대화를 나누는 장면이다. ㄱ. ○○군의 시설 농업 현황은 속성 정보에 해당한다. ㄷ. 다른 지역의 시설 농업에 대한 자료를 인터넷으로 찾아보는 것은 지리 정보를 수집하는 과정에 해당한다.

바로 알기 ㄴ. 읍·면별 시설 농업 생산량 통계 자료는 도형 표현도로 표현하는 것이 적절하다. ㄹ. 주민들을 대상으로 인터뷰를 실시하는 것은 야외 조사 단계에서 이루어진다.

서술형 문제

027쪽

01 주제: 조선 전·후기 지리지 특징 비교

예시 답안 (가)는 『신증동국여지승람』, (나)는 『택리지』에 기록된 부여에 대한 내용이다. (가)는 조선 전기, (나)는 조선 후기에 제작되었으며, (가)에서는 부여의 연혁, 산천 등의 내용을 백과사전식으로 서술하였으나, (나)에서는 부여의 특색에 대해 서술자의 주관을 담아 설명식으로 기술하였다.

채점 기준

상	(가), (나) 지리지의 제작 시기와 서술 방식을 모두 정확하게 서술한 경우
중	(가), (나) 지리지의 제작 시기와 서술 방식 중 하나만을 정확하게 서술한 경우
하	(가), (나) 지리지의 제작 시기와 서술 방식을 비교하지는 못하였으나 특징을 간략하게 서술한 경우

02 주제: 지리 정보 시스템

(1) 중첩 분석

(2) 예시 답안 일상생활에서는 내비게이션이나 스마트폰을 통한 길 찾기가 일반화되었으며 버스 도착 시간이나 날씨 정보 등도 원할 때마다 쉽게 얻을 수 있다. 또한 홍수나 산사태 예측, 지진 감시 등과 같은 재난·재해 관리, 국토 및 환경 관리 등 다양한 분야에서 지리 정보 시스템이 활용되고 있다.

채점 기준

상	지리 정보 시스템의 활용 사례를 두 가지 이상 정확하게 서술한 경우
하	지리 정보 시스템의 활용 사례를 한 가지만 정확하게 서술한 경우

STEP 3 1등급 정복하기

028~029쪽

1 ④ 2 ③ 3 ② 4 ③

1 대동여지도 해석

자료 분석

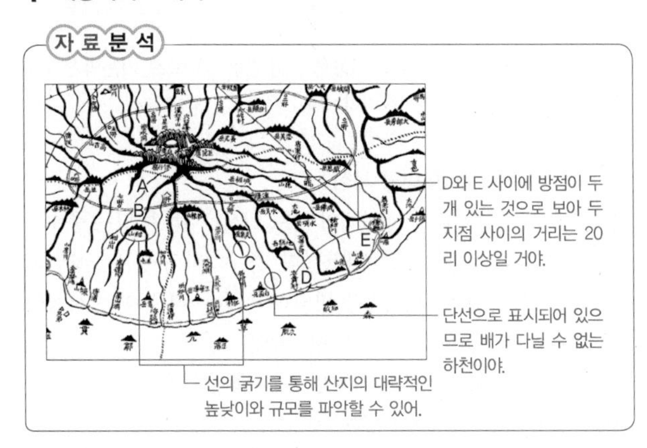

제시된 지도는 조선 후기 김정호가 제작한 「대동여지도」 중 제주도 일부를 나타낸 것이다. ㄴ. 「대동여지도」에서는 선의 굵기를 달리하여 산의 대략적인 높낮이와 규모를 표시하였다. B가 C보다 산줄기를 표현한 선의 굵기가 두꺼우므로 B가 C보다 산지의 규모가 크고, 해발 고도가 높다는 것을 알 수 있다. ㄹ. 「대동여지도」에서 두 지도 간의 거리는 방점을 통해 파악할 수 있다. 10리 간격으로 방점이 표시되어 있으므로 D와 E 사이의 거리는 20리 이상임을 알 수 있다.

바로 알기 ㄱ. A의 북쪽에 높은 산이 위치하는 것으로 보아 A에 떨어진 빗물은 남쪽으로 흐르는 하천에 유입될 것이다. ㄷ. C와 D 사이를 흐르는 하천은 단선으로 그려져 있으므로 배가 다닐 수 없는 하천이다.

2 조선 전기와 후기 지리지의 특징

(가)는 『신증동국여지승람』, (나)는 『택리지』의 내용 중 일부이다. 『신증동국여지승람』은 조선 전기에 국가 통치의 기초 자료를 확보하기 위해 관청의 주도로 편찬된 관찬 지리지로, 지역별 정보를 항목별로 수집하여 백과사전식으로 기술한 것이 특징이다. 『택리지』는 조선 후기에 실학자 이중환이 저술한 사찬 지리지로, 우리나라 각 지역의 특성을 인간과 자연의 상호 연관성을 토대로 고찰한 지리서이다.

바로 알기 ③ 조선 후기 실학사상의 영향을 받아 편찬된 (나)가 조선 전기 국가 주도로 편찬된 (가)에 비해 저자의 주관적 해석이 많이 담겨 있다.

완자 정리 노트 조선 전·후기 지리지 비교

구분	조선 전기	조선 후기
특징	• 국가 통치 목적으로 제작 • 백과사전식 서술	• 실학자들에 의해 제작 • 특정 주제를 설명식으로 기술
지리지	『세종실록지리지』, 『신증동국여지승람』	이중환의 『택리지』, 정약용의 『아방강역고』

3 통계 지도의 표현

표는 서울시의 구(區)별 인구수를 나타낸 것이다. 행정 구역별 인구수는 ㄱ. 도형 표현도와 ㄷ. 단계 구분도로 표현하는 것이 적절하다. 도형 표현도는 통계 자료의 양이나 비율 등을 도형의 크기를 달리하여 나타낸 것이며, 단계 구분도는 통계 자료의 수치나 비율을 다른 색상이나 유형으로 단계를 나누어 표현한 것이다.

바로 알기 ㄴ. 유선도는 어떤 지리적 현상의 이동을 표현하는 데 적합하다. ㄹ. 등치선도는 동일한 통계 값을 연결하기 때문에 연속적인 자료를 표현하는 데 적합하다.

4 최적 입지 선정

<조건>은 목장 시설의 입지를 선정할 때 고려할 사항을 나타낸 것이다. 고도 500m 미만은 1점, 500~700m 미만은 2점, 700m 이상은 3점을 부여한다. 생태 등급은 2등급이 1점, 3등급이 2점, 4등급이 3점이다. ③ C의 고도는 800m이므로 3점, 생태 등급은 3등급이므로 2점, 총 5점으로 C가 최적의 입지 지점이다.

바로 알기 ① A는 고도 450m로 1점, 생태 등급 3등급으로 2점, 총 3점이므로 C보다 총점이 낮다. ② B는 고도 550m로 2점, 생태 등급 3등급으로 2점, 총 4점이므로 C보다 총점이 낮다. ④ D는 고도가 850m로 3점, 생태 등급은 2등급이므로 1점, 총 4점이므로 C보다 총점이 낮다. ⑤ E는 고도 900m로 3점, 생태 등급은 2등급으로 1점, 총 4점이므로 C보다 총점이 낮다.

대단원 실력 굳히기 032~035쪽

01 ①	02 ⑤	03 ⑤	04 ②	05 ①	06 ②	07 ⑤
08 ④	09 ⑤	10 ③	11 ②	12 ②	13 ④	14 ③
15 ③	16 ②					

01 우리나라의 4극

지도의 A는 우리나라 최북단 유원진, B는 최서단 마안도, C는 최동단 독도, D는 최남단 마라도이다. ① 우리나라 영토의 최북단은 함경북도 온성군 유원진이다.

바로 알기 ② B는 C보다 서쪽에 위치하므로 일출과 일몰 시각이 늦다. ③ C는 D보다 위도가 높다. ④ D는 A보다 저위도에 위치해 있어 연평균 기온이 높다. ⑤ 우리나라의 표준 경선은 동경 135°로, C보다 동쪽에 위치한다.

02 우리나라의 위치적 특성

위치를 표현하는 방법은 수리적 위치, 지리적 위치, 관계적 위치 세 가지로 나뉜다. 수리적 위치는 위도와 경도로 표현하는 위치를 말한다. 위도는 기후와 식생 분포, 계절 등에 영향을 미친다. 한편, 경도는 국가의 표준시 결정에 영향을 미친다. 우리나라의 수리적 위치는 북위 33°~43°, 동경 124°~132°이다. 지리적 위치는 대륙이나 해양, 반도 등의 지형·지물을 기준으로 표현하는 위치이다. 우리나라는 유라시아 대륙 동안에 있는 반도국으로, 연교차가 큰 대륙성 기후가 나타난다. 관계적 위치는 주변 국가와의 관계에 따라 달라지므로, 시대 상황과 국제 정세에 따라 많은 변화가 나타난다. 우리나라는 대륙 세력과 해양 세력이 만나는 지역에 위치하고 있어 주변 국가의 영향을 많이 받고 있다.

바로 알기 ⑤ 수리적·지리적 위치는 변하지 않는 절대적 특징을 갖지만, 관계적 위치는 상대적이고 가변적인 특징을 갖는다.

03 유라시아 횡단 철도 노선 개통에 따른 변화

지도는 우리나라와 유라시아 대륙을 잇는 철도 노선을 나타낸 것이다. 이 철도 노선이 완공되어 자유로운 이동이 가능해지면 우리나라와 유럽과의 철도를 이용한 교역량과 중국으로 가는 철도 이용객의 숫자가 증가할 것이다. 또한 우리나라와 북한과의 교역량이 증가할 것이다.

바로 알기 갑. 철도 노선이 생겼으므로 철도를 이용한 여객 수송은 증가할 것이다. 을. 일본과 철도로 이어져 있지 않다고 해서 우리나라와 일본의 교역량이 감소하는 것은 아니며, 오히려 유럽과의 교역량 증가로 인해 일본과의 교역량도 증가할 것으로 예상된다.

04 한·중·일 어업 협정 수역도

지도의 A는 한·중 잠정 조치 수역, B는 우리나라의 배타적 경제 수역, C는 우리나라의 영해, D는 한·일 중간 수역이다. B는 우리나라의 배타적 경제 수역이기 때문에 어업 활동에 대한 배타적 권리를 인정받는다.

바로 알기 ① A는 한·중 양국 사이에 배타적 경제 수역이 중첩됨에 따라 설정된 한·중 잠정 조치 수역으로, 우리나라와 중국이 공동으로 어업 활동을 하고 어업 자원을 보존·관리할 수 있다. ③ C는 우리나라의 영해이기 때문에 외국의 군함이 허락없이 통항할 수 없다. ④ 독도 주변 12해리는 우리나라의 영해이기 때문에 한·일 중간 수역에 포함되지 않는다. ⑤ A~D에는 우리나라의 영해가 포함되어 있기 때문에 다른 국가의 항공기는 자유롭게 통행할 수 없다.

05 마라도, 독도, 이어도의 특징

(가)는 마라도, (나)는 독도, (다)는 이어도를 나타낸 것이다. 마라도는 남해안에 위치하며, 독도는 우리나라의 가장 동쪽 끝에 위치하므로 우리나라에서 일출과 일몰 시각이 가장 이르다.

바로 알기 ㄷ. 이어도는 우리나라의 배타적 경제 수역에 포함된다. 따라서 이어도의 수직 상공은 우리나라의 영공에 해당하지 않는다. ㄹ. 마라도와 독도는 사람이 거주하고 있는 유인도이다. 이어도는 수중 암초로 사람이 거주할 수 없다.

06 독도의 지리적 특징

독도는 37°14′N, 131°52′E에 위치하며, 약 460만~250만 년 전 해저 화산 활동으로 형성된 화산섬으로 주상 절리와 해안 절벽, 시스택 등의 지형이 발달해 있다. 또한 독도 주변은 한류와 난류가 교차하는 조경 수역으로 어족 자원이 풍부하며, 미래의 에너지로 주목받는 메탄하이드레이트가 분포한다. 독도는 섬 전체가 천연기념물 336호로 지정되어 있으며, 다양한 생물종이 서식하고 있어 생태학적 가치가 크다.

바로 알기 ② 독도는 해양의 영향을 많이 받는 섬이므로 기온의 연교차가 작은 해양성 기후의 특징이 나타난다.

07 풍수지리 사상과 비보 사상

제시된 글은 우리나라의 전통적인 국토 인식을 알 수 있는 풍수지리 사상과 비보 사상에 대한 내용이다. 풍수지리 사상은 산줄기와 물줄기의 흐름, 산의 모양 등을 파악하여 좋은 터를 찾는 사상이다. 땅속에는 기운이 있고 그 기운이 모이는 곳이 명당이며, 그 곳에 도읍지나 마을, 묏자리를 세우면 자손 대대로 복을 받는다고 보았다. 그러나 이렇게 완벽한 땅은 존재하기 어렵기 때문에 우리 조상들은 풍수적 길지를 찾기보다는 비보를 통해 부족한 부분을 보완하여 왔다. 주로 숲이나 비석, 동상 등을 통해 부족한 부분을 보완하는데 광화문의 해태상, 하동 송림, 안동 하회마을의 만송정 숲 등이 비보 사상의 대표적인 사례이다.

바로 알기 지모(地母) 사상은 '땅이 곧 어머니'라는 생각으로, 이 사상이 음양오행설과 결합하여 발전한 것이 풍수지리 사상이다.

08 혼일강리역대국도지도

제시된 지도는 「혼일강리역대국도지도」로, 조선 전기(1402년)에 조선 건국의 정당성을 세계에 알리기 위해 제작된 세계 지도이다. 지도 중앙에 중국이 매우 크게 그려져 있고 우리나라는 중국의 동쪽에 상대적으로 크고 자세하게 그려져 있다. 반면 일본, 인도, 아라비아반도 등의 지역은 실제보다 작게 그려져 있는데, 이는 조선 초기 유학자들이 가지고 있던 중화사상이 반영된 것으로 볼 수 있다. 지도의 오른쪽 아래에는 아프리카 대륙이 표현되어 있을 뿐만 아니라 빅토리아호수, 나일강까지 그려져 있는 것으로 볼 때 당대 사람들의 세계 인식 범위를 짐작할 수 있다.

바로 알기 갑. 「혼일강리역대국도지도」는 조선 전기에 제작되었다. 병. 상상의 국가와 지명들이 표시된 세계 지도는 조선 중기에 제작된 「천하도」가 대표적이다.

09 천하도

제시된 지도는 「천하도」이다. 「천하도」는 조선 중기 이후 민간에서 제작된 관념적인 세계 지도로, 지도의 중심에 중국이 위치하고 있어 중국 중심의 세계관이 반영되었음을 파악할 수 있다. 안쪽부터 내대륙, 내해, 외대륙, 외해 순으로 위치하며, 내대륙과 내해는 실제 세계, 외대륙과 외해는 상상의 세계를 표현하였다. 또한 도교적 세계관이 반영되어 상상의 국가와 지명이 다수 표현되어 있다.

바로 알기 ⑤ 분첩 절첩식으로 제작되어 휴대와 열람이 편리한 지도는 「대동여지도」이다.

10 대동여지도의 특징

제시된 지도는 「대동여지도」 중 제주도 일부를 나타낸 것이다. 「대동여지도」는 조선 후기 김정호가 제작한 전국 지도로, 조선 시대를 통틀어 가장 축척이 크고 자세하게 묘사되어 있다. 또한, 지도표를 활용하여 각종 지리 정보를 효과적으로 표현하였으며, 목판본으로 제작되어 대량 인쇄가 가능하였다. 「대동여지도」에서 도로는 직선으로 표현하는데, 10리마다 방점을 찍어 거리를 파악할 수 있도록 하였다. 따라서 제시된 지도의 A-B 사이의 거리는 약 20리임을 알 수 있다.

바로 알기 ③ 「대동여지도」에서 배가 다닐 수 있는 하천은 쌍선, 배가 다닐 수 없는 하천은 단선으로 표현하였다.

11 택리지

제시된 글은 이중환이 저술한 『택리지』에 기록된 충청북도 충주에 대한 내용 중 일부로, 충주를 '경기와 영남으로 가는 요충지'라 하였다. 지도의 A는 평창, B는 충주, C는 상주, D는 무주, E는 거창이다.

12 국토 인식의 변화

제시문은 시화호 개발과 복원에 따른 국토 인식의 변화 과정에 대한 내용을 담고 있다. 이 글을 통해 산업화에 따른 환경 파괴를 극복하고 자연과 인간의 조화와 균형을 추구하는 생태 지향적 국토 인식으로의 변화를 파악할 수 있다. 이러한 국토관은 현 세대뿐만 아니라 미래 세대까지 고려한 지속 가능한 발전을 추구하는 데 영향을 주었다.

바로 알기 ㄴ. 자연과의 상생을 강조하던 조상들의 국토관은 일제 강점기에 식민 지배를 정당화하려는 일제에 의해 왜곡되었다. ㄷ. 국토를 개발의 대상으로 보는 적극적인 국토관이 강조된 시기는 1960년대 산업화가 시작된 시기부터이다.

13 지리 정보의 표현

제시된 자료는 공간 정보의 표현 방법을 나타낸 것이다. 공간 정보는 점, 선, 면 등으로 표현되는데, (가) 교통로와 통신망 등 이동과 관련된 정보는 선으로 표현하고, (나) 학교·병원·공장 등 시설물의 위치와 장소는 점으로 표현하며, (다) 산업·주택·농업 지역 등 인간 활동의 영향권을 나타내는 비교적 넓은 면적의 지역은 면으로 표현한다.

바로 알기 ㄹ. (가)~(다)는 위치, 모양, 형태 등에 대한 정보이므로 모두 공간 정보에 속한다. 다른 장소나 지역 간의 관계를 설명하는 정보는 관계 정보이다.

14 지리 조사의 절차와 활동

(가)~(마)는 지리 조사 과정을 나타낸 것으로 (가)는 조사 주제 선정, (나)는 실내 조사, (다)는 야외 조사, (라)는 지리 정보 분석, (마)는 조사 보고서 작성 단계에 해당한다. ① 백화점의 상권 분석을 주제로 선정하는 것은 조사 주제 선정 단계에 해당한다. ② 백화점 현황을 인터넷을 통해 검색하는 것은 실내 조사 활동에 해당한다. ④ 백화점 상권을 분석하여 지도화하는 것은 지리 정보 분석 단계에 해당한다. ⑤ 백화점 상권 보고서를 작성하는 활동은 조사 보고서 작성 단계에 해당한다.

바로 알기 ③ 백화점 방문 고객들을 대상으로 설문 조사 항목을 선정하는 것은 실내 조사 단계에서 이루어진다.

15 통계 지도 유형

(가) 인천-서울 간 통학자 현황은 두 지역 간의 이동을 나타내는 자료이므로 유선도로 표현하는 것이 적절하다. (나) 우리나라의 1월 평균 기온은 같은 값을 연속적으로 표현하는 것이므로 등치선도, (다) 시도별 자동차 제조업 종사자 비율은 지역 간의 자료 값을 비교하는 것이므로 도형 표현도로 표현하는 것이 적절하다.

16 최적 입지 선정

반도체 공장이 들어서기 가장 적합한 조건은 사면 경사가 5° 이하이며, 지가가 50만 원 이하, 도로로부터 1㎞ 이내, 항구로부터 2㎞ 이내, 발전소로부터 3㎞ 이내인 지역이다. B는 사면 경사도가 4°이며, 지가는 40만 원이다. 또한 도로로부터 1㎞ 이내, 발전소에서 2㎞ 이내에 위치하며 항구와 인접해 있으므로 최적 입지 지점이 된다.

바로 알기 A는 지가가 60만 원이어서 조건을 충족하지 못하며, C는 도로로부터 1㎞ 이상 떨어져 있어서 조건에 위배된다. D는 항구로부터 2㎞ 이상 떨어져 있어 조건을 충족하지 못하며, E는 사면 경사가 6°이고 발전소·항구와의 거리도 멀어 적합하지 않다.

Ⅱ. 지형 환경과 인간 생활

01 한반도의 형성과 산지 지형

STEP 1 핵심 개념 확인하기 042쪽

1 (1) ㄱ (2) ㄷ (3) ㄴ 2 (1)－㉣ (2)－㉠ (3)－㉢ (4)－㉡ 3 ㉠ 물리적 ㉡ 화학적 4 (1) 고위 평탄면 (2) 2차 산맥 5 (1) ㄱ, ㄷ, ㅂ (2) ㄴ, ㄹ, ㅁ

STEP 2 내신 만점 공략하기 042～045쪽

01 ① 02 ② 03 ② 04 ③ 05 ④ 06 ④ 07 ② 08 ⑤ 09 ② 10 ④ 11 ① 12 ①

01 한반도의 암석 분포

한반도의 암석은 형성 원인에 따라 크게 변성암, 화성암, 퇴적암으로 구분할 수 있다. 이 중에서 변성암(A)은 시·원생대에 주로 형성되었으며 한반도 지각의 약 42.6%를 차지한다. 화성암(C)은 마그마가 굳어 형성된 암석으로 주로 중생대와 신생대에 형성되었으며, 한반도 지각의 약 34.8%를 차지하고 있다. 마지막으로 퇴적암(B)은 고생대와 중생대에 주로 형성되었으며 전 국토의 약 22.6%를 차지한다.

완자 정리 노트 한반도의 암석 분포

변성암	시·원생대에 형성된 편마암과 편암이 대표적이며 한반도에서 가장 널리 분포함
화성암	• 화강암: 주로 중생대에 형성된 심성암 • 화산암: 주로 신생대 화산 활동으로 형성된 분출암
퇴적암	고생대와 중생대 퇴적암이 대부분이며, 신생대 퇴적암의 분포 면적은 협소함

02 한반도의 지질 시대별 지체 구조

(가) 시·원생대에는 생성된 지각이 오랜 지질 시대를 거치면서 변성 작용을 받아 평북·개마 지괴, 경기 지괴, 영남 지괴 등을 형성하였다. (다) 고생대 지층은 시·원생대의 지괴들 사이에 분포하며, 초기에는 조선 누층군이 형성되었고 말기에는 평안 누층군이 형성되었다. (나) 중생대에는 지각 운동에 의해 화강암이 관입되었으며 중생대 중기부터 말기에 경상 분지가 형성되었다. (라) 신생대에는 한반도의 일부가 바다에 잠기면서 두만 지괴, 길주·명천 지괴 등이 형성되었으며, 화산 활동에 의해 제주도 등에 현무암이 분포하게 되었다. 따라서 시기가 오래된 지질 시대부터 순서대로 배열하면 (가)－(다)－(나)－(라) 순이 된다.

03 한반도의 지체 구조별 특징

자료 분석

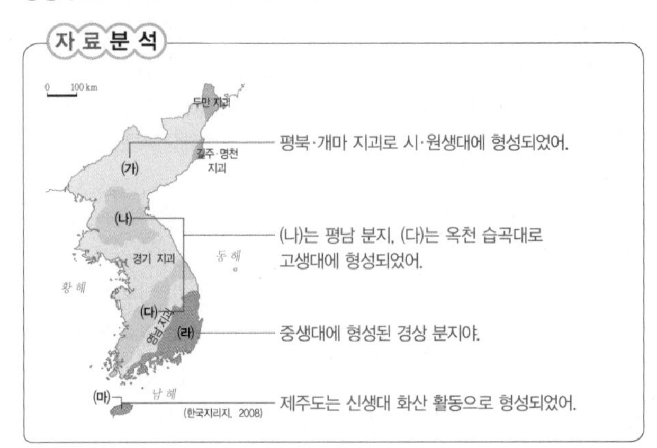

(나)는 고생대에 형성된 평남 분지로, 바닷물이 들어와 퇴적물이 두껍게 쌓인 곳이다. 이 퇴적물들은 오랜 시간이 흐르면서 굳어서 암석으로 변하였는데, 이에 따라 고생대 전기의 조선 누층군에는 산호초나 조개 껍데기 등이 굳어 형성된 석회암이 분포한다.

바로 알기 ① (가) – 평북·개마 지괴는 안정 지괴로 기반암은 변성암이다. 변성암은 오랜 지질 시대를 거치면서 변성 작용을 받아 형성된다. ③ (다) – 옥천 습곡대는 고생대 지층으로 석회암과 무연탄 등이 분포한다. 공룡 발자국 화석이 발견되는 주요 지층은 경상 분지이다. ④ (라) – 경상 분지는 거대한 습지 또는 호수였던 지역으로 오랜 시간 퇴적물이 두껍게 쌓이면서 경상 누층군이 형성되었다. 갈탄이 매장되어 있는 지층은 두만 지괴, 길주·명천 지괴이다. ⑤ (마) – 제주도의 기반암은 현무암으로 신생대에 형성되었다. 중생대에 마그마의 관입으로 형성된 암석은 화강암이다.

04 경동성 요곡 운동

신생대 제3기에는 한반도와 일본 사이의 동해 지각이 확장되면서 한반도에 강력한 횡압력이 작용하였다. 이에 따라 강한 압력을 받은 동해안을 중심으로 지각이 융기하는 경동성 요곡 운동이 발생하여 함경·낭림·태백산맥 등 연속성이 강한 1차 산맥이 형성되었다. 또한 경동성 요곡 운동의 결과 동쪽은 높고 서쪽은 낮은 지형을 이루게 되어 규모가 큰 하천들은 대부분 황해로 흐르게 되었다.

바로 알기 ㄱ. 동북동－서남서 방향(랴오둥 방향)의 구조선 형성에 영향을 준 것은 중생대 송림 변동이다. ㄹ. 백두산, 한라산 등 다양한 화산 지형은 신생대 제3기 말~제4기 화산 활동으로 형성되었다.

05 한반도의 지각 변동

신생대 제3기에 일어난 경동성 요곡 운동에 의해 한반도는 동쪽은 높고 서쪽은 낮은 비대칭 지형이 형성되었다. 그 결과 황해보다 동해로 흐르는 하천의 유로가 짧고, 경사가 급하게 되었다.

바로 알기 ① ㉠ – 송림 변동의 결과 랴오둥 방향(동북동－서남서)의 지질 구조선이 형성되었다. 함경산맥과 태백산맥이 형성된 것은 경동성 요곡 운동과 관련이 있다. ② ㉡ – 대보 조산 운동의 결과 중국 방향(북동－남서)의 지질 구조선이 형성되었다. ③ ㉢ – 불국사 변동으로 경상도 일대에 소규모로 마그마가 관입하여 불국사 화강암이 형성되었다. ⑤ ㉤ – 설악산, 금강산 등의 산지는 돌산으로 중생대의 지각 운동과 관련이 있다. 화산 활동과 관련된 산지는 백두산, 한라산 등이다.

완자 정리 노트 한반도의 주요 지각 변동

구분	특징
송림 변동	• 중생대 초, 북부 지방 중심 • 랴오둥 방향(동북동–서남서)의 지질 구조선
대보 조산 운동	• 중생대 중엽, 중·남부 지방을 중심으로 발생한 가장 격렬했던 지각 운동 • 중국 방향(북동–남서)의 지질 구조선, 대보 화강암
불국사 변동	중생대 말, 영남 지방 중심, 불국사 화강암
경동성 요곡 운동	신생대 제3기, 동해안에 치우친 비대칭 융기 운동 → 함경산맥, 태백산맥 등 높은 산지 형성
화산 활동	신생대 제3기말~제4기, 백두산·울릉도·독도·제주도 등

06 빙기와 후빙기의 특징

(가) 시기는 최종 빙기이다. 따라서 A에는 최종 빙기에 수치가 높게 나타나거나, 활발한 활동이 나타났던 항목이 들어가야 한다. 물리적 풍화 작용, 냉대림의 분포 범위, 하천 상류의 퇴적 작용이 이에 해당한다. 반면 B에는 상대적으로 오늘날 수치가 높게 나타나거나 활발한 활동이 나타나는 항목이 들어가야 하므로 평균 기온, 화학적 풍화 작용, 하천 상류의 침식 작용이 들어가는 것이 적절하다. 이 같은 조건을 모두 만족하는 것은 ④이다.

완자 정리 노트 기후 변화에 따른 지형 형성

구분	특징
빙기	• 한랭 건조, 물리적 풍화 작용 활발 • 하천 상류 퇴적 작용, 하천 하류 침식 작용 우세
간빙기(후빙기)	• 온난 습윤, 화학적 풍화 작용 활발 • 하천 상류 침식 작용, 하천 하류 퇴적 작용 우세

07 우리나라 산맥 분포의 특징

자료 분석

B는 멸악산맥으로, 지질 구조선을 따라 차별적인 풍화와 침식 과정을 거쳐 형성된 2차 산맥에 해당한다. 산맥이 랴오둥 방향(동북동–서남서)으로 뻗어 있는 것을 통해 중생대 초기에 일어난 송림 변동의 영향을 받았음을 알 수 있다.

바로 알기 ① 함경산맥(A)은 1차 산맥으로 분류한다. ③ 소백산맥(D)은 중국 방향(북동–남서)의 산맥이다. ④ 태백산맥(C)은 1차 산맥으로 2차 산맥인 멸악산맥(B)보다 산지의 연속성이 뚜렷하다. ⑤ 멸악산맥(B)은 차별 침식으로 형성되었으나 소백산맥(D)은 지각 운동의 직접적인 영향을 받아 형성되었다.

08 고위 평탄면의 형성

그림의 A는 고위 평탄면을 나타낸다. 고위 평탄면은 오랜 기간 풍화와 침식을 받아 낮고 평탄해진 땅이 신생대 제3기 경동성 요곡 운동 과정에서 습곡의 영향을 덜 받은 채 솟아올라 평탄한 기복을 유지하고 있는 것이다.

바로 알기 ① 고위 평탄면은 경동성 요곡 운동에 의해 형성되었다. ② 마그마의 관입으로 지각이 변동한 시기는 중생대이다. ③ 신생대에 발생한 화산 활동으로는 울릉도, 독도, 제주도 등지에 화산 지형이 형성되었다. ④ 기반암이 차별적인 풍화와 침식을 받아 형성된 지형은 하천의 침식에 의한 침식 분지이다.

09 우리나라의 지질 구조선

지질 구조선은 지각 운동에 의해 지층이나 기반암에 형성된 절리나 단층선 등의 선 구조로 산맥과 하천의 발달에 영향을 끼친다. 지질 구조선이 분포하는 곳을 따라 하곡이 형성되기 때문에 황해로 흘러드는 하천이 발달하게 되었으며, 오랫동안 차별적 풍화와 침식이 진행되면서 구조선 방향으로 산맥이 형성되었다.

바로 알기 ㄴ. 한국 방향의 산맥이 형성된 직접적 원인은 신생대 제3기에 일어난 경동성 요곡 운동이다. ㄷ. A 지질 구조선은 중국 방향(북동–남서)으로 뻗어 있으므로 대보 조산 운동의 영향을 받아 형성된 것이다.

10 고위 평탄면의 토지 이용

고위 평탄면(㉠)은 영동 고속 국도 등 고속 국도가 개통된 이후 접근성이 향상되었다. 이에 따라 여름철에 서늘한 기후를 이용하여 배추, 무 등을 재배하는 고랭지 농업이 활발하게 이루어지고 있으며 토지 이용의 집약도가 높아졌다.

바로 알기 ① 고위 평탄면은 주로 동해안에 인접한 산지에 분포한다. ② 고위 평탄면은 신생대 제3기 경동성 요곡 운동의 영향을 받아 형성되었다. ③ 고위 평탄면은 수분 증발량이 적고 겨울철 적설 기간이 길어 토양 내 수분 공급이 안정적이다. ⑤ 농경지 개발로 인해 집중 호우 시 산사태가 발생할 가능성이 높아졌으며 강우 시 토양 유실의 가능성도 높아졌다.

11 돌산과 흙산의 특징

(가)는 돌산, (나)는 흙산이다. 흙산은 돌산보다 식생 밀도가 높고(A, B, C), 토양층의 평균 두께가 두껍다(A, B, D, E). 또한 흙산의 주요 기반암은 변성암으로, 주요 기반암이 화강암인 돌산보다

기반암의 형성 시기가 이르다(A, D). 따라서 이와 같은 조건을 모두 만족하는 것은 A이다.

완자 정리 노트 돌산과 흙산의 비교

돌산	• 중생대에 관입한 화강암이 주요 기반암 • 식생 밀도가 낮고 암석 노출이 많음 • 금강산, 설악산, 북한산, 월악산 등
흙산	• 시·원생대에 형성된 변성암이 주요 기반암 • 토양층이 두껍고 식생 밀도가 높음 • 지리산, 덕유산, 오대산 등

12 산지 지형의 이용

ㄱ. 빠른 풍속을 활용해 풍력 발전 단지가 조성된 곳으로는 (가)의 태백을 들 수 있다. 태백에는 매봉산 풍력 발전 단지가 조성되어 있다. ㄴ. 댐에서 전력을 얻으며 인공호를 관광 자원으로 활용하는 지역으로는 (나)의 충주를 들 수 있다. 충주에는 다목적 댐인 충주댐이 있으며 이로 인해 조성된 인공 호수(충주호)는 관광지로 유명하다. ㄷ. 산세가 부드러운 토산이며 일부 지역에서 자연 휴식년제를 시행해 산지를 보호하는 곳으로는 (다)의 지리산이 대표적이다.

서술형 문제 045쪽

01 주제: 기후 변동에 따른 지형 형성

(1) ㉠ – 온난 습윤, ㉡ – 물리적 풍화 작용, ㉢ – 상승

(2) 예시 답안 빙기에 하천 상류는 유량이 줄고 산지의 식생이 빈약해지면서 퇴적 작용이 활발하고, 하천 하류는 해수면의 하강으로 침식 작용이 활발해진다. 반면 후빙기에는 하천 상류는 유량 및 식생 밀도가 증가하여 침식 작용이 활발해지고, 하천 하류는 해수면 상승으로 퇴적 작용이 활발해진다.

채점 기준

상	빙기와 후빙기 하천 상·하류의 지형 형성 작용을 정확하게 서술한 경우
하	빙기와 후빙기 하천 상·하류의 지형 형성 작용 중 한 가지만 정확하게 서술한 경우

02 주제: 우리나라 산지의 형성 과정

예시 답안 신생대 제3기 경동성 요곡 운동이 일어나 동해 쪽으로 치우친 1차 산맥이 형성되었으며, 이후 지질 구조선을 따라 하천이 흘러 하곡을 형성하였다.

채점 기준

상	제시된 단어를 모두 사용하여 산지의 형성 과정을 정확하게 서술한 경우
중	제시된 단어 중 세 개만 사용하여 산지의 형성 과정을 서술한 경우
하	제시된 단어 중 두 개만 사용하여 산지의 형성 과정을 서술한 경우

STEP 3 1등급 정복하기 046~047쪽

1 ③ 2 ④ 3 ① 4 ⑤

1 한반도의 지질 시대별 암석의 구분과 특징

(가)의 기반암은 석회암, (나)의 기반암은 현무암, (다)의 기반암은 화강암이다. ㄴ. 화강암은 주로 중생대에 마그마의 관입으로 형성되었다. ㄷ. 현무암은 신생대 화산 활동으로 형성된 암석으로, 분포 범위는 화강암의 분포 범위보다 좁다. 화강암은 우리나라의 암석 중에서 두 번째로 분포 비중이 높다.

바로 알기 ㄱ. 석회암은 고생대 전기에 바다 밑에서 쌓인 해성층에서 형성되었다. 시·원생대에 변성 작용을 받은 것은 변성암이다. ㄹ. 화강암은 중생대에 형성되었으며, 석회암은 고생대에 형성되었다. 따라서 (가)의 기반암이 (다)의 기반암보다 이른 시기에 형성되었다.

2 지질 시대별 주요 지체 구조

(가)는 평북·개마 지괴, 경기 지괴, 영남 지괴가 형성된 시·원생대의 지층이며, (나)는 경상 분지가 형성된 중생대의 지층이다. (다)는 평남 분지와 옥천 습곡대로 고생대의 지층이다. ① 시·원생대의 지층은 한반도에서 생성 시기가 가장 오래된 안정 지괴이다. ② 중생대의 지층은 호수에 퇴적물이 쌓여 형성된 것으로, 두꺼운 수평층을 이루며 공룡 발자국 화석이 분포한다. ③ 평남 분지와 옥천 습곡대는 고생대 지층으로 과거 습지였던 지층에 육성 퇴적층인 평안 누층군이 형성되었으며 무연탄이 매장되어 있다. ⑤ (다)는 고생대 지층이므로 중생대 지층인 (나)보다 형성된 시기가 이르다.

바로 알기 ④ 시·원생대 지층에는 변성암이, 중생대 지층에는 화성암(화강암)이 주로 분포한다.

3 기후 변화에 따른 지형 형성의 특징

자료 분석

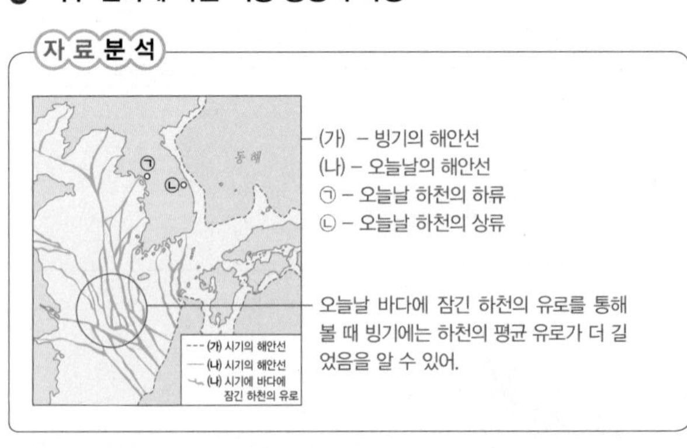

(가)는 빙기 때의 해안선, (나)는 오늘날의 해안선을 나타내고 있다. 빙기에는 해수면이 하강하면서 우리나라 황해의 대부분과 남해의 일부가 육지로 드러나 있었으며, 하천의 유로도 길게 연장되어 있는 것을 확인할 수 있다. ㉠은 오늘날 한강의 하류 지점이며, ㉡은 한강의 상류 지점이다. ① 빙기는 오늘날보다 한랭 건조한 기후가 나타나며 상대적으로 물리적 풍화 작용이 활발하였다.

| 바로 알기 | ② 빙기는 오늘날보다 해수면이 낮았다. 이에 따라 ㉠ 지점에서 해수면과의 고도 차인 해발 고도는 높았을 것이다. ③ ㉡ 지점은 하천의 상류 지역으로 빙기에는 오늘날보다 하천의 퇴적 작용이 활발했을 것이다. ④ 오늘날 하천 하류에 해당하는 ㉠ 지점은 빙기보다 하천의 퇴적 작용이 활발하였을 것이다. 따라서 하천에 의해 퇴적되어 형성되는 충적층의 두께가 두꺼울 것이다. ⑤ 오늘날은 빙기보다 온난 습윤한 기후 환경으로 식생의 밀도가 높을 것이다.

4 우리나라 산지 분포의 특징

㉠은 낭림산, ㉡은 북한산, ㉢은 오대산, ㉣은 덕유산이다. 낭림산은 1차 산맥인 낭림산맥에 위치하며 북한산은 2차 산맥인 광주산맥에 위치한다. 따라서 낭림산의 산맥은 북한산의 산맥보다 산지의 연속성이 뚜렷하다. 북한산은 구릉성 산지로 지질 구조선을 따라 차별 침식으로 형성된 2차 산맥의 일부이다. 한편 오대산은 한국 방향으로 뻗은 태백산맥에 위치하며, 덕유산은 중국 방향으로 뻗은 소백산맥에 위치한다.

| 바로 알기 | ㄱ. (가)는 단면도 상에서 내륙 지역에 해발 고도가 2,000m에 달하는 산이 분포하므로 북부 지역에 해당한다. (나)는 산맥이 동쪽으로 치우쳐 있으므로 중부 지역, (다)는 산맥이 가운데에 위치하며 북부 지역에 비해 해발 고도가 낮은 것으로 볼 때 남부 지역일 것이다. 따라서 (가)는 A, (나)는 B, (다)는 C의 동서 단면도에 해당한다.

02 하천 지형과 해안 지형

STEP 1 핵심 개념 확인하기 054쪽

1 (1) – ㉠ (2) – ㉢ (3) – ㉡ 2 (1) 선상지 (2) 삼각주 (3) 침식 분지 3 ㉠ 자연 제방 ㉡ 배후 습지 4 (1) 만 (2) 곶 (3) 곶 5 (1) ㄷ, ㄹ (2) ㄱ, ㄴ

STEP 2 내신 만점 공략하기 054~058쪽

01 ② 02 ③ 03 ⑤ 04 ④ 05 ④ 06 ③ 07 ②
08 ③ 09 ① 10 ② 11 ② 12 ④ 13 ② 14 ④
15 ① 16 ①

01 한강 유역의 하계망

자료 분석

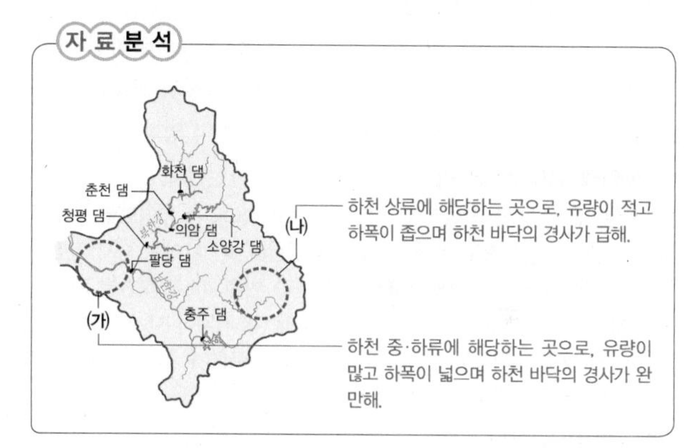

제시된 지도에서 (가)는 한강 하류, (나)는 한강 상류에 해당한다. (나) 지점은 (가) 지점에 비해 상류에 위치해 있으므로 상대적으로 하방 침식 작용이 탁월하고(A, B, C), 평균 하폭은 좁다(A, B, D). 또한 하천 상류 퇴적물의 평균 입자 크기는 하류 지역에 비해 상대적으로 크다(B, C, D, E). 따라서 이 모든 조건을 만족하는 것은 B이다.

02 우리나라 주요 하천의 분포

우리나라의 하계망은 산맥과 지질 구조선의 영향을 받으며 한강 유역, 낙동강 유역, 금강 유역, 영산강 유역, 섬진강 유역 등 다양한 유역을 형성한다. 이 중 한강은 남한강과 북한강이 합류하여 넓은 유역 면적을 형성하므로 영산강의 유역 면적보다 넓다.

| 바로 알기 | ① 우리나라 하천은 주로 서쪽으로 흐르며 대부분의 큰 하천은 황·남해로 유입한다. ② A에 떨어진 빗물은 남쪽에 뻗어 있는 산맥의 영향을 받으므로 북서쪽으로 흘러 한강으로 유입한다. ④ 우리나라는 동고서저의 경동 지형을 이루고 있어 황·남해보다 동해로 흐르는 하천의 경사가 급하다. ⑤ 섬진강은 낙동강보다 유역 면적이 좁으며 발원지에서 하구까지의 길이가 짧다.

03 감조 하천과 하굿둑

제시된 사진은 금강 하굿둑으로, 감조 구간에서 바닷물의 역류로 인해 발생하는 염해를 방지하기 위해 하천 하구에 설치한 시설물이다. 감조 하천을 이용하여 과거에는 내륙 수운이 발달하였으나 오늘날 하굿둑의 건설로 수운은 쇠퇴한 반면 이곳을 교통로로 이용함에 따라 육상 교통이 발달하게 되었다.

바로 알기 갑. 하굿둑은 전력을 생산할 수 없다. 전력을 생산하는 시설로는 수력 발전소가 있다. 을. 금강 하굿둑의 수문으로는 선박이 이동할 수 없으며 수운으로 활용하지 않는다.

완자 정리 노트 감조 하천

의미	밀물과 썰물의 영향으로 수위가 주기적으로 변하는 하천
피해	• 감조 구간에서 바닷물이 역류하여 염해 발생 • 밀물 때 집중 호우가 내리면 홍수 피해 증가
대책	금강, 낙동강, 영산강 하구에 하굿둑 건설 → 염해 방지, 용수 확보, 교통로 활용

04 감입 곡류 하천의 특징

(가)는 감입 곡류 하천 주변의 하안 단구로 융기 이전에 하천 바닥이었던 부분이다. 따라서 하천 퇴적물인 둥근 자갈과 모래가 나타난다. 골지천은 신생대 제3기 경동성 요곡 운동의 영향을 받아 산지 사이를 깊게 파고들며 흐르는 감입 곡류 하천이다.

바로 알기 ㄱ. A의 주변은 등고선이 조밀하게 나타나는 지역으로 유속이 빠르고 침식 작용이 활발한 공격 사면에 해당한다. ㄷ. (나)에는 습지 기호가 있고 하천과 사이에 등고선이 나타나지 않는다. 반면 (가) 지역은 밭 기호가 있고 하천과 사이에 등고선이 있는 것을 볼 때 (가) 지역이 (나) 지역보다 고도가 높은 곳에 위치하여 침수가 적을 것으로 유추할 수 있다. 따라서 (가)는 (나)보다 범람에 의한 침수 가능성이 낮다.

05 침식 분지의 특징

자료 분석

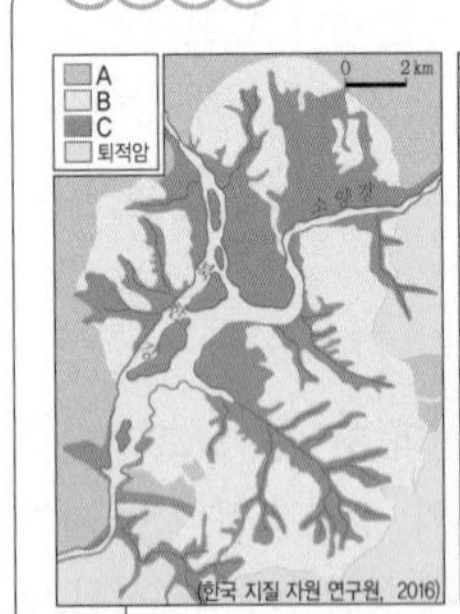

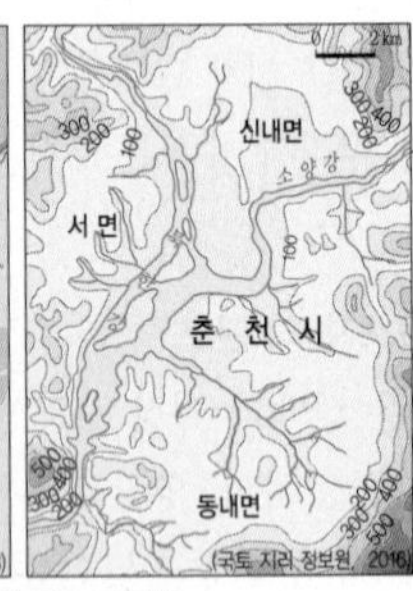

└A – 변성암, B – 화강암, C – 충적층

춘천은 분지 지형으로 바닥은 화강암, 주변은 변성암 산지로 이루어져 있어.

춘천의 지질도에서 A는 변성암, B는 화강암, C는 충적층에 해당한다. 지형도를 통해 화강암 지대는 변성암 지대보다 고도가 낮음을 파악할 수 있다. 이는 화강암 지대가 변성암 지대보다 더 빠르게 풍화와 침식을 받았기 때문이다. 따라서 변성암(A)은 화강암(B)보다 풍화와 침식에 강한 암석임을 알 수 있다.

바로 알기 ① 하천은 동북쪽에서 서남쪽으로 흐르고 있다. ② 지반 융기 이후 평탄한 기복을 유지하는 지형은 고위 평탄면이다. ③ C는 충적층으로 주로 하천의 범람에 의해 형성된다. ⑤ 화강암(B)이 형성된 이후 하천에 의해 차별적인 풍화와 침식을 받았고, 그 뒤에 하천의 범람에 의해 형성된 충적층(C)이 화강암 지대 위로 형성되었다.

06 자유 곡류 하천과 범람원

자료 분석

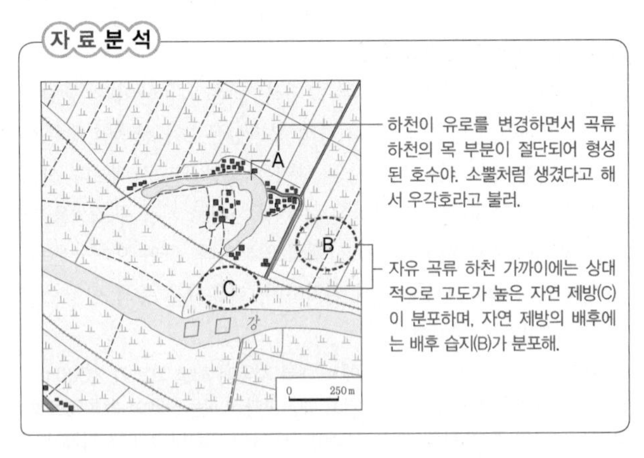

하천이 유로를 변경하면서 곡류 하천의 목 부분이 절단되어 형성된 호수야. 소뿔처럼 생겼다고 해서 우각호라고 불러.

자유 곡류 하천 가까이에는 상대적으로 고도가 높은 자연 제방(C)이 분포하며, 자연 제방의 배후에는 배후 습지(B)가 분포해.

제시된 지도는 자유 곡류 하천이 흐르는 범람원의 지형도로, A는 우각호, B는 배후 습지, C는 자연 제방이다. 배후 습지(B)는 점토질의 토양으로 구성되어 있어 배수가 불량하다. 따라서 배수 시설을 갖춘 후 논으로 이용하고 있다.

바로 알기 ① 자유 곡류 하천과 범람원은 하천의 중·하류에서 주로 볼 수 있는 지형이다. ② 우각호(A)는 과거 하천의 유로 변화로 인해 형성되었다. ④ 배후 습지(B)는 자연 제방(C)보다 고도가 낮으며 배수가 불량해 홍수의 위험이 크므로 취락이 입지하기에 불리하다. ⑤ 자연 제방(C)은 후빙기 하천의 범람으로 퇴적 물질이 쌓이면서 형성되었다.

07 선상지의 특징

제시된 지도는 선상지를 나타낸 것으로 A는 선정, B는 선앙, C는 선단이다. 선정(A)은 선상지의 정상 부분으로 계곡에서 물을 구할 수 있어 계곡 입구에 취락이 입지한다. 선단(C)에는 용천이 분포하여 물을 얻기에 유리하므로 취락이 입지하거나 논으로 이용된다.

바로 알기 ㄴ. 선앙(B)은 하천이 복류하여 지표수가 부족하다. ㄹ. 우리나라는 높은 산지가 적고 오랜 침식으로 경사 급변점이 적어 선상지의 발달이 미약하다.

완자 정리 노트 선상지의 구분

선정	계곡 물을 얻을 수 있어 마을 입지(곡구 취락)
선앙	하천이 복류하여 지표수 부족 → 밭·과수 농사
선단	용천이 분포하여 취락이 입지하거나 논으로 이용

08 삼각주의 특징

제시된 지도의 A 지역은 낙동강 하구의 삼각주를 나타낸다. 삼각주는 하천 하구에서 유속의 감소로 운반 물질이 쌓여 형성된 지형으로 자연 제방과 배후 습지로 구성된다. 배후 습지에서는 벼농사와 원예 농업이 주로 이루어지며 취락은 자연 제방에 입지한다.

바로 알기 ㉠ 제시된 지형의 명칭은 삼각주이다. 선상지는 골짜기 입구의 경사 급변점에서 하천의 유속 감소로 형성되는 지형이다. ㉣ 삼각주는 조류에 의해 제거되는 토사의 양이 하천이 공급하는 토사의 양보다 적은 곳에 발달한다.

09 도시화에 따른 하천의 유출량 변화

제시된 그래프에서 (가)는 도시화 이후, (나)는 도시화 이전의 하천 유출량 및 수위 변화를 나타낸다. 도시화가 진행되면 하천 주변에 위락 시설이 들어서거나 습지가 매립되는 등 포장 면적이 증가한다. 따라서 도시화 이후는 도시화 이전과 비교하여 녹지 면적이 좁아졌을 것이다.

바로 알기 ② 도시화 이후는 도시화 이전보다 하천의 최고 수위가 높다. ③ 도시화 이후에는 강우 시작 후 최고 수위에 도달하는 시간이 짧아졌다. 따라서 홍수 발생 위험은 도시화 이전보다 도시화 이후가 높을 것이다. ④ 도시화 이전보다 도시화 이후가 하천의 직강화 정도가 높을 것이다. ⑤ (가)는 도시화 이후, (나)는 도시화 이전의 하천 유출 곡선을 나타낸 것이다.

10 서·남해안과 동해안의 특징

(가)는 서·남해안, (나)는 동해안을 나타낸 것이다. 서·남해안은 산맥과 해안선이 대체로 교차하며, 골짜기가 바닷물에 침수되어 섬이 많고 해안선이 복잡한 리아스 해안을 이룬다. 우리나라의 서·남해안은 조차가 큰 지역에 형성되는 갯벌이 잘 발달하며, 동해안은 하천에서 공급된 모래가 퇴적된 모래 해안이 잘 발달한다.

바로 알기 ㄴ. 동해안은 지반 융기의 영향을 많이 받은 해안이다. 해수면 상승으로 형성된 리아스 해안은 서·남해안에 잘 나타난다. ㄷ. 동해안은 서·남해안보다 수심이 깊고 조류의 작용이 미약하다.

완자 정리 노트 서·남해안과 동해안의 특징

구분	특징
서·남해안	• 산맥과 해안선이 대체로 교차함 • 섬이 많고 해안선이 복잡한 리아스 해안 • 후빙기 해수면 상승으로 낮은 부분이 침수되어 형성됨
동해안	• 산맥과 해안선이 평행하게 발달함 • 섬이 적고 해안선이 단조로움 • 지반 융기의 영향을 많이 받음

11 해식애와 파식대

제시된 사진의 A는 해식애, B는 파식대이다. 해식애(A)는 파랑의 침식 작용을 받아 형성된 해안 절벽으로 육지가 바다로 돌출한 곳에서 발달한다. 파식대(B)는 해식애 전면에 형성되는 평탄한 지형으로, 파랑의 침식 작용에 의해 해식애가 육지 쪽으로 후퇴하면 파식대의 면적은 점차 넓어진다.

바로 알기 ㄴ. 북서풍이 많이 부는 서해안에서 큰 규모로 형성되는 것은 해안 사구이다. 해식애는 파랑의 침식 작용이 활발한 동해안에서 발달하였다. ㄹ. 파식대(B)는 파랑 에너지가 집중하는 해안에서 발달한다.

12 해안 단구의 특징

제시된 지도의 A 지역은 해안 단구에 해당한다. 해안 단구는 지반의 융기나 해수면 하강으로 과거의 파식대가 현재의 해수면보다 위로 올라가 형성된 계단 모양의 지형이다. 과거 바닷물의 영향을 받은 곳이기 때문에 해안 단구의 단구면에서 땅을 파면 둥근 자갈이 발견되기도 한다. 우리나라에서 해안 단구는 지반의 융기량이 많았던 동해안 일대에 주로 분포하며 평탄한 면을 농경지, 교통로 등으로 활용한다.

바로 알기 ④ 해안 단구는 지반의 융기로 해수면보다 높은 곳에 위치한 지형으로 바닷물에 의한 침수 위험이 적다.

13 사주와 석호의 형성

제시된 지도의 A는 석호, B는 사주이다. 석호는 하천에서 유입되는 퇴적 물질이 호수에 쌓이면서 면적이 점차 작아진다.

바로 알기 ① 석호(A)의 물은 담수보다는 염도가 높아 생활용수로 활용하기 어려우나 바닷물보다는 염도가 낮다. ③ 사주(B)는 연안류나 파랑의 퇴적 작용에 의해 형성된 지형이다. 파랑에 의한 차별 침식으로 형성된 지형은 시 스택이 대표적이다. ④ 사주(B)는 후빙기 해수면 상승 이후 형성된 만의 전면부에 형성된 퇴적 지형이다. ⑤ 석호(A)와 사주(B)는 서·남해안보다 동해안에서 잘 발달한다.

14 해안 사구의 특징

자료 분석

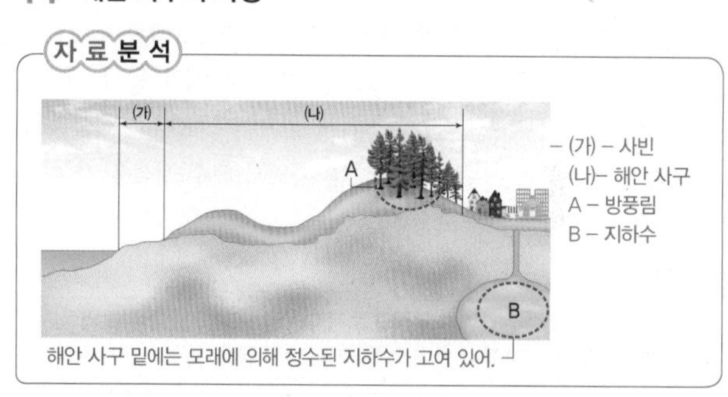

(가)는 모래가 해안에 퇴적되어 형성된 사빈으로 여름철에 주로 해수욕장으로 이용된다. (나)는 해안 사구로, 사빈의 모래가 바람에 날려 사빈의 배후에 퇴적된 모래 언덕이다. 해안 사구 위에는 모래가 마을이나 농경지로 날아오는 것을 막기 위해 인공적으로 방풍림(A)을 조성한다.

바로 알기 ㄹ. 사구 지역의 모래층은 물을 정화하고, 지하수를 저장하는 역할을 한다. 지하수의 물은 담수로 생활용수로 활용된다.

15 갯벌의 분포와 기능

갯벌은 밀물 때 잠기고 썰물 때 물 위로 드러나는 지형으로, 주로 하천에 의해 운반된 점토 등이 퇴적되어 형성된다. 갯벌은 육지에서 배출되는 각종 오염 물질을 정화해 주며, 태풍이나 해일로부터 해안 지역을 보호하는 역할을 한다. 우리나라에서는 생태 환경이 우수한 갯벌을 연안 습지 보호 구역으로 지정하여 보호하고 있다.

바로 알기 ① 갯벌은 조차가 크고 경사가 완만한 해안에서 발달한다.

16 뜬다리 부두

사진은 전라북도 군산에 설치된 뜬다리 부두의 모습이다. 우리나라 서·남해안은 조차가 크기 때문에 배가 안정적으로 항구에 정박하기 어렵다. 이에 따라 군산과 같이 조차가 큰 해안 지역에서는 썰물 때 물이 빠지더라도 다리가 바닷물의 수위에 따라 내려가 부두에 배가 정박할 수 있게 하는 뜬다리 부두와 같은 시설물을 설치하였다.

바로 알기 ㄷ. 뜬다리 부두가 설치된 지역은 밀물 때는 바닷물에 잠기고 썰물 때는 물위로 드러나므로 갯벌이 발달한다. ㄹ. 파랑에 의해 쓸려가는 모래를 잡아 주는 역할을 하는 것은 그로인이나 모래 포집기와 같은 시설물이다.

서술형 문제

058쪽

01 주제: 범람원의 구성

(1) A – 우각호, B – 자연 제방, C – 배후 습지

(2) 예시 답안 자연 제방(B)은 해발 고도가 높고 모래질 토양으로 구성되어 있어 배수가 양호하므로 밭, 과수원, 취락 등이 입지한다. 배후 습지(C)는 자연 제방보다 해발 고도가 낮으며 점토질 토양으로 구성되어 있어 배수가 불량하다. 따라서 배수 시설을 갖춘 후 논으로 이용한다.

채점 기준

상	자연 제방과 배후 습지의 특징과 토지 이용을 해발 고도, 퇴적물의 입자, 배수 상태의 차이 등을 들어 정확하게 서술한 경우
중	자연 제방과 배후 습지의 토지 이용은 정확히 서술했으나 지형적 특징에 대한 서술이 미흡한 경우
하	자연 제방은 밭, 배후 습지는 논으로 이용한다고만 서술한 경우

02 주제: 해안 지형의 형성

(1) A – 석호, B – 시 스택, C – 파식대, D – 해안 단구, E – 사빈

(2) 예시 답안 석호(A)는 해수면 상승 이후 골짜기가 침수된 곳에 연안류와 파랑에 의해 사주가 성장하여 형성되었다. 반면 해안 단구(D)는 해수면 하강이나 지반의 융기로 파식대가 현재의 해수면보다 위로 올라가면서 형성되었다.

채점 기준

상	석호와 해안 단구의 형성 과정을 해수면 변동과 관련하여 모두 정확하게 서술한 경우
중	석호와 해안 단구 중 한 가지 지형의 형성 과정을 정확하게 서술한 경우
하	석호와 해안 단구의 형성 과정을 서술하였으나 해수면 변동과 관련된 내용을 제시하지 못한 경우

STEP 3 1등급 정복하기

059~061쪽

1 ① 2 ④ 3 ① 4 ② 5 ② 6 ⑤

1 하천 유역과 분수계

B는 하천 중·상류에 위치한 감입 곡류 하천으로 지반 융기의 영향을 받아 산지 사이를 굽이쳐 흐르고 있다. C는 백두대간으로 한반도의 큰 뼈대를 이루는 산줄기이다. 이 대간으로 한강 유역과 낙동강 유역이 구분되므로 C 대간은 낙동강 유역과 한강 유역의 분수계를 이룬다고 볼 수 있다. D 하천은 낙동강으로, 낙동강의 하구에는 삼각주가 형성되어 있다. E 하천은 동해로 흐르는 하천이고 A 하천은 황·남해로 흐르는 하천이다. 동해로 흐르는 하천은 황·남해로 흐르는 하천보다 유로가 짧기 때문에 퇴적 물질의 평균 입자 크기가 크다.

바로 알기 ① A 하천은 한강이다. 한강의 하구에는 하굿둑이 없다. 하굿둑이 건설되어 있는 하천은 금강, 영산강, 낙동강이다.

2 하천 상류와 하류의 특성

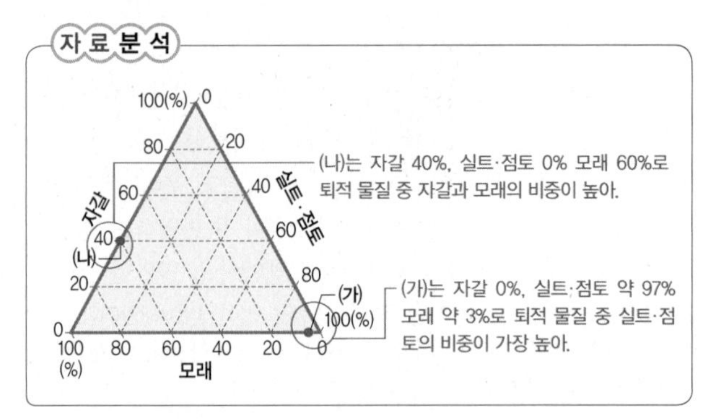

하천 수위 변화 그래프를 보면, (가)에서는 하천의 수위가 주기적으로 변하는 데 비해 (나)에서는 하천의 수위가 큰 변화 없이 일정하다. 이를 통해 (가)는 조류의 영향을 받는다는 것을 알 수 있다. 퇴적 물질 구성 비율을 보면 (가)는 실트·점토의 비율이 높고, (나)는 자갈 및 모래의 비중이 높다. 따라서 퇴적물의 입자 크기가 작은 (가)가 하천 하류(A), 퇴적물의 입자 크기가 큰 (나)가 하천 상류(B)에 해당한다.

바닷물의 영향을 받는다는 뜻이니까 이를 통해서도 (가)가 (나)보다 하천 하류에 위치함을 알 수 있어.

바로 알기 ㄴ. (나)는 하천 중·상류에 위치하며 하방 침식이 활발하다.

완자 정리 노트 **하천 상·하류의 특성**

구분	상류	하류
유량	적음	많음
하폭	좁음	넓음
하천 바닥의 경사	급함	완만함
하방 및 측방 침식	하방 침식 우세	측방 침식 우세
퇴적물의 입자 크기	큼(조립질)	작음(미립질)
퇴적물의 원마도	낮음	높음

3 하천의 침식 지형과 퇴적 지형

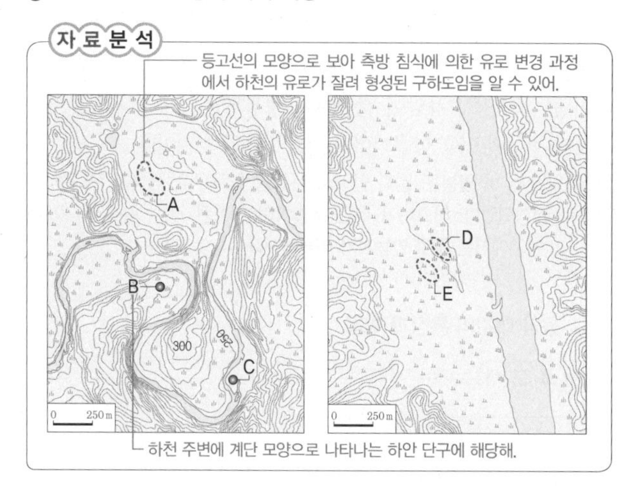

(가)는 하천 중·상류의 산지 사이를 흐르는 감입 곡류 하천이며, (나)는 하천 중·하류의 평지에서 흐르는 자유 곡류 하천이다. ① A는 주변보다 해발 고도가 낮은 곳으로 과거 하천의 유로였던 구하도임을 유추할 수 있다. 구하도에서는 하천의 작용으로 형성된 둥근 자갈을 볼 수 있다.

바로 알기 ② B는 하천과의 사이에 등고선이 있으나 C는 하천과의 사이에 등고선이 없다. 따라서 B가 C보다 주변 하상과의 고도 차가 크다. ③ D에서는 밭농사가 이루어지고 E에서는 논농사가 이루어진다. 따라서 D의 토양은 E의 토양보다 배수가 양호함을 유추할 수 있다. ④ 논농사 지역인 E는 밭농사 지역인 A보다 퇴적 물질의 입자 크기가 작고, 평균 원마도가 높은 편이다. ⑤ 하천의 하방 침식은 하천 중·상류 지역인 (가)가 하천 하류 지역인 (나)보다 활발하다.

4 해안 침식 지형과 퇴적 지형

A는 해안 단구, B는 시 스택, C는 갯벌, D는 사빈, E는 해안 사구이다. ② 시 스택은 파랑의 침식 작용을 받아 형성된 지형으로 해식애가 육지 쪽으로 후퇴하면서 육지에서 분리되어 돌기둥이나 바위섬 형태로 나타난다.

바로 알기 ① 해안 단구(A)는 과거의 파식대가 지반의 융기나 해수면 하강으로 파식대 형성 당시의 해수면보다 높아진 지형이다. 바람에 의해 이동된 물질로 형성되는 것은 해안 사구이다. ③ 갯벌(C)은 조류의 퇴적 작용으로 형성된다. ④ 사빈(D)은 대체로 동해안에서 잘 발달한다. 겨울철 북서풍의 영향을 많이 받는 서해안에서 큰 규모로 발달하는 것은 해안 사구이다. ⑤ 갯벌(C)은 점토 등 미립질의 퇴적물로 형성되어 있으므로 퇴적물의 입자 크기가 가장 작다. 그러나 해안 사구(E)에 퇴적되어 있는 모래의 평균 입자 크기가 사빈(D)보다 작으므로 퇴적물의 입자 크기는 C < E < D 순으로 크다.

완자 정리 노트 해안 침식 지형과 퇴적 지형

해안 침식 지형	• 주로 파랑의 작용이 활발한 곳에 형성 → 암석 해안 • 해식애, 해식동, 파식대, 시 스택, 해안 단구 등
해안 퇴적 지형	• 주로 만에서 파랑, 연안류, 조류 등의 퇴적 작용으로 발달 → 모래 해안, 갯벌 해안 • 사빈, 해안 사구, 사주, 석호, 육계도, 갯벌 등

5 해안 침식 지형과 퇴적 지형

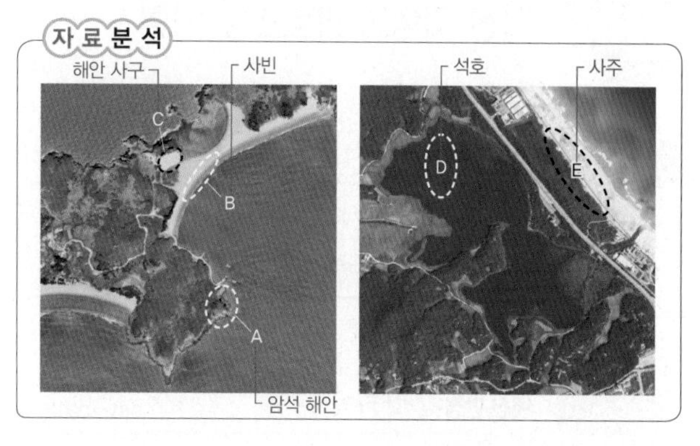

② 해안 사구(C)는 사빈의 모래가 바람에 날려 퇴적된 모래 언덕이다. 해안 사구의 아래에는 모래에 의해 정수된 지하수가 고여 있다.

바로 알기 ① 그로인은 사빈, 해안 사구 등 해안 퇴적 지형의 침식을 막기 위해 설치하는 구조물이다. ③ 석호의 물은 바닷물보다는 염도가 낮지만, 담수보다는 염도가 높아 생활용수로 활용되기 어렵다. ④ 사빈의 모래 중 비교적 작은 입자가 바람에 날려 해안 사구에 퇴적되므로 사빈(B)이 해안 사구(C)보다 퇴적물의 평균 입자 크기가 크다. ⑤ 석호(D)와 사주(E)는 후빙기 해수면 상승과 관련이 있다. 후빙기 해수면 상승 이후 만이 형성되고 만의 입구에 사주가 발달하여 바다와 분리된 석호가 형성된다.

6 해안 침식 실태와 보존 노력

제시된 자료는 우리나라의 해안 침식 현황을 나타낸 것이다. 해안 침식의 원인은 자연적 요인과 인위적 요인으로 구분하여 생각할 수 있다. 이 중 자연적 요인으로는 지구 온난화로 인한 너울성 파도나 해일의 발생 증가가 해안 침식에 영향을 주고 있으며, 인위적 요인으로는 무분별한 해안 개발과 보와 하굿둑 건설 등으로 인해 해안으로 유입되는 토사가 줄어든 것 등이 해안 침식에 영향을 주었다.

바로 알기 갑. 해안 침식이 심각한 정도가 가장 큰 지역은 강원이다. 을. 방조제, 방파제 등의 건설은 해안 침식을 가속화한다. 해안 침식을 해결하기 위해서는 그로인, 모래 포집기 등의 시설을 설치해야 한다.

03 화산 지형과 카르스트 지형

STEP 1 핵심 개념 확인하기 064쪽

1 (1) ㄹ, ㅁ, ㅂ (2) ㄱ, ㄴ, ㄷ 2 용암 대지 3 (1) ㄴ (2) ㄷ (3) ㄱ
4 ㉠ 석회암 ㉡ 용식 5 (1) 시멘트 (2) 조선 누층군 (3) 붉은

STEP 2 내신 만점 공략하기 064~066쪽

01 ④ 02 ⑤ 03 ⑤ 04 ③ 05 ④ 06 ④ 07 ①
08 ③

01 화산 지형의 이해

(가)는 '벌레 먹은 듯한 검은 돌'로 미루어 현무암질 용암이 분포하는 철원·평강의 용암 대지임을 알 수 있다. 또한 (나)는 옛 우산국인 울릉도, (다)는 옛 탐라국인 제주도에 대한 내용이다. ④ 제주도는 유동성이 크고 점성이 작은 현무암질 용암이 분출하여 울릉도보다 용암동굴이 잘 발달해 있다.

바로 알기 ① 철원·평강 지역은 점성이 작은 용암에 의해 하곡이 메워져 형성된 용암 대지가 발달하였다. ② 울릉도는 주로 점성이 큰 조면암질 용암이 분출하여 종 모양의 화산체를 형성한다. ③ 제주도의 정상에는 화구호(백록담)가 형성되어 있다. 칼데라 호가 형성되어 있는 곳은 백두산(천지)이다. ⑤ (가)에서는 양수 시설을 설치한 후 논농사가 이루어지지만, (나)와 (다)에서는 주로 밭농사가 이루어진다.

완자 정리 노트 우리나라의 주요 화산 지형

백두산	복합 화산(산록부 방패형, 산정부 종형), 칼데라 호(천지)
제주도	• 복합 화산(산록부 방패형, 산정부 종형), 화구호(백록담) • 기생 화산, 용암동굴, 주상 절리 등 발달 • 밭농사 중심, 해안 용천대에 취락 발달
울릉도	종모양 화산, 칼데라 분지(나리 분지), 중앙 화구구(알봉)
독도	동해 해저에서 용암 분출로 형성
철원·평강	용암 대지 형성, 주상 절리 발달, 수리 시설을 이용한 논농사

02 주상 절리의 형성 및 분포

사진은 제주도의 주상 절리를 나타낸 것이다. 주상 절리는 화산 활동으로 분출된 용암이 굳는 과정에서 수축이 일어나면서 다각형 모양의 수많은 틈이 생기고 이 틈이 길게 연장되면서 만들어진 기둥 모양의 절리이다. 이와 같은 지형은 철원군 한탄강 일대의 용암 대지 주변 절벽에서도 볼 수 있다.

바로 알기 ㄱ. 주상 절리의 형성은 화산 활동과 관련이 있다. ㄴ. 고생대 조선 누층군은 강원도 남부와 충청북도 북동부 등에서 나타난다. 화산 활동은 신생대 지층과 관련이 있다.

03 울릉도의 화산 지형

제시된 지도는 울릉도의 나리 분지 부근의 지형도이다. ㄷ. 울릉도의 송곳산은 등고선이 조밀하게 나타나는 경사가 급한 산지로 점성이 큰 조면암질 용암이 분출하여 형성되었다. ㄹ. 나리 분지는 화구가 형성된 이후 함몰되어 형성된 칼데라 분지이다.

바로 알기 ㄱ. 알봉은 분지 안에서 분화한 화구구로 점성이 큰 용암의 분출로 형성되었다. 마그마가 열하 분출하여 형성된 것은 용암 대지이다. ㄴ. 나리 분지에서는 주로 밭농사가 이루어진다.

04 용암 대지의 특징과 이용

자료분석

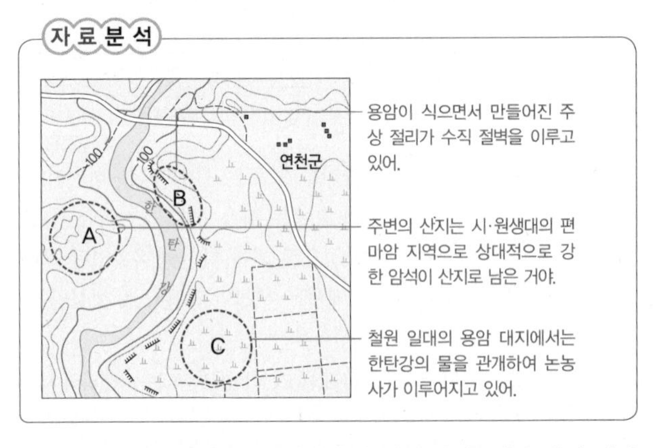

제시된 지도는 철원·평강 일대의 용암 대지 지형도이다. 용암 대지는 유동성이 큰 현무암질 용암이 지각 운동으로 갈라진 지표면의 틈새를 따라 분출하여 기존의 평야와 하천 등을 메워 형성된 대지이다. ③ C는 투수성이 높은 기반암 위에 하천을 비롯한 여러 작용으로 운반된 물질들이 쌓여 형성된 평야 지대로, 수리 시설을 설치한 후 논농사가 이루어지고 있다.

바로 알기 ① A는 용암 대지 주변의 산지로 기반암이 주로 변성암으로 구성되어 있다. ② 주상 절리(B)는 용암이 냉각되는 과정에서 형성된 다각형 기둥 형태의 절리이다. 땅 속에 관입된 마그마가 굳어서 형성된 것은 화강암이다. ④ C에서는 수리 시설을 갖춘 후 한탄강의 물을 끌어올려 농업용수로 활용하고 있다. ⑤ A 지역은 구릉성 산지이고 이 지역이 경기 지괴에 해당하므로 기반암은 시·원생대의 변성암인 편마암일 것이다. 반면, C 지역은 화산 활동으로 형성된 용암 대지로 이곳의 기반암은 현무암이다. 따라서 A 지역의 기반암이 C 지역의 기반암보다 먼저 형성되었다.

05 용암동굴과 석회동굴의 특징 비교

(가) 동굴은 강원도 남부, 충청북도 북동부에 분포하는 석회동굴이며, (나) 동굴은 제주도에 분포하는 용암동굴이다. ㄱ. 석회동굴은 석회암이 지하에서 용식 작용을 받아 형성되었다. ㄷ. 석회동굴의 기반암은 주로 고생대에 형성되었으며, 용암동굴의 기반암은 주로 신생대에 형성되었으므로 (가) 동굴이 (나) 동굴보다 기반암 형성 시기가 이르다. ㄹ. 석회동굴과 용암동굴은 독특하고 다양한 지형 경관으로 인해 일찍부터 관광 자원으로 활용되어 왔다.

바로 알기 ㄴ. 용암동굴은 석회동굴의 내부보다 대체로 단순하다. 종유석, 석순 등이 발달한 것은 석회동굴의 특징이다.

완자 정리 노트 석회동굴과 용암동굴

석회 동굴	• 지하수의 용식 작용으로 형성 ㉠ 단양 고수 동굴, 영월 고씨굴 등 • 동굴 내부에 종유석, 석순, 석주 등 발달
용암 동굴	점성이 작은 용암이 흘러내릴 때 표층부와 하층부의 냉각 속도 차이에 의해 형성 ㉠ 만장굴, 당처물 동굴, 빌레못 동굴 등

06 돌리네의 형성과 이용

제시된 사진은 돌리네를 나타낸 것이다. 돌리네는 석회암이 빗물이나 지하수에 녹으면서 형성된 원형이나 타원형의 와지이다. 돌리네 주변의 토양은 기반암에 포함된 철분으로 인해 붉은색으로 나타나는 경우가 많다. 돌리네는 배수가 잘 되기 때문에 주로 밭으로 이용하며 지역 주민들은 '못밭'이라고 부르기도 한다. 한편, 이 지역에는 석회암이 많이 매장되어 있어 석회석을 활용한 시멘트 공장이 많이 들어서 있다.

바로 알기 ④ 바닥을 파면 둥근 자갈이 많이 발견되는 곳은 하안 단구, 해안 단구, 구하도 등이다.

07 카르스트 지형의 특징

자료 분석

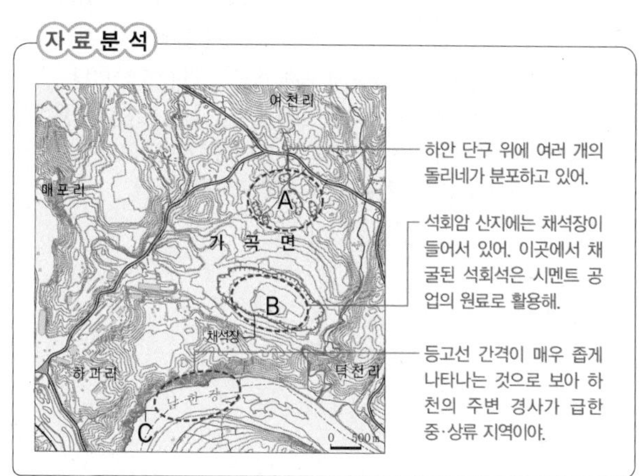

지도는 카르스트 지형을 나타낸 것으로, A는 돌리네, B는 채석장, C는 감입 곡류 하천이다. ㄱ. 돌리네(A)는 등고선의 간격이 다소 넓은 것을 통해 볼 때 하안 단구면 위에 위치한 것을 알 수 있다. ㄴ. 돌리네는 빗물이나 지하수에 의해 석회암이 녹는 화학적 풍화 작용으로 형성된 와지이다.

바로 알기 ㄷ. B의 물은 채석장을 조성하면서 생겨난 물이기 때문에 농업용수 및 생활용수로 활용되기 어렵다. ㄹ. C는 주변에 등고선이 조밀한 것을 볼 때 산지 사이를 곡류하는 감입 곡류 하천임을 알 수 있다.

완자 정리 노트 카르스트 지형의 토지 이용

농업	지표수가 부족해 논농사보다 밭농사의 비중이 높음
시멘트 공업	석회암이 시멘트 공업의 원료로 활용됨
관광 산업	독특한 경관이 나타나는 석회동굴을 관광 자원으로 활용함

08 화산 지형과 카르스트 지형

자료 분석

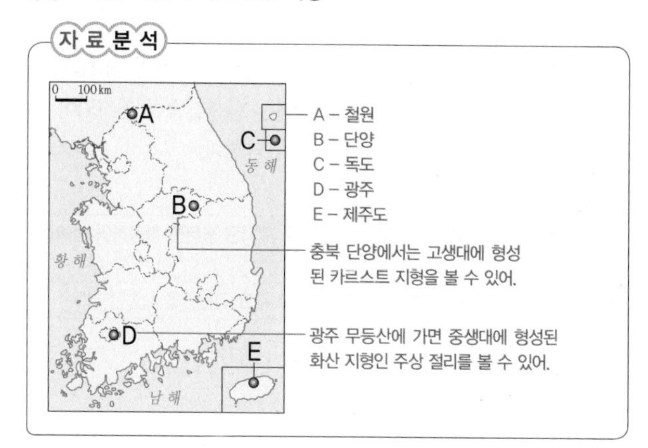

(가)는 충청북도 단양의 도담삼봉에 대한 설명이다. 도담삼봉은 석회암 중 용식되지 않은 부분이 남아서 이룬 봉우리로 단양의 대표적인 관광 자원이다. (나)는 강원도 철원 한탄강 일대의 용암 대지에 대한 설명이다. (다)는 수중 분화 활동으로 형성된 분화구, 유네스코 세계 자연 유산 등의 내용을 통해 제주도의 성산 일출봉에 대한 설명임을 알 수 있다. 제시된 지도는 우리나라에서 화산 지형과 카르스트 지형을 볼 수 있는 지역을 나타낸 것으로, A는 철원, B는 단양, C는 독도, D는 광주, E는 제주도이다. 따라서 제시문에서 설명하는 각각의 지역을 지도에서 찾아 연결하면 (가)-B, (나)-A, (다)-E가 된다.

서술형 문제

066쪽

01 주제: 제주도의 자연환경과 인간 생활

예시 답안 제주도의 기반암은 현무암이다. 현무암은 절리가 많아 빗물이 쉽게 지하로 스며들기 때문에 현무암 분포 지역은 지표수가 부족하다. 하지만 해안 일대에서 용천대를 따라 지하수가 솟아오르기 때문에 사람들이 해안의 용천대 주변에 모여살게 되면서 취락이 용천대를 중심으로 분포하게 되었다.

채점 기준

상	제주도의 취락 분포 특성을 기반암 특성과 연관지어 정확하게 서술한 경우
중	취락 분포 특성은 정확하게 서술했으나, 기반암의 특성에 관한 서술이 미흡한 경우
하	취락 분포의 특성만 간략하게 쓴 경우

02 주제: 카르스트 지형의 특징

(1) A – 돌리네, B – 석회동굴

(2) 예시 답안 석회동굴은 기반암인 석회암이 지하수의 용식 작용을 받아 형성된 동굴이다. 동굴 내부에는 탄산칼슘이 침전되어 종유석, 석순, 석주 등의 동굴 생성물이 발달한다.

채점 기준

상	석회 동굴의 형성 과정 및 주요 경관을 제시된 용어를 활용하여 정확하게 서술한 경우
하	석회 동굴의 형성 과정은 설명하지 않고 주요 경관만을 서술한 경우

STEP 3 1등급 정복하기 067쪽

1 ④ 2 ⑤

1 화산 지형과 카르스트 지형의 이해

자료분석

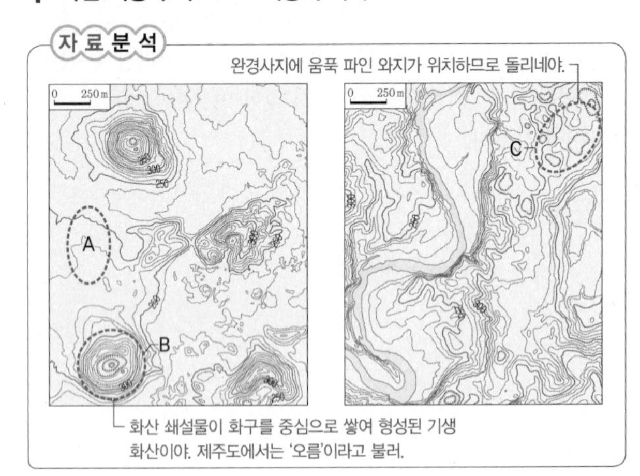

(가)는 제주도의 화산 지형을 나타낸 것으로, A는 경사가 완만한 화산의 산록부이고 B는 화산 중턱에 새로 용암이 분출하여 생긴 기생 화산이다. (나)는 카르스트 지형을 나타낸 것으로 C는 돌리네이다. ④ 카르스트 지형이 분포하는 곳은 기반암인 석회암이 용식되고 난 후 남은 철분 등이 산화되어 붉은색을 띠는 토양이 형성된다. 반면 화산 지형이 분포하는 곳에서는 기반암인 현무암의 풍화로 흑갈색을 띠는 토양이 나타난다.

바로 알기 ① 등고선의 간격이 비교적 넓은 산록부(A)와 움푹 파인 와지인 돌리네(C)에서는 논농사보다 밭농사가 주로 이루어진다. ② 기생 화산(B)은 산록부(A)에 형성되는 방패 모양의 화산보다 유동성이 작은 용암이 분출하여 경사가 급한 지형을 형성한다. ③ 제주도에서는 화구호인 백록담을 비롯하여, 기생 화산, 용암동굴 등의 화산 지형을 볼 수 있고, 카르스트 지형이 분포하는 곳에서는 석회동굴, 돌리네 등을 볼 수 있다. ⑤ 제주도 화산 지형은 신생대, 카르스트 지형은 고생대에 형성된 암석이 기반암을 이룬다.

2 화산 지형과 카르스트 지형의 특징 비교

자료분석

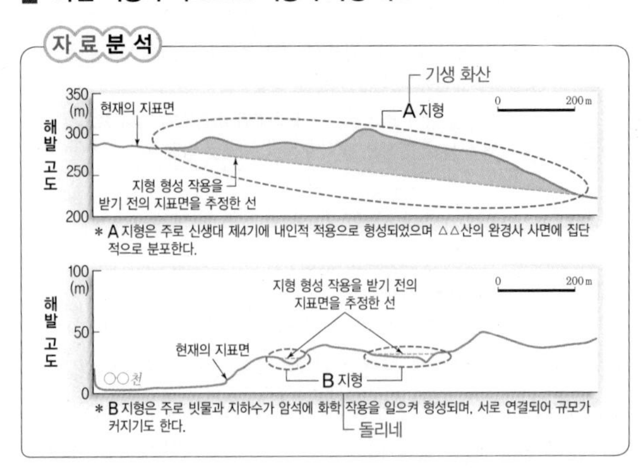

제시된 자료는 화산 지형이 나타나는 제주도와 카르스트 지형이 나타나는 지역의 단면도이다. (가)는 제주도로, A 지형은 화산 활동으로 형성되었으며 한라산의 완경사 사면에 분포하는 기생 화산이다. (나)는 카르스트 지형 분포 지역으로 B 지형은 석회암이 빗물과 지하수의 용식을 받아 형성된 돌리네이다. ㄴ. 제주도에는 분화구에 물이 고여 형성된 화구호(백록담)가 분포한다. ㄷ. 카르스트 지형이 분포하는 지역에서는 석회암이 풍화된 붉은색 토양을 볼 수 있다. ㄹ. (가), (나) 지역에서는 모두 절리가 발달하는 기반암의 특성으로 인해 비가 올 때만 지표수가 흐르는 건천이 나타난다.

바로 알기 ㄱ. 기생 화산은 소규모 화산 폭발로 화산 쇄설물이 화구를 중심으로 쌓이므로 해발 고도를 높이지만, 돌리네는 석회암의 용식 작용으로 땅이 움푹 파여 형성되는 지형이므로 해발 고도를 낮춘다.

대단원 실력 굳히기 070~073쪽

01 ① 02 ① 03 ③ 04 ⑤ 05 ④ 06 ④ 07 ①
08 ③ 09 ⑤ 10 ② 11 ① 12 ④ 13 ② 14 ①
15 ③ 16 ⑤

01 한반도의 암석 분포

(가)는 설악산(돌산), (나)는 충청북도 단양의 석회동굴, (다)는 전라남도 해남의 공룡 발자국 화석, (라)는 지리산(흙산)을 나타낸다. ㄱ. 돌산의 기반암은 마그마가 지하에 관입하여 형성된 화강암이다. ㄴ. 석회동굴의 기반암은 주로 고생대 초에 형성되었으며 조선 누층군에 분포한다.

바로 알기 ㄷ. 공룡 발자국은 중생대에 퇴적된 경상 누층군에서 발견되며, 흙산의 기반암은 주로 시·원생대의 변성암(편마암)이므로, (다)의 기반암이 (라)의 기반암보다 형성 시기가 늦다. ㄹ. 한반도에 분포하는 암석은 시·원생대에 형성된 편마암이 가장 많고, 그 다음은 중생대에 관입한 화강암, 고생대에서 신생대에 형성된 퇴적암 순이다. 따라서 (라)의 기반암(편마암)은 (가)의 기반암(화강암)보다 분포 면적이 넓다.

02 한반도의 지체 구조

자료분석

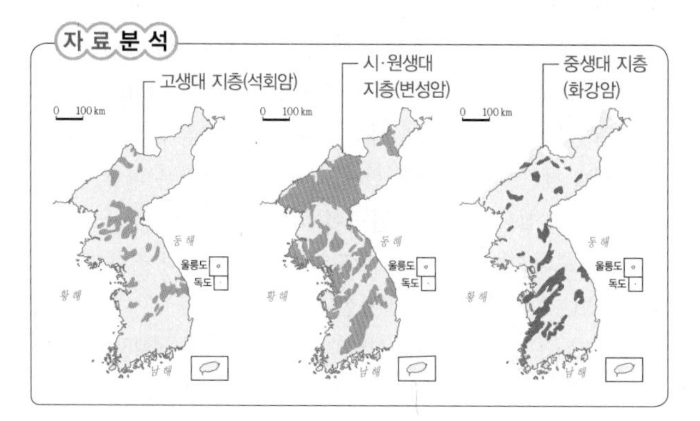

(가)는 고생대 조선 누층군으로 석회암이 주로 매장되어 있다. 석회암에서 얻는 석회석은 시멘트 공업의 주요 원료로 사용되므로 (가)의 분포는 시멘트 공장의 입지와 관련이 있다.

바로 알기 ② 변성암은 퇴적암 등이 지하 깊은 곳에서 열과 압력을 받아 성질이 변한 암석이다. 마그마가 땅 속에서 굳어져 형성된 암석은 화강암이다. ③ (다)는 중생대 지층이지만 화강암이 주로 분포하는 지역이다. 중생대 지층 중에서는 경상 분지(경상 누층군)에서 공룡 발자국 화석이 많이 발견된다. ④ 고생대 지층인 (가)가 시·원생대 지층인 (나)보다 형성된 시기가 늦다. ⑤ (가)는 고생대 초기에 형성된 해성층이며, (나)와 (다)는 육성층에 해당한다.

03 해수면의 변동과 지형 형성

(가)는 빙기, (나)는 후빙기의 해수면 변동을 나타낸 것이다. ㄴ. 후빙기에는 하천 상류에서 빙기에 퇴적된 물질이 제거되면서 침식 작용이 활발해졌다. ㄷ. 빙기에는 해수면이 하강하여 후빙기보다 육지 면적이 넓으며 하천의 평균 유로의 길이가 더 길다.

바로 알기 ㄱ. 빙기에 하천 하류에서는 침식 작용이 활발하며 골짜기가 발달한다. 하천 하류에서 충적 평야가 발달하는 시기는 후빙기이다. ㄹ. 후빙기는 빙기보다 온난 습윤한 기후가 나타나 화학적 풍화 작용이 탁월하다.

04 한반도 주변의 판 이동과 영향

제시된 지도는 한반도 주변의 판 이동을 나타낸 것이다. 한반도와 일본은 원래 붙어있었으나 신생대 제3기에 분리되면서 그 자리에 동해가 형성되었다. 동해 지각의 확장으로 한반도에는 경동성 요곡 운동이 일어났으며, 이 과정에서 함경산맥, 태백산맥 등이 형성되어 동쪽은 높고 서쪽은 낮은 비대칭 지형을 이루게 되었다.

바로 알기 ① 화산 활동으로는 백두산, 제주도 등이 형성되었다. ②, ③ 대보 조산 운동은 중생대의 지각 변동으로 이에 따라 중국 방향(북동-남서)의 지질 구조선이 형성되었다. ④ 차령산맥은 중생대 지각 운동 이후 지질 구조선을 따라 차별적인 풍화와 침식을 받아 형성된 2차 산맥이다.

05 고위 평탄면의 특징

지도의 A 지역은 해발 고도가 높지만 등고선의 간격이 비교적 넓은 지역으로 경사가 완만한 고위 평탄면이다. 이 지역은 겨울철에 눈이 많이 내리기 때문에 강수량이 적은 봄철에도 토양이 오랜 기간 수분을 안정적으로 유지한다. 이러한 기후 조건을 활용하여 고랭지 농업과 목축업이 발달하였으며, 스키장과 리조트 등이 들어서면서 관광 산업도 발달하였다. 하지만 산지 개발로 인해 집중 호우시 토양 침식이 심해짐에 따라 유실된 토양이 하천으로 흘러들어가 하상이 높아지고 홍수 피해가 커지기도 한다.

바로 알기 ㄱ. 고위 평탄면은 신생대 제3기 경동성 요곡 운동의 영향으로 형성되었다. ㄷ. 고위 평탄면에서는 여름철에 같은 위도의 저지대보다 서늘한 기후를 활용하여 무, 배추 등의 채소 재배가 활발하다.

완자 정리 노트 고위 평탄면의 발달과 이용

형성	평탄한 지형이 융기한 후에도 평탄한 기복을 유지
분포	태백산맥과 소백산맥의 일부 해발 고도가 높은 곳
특징	• 평지에 비해 연평균 기온이 낮고 습도가 높음 • 겨울철 적설량이 많고 적설 기간이 길 • 고랭지 농업, 목축업, 풍력 발전소, 스키장 등으로 활용

06 우리나라의 하천 유역과 이용

우리나라의 하천은 계절별 유량 변동이 크고 밀물과 썰물의 영향으로 수위가 주기적으로 변하는 감조 하천이 나타난다. 감조 하천의 염해 피해를 줄이기 위해 금강, 영산강, 낙동강에는 하굿둑이 건설되어 있다. B 지점은 한강의 중·상류에 해당하며 이곳에 떨어진 빗물은 한강 하류 쪽으로 이동해 A로 유입될 것이다. 유역 면적은 분수계를 경계로 하천이 흘러드는 면적으로, 지도를 보면 한강 유역이 금강 유역보다 면적이 더 넓다.

바로 알기 ④ 우리나라는 하천의 하상계수가 커 물 자원의 안정적 공급이 어렵기 때문에 댐이나 저수지를 건설하여 유량을 조절한다. 따라서 낙동강은 댐 건설로 하상계수가 작아졌을 것이다.

07 우리나라 하천의 특징

자료분석

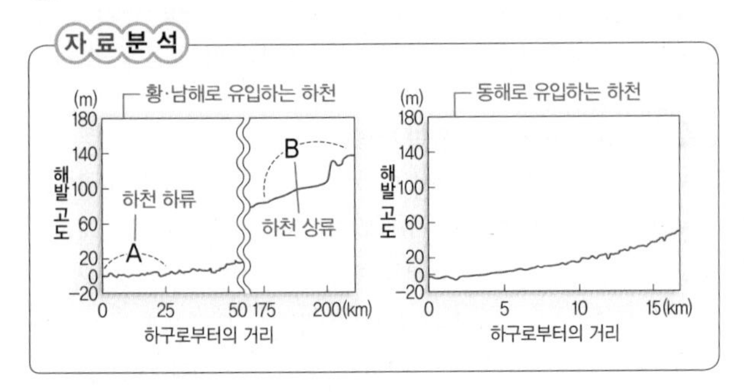

(가) 하천은 유로가 긴 것을 통해 황·남해로 유입하는 하천임을 알 수 있다. 우리나라에서 황·남해로 유입하는 하천의 하구에는 조석의 영향을 받아 밀물 때 바닷물이 역류하는 감조 구간이 나타나므로 A에서는 감조 구간이 나타날 것이다.

바로 알기 ② (가)의 하천 하류(A)는 하천 상류(B)보다 하방 침식이 미약하다. ③ (가)의 하천 상류(B)는 하천 하류(A)보다 퇴적 물질의 평균 입자 크기가 크다. ④ 황·남해로 유입하는 하천은 동해로 유입하는 하천보다 유역 면적이 넓다. ⑤ 동해로 유입하는 하천은 황·남해로 유입하는 하천보다 유로가 짧으며 하구에서의 유량이 적다.

08 감입 곡류 하천과 자유 곡류 하천의 특징

(가)는 감입 곡류 하천, (나)는 자유 곡류 하천이다. (가)의 A 마을은 하안 단구에 위치한 마을이며 마을의 바닥에서는 과거 하천의 바닥에서 형성된 둥근 자갈이 발견된다. 자유 곡류 하천은 유량이 많으며 자연적인 상태에서 유로 변경이 자주 발생한다. 따라서 인공 제방과 같은 인위적인 시설물을 설치하여 범람의 피해를 줄이기 위해 노력한다. 감입 곡류 하천은 자유 곡류 하천보다 해발 고도가 높은 곳에 위치하여 하방 침식이 우세하며, 감입 곡류 하천에는 하안 단구, 자유 곡류 하천에는 범람원이 발달한다.

바로 알기 ③ 자유 곡류 하천은 감입 곡류 하천보다 하류에 위치하며 퇴적 물질의 평균 원마도가 높다.

완자 정리 노트 감입 곡류 하천과 자유 곡류 하천

구분	특징
감입 곡류 하천	• 하천의 중·상류에 발달 • 지반 융기 이후 하방 침식이 강화되어 형성 • 하안 단구 발달
자유 곡류 하천	• 하천의 중·하류에 발달 • 측방 침식이 활발하여 유로 변경이 심함 • 범람원, 하중도, 우각호, 구하도 등 발달

09 침식 분지의 특징

지도는 침식 분지의 지형도이다. A는 경사가 급한 사면으로 변성암이 주요 기반암이며, B는 주변이 산지로 둘러싸인 평지로 화강암이 주요 기반암이다. ㄷ. 시·원생대에 형성된 변성암이 중생대에 형성된 화강암보다 형성 시기가 이르다. ㄹ. 해당 지역에서는 화강암 지대(B)가 상대적으로 변성암 지대(A)보다 풍화와 침식에 약해 차별적인 풍화와 침식을 받으면서 침식 분지를 형성하였다.

바로 알기 ㄱ. 변성암 지대(A)의 주요 기반암은 주로 시·원생대에 변성 작용을 받아 형성되었다. 마그마의 관입으로 형성된 것은 화강암이다. ㄴ. 화강암 지대(B)는 하천에 의해 침식을 받은 지역이며 지표수가 상대적으로 풍부해 일찍부터 지역 생활의 중심지로 발달하였다.

10 하천 지형의 특징

A는 선상지, B는 범람원, C는 삼각주이다. 범람원(B)에서 하천 가까이에는 자연 제방이 분포한다. 자연 제방은 상대적으로 고도가 높으며 모래질 토양으로 구성되어 있어 밭농사, 과수원으로 이용하며 취락이 분포한다.

바로 알기 ① 선상지(A)는 산지에서 평지로 이어지는 계곡 입구의 경사 급변점에 주로 발달한다. 하천의 합류 지점에 주로 발달하는 것은 침식 분지이다. ③ 삼각주(C)는 조류에 의해 제거되는 토사의 양이 적을수록 잘 발달한다. ④ 선상지(A)는 높은 산지가 적고 오랜 침식으로 경사 급변점이 적은 우리나라에서 발달이 미약하다. 범람원(B)은 우리나라에서 잘 발달하는 지형이다. ⑤ 선상지(A)는 용천대를 중심으로 취락이 입지하지만, 범람원(B)과 삼각주(C)는 고도가 높은 자연 제방을 중심으로 취락이 입지한다.

11 우리나라 해안의 비교

우리나라에서는 연안류, 조류 등에 의해 다양한 해안 지형이 형성된다. 대표적으로 연안류의 퇴적 작용으로 사주가 형성되며 사주에 의해 만입이 가로 막히면 석호가 형성된다. 조류의 퇴적 작용으로는 갯벌 해안이 발달한다. 한편, 곶의 암석 해안은 파랑 에너지의 집중으로 침식 작용이 활발하여 해식애, 시 스택 등이 발달하며, 만의 모래 해안은 파랑 에너지의 분산으로 퇴적 작용이 활발하여 사빈, 해안 사구 등이 발달한다.

바로 알기 ① ㉠ – 동해안은 산맥과 해안선이 대체로 평행하게 발달하였기 때문에 섬이 적고 해안선이 단조롭다.

12 해안 침식 지형과 해안 퇴적 지형

A는 사빈, B는 암석 해안, C는 갯벌, D는 석호, E는 사주이다. ㄴ. 암석 해안(B)은 갯벌(C)보다 파랑 에너지가 집중하는 곳에 잘 발달한다. 갯벌은 상대적으로 파랑 에너지가 분산하는 만 중에서도 조류의 퇴적 작용이 탁월한 곳에서 발달한다. ㄹ. 석호(D)는 해수면 상승으로 골짜기에 물이 들어와 만이 형성되고, 이후 연안류의 퇴적 작용에 의해 성장한 사주(E)가 만의 입구를 막으면서 형성된다.

바로 알기 ㄱ. 주로 모래질 토사로 구성된 사빈(A)은 주로 점토질 토사로 구성된 갯벌(C)보다 퇴적물의 평균 입자 크기가 크다. ㄷ. 석호(D)의 수심은 하천에서 유입되는 물질의 퇴적으로 인해 시간이 지날수록 얕아진다.

13 다양한 해안 지형

A는 사주, B는 시 스택, C는 해식애, D는 해안 단구, E는 육계도이다. ② 시 스택(B)은 파랑의 침식 작용으로 파식대에서 분리된 지형으로, 돌기둥이나 바위섬을 이룬다.

| 바로 알기 | ① 사주(A)는 후빙기 해수면 상승 이후 만이 만들어진 후에 연안류의 퇴적 작용으로 형성되었다. ③ 해식애(C)는 파랑 에너지가 집중하는 곳에서 잘 형성된다. ④ 해안 단구(D)는 과거의 파식대나 해안 퇴적 지형이 지반 융기 또는 해수면 변동으로 형성된 계단 모양의 지형이다. 사빈의 모래가 바람에 날려 퇴적되어 형성되는 지형은 해안 사구이다. ⑤ 육계도(E)는 사주에 의해 육지와 연결된 섬으로 침식 기준면의 하강과는 관련이 없다.

완자 정리 노트 다양한 해안 지형

해안 침식 지형	해식애	파랑의 침식 작용으로 형성된 해안 절벽
	해식동	파랑의 침식 작용으로 형성된 해안 동굴
	파식대	파랑의 침식 작용으로 형성된 비교적 평탄한 지형
	시 스택	파랑의 침식 작용으로 형성된 돌기둥 혹은 바위섬
	해안 단구	파식대가 지반의 융기나 해수면 하강으로 현재 해수면보다 높은 곳에 형성된 계단 모양의 지형
해안 퇴적 지형	사빈	모래가 파랑이나 연안류의 작용으로 퇴적되어 형성
	해안 사구	사빈의 모래가 바람에 날려 퇴적되어 형성
	사주	모래가 연안류를 따라 이동하여 길게 퇴적되어 형성
	석호	후빙기 해수면 상승으로 형성된 만의 입구에 사주가 발달하여 형성
	육계도	사주에 의해 육지와 연결된 섬

14 서해안에서 나타나는 해안 지형

자료 분석

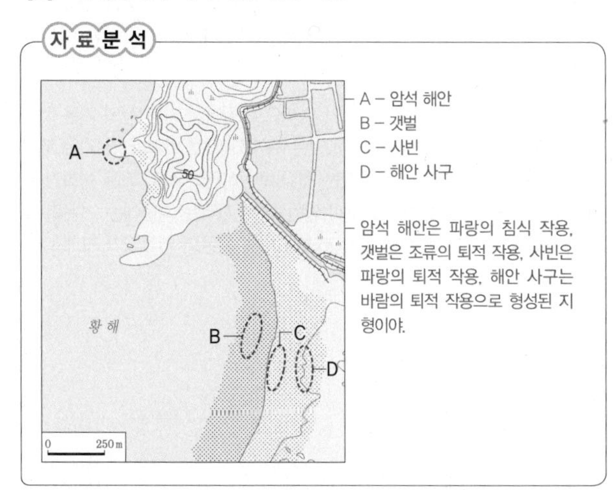

② 갯벌(B)은 밀물 때는 바닷가에 잠기고 썰물 때는 물 위로 드러나는 지형으로 주로 하천에 의해 운반된 점토 등이 조류에 의해 퇴적되어 형성된다. ③ 사빈(C)의 침식을 막기 위해 바다 쪽으로 일정한 간격을 두고 그로인을 설치하기도 한다. ④ 해안 사구(D)의 아래에는 모래에 의해 정수된 지하수가 있어 이를 이용할 수 있다. ⑤ 사빈(C)에서 해안 사구(D)로 가면서 퇴적물의 평균 입자 크기는 작아진다.

| 바로 알기 | ① A는 암석 해안이다. 지도를 보면 북쪽으로 암석 해안이 연속적으로 나타나고 있으므로 사주에 의해 육지와 연결되었다고 보기는 어렵다.

15 화산 지형과 카르스트 지형

왼쪽 지도는 카르스트 지형, 오른쪽 지도는 화산 지형(용암 대지)을 나타낸 것이다. ③ 한탄강 일대(C)는 하천이 하방 침식을 받아 깊은 협곡이 형성되었으며, 이 협곡을 따라 주상 절리가 발달하였다. 주상 절리는 화산 활동으로 분출된 용암이 식으면서 만들어진 다각형 기둥 모양의 절리이다.

| 바로 알기 | ① A는 석회암의 용식 작용으로 형성된 돌리네이다. 돌리네는 배수가 양호하여 주로 밭으로 이용한다. ② B의 기반암은 주로 현무암으로 신생대에 열하 분출로 형성되었다. 중생대에 마그마의 관입으로 형성된 것은 화강암이다. ④ 돌리네(A)에는 석회암의 용식 작용으로 붉은색의 토양이 분포하지만, 하천의 퇴적 작용으로 형성된 충적층(B)에서는 붉은색의 토양이 분포한다고 보기 어렵다. ⑤ 기반암의 형성 시기는 현무암(B)이 변성암(D)보다 늦다.

16 용암 동굴과 기생 화산

자료 분석

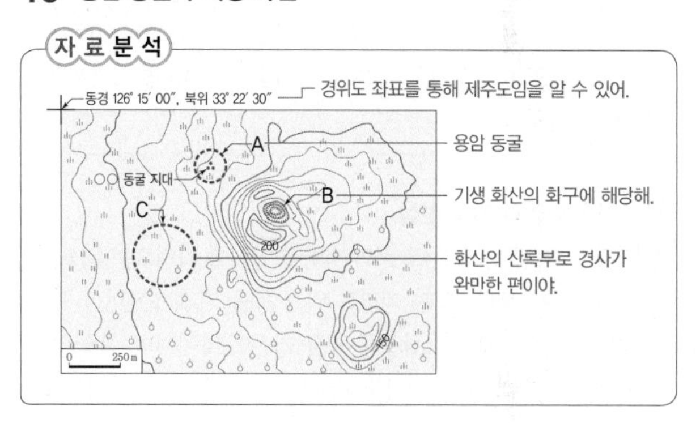

제시된 지역은 북위 33° 22′ 30″에 위치하므로 제주도에 속한 곳임을 알 수 있다. ㄷ. C는 등고선의 간격이 비교적 넓은 것을 통해 경사가 완만한 화산체의 산록부임을 알 수 있다. 따라서 기반암은 유동성이 큰 현무암질 용암이 굳어 형성되었다고 유추할 수 있다. ㄹ. 제주도의 기반암은 대부분 절리가 발달한 현무암으로 투수가 양호하다.

| 바로 알기 | ㄱ. A 동굴은 용암의 냉각 속도 차이로 형성된 용암동굴이다. 주로 지하수의 용식에 의해 형성된 것은 석회동굴이다. ㄴ. 기생 화산의 화구(B)에서는 대체로 흑갈색의 토양이 나타난다. 기반암이 풍화된 붉은색의 토양은 카르스트 지형에서 볼 수 있다.

Ⅲ. 기후 환경과 인간 생활

01~02 우리나라의 기후 특성 ~ 기후와 주민 생활

STEP 1 핵심 개념 확인하기 082쪽

1 (1) ㄹ, ㅁ, ㅂ, ㅅ (2) ㄱ, ㄴ, ㄷ 2 (1) ○ (2) × 3 ㉠ 푄 현상 ㉡ 높새바람 4 (1) ㄴ (2) ㄷ (3) ㄱ 5 (1) 간대토양 (2) 성대 토양

STEP 2 내신 만점 공략하기 082~086쪽

01 ⑤ 02 ③ 03 ④ 04 ② 05 ① 06 ① 07 ⑤
08 ③ 09 ④ 10 ① 11 ④ 12 ③ 13 ⑤ 14 ③
15 ② 16 ③

01 기후 요인과 기후 현상

기온, 강수, 바람 등 기후 요소의 지역적 차이를 가져오는 위도, 지형, 수륙 분포, 해발 고도, 지리적 위치 등을 기후 요인이라 한다. ㄴ. 저위도에서 고위도로 갈수록 평균 기온이 낮아지며, 봄꽃의 개화는 평균 기온이 높은 지역에서부터 시작된다. 따라서 저위도에 위치한 제주도가 서울보다 봄꽃의 개화 시기가 이르다. ㄷ. 수륙 분포의 영향으로 내륙 지역에 위치한 홍천은 동해안에 위치한 강릉에 비해 최한월 평균 기온이 낮다. ㄹ. 3월, 제주도 한라산의 정상부에 덮인 눈과 해안가에 만발한 유채꽃의 경관 차이는 해발 고도 차이의 영향이다.

바로 알기 ㄱ. 부산이 서울에 비해 연평균 기온이 높은 이유는 위도의 영향 때문이다.

완자 정리 노트 기후 요인에 의한 기후 요소의 변화

기후 요인	기후 요소의 변화
위도	고위도로 갈수록 기온이 낮아지고, 저위도로 갈수록 기온이 높아짐
해발 고도	해발 고도가 높아질수록 기온이 낮아짐
수륙 분포	비열 차에 의해 여름에 내륙은 해안보다 빨리 가열되어 기온이 높고, 겨울에는 내륙이 해안보다 빨리 식어 기온이 낮음
지형	늦봄에서 초여름 사이 오호츠크 해 기단에서 불어오는 습윤한 북동풍이 태백산맥을 넘으면서 고온 건조해짐
해류	한류가 흐르는 곳은 기온이 낮아지며, 난류가 흐르는 곳은 기온이 높아짐

02 대륙 동안과 대륙 서안의 기후 특성

포르투갈의 리스본과 우리나라의 서울은 비슷한 위도에 위치하지만 지리적 위치의 차이로 서로 다른 기후 특성이 나타난다. 대륙 서안에 위치한 리스본은 동안에 위치한 서울에 비해 최한월 평균 기온이 높고 최난월 평균 기온이 낮은 특성을 보인다. 또한 아열대 고압대의 영향으로 여름철 강수량은 서울에 비해 적지만, 겨울철 강수량은 편서풍과 북대서양 난류의 영향으로 많다. 반면 대륙 동안에 위치한 서울은 계절풍의 영향을 크게 받기 때문에 여름에는 남서·남동 계절풍의 영향으로 덥고 습하며, 겨울에는 북서 계절풍의 영향으로 춥고 건조하다. 따라서 우리나라는 대륙 서안에 위치한 리스본보다 기온의 연교차가 크다.

바로 알기 ③ 리스본은 해양에서 불어오는 편서풍과 북대서양 난류의 영향으로 비가 자주 내린다. 따라서 겨울철 강수 집중률은 리스본이 서울보다 높다.

03 기온 분포의 지역 특색

우리나라의 겨울철은 시베리아 기단의 영향을 받아 한랭하며 기온의 지역 차가 매우 큰 것이 특징이다. 반면, 여름철은 북태평양 기단의 영향을 강하게 받아 기온이 매우 높으며, 겨울철에 비해 기온의 지역 차가 작은 것이 특징이다. ㄴ. 겨울은 최한월 평균 기온이 −16~6℃ 정도로 지역에 따라 약 22℃의 차이가 나며, 여름은 최난월 평균 기온이 16~27℃ 정도로 지역에 따라 약 11℃의 차이가 난다. 따라서 겨울철이 여름철보다 기온의 지역 차가 크다. ㄹ. 동해안은 비슷한 위도의 서해안에 비해 겨울철 기온이 높은데, 이는 태백산맥이 차가운 북서풍을 막아주고, 동해의 수심이 황해보다 깊기 때문이다.

바로 알기 ㄱ. 우리나라는 국토가 남북으로 길어서 남북 간의 기온 차가 동서 간의 기온 차보다 크다. ㄷ. 해양은 육지에 비해 비열이 커 기온 변화가 작은 편이다. 이와 반대로 육지는 해양보다 비열이 작아 기온 변화가 큰 편이다. 따라서 육지의 영향을 많이 받는 내륙 지역은 겨울에는 기온이 낮으며, 여름에는 기온이 높아 해안 지역에 비해 기온의 연교차가 크게 나타난다.

04 기온의 동서 간 차이

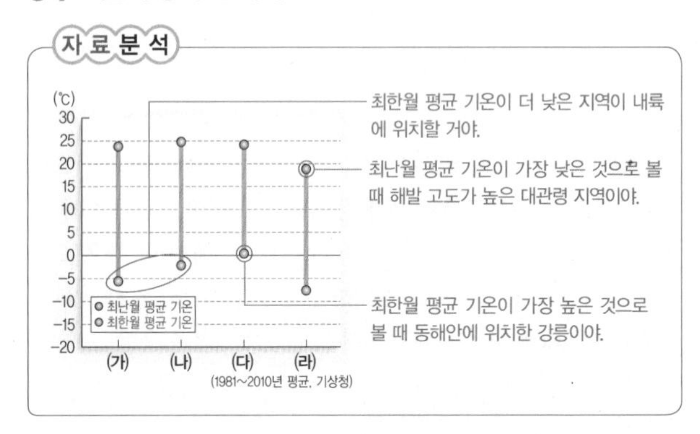

우리나라는 국토가 남북 방향으로 길게 뻗어 있어 위도에 따른 남북 간의 기온 차이가 크며, 계절별로는 여름보다 겨울에 기온의 지역 차이가 더 크게 나타난다. 겨울철에는 기온의 동서 간 차이도

뚜렷하게 나타나는데, 일반적으로 해안 지역이 내륙 지역보다 기온이 높으며, 동해안의 기온이 서해안보다 높은 편이다. 특히 강원도 동해안 지역은 태백산맥이 차가운 북서 계절풍을 막아줄 뿐만 아니라, 동해의 겨울철 수온이 황해보다 높기 때문에 서해안 지역보다 기온이 높다. 따라서 최한월 평균 기온이 가장 높은 (다)는 동해안에 위치한 D이다. 한편 다른 지역에 비해 여름철에는 서늘하고 겨울철에는 기온이 낮은 (라)는 태백산맥 근처에 있어 해발 고도가 높은 C이다. (가), (나) 중 최한월 평균 기온이 더 낮은 (가)는 내륙에 위치한 B이고, (나)는 서해안에 위치한 A이다.

| 바로 알기 | 지도의 A는 인천, B는 홍천, C는 대관령, D는 강릉이다.

05 진달래의 개화 시기와 김장 적기

자료 분석

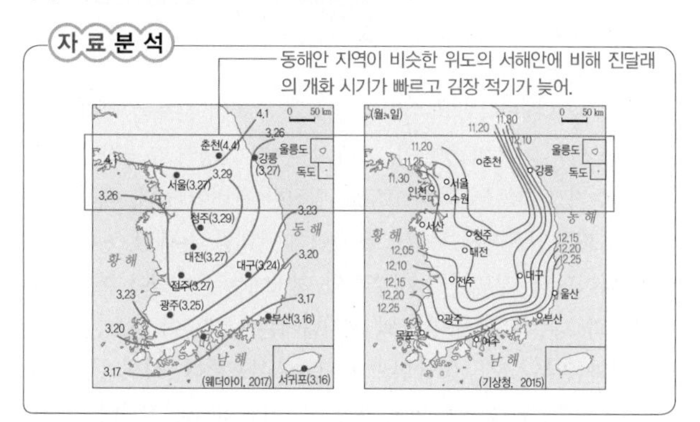

(가) 진달래의 개화 시기는 남부 지방이 북부 지방에 비해 빠르고, (나) 김장 적기는 겨울이 빨리 오는 북부 지방이 남부 지방에 비해 빠르다. ②, ③ 비슷한 위도의 동해안 지역이 서해안 지역보다 진달래의 개화 시기가 빠르고 김장 적기가 늦다. 이는 지역별 기온 차이가 반영된 것이다. ④ 각 지역의 기온 차이가 지형적 요인의 영향을 받기 때문에 진달래의 개화 시기 및 김장 적기 역시 지형의 영향을 받는다고 볼 수 있다.

| 바로 알기 | ① (가)에서는 동서 간의 차이가 약 7일 정도이지만, 남북 간의 차이는 17일 정도로 남북 간의 차이가 더 크다.

06 우리나라의 강수 분포

지도의 A는 영동 지방, B는 울릉도, C는 서해안 지역, D는 제주도이다. ㄱ. 영동 지방은 북동 기류가 발달할 때 태백산맥의 바람받이 사면에 눈을 내리게 하여 겨울철에 눈이 많이 내리는 지역이다. ㄴ. 울릉도는 우리나라에서 최다설지로 다른 지역에 비해 겨울 강수량의 비중이 높다.

| 바로 알기 | ㄷ. 제주도에서는 겨울철에 북서 계절풍에 의한 강수가 나타난다. ㄹ. 겨울철 적설량은 B〉A〉C 순으로 많이 나타난다.

07 우리나라의 연 적설량 분포

우리나라의 연 적설량 분포를 보면 울릉도, 강원도 영동 산간 지역, 서해안 일대를 비롯한 소백산맥 서사면 지역의 적설량이 비교적 많음을 알 수 있다. 울릉도와 소백산맥 서사면은 북서 계절풍의 영향을 받아 많은 눈이 내리고, 강원도 영동 산간 지역은 북동 기류가 태백산맥에 부딪칠 때 많은 눈이 내린다.

| 바로 알기 | ⑤ 강원도 동해안 지역은 북동 기류에 의한 지형성 강수에 의해 눈이 많이 내린다.

08 지역별 강수 특징

우리나라의 강수량은 대체로 지형과 풍향에 의해 결정된다. 지도의 A는 인천, B는 강릉, C는 대구이다. 여름 강수량이 가장 적은 (다)는 영남 내륙 분지에 속한 C(대구)이다. 겨울 강수량이 가장 많은 (가)는 북동 기류에 의한 바람받이 사면 지역인 B(강릉)이다. 따라서 (가)는 B(강릉), (나)는 A(인천), (다)는 C(대구)이다.

09 계절풍의 특징

대륙과 해양 사이에 위치한 우리나라는 여름철과 겨울철에 계절풍의 영향이 탁월하다. (가) 시기는 주로 한랭 건조한 시베리아 기단의 영향을 받아 북서풍이 나타나는 겨울철이며, (나)는 고온 다습한 북태평양 기단의 영향을 받아 남동 및 남서 계절풍이 부는 여름철에 해당한다. 겨울은 여름보다 풍속이 강하며, 바람의 방향도 더 일정하게 나타난다.

| 바로 알기 | ㄱ. (가) 시기인 겨울철에는 서고동저형의 기압 배치가 나타난다. ㄷ. 겨울철이 여름철에 비해 풍속이 강하고 풍향이 일정하다.

완자 정리 노트 우리나라에 영향을 미치는 계절풍

겨울	한랭 건조한 북서풍 → 배산임수의 촌락 입지, 솜옷, 김장 문화 등에 영향
여름	고온 다습한 남서풍, 남동풍 → 대청마루, 모시옷, 염장 식품, 벼농사 등에 영향

10 우리나라에 영향을 주는 기단

공기가 바다나 대륙과 같은 넓은 지역에 일정 기간 머물 경우 지표의 성질과 유사한 성질의 공기 덩어리가 형성되는데 이를 기단이라고 한다. 기단은 계절별로 우리나라로 확장하면서 다양한 기후를 형성하는 네 영향을 준다. 지도의 A는 시베리아 기단, B는 오호츠크해 기단, C는 북태평양 기단, D는 적도 기단이다. 시베리아 기단은 겨울철에 영향을 미치고, 북태평양 기단은 한여름에 영향을 미친다. 오호츠크해 기단은 주로 봄과 가을에 영향을 미치며, 북태평양 기단과 더불어 장마 전선을 형성하기도 한다. 봄철 시베리아 기단(A)의 영향이 일시적으로 강해질 때 꽃샘추위가 나타난다. 한랭 습윤한 오호츠크해 기단(B)은 늦봄부터 초여름에 영향을 미치며 북태평양 기단과 여름철 장마 전선을 형성한다. 고온 다습한 북태평양 기단(C)은 장마철과 한여름에 장마 전선을 형성하고 무더위를 가져오며, 적도 기단(D)은 여름철 태풍이 북상할 때 우리나라에 영향을 준다.

| 바로 알기 | ㄷ. 북태평양 기단(C)은 여름철 무더위와 열대야 등을 발생시킨다. ㄹ. 적도 기단(D)은 여름철에 우리나라에 영향을 미친다.

완자 정리 노트 우리나라에 영향을 주는 기단

기단	발달 시기	성질	영향
시베리아 기단	겨울	한랭 건조	한파, 꽃샘추위
오호츠크해 기단	늦봄~초여름	한랭 습윤	높새바람, 장마 전선 형성
북태평양 기단	여름	고온 다습	무더위, 장마 전선 형성
적도 기단	여름	고온 다습	태풍

11 겨울철과 장마철 일기도의 특징

자료분석

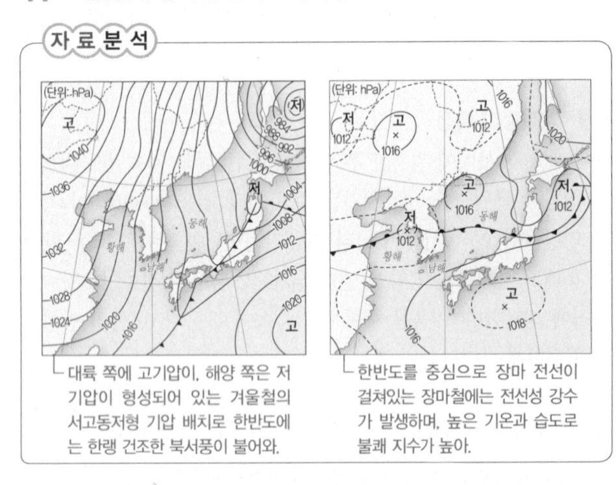

대륙 쪽에 고기압이, 해양 쪽은 저기압이 형성되어 있는 겨울철의 서고동저형 기압 배치로 한반도에는 한랭 건조한 북서풍이 불어와.

한반도를 중심으로 장마 전선이 걸쳐있는 장마철에는 전선성 강수가 발생하며, 높은 기온과 습도로 불쾌 지수가 높아.

(가)는 겨울철의 일기도, (나)는 한반도에 장마 전선이 발달한 것으로 보아 장마철의 일기도임을 알 수 있다. 겨울철은 장마철에 비해 건조하여 일교차가 더 크다.

바로 알기 ① 열대야 및 열대일은 한여름에 발생한다. ② 영서 지방에 고온 건조한 바람이 부는 시기는 늦봄~초여름 사이이다. ③ 장마철에는 전선성 강수가 우세하게 나타난다. ⑤ 겨울철의 등압선의 간격이 장마철보다 더 조밀하기 때문에 평균 풍속은 겨울철이 장마철보다 강하게 나타난다.

12 높새바람의 특징

동해에서 습기를 포함한 북동풍이 바람받이 사면을 타고 상승하면 공기가 응결하면서 비가 내린다. 이후 태백산맥을 넘은 공기가 바람그늘 사면을 따라 하강할 때는 고온 건조한 성질의 바람으로 변화하는데 이를 푄 현상이라고 한다. 늦봄에서 초여름 사이에 영서 지방에 푄 현상이 일어날 경우 영동 지역보다 기온이 약 10℃ 정도 높고, 습도가 매우 낮은 날씨가 나타나 농작물에 가뭄 피해를 주기도 한다.

바로 알기 ① 한강 중·상류 지역은 여름철 남서쪽에서 불어오는 바람의 바람받이 사면으로 지형성 강수가 많이 내려 다우지에 해당한다. ② 겨울철 호남 지방에 눈이 많이 내리는 이유는 시베리아에서 불어오는 차고 건조한 바람이 황해를 건너면서 습기를 머금어 눈구름이 형성되기 때문이다. ④ 대도시의 도심 지역이 교외 지역보다 기온이 높은 현상은 열섬 현상으로, 도심 지역에서 발생하는 인공 열과 열을 흡수할 수 있는 녹지 공간이 부족한 것이 원인이다. ⑤ 동해안 지역이 내륙 지역보다 기온의 연교차가 작은 이유는 태백산맥이 겨울철 차가운 북서 계절풍을 막아주며, 동해의 겨울철 수온이 황해보다 높기 때문이다.

13 식생의 분포

자료분석

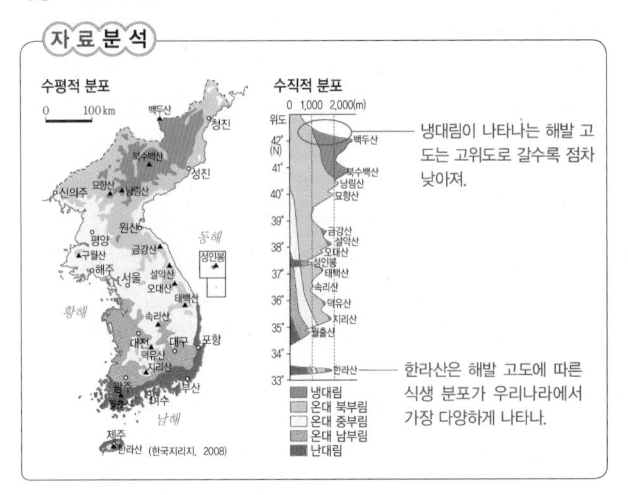

냉대림이 나타나는 해발 고도는 고위도로 갈수록 점차 낮아져.

한라산은 해발 고도에 따른 식생 분포가 우리나라에서 가장 다양하게 나타나.

지도는 우리나라 식생의 수평적 분포와 수직적 분포를 나타낸 것이다. 식생은 기온의 영향을 크게 받는데, 식생의 수평적 분포는 위도, 수직적 분포는 해발 고도와 밀접한 관련이 있다. 식생의 수평적 분포는 남쪽에서 북쪽으로 가면서 난대림, 온대림, 냉대림 순서로 나타난다. 우리나라 대부분의 지역에는 온대림이 분포하며, 남해안과 제주도 및 울릉도의 저지대에는 난대림이 분포한다. 개마고원과 일부 고산 지역에는 냉대림이 분포한다. 식생의 수직적 분포는 제주도의 한라산에서 가장 잘 나타나는데, 저지대에서 고지대로 가면서 난대림, 온대림, 냉대림, 관목대, 고산 식물대가 순서대로 나타난다.

바로 알기 ⑤ 북부 지역으로 갈수록 냉대림이 분포하는 지역의 해발 고도는 점차 낮아지고 있다.

14 성대 토양의 분포

성대 토양은 기후와 식생의 영향을 받아 형성된 토양으로 대체로 위도와 평행하게 분포한다. 지도의 A는 개마고원 일대의 북부 지방에 분포하는 회백색토이다. B는 우리나라 중부 지방의 낙엽 활엽수림 지역에 분포하는 갈색토이다. C는 과거 고온 다습한 기후 환경과 관련이 깊은 적색토로 남해안 지역, 저지대의 완경사지에 분포한다.

바로 알기 ㄱ. A는 회백색토로, 기후와 식생의 영향을 받아 형성된 성대 토양이다. 기반암의 특성이 반영된 토양은 간대토양이다. ㄹ. A~C 모두 성대 토양으로 토양의 생성 기간이 길어 단면이 뚜렷하게 발달해 있다.

완자 정리 노트 우리나라의 토양

구분	내용
성대 토양	• 기후와 식생의 특성을 반영함 • 갈색 삼림토: 고산 지역을 제외한 대부분의 온대림에 분포 • 회백색토: 개마고원 일대의 냉대림에 분포
간대 토양	• 기반암의 특성을 반영함 • 석회암 풍화토: 석회암 지대에 분포 • 현무암 풍화토, 화산회토: 화산 지형(제주도, 울릉도 등)에 분포

15 지역별 전통 가옥 구조

자료분석

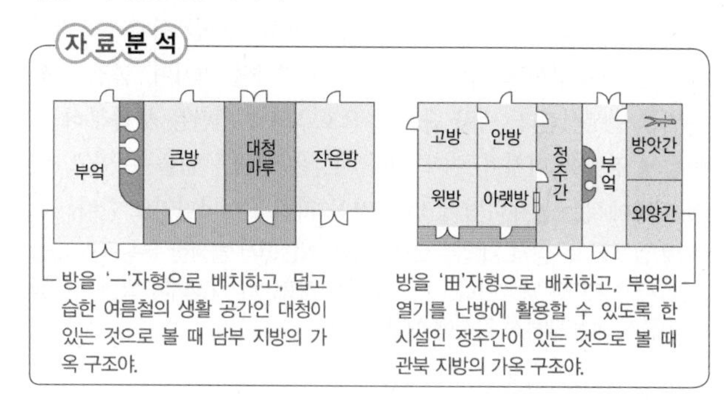

방을 '一'자형으로 배치하고, 덥고 습한 여름철의 생활 공간인 대청이 있는 것으로 볼 때 남부 지방의 가옥 구조야.

방을 '田'자형으로 배치하고, 부엌의 열기를 난방에 활용할 수 있도록 한 시설인 정주간이 있는 것으로 볼 때 관북 지방의 가옥 구조야.

(가)는 남부 지방에서 볼 수 있는 전통 가옥, (나)는 관북 지방에서 볼 수 있는 전통 가옥이다. ① 겨울이 비교적 온화한 남부 지방은 김치가 쉽게 시어지기 때문에 북부 지방에 비해 짜고 맵게 김치를 담근다. ③, ④ 관북 지방은 남부 지방에 비해 연평균 기온이 낮고, 기온의 연교차가 크다. ⑤ 관북 지방은 산지가 많고 여름 기온이 낮아 밭농사가 주로 행해지며, 남부 지방은 여름 기온이 높고 강수량이 많아 논농사가 발달하였다.

바로 알기 ② 첫 서리는 가을에서 겨울로 접어들어 기온이 낮아지면서 시작된다. 관북 지방이 남부 지방에 비해 기온이 낮아 겨울이 빨리 시작되므로 첫 서리 발생일이 이르다.

16 기후와 경제생활

기후는 주민 생활의 형성과 변화뿐만 아니라 경제생활에도 큰 영향을 미친다. 기상 정보를 경영에 활용하는 날씨 경영은 유통업, 관광 산업, 에너지 산업, 농수산업 등 다양한 분야에 적용할 수 있다. 최근 날씨 경영의 영역이 점차 넓어지며, 기업들은 기상 정보를 매출 확대의 기회로 삼고 있으며, 장기간 축적된 기상 정보를 경영 정보와 접목하여 날씨에 따라 변하는 고객의 구매 경향을 분석하고, 그 정보를 광고 시장 관리에 활용한다.

서술형 문제

086쪽

01 주제: 기압 배치와 바람

(1) (가) – 겨울, (나) – 여름

(2) 예시 답안 겨울에는 북쪽 시베리아 대륙에서 바람이 불어오고, 여름에는 남쪽에 위치한 북태평양에서 바람이 불어온다. 따라서 겨울에는 한랭 건조한 북서 계절풍의 영향으로 춥고 건조한 기후가 나타나며, 여름에는 고온 다습한 남동·남서 계절풍의 영향으로 덥고 습한 기후가 나타난다.

채점 기준

상	겨울과 여름에 부는 바람의 방향과 이를 통한 겨울과 여름의 기후 특성을 정확히 서술한 경우
중	겨울과 여름에 부는 바람의 방향은 썼으나, 겨울과 여름의 기후 특성을 미흡하게 서술한 경우
하	겨울과 여름에 부는 바람의 방향만을 서술한 경우

02 주제: 제주도 전통 가옥의 특색

예시 답안 제주도. 바람이 강하게 부는 제주도에서는 바람의 저항을 줄이기 위해 지붕의 경사를 낮게 하고, 그 위에 그물망처럼 지붕을 줄로 엮었다. 또한 돌담을 쌓아 강한 바람이 집으로 직접 들어오는 것을 막았다.

채점 기준

상	제주도라고 쓰고, 제주도의 전통 가옥이 지붕의 경사가 낮고 돌담을 쌓은 이유를 기후 특색과 관련지어 정확히 서술한 경우
중	제주도라고 썼으나, 강한 바람이 불기 때문이라고만 서술한 경우
하	제주도라고만 쓴 경우

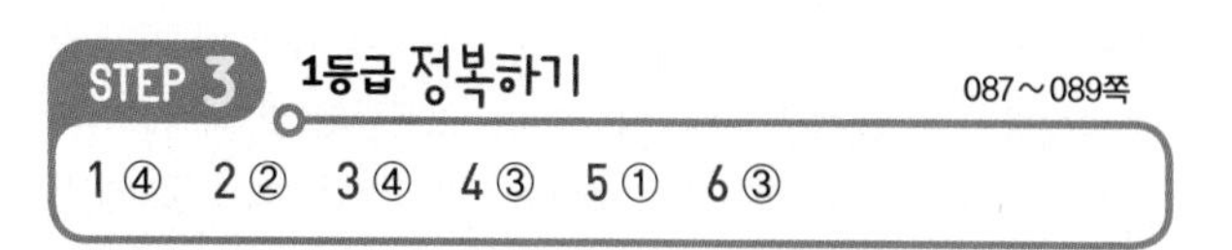

STEP 3 1등급 정복하기

087~089쪽

1 ④ 2 ② 3 ④ 4 ③ 5 ① 6 ③

1 세계 여러 도시의 기후

(가)는 월 기온 편차가 매우 큰 것으로 볼 때 D(이르쿠츠크)이다. 러시아의 이르쿠츠크는 시베리아 대륙의 한가운데 있어 대륙의 영향을 강하게 받기 때문에 기온의 연교차가 매우 크게 나타난다. (나)는 월 기온 편차가 크고, 하계 강수 집중률이 높은 것으로 볼 때 C(서울)이다. 우리나라의 서울은 유라시아 대륙의 동안에 위치하여 계절풍의 영향을 크게 받는다. 따라서 겨울에는 북서 계절풍의 영향으로 한랭 건조하며, 여름에는 고온 다습한 남풍 계열의 바람이 불어 덥고 습하다. (다)는 월 기온 편차가 세 도시 중 가장 작고, 겨울철에 강수량이 많은 것으로 볼 때 A(리스본)이다. 포르투갈의 리스본은 유라시아 대륙의 서안에 위치하여 일 년 내내 편서풍과 바다의 영향을 크게 받는다. 따라서 서울보다 겨울에 온난하며 여름에는 서늘한 기온 분포를 나타낸다. 따라서 (가)는 B, (나)는 C, (다)는 A이다.

2 우리나라 여러 지역의 기후 차

자료분석

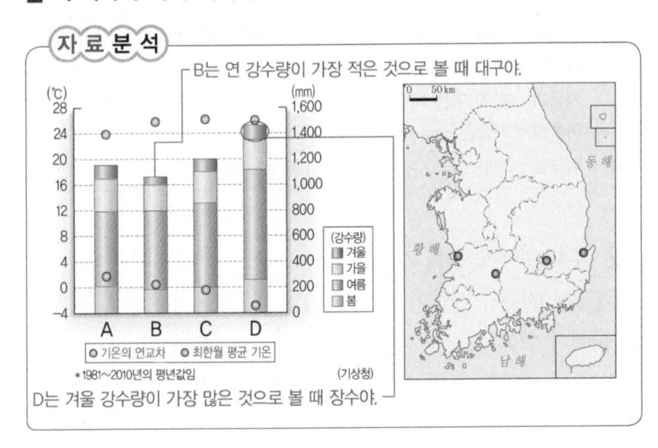

지도에 표시된 지역은 군산, 장수, 대구, 포항이다. B는 연 강수량이 가장 적은 대구, D는 소맥산맥 일대에 위치해 해발 고도가 높아 최한월 평균 기온이 가장 낮은 장수이다. A, C 중 최한월 평균 기온이 낮고 여름 강수 집중률이 높은 C는 군산, 겨울 강수 집중률이 높은 A는 포항이다. ② 동해의 영향으로 겨울에 온화한 포항이 군산보다 연평균 기온이 높다.

바로 알기 ① 내륙에 위치한 대구가 동해안에 위치한 포항보다 여름 강수 집중률이 높다. ③ 내륙에 위치한 대구가 서해안에 위치한 군산보다 최난월 평균 기온이 높다. ④ 겨울 강수 집중률은 연 강수량에 대한 겨울 강수량의 비율을 말한다. 장수는 소백산맥 서사면 일대에 위치해 북서 계절풍이 소백산맥을 타고 가면서 많은 눈이 내리는 다설지에 해당한다. 따라서 장수는 군산보다 겨울 강수 집중률이 높다. ⑤ 포항은 동해안, 군산은 서해안에 위치한다.

3 우리나라 여러 지역의 기후 값 비교

지도의 A는 인천, B는 대전, C는 대구, D는 목포이다. 네 지역 중 연 강수량이 가장 적은 (가)는 대구이며, 소백산맥 및 태백산맥의 바람그늘 지역에 해당하는 소우지이다. 인천, 대전, 목포 중 연 강수량이 적은 (나)는 목포이다. 목포는 높은 산지가 적어 연 강수량이 적은 편이다. 인천과 대전 중 고위도에 위치한 인천이 대전에 비해 기온의 연교차가 큰 편이다. 따라서 (다)는 인천, (라)는 대전에 해당한다.

4 전통 가옥 구조와 기후 특징

(가)는 관북 지방에서 볼 수 있는 전통 가옥 구조이며, (나)는 울릉도에서 볼 수 있는 전통 가옥 구조이다. 관북 지방은 겨울이 매우 춥기 때문에 부엌의 온기를 활용하기 위한 정주간이 있는 폐쇄적 가옥 구조를 보인다. 울릉도에서는 겨울철 강설량이 많아 생활 공간을 확보하기 위해 방설벽인 우데기를 설치한다. 울릉도는 관북 지방보다 저위도에 위치하여 기온의 연교차가 작고, 해양의 영향을 더 많이 받아 최한월 평균 기온이 높으며, 결빙 일수가 짧다. 이는 그림의 C에 해당한다.

5 기단의 특성 파악

㉠은 시베리아, ㉢은 오호츠크해이다. 한랭 건조한 시베리아 기단은 겨울철에 강한 북서풍과 한파 등의 영향을 미치며, 봄철 꽃샘 추위를 발생시킨다. 냉량 습윤한 오호츠크해 기단은 늦봄부터 초여름에 영향을 미치며, 이때 영동 지방은 냉해를 입을 수 있고, 영서 지방에서는 높새바람에 의한 가뭄 피해가 나타나기도 한다.

바로 알기 ㄷ. 영서 지방은 오호츠크해 기단에서 발생한 북동풍의 바람그늘 사면 지역에 해당한다. ㄹ. 소나기는 지표면이 가열되어 발생하는 상승 기류에 의한 대류성 강수에 해당한다.

6 우리나라의 토양 특징

지도의 A는 염류토, B는 충적토, C는 화산회토, D는 석회암 풍화토, E는 갈색 삼림토 및 암설토이다. 토양의 생성 시기가 짧은 미성숙토는 염류토와 충적토가 대표적이다. 염류토는 간척지에 주로 분포하며, 염분을 제거하면 농사를 지을 수 있다. 충적토는 홍수 때 하천에 의해 운반되어 온 토사가 고도가 낮은 지역에 퇴적되어 형성된 토양으로 비옥하다. 석회암 풍화토는 석회암이 용식된 후 남은 철분 등이 산화되어 형성된 붉은색의 토양으로, 주로 고생대 지층에 분포한다. 갈색 삼림토 및 암설토는 기후와 식생의 특성을 반영한 토양으로, 온대림 지역에 주로 분포한다.

바로 알기 ③ 화산회토(C)는 화산 지형이 나타나는 제주도, 울릉도, 철원 등지에 주로 분포한다.

03 자연재해와 기후 변화

STEP 1 핵심 개념 확인하기 094쪽

1 (1) ㄴ, ㄷ, ㄹ, ㅁ, ㅂ (2) ㄱ, ㅅ　2 (1) 대설 (2) 홍수 (3) 황사
3 (1) ○ (2) ○ (3) ×　4 ㄴ, ㄷ, ㄹ　5 파리 협정

STEP 2 내신 만점 공략하기 094~096쪽

01 ⑤　02 ④　03 ③　04 ①　05 ④　06 ④　07 ⑤
08 ②

01 대설에 의한 자연재해

자료분석

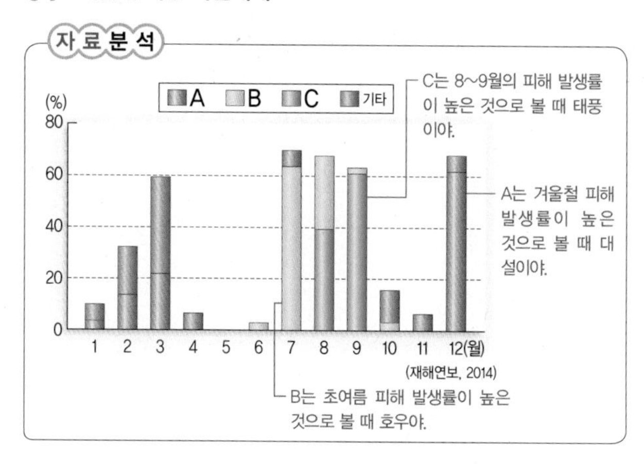

A는 대설이다. 대설이 내리면 눈이 쌓이면서 비닐하우스, 축사, 건물 등이 붕괴되며, 교통이 마비되어 도로가 혼잡해진다.

바로 알기 ①은 황사, ②는 태풍, ③은 홍수, ④는 가뭄으로 인한 피해 모습을 나타낸다.

02 자연재해의 특징

A는 대설, B는 호우, C는 태풍이다. 대설은 한랭 건조한 기류가 바다를 건너면서 형성된 눈구름에 의해 발생한다. 호우는 여름철에 장마 전선이 정체하면서 많은 비가 내릴 때 주로 발생한다. 태풍은 강한 바람과 많은 비를 동반하여 풍수해를 일으킨다.

바로 알기 ㄹ. 우리나라의 연 강수량은 주로 여름철 강수의 영향을 받기 때문에 대설보다 호우에 의한 비중이 크다.

03 태풍의 이동과 특성

(가)는 태풍이다. 태풍은 중심 부근의 최대 풍속이 17m/s 이상인 열대 저기압이다. 우리나라에 영향을 미치는 태풍은 주로 여름에서 초가을 사이 저위도의 열대 해상에서 발생하여 중위도 지역으로 북상한다. 이 때 태풍 진행 방향의 오른쪽 반원은 태풍의 중심을 향해 들어오는 바람과 편서풍이 부는 방향이 일치하여 위험 반원이 된다. 태풍은 물 부족 및 적조 현상 해소와 지구의 열평형 유지에 도움을 주지만, 풍수해를 일으켜 인명 및 재산 피해를 발생시키기도 한다.

바로 알기 ③ 태풍에 의한 피해는 태풍 진행 방향의 왼쪽 반원인 가항 반원(A)보다 태풍 진행 방향의 오른쪽인 위험 반원(B)에서 더 크게 발생한다.

04 지진 및 황사의 특징과 국민 행동 요령

(가)는 지진, (나)는 황사에 대한 국민 행동 요령이다. 지진은 지각판이 충돌하거나 분리되면서 나타나는 현상으로 판과 판이 만나는 경계면에서 주로 발생하는데, '불의 고리'라고 불리는 환태평양 조산대 일대가 대표적이다. 우리나라는 지각판의 경계에서 다소 떨어져 있어 지진으로부터 비교적 안전한 편이었다. 그러나 2016년 경상북도 경주 지역을 중심으로 규모가 큰 지진이 연속적으로 발생하면서 지진에 대한 관심이 높아졌다. 지진에 대비하기 위해서는 건축물에 내진 설계를 강화해야 한다. 황사는 중국과 몽골 내륙의 사막 등지에서 발생한 모래 먼지가 편서풍을 타고 날아오는 현상이다. 과거에는 주로 봄에 나타났으나, 최근에는 중국 내 사막화 현상의 확대로 가을, 겨울에도 나타난다. 황사는 미세 먼지 농도의 증가와 함께 호흡기 및 안과 질환 등의 원인이 되기도 한다.

바로 알기 ㄷ. 황사는 여름철보다 봄철과 가을철, 겨울철의 발생 빈도가 높은 편이다. ㄹ. 지진은 화산 활동과 더불어 지형적 요인에 의한 자연재해에 속한다.

05 지구 온난화의 원인

제시문은 온실 효과에 따른 기후 변화에 대한 내용을 담고 있다. 기후 변화는 현재의 기후가 자연적 요인과 인위적 요인에 의해 점차 변화하는 현상이다. 산업화 이전에는 화산 폭발로 대기 중의 먼지 농도가 높아지면서 지구의 기온이 낮아지거나, 지구 공전 궤도의 변화로 지구와 태양 간의 거리가 달라지면서 기온이 오르내리는 등 자연적 요인의 영향을 많이 받았다. 산업 혁명 이후에는 산업 활동이 활발해지고 인구가 증가함에 따라 인위적 요인의 영향력이 커지고 있다. 삼림 및 자원 개발, 농경지 확보 등으로 온실 기체 농도를 낮추는 기능을 가진 열대림이 빠르게 파괴되면서 기후 변화가 더욱 가속화되고 있다.

바로 알기 ㄹ. 석탄, 석유 등 화석 연료의 사용량 증가로 대기 중에 이산화 탄소, 메탄 등 온실 기체의 농도가 높아지면서 온실 효과를 가중시켜 지구 온난화 현상이 심화되고 있다.

06 우리나라의 기온 상승

기후 변화로 우리나라의 연평균 기온이 상승하면서 열대야의 출현 빈도는 증가하고 있다. 우리나라의 연 강수량은 대체로 증가하고 있으며, 해마다 변동 폭이 커지고 있다. 연 강수 일수는 대부분의 지역에서 감소하였으나, 집중 호우의 강도와 발생 빈도는 과거보다 높아지고 있다.

| 바로 알기 | ④ 연평균 기온이 높아지면 겨울 기온도 높아져 강수 형태는 눈보다 비의 형태가 많아져 강설 일수는 감소한다.

07 우리나라의 계절 변화

그래프를 보면 서울의 여름철 지속 기간은 길어지고, 겨울철 지속 기간은 짧아지고 있다. 이러한 계절 변화는 지구 온난화에 따른 기온 상승을 반영하고 있다. 기온 상승은 해수 온도 상승에도 영향을 주어 동해에서 명태 등 한류성 어종의 어획량은 줄어들고, 오징어와 멸치 등 난류성 어종의 어획량이 늘어나고 있다.

| 바로 알기 | ① 지구 온난화가 지속되면 고산 식물은 서식 환경이 나빠져 분포 범위가 축소될 것이다. ② 기온이 상승하면 사과의 재배 적지가 북쪽으로 이동할 것이다. ③ 지구 온난화가 지속되면 봄꽃의 개화 시기는 빨라지고 단풍이 드는 시기는 늦어질 것이다. ④ 기온이 상승하여 겨울이 따뜻해지면 스키장 운영이나 눈·얼음 축제의 개최가 어려워질 것이다.

08 기후 변화에 관한 대책

지구 온난화에 따른 기후 변화를 줄이기 위해 국제 사회는 2015년 파리 협정을 채택하여 지구의 평균 기온 상승을 억제하기로 합의하였다. 우리나라도 다양한 기후 변화 적응 및 완화 대책을 마련하고 있다. 온실 기체 배출량을 줄이기 위해 신·재생 에너지 및 온실 기체 감축 기술을 개발하고, 자원 절약형 산업을 육성하고 있다. 또한 기후 변화 적응을 위해 기후 변화 감시 및 예보 시스템을 구축하고, 기후 변화에 취약한 계층을 보호하기 위해 노력하고 있다.

| 바로 알기 | 을. 파리 협정은 선진국뿐만 아니라 당사국 모두가 온실 기체 감축 의무를 지닌다. 병. 기후 변화에 대응하기 위해 개인 차원에서는 대중 교통 수단의 이용을 늘리고, 에너지 효율이 높은 제품을 이용해야 한다.

서술형 문제 096쪽

01 주제: 지진의 대응 방안

(1) 지진

(2) 예시 답안 지진에 대비하기 위해서는 건물을 지을 때 내진 설계를 강화하고, 지진 발생 시 행동 요령에 관한 교육을 확대해야 한다.

채점 기준

상	내진 설계 강화 및 지진 발생 시 행동 요령에 관한 교육 확대 등 지진으로 인한 피해를 줄이기 위한 대책 두 가지를 정확히 서술한 경우
하	내진 설계 강화 및 지진 발생 시 행동 요령에 관한 교육 확대 등 지진으로 인한 피해를 줄이기 위한 대책을 한 가지만 서술한 경우

02 주제: 기후 변화의 영향

(1) 기후 변화

(2) 예시 답안 기후 변화로 인해 우리나라에서는 농작물의 재배지가 북상하고 있으며, 고랭지 채소의 재배 고도가 상승하고 있다. 또한 대구, 명태 등 한류성 어종의 어획량이 감소하는 대신 멸치, 오징어 등 난류성 어종의 어획량이 증가하고 있다.

채점 기준

상	기후 변화로 인해 나타나는 농업과 어업 환경 변화를 정확히 서술한 경우
하	기후 변화로 인해 나타나는 농업과 어업 환경 변화 중 한 가지만 서술한 경우

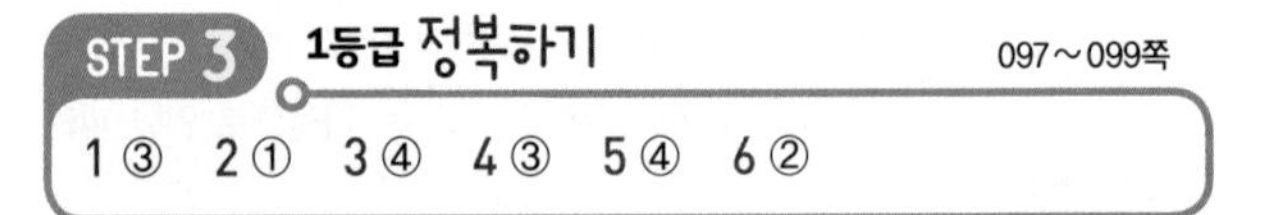

STEP 3 1등급 정복하기 097~099쪽

1 ③ 2 ① 3 ④ 4 ③ 5 ④ 6 ②

1 자연재해의 특징

(가)는 제주 지역에서 자연재해 피해액의 비중이 높은 것으로 볼 때 태풍이다. 태풍은 저위도의 열대 해상에서 발생하여 중위도 지역으로 이동하기 때문에 위도가 낮은 제주도 부근을 가장 먼저 통과한다. 따라서 위도가 낮은 제주 지역부터 전남, 전북, 위도가 높은 경기 지역으로 갈수록 피해액의 비중이 감소한다. (나)는 경기도에서 피해액의 비중이 높은 것으로 볼 때 호우이다. 한강 중·상류 일대는 다우지로 하계 강수 집중률이 높다. (다)는 전라북도, 전라남도에서 피해액의 비중이 높은 것으로 볼 때 대설이다. 겨울철 시베리아에서 이동해 온 찬 공기가 황해를 통과하면서 눈구름을 형성하여 서해안 일대에 눈을 내린 다음 노령산맥과 소백산맥 서사면을 타고 가면서 전남과 전북 지역에 많은 눈을 내린다. 따라서 (가)는 태풍, (나)는 호우, (다)는 대설이다.

2 우리나라의 자연재해 피해

최근 10년간 우리나라의 자연재해 중 가장 피해액이 큰 것은 호우, 태풍, 대설 순으로, 그래프에서 A는 태풍, B는 호우, C는 대설이다. 태풍은 풍수해를 일으키지만 물 부족과 적조 현상을 해결하는 데 도움을 주며, 저위도와 고위도의 열 교환을 촉진하여 지구의 열평형을 유지하기도 한다. 태풍으로 인한 피해는 제주를 비롯한 남부 지역에서 주로 발생한다. 호우는 여름철에 북쪽의 찬 공기와 남쪽의 더운 공기가 만나 형성된 장마 전선의 영향을 받거나 태풍이 통과할 때 발생하며, 홍수를 유발하기도 한다. 호우 피해는 경기와 강원 지역에서 주로 집중되어 있다. 대설은 한랭 건조한 기류가 바다를 건너면서 형성된 눈구름에 의해 발생하는데, 이로 인한 피해는 전북, 전남, 충남, 강원 지역 등지에서 많이 발생한다.

바로 알기 ② 호우는 장마 전선이 정체하면서 많은 비가 내릴 때 주로 발생한다. 북동풍이 태백산맥을 타고 내려가서 영서 지방에 고온 건조한 높새바람이 불면 가뭄이 발생한다. ③ 대설 피해를 줄이기 위해서는 신속한 제설 작업, 기상 예보를 통한 사전 대비 등의 대책이 필요하다. 댐·보 건설, 산림 녹화 등의 작업은 홍수와 가뭄을 대비하기 위한 대책이다. ④ 태풍은 남고북저형의 기압 배치가 나타나는 여름철에, 대설은 서고동저형의 기압 배치가 나타나는 겨울철에 주로 발생한다. ⑤ 산사태는 흙, 바위 등이 산지 경사면을 따라 아래로 흘러내리는 현상으로, 태풍·장마 전선의 정체에 의한 집중 호우가 내릴 때 주로 발생한다.

3 황사와 태풍

자료분석

황사라는 걸 알 수 있어.

(가) 백제 무왕 7년에 왕도(王都)에서 흙이 비처럼 떨어져 낮인데도 어두운 현상이 나타났다. …(중략)… 신라 진평왕 49년에는 흙이 비처럼 5일 넘게 떨어졌다.

(나) 통일신라 경덕왕 22년만에 민가(民家)의 기와가 날아가고 나무가 뽑혔다. …(중략)… 원성왕 9년에는 큰 바람이 불어 나무가 부러지고 벼가 쓰러졌다.

강한 바람을 동반한 태풍임을 알 수 있어.

(가)는 황사, (나)는 태풍에 대한 설명을 남고 있다. 과거에는 주로 봄에 황사가 나타났으나, 최근에는 중국 내 사막화 현상이 확대되어 가을, 겨울에도 나타난다. 황사는 대기 중 미세 먼지 농도의 증가와 함께 호흡기 질환, 안과 질환 등의 원인이 되기도 한다. 태풍은 열대 저기압으로, 우리나라에는 주로 7~9월에 영향을 준다. 태풍은 강풍과 집중 호우를 동반하여 풍수해를 일으킨다. 황사는 중국과 몽골 내륙의 사막 등지의 흙먼지가 편서풍을 타고 우리나라로 이동하면서 발생한다. 태풍은 열대 해상에서 발생해 위도 30° 이후 지역부터 편서풍의 영향을 받아 북동진하여 우리나라에 영향을 준다.

바로 알기 ④ 황사는 주로 봄철에 발생하는 데 비해 태풍은 농작물이 한창 자라는 한여름이나 수확철인 가을철에 발생하며 강한 바람과 많은 비를 동반한다. 따라서 태풍이 황사보다 농작물 재배에 큰 피해를 준다.

4 지구 온난화와 열섬 현상

㉠은 지구 온난화, ㉡은 열섬이다. 지구 온난화의 주요 원인은 화석 연료 소비 증가에 따른 대기 중 이산화 탄소 등을 포함한 온실 기체의 농도 증가이다. 지구 온난화 현상이 심화되면 기온 상승으로 고산 식물 분포의 고도 하한선이 높아지며, 고산 식물의 분포 면적은 줄어들게 된다. 열섬 현상은 도심의 인공 열로 도심의 기온이 주변 지역보다 높아지는 것을 말하며, 서울과 부산 등 대도시에서 주로 나타난다. 열섬 현상은 냉·난방, 자동차 등으로 인해 인공열이 많이 발생하고, 지표가 아스팔트, 콘크리트 등 인공 구조물로 많이 덮인 채 열을 흡수하기 때문에 나타난다.

바로 알기 ㄹ. 열섬 현상으로 기온이 상승하면 도심에 상승 기류가 나타나 대기가 불안정해지면서 강수량이 증가한다.

5 기후 변화의 영향

기후 변화가 진행됨에 따라 난대림 분포 면적은 점차 북쪽으로 확산되는 반면 북부 지방의 냉대림 분포 면적은 점차 감소할 것으로 예상된다. 연평균 기온 상승의 영향으로 서리가 내리지 않는 날인 무상 일수는 많아진다. 또한 농작물 재배 북한계선은 전체적으로 북상하게 된다. 겨울이 짧아지고, 여름은 길어지기 때문에 봄꽃의 개화 시기가 빨라지고 단풍의 시작일은 늦어질 것이다. 해수의 온도 역시 상승하기 때문에 난류성 어족이 차지하는 비중이 증가하는 반면 한류성 어족이 차지하는 비중은 감소할 것이다.

바로 알기 ④ 고산 식물은 저지대보다 기온이 낮은 고지대에 주로 서식하므로 기온이 상승하게 되면 고산 식물의 분포 고도 한계선은 높아지게 된다. 따라서 한라산의 고산 식물 분포의 고도 하한선이 높아질 것이다.

6 제로 에너지 빌딩

제로 에너지 빌딩은 단열재, 이중창 등을 적용하여 건물 외피를 통해 외부로 손실되는 에너지양을 최소화하고 태양광·지열과 같은 신·재생 에너지를 활용하여 냉·난방 등에 사용되는 에너지로 충당함으로써 에너지 소비를 최소화하는 건물이다. 제로 에너지 빌딩의 효과로는 온실 기체 배출 감소, 열섬 현상 완화, 냉·난방 에너지 절감 등이 있다.

바로 알기 을. 제로 에너지 빌딩은 신·재생 에너지 활용으로 화석 연료에 대한 의존도를 낮춘다. 병. 제로 에너지 빌딩에서 자체적으로 전기 에너지를 생산하여 주민들이 부담하는 전기료는 내려갈 것이다.

대단원 실력 굳히기 102~105쪽

01 ② 02 ② 03 ⑤ 04 ⑤ 05 ④ 06 ④ 07 ①
08 ④ 09 ③ 10 ④ 11 ② 12 ⑤ 13 ③ 14 ⑤
15 ② 16 ⑤

01 기후 요인에 의한 지역별 기후 요소의 차이 비교

지역마다 기후가 다르게 나타나는 것은 기후 요인에 의해 지역별로 기후 요소의 차이가 나타나기 때문이다. ㄱ. 전주가 수원에 비해 최한월 평균 기온이 높은 것은 전주가 수원보다 저위도 지역에 위치하기 때문이다. ㄷ. 한라산 정상 부근이 제주도 해안에 비해 최난월 평균 기온이 낮은 것은 해발 고도의 차이 때문이다.

바로 알기 ㄴ. 홍천이 강릉에 비해 기온의 연교차가 큰 것은 내륙 지역에 위치하고 있기 때문이며, 이는 수륙 분포와 관련이 있다. ㄹ. 늦봄에서 초여름 사이 영서 지방에 부는 고온 건조한 북동풍은 태백산맥을 넘으면서 푄 현상이 발생하기 때문이며, 이는 지형과 관련이 있다.

02 우리나라 기온의 연교차

기온의 연교차는 최난월 평균 기온과 최한월 평균 기온 차이를 의미한다. 우리나라는 겨울에 지역 간 기온 차이가 크기 때문에 겨울 기온이 낮은 지역일수록 연교차가 크다. 따라서 연교차는 남쪽에서 북쪽으로 갈수록 커진다. 쉽게 가열되고 냉각되는 내륙 지역이 해안 지역보다 연교차가 크며, 같은 위도의 동해안 지역보다 서해안 지역이 연교차가 크다.

바로 알기 ② 북부 지방으로 갈수록 대륙의 영향을 많이 받기 때문에 기온의 연교차는 커진다.

03 지역별 강수 차

자료분석

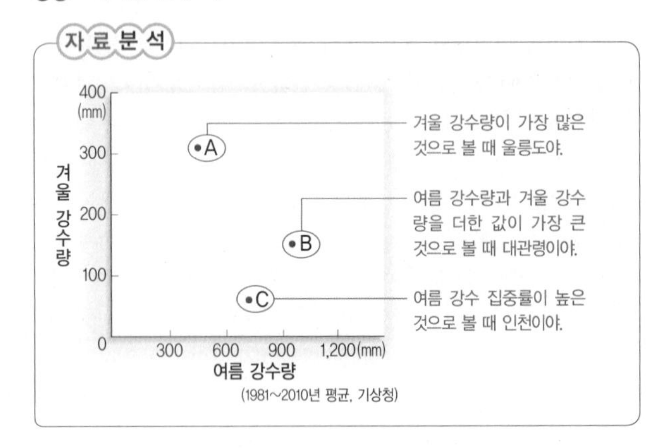

지도의 (가)는 인천, (나)는 대관령, (다)는 울릉도이며, 비슷한 위도상에 위치하고 있다. 그래프의 A는 세 지역 중 겨울 강수량이 다른 지역에 비해 많다. 이곳은 울릉도(다)로 차가운 북서 계절풍이 상대적으로 따뜻한 바다를 지나면서 눈구름을 형성하여 많은 눈이 내린다. B는 세 지역 중 여름 강수량과 겨울 강수량의 합이 가장 크다. 이에 해당하는 곳은 대관령(나)이다. 대관령은 해발 고도가 높고 비구름이 상승하는 바람받이 지역으로 지형성 강수가 많이 내린다. 겨울에는 동해에서 불어오는 북동 기류가 태백산맥에 부딪치며 많은 눈이 내린다. 울릉도와 대관령은 다설지에 속한다. C는 여름철 남서 기류 및 장마 전선의 영향을 받아 여름 강수량이 많은 인천(가)이다. 따라서 (가)는 C, (나)는 B, (다)는 A이다.

04 전통 가옥의 모습

(다)는 울릉도이다. 울릉도에서는 눈이 많이 내리면 실외 활동이 어렵기 때문에 가옥 내에서의 이동과 활동 공간을 확보하기 위해 우데기라는 방설벽을 설치하였다.

바로 알기 ① 중부 및 남부 지방에서 볼 수 있는 대청마루는 무더운 여름을 나기 위해 바닥과 사이를 띄고 나무판을 깔아 만든 공간이다. ② 관북 지방에서 볼 수 있는 정주간은 부엌과 방 사이의 벽이 없는 공간으로, 부엌에서 발생하는 온기를 활용할 수 있다. ③ 제주도 전통 가옥의 아궁이이다. 난방과 취사를 겸하는 육지와 달리, 난방과 취사가 분리되어 아궁이의 방향이 벽쪽으로 향한다. ④ 제주도는 바람이 강해 지붕의 경사를 낮게 하고, 그물망처럼 지붕을 줄로 엮었다.

05 기후 요소 분포 특징 이해

지도에서 A의 시점은 대동강 하류이며 종점은 원산이다. B의 시점은 서울이며 종점은 대관령 부근이다. ④ B는 시점에서 종점으로 갈수록 해발 고도가 높아지는 경향이 나타나므로 연평균 기온은 낮아진다.

바로 알기 ① 비슷한 위도에서 동해안은 내륙 지역에 비해 연평균 기온이 높은데, 모식도에서는 동해안이 내륙 지역보다 낮게 표현되어 있다. ② A의 시점인 대동강 하류 지역은 연 강수량이 비교적 적고 종점인 원산은 연 강수량이 많은 편인데, 모식도에서는 반대로 그려져 있다. ③ 연교차는 내륙 지역이 해안 지역보다 크게 나타나는데 모식도에서는 반대로 그려져 있다. ⑤ B의 종점인 대관령 부근은 연 강수량이 많은 편인데 모식도에서는 연 강수량이 적게 그려져 있다.

06 여름철 일기도 분석

한반도 북쪽에 저기압이 발달해 있으며, 일본 남쪽 바다에 북태평양 고기압이 형성되어 남고북저형 기압 배치가 나타나는 것으로 볼 때 한여름의 일기도임을 알 수 있다. 장마가 끝나면 북태평양 기단이 확장하면서 한여름이 되는데, 강한 일사로 소나기가 자주 내린다. 낮에는 불볕더위가 자주 나타나며, 한밤중과 새벽에도 일 최저 기온이 25℃ 이하로 떨어지지 않는 열대야 현상이 발생한다. 한편, 태풍이 불어올 때 폭풍우가 몰아치기도 한다.

바로 알기 ㄱ. 삼한 사온 현상은 시베리아 고기압의 영향으로 한랭 건조한 겨울철에 주로 나타난다. ㄷ. 영서 지방에 부는 고온 건조한 북동풍은 높새바람으로 늦봄에서 초여름 사이에 발생한다.

07 적설량의 분포 특징

지도에서 가장 높은 값을 갖는 지역은 대관령과 동해안 일대이며, 남부 지방에서는 서해안 일대이다. 이와 같은 분포 특징을 보이는 기후 요소는 연 적설량이다. 대관령과 동해안 일대는 대표적인 다설지이며, 전북 해안에서 소백산맥 서사면에 이르는 지역도 눈이 비교적 많이 내리는 지역이다.

바로 알기 ② 연 강수량은 한강 중·상류와 대관령 일대, 남해안, 제주도 등에서 많은 편이다. 지도에서는 제주도와 남해안 일대의 값이 낮게 표시되어 있다. ③ 연평균 기온은 저위도에서 고위도로 갈수록 낮아지는 경향을 보이지만 지도에서는 이러한 특징이 나타나지 않는다. ④ 기온의 연교차는 북쪽으로 갈수록, 비슷한 위도에서는 해안에서 내륙으로 갈수록 커진다. 지도에서는 중·남부 내륙 지역보다 서해안 지역의 값이 크게 표시되어 있다. ⑤ 최한월 평균 기온은 1월의 평균 기온으로 연평균 기온과 대체로 비슷한 분포를 보인다.

08 기온 특성과 주민 생활

(가)는 남부 지방에서 발달한 김치이다. 겨울이 비교적 온화한 남부 지방은 김치가 쉽게 시어지기 때문에 젓갈, 소금, 고춧가루 등을 많이 넣어 짜고 맵게 담근다. (나)는 북부 지방에서 발달한 김치이다. 기온이 낮은 북부 지방은 소금과 고춧가루를 적게 넣어 싱겁고 담백하게 담근다. 그래프의 A, C는 남부 지방에서 수치가 높은 것이고, B는 북부 지방에서 수치가 높은 것이므로 A, C에 해당하는 것은 무상 일수와 최한월 평균 기온이고, B에 해당하는 것은 대륙도이다.

09 기후의 경제적 가치

경제 활동의 대다수가 기후와 날씨의 영향을 받고 있으며, 기후 변화로 인한 자연재해가 빈번하게 발생함에 따라 기후의 경제적 측면이 더욱 강조된다. 이러한 기후의 경제적 가치는 유통업, 관광업, 에너지 산업, 농수산업 등 다양한 분야에서 활용된다. ① 산천어 축제는 겨울철의 낮은 기온을, 벚꽃 축제는 봄철 따뜻한 기후 특색을 지역 축제에 활용하였다. ② 강원도 태백에서의 전지훈련은 여름철의 서늘한 기후를, 경상남도 남해에서의 전지훈련은 겨울철 비교적 따뜻한 기후를 활용한 것이다. ④ 해발 고도가 높은 대관령 일대에서는 여름철 서늘한 기후를 이용하여 초지를 조성한 뒤 젖소를 기르거나 고랭지 채소를 재배한다. ⑤ 남부 지방에서는 겨울철 비교적 따뜻한 기후를 활용하여 늦가을에 보리를 심어 이듬해 초여름에 수확하는 그루갈이를 하기도 한다.

바로 알기 ③ 터돋움집은 홍수에 대비한 가옥 구조로, 기후의 경제적 측면을 강조한 것이라기보다 자연재해 피해를 줄이기 위한 대책으로 볼 수 있다.

10 우리나라 식생 분포의 특징

지도는 우리나라 식생의 수평적 분포와 수직적 분포를 나타낸 것이다. 식생의 수평적 분포를 보면 고위도로 갈수록 남부 지역부터 난대림, 온대림, 냉대림이 나타나며, 식생의 수직적 분포는 해발 고도가 높아짐에 따라 기온이 낮아져 식생 분포가 달라지는 것을 알 수 있다. 한편 제주도를 비롯한 남부 지방에서 해발 고도가 높은 곳은 냉대림이 나타나기도 하는데, 특히 한라산의 식생이 가장 다양하다.

바로 알기 ① 고위도록 갈수록 기온이 낮아지기 때문에 냉대림이 나타나는 고도는 낮아진다. ② 남부 지방이 북부 지방에 비해 기온이 높기 때문에 난대림, 온대림을 비롯하여 해발 고도가 높은 곳에서는 냉대림도 나타나기 때문에 식생 분포가 더 다양하다. ③ 우리나라의 식생 분포는 주로 위도와 해발 고도에 따라 달라지는데, 이는 기온의 영향을 크게 받기 때문이다. ⑤ 한라산의 남사면이 북사면에 비해 일조량이 풍부해 기온이 높기 때문에 동일한 식생이 분포하는 해발 고도가 더 높다.

11 토양의 특징 및 분포

자료분석

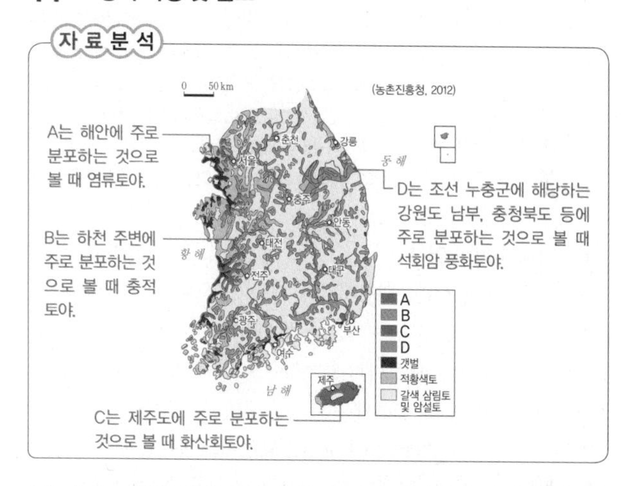

(가), (나)는 토양 생성 기간이 짧아 토양 단면의 발달이 뚜렷하지 않은 미성숙토에 해당한다. 이 중 (가)는 토양 내 염분이 많지 않으므로 충적토이다. (나)는 토양 내 염분이 많으므로 염류토이다. (다), (라)는 토양 생성 기간이 길어 토양 단면의 발달이 뚜렷한 성숙토 중에서 기반암의 성질이 반영되어 있는 간대토양에 속한다. 이 중 (다)는 간대토양 중 붉은색을 띠지 않으므로 현무암 풍화토이다. (라)는 간대토양 중 붉은색을 띠는 석회암 풍화토이다. 지도의 A는 염류토, B는 충적토, C는 화산회토, D는 석회암 풍화토이다. 따라서 (가)는 B, (나)는 A, (다)는 C, (라)는 D이다.

12 자연재해의 지역별 피해 유형

A는 제주도를 비롯한 전남, 경남 등 남부 지역의 피해액이 큰 것으로 볼 때 태풍이다. B는 경기와 강원 지역에 피해액이 큰 것으로 볼 때 호우이다. C는 전북, 전남, 충남, 강원 등지에서 피해액이 큰 것으로 볼 때 대설이다. 태풍은 열대성 저기압으로 강풍과 집중 호우를 동반하여 풍수해를 일으킨다. 한편, 적조를 해결하는 데 도움을 주고, 저위도와 고위도의 열 교환을 촉진하여 지구의 열평형을 유지하는 긍정적 기능도 한다. 호우는 여름철에 북쪽의 찬 공기와 남쪽의 더운 공기가 만나 형성된 장마 전선의 영향을 받거나 태풍이 통과할 때 발생하며, 홍수를 유발하기도 한다. 대설은 한랭 건조한 기류가 바다를 건너면서 형성된 눈구름에 의해 발생한다. 영동 지방의 대설은 바다를 건너온 북동 기류의 영향을 받는다.

| 바로 알기 | ⑤ 대설은 서고동저형의 기압 배치가 나타나는 겨울에 발생한다. 남고북저형 기압 배치는 한여름의 기압 배치이다.

13 황사의 특징

제시된 자료에서 A는 과거에는 주로 봄철에 발생했으나 최근 들어 가을과 겨울에도 증가하는 추세를 보이고 있다. 미세 먼지 농도의 증가와 함께 호흡기 질환, 안과 질환을 유발하는 현상은 황사이다. 우리나라에 영향을 주는 황사는 중국과 몽골 내륙의 사막 등지에서 발생한 모래 먼지가 편서풍을 타고 날아온다.

| 바로 알기 | ① 강풍과 많은 비를 동반하여 풍수해를 일으키는 것은 태풍이다. ② 적조 현상은 한여름 무더위에 의해 발생하는 것으로 양식업의 피해를 증가시킨다. ④ 오호츠크해 기단에서 불어온 북동풍은 푄 현상에 의해 영서 지방에서 고온 건조한 바람으로 변하는데, 이 바람을 높새바람이라 하며 영서 지방에 가뭄과 산불을 발생시킨다. ⑤ 날씨가 맑고 바람이 없는 날 밤에 산 정상부의 차가운 공기가 분지 내에 집적되어 대기가 안정되는 것을 기온 역전 현상이라 하는데, 냉해와 스모그 등의 피해가 발생한다.

14 기후 변화의 영향

제시된 지도에서 사과 재배 적지와 가능지의 면적이 줄어들고 있는데, 이는 지구 온난화로 기온이 상승하기 때문이다. 또한 지구 온난화가 심화되면 해안 저지대의 침수 위험이 커질 것이며, 고산 식물의 분포 범위는 줄어들게 된다.

| 바로 알기 | ㄱ. 기온 상승으로 봄꽃의 개화 시기는 빨라질 것이다. ㄴ. 수온이 상승하여 한류성 어종의 어획량은 감소하고, 난류성 어종의 어획량은 증가할 것이다.

15 기후 변화의 대책

산업화 및 도시화에 따른 인간 활동으로 자연재해 및 기후 변화의 영향이 점차 커지고 있다. 이에 따라 국제 사회는 기후 변화 협약, 교토 의정서, 파리 협정 등 다양한 국제 협약을 채택하여 온실 기체를 줄이고 기후 변화에 적응하는 대책을 마련하고 있다. 2015년 채택된 파리 협정은 2020년 만료되는 교토 의정서를 대체할 신 기후 체제로 모든 당사국에게 온실 기체 배출 감축 의무를 부여하였다. 한편 우리나라도 관련 제도 정비와 함께 탄소 배출권 거래제를 실시하고 있으며, 에너지 절약형 자동차 및 제로 에너지 하우스를 개발하고, 신·재생 에너지의 이용을 늘리면서 기후 변화를 대비하고 있다. 개인적 차원에서는 친환경 및 에너지 효율이 높은 제품을 이용하고, 대중교통 이용, 저탄소 배출 인증 제품 사용 등의 노력을 해야 한다.

| 바로 알기 | ② 2020년 만료되는 협정은 교토 의정서로 이를 대체하기 위한 것이 파리 협정이다.

16 도시숲 조성의 효과

도시숲은 생태계를 회복하고 지역의 생활 환경을 개선하기 위해 도시에 조성, 관리되는 숲을 말한다. 최근 지방 자치 단체 사이에서 도시숲을 조성하는 사례가 늘어나고 있다. 도시숲은 도시 속의 소음을 줄여주고 여름 한낮의 평균 기온을 3~7℃ 정도 낮추고, 습도는 9~23% 정도 상승하게 하여 도시민에게 쾌적한 생활 환경을 제공한다. 또한 대기 중 미세 먼지와 중금속의 농도를 낮춰 대기를 정화하는 기능도 한다.

| 바로 알기 | ⑤ 바람길은 바람이 불어오거나 지나가는 길로, 도시에서는 열섬 현상 등을 완화하기 위해 도시숲이나 생태 하천을 조성하여 통풍을 원활하게 하고 있다.

Ⅳ. 거주 공간의 변화와 지역 개발

01 촌락의 변화와 도시 발달

STEP 1 핵심 개념 확인하기 112쪽

1 (1) ㄷ, ㄹ (2) ㄱ, ㄴ 2 ㉠ 집촌(集村) ㉡ 산촌(散村) 3 도농 통합시 4 ㄴ - ㄷ - ㄱ 5 ㉠ 넓다 ㉡ 멀다 ㉢ 좁다 ㉣ 가깝다

STEP 2 내신 만점 공략하기 112~115쪽

01 ② 02 ① 03 ④ 04 ③ 05 ② 06 ① 07 ③
08 ④ 09 ② 10 ④ 11 ⑤ 12 ②

01 전통 촌락의 입지 요인

전통 촌락의 입지에는 물, 지형, 기후 등의 자연적 조건과 산업, 교통, 방어 등의 사회·경제적 조건이 영향을 끼친다. 범람원에서는 홍수의 위험이 낮은 자연 제방에 촌락이 형성되고, 지표수가 부족한 제주도는 용수를 쉽게 얻을 수 있는 해안의 용천대를 따라 촌락이 형성되었다. 또한 교통이 편리한 곳은 접근성이 좋기 때문에 일찍부터 촌락이 발달하여 도시로 성장하였다. 육상 교통로에는 역원 취락이 형성되었고, 수운의 요충지를 따라 나루터 취락이 형성되었다. 한편, 지형적으로 방어에 유리한 지역이나 국경 및 해안 지역에는 병영촌이 발달하였다.

| 바로 알기 | ② 겨울철 북서풍을 차단할 수 있는 입지는 북쪽이 산으로 둘러싸인 배산임수 조건을 갖춘 곳이 대표적이다.

02 전통 촌락의 입지

자료 분석

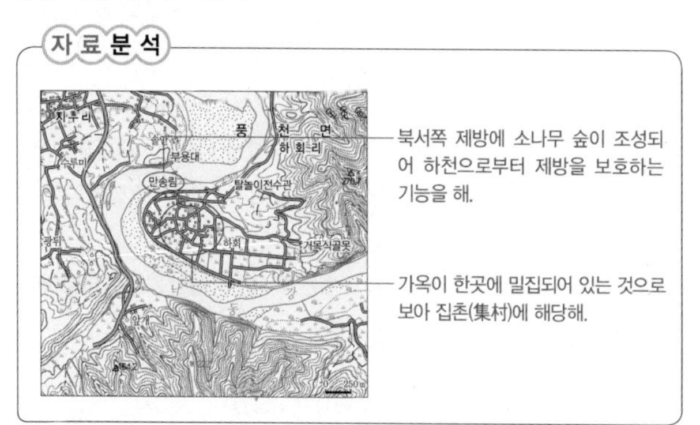

지도에 제시된 마을은 경상북도 안동의 하회 마을로, 마을 뒤쪽에 산이 있고 앞에는 하천이 흐르는 곳, 즉 배산임수에 해당한다. 배산임수 조건을 갖춘 곳에 입지한 취락은 산에서는 땔감과 임산물을 얻을 수 있고, 하천에서는 농업용수와 생활용수를 얻기에 유리하다.

| 바로 알기 | ㄷ. 용천대를 따라 취락이 분포하는 곳은 선상지의 선단이나 제주도의 해안가이다. ㄹ. 경지가 좁아 과수 재배나 밭농사가 주로 이루어지는 곳은 산지촌이다. 하회 마을에서는 주로 벼농사가 이루어진다.

03 전통 촌락의 특징

(가)의 농촌은 가옥이 밀집하여 분포하는 집촌(集村)을 이루는 경우가 많으며, (나)의 산지촌은 가옥이 흩어져 분포하는 산촌(散村)인 경우가 많다. 산촌은 집촌에 비해 주민들의 협동 노동의 필요성이 작기 때문에 가옥과 경지 간의 평균 거리가 가까우며, 주민들의 공동체 의식이 약한 편이다.

우리나라에서는 태백 산지 등의 산간 지역이나 서해안의 간척 지역 등에서 볼 수 있어.

완자 정리 노트 집촌과 산촌

집촌	산촌
• 가옥이 한 곳에 밀집하여 분포 • 논농사가 주로 이루어지는 평야 지대 • 협동 노동, 집단 방어의 필요성이 큰 지역, 혈연 중심의 동족촌 형성	• 가옥이 드문드문 흩어져서 분포 • 과수 재배나 밭농사가 이루어지는 구릉지나 산간 지역 • 협동 노동, 집단 방어의 필요성이 작은 지역, 개별적 이주와 정착

04 촌락의 변화

제시된 그래프를 통해 이 마을은 이촌 향도에 의한 인구 감소가 뚜렷한 촌락 지역임을 알 수 있다. 촌락에서는 청장년층 인구의 유출이 많아지면서 노동력이 부족해지고 생활 환경이 악화되고 있다. 또한 인구가 감소하면서 출산율도 줄어 폐교가 증가하였으며 노년층 인구 비중의 증가로 고령화 현상이 심화되었다. 이러한 문제를 해결하기 위해 최근 촌락은 다양한 변화를 꾀하고 있다. 귀농·귀촌 인구를 늘리기 위한 다양한 정책을 추진하고, 고령화에 따른 노인 복지 정책을 수립하고 이동식 병원을 활성화하는 등 의료 서비스를 확대하고 있다. 또한 지역의 자연환경을 활용하여 도시민을 위한 체험 활동 프로그램을 마련하는 등의 노력을 기울이고 있다.

| 바로 알기 | ㄹ. 이 지역은 유소년 인구의 감소로 통폐합하는 학교가 증가하고, 폐교도 많이 생겨났을 것이다. 따라서 초등학교 분교의 통폐합을 추진하는 것은 마을 살리기 방안이라고 볼 수 없다.

05 전통 촌락의 다양한 변화

오늘날 전통 촌락은 원래의 생산 활동과 함께 여가 및 휴식을 담당하는 공간으로 변화하고 있다. 전형적인 농촌, 어촌, 산지촌에서는 전통 촌락의 모습과 자연 경관을 보존하고, 이를 활용하여 관광객을 위한 다양한 체험 활동과 관광 상품을 개발하고 있다. 제시된 사례를 보면 태안반도의 대야도는 어촌 관련 체험 활동을 제공하면서 관광 어촌으로 변모하고 있으며, 평범한 농촌이었던 외암 마을도 전통문화를 활용한 체험 마을로 바뀌고 있음을 알 수 있다. 이처럼 전통 촌락에서 관광 산업이 발달하게 되면 1차 산업 외에 부가적인 소득원이 창출될 수 있다.

바로 알기 ① 관광객의 증가로 관광 수입이 늘었을 것이다. ③ 과거에 비해 교통이 발달하여 접근성이 좋아졌기 때문에 도시와의 상호 작용이 증가했을 것이다. ④ 체험 관광 산업 등이 발달하면서 1차 산업 종사자의 비율은 감소했을 것이다. ⑤ 숙박업소나 음식점, 등 관광 산업과 관련된 토지 이용이 증가했을 것이므로, 도시적 토지 이용 비율이 늘었을 것이다.

06 촌락과 도시의 특징

사람이 거주하며 생활하는 공간은 인구와 산업 활동 등에 따라 촌락과 도시로 구분된다. 촌락은 1차 산업이 주로 발달하였고, 도시는 2·3차 산업이 주로 발달하였다. 이에 따라 촌락은 주민들의 직업 구성이 단순하며, 도시는 사람들의 직업이 매우 다양하다. 촌락과 도시는 경관과 기능 면에서 서로 다른 특징이 나타나지만, 서로 영향을 주고받는 상호 보완적 관계이다. 촌락은 도시에 각종 농수산물을 공급하고 휴식 및 여가 공간을 제공하며, 도시는 촌락에 공산품을 비롯한 재화와 서비스를 제공한다.

바로 알기 병. 촌락은 인구 밀도가 낮지만 국토 공간에서 넓은 면적을 차지하고 있어 조방적 토지 이용이 나타나지만, 도시는 상대적으로 좁은 면적에 많은 인구가 밀집하여 집약적 토지 이용이 나타난다. 정. 최근 인구가 증가하고 교통·통신이 발달하면서 도시와 촌락의 관계가 더욱 긴밀해지고 있으며, 도시와 촌락의 상호 작용이 더욱 활발해졌다.

07 우리나라의 도시화

도시화는 도시에 거주하는 인구가 증가하고 생활 양식이 도시적으로 변해가는 현상을 말한다. 우리나라는 1960년대 이후 급속한 도시화가 이루어져 1970년에는 도시화율이 50%를 넘어서 촌락보다 도시에 거주하는 인구가 많아졌으며, 1990년대 이후부터는 도시화의 진전이 둔화되었다.

바로 알기 ㄱ. 도시화율의 기울기는 감소하고 있다. ㄹ. 우리나라는 1960년대에 도시화의 가속화 단계에 접어들었으며 현재는 도시화율이 90%를 넘어서는 도시화의 종착 단계에 있다.

완자 정리 노트 도시화 과정

초기 단계	도시화율이 낮은 농업 중심의 전통 사회로 전국에 걸쳐 인구가 고르게 분포함
가속화 단계	산업화에 따른 이촌 향도 현상으로 도시 인구 급증, 인구 및 경제 활동이 도시에 집중됨
종착 단계	전체 인구의 80% 이상이 도시에 거주하며 도시 인구 성장률이 둔화하고 역도시화 현상이 발생하기도 함

08 도농 통합시

2014년 충청북도 청주시와 청원군은 도농 통합을 이루어냈다. 도농 통합시는 생활권이 같은 도시와 농어촌이 하나로 합쳐져 광역 생활권을 갖는 도시로, 도시와 농촌의 상호 의존적인 발전을 위해 만들어졌다. 이처럼 생활권이 같은 도시와 농촌을 하나의 행정 단위로 개편하면 행정 업무 간소화, 도시와 농촌 간 지역 격차 해소, 지방 도시와 배후 농촌의 경쟁력 강화 등의 효과를 기대할 수 있다.

바로 알기 ㄱ. 청주시와 청원군의 상호 의존 관계는 심화될 것이다. ㄷ. 도농 통합시는 상생 발전을 추구하기 때문에 청원군의 고유한 특성을 살려 낼 수 있다.

09 우리나라의 도시 순위 변화

자료분석

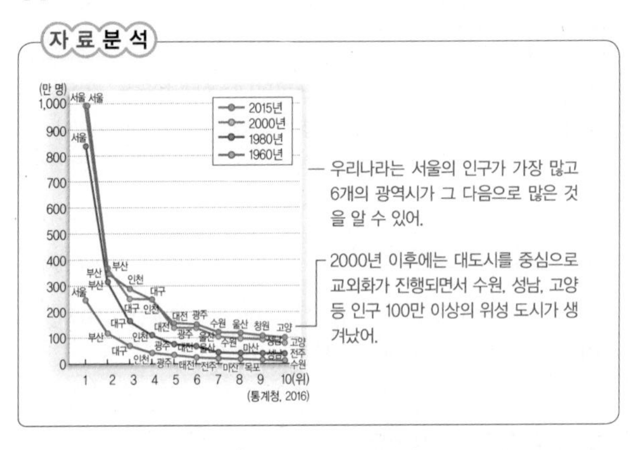

그래프를 보면 우리나라 도시 인구는 서울이 가장 많고 다음으로 부산이 많다. 특히 서울은 1960년 이후로 부산 인구의 2배 이상이 되어 종주 도시화 현상이 나타나고 있다. 도시별 인구 변화를 살펴보면 울산, 창원 등의 신흥 공업 도시와 성남, 고양 등 대도시 주변의 신도시 및 위성 도시의 성장이 두드러진다. 반면 목포, 전주 등 지방 중소 도시들은 인구 성장 폭이 작거나 정체되어 있다.

바로 알기 ① 1980년 인천의 인구는 약 100만 명에서 2015년에 약 300만 명으로 3배 가까이 증가했다. 반면 광주는 1980년 약 80만 명에서 2015년 약 160만 명으로 2배 정도 증가했다. ③ 성남, 고양시는 서울의 주거 기능을 분담한 위성 도시이다. ④ 마산, 목포, 전주 등은 순위가 하락하였다. ⑤ 1980년에 10대 도시 중 수도권 도시는 서울, 인천, 성남 세 곳이었지만, 2015년에는 서울, 인천, 수원, 고양으로 한 곳이 증가하였다.

10 계층별 도시 특징

제시된 그림에서 A는 대도시, B는 중도시, C는 소도시에 해당하며, 대도시처럼 넓은 배후지를 갖는 중심지를 고차 중심지, 대도시보다 배후지가 좁은 중도시나 소도시를 저차 중심지라고 한다. 고차 중심지는 저차 중심지에 비해 넓은 지역에 다양한 재화와 서비스를 제공하므로 배후지의 면적이 넓다. 또한 고차 중심지일수록 중심지 간 거리가 멀고 최소 요구치가 크다.

바로 알기 ④ 고차 중심지일수록 그 수는 적지만 중심지 기능은 다양하다.

완자 정리 노트 중심지 계층 구조

구분	최소 요구치	재화의 도달 범위	중심지 기능	중심지 수	중심지 간 간격	사례
고차 중심지	큼	넓음	다양함	적음	넓음	대도시
저차 중심지	작음	좁음	단순함	많음	좁음	소도시

11 우리나라의 도시 체계

자료분석

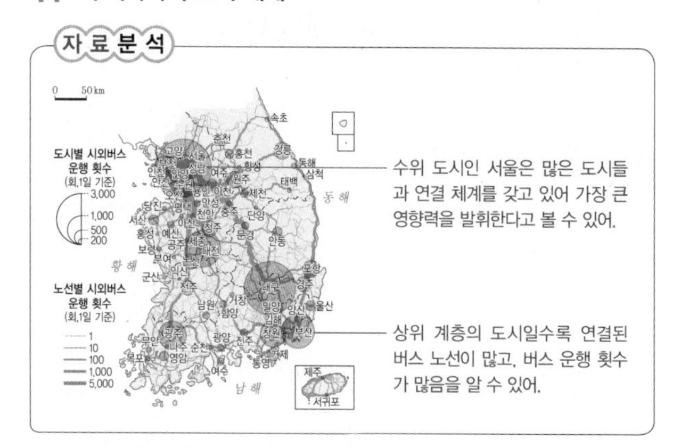

제시된 지도는 도시 및 노선별 시외버스 운행 횟수를 통한 도시와 도시 사이의 연결 체계를 보여 주고 있다. 이를 통해 서울이 가장 높은 계층에 위치하며 이어서 부산, 대구, 광주 등의 도시들이 위치하고 있음을 알 수 있는데, 이러한 도시 간 상호 작용에 의해 나타나는 도시 간의 계층 질서를 도시 체계라고 한다.

12 중심지 체계

병원급 별 현황을 토대로 각각의 의료 기관의 수를 살펴보면 A시 > B시 > C시 순으로 도시 계층이 높다는 것을 알 수 있다. 따라서 A가 고차 중심지이며 C가 저차 중심지에 해당한다. 고차 중심지는 저차 중심지보다 인구 규모와 최소 요구치가 크고 더 넓은 배후지를 갖는다. 도시의 수를 비교해 보면 저차 중심지일수록 많고 고차 중심지로 갈수록 줄어든다.

바로 알기 ㄹ. A, B, C가 서로 같은 거리에 있다면 상호 작용은 인구 규모에 비례하는 것이 일반적이다.

서술형 문제 115쪽

01 주제: 촌락의 변화

예시 답안 순창군의 인구 구조가 변화하게 된 가장 큰 원인은 이촌 향도이다. 이촌 향도에 따른 청장년층 인구의 유출로 인해 이 지역은 노동력이 부족해졌고, 생활 환경이 악화되었다. 또한 유소년층 인구 감소로 폐교가 증가하였고, 노년층 인구 비중의 증가로 고령화 현상이 심화되었다.

채점 기준

상	인구 감소의 원인과 그에 따른 문제점 두 가지를 정확하게 서술한 경우
중	인구 감소의 원인을 쓰고 그에 따른 문제점을 한 가지만 서술한 경우
하	인구 감소의 원인과 문제점 중 한 가지만 정확하게 서술한 경우

02 주제: 우리나라의 도시 발달

(1) 예시 답안 두 시기 모두 인구 순위 1위 도시(서울) 인구가 2위 도시(부산) 인구의 두 배가 넘는 현상이 나타난다. 이를 종주 도시화 현상이라고 한다.

(2) 예시 답안 1970년과 비교하여 2015년의 지도를 살펴보면, 주요 대도시 주변의 도시가 발달하고 인구가 많이 증가한 것을 알 수 있다. 우리나라는 산업화와 수출 위주의 공업화 정책 추진으로 수도권과 남동 임해 지역으로의 인구 집중이 심화되었는데, 최근 이러한 대도시의 과밀화를 완화하기 위해 대도시 주변에 위성 도시와 신도시를 건설하여 대도시의 기능을 분담하고 있다.

채점 기준

상	오늘날 도시 분포의 특징을 쓰고, 그 이유를 도시 발달과 연관지어 정확히 서술한 경우
하	오늘날 도시 분포의 특징을 썼으나, 그 이유에 대한 서술이 미흡한 경우

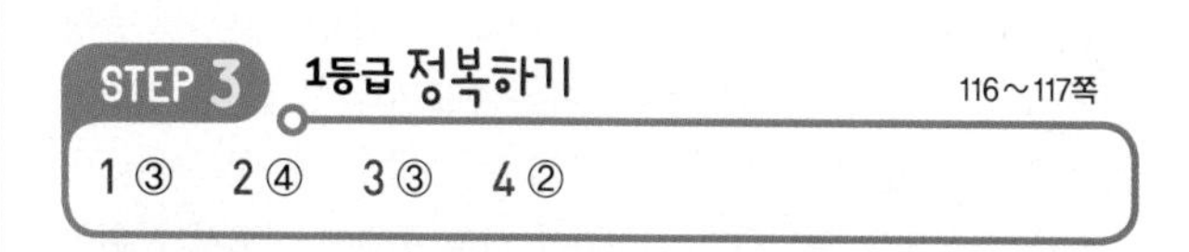

STEP 3 1등급 정복하기 116~117쪽

1 ③ 2 ④ 3 ③ 4 ②

1 촌락과 도시의 상호 작용

촌락은 생산 기능에 따라 농촌, 어촌, 산지촌 등으로 구분하며, 촌락에 거주하는 주민은 대부분 1차 산업에 종사하고 있어 도시에 비해 직업 구성이 단순하다. 하지만 최근 사회·경제적인 변화에 따라 촌락의 기능이 다양해지고 있다. 교통·통신의 발달로 도시와의 접근성이 향상됨에 따라 원예 농업, 낙농업, 목축업 등을 통한 상품 작물 생산이 증가하고, 자연환경을 활용하여 도시민에게 여가 공간 및 체험 활동 기회도 제공한다. 이로 인해 농가 소득이 늘어나고 촌락 주민들의 고용 기회도 확대되는 효과가 나타난다.

바로 알기 ③ 도시는 행정 기관, 금융 기관, 상업 시설 등이 모여 있어 주변 지역에 재화와 서비스를 공급하는 중심지 기능을 수행하며, 촌락은 배후지가 된다.

2 우리나라의 도시 순위 변화

자료분석

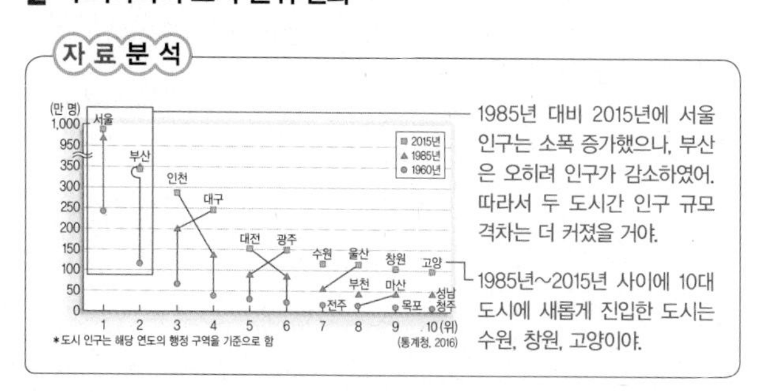

제시된 그래프는 시기별 우리나라 주요 도시의 인구 규모와 순위 변화를 나타낸 것이다. 이를 통해 서울의 종주 도시화, 신흥 공업

도시의 성장, 대도시 주변 위성 도시와 신도시 성장 등 도시 체계의 변화를 파악할 수 있다. ㄴ. 인천의 인구는 1985년 약 150만 명에서 2015년 약 300만 명으로 두 배 가까이 증가하여 광역시 중 가장 높은 인구 증가율을 보이고 있다. ㄹ. 1985년 이후 서울의 인구가 크게 증가하지 않은 이유는 수원, 성남, 고양 등 경기도에 위성 도시가 성장하여 서울의 인구가 분산되었기 때문이다.

바로 알기 ㄱ. 1960년 서울의 인구는 약 250만명, 부산의 인구는 약 120만 명 정도였으나, 1985년 서울의 인구는 약 970만 명, 부산의 인구는 약 350만 명 정도이다. 따라서 종주 도시화는 1960년에 비해 1985년에 심화되었다. ㄷ. 10대 도시에 포함된 수도권 도시의 수는 2015년 4개(서울, 인천, 수원, 고양), 1985년 4개(서울, 인천, 부천, 성남)로 동일하다.

3 우리나라의 도시 발달과 도시 인구 변화

1970년과 비교한 2015년의 우리나라 도시를 보면 도시의 총 수와 대도시의 인구 규모가 크게 증가하였다. 그 결과 서울의 종주 도시화가 더욱 심화하였고, 지방 중소 도시는 상대적으로 성장이 정체하는 국토의 불균형한 개발이 이루어졌다. 특히 서울을 비롯한 수도권과 공업 도시가 성장한 영남권, 수도권의 기능이 분산된 충청권의 도시 성장이 두드러지는데, 이는 수도권과 영남권을 연결하는 경부축 중심의 국토 개발을 원인으로 볼 수 있다. 최근에는 대도시를 중심으로 교외화가 진행되어 서울 주변에 신도시와 위성 도시가 많이 생겨나게 되었다.

바로 알기 ③ 1970년에 비해 2015년에 지역 간 도시 발달의 격차는 더욱 커졌다.

4 도시 계층 구조

(가) 도시와 (나) 도시 사이에 위치한 A~D 도시에 열차가 정차하는 정도에 따라 도시 계층을 파악할 수 있다. 모든 열차가 정차하는 A 도시와 D 도시는 고차 중심지에 해당하며, 저속 열차만 정차하는 B 도시는 저차 중심지에 해당한다. 보통 열차와 저속 열차가 정차하는 C 도시는 A와 D보다는 저차 중심지, B보다는 고차 중심지일 것이다. ㄱ. A는 B보다 고차 중심지에 해당하므로 배후지의 범위가 넓을 것이다. ㄷ. B는 C보다 저차 중심지에 해당하므로 도시 규모가 작고 인구 규모도 작을 것이다.

바로 알기 ㄴ. A가 C보다 고차 중심지이므로 열차 이용객 수도 많을 것이다. ㄹ. 고차 중심지일수록 중심지 기능이 다양하므로, D가 C보다 더 많은 중심지 기능을 보유하고 있을 것이다.

02 도시 구조와 대도시권

STEP 1 핵심 개념 확인하기 122쪽

1 ㉠ 집심 ㉡ 이심 2 (1) ㄷ (2) ㄱ (3) ㄴ 3 인구 공동화 현상
4 (1) 배후 농촌 지역 (2) 신도시 (3) 교외화 5 ㄴ, ㄹ

STEP 2 내신 만점 공략하기 122~125쪽

01 ③ 02 ③ 03 ④ 04 ② 05 ⑤ 06 ② 07 ②
08 ① 09 ④ 10 ③ 11 ③ 12 ⑤

01 도시의 기능별 지대 변화

(가)는 상업·업무 기능, (나)는 공업 기능 (다)는 주거 기능의 지대 그래프를 나타낸 것으로 각 기능마다 지대의 감소율이 서로 다르게 나타난다. 그래프의 기울기가 가장 급한 상업·업무 기능은 거리에 따른 지대 감소율도 가장 크기 때문에 도심에 입지하려고 하는 경향이 강하며, 집약적 토지 이용을 위해 건물의 고층화가 이루어진다. 주거 기능은 이심 현상으로 인해 도심에서 벗어나 외곽으로 분산하는 교외화가 활발하게 이루어진다.

바로 알기 ③ 가장 높은 접근성을 필요로 하는 기능은 상업·업무 기능이다.

완자 정리 노트 집심 현상과 이심 현상

집심 현상	지대 지불 능력이 높은 기능들은 접근성이 좋은 도심 및 부도심에 입지 예 기업 본사, 관공서, 언론사 등
이심 현상	지대 지불 능력이 낮고, 넓은 부지를 필요로 하는 기능들은 외곽에 입지 예 주거 단지, 학교, 공업 단지 등

02 도시의 기능별 지대 변화

제시된 그래프에서 (가)는 상업·업무 기능, (나)는 공업 기능, (다)는 주거 기능의 지대 변화를 나타낸 것으로, 모두 도심에서 가장 높은 지대를 갖고 외곽으로 갈수록 낮아진다. 특히 상업·업무 기능은 다른 기능보다 접근성에 민감하기 때문에 접근성이 낮아질수록 지대가 급격하게 감소한다. 따라서 접근성이 높은 도심 근처로 기능이 집중하게 된다. ㄴ. 접근성에 따른 지대의 변화가 가장 큰 업종은 기울기가 가장 큰 상업·업무 기능이다. ㄷ. A-B 구간은 B-C 구간보다 토지를 집약적으로 이용하기 때문에 고층 건물이 들어설 가능성이 높다.

바로 알기 ㄱ. B-C 구간에서는 주거 기능뿐만 아니라 공업 기능에서도 지대가 발생한다. ㄹ. 접근성에 민감하지 않은 업종은 도심에서 멀리 떨어진 곳에 입지하여도 지대를 발생시킬 수 있다.

03 도시 내부 구조

A는 도심, B는 중간 지역, C는 부도심, D는 주변 지역, E는 위성 도시이다. 도심은 접근성이 좋아 지대와 지가가 높다. 따라서 토지를 집약적으로 이용하기 위해 고층 건물이 많이 건설되며, 건물이 조밀하게 분포한다. 도심과 주변 지역 사이에는 주택과 상가, 공장이 혼재되어 있는 중간 지역이 나타난다. 이곳은 점이 지대를 이루며 일부 지역은 불량 주택 지구를 형성한다. 부도심은 도심과 주변 지역을 연결하는 교통의 결절점에 위치하며, 도심의 기능 중 일부를 분담한다. 주변 지역에는 대규모 주거 단지가 형성되어 있으며, 도시의 최외곽 지역에는 도시의 무질서한 팽창을 방지하기 위해 개발 제한 구역이 설정되기도 한다. 교통이 발달하면 도시의 인구나 기능이 외곽으로 확산되는 교외화 현상이 나타나 대도시 주변에 도시의 기능을 분담하는 위성 도시가 형성된다.

바로 알기 ④ 도심(A)은 접근성이 가장 높은 곳으로 지가와 지대도 가장 높은 것이 일반적이다.

완자 정리 노트 도시 내부 구조

도심	• 지가가 높아 토지 이용 방식이 집약적 • 인구 공동화 현상 → 출퇴근시 교통 혼잡 발생
부도심	도심과 주변 지역을 연결하는 교통의 결절점에 형성
중간 지역	도심 주변에 주택, 공장 등이 혼재되어 점이 지대 형성
주변 지역	• 학교, 공장 지대, 신흥 주거 지역 형성 • 도시의 무질서한 팽창을 방지하기 위해 개발 제한 구역 설정

04 도심과 주변 지역의 특징 비교

A는 도심, D는 주변 지역이다. 그래프에서 ㉠은 도심에서 상대적으로 많거나 높은 항목이고, ㉡은 주변 지역에서 상대적으로 많거나 높은 항목이다. 도심은 주변 지역에 비해 상대적으로 금융 기관의 수와 주간 인구의 수가 많고 교통 혼잡도가 높으며, 주변 지역은 도심에 비해 주거지 면적 비율이 높게 나타난다.

05 도시 내부의 경관 특징

도시 내부는 지역별 기능 분화에 따라 차별화된 경관이 나타난다. 고층 건물이 밀집한 (가)는 도심, 주택과 공장 등이 혼재되어 나타나는 (나)는 중간 지역, 대규모 아파트 단지를 볼 수 있는 (다)는 주변 지역이다. 도심에는 높은 지대를 지불할 수 있는 중추 관리 기능과 상업 기능이 집중되어 있어 주간 유동 인구가 많다. 이 때문에 상업 지역의 최고 지가는 도시 내부에서 도심이 가장 높다. 도심 주변에는 도시 팽창 과정에서 높은 지대를 감당하지 못하고 도심으로부터 밀려 나온 주택과 상가, 공장이 혼재되어 있는 중간 지역이 형성된다. 주변 지역에는 도시의 무질서한 팽창을 방지하고 녹지 공간을 보전하기 위해 개발 제한 구역이 설정되기도 한다.

바로 알기 ⑤ 주변 지역에 거주하는 사람들은 도심에 거주하는 사람들보다 평균 통근 거리가 길다.

06 도시 내의 이심 현상

도시가 성장하는 과정에서 기능별 지대 지불 능력의 차이로 어떤 기능은 도심으로 모이는 집심 현상을 보이고, 어떤 기능은 도심에서 주변 지역으로 이동하는 이심 현상을 보이게 된다. 제시된 지도에 나타난 학교는 과거 도시의 규모가 크지 않았을 때 도심에 있었던 학교들이다. 도시의 규모가 커지면 도심의 높은 지대를 감당할 수 없는 주택이 외곽으로 빠져나가는 이심 현상이 나타난다. 이에 따라 도심의 상주인구 밀도가 감소하면서 학교들도 자연히 주거 기능이 입지한 주변 지역으로 이전하게 되었다.

바로 알기 ㄴ. 학교의 이전은 이심 현상으로 도심의 주거 기능이 약화되어 나타난 것이며, 성비 불균형과는 관련이 없다. ㄷ. 도심은 접근성이 가장 좋은 지역이다.

07 도심 인구 공동화 현상

제시된 그래프를 살펴보면 도심 지역에서 주간 인구는 급증하고 야간 인구는 감소하여 그 격차가 크게 나타나는데, 이를 인구 공동화 현상이라고 한다. 인구 공동화는 도심의 상주인구가 감소하기 때문에 나타나는 현상으로, 도심의 업무 기능이 강화될수록 인구 공동화 현상이 심화되어 주거지는 주변 지역으로 이전하게 된다. 이로 인해 도심에서는 출퇴근 시간에 교통 혼잡이 발생하며, 주변 지역에는 아파트 단지와 학교가 증가한다.

바로 알기 ㄴ. 열섬 현상은 냉·난방, 자동차 등으로 인해 인공 열이 많이 발생하여 나타나는 것으로, 주간 유동 인구가 많은 도심은 상주인구가 감소해도 열섬 현상이 완화되지는 않는다. ㄹ. 도심에서는 상주인구의 감소로 행정 업무를 처리하는 관공서의 통폐합이 이루어진다.

08 서울의 구(區)별 특성

자료 분석

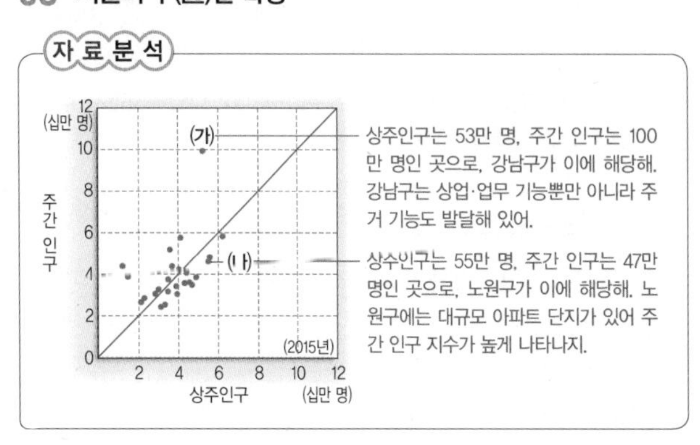

(가)는 상주인구보다 주간 인구가 많은 곳이며, (나)는 주간 인구보다 상주인구가 많은 곳이다. (가)와 (나)는 상주인구는 비슷하나 주간 인구에서 차이가 나는데, (가)구의 주간 인구 수가 훨씬 많은 것으로 보아 (가)구가 (나)구에 비해 상업·업무 기능이 발달했음을 유추할 수 있다. 따라서 생산자 서비스 사업체 수는 (가)구가 많고 상업 용지의 평균 지가도 (가)구가 높을 것이다. 반면, 출근 시간대 순 유출 인구는 업무·상업 기능이 상대적으로 미약한 (나)구가 많을 것이다.

09 위성 도시의 기능

(가)는 위성 도시이다. 위성 도시는 대도시 영향권이나 배후 농촌 지역에 주로 분포하는데, 대도시의 과밀화를 완화하기 위해 기능을 분담하는 역할을 한다. 특히 주거 기능을 분담하고 있는 경우가 많아 대규모 아파트 단지가 조성되어 있으며, 이로 인해 상주인구(야간 인구)가 주간 인구보다 많다.

| 바로 알기 | ㄱ. 위성 도시는 대도시 주변에 교통이 편리한 지역에 발달한다. 따라서 대도시와의 접근성이 높기 때문에 지가가 비교적 높은 편이다. ㄷ. 중심 도시에 거주하는 사람들이 여가를 즐기기 위해 방문하는 농촌 지역은 대도시권 외곽의 주말 생활권에 해당한다.

완자 정리 노트 대도시권의 공간 구조

중심 도시	대도시권의 중심부, 도심과 부도심 발달
교외 지역	중심 도시와 연속되어 주거, 공업, 상업 지역 등 도시화 현상이 뚜렷
대도시 영향권	도시 경관 미약, 비농업적 토지 이용과 통근자 거주 등 도시와 밀접하게 관련
배후 농촌 지역	중심 도시로부터 최대 통근 가능 지역

10 대도시권의 확대

대도시권은 대중교통 수단의 발달과 광역 교통망의 확충으로 사람과 물자의 이동이 원활해짐에 따라 점차 확대된다. (나)는 배후 농촌 지역으로 중심 도시의 영향권에 해당한다. 교통의 발달과 도시민의 거주지 확대로 통근권이 확대되면서 도시 근교의 배후 농촌 지역은 많은 변화가 나타난다. ①, ② 도시적 토지 이용이 확대되고 겸업농가의 비율이 증가하면서 농업 외 소득의 비중이 증가할 것이다. ④, ⑤ 통근권 확대로 다른 지역에서 이동해 온 사람들이 늘어나면서 중심 도시에 직장을 둔 통근자가 증가할 것이다.

| 바로 알기 | ③ 외지 인구의 유입으로 주민 구성이 다양해지면서 주민들의 공동체 의식은 약화될 것이다.

11 도시 구조와 대도시권

(가)는 도시가 성장하면서 새로운 중심지가 등장함에 따라 과거의 도심이 쇠퇴한 사례이다. 도시는 한 개의 도심만 존재하는 단핵 구조에서 시간이 지나면서 여러 개의 부도심이 존재하는 다핵 구조로 성장한다. 이와 같은 도시 내부 구조의 다핵화로 인구와 기능이 새로운 중심지로 이동하면 원도심의 기능이 약화되기도 한다. (나)는 대도시 주변에 대규모 신도시가 개발되면서 근교 농촌이었던 지역이 변화한 사례이다. 대도시권이 확대됨에 따라 주변의 토지 이용이 다양해지고, 주민 생활에도 많은 변화가 나타난다.

12 대도시권의 확대

현재 수도권의 주요 지하철 종착역은 1985년에 비해 더 외곽으로 멀어졌다. 이와 같은 교통망의 확대는 주변 지역에서 서울로의 접근성을 향상시켜 서울과 주변 지역 간의 기능적 상호 관련성을 높이고 대도시권의 확대를 촉진한다. 이로 인해 거주지가 점차 주변 지역으로 확대되어 서울의 직장으로 출퇴근하는 통근자가 늘어났을 것이다.
└ 이 때문에 출퇴근 시간대에 서울과 주요 연결 도로에서는 교통 혼잡이 나타나.

| 바로 알기 | ① 지하철 종착역 주변은 상업 시설이나 대규모 아파트 단지 건설로 녹지 공간이 감소하게 될 것이다. ② 새로운 교통망이 확충되면 서울보다 땅값이 저렴하고 쾌적한 주거 환경을 선호하는 사람들이 외곽 지역으로 이동할 것이다. ③ 근교 농촌은 전업농가보다는 겸업농가의 비중이 높아질 것이다. ④ 신도시는 서울의 인구를 분산하기 위해 건설된 대규모 택지 지구로 주거 기능이 강하다. 따라서 서울 도심의 핵심 기능이 신도시로 이전하지는 않는다.

서술형 문제

125쪽

01 주제: 도시 내부 구조

(1) A

(2) 예시 답안 A 지역이 B 지역에 비해 주간 인구 지수가 높은 것으로 볼 때, 상주인구 밀도는 B 지역이 더 높다. A 지역은 업무 및 상업 공간이 많아 주간에는 인구 밀도가 높고, 야간에는 주거 공간이 밀집한 외곽 지역으로 인구가 빠져나가면서 인구 밀도가 낮은 인구 공동화 현상이 나타나게 된다. 이로 인해 출퇴근 시간대에 교통 혼잡이 발생하고 있다.

채점 기준

상	B 지역이 상주인구 밀도가 높음을 쓰고, A 지역에서 인구 공동화 현상이 나타나 출퇴근 시 교통 혼잡이 발생함을 정확히 서술한 경우
중	B 지역이 상주인구 밀도가 높음을 썼으나, 그에 따른 문제점에 대한 서술이 미흡한 경우
하	B 지역이 상주인구 밀도가 높다고만 서술한 경우

02 주제: 대도시권의 형성과 확대

(1) A – 교외 지역, B – 대도시 영향권, C – 배후 농촌 지역, D – 주말 생활권

(2) 예시 답안 배후 농촌 지역과 주말 생활권을 나누는 기준은 중심 도시로의 통근 가능 여부이다. 배후 농촌 지역은 중심 도시로의 최대 통근 가능 지역으로 대도시권의 공간적 범위에 포함되며, 주로 상업적 농업이 이루어진다. 반면 통근 가능권 밖의 주말 생활권은 대도시권에 거주하는 사람들이 여가를 즐기기 위해 방문하는 농촌 지역이다.

채점 기준

상	두 지역을 구분하는 기준과 토지 이용의 차이를 모두 정확하게 서술한 경우
하	두 지역을 구분하는 기준과 토지 이용의 차이 중 한 가지만 정확하게 서술한 경우

STEP 3 1등급 정복하기 126~127쪽

1 ③ 2 ③ 3 ④ 4 ⑤

1 도시 내부 구조

(가)는 법정동이 많은 데 비해 행정동은 적다. 즉, 상주인구의 감소로 행정 업무의 편의를 위해 여러 개의 법정동을 하나의 행정동으로 통합시킨 것이다. 그에 비해 (나)는 법정동은 적으나 행정동이 많다. 상주인구의 증가로 늘어난 행정 업무를 처리하기 위하여 하나의 법정동을 여러 개의 행정동으로 분할한 것이다. 따라서 (가)는 상주인구가 감소하고 있는 도심에 해당하며 (나)는 상주인구가 증가하고 있는 주변 지역에 해당한다. 주변 지역은 도심에 비해 업무용 건물 밀집도가 낮고(B, C, D, E) 주거지 면적 비율은 높다(C, E). 또한 거주자의 평균 통근 거리는 길다(A, B, C).

2 도심과 주변 지역의 특징 비교

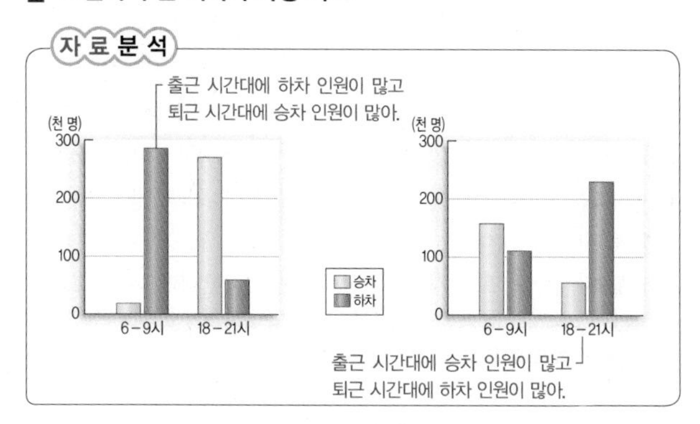

(가)구의 ○○역은 출근 시간대(6-9시)에는 하차 인원이 승차 인원보다 많고 퇴근 시간대(18-21시)에는 승차 인원이 하차 인원보다 많은 것으로 보아 상업·업무 기능이 발달한 도심에 위치한 역으로 유추할 수 있다. 반면, (나)구의 □□역은 출근 시간대(6-9시)에는 승차 인원이 하차 인원보다 많고 퇴근 시간대(18-21시)에는 하차 인원이 승차 인원보다 많은 것으로 보아 주거 기능이 발달한 주변 지역에 위치한 역으로 유추할 수 있다. 즉, (가)구는 도심, (나)구는 주변 지역에 해당한다. ㄴ. 도심은 주변 지역에 비해 접근성이 높은 곳으로 교통량이 많아 대기 오염이 심하다. ㄷ. 주변 지역은 도심에 비해 상업 용지의 평균 지가가 낮다.

바로 알기 ㄱ. 출근 시간대에 (가)구의 ○○역에서 하차하는 인원은 30만 명 가까이 되고, (나)구의 □□역에서 하차하는 인원은 10만 명이 조금 넘는다. 따라서 (가)구는 (나)구보다 출근 시간대에 유입 인구가 많다. ㄹ. 주변 지역인 (나)구보다 도심인 (가)구가 접근성이 좋아 대기업 본사 수가 많다.

3 대도시권의 형성 원인

지도는 대도시 주변의 통근·통학권이 주변 지역으로 확대되고 있음을 나타낸다. 우리나라의 대도시권은 지속적인 인구 유입과 기능의 집중에 따른 과밀 문제가 발생하였다. 이러한 대도시의 과밀화로 인해 교통 혼잡, 주택 부족, 환경 악화 등의 도시 문제가 발생하면서 쾌적한 주거 환경에 대한 수요가 급증하였고, 교외화 현상이 나타나기 시작하였다. 이에 따라 정부는 대도시 주변에 위성 도시와 신도시를 건설하여 인구 및 기능 분산을 추진하였고, 대도시와 주변 지역을 잇는 광역 교통 체계가 구축되면서 거주지 확산이 일어나 대도시권은 더욱 확대되었다.

바로 알기 ㄱ, ㄷ. 중심 도시 내부에 건설되는 도심형 아파트 및 뉴타운은 오히려 중심 도시로의 인구 유입을 가져올 수 있다.

4 대도시권의 인구 변화

산업화 과정에서 인구와 산업이 집중되면서 서울에서는 과밀 문제가 발생하였다. 1980년대 이후 이를 해결하기 위한 여러 정책이 추진되면서 서울의 주거와 공업 기능 등이 인천 및 경기 일대로 분산되었다. 특히, 서울의 주택 문제 해결을 위해 신도시를 건설하고, 주민들의 통근 편의를 위한 광역 교통망이 확충되면서 서울의 대도시권이 더욱 확대되고 있다. ① 1970~1980년에는 서울에 인구와 기능이 집중하여 과밀화로 인한 주택 부족, 땅값 상승, 환경 오염 등의 도시 문제가 발생하였다. ② 1970~1980년에는 서울과 그 주변에 위치한 안양, 성남, 안산 등의 인구 증가율이 높다. ③ 수도권 지하철 노선의 확대와 고속 국도의 개통으로 서울로의 접근성이 향상되었다. ④ 2000년대 들어 파주, 남양주, 화성 등에 2기 신도시가 개발되면서 이들 도시의 인구 증가율이 높아졌다.

바로 알기 ⑤ 서울을 중심으로 연천, 포천, 가평 등의 북동부 지역보다 인천, 화성, 오산, 용인 등의 남서부 지역의 인구 증가율이 높게 나타난다.

03 도시 계획과 도시 재개발

STEP 1 핵심 개념 확인하기 130쪽

1 ㉠ 도시 계획 ㉡ 난개발 2 (1) 개발 제한 구역 (2) 젠트리피케이션 (3) 유비쿼터스 도시 3 ㉠ 철거 ㉡ 보전 ㉢ 수복 4 도시 재생 5 ㄱ, ㄷ

STEP 2 내신 만점 공략하기 130～132쪽

01 ① 02 ⑤ 03 ④ 04 ① 05 ④ 06 ① 07 ③ 08 ⑤

01 도시 계획

도시 계획은 도시에 살고 있는 사람들의 주거와 다양한 활동을 합리적으로 배치하기 위해 계획을 수립하고 실천에 옮기는 것을 말한다. 우리나라는 급속한 도시화로 기반 시설 부족 등 여러 가지 도시 문제가 나타나면서 1970년대 도시 계획법에 따라 용도 지역의 종류를 세분화하고 도시의 무질서한 확산을 방지하기 위해 개발 제한 구역을 설정하였다.

바로 알기 ㄷ. 기존 건물과 시설물을 완전히 철거하는 개발은 철거 재개발에 해당한다. 수복 재개발은 기존 골격을 유지하면서 필요한 부분만 수리·개조하는 방식이다. ㄹ. 여의도 종합 개발 계획은 서울시 도시 계획 초기(1960～1979년)에 도시 기반 조성을 위해 수립·시행되었다.

02 도심 재개발로 인한 변화

서울시 종로구에 있는 피맛골은 조선 시대 서민들이 종로를 지나는 고관들의 말을 피해 다니던 길이라는 뜻의 '피마(避馬)'에서 유래하였다. 과거 이 지역은 사람 한 명이 겨우 지나갈 만큼 좁고 구불구불한 길에 빈대떡과 해장국 가게, 주점 등 서민들이 주로 이용하는 술집과 음식점이 번창하였다. 그러나 1980년대 도심 재개발 지역으로 지정되고 2003년 서울특별시 건축 위원회에서 재개발을 허가하면서 오래된 가게들이 헐리고 현대식 고층 건물이 밀집한 지역으로 모습이 바뀌었다.

바로 알기 ⑤ 기존의 건물이 헐리고 신축 건물이 들어서면서 상점들의 임대료가 상승했을 것이다.

03 도시 재개발

㉠은 도심 재개발, ㉡은 주거지 재개발에 대한 설명이다. 도심 재개발 과정에서는 접근성, 지대, 지가가 높은 도심 및 부도심에 토지의 효율성을 높이기 위해 고층 건물을 세우는 경우가 많으며, 낙후된 도심의 기능을 회복하기 위해 도로를 확대하고 교통 체계를 정비한다. 주거지 재개발은 경제적 개발 이익을 극대화하기 위해 고밀도의 공동 주택(아파트) 건설을 추진한다. 이를 통해 불량한 주거 환경이 개선되어 범죄 등의 사회 문제와 환경 오염 등이 줄어들 수 있다.

바로 알기 ④ 노후화된 불량 주거 지역이 재개발되면 주택 수가 늘어나고 야간 인구(상주인구)가 증가한다.

완자 정리 노트 도시 재개발의 유형

유형	내용
도심 재개발	도심의 노후화된 건물이나 불량 주거 지역을 상업 및 업무 지역으로 변화시켜 토지의 효율성을 높이는 사업
산업 지역 재개발	도시 내 노후 산업 단지 또는 전통 시장 등을 아파트형 공장, 현대식 시장, 주거 지역 등으로 변화시키는 사업
주거지 재개발	주거지의 환경을 개선하고 생활 기반 시설을 확충하는 사업

04 도심 재개발

사진은 대전역 부근의 과거와 현재 모습을 나타낸 것으로, 원도심인 대전역 주변은 재개발을 통해 새로운 변화를 맞이하고 있다. 도심 재개발은 도심 및 부도심의 간선 도로 및 노후 시가지의 기능을 살리기 위해 기존의 낡은 건물을 헐고 현대식 건물로 재정비하는 사업이다. 도심 재개발이 이루어지면 상업·업무 지역의 노후화된 불량 건물이 신축되어 주상 복합 건물이나 오피스텔, 상가, 업무용 빌딩이 들어선다.

바로 알기 ㄷ, ㄹ. 도심 재개발이 이루어지면 상주인구가 감소하고 주간 활동 인구가 증가하며, 용적률이 높아져 건물의 고층화가 이루어지는 등 도시 공간이 정비되고 토지 이용이 고도화된다.

05 주거지 재개발로 인한 변화

제시된 자료는 인천 ○○동 달동네의 철거 재개발 사례이다. 철거 재개발은 기존의 건물을 완전히 철거하고 새로운 건물을 짓는 방식이다. 이러한 과정에서 보상이 제대로 이루어지지 않거나 세입자가 높은 분담금을 내지 못하면 재개발 지역에 거주하기가 어렵다. 즉, 달동네의 판자촌이 재개발되면 원거주민들은 오랫동안 살아온 삶의 터전을 잃게 될 수도 있다.

바로 알기 ① 재개발 대상 지역은 저층의 낙후된 주택이 대부분이다. 재개발이 이루어진 후에는 건물의 평균 고도가 높아지게 될 것이다. ② 재개발이 이루어진 지역은 불량한 주거 환경이 개선되어 범죄나 비행 등의 사회 문제가 줄어들 것이다. ③ 전통 경관 보존은 사례 지역과는 관련이 없다. ⑤ 재개발 대상 지역은 대부분 난개발로 인하여 공공용지와 생활 기반 시설이 부족하다. 따라서 재개발이 이루어진 후에는 도로, 공원, 녹지 등의 공공용지의 면적이 늘어나게 될 것이다.

06 도시 재개발에 따른 도시 경관의 변화

그래프를 보면 서울시의 단독 주택의 비중은 줄어들고, 아파트와 다세대 주택의 비중은 증가하였음을 알 수 있다. 이는 서울시 주택 지역의 재개발 과정에서 단독 주택을 철거하고 아파트를 건설하는 경우가 많았기 때문이다.

| 바로 알기 | ㄷ. 2000년대 이후에는 다세대 주택보다 아파트의 공급이 활발하다. ㄹ. 1990~2015년에는 연립 주택의 감소율보다 단독 주택의 감소율이 더 크다.

07 도시 재생

도시의 발달로 인구가 증가하고 주거 공간이 확장되면서 새로운 중심지가 등장함에 따라 과거의 도심은 급격히 쇠퇴하여 지역 상권이 침체되기도 한다. 그러나 원도심 중에는 과거의 전통과 역사를 간직한 곳이 많아 최근 이러한 역사·문화적 자원을 활용한 도시 재생 사업이 주목받고 있다. 대구광역시 중구는 신도심이 개발되면서 쇠퇴한 원도심 지역이었으나, 최근 지역의 역사성에 스토리텔링을 가미하여 '근대 골목 관광'을 진행하고 관광객들을 유치하면서 지역 상권을 활성화시키고 있다.

| 바로 알기 | ㄱ. 제시된 사례와 같은 도시 재생 사업은 보전 재개발이나 수복 재개발 방식으로 이루어진다.

08 도시 재개발의 바람직한 방향

도시 재개발은 많은 이해관계를 발생시키기 때문에 재개발 과정에서 당사자 간의 충분한 토의와 의견 조정이 필요하고, 지역의 구성원인 주민, 지역 사회, 행정 기관 등이 참여하여 민주적인 절차를 거쳐야 한다. 또한, 소득 수준이나 토지 소유 관계 등을 고려하여 다양한 재개발이 추진되어야 한다. 재개발 추진 과정에서는 이주에 대한 원거주민의 불안감을 해소할 수 있도록 적절한 이주 대책을 제시하여 사회적 갈등을 최소화할 필요가 있다.

| 바로 알기 | ⑤ 도시 재개발로 발생하는 문제점을 줄이기 위해서는 재개발 과정에서 충분한 시간을 가지고 토의와 의견 조정을 진행해야 한다.

서술형 문제

132쪽

01 주제: 우리나라의 도시 계획

예시 답안 ㉠은 도시 인구 급증에 따른 도시 기반을 조성하는 시기로, 청계천 복개 공사 및 고가 도로 건설을 통해 차량 증가에 따른 도심 교통로 확보에 중점을 둔 도시 계획을 추진하였다. 반면, ㉡은 도시의 양적 성장 대신 질적 변화를 추구하는 시기로, 삶의 질과 환경 등에 초점을 맞춘 도시 계획이 전개되어 청계천을 생태 하천으로 복원하는 사업이 적극 추진되었다.

채점 기준

상	시기별로 다르게 나타나는 서울시 도시 계획의 특징을 정확하게 구분하여 구체적으로 서술한 경우
중	두 시기의 도시 계획의 특징을 정확하게 구분하여 썼으나, 서술이 미흡한 경우
하	두 시기의 도시 계획의 특징 중 한 가지만 정확하게 서술한 경우

02 주제: 도시 재개발

(1) 철거 재개발

(2) 예시 답안 철거 재개발은 노후화된 건물을 철거하고 새로운 시가지를 조성하여 도시 미관을 개선하고 토지 이용의 효율성을 높일 수 있다는 장점이 있지만, 원거주민의 낮은 재정착률과 자원 낭비 등의 단점이 있다.

채점 기준

상	철거 재개발의 장점과 단점을 각각 한 가지씩 정확하게 서술한 경우
하	철거 재개발의 장점과 단점 중 한 가지만 정확하게 서술한 경우

STEP 3 1등급 정복하기

133쪽

1 ⑤ 2 ①

1 재개발로 인한 주민 생활의 변화

서울시 마포구의 마포나루는 과거 한강의 큰 나루터였던 곳으로 새우젓 등의 젓갈류와 소금, 곡식류의 집결지였다. 특히 마포구 염리동은 이 마을에 옛날부터 소금장수들이 많이 살았던 데서 유래된 동네이다. 노후화된 주택들이 밀집해 있는 이곳은 1990년대 재개발 구역으로 지정되었으나, 재개발되기까지 시간이 지체되면서 불량 주택들이 생겨나고 주거 환경이 악화되었다. 주민들은 도시 재생 사업을 추진하여 나빠진 지역 이미지를 개선하기 위해 노력했지만, 결국 이 지역은 철거 재개발이 진행되었고 과거 염리동의 모습은 사라지게 되었다.

| 바로 알기 | ⑤ 재개발 과정에서는 원거주민을 강제로 이주시키거나 높은 입주 분담금으로 원거주민의 재정착률이 낮아지는 문제가 발생하기도 한다. 하지만 새롭게 지어진 고층 아파트에 원거주민보다 더 많은 수의 사람들이 들어와 거주하게 되므로 상주인구는 증가할 것이다.

2 도시 재개발의 유형

(가)는 지역 주민들이 중심이 되어 기존의 시설물을 최대한 보전하는 상태에서 마을의 일부를 여가 및 예술 공간으로 개조하는 형태의 재개발이 이루어졌다. 반면, (나)는 정부 주도로 기존의 주거지를 철거한 후 대규모 아파트 단지를 건설하는 재개발이 이루어졌다. 따라서 (가) 지역 재개발에 비해 (나) 지역 재개발은 기존 건물의 활용도가 낮고, 사업 자본의 규모가 크며, 지역 주민의 참여도는 낮은 편이다. 그림에서 찾으면 A에 해당된다.

04 지역 개발과 공간 불평등

STEP 1 핵심 개념 확인하기 138쪽

1 (1) 지역 개발 (2) 환경 불평등 (3) 핌피 현상 2 (1) 균 (2) 성 (3) 성 (4) 균 3 ㉠ 남동 임해 ㉡ 광역 개발 ㉢ 환경 4 ㉠ 혁신 도시 ㉡ 기업 도시

STEP 2 내신 만점 공략하기 138~140쪽

01 ⑤ 02 ⑤ 03 ③ 04 ④ 05 ① 06 ② 07 ② 08 ⑤

01 성장 거점 개발과 균형 개발

(가)는 성장 거점 개발 방식으로 입지 조건이 가장 우수한 곳에 제한된 자원을 집중 투자하여 그 투자 효과를 극대화하고 성장의 효과가 주변 지역에 파급되기를 기대하는 방식이다. (나)는 균형 개발 방식으로 낙후 지역에 우선적으로 투자하여 지역 간의 균형 발전을 추구하는 방식이다. 균형 개발 방식은 성장 거점 개발 방식에 비해 투자의 효율성이 낮고 의사 결정 속도가 다소 늦지만, 중앙 정부의 권한을 줄이고 지역 주민의 의견을 반영하여 지역의 실질 성장을 기대할 수 있다는 장점이 있다.

완자 정리 노트 지역 개발 방식

구분	성장 거점 개발	균형 개발
개발 목표	• 성장 기반 구축 • 효율성 추구	• 주민의 복지 증진 • 형평성 추구
개발 주체	중앙 정부	지방 정부 및 지역 주민
개발 방향	하향식 개발	상향식 개발
개발 내용	거점 지역을 집중 개발하여 파급 효과를 극대화	낙후 지역을 우선적으로 개발하여 지역 격차 해소
장점	투자의 효율성이 높음	주민 의견 반영
단점	• 지역 격차 발생 • 주민 의견 미반영	• 지역 이기주의 발생 • 중복 투자, 비효율성
채택 국가	주로 개발 도상국	주로 선진국

02 파급 효과와 역류 효과

(가)는 지역 개발의 효과가 주변 지역으로 확산되어 지역 간 격차가 해소되는 파급 효과를 나타낸 것으로, 개발 전에는 중심부와 주변 지역의 격차가 컸으나, 개발 후에는 주변 지역이 더 크게 발전하여 지역 격차가 줄어들었다. (나)는 지역 개발의 효과가 주변으로 확산되지 못하고 중심 지역으로 자본과 인력이 집중되는 역류 효과를 나타낸 것으로, 지역 간 격차는 개발 전보다 개발 후에 오히려 심화되고 있다. 우리나라는 산업화 이후 성장 거점 개발을 추진하여 빠른 경제 성장을 이루었지만, 역류 효과가 크게 나타나면서 지역 간 격차가 심화되었다.

바로 알기 ㄱ. (가)의 주변 지역이 성장한 것은 파급 효과가 나타났기 때문이다. ㄴ. (나)는 개발 후에 지역 격차가 심화되었다.

03 지역 개발 방식

㉠은 경제적 효율성을 강조하는 성장 거점 개발 방식으로, 중앙 정부가 주체가 되어 성장 잠재력 및 발전 가능성이 큰 거점 지역을 선정하고 이를 집중 개발함으로써 성장 거점의 개발 효과를 주변 지역으로 파급시키고자 한다. ㉡은 균형 개발 방식으로, 낙후 지역에 우선 투자하여 국토의 균형 발전을 이루고자 하며 지방 자치 단체나 지역 주민이 주체가 되어 개발하는 방식이다. ①, ② 남동 임해 공업 단지 조성은 성장 거점 개발 방식을 채택한 제1차 국토 종합 개발 계획, 서해안 산업 단지 조성은 균형 개발 방식을 채택한 제3차 국토 종합 개발 계획에서 추진한 것이다. ④, ⑤ 성장 거점 개발 방식은 짧은 시간에 개발 효과가 나타난다는 장점이 있으며, 균형 개발 방식은 지역 주민의 참여도가 높다는 장점이 있다.

바로 알기 ③ 성장 거점 개발 방식은 중앙 정부가 주도하는 하향식 개발이다.

04 우리나라의 국토 개발 계획

우리나라의 국토 개발은 1970년대에 제1차 국토 종합 개발 계획에 의해 경제 기반 확충을 위한 대규모 국책 사업이 전개되면서 특정 지역을 우선적으로 개발하여 파급 효과를 기대하는 방식으로 추진되었다. 특히, 산업 기반 조성을 위해서 수도권과 남동 임해 지역을 대상으로 공업을 집중적으로 육성하였다. 1980년대의 제2차 국토 종합 개발 계획은 국토의 균형 발전과 복지 향상을 목표로 다핵적 국토 공간 구조의 형성에 중점을 두었으며, 1990년대의 제3차 국토 종합 개발 계획에서는 남북 통일, 수도권과 지방의 균형 개발 등을 추진하기 시작하였다. 2000년대의 제4차 국토 종합 개발 계획은 개방형 통합 국토축을 형성하고, 환경친화적 국토 관리와 남북한 교류·협력을 위한 기반 조성을 중점 과제로 추진하고 있다. ㄴ. 제2차 국토 종합 개발 계획에서는 제1차 국토 종합 개발 계획에서 나타난 문제점을 해결하기 위해 지역 생활권 조성 및 국토의 다핵 구조 형성에 중점을 두었다. ㄹ. 제4차 국토 종합 계획에서는 개발과 환경의 조화를 중시하는 균형 발전을 추구하였다.

바로 알기 ㄱ. 국민 복지 향상과 통일 대비 기반 조성은 제3차 국토 종합 개발 계획의 목표에 해당한다. ㄷ. 사회 간접 자본 확충 및 국토 이용 관리 효율화는 제1차 국토 종합 개발 계획의 목표에 해당한다.

05 수도권과 비수도권의 격차

왼쪽 그래프를 보면 수도권의 인구는 지속적으로 증가하고 있는 반면, 영남권, 호남권, 강원·제주권은 인구 성장이 둔화되거나 감

소하는 추세를 보이고 있다. 또한 오른쪽 그래프를 통해 우리나라 지역 내 총생산의 약 50%가 수도권에 집중되어 있어 수도권과 비수도권 간 경제적 격차가 매우 큰 것을 알 수 있다. 이처럼 수도권으로의 집중이 심화하면서 다른 지역은 상대적으로 낙후되어 국토 공간의 불평등이 나타나고 있다.

바로 알기 ㄷ. 수도권의 인구 비중은 계속 증가하여 다른 권역과의 격차가 점점 커지고 있다. ㄹ. 수도권 집중에 따른 공간적 불평등은 1960년대 산업화 이후 성장 위주의 하향식 개발 전략을 추진해 온 결과 나타난 것이다.

06 혁신 도시

제시된 자료는 우리나라의 지역별 혁신 도시와 주력 업종을 나타낸 것이다. 혁신 도시는 공공 기관을 수도권에서 이전하고 해당 공공 기관과 관련 있는 기업, 학교, 연구소 등도 함께 유치함으로써 지역의 발전을 유도하기 위해 만들어진 미래형 도시이다. 이와 같은 혁신 도시를 조성하게 되면 국토의 고른 발전을 도모할 수 있으며, 각 지역의 특성을 살린 개발이 가능하므로 지역 경제 활성화 효과를 기대할 수 있다.

바로 알기 ② 민간 기업이 주도하여 건설을 추진하는 도시는 기업 도시이다.

07 환경 불평등

자료 분석

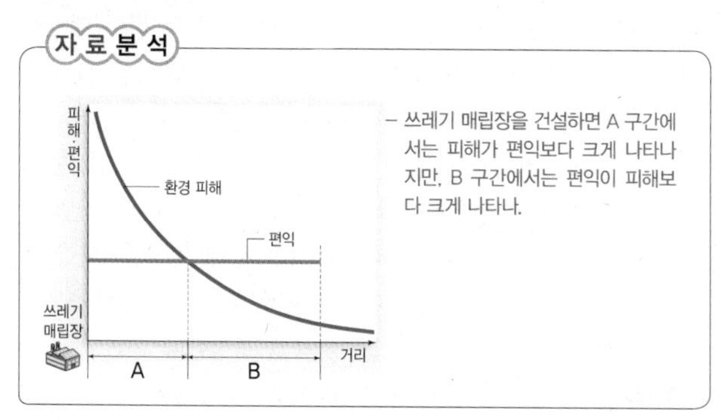

환경 불평등은 환경을 이용함으로써 발생하는 혜택, 피해, 책임 등이 균등하게 배분되지 않는 것을 말한다. A 지역은 쓰레기 매립장 건설에 따른 편익보다 환경 피해가 더 크기 때문에 쓰레기 매립장 건설을 반대할 것이다. 그러나 B 지역은 쓰레기 매립장 건설에 따른 편익이 환경 피해보다 더 크기 때문에 쓰레기 매립장 건설을 찬성할 것이다. 따라서 A 지역 주민과 B 지역 주민 간에 쓰레기 매립장 건설을 둘러싼 갈등이 발생할 수 있다.

바로 알기 ② A 지역 주민들은 쓰레기 매립장 건설에 따른 편익보다 피해가 더 크기 때문에 환경 불평등의 피해를 입게 된다. 따라서 쓰레기 매립장을 건설할 때 갈등을 최소화하기 위해서는 A 지역에 적절한 보상이 이루어져야 한다.

08 지속 가능한 발전

제시된 그림의 ㉠에 들어갈 용어는 지속 가능한 발전이다. 지속 가능한 발전은 현재 세대의 개발 욕구를 충족시키면서 동시에 미래 세대의 개발 능력을 해치지 않는 발전 전략으로, 국토 공간에 관한 사회적·경제적 요구와 환경 및 생태적 기능이 조화를 이룰 수 있도록 돕는 긍정적인 기능이 있다. 지속 가능한 발전을 토대로 한 국토 공간의 조성은 경제 성장, 환경 보전, 사회 통합을 함께 추구함으로써 실현할 수 있다. 우리나라는 지속 가능한 국토 공간을 조성하기 위해 경제 활동에서 환경적 가치를 고민하고 탄소 배출량 감소, 친환경 산업 육성, 슬로시티 운동 등의 노력을 기울이고 있다.

바로 알기 ⑤ 개발 위주의 정책은 자원의 낭비와 소모를 가져와 지속 가능한 발전을 저해한다.

서술형 문제

140쪽

01 주제: 환경 불평등

예시 답안 화력 발전소는 발전에 필요한 원료인 석탄을 수입해야 하기 때문에 주로 해안가에 입지하는 특성이 있다. 발전소에서 생산된 전기는 주로 대도시나 산업 단지에서 사용되지만, 발전 과정에서 배출된 오염 물질로 인한 피해는 발전소 주변 지역에서 주로 나타나 환경 불평등 문제가 발생하고 있다.

채점 기준

상	화력 발전소의 입지 특성과 이로 인해 나타나는 환경 불평등 문제를 정확하게 서술한 경우
하	화력 발전소의 입지 특성과 환경 불평등 문제 중 한 가지만 정확하게 서술한 경우

02 주제: 국토의 균형 발전

(1) A – 혁신 도시, B – 기업 도시

(2) 예시 답안 혁신 도시는 수도권에 소재한 공공 기관을 지방으로 이전하여 지역의 발전을 유도하기 위해 추진되고 있다. 기업 도시는 개발이 활성화되지 않은 지역의 경우 민간 기업이 주도하여 산업, 연구, 관광 등의 기능과 주거, 교육, 의료, 문화 등의 자족적 복합 기능을 갖추도록 하기 위해 추진하고 있다.

채점 기준

상	혁신 도시와 기업 도시의 조성 목적에 대하여 각각 정확하게 서술한 경우
중	혁신 도시와 기업 도시의 조성 목적 중 한 가지만 정확하게 서술한 경우
하	혁신 도시와 기업 도시의 조성 목적에 대하여 서술하였으나 내용이 미흡한 경우

STEP 3 1등급 정복하기 141쪽

1 ② 2 ⑤

1 우리나라의 국토 개발

제1차 국토 종합 개발 계획(1972~1981)은 생산 환경 조성을 목표로 하는 개발이었다. 즉, 고도의 경제 성장을 위한 기반 시설 조성을 목표로 수도권과 남동 임해 공업 지역 중심의 거점 개발이 행해졌던 시기이다. 이에 따라 지역 간 격차가 심화되고 거점 지역에서 과밀화의 문제가 발생하자, 제2차 국토 종합 개발 계획(1982~1991)은 생활 환경 개선에 관심을 갖기 시작했다. 즉, 인구 분산의 지방 정착과 생활 환경 개선을 목표로 하여 국토의 다핵 구조 형성에 중점을 두었다. 하지만 수도권 집중은 더욱 심화되었다. 따라서 균형 개발 방식의 제3차 국토 종합 개발 계획(1992~1999)에서는 그 동안 소외되었던 서해안 산업 지대와 지방 도시 육성에 역점을 두고 지방 분산형 국토 개발을 추진하였다. ② 균형 개발 방식은 지역 간 균형 발전을 목표로 형평성을 추구하는 방식이다.

바로 알기 ① 성장 거점 개발 방식은 주로 하향식 개발 방식으로 추진된다. ③ 서해안 고속 도로는 충청권과 호남권의 교통망 확충을 통한 지역 발전을 목적으로 건설되었으며, 1991년에 착공하여 2001년에 완공하였다. ④ 혁신 도시와 기업 도시는 수도권의 기능을 지방으로 이전하여 지방 균형 발전을 꾀하기 위한 것으로, 2000년대부터 조성되었다. ⑤ 제3차 국토 종합 개발 계획에서는 수도권 공장 총량제를 도입하여 수도권 집중 억제 정책을 실시하였다.

└ 수도권 과밀화 방지와 국토의 균형 발전을 위해 수도권에 새로 지을 공장의 건축 면적을 총량으로 설정해 이를 초과하는 공장의 신축과 증축을 규제하는 제도야.

2 지역 격차와 공간 불평등

도시와 농촌 간의 지역 격차는 산업화와 도시화로 인구와 기능이 도시로 집중되기 때문에 발생한다. 이로 인해 농촌의 인구가 감소하고 정주 환경이 악화되고 있다. 또한 농산물 유통의 구조적 문제와 농산물 시장 개방 등으로 농가의 실질 소득이 감소하고 있어 도시 근로자 소득과 농가 소득 간의 격차가 커지고 있다. 이를 해결하기 위해서는 도시와 농촌을 통합하여 개발하고 지역 자원을 활용한 개발을 통해 도시와 농촌의 상생 발전을 모색해야 한다.

바로 알기 ㄱ. 인구 및 산업의 도시 집중은 도시 위주 개발로 인한 파급 효과가 심화되서 생기는 것이 아니라 역류 효과가 발생하여 나타난다. ㄴ. 도시와 농촌의 격차가 귀농·귀촌 때문에 발생하는 것은 아니다.

대단원 실력 굳히기 144~147쪽

01 ② 02 ⑤ 03 ③ 04 ④ 05 ③ 06 ⑤ 07 ②
08 ③ 09 ② 10 ① 11 ④ 12 ③ 13 ⑤ 14 ⑤
15 ① 16 ④

01 전통 촌락의 형태

㉠은 특정 장소에 가옥이 밀집하여 분포하는 집촌에 해당하고 ㉡은 가옥이 흩어져 분포하는 산촌에 해당한다. 집촌은 논농사가 발달한 충적지나 평야 지대에 주로 분포하며, 협동 노동의 필요성이 큰 지역에 잘 발달한다. 반면 산촌은 구릉지나 산간 지역에 나타나는 경우가 많기 때문에 논농사보다는 밭농사가 발달한다.

바로 알기 ㄴ. 동족촌(同族村)이란 성(成)과 본(本)이 같은 부계의 혈족들이 모여 사는 마을을 말한다. 같은 조상의 자손으로 연결된 혈연 관계의 주민들이 특정한 지역에 한 마을을 이루어 집단으로 거주하기 때문에 주로 집촌을 이루는 경우가 많다. ㄹ. 집촌은 산촌에 비해 상대적으로 가옥의 밀집도가 높지만 경지와의 결합도는 낮다.

02 정주 체계

사람들이 일정 지역에 자리를 잡고 거주하며 살아가는 정주 공간은 규모가 작은 촌락에서부터 지역의 중심지인 도시에 이르기까지 다양하다. 도시와 촌락은 경관과 기능 면에서 서로 다른 특징이 나타나지만 서로 영향을 주고받는 상호 보완적 관계로, 도시는 재화와 서비스를 제공하는 중심지 역할을 수행하고 촌락은 도시에 식량 및 여가 공간을 제공하는 배후지 역할을 수행한다. 한편 도시 간 상호 작용에 의해 나타나는 계층 질서를 도시 체계라고 한다. 우리나라의 도시 체계에서 최상위 계층에 해당하는 서울은 전 지역을 배후지로 두고 영향을 미치는 중심지이며, 서울 다음으로 6개 광역시와 시·군 중심지 순으로 계층을 형성한다.

바로 알기 ⑤ 시·군 중심지는 저차 중심지로서 고차 중심지인 광역시에 비해 도시 수가 많다.

03 전통 농촌과 근교 농촌

(가)는 가족 구성원이 농사를 짓는 노인들로만 나타나는 것으로 보아 대도시에서 멀리 떨어진 전통 농촌 지역이며, (나)는 가족 구성원 중 일부는 농업과 관련된 일을 하고 다른 일부는 농업과 관련되지 않은 일을 하는 것으로 보아 대도시 주변의 근교 농촌 지역일 것이다. 근교 농촌은 대도시와의 접근성이 향상되면서 도시로 통근하는 주민이 늘고 인구 유입이 증가할 뿐만 아니라 공장, 상가, 주택 등 도시적 시설이 입지하면서 지가가 상승하여 토지가 집약적으로 이용된다. 또한 1차 산업 비중이 줄고 2·3차 산업 종사자가 증가하면서 주민들의 직업 구성이 다양해지고 있다.

바로 알기 ㄱ. 근교 농촌은 농업 이외에 2·3차 산업에 종사하는 겸업농가의 비율이 높은 편이다. ㄹ. 주곡 중심의 단일 작물 재배가 주로 이루어지는 지역은 전통 농촌 지역이다.

04 우리나라 도시의 인구 규모 순위 변화

우리나라 도시의 인구 규모 순위는 산업화와 교통 발달 등의 영향으로 많은 변화를 겪었는데, 특히 수도권과 남동 임해 지역에 위치한 도시들의 성장이 뚜렷하다. 1960년대 10위 안에 있었던 지방의 전통 도시인 전주, 목포, 청주 등은 2015년에 10위 밖으로 밀려났고, 1990년대부터 대도시의 교외화 현상으로 대도시 주변의 위성 도시들이 성장하여 수원, 고양 등이 10위 안에 포함되었다. ④ 1960년대는 수도권 도시 중 서울, 인천이 10위 안에 있었으나 2015년에는 서울, 인천, 수원, 고양이 10위 안에 있다.

바로 알기 ① A는 울산으로 영남권에 위치해 있다. ② 종주 도시화 현상은 수위 도시의 인구가 2위 도시의 인구의 2배보다 많은 현상으로, 1985년과 2015년의 서울과 부산의 인구를 비교해 보면 부산의 인구는 거의 변화가 없으나 서울의 인구는 소폭 증가하였으므로 종주 도시화 현상이 심화되었다. ③ 1985년~2015년 사이 광주의 인구는 100만 명에서 150만 명으로 약 50% 증가하였다. 수원은 1985년에는 10위 안에 없으므로 인구 50만 명도 안되었으나 2015년에 약 120만 명으로 약 140% 정도 인구가 증가하였다. ⑤ 1985년 이후 인구가 가장 많이 증가한 광역시는 인천이다.

05 개발 제한 구역

그림의 A는 개발 제한 구역이다. 개발 제한 구역은 도시의 무질서한 팽창을 방지하고 녹지 공간을 보전하기 위한 목적으로 도시 외곽에 설정된다. 최근에는 사유 재산권 침해, 도시 관리의 비효율성 등이 문제가 되어 일부 지역에서는 부분적으로 해제되고 있다.

바로 알기 ① 우리나라에서는 1971년에 서울 외곽 지역부터 개발 제한 구역이 설정되기 시작하였다. ② 인구 공동화 현상은 주간 유동 인구는 많고 야간 상주인구는 적은 도심에서 주로 나타난다. ④ 녹지 공간 보전을 위해 개발을 제한하므로 주거 기능이 밀집되기 어렵다. ⑤ 지대 지불 능력이 높은 기능은 접근성이 좋은 도심에 입지한다.

06 도시 내부 지역 분화의 원인

제시된 그래프를 보면 상주인구 밀도는 낮아지고 건물 높이는 높아지고 있다. 이는 도시 내부의 지역 분화로 인해 도심에서 나타나는 현상이다. 도심은 규모가 작고 인구가 적을 때는 여러 기능이 혼재하다가 도시의 규모와 인구가 증가하면 지대 지불 능력이 높은 상업·업무 기능들이 도심으로 모여들고, 지대 지불 능력이 낮은 주거 기능이 도심을 떠나는 지역 분화가 이루어진다. 따라서 대도시 내부의 도심은 토지 이용의 집약도가 높고 접근성이 좋아 높은 지대를 지불할 수 있는 중추 관리 기능이 들어선다.

바로 알기 ⑤ 도시 내의 지역 분화에 따라 도심 지역은 상주인구가 감소하여 초등학교의 수도 감소하고 있다.

07 인구 공동화 현상

그래프에서 (가) 지역은 주간 인구 밀도는 높으나 야간 인구 밀도가 낮은 도심으로 주·야간의 인구 밀도의 차이가 심한 인구 공동화 현상이 나타나고 있다. (나) 지역은 야간 인구 밀도가 높은 주변 지역으로 주거 기능이 발달해 있다. 출근 시간대에는 주변 지역에서 도심으로, 퇴근 시간대에는 도심에서 주변 지역으로 향하는 도로의 교통량이 많아진다.

바로 알기 ㄴ, ㄹ. 도심은 접근성이 높아 상업·업무 기능이 집중되어 있으며, 주변 지역보다 시가지의 형성 시기가 이르다.

08 주간 인구와 상주인구

제시된 그래프에서 상주인구의 분포를 통해 (가)는 서울의 주변 지역, (나)는 도심 지역임을 알 수 있다. ③ 도심은 상업·업무 기능이 발달해 있어 출근 시간대 유입 인구가 유출 인구보다 많다.

바로 알기 ① 서울 내에서 접근성이 가장 좋은 곳은 도심이다. ② (가) 지역은 2005년 대비 2015년에 주간 인구 지수 차이는 거의 없고 상주인구는 증가하였기 때문에 주간 인구도 증가하였다고 볼 수 있다. ④ 도심이 주변 지역에 비해 거주자의 평균 통근 거리가 짧다. ⑤ 2005~2015년 사이에 주변 지역은 상주인구가 증가하였으나, 도심은 상주인구가 감소하였다.

09 대도시권의 공간 구조

대도시 일일 생활권은 중심 도시와 중심 도시로의 통근 가능권에 속하는 교외 지역, 대도시 영향권, 배후 농촌 지역, 위성 도시로 구성된다. 제시된 그림에서 A는 중심 도시, B는 교외 지역, C는 대도시 영향권, D는 배후 농촌 지역, E는 위성 도시에 해당한다. ㄱ. 대도시의 중심 도시는 도심, 중간 지역, 주변 지역으로 도시 내부가 분화되어 있다. ㄹ. 위성 도시는 주거·행정·공업 등 중심 도시의 기능 중 일부를 분담한다.

바로 알기 ㄴ. 교외 지역은 중심 도시와 연속된 지역으로 거주지와 공장, 상가 등이 많다. 부도심은 중심 도시 안에 포함된다. ㄷ. 대도시 영향권에서 배후 농촌 지역으로 갈수록 도시적 경관은 감소한다.

10 대도시권의 구조

제시된 그림은 중심 도시와 대도시권의 모식도이다. A는 도심으로 접근성, 지대, 지가가 가장 높아 지대 지불 능력이 높은 기능이 입지한다. B는 부도심으로 교통의 결절점에 위치하여 도심의 상업·업무 기능을 분담한다. C는 대도시의 기능 중 일부를 분담하는 위성 도시로, 이 지역에는 대규모 주거 단지가 형성되면서 초등학교가 많이 신설되었다. D는 근교 지역으로 도시 경관과 농촌 경관이 혼재하여 나타나며, 대도시에 공급하기 위한 상품 작물을 재배하는 상업적 원예 농업이 발달하고 있다.

바로 알기 ① 도심은 접근성이 높아 상업·업무 기능이 밀집하면서 주거 기능의 이심 현상이 나타나 상주인구가 꾸준히 감소하고 있다.

11 도시 계획의 목적

도시 계획은 지역 사회의 공공의 이익을 증진시키는 것을 목적으로 도시를 건전하고 적정하게 관리해 나가는 것을 의미한다. 우리나라는 급속한 산업화와 도시화가 진행되면서 주택 부족, 주거 환경의 악화, 난개발과 자연환경 훼손 등 다양한 사회·경제적 도시 문제가 발생하였다. 도시 계획은 이러한 도시 문제를 완화하거나 해소시키고 미래에 일어날 수 있는 문제들을 예방하기 위한 목적으로 수립하는 것으로, 합리적인 토지 이용, 교통·위생·산업·문화 등에 관한 종합적인 계획을 세운다.

| 바로 알기 | ④ 최근 도시의 고유한 특성에 따라 다양한 수요를 반영하는 지역 맞춤형 도시 계획의 필요성이 커지면서, 획일화된 도시 계획에서 벗어나 지역 주민이 참여하는 지속 가능한 도시 계획으로 변화하는 추세이다.

12 도시 재개발의 유형

(가)는 기존의 낡은 주택을 철거하고 대규모 아파트 단지를 건립하는 방식으로 재개발이 이루어졌으며, (나)는 주민들의 의사를 적극 반영하여 낡은 주택을 보수하고 부족한 시설을 보완하는 방식으로 재개발이 이루어졌다. 따라서 (가)는 (나)에 비해 투입 자본의 규모가 크고 상주인구 증가 폭이 크다. 반면, 기존 건물 활용도나 지역 주민의 참여도는 낮으며 신축 건물에 대한 막대한 분담금으로 인해 기존 원거주민의 재정착률도 낮게 나타난다.

13 도시 재생

대구광역시는 인구와 기능을 분산하기 위해 신도심 개발을 진행하였고, 이에 따라 투자에 소홀한 원도심은 상대적으로 낙후되었다. 주거지의 상당수가 신도심으로 옮겨가면서 원도심의 공동화 현상이 심각해지자 대구광역시는 원도심이 가지고 있는 역사·문화적 자원을 활용한 도시 재개발을 추진하였고, 그 결과 많은 관광객들을 끌어들이면서 지역 경제가 되살아나고 있다. 대구의 도시 재생은 개발 중심에서 지역 공동체가 중심이 되는 사례를 보여 주고 있다.

| 바로 알기 | ⑤ 대구광역시의 도시 재생 사업은 원도심의 기반 시설을 전면 철거하고 새롭게 대체하는 방식이 아니라 지역의 역사·문화적 특성을 살리고 이를 유지하는 방향으로 진행된다.

14 지역 개발 방식 비교

(가)는 투자 효과가 가장 큰 지역을 선정해 집중 투자하여 경제 성장의 극대화와 경제적 효율성을 추구하는 성장 거점 개발, (나)는 낙후 지역에 우선적으로 투자하여 지역 간 균형 발전과 경제적 형평성을 추구하는 균형 개발이다. 따라서 ⑤ (가)는 (나)보다 한정된 자원의 효율적 배분에 유리하다.

| 바로 알기 | ① (가)는 제1차 국토 종합 개발 계획에서 채택되었다. ② 지역 이기주의는 균형 개발 과정에서 주로 나타난다. ③ 개발 도상국에서 주로 채택하는 것은 (가)의 성장 거점 개발 방식이다. ④ (가)는 하향식 개발, (나)는 상향식 개발 방식이다.

15 성장 거점 개발과 균형 개발의 특성

(가)는 성장 거점 개발, (나)는 균형 개발의 특성을 나타낸 것이다. (가)를 보면 중심부는 개발에 따른 총비용이 적게 들지만, 그에 비해 총수익이 커 개발의 효과가 크게 나타난다. 반면, 주변부로 갈수록 총수익에 비해 총비용이 많이 들어 개발에 따른 효과가 낮다. (나)는 중심부와 주변부 모두 개발에 따른 총비용과 총수익에 큰 차이가 없다. 따라서 지역 개발은 낙후 지역인 주변부에서 활발하게 이루어진다.

| 바로 알기 | ㄷ. (가)는 개발 도상국, (나)는 선진국에서 주로 채택한다. ㄹ. 우리나라는 과거 성장 거점 개발 방식에서 현재는 균형 개발 방식으로 전환하였다.

16 도시와 농촌의 격차

1970년대 이후 급속한 산업화와 도시화가 진행됨에 따라 도시 지역은 인구와 산업이 집중된 반면, 농촌 지역은 지속적인 인구 유출로 노동력 부족, 경제력 저하 등의 문제가 발생하고 있다. 도시와 농촌의 소득 변화를 살펴보면, 1990년대부터 도시 근로자들의 소득이 급격히 증가하여 도시와 농촌 간 소득 격차가 커지기 시작하였다. 이러한 지역 격차는 국토의 효율적 이용을 막아 국가 경쟁력을 약화시킬 수 있기 때문에 농촌 지역 개발 및 지원을 강화해야 한다.

| 바로 알기 | ④ 도시와 농촌 간 격차를 줄이기 위해서는 균형 발전 차원에서 농촌 지역에 특화된 개발 전략을 수립하고 농촌에 투자를 확대하여 생활 기반 개선과 지역 경쟁력 확보를 지원하는 노력이 필요하다.

V. 생산과 소비의 변화

01 자원의 특성과 지속 가능한 이용

STEP 1 핵심 개념 확인하기 154쪽

1 ㉠ 자원 ㉡ 경제적 2 (1) – ㉢ (2) – ㉡ (3) – ㉠ 3 (1) ㄴ (2) ㄷ (3) ㄱ 4 (1) 천연가스 (2) 석유 5 (1) ○ (2) ○

STEP 2 내신 만점 공략하기 154~157쪽

01 ① 02 ④ 03 ② 04 ② 05 ③ 06 ① 07 ③ 08 ⑤ 09 ③ 10 ① 11 ① 12 ④

01 자원의 의미와 특성

자원은 자연물 중에서 인간 생활에 쓸모가 있고 기술적으로 개발할 수 있으며 경제적으로도 이용 가치가 있는 것을 말한다. 자원은 의미에 따라 좁은 의미의 자원과 넓은 의미의 자원으로 분류할 수 있다. 또한 재생 가능성에 따라 재생 자원과 비재생 자원으로 구분하기도 한다. 자원은 언젠가는 고갈되는 유한성, 석유처럼 특정 지역에 집중하여 분포하는 편재성, 자원의 가치가 과학 기술의 발달 정도, 경제적 조건, 문화적 배경 등에 따라 달라지는 가변성을 지닌다.

바로 알기 ① 좁은 의미의 자원은 철광석, 석탄, 석유 등의 천연자원을 가리킨다. 넓은 의미의 자원은 천연자원뿐만 아니라 사회 제도, 조직, 전통 등의 문화적 자원과 기술, 노동력 등의 인적 자원을 포함한다.

02 자원의 특성

최근 텅스텐의 가격 상승으로 강원도 영월군에 있는 광산에서 텅스텐 생산을 재개한 것은 기술적 의미의 자원에서 경제적 의미의 자원으로 변화한 사례(D)이다.

03 자원의 범위

자원은 인간 생활에 유용하게 이용되며 기술적·경제적으로 개발이 가능한 것을 말한다. 제시된 그림에서 A는 기술적으로 개발할 수 있지만 경제성이 없어 개발되지 않는 기술적 의미의 자원이며, B는 기술적으로 개발이 가능하며 경제성이 있어 일상생활에서 사용되는 경제적 의미의 자원이다. 따라서 B는 현재 기술적 의미의 자원 중에서 경제적으로도 가치가 있기 때문에 일상생활에서 사용되는 자원의 범위와 일치한다.

바로 알기 ① 석유는 A에서 B로 이동하여 오늘날 가장 많이 사용되는 자원이다. ③ 경제적 의미의 자원은 현재 소비가 활발히 이루어지기 때문에 기술적 의미의 자원보다 고갈 가능성이 더 크다. ④ 경제적으로 활용 가치가 있다하더라도 대체 자원의 개발이나 경제성이 부족하여 소비가 이루어지지 않는다면 B에서 A로 이동하기도 한다. ⑤ A와 B의 범위는 과학 기술의 발달 정도, 경제적 조건, 문화적 배경 등에 의해 달라진다.

04 자원의 구분

A는 화석 연료, B는 금속 광물, C는 태양광(열), 조력, 수력, 풍력 등과 같은 재생 자원이다. 연속성의 관점에서 자원을 구분해 보면 화석 연료는 고갈 가능성이 가장 높은 자원이다. 반면, 태양광(열), 조력, 수력, 풍력 에너지는 무한대로 생산할 수 있어 재생 가능성이 높은 자원이다. 금속 광물이나 비금속 광물 역시 화석 연료처럼 유한성을 가지고 있지만 인간의 사용량과 재활용 수준에 따라 고갈 시기가 달라질 수 있다.

바로 알기 ② 장기적인 관점에서 화석 연료는 계속해서 생성되고 있지만, 소비되는 속도에 비해 생산량이 매우 적어 궁극적으로 비재생 자원으로 분류한다.

05 광물 자원의 분포

(가)는 강원도 남부 및 충청북도 북부 지역 등에 주로 매장되어 있는 석회석이다. 석회석은 시멘트 공업의 원료로 이용되며 우리나라에 비교적 매장량이 풍부한 편이다. (나)는 하동, 산청 등 경상남도 서부 지역에 주로 매장되어 있는 고령토이다. 주로 도자기 공업 및 화장품, 종이 등의 원료로 사용된다.

바로 알기 ㄱ. 석회석은 주로 고생대 조선 누층군 지층에 매장되어 있다. 고생대 평안 누층군에 매장되어 있는 것은 무연탄이다. ㄹ. 석회석은 고령토보다 가채 연수가 길다.

06 1차 에너지원별 소비 구조의 변화

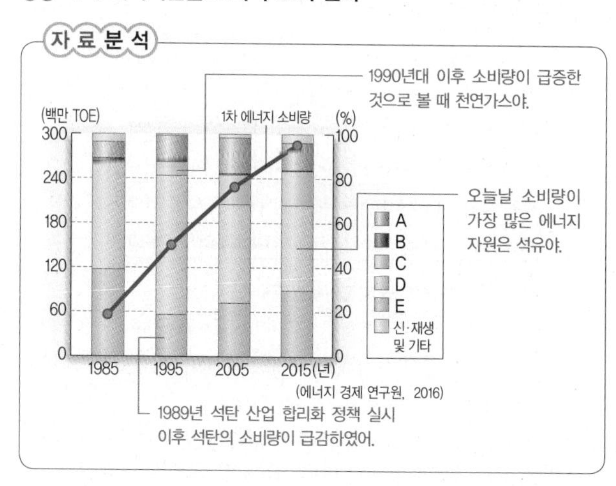

그래프의 A는 원자력, B는 수력, C는 천연가스, D는 석유, E는 석탄이다. ② 수력 발전은 발전 과정에서 대기 오염 물질 및 온실 기체 배출이 거의 없다. ③ 천연가스는 울산 앞바다의 가스전에서 2004년부터 소량 생산되고 있다. ④ 석유는 1970년대 이후 중화학 공업의 발달과 교통수단의 증가에 따라 소비량이 크게 늘어났다. ⑤ 석탄은 석유와 천연가스의 소비 증가에 따른 수요 감소와 석탄 산업 합리화 정책으로 인해 대부분의 탄광이 폐쇄되어 생산량이 급격히 감소하였다.

바로 알기 ① 우리나라에서 소비 비중이 가장 높은 에너지 자원은 석유이다.

07 주요 에너지 자원의 수입국

(가)는 주로 오스트레일리아, 인도네시아에서 수입하는 것으로 볼 때 석탄이다. (나)는 주로 사우디아라비아, 쿠웨이트 등 서남아시아에서 수입하는 것으로 볼 때 석유이다. (다)는 카타르, 인도네시아, 오만 등 서남아시아와 동남아시아 등에서 수입하는 것으로 볼 때 천연가스이다.

완자 정리 노트 에너지 자원의 특징

석탄	무연탄	• 분포: 고생대 평안 누층군 일대, 강원도 남부 일대 등에 매장 • 특징: 1980년대 후반부터 석탄 산업 합리화 정책으로 현재 생산량 급감
	역청탄	제철 공업 및 화력 발전 원료로 이용, 오스트레일리아, 인도네시아 등에서 전량 수입
석유		• 분포: 거의 대부분 수입에 의존 • 이용: 화학 공업의 원료 및 수송용 연료로 이용
천연가스		• 분포: 울산 앞바다의 가스전에서 소량 생산됨, 동남아시아 및 서남아시아에서 대부분 수입 • 이용: 가정용 및 발전용 연료로 이용

08 1차 에너지의 지역별 생산 비중

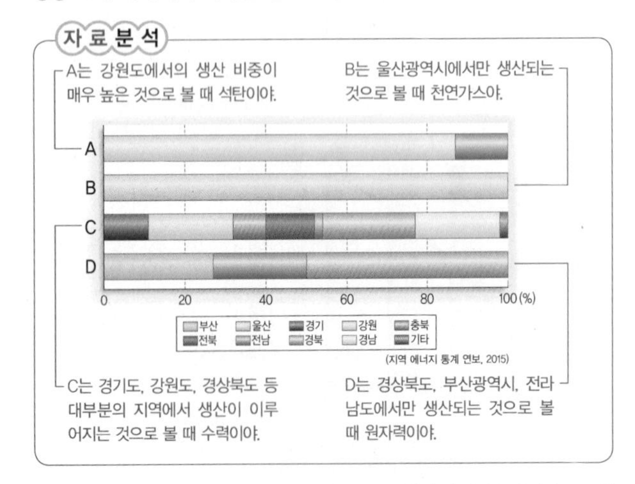

A는 석탄, B는 천연가스, C는 수력, D는 원자력이다. 석탄은 고생대 평안 누층군에 주로 매장되어 있다. 천연가스는 석탄, 석유보다 연소 시 대기 오염 물질이 적어 최근 소비량이 빠르게 증가하고 있다. 원자력 발전소는 지반이 단단하고 냉각수 확보가 쉬운 해안가에 입지해야 한다.

바로 알기 ㄷ. 수송용 연료로 주로 이용되는 에너지 자원은 석유이다.

09 발전 설비 용량과 발전량 비중

우리나라의 발전 설비 용량과 발전량 비중은 모두 화력 〉 원자력 〉 수력 순이다. 따라서 그래프의 A는 수력, B는 원자력, C는 화력이다. 수력 발전은 발전 과정에서 대기 오염 물질의 배출이 거의 없지만 안정적인 전력 생산이 어렵고 댐 건설 비용이 많이 든다. 원자력 발전은 적은 양의 연료(우라늄)로 대용량의 전력 생산이 가능하다. 하지만 발전소 건설비가 비싸고, 방사능 유출의 위험과 방사성 폐기물 처리 문제가 발생한다. 화력 발전은 발전소 건설 비용이 적고, 입지가 비교적 자유롭다는 장점이 있다. 그러나 화석 연료를 사용하기 때문에 연료비가 많이 들고, 대기 오염 물질 및 온실 기체 배출량이 많다는 단점이 있다.

바로 알기 ①, ②, ⑤ 수력 발전은 주로 물의 낙차를 이용하여 전기를 생산하기 때문에 낙차가 크고 유량이 많은 곳에 입지하는 것이 유리하다. 그러나 계절별 하천 유량의 변동이 큰 우리나라에서는 안정적인 전력 생산이 어려워 발전 설비 용량 대비 발전량 비중은 낮다. ④ 원자력 발전에 사용되는 연료인 우라늄은 러시아, 캐나다 등으로부터 전량 수입하고 있다.

완자 정리 노트 전력 자원의 분포와 특징

화력 발전	• 분포: 전력 소비가 많은 대도시나 공업 단지에 입지 • 특징: 발전소 건설 비용이 적음, 대기 오염 물질 배출량이 많음
원자력 발전	• 분포: 지반이 단단하고 냉각수 확보가 쉬운 해안가에 입지 • 특징: 발전 단가가 저렴한 편, 방사능 유출의 위험이 있음
수력 발전	• 분포: 유량이 풍부하고 낙차가 큰 곳 • 특징: 연료비가 들지 않고, 대기 오염 물질 배출이 거의 없음

10 자원 문제와 대책

우리나라는 산업이 발달하고 생활 수준이 높아지면서 자원 소비량이 빠르게 증가하고 있다. 이에 따라 증가하는 자원 수요를 충족하기 위해 해외 자원의 수입량이 점차 많아지고 있으며, 특히 석유나 천연가스 등 에너지 자원의 수입 의존도가 매우 높아 국제 가격 변동에 취약한 경제 구조가 나타나고 있다. 이러한 문제를 해결하기 위해 에너지 절약형 산업을 지속적으로 육성해야 한다. 또한 자원의 안정적인 확보를 위해 해외 자원을 개발하여 자원의 자주 개발률을 높이고, 자원의 수입처를 다변화하려는 노력이 필요하다. 화석 연료를 대체할 수 있는 다양한 신·재생 에너지의 개발 및 이용 확대가 필요하다.

바로 알기 ① 자원 민족주의는 국제적으로 수급이 불안정한 특정 자원을 보유한 국가에서 자원을 이용하여 국제적 이익을 극대화하려는 행위를 말한다. 우리나라는 자원이 부족한 국가이므로 자원 민족주의의 강화는 대책으로 보기 어렵다.

11 신·재생 에너지의 분포

지도의 A는 대관령, 영덕, 제주도를 중심으로 분포하므로 풍력 발전소, B는 시화호에 있는 조력 발전소, C는 울돌목에 있는 조류 발전소, D는 전라남도 지역에 집중적으로 분포하는 태양광 발전소이다. 풍력 발전소는 강원도 산간 지방이나 제주도처럼 바람이 강하게 부는 지역에 입지한다.

| 바로 알기 | ② 조력 발전은 조석 간만의 차가 큰 지역에서 유리하다. ③ 조류 발전은 바닷물의 흐름이 빠른 지역에서 유리하다. ④ 태양광 발전은 일조량이 풍부한 지역에서 유리하다. ⑤ 조력 발전과 조류 발전은 지형 조건의 영향을 많이 받는다.

12 신·재생 에너지의 생산량 변화

제시된 그래프를 통해 총1차 에너지 생산량이 해마다 증가하고 있음을 알 수 있다. 또한 오늘날 총1차 에너지 생산량에서 신·재생 에너지가 차지하는 비율은 4.08%에 이른다.

| 바로 알기 | ㄹ. 총1차 에너지 소비량은 2004년~2014년 220.2백만 톤에서 282.9백만 톤으로 1.28배 증가하였으나 신·재생 에너지 생산량은 4.6백만 톤에서 11.5백만 톤으로 2.5배 증가하였다.

서술형 문제

157쪽

01 주제: 석탄 생산량과 수입량 변화

(1) A – 역청탄, B– 무연탄

(2) 예시 답안 무연탄은 1960년대부터 주요 에너지원으로 이용되었으나, 석유와 천연가스의 소비 증가에 따른 수요 감소와 1989년 정부의 석탄 산업 합리화 정책으로 인해 대부분의 탄광이 폐쇄되어 현재는 생산량이 적다.

채점 기준

상	석유와 천연가스의 소비 증가에 따른 수요 감소, 정부의 석탄 산업 합리화 정책에 따른 무연탄 생산량 감소를 정확히 서술한 경우
하	정부의 석탄 산업 합리화 정책으로 무연탄의 생산량이 감소하였다고만 서술한 경우

02 주제: 원자력 발전소의 입지 특성

예시 답안 원자력 발전. 원자력 발전소는 지반이 단단하고 냉각수를 확보하기 쉬운 해안가에 입지한다.

채점 기준

상	원자력 발전이라고 쓰고, 입지 조건에 대한 서술이 정확한 경우
중	원자력 발전이라고 썼으나, 입지 조건에 대한 서술이 미흡한 경우
하	원자력 발전이라고만 쓴 경우

STEP 3 1등급 정복하기

158~159쪽

1 ④ 2 ④ 3 ② 4 ①

1 광물 자원의 특성

(가)는 (가)~(다) 중에서 가채 연수가 가장 길고, 고생대 조선 누층군이 분포하는 강원, 충북에서 생산량 비중이 높은 것으로 볼 때 석회석이다. (나)는 석회석 다음으로 가채 연수가 길고, 강원, 경남, 경북 등에서 생산량 비중이 높은 것으로 볼 때 고령토이다. (다)는 (가)~(다) 중에서 가채 연수가 가장 짧고, 강원에서 대부분 생산되는 것으로 볼 때 철광석이다. 석회석은 시멘트, 제철용 코크스의 원료로 이용되며, 매장량이 풍부하여 생산량이 많다. 고령토는 주로 도자기, 내화 벽돌, 종이, 화장품 등의 원료로 이용된다. 철광석은 금속 광물 중 가장 많이 소비되는 자원으로 제철 및 철강 공업에 주로 이용된다. 철광석은 대부분 북한 지역에 매장되어 있으며, 남한의 경우에는 강원도 양양에서 소량 생산되고 있다.

| 바로 알기 | ④ 석회석은 국내 매장량과 생산량이 많은 편이다. 철광석은 국내 매장량과 생산량이 적어 대부분 오스트레일리아, 브라질 등에서 수입하고 있다. 따라서 석회석은 철광석보다 자원의 수입 의존도가 낮다.

2 에너지 자원의 권역별 생산 구조

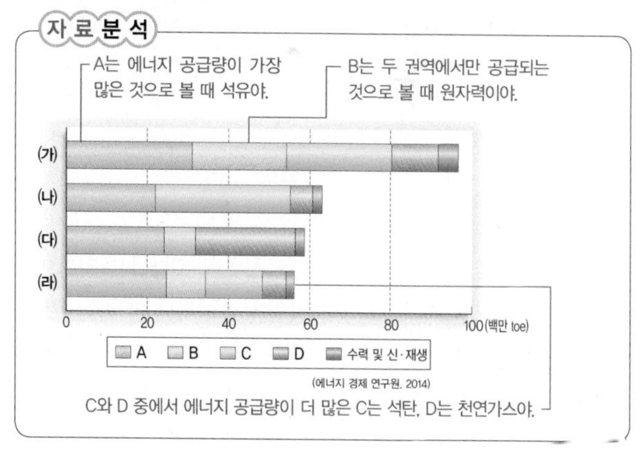

A는 석유, B는 원자력, C는 석탄, D는 천연가스이다. 1차 에너지 공급량이 가장 많으며, 석유, 원자력, 석탄의 공급 비중이 높은 (가) 지역은 중화학 공업이 발달한 영남권이다. 석탄을 활용한 화력 발전소가 입지하여 석탄의 공급량이 가장 많은 (나) 지역은 충청권이다. 가정용 연료로 주로 이용되는 천연가스의 공급량이 상대적으로 많은 (다) 지역은 수도권이다. 영남권과 함께 원자력이 공급되는 (라) 지역은 호남권이다. ㄱ. 우리나라는 천연가스의 대부분을 수입에 의존하고 있으며, 울산 앞바다의 가스전에서 2004년 7월부터 소량 생산하고 있다. ㄷ. 석유는 석탄보다 우리나라 1차 에너지 공급에서 차지하는 비중이 높다. 우리나라 1차 에너지 공급에서 차지하는 비중은 석유 〉 석탄 〉 천연가스 〉 원자력 순이다.

| 바로 알기 | ㄹ. 우리나라 1차 에너지원별 발전량은 석탄 〉 원자력 〉 천연가스 〉 석유 순이다.

3 에너지 자원의 공급 및 소비 특성

A는 1차 에너지 공급 비중이 가장 많은 것으로 볼 때 석유이다. B는 오스트레일리아, 중국 등에서 수입되는 것으로 볼 때 석탄이다. C는 도시가스와 전력으로 전환되는 것으로 볼 때 천연가스이다. ㄱ. 석유는 정유, 전력으로 전환되어 최종 에너지로 소비된다. ㄷ. 천연가스는 국내에서 소량 생산되는 반면, 원자력의 원료인 농축 우라늄은 러시아, 캐나다 등으로부터 전량 수입하고 있다. 따라서 천연가스는 원자력보다 해외 의존도가 낮다. 또한 천연가스는 도시가스, 열에너지로 전환되어 다양한 용도로 사용되는데 반해 원자력은 전부 전력 생산에만 사용된다.

바로 알기 ㄴ. 석탄이 1차 에너지에서 차지하는 비중은 28.3%, 전력에서 차지하는 비중은 39.4%로 1차 에너지에서 차지하는 비중보다 전력에서 차지하는 비중이 더 높다. ㄹ. A, B, C를 모두 합친 화력 발전량 비중은 64(=5.2+39.4+19.4)%이다. 반면 원자력은 32.3%이다. 따라서 발전량 비중은 원자력이 화력보다 작다.

4 신·재생 에너지의 특성

자료분석

한강 수계에 해당하는 지역에서 생산되는 것으로 볼 때 (가)는 수력 발전이야.

강원, 경북, 제주에서 집중적으로 이루어지는 (나)는 풍력 발전이야.

(2014년, %)

구분	1위		2위		3위	
	지역	비중	지역	비중	지역	비중
(가)	강원도	22.2	충청북도	21.5	경기도	19.2
(나)	강원도	34.5	경상북도	25.5	제주도	21.6
(다)	전라남도	25.9	전라북도	17.4	경상북도	11.4

일조량이 풍부한 전남이 가장 많은 비중을 차지하는 것으로 볼 때 (다)는 태양광 발전이야.

강원도와 충청북도, 경기도는 한강 중·상류에 해당하는 지역으로 유량이 풍부하고 낙차가 커 수력 발전에 유리하다. 따라서 (가)는 수력 발전이다. (나)는 산지가 많은 강원도와 제주도의 발전 비중이 높게 나타나므로 풍력 발전이다. (다)는 전라남도 지역에 많이 분포하는 태양광 발전이다. 수력의 발전량은 강수량이 풍부해 하천의 유량이 증가하는 여름이 봄보다 많다.

바로 알기 ② 풍력 발전은 바람이 강해야 발전이 이루어지므로 발전 가능 시간이 불규칙적이다. ③ 태양광 발전은 일조량이 풍부해야 하기 때문에 낮에 주로 발전이 이루어지는 반면 밤에는 발전이 거의 이루어지지 않는다. ④ 태양광 발전은 주택의 마당이나 옥상에 설치하여 발전이 이루어지는 경우가 많다. 반면 풍력 발전은 대규모의 풍력 발전기를 설치해야 하기 때문에 해안가나 높은 고원 지대에서 이루어지는 경우가 많다. ⑤ 2014년을 기준으로 수력, 태양광, 풍력 순으로 발전량이 많다.

02 농업의 변화와 농촌 문제

STEP 1 핵심 개념 확인하기 162쪽

1 ㉠ 노동력 ㉡ 고령화 2 (1) 감소, 증가 (2) 감소 3 (1) × (2) ○ (3) ○ 4 (1) 상업적 (2) 자유 무역 협정(FTA) 5 농산물 브랜드화

STEP 2 내신 만점 공략하기 162~164쪽

01 ④ 02 ⑤ 03 ③ 04 ② 05 ④ 06 ② 07 ③ 08 ③

01 농업의 비중 감소

우리나라는 1960년대 이후 산업화와 도시화가 빠르게 진행되면서 국가 경제에서 농업이 차지하는 비중이 크게 감소하였다. 농촌 인구는 지속적으로 감소하였는데, 이는 농촌의 청장년층이 대도시로 빠져나가는 이촌 향도 현상 때문이다. 이로 인해 농촌에서는 노동력 부족, 인구 고령화 등의 문제가 나타났다.

바로 알기 ㄹ. 연령별 농가 인구 구성비에서 인구 비율이 가장 크게 감소한 연령층은 유소년층이다.

02 우리나라 농업 구조의 변화

우리나라는 산업화 이후 제조업과 서비스업을 중심으로 경제가 빠르게 성장하면서 농촌 인구는 지속적으로 감소하였다. 한편, 농경지가 주택, 도로, 공장 등으로 이용되면서 경지 면적이 감소하였다. 또한 농업 노동력이 부족해짐에 따라 휴경지가 증가하고 그루갈이가 감소하여 경지 이용률은 줄어들었다. 이러한 농업 구조의 변화와 관련해 영농의 기계화가 진행되고 있다.

바로 알기 ⑤ 농가 호당 경지 면적이 증가하는 것으로 볼 때, 경지 면적의 감소 속도보다 농업 인구의 감소 속도가 빠른 것을 알 수 있다.

03 작물별 재배 면적의 비중 변화

자료분석

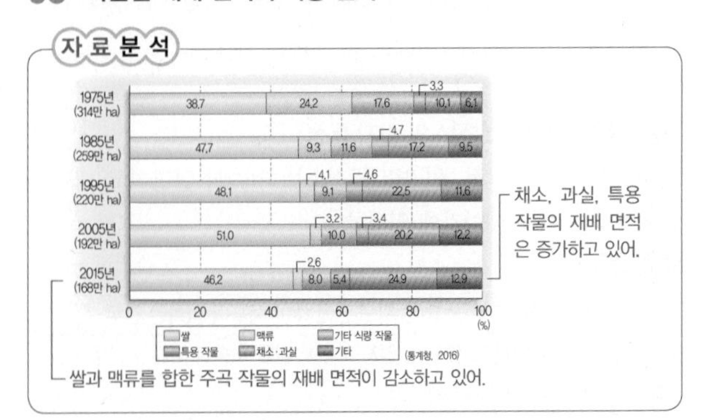

우리나라의 농업 구조는 경제 수준이 향상되고 사람들의 식생활이 변화하면서 전통적인 자급적 곡물 농업 중심에서 상품 작물 중심의 상업적 농업으로 변화하고 있다.

| 바로 알기 | ① 우리나라의 영농 구조는 다양한 상품 작물의 재배 결과 다각화되고 있다. ② 쌀, 맥류 등 주곡 작물의 재배 면적은 감소하고 있다. ④ 자급적 농업 중심에서 상업적 농업 중심으로 변화하고 있다. ⑤ 채소와 과일 등 상품 작물의 재배 면적 비중은 늘어났지만, 이로 인해 수입량이 줄어들지는 않았다. 오히려 저렴한 외국산 농산물의 수입량이 증가하고 있다.

04 농산물 소비 특성의 변화

1970년대 이후 농산물에 대한 소비자의 기호 변화에 따라 쌀과 같은 주곡 작물의 소비량은 줄어드는 반면, 상품 작물과 축산물의 소비량은 지속적으로 늘어나고 있다.

| 바로 알기 | ① 그루갈이 작물인 쌀과 보리의 소비량이 줄어들어 그루갈이 작물의 재배는 감소하였을 것이다. ③ 식생활이 변화하면서 1인당 연간 쌀 소비량은 감소하고 있다. ④, ⑤ 상품 작물의 수요가 증가하여 상업적 농업이 발달하게 되었다.

05 도별 작물 재배 면적

A는 다른 작물에 비해 재배 면적이 넓고 평야가 발달한 전라남도, 전라북도, 충청남도 등에서 재배 비중이 높은 것으로 볼 때 식량 작물이다. B는 경상북도와 제주특별자치도에서 재배 면적 비중이 높게 나타나는 것으로 볼 때 과수이다. C는 강원도와 제주특별자치도에서 재배 면적 비중이 높게 나타나는 것으로 볼 때 채소이다.

06 주요 곡물의 자급률 변화

그래프의 A는 쌀, B는 보리, C는 옥수수이다. 우리나라는 쌀을 제외한 식량 작물의 자급률이 낮은 편이며, 특히 밀과 옥수수는 국내 소비량의 대부분을 수입에 의존하고 있다. 보리는 주로 벼의 그루갈이 작물로 재배되는데, 최근 수익성 감소와 외국 농산물의 수입 확대로 생산량이 감소하였다.

| 바로 알기 | ㄴ. 이천과 여주는 쌀이 지리적 표시제 상품으로 지정되어 있다. ㄹ. 보리는 옥수수보다 자급률이 높다.

07 세계화와 농업 변화

세계 무역 기구(WTO)의 출범과 자유 무역 협정(FTA)의 체결 확대로 농산물 시장이 개방되면서 선진국의 대규모 농장에서 과학적 방식으로 생산된 농작물과 개발 도상국의 풍부하고 저렴한 노동력을 바탕으로 생산된 값싼 농산물이 우리나라에 많이 유입되고 있다. 그 결과 우리나라의 곡물 자급률은 지속적으로 하락하고 있으며, 국내 농산물의 가격 경쟁력이 약화되어 영농을 포기하는 농가가 늘어나는 등 농산물 시장 개방으로 우리나라의 농업이 어려움에 처해 있다.

| 바로 알기 | ③ 우리나라 농업은 영농 규모가 작고, 유통 구조가 복잡하여 가격 경쟁력이 낮은 편이다. 따라서 농산물 시장 개방으로 저렴한 외국 농산물이 수입되면서 농가의 실질 소득은 감소하고 있다.

08 농업 문제에 대한 대책

그래프는 농가 소득 중 농업 소득이 차지하는 비중이 감소하고 있으며, 도시와의 소득 격차가 벌어지고 있음을 보여 준다. 이는 복잡한 농산물 유통 구조, 값싼 외국산 농산물의 수입 증가 등이 주요 원인이다. 이러한 문제를 해결하기 위해서는 농산물의 고급화 전략이 필요하고, 수입 농산물과의 차별화를 위해 유기 농업을 비롯한 친환경 농산물 재배를 확대해야 한다. 또한 영농 조합이나 농업 회사 법인 등을 설립하여 영농 규모를 확대해야 한다. 복잡한 농산물 유통 구조를 개선하기 위해 농산물 직거래나 전자 상거래 등을 확대하려는 노력이 필요하다.

| 바로 알기 | ③ 노지 재배는 시설 재배에 비해 자연환경의 영향을 많이 받는다. 따라서 비닐하우스, 유리온실 등을 통한 시설 재배보다 농업 생산성이 높지 않다.

서술형 문제

164쪽

01 주제: 농업의 문제점

예시 답안 소비자 가격이 상승하여 소비자는 농·축산물 구매 부담이 증가하고, 생산자는 산지 가격과 소비자 가격의 차이가 커져 근로 의욕이 저하되는 등의 문제가 발생한다.

채점 기준

상	소비자는 농·축산물 구매 부담이 증가하고, 생산자는 근로 의욕이 저하된다고 정확히 서술한 경우
하	소비자의 농·축산물 구매 부담 증가 또는 생산자는 근로 의욕이 저하 중 한 가지만 서술한 경우

02 주제: 농업 경쟁력 강화를 위한 노력

(1) 지리적 표시제

(2) 예시 답안 지역 경제 활성화에 이바지할 수 있고, 국내 농산물의 국제 경쟁력을 확보하는 등의 효과를 얻을 수 있다.

채점 기준

상	지리적 표시제를 통해 얻을 수 있는 효과 두 가지를 정확히 서술한 경우
하	지리적 표시제를 통해 얻을 수 있는 효과 한 가지만을 서술한 경우

STEP 3 1등급 정복하기 165쪽

1 ③ 2 ②

1 지역별 농업 특성

도별 작물 재배 면적이 가장 넓고, (가)~(다) 중 벼의 재배 면적 비중이 가장 높은 (가)는 전남이다. (나)와 (다) 중 도내 벼 재배 비중이 높은 (나)는 충북, (다)는 강원이다. 강원은 산지가 많아 다른 지역에 비해 벼 재배 비중이 낮은 편이다. (가)~(다) 지역에서 모두 재배 면적 비중이 높은 A는 채소이다. 전남에서 상대적으로 재배 면적 비중이 높은 B는 맥류이다. 맥류는 주로 그루갈이로 재배되기 때문에 기후가 온화한 남부 지방을 중심으로 재배된다. C는 과수이다. ㄴ. 농가당 작물 재배 면적은 작물 재배 면적을 농가 수로 나누어 구할 수 있다. (가)의 농가당 작물 재배 면적은 340(천 ha) / 150(천 가구), (나)의 농가당 작물 재배 면적은 110(천 ha) / 75(천 가구)으로 구할 수 있다. 따라서 농가당 작물 재배 면적은 (가)가 (나)보다 넓다. ㄷ. 전남의 과수 재배 면적 비중은 5.6%, 강원의 과수 재배 면적 비중은 3.2%로 전남의 과수 재배 면적 비중이 더 높다.

바로 알기 ㄱ. 채소 재배 면적 비중이 가장 높은 곳은 강원이지만, 강원에 비해 전남의 작물 재배 면적이 3배 이상 넓으므로 채소 재배 면적은 전남이 가장 넓다. ㄹ. 충북의 맥류 재배 면적 비중은 0.2%, 강원의 맥류 재배 면적 비중은 0.1%로 강원의 맥류 재배 면적 비중이 더 낮다.

2 지리적 표시제

(가)는 이천에 대한 설명이다. 이천에서는 이천 쌀을 활용하여 지역 축제를 개최하고, 쌀과 관련된 다양한 상품을 개발하여 판매하고 있다. (나)는 보성에 대한 설명이다. 보성은 국내 최대의 녹차 생산지일 뿐만 아니라 보성 일대의 녹차 밭은 관광 상품으로도 각광을 받고 있다. 따라서 (가)는 A, (나)는 C이다.

바로 알기 지도의 B는 강원도 양양, D는 경상남도 밀양이다.

03 공업의 발달과 지역 변화

STEP 1 핵심 개념 확인하기 170쪽

1 ㉠ 노동 ㉡ 자본 2 (1) × (2) ○ 3 (1) – ㉢ (2) – ㉡ (3) – ㉣ (4) – ㉠ 4 (1) ㄷ (2) ㄱ (3) ㄴ (4) ㄹ 5 집적 불이익

STEP 2 내신 만점 공략하기 170~173쪽

01 ② 02 ④ 03 ③ 04 ③ 05 ① 06 ② 07 ③ 08 ① 09 ② 10 ① 11 ② 12 ④

01 우리나라의 공업 발달

우리나라의 공업은 1960년대 경제 개발 5개년 계획이 추진되면서 본격적으로 발달하기 시작하였다. 이후 정부의 수출 주도 정책으로 노동 집약적 경공업이 서울, 부산, 대구 등의 대도시를 중심으로 발달하였다. 1970년대에는 정부의 중화학 공업 육성 정책을 통해 자본 집약적인 중화학 공업이 원료 수입과 제품 수출에 유리한 남동 임해 지역을 중심으로 발달하였다. 1980년대에는 자본 및 기술 집약적인 중화학 공업이 경쟁력을 갖추면서 성장하였고, 국내 임금 상승, 가격 경쟁력 약화 등의 환경 변화에 대응하기 위한 첨단 산업화 정책을 추진하기 시작하였다. 1990년대 이후에는 부가 가치가 높은 지식·기술 집약적인 첨단 산업이 전문 기술 인력과 연구 시설이 풍부한 수도권을 중심으로 발달하기 시작하였다.

바로 알기 ② 노동 집약적 경공업은 섬유, 신발 제조업 등이 대표적이다. 선박, 자동차 제조업은 자본 집약적인 중공업에 해당한다.

완자 정리 노트 우리나라 공업의 발달 과정

시기	내용
1960년대	섬유, 신발 등 노동 집약적 경공업이 서울, 부산 등 대도시를 중심으로 발달
1970년대	철강, 석유 화학 등 자본 집약적 중화학 공업이 남동 임해 지역을 중심으로 발달
1980년대	자동차, 조선 등 자본 및 기술 집약적인 중화학 공업이 국제 경쟁력을 확보하며 성장
1990년대	반도체, 컴퓨터 등 지식·기술 집약적 첨단 산업이 수도권을 중심으로 발달
최근	신기술 융합 산업 분야 및 고부가 가치 산업 비중 증가, 제조업 비중 감소에 따른 탈공업화 진행

02 시대별 주요 수출 품목

시대별 주요 수출 품목은 우리나라의 공업 발달 과정을 반영한다. 1960년대에는 철광석, 텅스텐, 인삼 등 1차 상품을 주로 수출하였다. 1970년대부터는 중화학 공업 육성을 위해 노력하였으며, 그 결과

1980년대에는 철강 제품, 선박 등 중화학 제품의 수출 비중이 높아졌다. 2000년대 이후에는 지식 집약적 첨단 산업과 정보 기술 관련 산업이 발달하여 반도체, 자동차, 휴대 전화 등을 주로 수출하고 있다.

| 바로 알기 | ㄴ. 1970년대의 주요 수출품은 의류, 합판, 가발 등이었으며 반도체와 선박은 1990년대 이후부터 주요 수출품이 되었다.

03 우리나라의 업종별 공업 구조 변화

우리나라의 업종별 공업 구조를 보면 1970년대 정부의 중화학 공업 육성 정책의 결과 화학, 기계·조립 금속 등 중화학 공업의 비중은 높아지고 섬유 등 경공업의 비중은 낮아지고 있음을 알 수 있다. 노동 생산성이 높아지려면 기계화가 많이 이루어져야 한다. 중화학 공업은 경공업에 비해 기계화가 많이 이루어진 공업이고, 공업 구조에서 중공업의 비중은 꾸준히 증가하였으므로 노동 생산성이 높은 산업 위주로 공업 구조 개편이 이루어졌다고 볼 수 있다.

| 바로 알기 | ③ 중화학 공업의 발달은 자본과 기술 중심의 공업 구조로 변하고 있음을 의미한다.

04 공업 비중의 불균형

우리나라는 정부가 수출 지향 정책을 추진하는 과정에서 노동력이 풍부한 수도권과 원료 수입과 제품 수출에 유리한 남동 임해 지역에 집중적인 투자가 이루어지면서 공업의 지역적 편재로 인한 지역 불균형 문제가 나타났다.

05 운송비와 공업 입지

자료분석

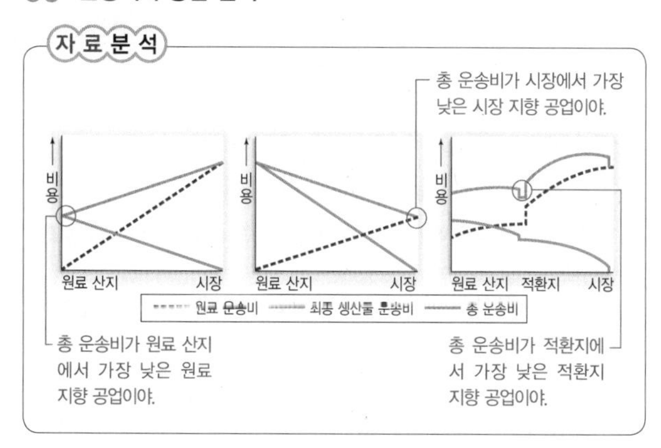

(가)는 원료 지향 공업, (나)는 시장 지향 공업, (다)는 적환지 지향 공업의 운송비 그래프이다. ① 원료 지향 공업의 대표적인 예는 제조 과정에서 원료의 무게나 부피가 감소하는 시멘트 공업, 원료가 쉽게 부패·변질·파손되는 농수산물 가공업, 통조림 공업 등이다.

| 바로 알기 | ② 저렴한 노동력이 풍부한 곳에 입지하는 것은 노동력 지향 공업이다. ③ 제품을 만드는 과정에서 무게나 부피가 현저하게 줄어드는 공업은 원료 지향형 입지를 보인다. ④ 소비자가 많은 곳에 입지하는 공업은 시장 지향 공업이다. ⑤ 우리나라는 원료를 수입하여 제품을 만들어 수출하는 가공 공업이 발달하였으며, 이에 해당하는 것은 적환지 지향 공업인 (다)이다.

완자 정리 노트 공업의 입지 유형

원료 지향 공업	• 제조 과정에서 원료의 무게나 부피가 감소하는 공업 • 원료가 쉽게 부패·변질·파손되는 공업
시장 지향 공업	• 제조 과정에서 제품의 무게나 부피가 증가하는 공업 • 제품이 쉽게 부패·변질·파손되는 공업 • 소비자와 잦은 접촉을 필요로 하는 공업
적환지 지향 공업	무거운 원료나 부품을 해외에서 대량으로 수입하거나 제품의 대부분을 수출하는 공업
노동력 지향 공업	생산비에서 노동비가 차지하는 비중이 높은 공업
집적 지향 공업	공정이 계열화된 공업이나 조립형 공업
입지 자유 공업	운송비에 비해 부가 가치가 큰 공업

06 첨단 산업의 입지 요인

판교 테크노 밸리에는 정보 통신, 생명 과학 기업 본사와 연구소 등 첨단 산업 관련 기업들이 밀집되어 있다. 제시된 글을 통해 전문 기술 인력이 풍부하고 정보 교류가 활발히 이루어질 수 있도록 관련 연구소, 기업 등이 집적된 곳이 첨단 산업 입지에 유리하다는 것을 알 수 있다.

07 조선 공업의 입지

지도는 울산, 경남(거제), 전남의 생산액이 높고 종사자 수 비율이 높은 것으로 보아 조선 공업임을 알 수 있다. 조선 공업은 모두 계열화된 조립 공정을 거치므로 집적 지향 입지를 하는 경향이 있다.

| 바로 알기 | ① 원료의 해외 의존도가 높은 기초 소재 공업은 철강 공업, 정유 공업 등이다. ② 전체 생산비 중에서 노동비가 차지하는 비중이 큰 공업은 신발, 섬유 공업 등이다. ④ 제조 과정에서 제품의 부피가 증가하는 공업은 음료, 가구 공업과 같은 시장 지향 공업이다. ⑤ 첨단 산업에 대한 설명이다.

08 주요 공업의 분포

자료분석

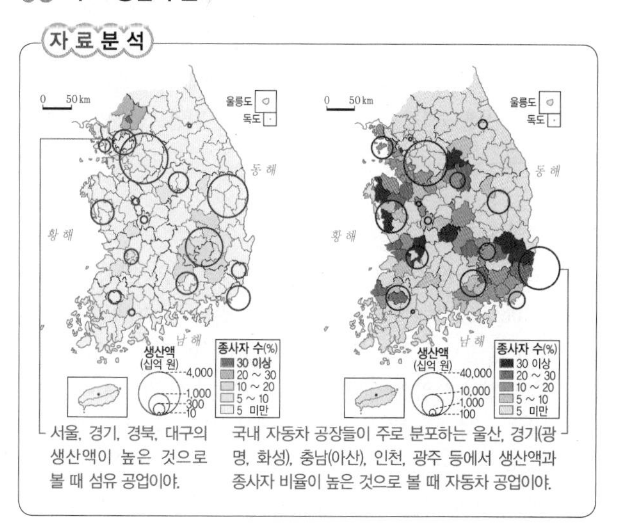

(가)는 섬유 공업, (나)는 자동차 공업이다. 섬유 공업은 대표적인 경공업으로 중화학 공업에 해당하는 자동차 공업보다 최종 제품의 무게가 가볍고 부피가 작다. 또한 초기 설비 투자 비용도 적다.

바로 알기 ㄷ. 섬유 공업은 노동력 지향 공업, 자동차 공업은 집적 지향 공업이다. ㄹ. 1960년대 우리나라의 공업화를 주도한 것은 섬유 공업이다. 자동차 공업은 1980년대 이후로 발달하기 시작하였다.

09 우리나라의 공업 지역

(가)는 충청 공업 지역, (나)는 태백산 공업 지역에 대한 설명이다. 충청 공업 지역은 도로 및 철도 교통이 발달하여 수도권에서 분산되는 공업이 많이 들어서고 있다. 태백산 공업 지역은 풍부한 석회석을 바탕으로 시멘트 공업 등 원료 지향 공업이 발달하였다. 지도의 A는 수도권 공업 지역, B는 충청 공업 지역, C는 호남 공업 지역, D는 남동 임해 공업 지역, E는 태백산 공업 지역에 해당한다.

완자 정리 노트 우리나라의 주요 공업 지역

수도권 공업 지역	• 우리나라 최대의 공업 지역으로 풍부한 자본과 노동력, 넓은 소비 시장을 바탕으로 다양한 공업 발달 • 최근 집적 불이익 현상 심화
충청 공업 지역	• 수도권과의 지리적 인접성, 수도권에서 이전해 온 공업 입지 • 내륙 지역은 첨단 산업, 해안 지역은 중화학 공업 발달
호남 공업 지역	중국과의 교역 증대로 최근 성장세
태백산 공업 지역	풍부한 지하자원을 바탕으로 원료 지향 공업 발달
영남 내륙 공업 지역	풍부한 노동력을 바탕으로 전자 조립·섬유 공업 등 경공업 발달
남동 임해 공업 지역	원료 수입과 제품 수출에 유리한 항구를 중심으로 중화학 공업 발달

10 기업의 공간적 분업

공업의 입지는 기업 조직이 성장하는 과정에서 기능별로 분리되기도 한다. 핵심 관리 기능을 하는 본사는 자본 확보 및 정보 수집, 고급 인력 확보에 유리한 대도시에 위치하게 되고, 생산 공장은 임금과 지가가 저렴한 지방이나 해외로 이전하게 된다. 이러한 공간적 분업이 진행되면서 일부 기업은 다국적 기업으로 성장하기도 한다.

11 공업 지역의 변화

구로 공단(가)은 1960년대 섬유 공업과 봉제 공업의 발달로 성장하였으나 1980년대 임금 상승과 산업 구조 변화로 쇠퇴하였다. 이후 2000년대 중반부터 정보 통신 인프라와 쾌적한 근무 환경을 구비한 서울 디지털 산업 단지(나)로 변화하면서 지식 기반 서비스업과 같은 첨단 산업의 비중이 높아지고 있다. 서울 디지털 산업 단지(나)는 구로 공단(가)보다 생산하는 제품의 부가 가치가 높고, 노동 생산성이 높으며, 자본 투입량이 많다. 이는 그림의 B에 해당한다.

12 공업 지역의 변화와 주민 생활

공업 입지의 변화는 지역의 경관 변화와 더불어 주민 생활의 변화에도 많은 영향을 준다. 공업 지역이 형성되면 일자리가 늘어나 인구가 증가하며 도로, 주택, 학교와 같은 기반 시설이 증가하여 지역 경제가 활성화된다. ㄴ. 당진시의 인구가 증가하면서 병원, 음식점 등 편의 시설도 증가할 것이다. ㄹ. 제철소가 입지하면서 도로, 주택 등 인공적인 토지 이용이 확대될 것이다.

바로 알기 ㄱ. 제철소가 입지하면서 공업이나 서비스업 등 2·3차 산업에 종사하는 사람이 많아지는 반면, 농림 어업 등 1차 산업에 종사하는 사람은 줄어들 것이다. ㄷ. 관련 연구소와 연관 기업의 입지가 증가하였을 것이다.

서술형 문제

173쪽

01 주제: 공업의 지역적 편재

(1) A – 수도권, B – 영남권

(2) 예시 답안 우리나라는 공업 구조가 고도화되는 과정에서 노동력이 풍부한 수도권과 원료 수입과 제품 수출에 유리한 영남권에 집중적인 투자가 이루어지면서 공업이 지역적으로 편재되었다. 그 결과 수도권 및 영남권과 다른 지역 간 지역 불균형 문제가 나타났다.

채점 기준

상	공업의 지역적 편재가 나타나게 된 원인과 문제점을 정확히 서술한 경우
중	공업의 지역적 편재가 나타나게 된 원인과 문제점에 대한 서술이 미흡한 경우
하	공업의 지역적 편재가 나타나게 된 원인과 문제점 중 한 가지만 서술한 경우

02 주제: 우리나라의 공업 지역

(1) 남동 임해 공업 지역

(2) 예시 답안 남동 임해 공업 지역은 정부의 정책과 원료 수입 및 제품 수출에 유리한 조건을 바탕으로 우리나라 최대의 중화학 공업 지역으로 발달하였다. 최근 과도한 공업 집중으로 집적 불이익이 발생하고 있다.

채점 기준

상	남동 임해 공업 지역의 특징을 세 가지 정확히 서술한 경우
중	남동 임해 공업 지역의 특징을 두 가지 서술한 경우
하	남동 임해 공업 지역의 특징을 한 가지만 서술한 경우

STEP 3 1등급 정복하기

174~175쪽

1 ① 2 ① 3 ④ 4 ③

1 공업의 분포와 특징

자료분석

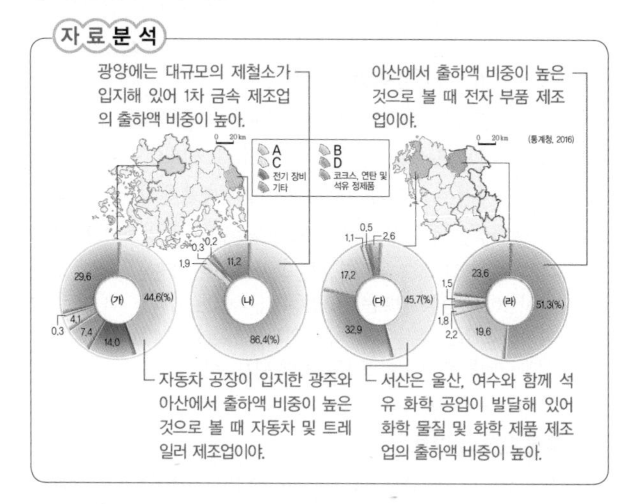

(가)는 광주, (나)는 광양, (다)는 서산, (라)는 아산이다. A는 1차 금속 제조업, B는 자동차 및 트레일러 제조업, C는 화학 물질 및 화학 제품 제조업, D는 전자 부품·컴퓨터·영상·음향 및 통신 장비 제조업이다. ② 자동차 및 트레일러 제조업은 다양한 부품을 모아 조립하는 계열화된 생산 공정을 거치기 때문에 관련 업체들이 밀집해 있는 곳에 입지한다. ③ 화학 물질 및 화학 제품 제조업은 원자재가 원유로, 우리나라는 원유를 해외에서 전량 수입해 온다. ④ 전자 부품·컴퓨터·영상·음향 및 통신 장비 제조업은 자동차 및 트레일러 제조업보다 최종 제품의 무게가 가볍고 부피가 작다. ⑤ 1차 금속 제조업에서 생산된 철강 제품은 자동차 및 트레일러 제조업의 주요 재료로 이용된다.

바로 알기 ① 1960년대 우리나라 공업화를 주도한 제조업은 섬유 산업이다.

2 주요 공업의 입지

지도의 A는 대구광역시, B는 울산광역시, C는 부산광역시이다. 섬유 제품 제조업 종사자 수 비중이 (가) 지역에서만 상위 5위 안에 들어가고 (나)와 (다) 지역에서는 상위 5위 안에 들어가지 않는다. 따라서 (가)는 대구광역시(A)이다. (나) 지역에서 자동차 및 트레일러 제조업 종사자 수 비중이 가장 높은 것으로 볼 때 (나)는 울산광역시(B)이다. (다) 지역에서는 기타 기계 및 장비 제조업을 비롯한 경공업 종사자 수 비중이 높게 나타난다. 따라서 (다)는 부산광역시(C)이다.

3 주요 공업의 분포

(가)는 전라남도와 경상북도의 에너지 소비량이 많으므로 1차 금속 제조업이다. 전남 광양, 경북 포항, 충남 당진에는 대규모의 제철소가 입지해 있다. (나)는 전라남도와 충청남도, 울산광역시의 에너지 소비량이 많으므로 화학 물질 및 화학 제품 제조업이다. (다)는 대구광역시, 경상북도 및 경기도의 에너지 소비량이 많으므로 섬유 제품 제조업이다. ④ 섬유 제품 제조업은 생산비에서 노동비가 차지하는 비중이 큰 경공업이다.

바로 알기 ① 1차 금속 제조업은 철광석, 역청탄 등 원료의 해외 의존도가 높은 기초 소재 공업이다. ② 화학 물질 및 화학 제품 제조업은 계열화된 공정이 필요하여 관련 업종이 집적해 있는 집적 지향형 공업이다. ③ 지식 기술 집약적 산업으로 입지가 자유로운 것은 첨단 산업이다. ⑤ 초기 설비 투자 비용이 큰 장치 산업은 조선 공업, 자동차 공업이 대표적이다.

4 석유 화학 공업의 특징

(가) 공업은 석유 화학 공업이다. 원유를 수입하여 정제·가공하는 석유 화학 공업은 원료 수입에 유리한 해안가를 중심으로 발달하게 된다. 또한 정제된 제품의 일부는 다른 제품의 원료로 이용되기 때문에 관련 업체들이 집적하게 된다.

바로 알기 ㄱ. 첨단 산업에 대한 설명이다. 첨단 산업은 운송비에 비해 부가 가치가 커 입지가 자유로운 편이다. ㄹ. 석유 화학 공업이 본격적으로 발달하게 된 시기는 1970년대 이후부터이다.

04 서비스업의 변화와 교통·통신의 발달

STEP 1 핵심 개념 확인하기 180쪽

1 (1) ㄴ (2) ㄷ (3) ㄱ 2 ㉠ 소비자 ㉡ 생산자 3 (1) ○ (2) ○
4 (1) - ㉡ (2) - ㉠ (3) - ㉢ 5 (1) 택배 (2) 지역 격차

STEP 2 내신 만점 공략하기 180~184쪽

01 ② 02 ① 03 ⑤ 04 ③ 05 ⑤ 06 ③ 07 ③
08 ② 09 ② 10 ④ 11 ③ 12 ② 13 ④ 14 ⑤
15 ③ 16 ③

01 최소 요구치와 재화의 도달 범위

A는 최소 요구치, B는 재화의 도달 범위이다. 최소 요구치는 상점이 유지될 수 있는 최소한의 수요이고, 재화의 도달 범위는 상점으로부터 재화가 도달할 수 있는 최대한의 범위이다. 다시 말해 소비자가 상품 구입을 위해 기꺼이 교통비를 지불하고 오는 거리를 뜻한다. 그렇기 때문에 상점으로 연결되는 교통로가 건설되거나 새로운 교통수단이 등장할 경우에는 재화의 도달 범위가 넓어진다.

바로 알기 ㄴ. 지역의 인구가 증가하거나 주민들의 생활 수준이 향상되어 구매력이 커지면 최소 요구치를 만족하는 공간적 범위가 줄어든다. ㄹ. 상점이 유지되기 위해서는 재화의 도달 범위가 최소 요구치 범위와 같거나 넓어야 한다. 최소 요구치의 범위가 재화의 도달 범위보다 크면 상점은 문을 닫게 된다.

02 상업 시설의 발달

최근 들어 새롭게 등장하고 있는 복합 상업 시설은 바쁜 현대인들이 하나의 공간에서 쇼핑과 여가 활동을 동시에 할 수 있다는 점이 특징이다. 오늘날에 자동차 보급이 증대되고, 맞벌이 부부가 증가하면서 이렇게 한 공간에서 소비 생활과 문화 생활까지 동시에 해결하는 것을 선호하는 소비 행태가 나타나고 있다.

03 대구광역시의 소매 업체 분포 특징

자료 분석

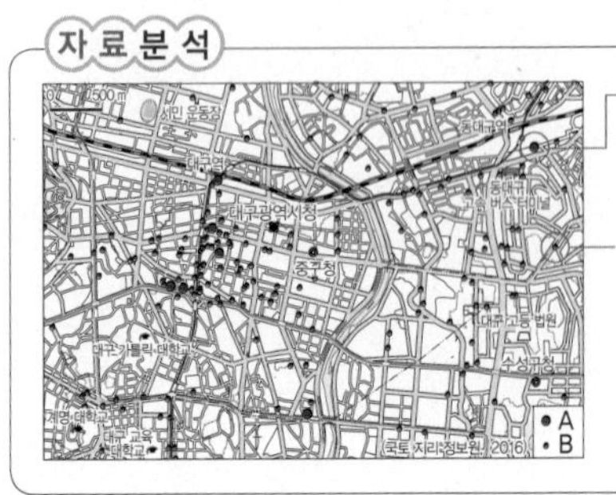

시청과 버스터미널 등 접근성이 좋은 곳에 위치한 것으로 볼 때 백화점이야.

점포의 수가 많고, 도시 곳곳에 분포하는 것으로 볼 때 편의점이야.

A는 백화점, B는 편의점이다. 백화점은 고가의 전문 상품을 판매하므로 최소 요구치와 재화의 도달 범위가 넓으며 상점의 수는 적다. 또한 백화점은 편의점에 비해 점포 간의 평균 거리가 멀고, 하루 평균 상점을 방문하는 횟수가 적다.

바로 알기 ⑤ 최소 요구치는 백화점이 편의점보다 크다.

04 주요 소매업 유형별 매출액 변화

그래프의 A는 대형 마트, B는 무점포 소매점, C는 백화점, D는 편의점이다. ㄴ. TV 홈쇼핑, 인터넷 쇼핑, 소셜 커머스 등을 포함하는 무점포 소매점은 입지가 자유로워 최근 매출액이 급성장하고 있다. ㄷ. 백화점은 접근성이 좋은 도심과 부도심에 입지하고 있다.

바로 알기 ㄱ. 편의 시설 부족과 시설의 노후화로 어려움을 겪고 있는 것은 재래시장이다. 대형 마트는 편리한 주차, 저렴한 가격을 기반으로 매출액이 증가하고 있는 추세이다. ㄹ. 편의점은 일상생활에 필요한 다양한 제품을 쉽게 구입할 수 있도록 도시 곳곳에 위치한다.

05 유통 구조의 변화

(가)는 오프라인 유통 구조이고, (나)는 온라인 유통 구조를 나타낸 것이다. 교통·통신이 발달하면서 온라인 및 이동 통신 쇼핑을 통해 물건을 구매할 수 있게 되어 일상생활에서 시공간을 초월한 거래가 이루어지고 있다.

바로 알기 ①, ③ 상품의 유통 구조가 단순하고, 소비자가 주문한 물건을 집까지 배달해 주기 때문에 재화의 도달 범위가 매우 넓다. ② 별도의 상점이 필요 없기 때문에 매장 관리 비용이 저렴한 편이다. ④ 인근 지역 주민들이 주요 고객인 것은 (가)의 특징이다.

06 우리나라의 산업 구조 변화

우리나라의 산업 구조는 1차 산업은 지속적으로 감소하고, 2차 산업은 1990년을 기점으로 감소 추세가 이어지고 있다. 반면 3차 산업은 지속적으로 증가하여 2015년 현재 76% 이상을 차지하고 있다. 이를 통해 우리나라는 지식·정보가 중요시되는 탈공업화 사회로 진입했음을 알 수 있다. ① 정보 통신 기술의 발달은 탈공업화를 촉진한다. ② 첨단 기술 산업은 정보 통신 기술과 마찬가지로 탈공업화에 영향을 미친다. ④ 다양하고 전문화된 서비스에 대한 수요의 증가는 탈공업화의 주요 원인이다. ⑤ 국내 공장의 해외 이전 결과 국내 제조업 종사자 수가 감소하였다.

바로 알기 ③ 인구 증가와 고령화 현상은 공업화에 따른 결과이다.

07 수요자 유형에 따른 서비스업의 분류

서비스업을 수요자 유형에 따라 분류하면 기업의 생산 활동을 도와주는 생산자 서비스와 소비자에게 직접 제공되는 소비자 서비스로 나눌 수 있다. A는 전국에 고르게 분포되어 있으므로 소비자 서비스업, B는 서울과 경기의 종사자 비중이 높은 것으로 볼 때 생산자 서비스업이다. 생산자 서비스업은 규모가 크고 전문적인 지식을 필요로 하므로 관련 산업의 발달과 집적을 유도한다.

| 바로 알기 | ① 소비자 서비스업은 기업보다는 개인 소비자를 주요 대상으로 한다. ② 서울과 경기에 집적하여 분포하는 것은 생산자 서비스업이다. ④ 노동 생산성은 단위 노동력이 생산할 수 있는 생산액으로 소비자 서비스업보다 전문화된 생산자 서비스업이 더 높다. ⑤ A는 소비자 서비스업, B는 생산자 서비스업이다.

08 서비스 산업의 고도화

소비자 서비스업은 도·소매업, 음식·숙박업 등이 대표적이며, 생산자 서비스업은 금융·보험업, 방송업, 사업 서비스업 등이 대표적이다. 최근 서비스업이 고도화되면서 생산자 서비스업의 비율이 늘어나고 있으며, 새로운 서비스업의 증가로 인해 서비스업의 직업 구성이 다양해지고 있다.

| 바로 알기 | ㄴ. 숙박, 음식업의 종사자 수 비율은 감소하고 있다. ㄹ. 사업 서비스는 지식과 정보를 활용한 고차원적인 서비스로 기계화·자동화 수준이 낮은 편이다. 단순한 기능을 제공하는 일부 소비자 서비스업들은 기술의 발달로 기계화·자동화되면서 사라지고 있다.

09 철도 교통의 발달과 생활 공간의 변화

1955년에는 서울에서 부산까지 9시간 30분이나 걸렸지만, 열차의 성능이 개선되면서 이동 시간이 점차 줄어들었다. 오늘날 고속 철도가 등장하면서 서울에서 부산까지 2시간 18분 정도면 이동할 수 있게 되었다. 교통의 발달로 사람과 물자의 이동이 편리해짐에 따라 사람들의 일상생활 범위와 경제 활동 범위가 확대되었다. 또한 장거리 이동이 가능해짐에 따라 국내 여행 관광객이 증가하고, 사람들의 여가 공간도 확대되었다.

| 바로 알기 | ② 교통의 발달에 따라 시간적·공간적 제약이 줄어들어 이동에 소요되는 시간이 감소하였다.

10 교통 발달에 따른 공간 변화

우리나라는 고속 국도와 고속 철도 개통으로 대도시로의 접근성이 높아지면서 인구와 산업은 도시로 더욱 집중하게 되었다. 한편, 교통의 발달로 교외화 현상이 나타나 도시 광역화 현상이 발생할 가능성이 높으며, 대도시와의 접근성 향상으로 도시에서 수요가 많은 상품 작물의 재배 지역이 확대될 것이다.

| 바로 알기 | ④ 교통의 발달로 대도시 집중 현상이 심화되고 교통이 불편한 지역은 발전이 정체되어 지역 간 경제 격차는 심화될 수 있다.

11 교통수단별 운송비 구조

자료분석

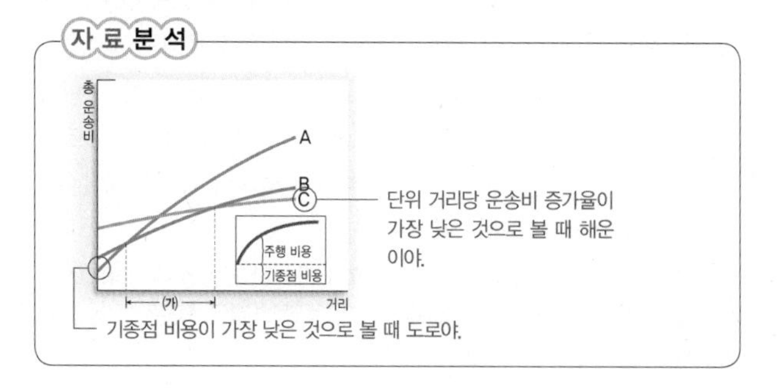

그래프의 A는 도로, B는 철도, C는 해운이다. ③ 문전 연결성이 가장 우수한 것은 도로(A)이다.

| 바로 알기 | ① (가) 구간에서 총 운송비가 가장 저렴한 것은 철도이다. ② 기종점 비용은 하역비, 창고비, 터미널 유지비 등 기점과 종점에서 발생하는 비용이다. 거리와 무관하게 일정하게 소요되는 비용으로서 해운>철도>도로 순으로 높게 나타난다. 따라서 기종점 비용이 가장 저렴한 것은 도로이다. ④ 정시성과 안전성이 가장 우수한 것은 철도이다. ⑤ 도로은 A에 해당한다.

12 교통수단별 특징

A는 철도, B는 지하철, C는 도로, D는 해운, E는 항공이다. 대도시의 교통 혼잡을 해결하기 위해 1970년대 이후 서울, 부산, 대구 등에 지하철이 개통되면서 현재 대도시의 출퇴근 교통 문제 개선에 기여하고 있다.

| 바로 알기 | ① 철도는 산업 철도의 쇠퇴로 인해 최근 화물 수송 분담률이 낮아지고 있다. ③ 도로를 이용한 국내 화물 수송 분담률은 큰 변화를 보이고 있지 않으며, 도로 교통의 화물 수송량은 전체 화물 수송량의 증가 때문에 증가하고 있는 추세이다. ④ 고부가 가치 제품의 해외 수송에 이용되는 것은 항공이다. ⑤ 1970년대 이후 여객 수송 분담률이 급격히 증가한 것은 지하철이다.

13 고속 철도의 개통에 따른 변화

고속 철도와 같이 빠르고 편리한 교통수단이 새롭게 구축되는 지역은 다른 지역과의 접근성이 향상되고 지역 간 교류가 활발해져 경제가 활성화된다. 제시된 사례는 고속 철도 정차역 주변은 인구와 산업이 집중하여 성장하고, 기존 교통로 일대의 지역은 경제가 침체되는 것을 보여 준다. 따라서 새로운 교통수단의 발달이 지역 경제에 영향을 미쳐 지역 변화를 가져왔음을 알 수 있다.

14 정보 통신 기술 발달에 따른 공간 구조의 변화

첫 번째는 병원에 가지 않아도 의료 진료를 받을 수 있는 사례로 정보 통신 사회에서 땅보다 연결망의 중요성을 강조하고 있다. 두 번째는 정보 통신 기술 발달에 따라 공항의 이용 모습이 달라지고 있음을 보여 준다. 따라서 이들 사례는 공통적으로 정보 통신 기술의 발달에 따른 공간 변화를 주제로 하고 있다.

15 전자 상거래의 발달

정보 통신의 발달로 전자 상거래가 늘면서 무점포 상점이 증가하고 있다. 이를 통해 판매자는 임대료와 인건비를 줄일 수 있고, 소비자는 시간과 공간에 얽매이지 않는 소비 활동을 할 수 있게 되었다. 이에 따라 지가가 저렴한 도시 외곽에 물류 단지, 복합 화물 터미널 등이 들어서고, 이와 더불어 상품을 배송하는 택배 산업이 성장하고 있다.

| 바로 알기 | ③ 전자 상거래는 별도의 상점이 필요 없기 때문에 상점이 위치하는 장소의 중요성이 줄어든다.

16 통신 발달로 인한 공간 변화

2000년대 이후 통신 서비스 가입자 수는 급격하게 증가했는데 이러한 통신 발달의 결과 지역 간 교류가 활발해지고 일상생활에서 공간적 거리의 제약이 줄어들었다. 이는 생산과 소비 측면에서 기업과 소비자 행동에도 영향을 주었다. 전자 상거래가 활발해지면서 주문한 물건을 소비자에게 전달하기 위한 택배 산업이 발달하였고, 도시 외곽의 교통이 편리한 고속 국도 주변에는 물류 창고가 들어서게 되었다. 통신망을 이용한 정보 교류가 원활해졌기 때문에 기업의 관리 기능을 담당하는 본사는 대도시에 입지하고, 생산 기능을 담당하는 공장은 지가가 저렴한 지방으로 이전하게 된다.

바로 알기 ③ 전자 상거래는 점포가 필요없는 경우가 많으므로 판매자는 임대료와 매장 운영을 위한 인건비를 절감할 수 있다.

서술형 문제 184쪽

01 주제: 탈공업화 사회의 특징

예시 답안 A는 탈공업화 사회이다. 이 시기에서는 지식과 정보를 주요 생산 요소로 하는 정보화 사회로 변화한다. 정보화 사회에서는 제조업이 차지하는 비중이 줄어들고 서비스업의 비중이 늘어난다. 특히 지식 집약적 서비스업과 전문직, 연구직, 관리직에 종사하는 사람의 비중이 커진다.

채점 기준

상	탈공업화 사회라고 쓰고, 탈공업화 사회에서 나타나는 현상 두 가지를 정확히 서술한 경우
중	탈공업화 사회라고 썼으나, 탈공업화 사회에서 나타나는 현상 한 가지만을 서술한 경우
하	탈공업화 사회라고만 쓴 경우

02 주제: 교통수단별 특성

(1) A – 도로, B – 철도, C – 항공, D – 해운

(2) 예시 답안 A는 기종점 비용이 낮은 반면, 단위 거리당 주행 비용이 높아 단거리 수송에 적합하다. D는 기종점 비용이 높으나 단위 거리당 주행 비용이 낮으므로 장거리 수송에 적합하다.

채점 기준

상	제시어를 모두 사용하여 도로 교통과 해운 교통의 운송비 구조 특징을 정확히 서술한 경우
중	제시어를 두 가지 사용하여 도로 교통과 해운 교통의 운송비 구조 특징을 서술한 경우
하	제시어를 한 가지만 사용하여 도로 교통과 해운 교통의 운송비 구조 특징을 서술한 경우

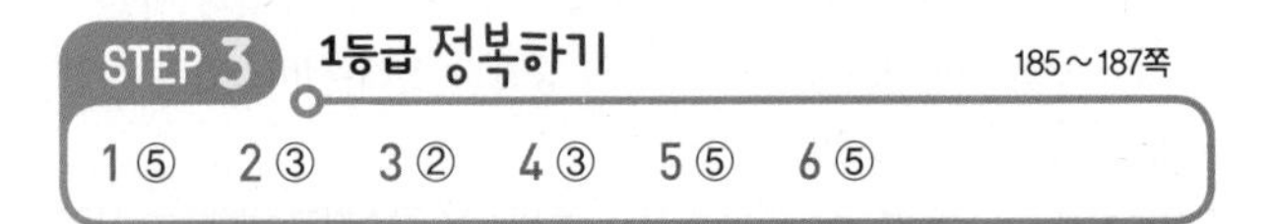

STEP 3 1등급 정복하기 185~187쪽

1 ⑤ 2 ③ 3 ② 4 ③ 5 ⑤ 6 ⑤

1 다양한 상업 시설의 입지

㉠은 넓은 주차 공간을 갖추고 다양한 상품을 대량으로 구매할 수 있는 대형 마트, ㉡은 일상생활에 필요한 기본적인 생필품을 제공하는 편의점이다. 편의점은 대형 마트보다 상점 수가 많으므로 점포 간 평균 거리가 가깝다. 상점이 유지되기 위한 최소 요구치는 저차 계층의 편의점이 고차 계층의 대형 마트보다 작다. 점포당 종사자 수는 고차 계층일수록 많기 때문에 편의점이 대형 마트보다 점포당 종사자 수가 적다. 이는 그림의 E에 해당한다.

2 소매업체의 비교

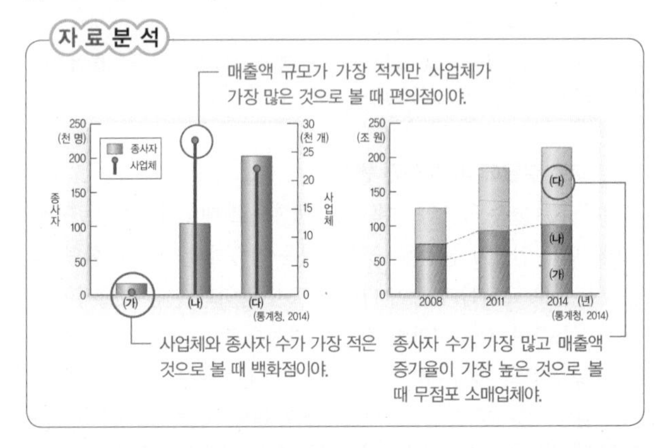

(가)는 백화점, (나)는 편의점, (다)는 무점포 소매업체이다. ㄴ. 2008년 백화점과 무점포 소매업체의 매출액은 비슷하지만 2014년 백화점보다 무점포 소매업체의 매출액이 훨씬 많다. 따라서 2008년부터 2014년까지의 매출액 증가율은 백화점이 무점포 소매업체보다 낮다. ㄷ. 업체당 종사자 수는 종사자 수를 사업체 수로 나누어 구할 수 있다. 편의점은 무점포 소매업체에 비해 사업체는 조금 많지만, 종사자 수는 월등히 적다. 따라서 업체당 종사자 수는 편의점이 무점포 소매업체에 비해 적다.

바로 알기 ㄱ. 백화점은 편의점보다 고차 중심지 기능을 수행하므로 저차 중심지인 편의점을 자주 이용하게 된다. ㄹ. 백화점은 접근성이 높은 대도시의 도심에 입지하려는 경향이 강하다.

3 서비스업과 제조업 종사자 수 증가율

A는 모든 지역에서 종사자 수가 증가한 것으로 볼 때 서비스업이다. B는 서울, 대구, 대전 등 대도시에서 종사자 수가 감소한 것으로 볼 때 제조업이다. 대도시에서는 서비스업이 고도로 발달하여 제조업 등은 교외화 현상으로 대도시 주변 지역으로 퍼져 나가고 있기 때문에 제조업 종사자 증가율이 둔화되고 있다.

| 바로 알기 | ② 서울이나 부산은 대전보다 지역 규모가 크지만 서비스업 종사자 수 증가율은 대전이 훨씬 높게 나타나고 있다.

4 수요자 유형에 따른 서비스업의 분류

(가)는 서울시 전역에 분포하는 것으로 볼 때 소비자 서비스업을 나타낸다. (나)는 종로, 종로구 등의 도심과 여의도, 강남구 등의 부도심 지역에 밀집하여 분포하는 것으로 볼 때 생산자 서비스업을 나타낸다. ③ 소비자 서비스업은 생산자 서비스업보다 지역 간 분포가 균등한 것이 특징이다.

| 바로 알기 | ① 소비자 서비스업은 생산자 서비스업보다 전체 사업체 수가 많다. ② 소비자 서비스업은 개인이 주요 고객이며, 생산자 서비스업은 기업이 주요 고객이다. ④ 산업 구조가 고도화되면서 생산자 서비스업의 비중은 높아지고 있다. ⑤ 생산자 서비스업은 정보 및 전문 인력 획득에 유리하며, 기업의 본사가 집중된 도심이나 부도심에 입지하려는 경향이 있다.

5 교통수단별 특징

단위 거리당 운송비는 총 운송비를 이동 거리로 나눈 값이다. 총 운송비에는 기종점 비용이 포함되어 있기 때문에 이동 거리가 증가할수록 단위 거리당 운송비는 감소한다. 그렇기 때문에 단위 거리당 운송비는 일반적으로 기종점 비용이 비싸고, 주행 비용이 저렴할수록 단위 거리당 운송비 감소율이 크게 나타난다. (가)는 단위 거리당 운송비의 감소율이 가장 작은 도로이다. (나)는 철도이다. (다)는 단위 거리당 운송비의 감소율이 가장 큰 해운이다. 문전 연결성은 도로가 가장 높으며, 철도, 해운 순이다. 기종점 비용은 해운이 가장 높으며, 철도, 도로 순이다. 따라서 (가)는 E, (나)는 C, (다)는 A이다.

6 국내 운송 수단의 특징

우리나라의 화물 수송 분담률은 도로 〉 해운 〉 철도 〉 항공 순이며, 여객 수송 분담률은 도로 〉 지하철 〉 철도 〉 항공 〉 해운 순이다. 따라서 A는 도로, B는 해운, C는 철도, D는 항공, E는 지하철이다. 도시 내 또는 인근 도시 사이를 운행하는 지하철은 도시와 도시 사이를 운행하는 철도보다 이용객의 1회당 평균 이동 거리가 짧다.

| 바로 알기 | ① 도로는 항공보다 운행 시 평균 속도가 느리다. ② 철도는 해운보다 정시성과 안정성이 우수하다. ③ 철도보다 해운 또는 항공이 운행 시 기상 조건의 제약을 많이 받는다. ④ 기동성과 문전 연결성이 가장 우수한 교통수단은 도로이다.

대단원 실력 굳히기 190~193쪽

01 ② 02 ⑤ 03 ② 04 ③ 05 ⑤ 06 ② 07 ②
08 ③ 09 ⑤ 10 ① 11 ④ 12 ① 13 ④ 14 ①
15 ③ 16 ⑤

01 자원의 유형 변화

제시된 글에서 설명하는 자원은 석탄으로, 사용할수록 양이 점차 줄어들어 언젠가는 고갈되는 비재생 자원이다. 1980년대 후반 채산성 악화로 ○○광업소가 폐광되면서 우리나라에서 석탄은 경제적 의미의 자원이 아닌 기술적 의미의 자원으로 변화하였다(B → A).

02 우리나라 주요 광물 자원의 분포

A는 철광석, B는 텅스텐, C는 석회석, D는 고령토이다. 철광석은 제철 및 철강 공업에 주로 이용되며, 대부분을 오스트레일리아, 브라질 등에서 수입하고 있다. 특수강 및 합금용 원료로 이용되는 텅스텐은 과거에 강원도 영월(상동)에서 상당량을 생산하였으나, 값싼 중국산이 수입되면서 생산량이 급격히 감소하였다. 시멘트 공업의 원료로 이용되는 석회석은 고생대 조선 누층군이 분포하는 강원도 남부 및 충청북도 북부 지역에서 생산되며, 매장량이 풍부한 편이다. 도자기 공업과 종이, 화장품, 도료 등의 원료로 쓰이는 고령토는 경상남도 서부 지역에서 많이 산출된다.

| 바로 알기 | ⑤ 철광석과 텅스텐은 금속 광물, 석회석과 고령토는 비금속 광물에 해당한다.

03 우리나라 1차 에너지원별 공급 비중

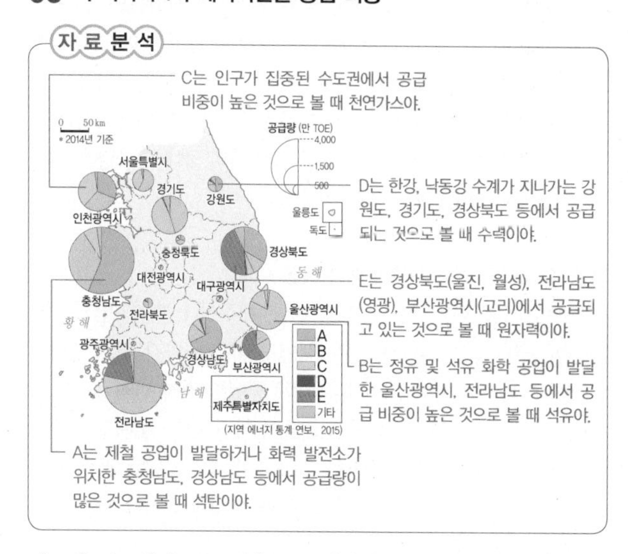

지도의 A는 석탄, B는 석유, C는 천연가스, D는 수력, E는 원자력이다. ② 석유는 우리나라에서 가장 많이 소비되는 에너지 자원으로 수송용 연료 및 화학 공업의 원료로 주로 이용된다.

| 바로 알기 | ① 석탄은 고생대 평안계 지층에 매장되어 있다. ③, ⑤ 울산 앞바다에서 소량 생산되고 있는 것은 천연가스이다. ④ 수력 발전은 물을

원료로 하기 때문에 발전 과정에서 대기 오염 물질 및 온실 기체 배출이 거의 없다.

04 신·재생 에너지

(가)는 수력 발전소, (나)는 태양광 발전소의 모습을 나타낸다. ③ 태양광 발전은 일조 시수가 긴 지역에서 유리하므로 전라남도 지역에서 발달하였다.

바로 알기 ① 수력 발전은 재생 자원을 이용하여 전력을 생산한다. ② 우리나라 신·재생 에너지 중에서 생산량 비중이 가장 높은 것은 폐기물 에너지이다. ④ 대기 오염 물질을 발생시키는 것은 화석 연료를 사용하는 경우이다. ⑤ 수력 발전은 강수량이 적을 경우에, 태양광 발전은 강수량이 많거나 일사량이 적을 경우에 발전을 할 수 없기 때문에 기후 조건이 발전량에 영향을 미친다.

05 농촌의 변화

최근 농촌은 농가 수가 감소하고 있으며 겸업농가 비율은 높아지고 있다. 겸업농가의 비율이 증가하면서 농가 소득 중 농업 외 소득의 비중이 증가하고 있다.

바로 알기 ① 도시와 농촌의 소득 격차는 제시된 자료를 통해 파악하기 어려우며, 최근 도시와 농촌의 소득 격차는 커지고 있다. ② 최근 농가 수의 감소는 청장년층 인구 유출의 결과로, 이로 인해 농가 인구의 중위 연령은 높아지고 있다. ③ 농가 1호당 경지 면적은 증가하고 있는데, 이는 경지 면적이 줄어드는 속도보다 농가 수가 줄어드는 속도가 빠르기 때문이다. 그러나 제시된 자료를 통해서는 농가 1호당 경지 면적을 파악하기 어렵다. ④ 겸업농가가 증가한다고 상품 작물의 재배 면적이 감소한다고 보기는 어렵다.

06 우리나라의 곡물 자급률

A는 쌀, B는 보리, C는 밀이다. 쌀은 우리나라 사람들의 주식 작물로 비교적 자급률이 높은 편이다. 보리는 과거 벼의 그루갈이 작물로 주로 재배하였으나, 최근 수익성 감소로 재배 면적과 생산량이 감소하고 있다. 밀은 빵, 국수 등을 만드는 데 이용되며 수요가 계속 증가하고 있지만 값싼 수입 밀에 밀려 국내 생산량은 미미한 수준으로 거의 전량 수입에 의존한다.

07 우리나라 여러 지역의 농업 특성

지도에 표시된 지역은 경기, 경북, 전남, 제주이다. 경지 면적 중 밭 비율이 가장 높은 D는 제주, 농가 인구 비율이 가장 낮고 겸업농가 비율이 높은 B는 경기이다. A와 C 중에서 경지 면적 중 밭 비율이 높은 C는 경북, 농가 인구 비율이 가장 높은 A는 전남이다. ② 사과 등 과수 재배가 활발한 경북(C)이 경기(B)보다 과수 재배 면적이 넓다. 경북은 우리나라 도 중 과수 재배 면적이 가장 넓고 과수 생산량이 가장 많다.

바로 알기 ① 신선도가 요구되는 우유를 생산하는 낙농업은 소비자가 많은 서울과 인접한 경기 지역에서 발달하였다. 따라서 우유 생산량은 경기가 전남보다 많다. ③ 농가 인구는 총인구가 훨씬 많은 경북이 제주보다 많다. ④ 맥류 재배 면적은 경지 면적이 훨씬 넓은 전남이 제주보다 넓다. ⑤ 쌀 생산량은 전남 〉 경북 〉 경기 〉 제주 순으로 많다.

08 우리나라 농업의 변화

1960년대 이후 도농 간 소득 격차, 생활 기반 시설 부족 등의 원인으로 농촌 인구는 도시로 유출되고 있으며 이로 인해 나타난 노동력 부족 문제는 영농의 기계화를 통해 해결하고 있다. 2000년대 들어서면서 자유 무역 협정(FTA) 확대로 외국산 농산물의 수입이 급증하였고, 그 영향으로 영농 규모가 작고 유통 구조가 복잡하여 국제 경쟁력이 낮은 우리나라 농업은 많은 어려움을 겪고 있다. 우리나라 농업의 국제 경쟁력을 강화하기 위해서는 다양한 품종의 작물을 재배하고 친환경 농법을 도입해야 한다.

바로 알기 ③ 쌀을 제외한 주요 식량 작물의 자급률은 빠르게 감소하여 식량의 해외 의존도가 점차 높아지고 있다.

09 공업의 입지와 입지 요인

공업이 특정한 장소에 자리 잡는 것을 공업의 입지라고 하며, 지형, 원료 등의 자연적 요인과 시장, 노동력, 자본 등의 사회적 요인이 공업 입지에 많은 영향을 준다. 공업은 최대 이윤을 얻을 수 있는 장소에 입지하는데, 일반적으로 이윤을 극대화하기 위해서는 생산비를 최소화하거나 수요를 극대화해야 한다. 섬유, 전자 조립과 같이 생산비에서 노동비가 차지하는 비중이 높은 공업은 노동비가 저렴하고 노동력이 풍부한 지역에 입지한다. 반면 자동차 공업과 같이 관련 계열 공장이 특정한 지역에 모이면 원료의 공동 구매 등 이익을 발생시키는 공업은 집적하여 입지한다.

바로 알기 ⑤ 제조 과정에서 원료의 부피나 무게가 감소하는 시멘트 공업 등은 원료 산지 부근에 입지하는 것이 유리하다. 음료, 가구와 같이 제조 과정에서 무게나 부피가 많이 감소하는 공업이 시장 가까이에 입지하는 것이 유리하다.

10 우리나라의 주요 공업 지역

A는 수도권 공업 지역, B는 태백산 공업 지역, C는 충청 공업 지역, D는 호남 공업 지역, E는 남동 임해 공업 지역이다. ② 태백산 공업 지역은 풍부한 자원을 바탕으로 시멘트 공업과 같은 원료 지향 공업이 발달하였다. ③ 충청 공업 지역은 수도권과 인접해 있고, 육상 교통이 편리하다는 장점을 바탕으로 수도권에서 이전해 온 공업이 증가하면서 중화학 공업과 첨단 산업이 발달하고 있다. ④ 호남 공업 지역은 중국과의 교역 증가로 성장하고 있으며, 충청 공업 지역과 함께 공업의 지역적 불균형 문제를 완화하기 위해 조성되었다. ⑤ 남동 임해 공업 지역은 원료의 수입과 제품의 수출이 유리한 지역으로 중화학 공업이 발달하였으며 이와 연관된 산업이 집중되어 있다.

바로 알기 ① 수도권 공업 지역은 풍부한 자본과 넓은 소비 시장을 바탕으로 발달한 우리나라 최대의 공업 지역이다.

11 공업의 특징

(가)는 수도권 및 대구, 경북 지역에서 발달한 것으로 볼 때 경공업인 섬유 제품 공업이다. (나)는 대규모 제철소가 분포하는 경북과

전남 지역에서 주로 발달한 1차 금속 공업이다. (다)는 울산, 전남, 충남 등 원료의 수출입에 유리한 해안 지역에서 발달한 것으로 볼 때 화학 물질 및 화학 제품 공업이다. (라)는 경기, 울산, 충남, 경남, 광주 등 전국에서 비교적 발달한 자동차 및 트레일러 공업이다. ④ 자동차 공업은 모두 계열화된 조립 공정을 거치므로 집적 지향 입지를 하는 경향이 있다.

바로 알기 ①, ③ 원료의 해외 의존도가 높아 대부분 해안가에 입지하는 공업은 1차 금속 공업 등이다. 섬유 제품 공업은 생산비에서 노동비가 차지하는 비중이 높아 노동력이 풍부한 지역에 입지한다. ② 지식·기술 집약적 산업으로 입지가 자유로운 공업은 첨단 산업이다. ⑤ 섬유 제품 공업은 1960~70년대, 자동차 및 트레일러 공업은 1990년대 이후 우리나라 공업화를 주도하였다. 따라서 우리나라 공업화를 선도한 시기가 이른 것은 섬유 제품 공업이다.

12 섬유 공업의 입지

지도는 서울, 경기 등 수도권, 경상북도, 대구 등에 종사자가 집중적으로 분포하는 것으로 보아 섬유 공업을 나타낸다. 섬유 공업은 생산비 중에서 노동비가 차지하는 비중이 크기 때문에 저렴한 노동력이 풍부한 지역에서 발달하는 노동력 지향 공업이다.

바로 알기 ② 지식 기반 산업의 입지 특성이다. ③ 원료 수입과 제품 수출에 유리한 적환지에 입지하는 공업은 정유, 제철, 제당 공업이다. ④ 제품이 손상될 가능성이 큰 것은 시장 지향 공업으로 가구 공업 등이 대표적이다. ⑤ 제조 과정에서 원료의 무게와 부피가 크게 줄어 원료 산지에 입지하는 공업은 시멘트 공업과 같은 원료 지향 공업이다.

13 다양한 상업 시설

A는 연간 판매액이 가장 많은 것으로 볼 때 대형 마트이다. B는 사업체 수가 가장 적은 것으로 볼 때 백화점이다. C는 연간 판매액이 가장 적고, 사업체 수가 가장 많은 것으로 볼 때 편의점이다. 백화점은 고가의 제품을 제공하며, 편의점은 일상생활에 필요한 기본적인 상품을 제공한다. 재화의 도달 범위는 저차 중심지일수록 좁고 고차 중심지일수록 넓다. 따라서 재화의 도달 범위는 백화점(B) 〉 대형 마트(A) 〉 편의점(C) 순이다.

바로 알기 ㄱ. 대형 마트보다 백화점이 도심에 입지하는 경향이 강하다. ㄷ. 편의점은 도시 곳곳에 들어서 있어 필요할 때 제품을 쉽게 구입할 수 있다. 반면, 대형 마트는 주로 도시 내 주거 지역을 중심으로 분포하며 넓은 주차장을 갖추고 있어 일상용품을 대량으로 구매하기 편하다. 따라서 자가용 이용 고객의 비율은 대형 마트가 편의점보다 높다.

14 수요자 유형에 따른 서비스업의 분류

서비스업을 수요자 유형에 따라 분류하면 기업의 생산 활동을 도와주는 생산자 서비스와 소비자에게 직접 제공되는 소비자 서비스로 나눌 수 있다. A는 기업을 주요 대상으로 하므로 생산자 서비스업, B는 개인이나 가구를 주요 대상으로 하므로 소비자 서비스업이다. 생산자 서비스업은 기업의 생산 활동을 지원하는 일을 하기 때문에 교통·통신이 편리하고, 정보 획득이 쉬우며 전문 인력이 풍부한 대도시에 입지하는 것을 선호한다.

바로 알기 ㄷ. 생산자 서비스업은 주요 고객인 기업과의 접근성이 좋고 관련 정보를 쉽게 얻을 수 있는 곳에 집적하여 입지한다. ㄹ. 생산자 서비스업은 임금 수준이 높은 고급 인력을 필요로 한다.

15 교통수단별 특징

A는 화물과 여객 수송에서 모두 가장 많은 비중을 차지하므로 도로이다. B는 여객 수송 분담률이 2위이지만 화물 수송 분담률이 매우 낮은 철도이다. C는 여객 수송 분담률이 매우 낮은 해운이다. (가)는 도로에서 가장 높은 항목, (나)는 해운에서 가장 높은 항목이 들어가야 한다. 따라서 (가)에는 문전 연결성, 주행 비용 증가율 등이 해당되며, (나)에는 기종점 비용 등이 해당된다.

16 교통 발달에 따른 생활 변화

서울~포항 간 고속 철도의 개통으로 서울에서 포항으로의 접근성이 향상되어 지역 간 이동 시간이 줄어든다. ㄴ. 포항시의 주요 관광지에는 서울에서 찾아온 관광객이 증가할 것이다. ㄷ. 교통의 발달로 서울과 포항 간 이동 시간이 과거에 비해 줄어들기 때문에 포항의 쇼핑, 의료 등의 수요가 서울로 집중하는 현상이 나타날 수 있다. ㄹ. 서울에서 포항으로의 철도 교통이 편리해지면서 서울에서 포항을 오가는 고속버스 이용객이 줄어들 것이다.

바로 알기 ㄱ. 고속 철도의 개통으로 서울과 포항 간의 교류가 증가할 것이다.

Ⅵ. 인구 변화와 다문화 공간

01 인구 분포와 인구 구조의 변화

STEP 1 핵심 개념 확인하기 198쪽

1 (1) × (2) ○ (3) ○ 02 출산 붐(baby boom) 03 ㉠ 이촌 향도 ㉡ 교외화 04 (1) 사망률 (2) 전쟁 (3) 가족계획 (4) 저출산

STEP 2 내신 만점 공략하기 198~200쪽

01 ① 02 ⑤ 03 ② 04 ① 05 ③ 06 ③ 07 ④ 08 ①

01 인구 분포 특성 파악

자료분석

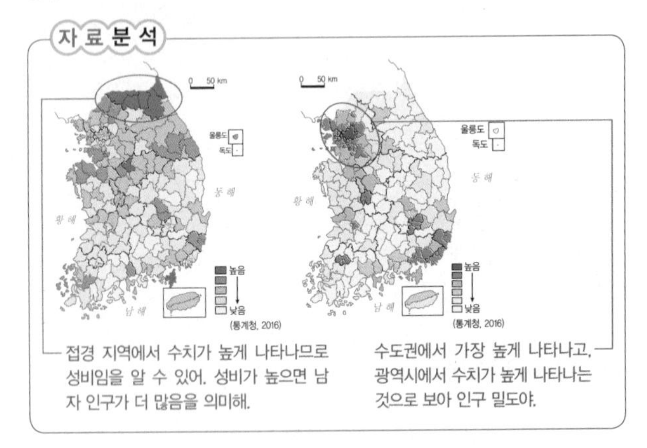

접경 지역에서 수치가 높게 나타나므로 성비임을 알 수 있어. 성비가 높으면 남자 인구가 더 많음을 의미해.

수도권에서 가장 높게 나타나고, 광역시에서 수치가 높게 나타나는 것으로 보아 인구 밀도야.

자료로 제시된 단계 구분도를 분석하면 지도가 나타내는 인구 분포가 무엇인지 파악할 수 있다. (가) 지도에서 수치가 높게 나타나는 지역은 북한과의 접경 지역인 강원도 철원과 인제, 고성 등의 지역과 조선업이 발달한 경상남도 거제시 같은 공업 도시이다. 따라서 (가) 지도는 성비이다. (나) 지도에서 수치가 높게 나타나는 지역은 서울과 인천을 중심으로 하는 수도권과 대전광역시, 광주광역시, 대구광역시, 부산광역시 같은 대도시이며, 수치가 낮게 나타나는 지역은 강원도와 충남 및 호남 지역 등이다. 따라서 (나) 지도는 인구 밀도를 나타낸 것이다.

바로 알기 ②, ④ 노년 인구 비율은 도시가 아닌 농·어촌 지역에서 높게 나타난다. ⑤ 유소년 인구 비율은 도시에서 높게 나타난다.

02 우리나라 인구 중심점의 변화

인구 중심은 지도에 인구 분포를 한 개의 점으로 나타낸 다음 모든 사람의 몸무게가 같다고 가정할 때, 무게의 중심에 해당하는 곳이다. 인구 중심점의 이동은 시간에 따라 변화하는 인구 분포의 특성을 나타낸다. 지도를 보면 1970년 이후 약 40년 동안 우리나라의 인구 중심점이 북서쪽으로 이동한 것을 알 수 있다. 이는 전체 인구 분포에서 수도권의 인구 비중이 높아지고 있음을 나타낸다. 그리고 이러한 인구 중심점 이동에는 교통·통신의 발달이 영향을 주었다.

바로 알기 ㄱ. 인구 중심점은 북서쪽으로 이동하고 있는 추세이다. ㄴ. 인구 중심점이 북서쪽으로 이동하였기 때문에 충청권의 인구 비중은 낮아졌음을 알 수 있다.

03 인구 분포에 영향을 주는 요인

(가)는 1940년의 인구 분포, (나)는 2015년의 인구 분포를 나타낸 것이다. 우리 조상들은 예로부터 지형, 기후 등 자연 조건이 유리한 곳을 거주지로 선호하였다. 따라서 기후가 따뜻하고 토양이 비옥한 평야 지역에 많은 사람이 모여 살았다. 그러나 1960년대 이후 급격한 산업화가 진행됨에 따라 우리나라의 인구 분포는 인문·사회적 요인에 따라 변화하기 시작하였다. 따라서 최근 인구 분포에는 자원 분포보다는 교통, 교육 등의 영향이 더 크다고 볼 수 있으므로 B가 답이 된다.

04 우리나라 인구 구조의 변화

자료분석

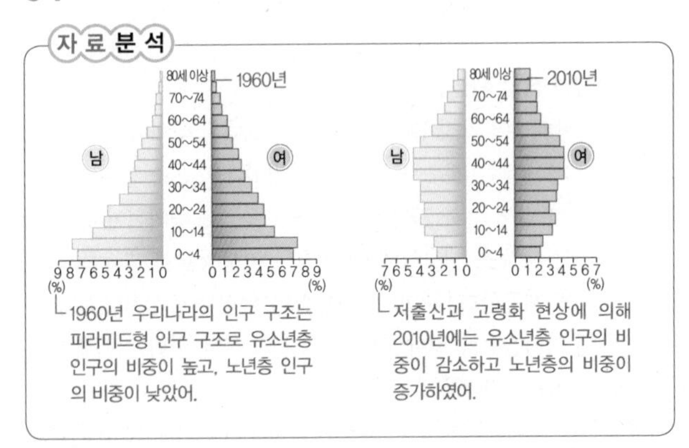

1960년 우리나라의 인구 구조는 피라미드형 인구 구조로 유소년층 인구의 비중이 높고, 노년층 인구의 비중이 낮았어.

저출산과 고령화 현상에 의해 2010년에는 유소년층 인구의 비중이 감소하고 노년층의 비중이 증가하였어.

(가)는 1960년의 인구 피라미드로 0세부터 14세까지의 유소년층의 인구 비중이 높으며, 65세 이상의 노년층의 인구 비중이 낮은 편이다. (나)는 2010년의 인구 피라미드로 1960년과는 다르게 유소년층의 인구 비중은 감소했으며, 노년층의 인구 비중은 증가하였다.

바로 알기 ② (가)는 (나)보다 노년층의 인구 비중이 낮다. ③ 시기는 (가)가 (나)보다 이르다. ④ 노년층의 비중이 높은 (나)가 (가)보다 기대 수명이 더 길다. ⑤ 인구 변천 단계에서 (가)는 1단계, (나)는 4단계에 해당한다.

05 광역 자치 단체의 인구 순위

광역 자치 단체란 특별시, 광역시, 특별자치시, 특별자치도 및 도와 같은 지방 자치 단체를 의미한다. 그래프에서 광역 자치 단체 중 인구가 가장 많은 A는 경기도, B는 서울특별시, C는 울산광역시, D는 가장 최근에 만들어진 세종특별자치시이다. ㄴ. 울산광역시는 우리나라의 산업화 정책에 의해 성장한 대표적인 도시이다. ㄷ. 세종특별자치시는 수도권에 집중되어 있는 행정 기능을 분산하여 인구 분산 및 국토의 균형 성장을 위해 출범하였다.

바로 알기 ㄱ. A는 경기도, B는 서울특별시이다. ㄹ. 그래프에 나타나듯이 우리나라 전체 인구(약 5천만 명) 중 절반 이상이 경기, 서울 및 인천과 같은 수도권에 집중되어 있다.

06 인구 변천 모형

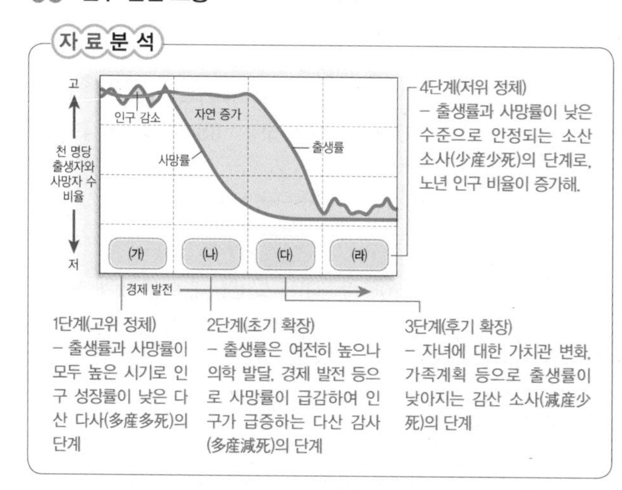

인구 변천 모형은 사회·경제의 발전 과정에서 나타나는 자연적 증감(출생, 사망)에 의한 인구 변화를 나타낸 것이다. 인구 변천 모형은 인구 성장 과정을 크게 네 단계로 구분하였는데, (가)는 1단계로 출생률과 사망률이 모두 높으며, (나)는 2단계로 출생률은 높은 반면 사망률이 낮아진다. (다)는 3단계로 출생률이 감소하며 사망률이 낮은 상태를 유지한다. (라)는 출생률과 사망률 모두 낮은 상태를 유지한다. (다)는 (나)보다 총 인구수가 많다.

바로 알기 ③ 산아 제한 같은 가족계획은 (나)와 (다) 단계에 실시한다. (라) 단계는 경제 발달 및 사회 변화에 따라 출생률이 낮아지는 단계이다.

07 인구 이동의 변화 파악

인구 이동의 방향은 시기에 따라 조금씩 다르게 나타난다. 1970년대와 1980년대에는 당시 급격하게 진행된 도시화의 영향이 크게 반영되어 주변 지역에서 서울, 부산과 같은 대도시로의 인구 이동이 뚜렷하게 나타났다. 1990년대부터는 전반적으로 인구 이동이 줄어들면서 수도권으로의 인구 유입도 줄어들었으나 수도권 내에서의 도시와 도시 간의 인구 이동이 크게 나타났다. 2000년대 이후에는 교외화와 역도시화 현상이 지역적으로 나타나게 되었다.

바로 알기 ④ 제시된 통계 지도는 유선도로 인구의 이동량을 화살표의 굵기로 표현하고 있다. 따라서 화살표의 굵기가 굵은 1980년이 2000년보다 인구 이동량이 더 많다.

08 우리나라의 시기별 인구 이동

우리나라는 근대화 이후 교통의 발달로 인구 이동이 활발해졌다. 일제 강점기에는 광공업이 발달한 북부 지방으로 인구가 이동하거나, 일본·중국·러시아 등 해외로 이주하기도 하였다. 광복 이후에는 해외 동포들이 귀국하여 고향이나 도시로 이동하였으며, 1960~1970년대 급격한 산업화가 진행되면서 이촌 향도 현상이 활발하였다. 이로 인해 대도시의 급격한 인구 증가로 주택 부족 등 도시 문제가 발생하였다. 1990년대 이후에는 수도권과 대도시로의 인구가 집중되며, 도시와 도시 간 인구 이동이 증가하였으며, 교외화 현상도 함께 나타났다. 따라서 답은 ①번이 된다.

서술형 문제

200쪽

01 주제: 우리나라의 인구 성장

예시 답안 우리나라는 1920년대 이후 의료 기술의 보급으로 사망률이 낮아지면서 인구가 성장하기 시작하였다. 또한, 광복 직후 해외 동포의 귀국과 6.25 전쟁 중 북한 동포의 월남으로 남한 인구의 사회적 증가가 나타났으며, 전쟁 이후 출산 붐(baby boom) 현상으로 인구가 급증하였다. 이에 따라 1960~1980년대에는 정부 주도로 산아 제한 중심의 가족계획 정책을 추진하였고 그 결과 출생률이 점차 낮아졌다. 1990년대 후반부터는 출생률과 사망률이 모두 낮아져 인구 성장이 둔화되었다.

채점 기준

상	제시된 용어를 모두 사용하여 우리나라의 인구 성장 과정을 정확하게 서술한 경우
중	제시된 용어를 모두 사용하였으나 인구 성장 과정에 대한 서술이 미흡한 경우
하	시된 용어를 일부만 사용하여 인구 성장 과정을 서술한 경우

02 주제: 촌락과 도시 지역의 인구 구조

(1) 도시 지역은 용인, 촌락 지역은 고흥이다.

(2) **예시 답안** 신도시 개발로 인구 유입 요인이 많은 경기도 용인시의 경우 상대적으로 30~50대의 생산 연령층 인구 비중이 높은 편이다. 그러나 전라남도 고흥군과 같은 촌락 지역은 젊은 연령층의 유출로 20~40대 생산 연령층의 인구 비중이 낮은 반면 65세 이상의 노년층 인구 비중은 높은 편이다.

채점 기준

상	용인과 고흥의 인구 구조 특징과 이러한 분포를 보이는 이유를 모두 바르게 서술한 경우
중	용인과 고흥 중 한 지역의 인구 구조 특징 및 분포 이유에 대해서만 바르게 서술한 경우
하	용인과 고흥의 인구 구조 특징을 서술했으나, 이러한 분포를 보이는 이유에 대한 서술이 미흡한 경우

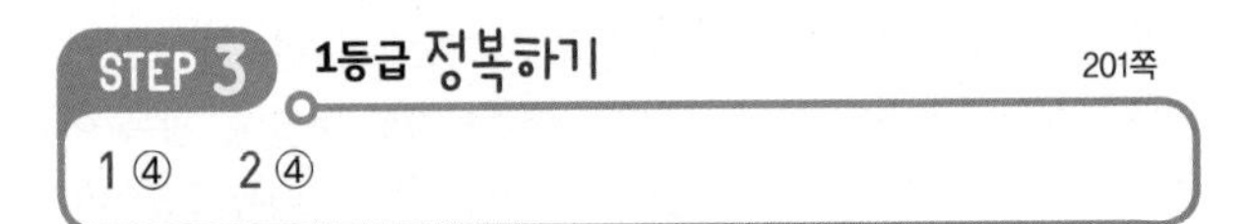
STEP 3 1등급 정복하기 201쪽

1 ④ 2 ④

1 우리나라의 지역별 인구 구조

자료분석

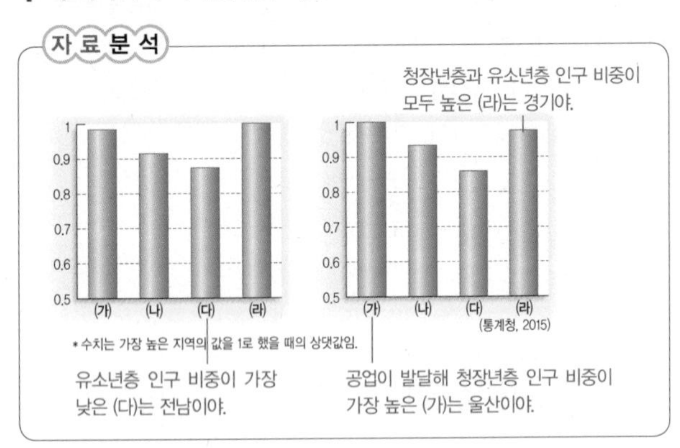

울산은 각종 공업이 발달한 광역시로 청장년층의 인구 유입이 활발한 지역이다. 따라서 (가)~(라) 중 청장년층 인구 비율이 가장 높은 (가)는 울산이다. 경기는 인구 유입이 활발한 지역으로 청장년층과 유소년층 인구 비중이 높다. 따라서 (라)가 경기이다. 전남은 촌락이 많은 지역으로 인구 유출이 활발해 청장년층 인구 비중이 가장 낮고 노년층 인구 비중은 높다. 따라서 (가)~(라) 중 유소년층 인구와 청장년층 인구 비중이 가장 낮은 (다)는 전남이고, (나)는 충북이다.

바로 알기 ㄱ. (가)는 울산, (나)는 충북이다. ㄹ. (다)는 전남, (라)는 경기이다.

2 지역별 인구 특성 비교

(가)는 (나)보다 노년층 인구 비중이 높으므로 전라남도, (나)는 청장년층 인구 비중이 높으므로 광주광역시의 인구 피라미드이다. ㄴ. 노년층은 65세 이상의 연령층으로 (가) 지역이 (나) 지역보다 노년층의 비중이 높다. ㄹ. 1차 산업에 종사하는 인구의 비율은 광주광역시가 전라남도보다 낮다.

바로 알기 ㄱ. 성비는 여성 100명에 대한 남성의 수를 말한다. 따라서 100 이하면 여성의 수가 많다. (가)는 노년층의 경우 여성이 남성보다 인구 비중이 높고, 유소년층의 경우 남성과 여성의 인구 비중이 비슷하므로, 노년층 성비가 유소년층 성비보다 낮다. ㄷ. (가) 지역은 전라남도, (나) 지역은 광주광역시로 도시적 특성은 광주광역시가 전라남도보다 강하다.

02~03 인구 문제와 공간 변화 ~ 외국인 이주와 다문화 공간

STEP 1 핵심 개념 확인하기 206쪽

1 ㉠ 저출산 ㉡ 고령화 02 (1) 고령화 사회 (2) 실버산업 (3) 합계 출산율 03 (1) × (2) ○ 04 다문화 공간 05 ㄱ, ㄷ

STEP 2 내신 만점 공략하기 206~208쪽

01 ⑤ 02 ② 03 ① 04 ⑤ 05 ⑤ 06 ④ 07 ② 08 ⑤

01 인구 정책의 변화

문제에 제시된 (가)는 1970년대, (나)는 2010년대 인구 정책 표어이다. 1960년대에 들어와 출생률이 매우 높은 수준을 보이면서 우리나라는 출생률을 낮추기 위한 가족계획을 실시하게 되었으며, 이는 1980년대 초까지 지속되었다. 그러나 이후 급격하게 낮아진 출생률로 인해 향후 인구 감소가 예상되자 1990년대 중반 출산 억제 중심의 가족계획 정책을 폐지하고, 2000년대에 들어와서는 출생률을 높이기 위한 다양한 정책들을 실시하고 있다. ①, ② (가)는 1970년대 인구 정책 표어로 "딸·아들 구별 말고 둘만 낳아 잘 기르자."라는 문구를 통해 출산 억제 정책과 관련된 내용임을 알 수 있다. ③은 2010년대 인구 정책 표어인 "가가 호호 아이 둘 셋 하하 호호 희망 한국"을 통해 출산을 독려하는 내용임을 알 수 있다. 이 시기는 저출산, 고령화 현상이 지속되어 종형의 인구 피라미드가 나타난다. ④ (가)는 출산 억제 정책을 보여주는 1970년대, (나)는 출산을 독려하는 2010년대 인구 정책 포스터로 (가)가 (나)보다 시기가 이르다.

바로 알기 ⑤ (가)보다 (나) 시기인 2010년대는 출산율 감소로 유소년 인구 부양비가 낮았다.

02 저출산 현상에 따른 문제

제시된 그래프를 통해 우리나라의 합계 출산율이 지속적으로 감소하고 있음을 알 수 있다. 합계 출산율 감소는 1970년대 이후 급속한 경제 성장과 여성의 사회 참여 확대 그리고 결혼과 가족에 대한 가치관의 변화 때문이다. 이와 같은 저출산 현상이 앞으로 지속될 경우 유소년층 인구의 감소로 인해 유소년 인구 부양비는 감소할 것으로 보인다. 또한 절대적인 총인구도 감소할 것으로 예상된다.

바로 알기 ㄴ. 저출산과 고령화 현상에 따라 노년 부양비는 증가할 것이다. ㄷ. 유소년층 인구의 감소에 따라 생산 가능 인구인 청장년층 인구 또한 감소할 것이다.

03 연령별 인구 구성비 추이

자료분석

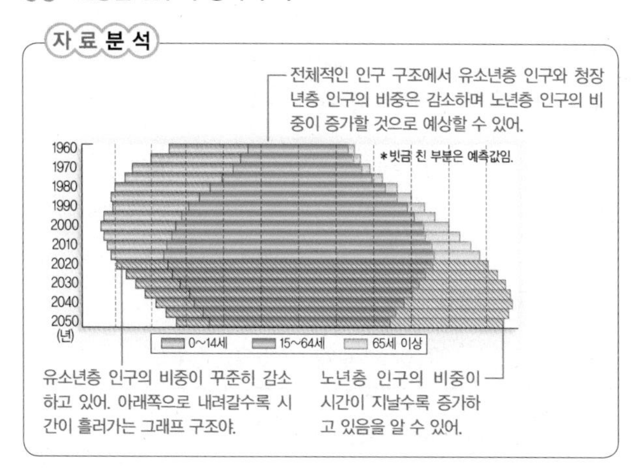

제시된 그래프에서 출산율의 지속적인 감소에 따라 유소년층 인구와 청장년층 인구의 비율은 감소하고, 고령화에 따른 노년층 인구의 비율은 증가하고 있다. 중위 연령은 전체 인구를 연령순으로 일렬로 세워 단순히 2등분한 연령을 말하는데, 우리나라는 고령화 현상이 빠르게 진행되고 있어 중위 연령은 계속 높아질 것이다.

바로 알기 ② 인구 증가율은 낮아질 것이다. ③ 노령화 지수는 높아질 것이다. ④ 유소년 부양비는 감소할 것이다. ⑤ 저출산 현상으로 청장년층 인구가 감소함에 따라 총 부양비는 증가할 것이다.

04 우리나라 고령화의 특징

그래프를 보면 다른 국가는 고령화 사회에서 초고령 사회가 되기까지 100년 정도 걸리는 반면, 우리나라는 30년도 안 되는 기간에 고령화 급속도로 진행될 것으로 보인다.

바로 알기 ① 생산 가능 인구는 주로 청장년층을 일컫는 말로, 오늘날 감소하고 있다. ② 고령화 현상은 농촌에서 더욱 심하게 나타난다. ③ 우리나라에서 고령화는 2000년에 시작되었으며, 다른 국가에 비해 시작된 시기는 늦다. ④ 유소년층은 저출산 현상으로 인해 오히려 감소하고 있다.

05 인구 부양비의 변화

자료분석

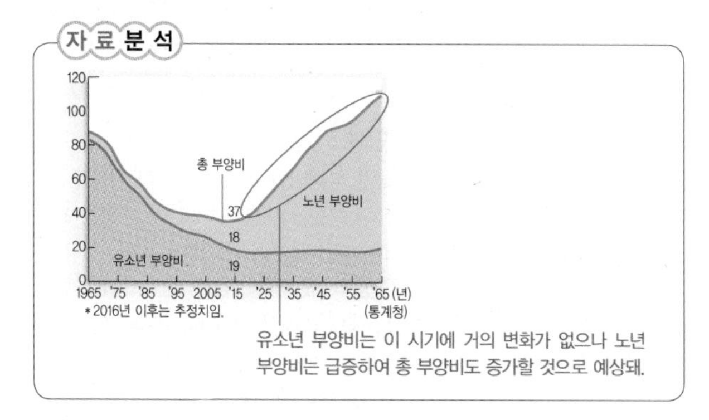

우리나라는 유소년층 인구 비중이 줄어들면서 유소년 부양비가 감소하고 있다. 이와 달리 고령화 현상에 의해 노년층 인구 비중이 증가하면서 노년 부양비가 증가하고 있다. 그러나 1965년부터 2015년까지 유소년 부양비의 변화폭이 노년 부양비보다 큰 것은 유소년층 인구 비중의 감소량이 노년층 인구 비중의 증가량보다 크기 때문이다. 총 부양비는 노년 부양비와 유소년 부양비를 합한 수치이다. 따라서 2015년 총 부양비는 유소년 부양비 19, 노년 부양비 18이므로 37이다. 또한 2015년 이후 유소년층 인구 비중은 정체하여 유소년 부양비의 큰 변화는 없을 것으로 예상되는 반면, 노년 부양비는 노년층 인구의 비중 증가로 크게 증가할 것으로 예상된다. 이에 따라 총 부양비도 크게 증가할 것으로 예상된다. 그리고 그래프를 보면 2035년 노년 부양비는 유소년 부양비의 2배 정도이므로 노년층 인구가 유소년층 인구의 2배 정도일 것으로 유추해 볼 수 있다.

바로 알기 ⑤ 총 부양비는 1965년 약 88에서 2015년 37로 절반 이하로 감소하였다. 그 이유는 저출산의 여파로 전체 인구에서 유소년층 인구 비중이 크게 감소하였기 때문이다.

06 저출산 현상의 대책

저출산 현상의 원인은 여성의 사회 진출 확대, 미혼 인구의 증가, 초혼 연령의 상승, 결혼과 가족에 대한 가치관 변화 등 대부분 사회·경제적 여건과 관련이 있다. 특히, 교육열이 높은 우리나라는 자녀 보육비와 사교육비의 부담이 커지면서 출산 기피 현상이 더욱 심화되고 있다. 따라서 저출산 현상이 오랫동안 지속될 경우 우리나라의 총인구는 감소하게 되며, 경제 활동에 투입되는 노동력 부족 등으로 국가 경쟁력이 약화될 수 있다. 출산을 장려하기 위해서는 개인의 결혼·출산·양육·교육에 대한 인식 변화와 더불어 정부와 사회 전체의 적극적인 지원이 필요하다.

바로 알기 ① 저출산 현상에 따른 문제를 해결하기 위해서는 출산 장려 정책을 적극적으로 추진해 청장년층 인구를 확대해야 한다. ② 고령화 현상에 대한 대책이다. ③ 성비 불균형을 해결하기 위한 대책이다. ⑤ 여성의 사회 진출이 활발해짐에 따라 일과 가정의 양립이 가능하도록 출산 휴가 기간 확대, 보육 지원 등의 대책을 마련해야 한다.

완자 정리 노트 저출산 현상의 특징

원인	• 초혼 연령 상승 • 결혼과 가족에 대한 가치관의 변화 • 자녀 양육비와 교육비 부담 증가 등
영향	• 총인구 감소 • 청장년층의 인구 비중 감소 및 노년층의 인구 비중 증가 • 노동력 부족 및 경기 침체 우려
대책	• 임신 및 출산에 대한 지원 등 • 양성평등 문화 확립, 가족친화적 사회 분위기 조성 등

07 우리나라의 시도별 국제결혼 건수

2015년을 기준으로 우리나라의 전체 결혼에서 국제결혼이 차지하는 비율은 약 10% 정도이다. 제시된 자료의 A는 외국인 남성과 한국인 여성과의 혼인이며, B는 한국인 남성과 외국인 여성과의 혼인을 나타낸 것이다. 우리나라 국제결혼의 70% 정도는 한국인 남성과 외국인 여성과의 혼인이다. 한편, 시도별 국제결혼 건수가 가장 높은 D는 경기도이며, 그 다음으로 많은 C는 서울이다.

| 바로 알기 | 을. A는 외국인 남성과 한국인 여성과의 혼인이다. 병. 국제결혼 건수가 제일 많은 D는 경기도이다.

완자 정리 노트 국제결혼의 특징

배경	• 세계화의 영향으로 외국인에 대한 거부감 감소 • 농촌 지역의 결혼 적령기 성비 불균형 현상 심화 → 농촌 총각 문제 발생
현황	• 2000년대 이후 급증하다 최근에는 다소 감소하는 추세 • 지역 인구 대비 국제결혼 비율은 촌락 지역이 높지만, 총 국제결혼 건수는 서울, 경기 등 도시 지역이 높음 • 외국인 아내의 출신 국가는 중국, 베트남 등의 비중이 높음

08 국내 거주 외국인의 유형별 공간 분포

우리나라에 거주하는 외국인의 대부분은 외국인 근로자이며, 다음으로 국제결혼 이민자, 유학생 등의 순으로 나타난다. 제시된 지도의 (가)는 외국인 근로자, (나)는 국제결혼 이민자의 분포를 나타낸다. 외국인 근로자는 주로 수도권 및 남동권 일대의 산업 단지 주변에 분포하며, 국제결혼 이민자는 대도시 집중도가 높지만 상대적으로 농촌 지역에도 많이 분포하여 (가)에 비해 전국에 고르게 분포한다.

| 바로 알기 | ① 외국인 근로자는 개발 도상국 출신의 인구수가 많다. ② 산업 단지의 분포 지역과 연관성이 높은 유형은 외국인 근로자이다. ③ 국제결혼 이민자의 경우 외국인 남편보다 외국인 아내의 비중이 높다. ④ 국내 거주 외국인의 비중은 외국인 근로자가 국제결혼 이민자보다 많다.

서술형 문제

208쪽

01 주제: 우리나라 인구 구성의 변화

예시 답안 저출산·고령화 현상이 지속될 경우 산업 활동에 투입되는 노동력이 부족해져 경제 성장에 악영향을 미칠 수 있다. 또한 생산 가능 인구인 청장년층에 비해 노년층의 비중이 높아져 노년 부양비가 급격히 증가해 연금 및 사회 복지 비용 등이 증가할 것이다.

채점 기준

상	청장년층과 노년층 인구 구성비의 변화를 토대로 문제점을 정확히 서술한 경우
중	인구 구성비의 변화를 작성하지 않고 문제점만 서술한 경우
하	인구 구성비의 변화 또는 문제점만 서술한 경우

02 주제: 외국인 근로자의 유입

(1) 외국인 근로자

(2) 예시 답안 1990년대 후반부터 국내 근로자의 임금 상승과 생활 수준의 향상으로 3D 업종에 대한 기피 현상이 심화되면서 중국, 필리핀, 베트남 등지에서 저임금 외국인 근로자가 유입되기 시작하였다.

채점 기준

상	국내 근로자의 임금 상승, 3D 업종에 대한 기피 현상 심화 등 외국인 근로자의 유입 배경 두 가지를 정확히 서술한 경우
하	국내 근로자의 임금 상승, 3D 업종에 대한 기피 현상 심화 중 한 가지만 서술한 경우

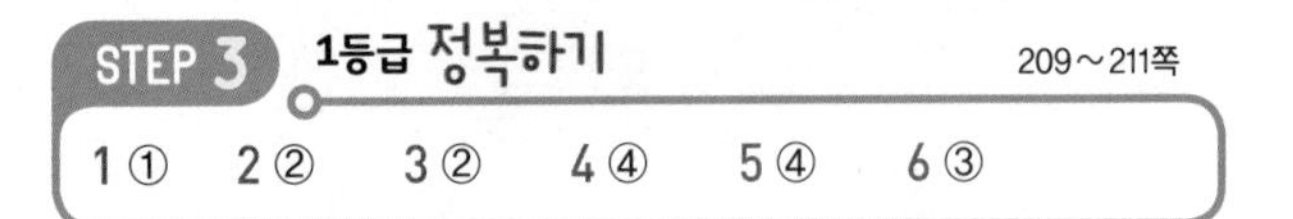

STEP 3 1등급 정복하기

209~211쪽

1 ① 2 ② 3 ② 4 ④ 5 ④ 6 ③

1 지역별 인구 부양비의 차이

자료 분석

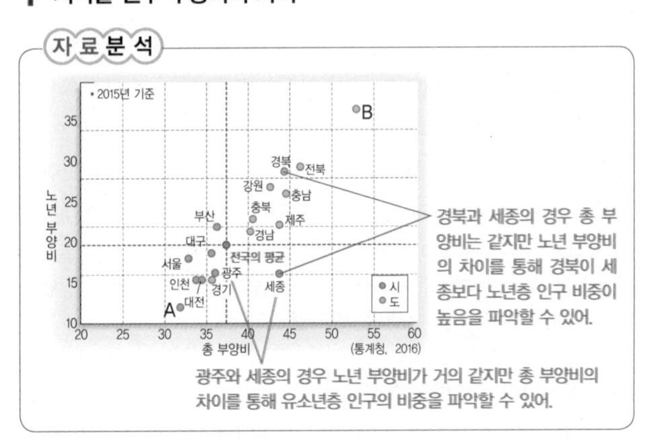

총 부양비는 '(유소년층 인구+노년층 인구)/청장년층 인구×100'이며, 노년 부양비는 '노년층 인구/청장년층 인구×100'이다. 그래프에서 A는 총 부양비가 가장 낮은 것으로 볼 때 제시된 지역 중 청장년층 인구의 비중이 가장 높고, 노년층 인구의 비중은 가장 낮다. 반면, B는 총 부양비가 가장 높은 것으로 볼 때 청장년층 인구의 비중이 제일 낮고, 노년층의 비중이 가장 높다. 따라서 A는 울산광역시, B는 전라남도이다. 울산은 대표적인 중화학 공업 지역으로 다른 지역보다 청장년층 인구 비중이 높아 총 부양비가 가장 낮게 나타난다. 반대로 전남의 경우 1차 산업이 발달한 촌락 지역이 많아 청장년층 인구의 비중이 낮고 노년층 인구의 비중이 높아 총 부양비와 노년 부양비가 높은 편이다.

| 바로 알기 | ㄷ. 세종과 광주는 노년 부양비가 거의 동일하다. 하지만 총 부양비가 광주가 약 36, 세종이 약 44로 큰 차이를 보이고 있다. 이는 세종이 광주보다 유소년층 인구의 비중이 높기 때문이라고 볼 수 있다. ㄹ. 제시된 그래프를 통해 서울, 인천, 대전 등의 시 지역이 경북, 전북, 충남 등 도 지역보다 총 부양비가 낮다. 따라서 대체로 시 지역이 도 지역보다 청장년층의 인구 비중이 높다.

2 지역별 인구 구조

① (가)의 유소년층 인구 비중은 약 8%이다. (가)의 노년층 인구 비중은 100%에서 청장년층 인구 비중 약 55%와 유소년층 인구 비중인 약 8%를 빼서 구하면 약 37%이다. 따라서 (가)는 노년 부양

비는 유소년 부양비보다 높다고 볼 수 있다. ③ (가)의 노년층 인구 비중은 약 37%이며 (나)의 노년층 인구 비중은 약 15(100−70−15)%이다. (가)의 총 인구는 약 5만 명, (나)의 총 인구는 약 25만 명이다. (가)의 노년층 인구는 5만 명의 37%인 1만 8천 5백 명이고, (나)의 노년층 인구는 25만 명의 15%인 3만 7천 5백 명이다. 따라서 (가)는 (나)보다 노년층 인구가 적다. ④ 유소년 부양비는 (유소년층 인구 비중/청장년층 인구 비중)×100으로 계산한다. (나)의 유소년 부양비는 15/70×100≒21, (다)의 유소년 부양비는 22/72×100≒30이다. 따라서 (나)는 (다)보다 유소년 부양비가 낮다. ⑤ (나)는 (다)보다 청장년층 인구 비중과 유소년층 인구 비중이 낮으므로 노년층 인구 비중이 높다.

| 바로 알기 | ② 총 부양비는 (유소년층 인구+노년층 인구)/청장년층 인구×100으로 계산한다. 따라서 총 부양비는 청장년층 인구 비중이 낮을수록 높다. (가)는 (나)보다 청장년층 인구 비중이 낮으므로 총 부양비가 높다.

3 인구의 자연 증가율과 출산율의 변화

제시된 그래프는 1970년 이후 우리나라의 출생 성비와 인구의 자연 증가율의 변화를 보여주고 있다. 인구의 자연 증가율은 1970년 이후 꾸준히 낮아지는 경향을 보이고 있으며, 출생 성비는 1990년대까지 특히 높았다가 이후 완만하게 낮아지는 경향을 보이고 있다. ① A 시기 인구의 자연 증가율은 약 25‰로 높은 수준을 보이고 있다. 이 시기에 우리나라의 인구 정책은 높은 인구 증가를 막기 위한 출산 억제 정책을 실시하였다. ③ D 시기에 인구의 자연 증가율은 약 3‰로 1970년의 인구 증가율에 비해 급격히 감소하였다. 이는 1970~1980년대 정부가 추진한 인구 억제 정책 때문이다. 그러나 인구 대체 출산율보다 낮아진 출산율로 향후 인구가 감소할 것으로 예상되어 2000년대 이후부터 저출산에 대비한 출산 장려 정책이 실시되고 있다. ④ B 시기는 A 시기에 비해 인구 증가율이 낮다. ⑤ A 시기에서 C 시기로 가면서 인구의 자연 증가율은 약 25‰에서 약 10‰로 감소하였지만 증가율이 양의 값이기 때문에 전체 인구는 꾸준히 증가하였다고 볼 수 있다.

| 바로 알기 | ② 1990년 성비는 116.5명이다. 성비란 여성 100명에 대한 남성의 수로, 성비가 100보다 높으면 남초, 100보다 낮으면 여초라 한다. 따라서 116.5명은 여성보다 남성이 16.5명 더 많은 것이다.

완자 정리 노트 시대별 인구 정책

1960~1980년대	출생률을 낮추기 위한 산아 제한 정책
1990년대	출생률은 낮아졌지만, 남아 선호 사상에 따라 출생 시 성비 불균형 문제 발생
2000년대 이후	급격히 낮아진 출생률로 인구 감소 문제가 예상되어 출산 장려 정책 실시

4 노년 부양비와 유소년 부양비의 지역별 분포 이해

(가)는 촌락(A)에서 높고, 도시(B)에서 낮은 것으로 보아 노년 부양비이다. 반면, (나)는 도시(C)에서 높고, 촌락(D)에서 낮은 것으로 유소년 부양비이다. 따라서 A 지역이 B 지역보다 1차 산업 종사자 비율이 높으며, 중위 연령은 A가 C보다 높다. 제시된 지도의 A는 전라남도 고흥군, 경상북도 의성군, 군위군, 경상남도 합천군, 전라남도 보성군이다. B는 경상북도 구미시, 경기도 시흥시, 오산시, 안산시, 경상남도 거제시이다. C는 경기도 화성시, 오산시, 김포시, 충청남도 계룡시, 세종특별자치시이다. D는 경상북도 군위군, 청도군, 의성군, 충청북도 괴산군, 강원도 고성군이다.

| 바로 알기 | ㄱ. (가)는 노년 부양비, (나)는 유소년 부양비이다. ㄷ. 외국인 노동자 수는 도시인 B가 촌락인 D보다 많다.

5 외국인 근로자의 유입

1990년대 초 제조업을 중심으로 노동력 부족 현상이 심화되면서 외국인 근로자의 필요성이 높아졌고, 외국인 산업 연수생 제도와 고용 허가제, 방문 취업제가 시행되었다. 이에 따라 중국을 비롯하여 베트남, 필리핀 등 동남아시아나 인도, 방글라데시 등 남부 아시아 지역으로부터 저임금 노동력이 많이 유입되어 국내 노동 시장의 수요를 보완해 주고 있다.

| 바로 알기 | ① 취업 직종 현황을 보면 농업보다 제조업, 서비스업에 종사를 많이 하므로 외국인 근로자는 농촌보다 도시에 거주하는 비율이 높다. ② 외국인 근로자는 한국계 중국인을 제외하면 언어 소통, 우리나라 문화 이해 부족 등의 문제가 나타나므로 단순 기능직에 종사하는 비율이 높다. ③ 외국인 근로자들의 유입이 증가한다고 해서 수도권의 집중 현상이 완화된다고 보기는 어렵다. ⑤ 국내 제조업 종사자의 평균 임금 수준보다 외국인 근로자의 평균 임금이 낮기 때문에 국내 제조업 종사자 임금 상승의 원인이 되지는 않는다.

6 결혼 이민자의 분포 요인

제시된 지도에서 결혼 이민자의 비중은 수도권과 남동 해안 지역에서는 비율이 매우 낮은 편이며, 대도시 지역보다는 촌락 지역에서 매우 높게 나타나는 것을 알 수 있다. 이처럼 촌락 지역에서 결혼 이민자의 비중이 높은 것은 1960년대 이후 이촌 향도 현상으로 촌락에 남아 있는 청장년층이 많지 않은 데다가 결혼 적령기 연령층의 남초 현상이 심했기 때문이다. 2000년대 이후 베트남, 중국 등지의 여성들이 촌락 지역의 남성과 결혼하는 경우가 많아졌으므로, 결혼 이민자 비중의 지역적 차이의 원인은 촌락 지역 청장년층의 성비 불균형 때문이라고 볼 수 있다.

| 바로 알기 | ① 대도시에서 청장년층의 귀농 현상은 활발히 이루어지지 않고 있다. ② 유아 사망률 감소와 평균 수명 증가로 인해 나타나는 현상은 고령화이다. ④ 균형 발전을 위한 공공 기관의 지방 이전으로 만들어진 혁신 도시로 수도권 인구의 지방 분산이 다소 나타날 수는 있으나 결혼 이민자 비중과 관련이 있지 않다. ⑤ 다국적 기업의 국내 진출에 의한 외국 고급 인력 유입은 주로 공업 도시나 대도시에서 나타난다.

대단원 실력 굳히기 214~217쪽

01 ① 02 ② 03 ④ 04 ⑤ 05 ② 06 ① 07 ②
08 ④ 09 ③ 10 ② 11 ② 12 ⑤ 13 ① 14 ③
15 ③ 16 ⑤

01 우리나라의 인구 분포

제시된 지도는 우리나라의 인구 밀도를 나타낸 것이다. 일반적으로 인구는 거주하기 유리한 지역에 집중적으로 분포한다. 인구 분포에 영향을 미치는 요인에는 기후, 지형, 토양, 자원 등의 자연적 요인과 문화, 교육, 산업, 교통 등과 같은 사회·경제적 요인이 있다. 전통적으로 인구 분포는 자연적 요인이 크게 작용하였으나, 경제가 성장하고 과학 기술이 발달하면서 사회·경제적 요인의 영향력이 크게 작용한다. ㄱ, ㄴ. 지도를 통해 강원도에서 가장 높은 인구 밀도는 ㎢당 200~500명임을 알 수 있으며, 서울과 인천을 중심으로 하는 수도권 지역의 인구 밀도가 가장 높음을 알 수 있다.

바로 알기 ㄷ. 인구 밀도가 ㎢당 5,000명 이상인 지역은 서울 등 일부 지역뿐이다. ㄹ. 현대 사회의 인구 분포는 과거 전통 사회보다 사회·경제적 요인이 중요하게 작용한다.

02 우리나라의 시기별 인구 성장

조선 시대까지 우리나라는 사망률과 출생률이 모두 높아 인구 성장률은 낮은 편이었다. 그러나 1920년경부터 근대 의료 기술의 보급으로 사망률이 낮아졌으며, 광복 이후 재외 동포의 귀국, 한국 전쟁 이후 출산 붐 등으로 인구 증가율이 급격히 높아졌다. 1960년대부터 인구 증가율을 줄이기 위해 정부는 강력한 가족계획 정책을 추진하였고, 그 결과 출생률이 급격하게 낮아졌다. 1990년대 후반부터는 출생률과 사망률이 모두 낮아져 인구 성장이 둔화되었다. 2015년 남한의 인구는 약 5천 만 명으로, 1950년 약 2천 만 명에 비해 두 배 이상 증가하였다.

바로 알기 ② 1950~1955년 사망률이 급증한 이유는 한국 전쟁 때문이다.

03 우리나라의 연령별 인구 구성비 변화

우리나라의 연령별 인구 구성비를 살펴보면, 유소년층 인구 비율이 감소하고 있으며 노년층 인구 비율은 증가하고 있다. ㄴ. 1985년부터 2015년까지 청장년층의 인구 비중은 꾸준히 증가하였기 때문에 총 부양비는 감소하였다. 이는 청장년층 인구 수와 총 부양비는 반비례 관계이기 때문이다. ㄹ. 1985년보다 2015년 유소년층 인구 비중은 절반 이상 감소하였으며, 청장년층의 인구 비중은 증가하였기 때문에 2015년 유소년 부양비는 1985년보다 절반 이상 감소하였다고 볼 수 있다.

바로 알기 ㄱ. 유소년층의 인구 비중은 1985년 29.9%에서 2015년 13.9%로 감소하고 있다. ㄷ. 피라미드형 인구 구조는 유소년층의 인구 비중이 높고, 노년층의 인구 비중이 작은 것으로 2015년보다는 1985년이 피라미드형에 더 가까운 인구 구조를 보인다.

04 유소년 인구 비중 파악

제시된 지도를 분석하여 어떤 인구 지표인지 파악하는 문제이다. 경기도를 비롯하여 충남 북부와 부산, 대구 주변 등은 청장년층의 인구 비중이 높은 지역으로 유소년층의 비중 또한 높게 나타난다. 따라서 제시된 지도는 유소년 인구 비중을 나타낸 것이다.

바로 알기 ① 성비는 접경 지역 및 거제와 같은 중공업 발달 지역이 높게 나타난다. ② 인구 밀도는 서울을 중심으로 하는 수도권 지역이 매우 높게 나타난다. ③, ④ 중위 연령과 노년층 인구 비중은 농어촌 지역이 높게 나타난다.

05 우리나라 인구 정책의 변화

1960~1980년대 정부의 인구 정책은 출생률을 낮추기 위한 산아 제한 정책이 주를 이루었다. 그 결과 출생률은 낮아지고 유소년 부양 부담이 줄어들었다. 따라서 (가)에서 (나)로 변화했음을 알 수 있다. 그리고 1990년대에는 출생률이 낮아졌지만 남아 선호 사상으로 인해 출생시 성비 불균형 문제가 부각되었다. 이에 해당하는 포스터는 (라)이다. 2000년대에는 지나치게 낮은 출생률로 인해 총인구 감소 등 여러 가지 인구 문제가 예상되면서 출산 장려 정책이 실시되고 있다. 이에 해당하는 포스터는 (다)이다. 따라서 시기 순으로 나열하면 (가)→(나)→(라)→(다)가 된다.

06 전라남도와 울산광역시의 인구 피라미드 비교

전라남도는 농어촌이 많은 지역으로 고령화로 인해 노년층의 비중이 높은 지역이다. 그러나 울산광역시의 경우 자동차, 조선 등 중화학 공업이 발달한 공업 도시로 청장년층의 비중이 높은 지역이다. 따라서 (가)는 전라남도, (나)는 울산광역시이다. 노년 부양비는 청장년층 인구(15~64세)에 대한 노년층 인구(65세 이상)의 비율로 전라남도가 울산광역시보다 높다.

바로 알기 병. 중위 연령은 지역이나 국가 전체 인구를 연령 순서로 세웠을 때 그 중간에 있는 사람의 연령이다. 따라서 노년층의 인구 비중이 높은 전라남도가 울산광역시보다 높다. 정. (가), (나) 두 지역 모두 노년층 성비는 여성의 비율이 높아 100 이하인 여초 현상이 나타나고 있다.

완자 정리 노트 인구 피라미드의 유형

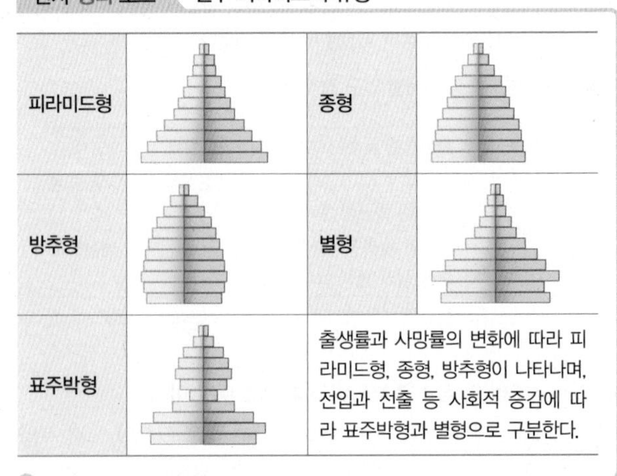

피라미드형		종형	
방추형		별형	
표주박형		출생률과 사망률의 변화에 따라 피라미드형, 종형, 방추형이 나타나며, 전입과 전출 등 사회적 증감에 따라 표주박형과 별형으로 구분한다.	

07 인구 피라미드의 변화

1960년에 비해 2015년에는 인구 피라미드의 밑변에 해당하는 0~14세 유소년층의 수가 줄어들고, 윗변에 해당하는 65세 이상 노년층의 수가 늘어난 것으로 보아 유소년층 인구의 비중은 감소하였으며, 노년층의 인구 비중은 증가하였다. 따라서 노령화 지수와 중위 연령은 증가하였을 것이다. 이는 그래프에서 B에 해당된다.

08 우리나라 시도별 인구 부양비의 분석

총 부양비는 유소년층 인구와 노년층 인구를 더한 값을 청장년층 인구로 나눈 다음 100을 곱한 것이다. 따라서 총 부양비와 청장년층 인구 비중은 반비례 관계이다. 울산은 우리나라 시도 중 총 부양비가 가장 낮다. 이는 청장년층의 인구 비중이 가장 높다는 것을 의미하며, 이는 제조업의 비중이 높기 때문이다. 따라서 D는 울산이다. 반면, 이촌 향도 현상이 활발하여 절대 인구가 감소하는 전남의 경우 총 부양비가 가장 높다. 이는 청장년층 인구 비중이 가장 낮다는 것을 의미한다. 특히 전남의 경우는 시도 중 노년층 인구 비중이 가장 높아 노년 부양비 또한 가장 높게 나타난다. 따라서 A는 전남이다. 세종시는 국토 균형 발전을 위해 2012년 출범한 자치시이다. B와 C를 보면 경북과 세종의 총 부양비는 거의 같지만 경북의 노년 부양비가 세종보다 높기 때문에 B는 경북, C는 세종이다. 따라서 유소년층 인구 비중은 세종시가 경북보다 높다.

| 바로 알기 | ㄱ. A는 전남이다. 자동차 및 석유 화학 산업이 발달한 지역은 네 지역 중 울산이다. ㄷ. D는 울산으로 중화학 공업이 발달하여 남초 현상이 주로 나타난다.

09 성비 분포의 특징

자료분석

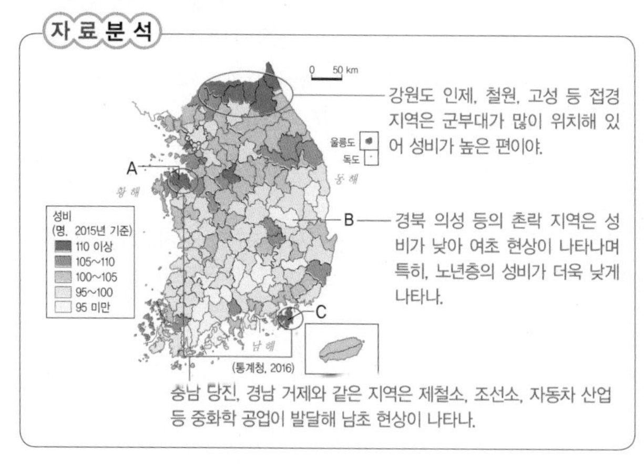

지도는 우리나라의 성비 분포를 보여주고 있다. 성비란 여자 100명당 남자 수로, 100을 초과하면 남초 현상, 100 미만이면 여초 현상이 나타난다. 지도의 A는 충청남도 당진시, B는 경상북도 의성군, C는 경상남도 거제시이다. 당진은 제철소, 거제는 대규모 조선소가 있어 남성 노동자들이 많아 남초 현상이 나타나는 지역이다.

| 바로 알기 | ① 군부대가 집중해 있어 남초 현상이 나타나는 지역은 접경 지역에 위치한 강원도 고성, 철원, 화천 등이다. ② 서비스업이 발달한 대도시 지역은 일반적으로 여초 현상이 나타난다. ④ 의성은 경북의 대표적인 촌락 지역으로 노년층의 인구 비중은 당진보다 높게 나타난다. ⑤ 당진과 거제는 중화학 공업이 발달한 지역으로 청장년층의 성비가 높게 나타난다. 그러나 우리나라의 대부분 지역에서 노년층의 성비는 낮아 여초 현상이 나타난다. 따라서 청장년층 성비가 노년층 성비보다 높을 것이다.

완자 정리 노트 성별 인구 구조

연령에 따른 성비	출생시에는 성비가 100 이상이나 노년층으로 갈수록 성비가 낮아짐
성비 불균형의 완화	남아 선호 사상의 약화, 태아 성 감별 금지 등으로 완화되고 있음
지역 특성에 따른 성비	여초 현상(대도시 관광 도시)과 남초 현상(중화학 공업 도시, 휴전선 부근의 군사 도시)이 나타남

10 저출산 현상의 원인

제시된 자료를 보면 우리나라의 합계 출산율은 감소하고 있으며, 초혼 연령은 상승하고 있다. 이러한 변화가 나타나는 이유는 여성의 사회 활동 증가에 따른 일과 육아의 병행에 대한 부담, 출산과 육아에 따른 비용 증가, 젊은 세대의 결혼과 자녀에 대한 가치관 변화 등 대부분 사회·경제적 여건과 관련이 있다.

| 바로 알기 | ㄴ. 우리나라는 자녀 양육비와 사교육비의 부담이 커지면서 출산 기피 현상이 더욱 심화되고 있다. ㄷ. 1980년대까지는 산아 제한 정책을 실시하였지만, 점점 낮아지는 출산율을 높이기 위해 최근에는 출산 장려 정책을 시행하고 있다.

11 노년층의 인구 분포 특징

지도는 우리나라의 노년 인구 비율을 나타낸 것이다. 노년층 인구 비율은 청장년층 인구의 전출이 심각한 농촌 지역일수록 높게 나타나며 대도시나 공업 도시 등 전입 인구가 많은 지역은 낮다. 지도의 (가)는 서울, (나)는 경상북도 봉화군이다. 따라서 서울보다 봉화군이 노년층의 인구 비중이 높기 때문에 노년 부양비가 높으며, 중위 연령이 높다. 또한 봉화와 같은 촌락 지역은 유소년층의 인구 비중이 작아 초등 학급 수도 적다. 따라서 그림의 B에 해당된다.

12 국내 체류 외국인의 특성

제시된 글은 국내에 유입되는 외국인 노동자와 결혼 이민자에 대한 내용이다. 국내 체류 외국인의 증가는 1990년대 초 우리나라보다 임금이 저렴한 중국, 동남아시아, 남부 아시아 등의 지역으로부터 제조업 근로자들이 유입되면서 시작되었다. 가장 많은 체류 유형은 단순 기능 인력에 해당하는 외국인 노동자들이다. 외국인이 대규모로 유입되던 시기에는 국내 생산직 근로자의 임금 상승과 3D 업종 기피 현상 등으로 외국인 근로자의 필요성이 증가하였다. 또한 농촌에서 결혼 적령기 성비 불균형 문제가 심화되면서 국제결혼이 활발해졌다.

| 바로 알기 | ⑤ 국제결혼의 대부분은 한국인 남성과 외국인 여성과의 혼인이다.

13 외국인 이주자의 인구 구조

자료분석

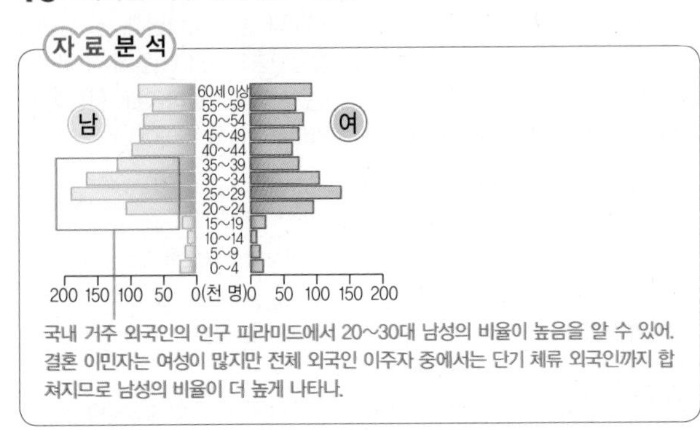

국내 거주 외국인은 지리적으로 인접한 개발 도상국에서 경제적 이유로 유입된 외국인 근로자, 국제결혼으로 들어온 결혼 이민자, 그리고 학업을 목적으로 들어온 유학생 등으로 주로 구성되어 있다. 따라서 청장년층 인구의 비율이 상대적으로 매우 높고, 유소년층과 노년층의 인구 비율은 낮다. 또한 20~30대 남성의 비중이 높은데, 이는 외국인이 주로 국내에 단기 체류하며 취업을 목적으로 입국하기 때문이다.

바로 알기 ② 노년층 인구 비율이 매우 높은 것으로 볼 때, 초고령화 사회로 진입한 지역에서 나타나는 인구 피라미드이다. ③ 제시된 인구 피라미드는 청장년층과 노년층 인구 비중에 비해 상대적으로 유소년층 인구 비중이 높은 인구 피라미드로 볼 수 있다. ④ 청장년층 인구 비율이 낮고, 노년층 인구의 비율이 높은 것으로 볼 때, 인구가 감소하는 농촌 지역에서 나타나는 인구 피라미드이다. ⑤ 유소년층 인구 비율이 높고, 노년층 인구 비율이 낮은 것으로 볼 때, 개발 도상국에서 주로 나타나는 인구 피라미드이다.

14 국내 체류 외국인의 특징

교통·통신이 발달하면서 자본·노동력·서비스 등이 국경을 넘어 자유롭게 이동하는 세계화가 빠르게 진행되고 있다. 이에 따라 우리나라에 체류하는 외국인의 수도 증가하고 있다. 1990년대 이후 급격히 증가한 국내 체류 외국인은 2015년에는 약 175만 명에 이르렀다. 제시된 자료는 국내 체류 외국인 현황을 나타낸 것으로, 국내 체류 외국인의 약 35%는 우리나라에 취직한 외국인 근로자(A)이며, 다음으로 결혼 이민자(B), 유학생 등의 순으로 나타난다. 국내 체류 외국인의 절반 이상은 중국인(C)이며, 그 다음으로 미국, 베트남(D), 타이 순으로 비중이 높다. 국내 체류 외국인의 대다수는 서울을 포함한 수도권과 도시 지역에 거주하고 있으며, 공업이 발달한 충청 지방과 영남 지방에도 많이 거주하고 있다. 촌락 지역의 경우에는 결혼 이민자의 비중이 높으며, 이들은 주로 중국과 베트남 출신의 여성이 많다.

바로 알기 갑. 왼쪽 원 그래프에서 A는 외국인 근로자로 전문 기술 인력의 비중보다는 단순 기능 인력의 비중이 높다. 정. 오른쪽 원 그래프에서 국내 체류 외국인 중 세 번째로 높은 비중을 차지하는 국가는 베트남(D)이다. 베트남은 동남아시아에 위치한 국가이다.

15 국제결혼의 특징

자료분석

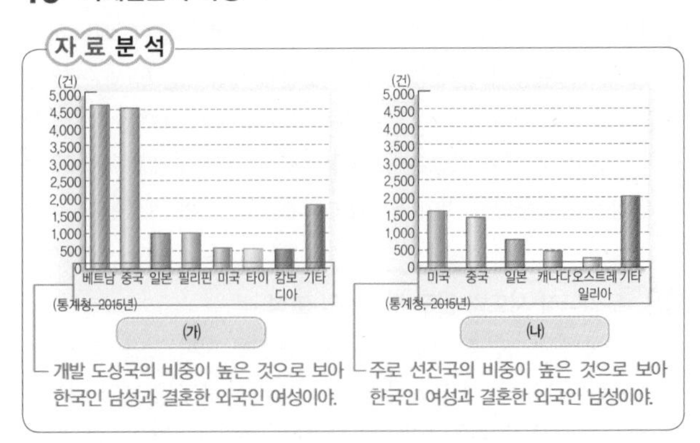

(가)는 한국인 남편과 결혼한 외국인 아내, (나)는 한국인 아내와 결혼한 외국인 남편의 국적이다. 우리나라의 국제결혼 유형을 살펴보면 한국인과 결혼한 외국인 여성의 국적과 외국인 남성의 국적이 큰 차이를 보인다. 상대적으로 외국인 남편의 국적은 미국, 중국, 일본, 캐나다 등의 선진국의 비중이 높고, 외국인 아내의 국적은 베트남, 중국, 필리핀 등 개발 도상국의 비중이 높다.

바로 알기 ㄱ. 한국인 남성과 결혼하는 외국인 여성은 한국인 여성과 결혼하는 외국인 남성보다 촌락에 거주하는 비중이 높다. ㄹ. 한국인 남성과 결혼하는 외국인 여성은 주로 중국과 베트남 같은 개발 도상국 출신이며, 한국인 여성과 결혼하는 외국인 남성은 미국, 일본, 캐나다 등 선진국 출신의 비중이 상대적으로 높은 편이다.

16 지속 가능한 다문화 사회를 위한 발전 노력

우리나라는 세계화와 개방화의 영향으로 국제결혼 및 외국인의 비중이 증가하면서 다문화 사회로 빠르게 변화하고 있다. 다문화 사회의 지속 가능한 발전을 위해서는 외국인과 상생할 수 있는 시민 의식이 필요하다. 또한 다문화주의 문화 상대주의 관점에서 외국인을 우리 사회의 구성원으로 수용하려는 의식의 변화가 필요하다. 또한 정책적으로 다문화 가정을 지원하는 사회적 통합 시스템을 구축하고, 다문화 수용성을 높이기 위한 교육 및 실천 대안을 마련해야 한다.

바로 알기 갑. 문화 상대주의 입장에서 외국인의 문화적 다양성을 존중하고, 외국인을 위한 제도적 지원과 인식의 개선이 필요하다.

Ⅶ. 우리나라의 지역 이해

01 지역의 의미와 지역 구분

STEP 1 핵심 개념 확인하기 222쪽

1 (1) ㄴ (2) ㄷ (3) ㄱ (4) ㄹ 2 점이 지대 3 ㉠ 자연적 ㉡ 지역성
4 (1) 중부 (2) 해서 (3) 소백, 금강

STEP 2 내신 만점 공략하기 222~224쪽

01 ② 02 ④ 03 ④ 04 ③ 05 ③ 06 ② 07 ④
08 ②

01 동질 지역과 기능 지역

지역은 크게 동질 지역과 기능 지역으로 구분할 수 있는데, (가)는 동질 지역, (나)는 기능 지역을 나타낸 것이다. 특정 지표를 기준으로 공통적인 성격이 나타나는 지역을 동질 지역이라고 한다. 동질 지역은 기후 지역, 농업 지역 등과 같이 하나의 지역 범위 내에서 그 구분 기준에 비추어 볼 때 동질성을 갖는 지역을 의미한다. 한편 하나의 중심지와 그 영향을 받는 범위로 나타낼 수 있는 지역을 기능 지역이라고 한다. 상권과 통근권, 통학권, 도시 세력권 등은 기능 지역에 속한다. 기능 지역은 중심지와 그 기능의 영향을 받는 주변 지역의 공간 관계에 따라 형성되기 때문에 그 범위는 교통과 통신이 발달하면서 변화한다.

바로 알기 ① 통근권, 상권은 기능 지역이다. ③ 특정 지리적 현상이 동일한 공간 범위를 나타내는 것은 동질 지역이다. ④ 문화권, 언어권은 동질 지역이다.

완자 정리 노트 동질 지역과 기능 지역

지역	특징
동질 지역	어떤 특정한 지리 현상이 동일하게 나타나는 공간 범위 예 기후 지역, 문화권, 농업 지역, 종교 지역 등
기능 지역	하나의 중심지와 그 영향을 받는 범위로 나타낼 수 있는 지역 예 통근권, 통학권, 상권 등

02 전통적인 지역 구분

우리나라의 전통적 지역 구분은 산줄기, 고개, 하천 등을 기준으로 이루어졌다. 호서 지방은 제천 의림지 서쪽 또는 금강 상류의 서쪽을 의미한다. 그리고 관북 지방은 철령관 북쪽, 관서 지방은 철령관 서쪽, 관동 지방은 철령관 동쪽을 의미한다.

바로 알기 ㄱ. 영남 지방의 '영'은 조령을 뜻한다. ㄷ. 관북 지방은 행정 구역으로 함경도 지역과 일치한다.

완자 정리 노트 전통적 지역 구분

지역	구분 기준 및 특징	행정 구역
관북 지방	철령관 북쪽	함경도
관서 지방	철령관 서쪽	평안도
관동 지방	철령관의 동쪽(대관령을 경계로 영서와 영동 지방으로 구분)	강원도
해서 지방	서울을 기준으로 바다(경기만) 건너 지역	황해도
경기 지방	왕도인 서울을 둘러싸고 있는 지역	경기도
호서 지방	제천 의림지 서쪽 또는 금강(호강) 상류의 서쪽	충청도
호남 지방	금강(호강)의 남쪽	전라도
영남 지방	조령(문경 새재)의 남쪽	경상도

03 지역의 의미

지역은 행정 구역의 경계와 같이 명확하게 선으로 구분되기도 하지만 그 경계가 불분명하며 인접한 두 지역의 특성이 뒤섞여 있는 경우가 많다. 예를 들어 주택 지역과 상업 지역 사이의 경계에는 주택과 상점이 혼재하는 지역이 존재한다. 이처럼 인접한 두 지역의 지리적 특성이 혼재되어 나타나는 지역을 점이 지대라고 한다. ㉠ 지역이란 주변의 다른 곳과 지리적 특성이 구분되는 공간적 범위를 의미한다. ㉡ 지역의 경계는 자연환경, 인문 환경 등 지리적 특성에 따라 달라진다. ㉢ 지역성이란 지역을 구분할 때 기준이 되는 그 지역의 고유한 특성을 의미한다. ㉤ 기능 지역은 어떤 중심 기능이 영향을 미치는 범위로 중심에서 주변으로 갈수록 기능의 영향이 점차 약해진다.

바로 알기 ④ 점이 지대는 동질 지역과 기능 지역에서 모두 나타난다.

04 지역의 구분과 점이 지대

제시된 그림은 점이 지대의 의미를 나타낸 것이다. 여러 기준에 따라 구분된 지역은 지역 간 경계가 선으로 구분되기도 하지만, 대부분 지역에서는 인접한 두 지역의 특성이 함께 분포하는 점이 지대가 나타난다. ㄱ. A는 A의 성격이 나타나는 지역이며, B는 B의 성격이 나타나는 지역을 의미한다. ㄷ, ㄹ. 빗금 친 C는 점이 지대로 서로 인접한 A와 B의 특성이 모두 나타난다.

바로 알기 ㄴ. 지역의 특성을 구성하는 것은 자연적 요소와 인문적 요소 등으로 구성된다.

05 동질 지역과 기능 지역

(가)는 동질 지역에 해당하는 설명이며, (나)는 기능 지역에 관한 설명이다. 제시된 지도 A는 강원도의 기후 지역, B는 강원도의 도시 체계, C는 강원도의 선거구를 나타낸 것이다. 따라서 강원도의 기후 지역과 선거구는 동질 지역에 해당하며, 강원도의 도시 체계는 기능 지역에 해당한다.

06 우리나라의 다양한 지역 구분

지역을 구분하는 자연적 요소 중 산지의 고개가 있는데, 철령관과 대관령, 조령 등이 대표적이다. 호남은 호강(금강)의 남쪽, 또는 전라북도 김제의 벽골제 남쪽을 의미하며, 영남은 소백산맥과 섬진강을 경계로 호남과 구분된다. 그리고 우리나라는 제주특별자치도, 세종특별자치시가 있다.

바로 알기 ② 호서 지방은 금강의 서쪽 지역을 의미하며, 충청도를 중심으로 하는 지역이다. 금강의 남쪽 지역이라는 뜻의 호남 지방은 제주도를 포함한 전라도를 중심으로 하는 지역이다.

07 전통적인 지역 구분

(가) 영동 지방과 영서 지방을 나누는 기준은 태백산맥의 ㉢ 대관령이다. (나) 호서 지방은 ㉣ 금강의 서쪽을 의미한다.

자료 분석

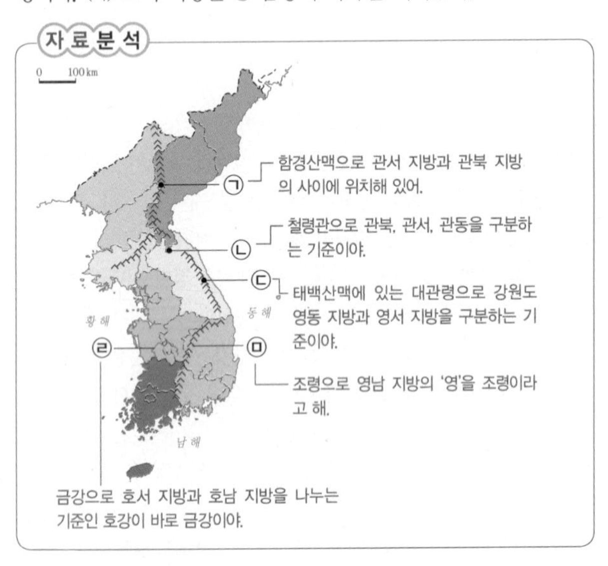

08 행정 구역의 어원

우리나라의 행정 구역은 조선 시대의 8도에서 비롯되었으며, 도의 명칭은 지역 중심지의 이름을 따서 정하였다. 함경도는 함흥과 경성에서 유래하였으며, 강원도는 강릉과 원주에서 유래하였다.

완자 정리 노트 우리나라 8도(道)와 관련된 도시

지역	행정 구역 이름	행정 구역 이름과 관련된 주요 도시
관북 지방	함경도	함흥, 경성
관서 지방	평안도	평양, 안주
관동 지방	강원도	강릉, 원주
해서 지방	황해도	황주, 해주
경기 지방	경기도	서울(한성)
호서 지방	충청도	충주, 청주
호남 지방	전라도	전주, 나주
영남 지방	경상도	경주, 상주

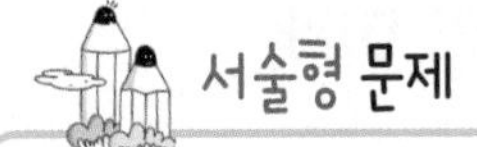

서술형 문제

224쪽

01 주제: 점이 지대의 특징이 나타나는 튀르키예의 이스탄불

예시 답안 튀르키예의 최대 도시인 이스탄불은 지중해와 흑해로 이어지는 보스포루스 해협을 사이에 두고 유럽, 아시아와 마주하고 있다. 이로 인해 이스탄불은 동서양의 문화가 공존하는 점이 지대의 특성이 나타난다.

채점 기준

상	점이 지대란 개념을 사용하여 이스탄불의 위치 특성을 바르게 서술한 경우
하	점이 지대란 개념을 사용하지 않고 단순히 이스탄불의 위치 특성을 서술한 경우

02 주제: 지역성의 의미

(1) 지역성

(2) **예시 답안** 지역성은 자연환경과 인문 환경의 결합으로 형성되며, 고정된 것이 아니라 시간의 흐름이나 교통·통신의 발달, 다른 지역과의 상호 작용을 통해 변화하기도 한다.

채점 기준

상	제시어를 모두 사용하여 지역성의 의미를 바르게 서술한 경우
중	제시어를 일부만 사용하여, 지역성의 의미를 서술한 경우
하	제시어를 모두 사용하지 않고 지역성의 의미를 서술한 경우

STEP 3 1등급 정복하기

225쪽

1 ② 2 ④

1 우리나라의 지역 구분

(가) 산맥과 하천 유역 지도는 자연환경 요소, (나) 방언권 지도는 인문 환경 요소에 의한 지역 구분이다. (가), (나) 지도를 비교해 보면 임진강 유역, 한강 유역은 중부 방언권에 해당됨을 알 수 있다.

바로 알기 ㄴ. (가), (나) 모두 동질 지역의 사례이다. ㄹ. 영서 지방은 중부 방언을 사용하고, 영동 지방은 동남 방언을 사용한다.

2 우리나라의 전통적 지역 구분

우리나라의 전통적인 지역 구분은 주로 산맥, 하천 등의 지형이나 시설물을 기준으로 하였다. 남부와 중부 지방은 소백산맥과 금강 하류를 잇는 선을 경계로, 중부와 북부 지방은 멸악산맥을 경계로 구분하였다. 관서와 관북 지방은 낭림산맥, 영동과 영서 지방은 태백산맥의 대관령을 기준으로 구분하였다. (가) 한양을 기준으로 바다 건너 서쪽은 해서 지방(B)이고, (나) 금강 이남은 호남 지방(C), (다) 철령관 이북은 관북 지방(A)으로 구분한다.

02 북한 지역의 특성과 통일 국토의 미래

STEP 1 핵심 개념 확인하기

230쪽

1 (1) 낮다 (2) 높다 (3) 많다　2 (1) 대륙성 (2) 다락밭 (3) 개마고원　3 ㉠ 수력 발전 ㉡ 화력 발전 ㉢ 평양　4 (1) – ㉠ (2) – ㉡ (3) – ㉢ (4) – ㉣

STEP 2 내신 만점 공략하기

230～233쪽

01 ③　02 ①　03 ①　04 ②　05 ①　06 ④　07 ③
08 ⑤　09 ③　10 ②　11 ①　12 ⑤

01 북한의 지형

자료분석

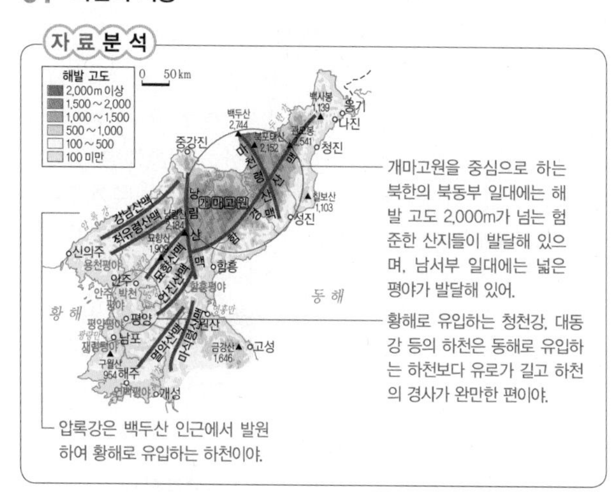

북한은 낭림산맥과 함경산맥의 영향으로 해발 고도가 높은 산지들은 주로 북동부 지역에 분포하며, 이곳에서 발원한 하천은 두만강을 제외하고 대부분 황해로 흐른다. 황해로 흐르는 하천은 동해로 흐르는 하천보다 유로가 길고 경사가 완만하다. 대부분이 평야는 대동강, 청천강 등의 하천을 따라 서해안 지역에 발달하였다.

바로 알기 ① 압록강은 황해로 유입하며, 동해로 유입하는 하천은 두만강이 대표적이다. ② 대부분의 넓은 평야는 서해안에 분포하며, 동해안에는 해안을 따라 좁은 해안 평야가 나타난다. ④ 황해보다 동해로 흐르는 하천의 경사가 더 급하다. ⑤ 해발 고도가 높은 산지는 북한의 북동부 지역에 분포한다.

02 삼지연과 평양의 기후 특색

북한은 산지가 발달해 있고 위도가 높아 관북 내륙 지역의 경우 겨울 기온이 매우 낮은 편이다. 반면 위도가 낮은 관서 내륙 지역은 겨울 기온이 상대적으로 높다. (가)는 1월 평균 기온이 –18℃ 정도까지 내려가는 것으로 볼 때 삼지연과 평양 중 삼지연의 기후 그래프이다. (나)는 1월 평균 기온이 –5℃ 정도이고, (가)와 강수량이 비슷할 정도로 적은 것으로 보아 평양의 기후 그래프이다. (가)는 (나)에 비해 최한월 평균 기온이 낮은 것으로 보아 고위도에 위치할 것이다.

바로 알기 ② 삼지연과 평양의 연 강수량은 비슷하지만 기후 그래프를 보면 평양의 7월 강수 집중률이 더 높은 편이다. ③ 삼지연의 최난월 평균 기온은 약 18℃, 최한월 평균 기온은 -18℃ 정도로 연교차는 36℃ 정도이다. 평양의 최난월 평균 기온은 23℃, 최한월 평균 기온은 -5℃ 정도로 연교차는 28℃ 정도이다. 따라서 삼지연이 평양보다 연교차가 더 크다. ④ 무상 일수는 겨울철 기온이 낮고 긴 삼지연이 평양보다 더 짧다. ⑤ 연교차가 큰 삼지연이 평양보다 대륙성 기후의 특징이 더 강하게 나타난다.

03 북한의 지리적 특색

각 지형 및 지역의 지리적 특색을 파악하여 문제를 해결할 수 있다. A는 동해안을 따라 발달해 있는 함경산맥이며, B는 적유령산맥과 묘향산맥 사이를 흐르는 청천강, C는 북한의 수도인 평양 일대, D는 금강산이다. ㄱ. 함경산맥(A)의 동해 쪽 사면은 경사가 급한 반면 내륙 쪽 사면은 경사가 완만한 편이다. ㄴ. 청천강(B) 중·상류 지역은 다습한 기류가 산맥에 부딪쳐 비를 뿌리기 때문에 강수량이 많은 다우지에 속한다.

바로 알기 ㄷ. 평양 일대는 고생대에 형성된 해성층이다. ㄹ. 금강산은 화강암으로 이루어진 돌산이다. 산지의 정상에 칼데라 호가 있는 화산은 백두산이다.

04 평양과 함흥의 위치 및 특색

지도에 표시된 두 도시는 평양과 함흥이다. 평양은 북한에서 인구가 가장 많은 도시이며, 함흥도 북한에서 인구가 많은 도시에 속한다. 따라서 그래프를 통해 (가)는 평양, (나)는 함흥임을 알 수 있다. 평양은 북한 전체의 중심 도시이며, 함흥은 관북 지방 남쪽 지역의 중심 도시이다. 2017년 통계청 기준으로 평양의 인구는 288만 명이며, 함흥의 인구는 57만 명이다. ㄱ. 북한의 정치 및 행정의 중심지는 평양이다. ㄷ. 지도를 통해 평양이 함흥보다 위도가 낮음을 알 수 있다.

바로 알기 ㄴ. 최근 경제특구로 지정되면서 개발이 이루어지고 있는 지역은 신의주이다. ㄹ. (가)는 평양, (나)는 함흥이다.

완자 정리 노트 북한의 인구 분포 특징

구분	특징
인구 밀집 지역	40% 이상이 서부의 평야 지대, 특히 평양 일대의 관서 지방에 집중 ← 넓은 평야, 상대적으로 온화한 기후, 풍부한 용수
인구 희박 지역	관북 내륙 지역은 험준한 산지가 많아 경지가 좁고 산업 발달이 부진 → 도시 발달 미약

05 북한의 인구 구조 변화

자료는 북한의 1993년과 2015년의 인구 피라미드이다. 인구 피라미드란 연령과 성별에 따른 인구 구조를 나타내는 그림으로 피라미드형은 높은 출생률과 사망률을 보이며, 종형과 방추형은 낮은 출생률에 따른 인구 구조를 나타내는 것이다. 두 시기의 인구 피라미드 비교를 통해 2015년이 1993년에 비해 노년층의 비중이 증가했으며, 유소년층의 비중이 낮아졌음을 알 수 있다. 따라서 노령화 지수는 증가하고, 출산율은 낮아졌으며, 유소년층의 비중이 작은 A가 답이 된다. 노령화 지수란 0세에서 14세까지를 일컫는 유소년층 인구에 대한 65세 이상의 노년층 인구의 비율을 의미한다.

06 북한의 산업

북한은 계획 경제 체제의 영향으로 산업 구조가 독특하며, 중국에 대한 무역 의존도가 높다. ㄴ. 2014년 북한은 중국과의 무역 비중이 90% 정도되므로 교역 비중이 가장 높은 국가는 중국이다. ㄹ. 대외 무역액에서 중국과의 무역액이 차지하는 비중은 2014년 90%, 2005년 50% 정도로 2014년이 2005년보다 높다.

| 바로 알기 | ㄱ. 산업 구조의 고도화란 산업화 수준이 높아지는 현상이다. 북한은 1960년대 이후 1차 산업 비중이 낮아지다가 1980년 이후 높아지는 현상이 나타나 산업 구조의 고도화가 나타났다고 볼 수 없다. ㄷ. 북한은 군수 산업 위주의 중화학 공업 우선 정책을 추진해 왔다.

07 북한의 전력 생산 현황

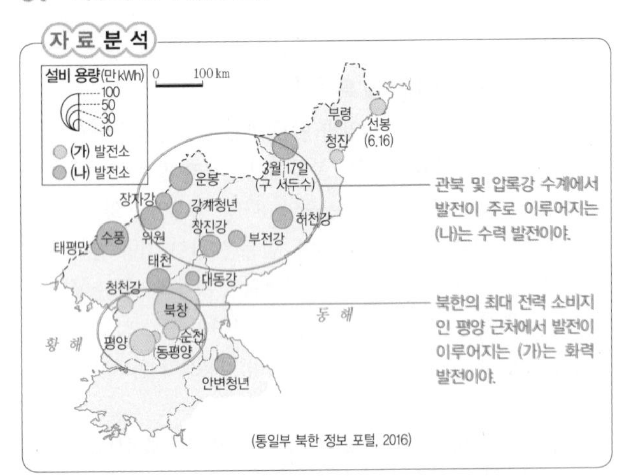

(통일부 북한 정보 포털, 2016)

북한의 전력 생산 구조는 크게 수력 발전과 화력 발전으로 나눌 수 있다. 북한은 높은 산지가 많고 하천의 폭이 좁을 뿐만 아니라 급경사의 사면에서 큰 낙차를 얻을 수 있어 수력 발전에 유리하다. 이로 인하여 남한보다 북한의 수력 발전 비중이 높다. 수력 발전소는 1920년대 말부터 압록강의 지류인 장진강, 부전강 등에 건설되었으며, 두만강보다 주로 압록강 수계에 집중되어 있다. 비교적 입지가 자유로운 화력 발전은 전력 수요가 많은 평양 주변에 주로 분포하고 있다. 따라서 지도에서 (가)는 화력 발전, (나)는 수력 발전이다.

| 바로 알기 | ㄹ. 평양 인근에서 발전이 많이 이루어지고 있는 (가)는 화력 발전이며, 관북 내륙 지역 및 압록강 수계에서 발전이 주로 이루어지는 (나)는 수력 발전이다.

08 북한의 주요 도시 분포

북한의 도시는 주로 서부 지역과 관북 지역의 좁은 해안 평야를 따라 분포한다. 서부 지역에는 북한 최대의 도시인 평양을 비롯하여 남포, 개성 등이 분포한다. 그리고 일제 강점기에 활발한 공업화가 이루어진 관북 지방에는 함흥, 원산, 청진 등의 도시가 발달하였다.

| 바로 알기 | ① 북한의 인구 분포는 불균등한 편이다. ② 접경 지역의 도시는 개성이 유일하다. ③ 인구가 가장 많은 도시는 평양으로 관서 지방에 위치한다. ④ 도시의 수는 1945년 이후에 승격된 도시가 1945년 이전 도시보다 많다.

09 북한의 농업 특징

북한은 산지가 많고 평지가 적어 서해안의 평야 지역을 제외하면 대부분의 농경지는 경사지와 구릉지를 개간하여 조성되었다. 또한 남한에 비해 강수량이 적은 편이며, 겨울이 길고 무상 일수가 짧다. 따라서 북한은 옥수수를 중심으로 조, 밀, 감자 등을 재배하는 밭농사가 주로 발달하였다. 평야가 넓게 분포하는 관서 지방은 다른 지역보다 농업에 유리한 지형적 조건을 바탕으로 농업 생산량이 많은 편이다. ① 자강도와 함경북도 일부 지역을 제외하고는 쌀이 옥수수보다 생산량이 많다. ② 관서 지방에 해당하는 평안북도와 평안남도 지역이 관북 지방에 해당하는 함경남도와 양강도, 함경북도 지역보다 농작물 생산량이 많다. ④ 무상 일수가 길수록 농작물을 재배할 수 있는 기간이 늘어난다. ⑤ 농작물 재배 면적은 평야 지역이 발달한 관서 지방이 관북 지방보다 넓다.

| 바로 알기 | ③ 관북 내륙 지역은 한랭한 기후와 산간 지역이라는 지형적 특성 때문에 밭농사가 발달하였다. 논농사가 발달하면 쌀 생산량이 높아야 한다.

10 북한의 공업 발달 및 공업 지역

북한은 1970년대 초반까지 사회주의 경제 체제하에서 석탄, 철광석, 마그네사이트 등 풍부한 지하자원과 노동력을 바탕으로 공업이 빠르게 성장하였다. 그러나 1990년대 이후 사회주의 붕괴로 인한 무역의 축소와 2차 산업 비중의 급격한 감소로 한때, 2차 산업이 1차 산업보다 더 낮은 비중을 차지하기도 하였다. 북한은 중공업 우선 정책을 지속적으로 추진해 왔으며, 군수 공업과 밀접한 관계가 있는 기계, 금속, 화학 등의 중화학 공업이 발달하였다. 그러나 경공업은 중화학 공업보다 발달 수준이 낮아 생활필수품의 부족 현상이 발생하였다. 북한의 최대 공업 지역은 평양·남포 공업 지역으로, 경공업 비중이 북한 전체의 절반을 차지한다.

| 바로 알기 | ㄴ. 군수 공업 중심의 공업 구조로 생필품이 부족하고 국민들의 삶의 질이 떨어지는 원인이 된다. ㄹ. 청진·나선, 원산·함흥 공업 지역은 관북 해안 지역에 위치해 있다.

11 북한의 개방 지역

북한은 1990년대 이후 지속된 경제 침체와 사회주의 경제권의 붕괴로 대외 교역이 감소하면서 개방 지역을 선정하였다. 북한의 개방 지역은 주로 외국인과의 교류에 유리하고 내부 체제에 미치는 영향이 적은 국경 부근에 위치한다. 그러나 외국인 개방 지역에 대한 출입 제한 및 경제 활동에 대한 규제가 많아 개방 효과는 크지 않은 편이다. 지도의 A는 신의주 특별 행정구, B는 나선 경제특구, C는 개성 공업 지구, D는 금강산 관광특구이다. 신의주 특별 행정구(A)는 2002년 중국 내의 홍콩처럼 개발하고자 지정되었으나 외국 자본의 유치 실패, 중국과의 마찰 등으로 중단되었다. 그러나 최근 압록강 유역의 황금평과 위화도를 포함시켜 다시 추진하고 있다. 나선 경제특구(B)는 북한 최초의 개방 지역이다.

| 바로 알기 | 병. 유엔 개발 계획의 적극적 지원을 바탕으로 조성된 지역은 나선 경제특구이다. 정. 금강산은 화강암으로 이루어진 돌산으로, 화산 지형을 볼 수 있는 곳은 백두산이 대표적이다.

12 남북한 산업 구조 변화

(가), (나)는 남한과 북한 중 하나이며, A~C는 농림 어업, 광공업, 서비스업 중 하나이다. 남한은 북한보다 산업 구조가 고도화되어 전체 산업에서 광공업과 서비스업이 차지하는 비중이 높다. (가)에서 B 산업이 차지하는 비중이 50%를 넘는데, 이를 통해 (가)는 남한이고, B는 서비스업임을 알 수 있다. (나)는 북한이다. 남한은 전체 산업에서 광공업이 차지하는 비중이 농림 어업보다 높으므로 A는 광공업이고, C는 농림 어업이다. 따라서 (가)는 남한, (나)는 북한, A는 광공업, B는 서비스업, C는 농림 어업이다. ① 북한은 지하자원이 풍부해 남한보다 광공업(A)의 비중이 높다. ② 북한은 1990년에 비해 2015년 농림 어업(C)과 광공업(A)의 비중은 감소하고 서비스업(B)의 비중은 증가하였다.

| 바로 알기 | ⑤ (가)의 산업 구조가 (나)보다 고도화되어 있다.

서술형 문제

233쪽

01 주제: 남북한의 상호 보완성

예시 답안 남한은 북한의 지하자원을 개발할 수 있는 기술과 자본을 충분히 갖추고 있으므로 남북 간의 상호 경제 협력을 통해 북한의 지하자원을 개발한다면, 남한은 자원을 저렴하고 안정적으로 확보할 수 있으며, 북한은 자원 개발을 통해 경제적 이득을 거둘 수 있을 것이다.

채점 기준

상	남한과 북한의 장점을 기술한 후 경제적 효과를 정확히 서술한 경우
하	남한과 북한의 장점과 경제적 효과 중 한 가지만 서술한 경우

02 주제: 남북한 교역의 특징

(1) 북한에서 남한으로의 물자의 이동은 반입, 남한에서 북한으로의 물자의 이동은 반출이라고 한다.

(2) **예시 답안** 2000년대 들어 개성 공업 지구가 활성화되면서 2010년~2015년에 남한으로의 반입 규모가 큰 폭으로 늘어났다. 주요 교역 품목을 보면, 개성 공업 지구에서 생산되는 전기·전자 제품과 섬유류가 전체 교역 품목의 대부분을 차지하며, 이 외에도 생활용품, 기계류, 화학 공업 제품, 철강 금속 제품 등도 교역이 이루어지고 있다.

채점 기준

상	제시된 단어를 모두 사용해 남북 교역 규모의 변화와 주요 교역 품목의 특징을 개성 공업 지구의 개설과 관련지어 정확히 서술한 경우
하	제시된 단어를 모두 사용하지 않고 남북 교역의 특징을 간략히 서술한 경우

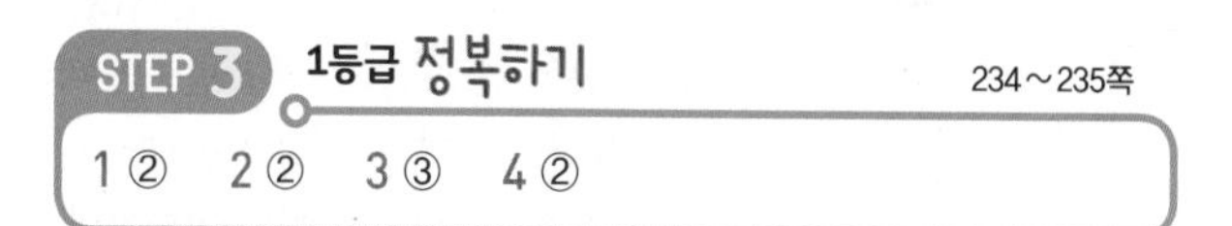

1 북한의 지역별 기후 특색

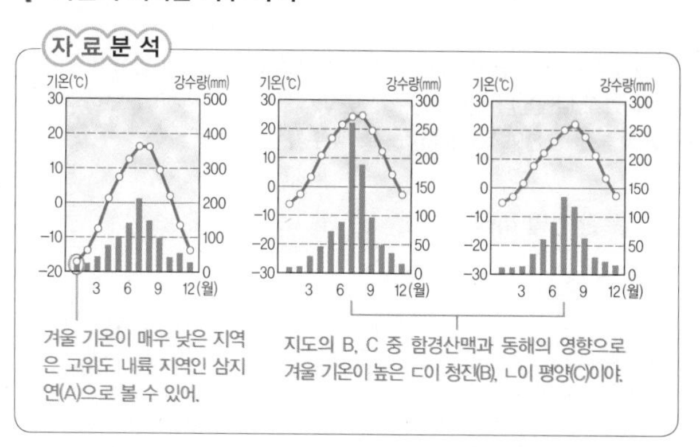

지도의 A는 삼지연, B는 청진, C는 평양이다. ㄱ. 세 지역 중 여름 기온이 가장 낮고 연 강수량도 매우 적은 소우지이다. 또한 최한월 기온이 약 -19℃ 정도로 매우 추운 지역으로 관북 내륙 지역에 위치한 삼지연(A)이다. ㄴ. 세 지역 중 연 강수량이 가장 많은 편이지만, 900mm 정도로 다우지는 아니다. 또한 최한월 평균 기온이 약 -6℃ 정도로 ㄴ과 유사한 기온 분포를 보이고 있다. 이는 대동강 하류의 평야 지역에 위치한 평양(C)이다. ㄷ. 최난월 평균 기온이 약 22℃이며, 연 강수량은 약 600mm 정도로 관북 해안에 위치한 청진(B)이다. 청진은 고위도에 위치하지만 함경산맥과 동해의 영향으로 겨울 기온이 같은 위도의 관북 내륙 지역뿐만 아니라 평양 등의 관서 지역에 비해서도 다소 높게 나타난다.

2 북한의 전력 생산 및 1차 에너지 소비 구조

왼쪽 지도에서 전력 소비가 많은 평양과 그 주변 지역에 주로 분포하는 (가)는 화력 발전에 해당하고, 높고 험준한 산지가 많은 평안북도와 함경북도, 함경남도 등에 주로 분포하는 (나)는 수력 발전이다. 북한에서 1차 에너지 소비 비중이 가장 높은 A는 석탄이고, 그 다음으로 높은 B는 수력, C는 석유이다. 화력 발전은 석탄과 석유를 원료로 하며, 화력 발전은 수력 발전보다 대기 오염 물질 배출량이 많다.

바로 알기 ㄴ. 수력은 물의 낙차를 이용해 발전한다. 석유(C)를 이용해 전기를 생산하는 발전은 화력 발전이다. ㄹ. 석탄과 석유 중 남한에서 해외 의존도가 높은 자원은 석유이다.

3 남북한의 인구 특성

북한의 인구는 2015년 기준 2,500만 명 정도로 남한 인구의 절반 수준이다. 북한의 인구 증가율은 경제난에 따른 출산 기피 현상과 영아 사망률 증가 등의 영향으로 1970년대 이후부터 점차 낮아지고 있다. 따라서 노동력 부족 및 인구 감소를 우려하여 적극적인 출산 장려 정책을 추진하고 있다. 인구 피라미드에서 (가)는 남한, (나)는 북한의 인구 피라미드이다. 종형 인구 구조는 유소년층의 비중이 낮고 노년층 비중이 높다. 따라서 남한은 북한보다 종형의 인구 구조에 가깝다. 성비는 여자 100명 당 남자 수를 의미하는데, (가), (나) 모두 노년층에서 여초 현상이 나타나므로 성비는 100 이하이다.

바로 알기 ③ 노령화 지수는 유소년층에 비해 노년층의 인구 비중이 높을 때 높게 나타난다. 따라서 유소년층의 인구 비중이 낮고 노년층의 인구 비중이 높은 남한이 북한보다 노령화 지수가 높다.

4 남북한 농업 특색

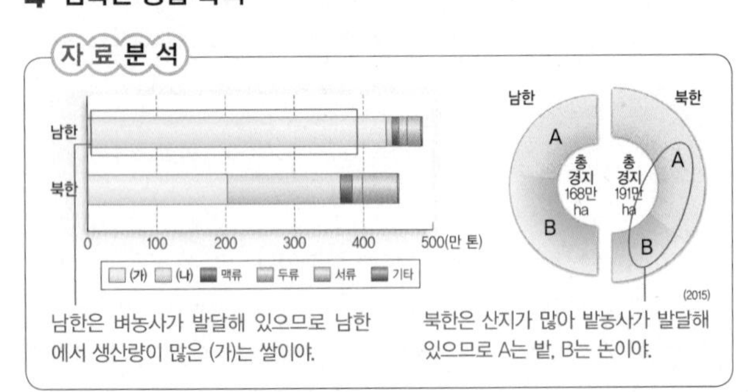

왼쪽 그래프에서 남한에서 생산량이 많은 (가)는 쌀, 북한에서 생산량이 많은 (나)는 옥수수이다. 북한은 밭의 면적이 넓고, 남한은 논의 면적이 넓다. 따라서 오른쪽 그래프에서 A는 밭, B는 논이다. 북한에서 쌀은 평야가 넓게 발달한 관서 지방에서 많이 생산된다. 그리고 쌀은 논에서, 옥수수는 밭에서 많이 생산된다.

바로 알기 ㄴ. 남한에서 옥수수는 대부분 수입에 의존하기 때문에 쌀의 자급률이 옥수수보다 높다. ㄹ. 그루갈이는 한 해에 두 가지의 작물을 번갈아 심어 수확하는 방식을 말한다. 남한에서는 맥류가 쌀의 그루갈이 작물로 재배되지만, 북한은 겨울 기온이 낮아 그루갈이가 이루어지기 어렵다.

03 수도권과 강원 지방

STEP 1 핵심 개념 확인하기 240쪽

1 (1) 인천광역시 (2) 태백산맥 (3) 탈공업화 2 (1) × (2) ○ (3) ○
3 (1) – ㉡ (2) – ㉠ 4 ㉠ 석회석 ㉡ 광업 ㉢ 석탄 산업 합리화 ㉣ 관광

STEP 2 내신 만점 공략하기 240~243쪽

01 ③ 02 ③ 03 ④ 04 ② 05 ③ 06 ① 07 ④
08 ③ 09 ⑤ 10 ② 11 ② 12 ③

01 수도권의 제조업 변화

1960년대 이후 정부 주도의 공업 정책을 기반으로 구로 공단이 조성되면서 서울을 중심으로 섬유·봉제업 등의 경공업이 발달하게 되었다. 이후 지가 상승, 환경 오염, 교통 혼잡 등의 문제로 인하여 인천·경기도 지역으로 공장이 이전하기 시작하였다. 1980년대 이후에는 안산의 반월 산업 단지, 인천의 남동 산업 단지 등의 새로운 공업 지역이 조성되면서 수도권 외곽 지역으로의 제조업 이전 현상이 증가하였다. 따라서 그래프에서 1990년대 이후 제조업 사업체 수가 감소하는 (가)는 서울, 제조업 사업체 수가 증가하며 2014년 업체 수가 가장 많은 (나)는 경기이며, 제조업 사업체 수가 가장 적은 (다)는 인천이다.

02 수도권의 지역 특성

수도권은 서울특별시, 인천광역시, 경기도를 포함하고 있으며 한반도의 중서부에 위치하고 있다. 수도권의 공간 범위는 전철 및 고속국도 확대 등 교통수단이 발달하면서 점점 넓어지고 있으며, 서울을 중심으로 대도시권을 형성하고 있다. 인천의 경우 국제공항과 항만이 입지해 있어 물류 기능이 발달해 있다.

바로 알기 ㄹ. 경기도는 우리나라에서 인구가 가장 많은 광역 자치 단체이다. 그러나 도시와 산업 기능의 발달로 전체 인구에서 노년층의 인구 비중은 많지 않다. 고령화 문제는 전라남도와 경상북도 등 촌락 지역에서 심각하게 나타나고 있다.

03 수도권의 집중도 이해

제시된 자료는 수도권의 인구와 기능의 집중도를 보여주고 있다. 오른쪽 그래프를 보면 수도권의 공공 기관 집중도는 47.9%로 대학교의 집중도인 34.1%에 비해 높은 편이다. 또한 왼쪽 그래프에서 수도권의 인구 증가율은 1990년대 후반부터 둔화되고 있어 1970~1980년의 인구 증가율이 2000~2010년보다 높다.

| 바로 알기 | ㄱ. 우리나라 100대 기업 본사의 95% 정도가 수도권에 집중되어 있는 것은 비수도권에 비해 수도권이 기업 활동에 유리하기 때문이다. ㄷ. 왼쪽 그래프에서 경기와 인천의 인구가 서울의 인구를 추월하기 시작한 것은 2000년대임을 알 수 있다.

04 수도권의 지역 특성

제시된 글을 통해 (가)는 경기도 파주시이며, (나)는 경기도 수원시임을 알 수 있다. 파주(A)의 헤이리 예술 마을에는 예술인들의 작업실과 일반인들이 이용할 수 있는 다양한 문화 시설이 갖추어져 있으며, 출판 도시를 조성해 많은 출판사들이 입지해 있다. 수원(C)은 경기도의 대표적인 도시로 정조 때 축조한 화성이 세계 문화유산으로 등재되어 있다.

| 바로 알기 | 지도의 B는 인천, D는 이천이다.

05 수도권 광역 급행 철도 건설에 따른 변화

광역 교통망의 구축에 따라 교외화가 나타나면서 인천, 수원, 성남, 고양 등 서울 주변 도시의 기능이 커져 공간 구조의 다핵화가 이루어지고 있다. 공간 구조의 다핵화란 도시나 일정 권역에서 활동의 중심이 다변화되는 현상이다. 광역 급행 철도의 완공은 서울과 주변 수도권 지역 간 시간 거리를 단축시켜 서울로 통근·통학하는 유입 인구를 증가시킬 것이다.

| 바로 알기 | ① 서울과 수도권 간의 교통 발달로 서울의 인구는 분산되는 효과가 나타나고 있다. ② 교통 발달로 서울의 거주지 교외화 현상이 나타나 서울의 인구는 꾸준히 감소하고 있다. ④ 서울의 동부 쪽은 광역 급행 철도 노선이 없어 지역 개발의 가속화가 다른 지역에 비해 크지 않을 것이다. ⑤ 수도권은 행정 구역이 세 지역으로 구분되어 있지만, 주거·산업 등은 기능적으로 밀접한 연계를 이루고 있다.

06 수도권의 산업 구조 변화

수도권의 산업 구조 변화 그래프를 보면 1995년에 제조업의 종사자 수 비중이 27.8%에 달했으나 탈공업화 현상이 나타나면서 2005년에는 20% 미만으로 감소하였다. 지역별 산업 구조를 살펴보면 경기와 인천의 제조업 종사자 수 비중이 높고, 서울은 3차 산업 종사자 수 비중이 절대적으로 높다.

| 바로 알기 | ㄷ. 2차 산업의 종사자 비중이 인천은 22.6%, 서울이 9.8%이지만 전체 인구는 서울이 인천보다 많기 때문에 2차 산업 종사자 수는 인천이 서울보다 2배 이상일 수 없다. ㄹ. 2차 산업 종사자 비중이 감소한다고 해서 제조업 생산액이 감소하지는 않는다.

07 수도권 정비 계획

제3차 수도권 정비 계획(2006~2020)은 지역별 중심 도시를 육성하고 서울 중심의 다핵 연계형 도시 공간 구조로 전환하여 서울과 그 주변 지역의 과밀화를 완화하는 데 목적이 있다. 주요 내용으로는 수도권을 다핵 연계형 공간 구조로 전환, 지역별 특성을 고려한 클러스터형 산업 벨트 구축, 서울 중심의 방사형 교통 체계에서 환상 격자형 교통 체계로 전환, 수도권 내 낙후 지역 개발을 통한 균형 있는 발전 촉진 등을 기본 방향으로 설정하였다.

| 바로 알기 | ㄴ. 단핵형 공간 구조를 다핵 연계형 공간 구조로 전환하려 한다.

완자 정리 노트 제3차 수도권 정비 계획

목적	수도권의 인구와 기능의 분산을 통한 수도권의 균형 발전
공간 구조	단핵형 → 다핵 연계형 공간 구조
특징	• 서울 중심의 방사형 교통 체계 → 환상 격자형 교통 체계 • 지역 중심 도시 육성을 통한 연계 강화

08 수도권의 교통 문제

1960년 이후 국가가 주도한 지역 개발 정책은 수도권의 급속한 성장을 불러왔다. 그러나 수도권이라는 한정된 공간에 인구와 산업 등 각종 기능이 과도하게 집중되면서 주거 환경 악화, 교통 혼잡, 지가 상승, 환경 오염 심화 등의 문제가 발생하였다. 이중에서 문제에 제시된 그래프는 수도권과 비수도권간의 통근 시간을 비교한 것으로 수도권의 교통 문제를 보여주고 있다.

09 영서 지방과 영동 지방의 특성

강원도는 중부 지방의 동부에 자리잡고 있으며, 태백산맥이 남북으로 지나가고 있다. 태백산맥은 해발 고도가 1,500m 내외인 산지로 이어져 있어 동서 지역 간 지형, 기후 등의 차이를 발생시킨다. 태백산맥을 기준으로 동쪽을 영동, 서쪽을 영서 지방이라고 부르는데 지도의 A는 영서 지방, B는 영동 지방이다. 영서 지방의 중심 도시인 춘천이나 원주는 산지로 둘러싸인 침식 분지에 발달하였고, 영동 지방에서는 북쪽에서부터 해안을 따라 속초, 강릉, 동해, 삼척 등의 도시가 분포한다.

| 바로 알기 | ① 영서 지방은 인접한 경기 지방과의 교류가 영남 지방보다 많다. 그 이유는 영남 지방과는 소백산맥으로 인해 왕래가 어렵기 때문이다. ② 높새바람에 의한 피해는 영서 지방에서 늦은 봄철에 발생한다. ③ 영동 지방은 겨울철 강수량이 영서 지방보다 많기 때문에 하계 강수 집중률은 영서 지방이 영동 지방보다 높다. ④ 고랭지 농업은 영서 지방의 산간 지역에서 많이 이루어지고 있다.

10 영서 지방과 영동 지방의 기후 차이

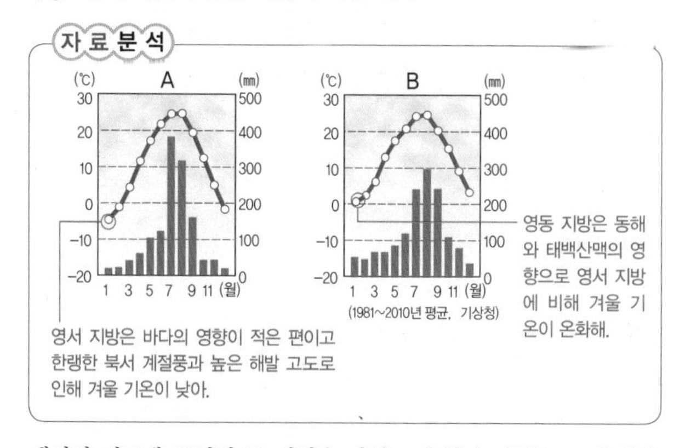

제시된 지도에 표시된 두 지역은 강원도 춘천과 강릉으로, 춘천은

내륙에 위치하고, 강릉은 동해안에 위치한다. 이 같은 수륙 분포의 차이로 인해 영서 지방에 위치한 춘천은 영동 지방에 위치한 강릉보다 기온의 연교차가 크게 나타난다. 또한 춘천은 여름 강수 집중률이 높은 반면, 겨울철에 북동풍의 영향으로 인한 지형성 강설이 많은 강릉은 겨울 강수량이 춘천보다 많다. 따라서 A는 영서 지방에 위치한 춘천, B는 영동 지방에 위치한 강릉의 기후 그래프이다.

바로 알기 ㄴ. 동해안에 위치한 강릉이 내륙에 있는 춘천보다 바다의 영향을 더 많이 받는다. ㄹ. 두 도시의 위도는 거의 비슷한데 강릉이 춘천보다 겨울철 기온이 높은 이유는 지형과 수륙 분포의 영향 때문이다.

11 춘천의 지역 특성

제시된 글에서 설명하는 지역은 강원도 춘천이다. 춘천은 영서 지방의 대표적인 도시로 소양강 댐 건설로 조성된 호수가 유명해 '호반의 도시'로 불리기도 한다. 지도에 표시된 A는 철원, B는 춘천, C는 원주, D는 평창, E는 삼척이다.

12 태백시의 산업별 종사자 비율 변화

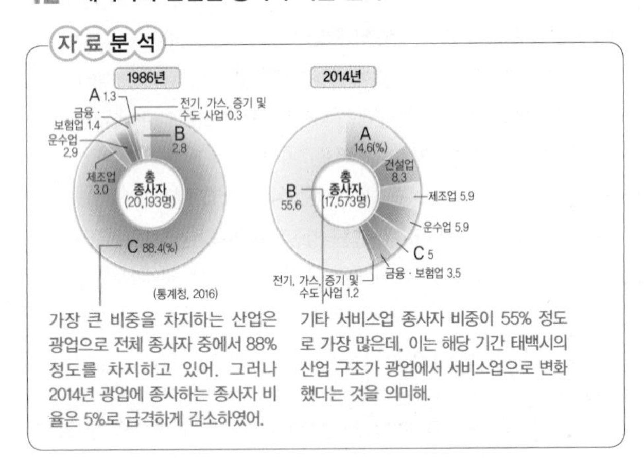

광산 개발이 활발히 이루어지던 태백시는 석탄 생산량 감소로 지역 경제가 침체되었고, 인구의 절반 이상이 줄었다. 태백시는 이러한 어려움을 극복하기 위해 관광 상품을 개발하거나, 신산업을 유치하는 등 경제 성장을 위해 노력하였다. 현재 태백시의 산업 구조는 광업으로 대표되던 2차 산업 중심에서 도·소매업과 숙박 및 음식업 위주의 3차 산업 중심으로 변화되었다. 따라서 그래프에서 A는 도·소매업, B는 기타 서비스업, C는 광업이다.

243쪽

01 주제: 수도권에 발달한 지식 기반 산업

예시 답안 수도권은 지식 기반 산업의 중심지로 성장하였는데, 이는 수도권에 지식과 정보가 집중되어 있고, 고급 연구 인력이 풍부하며, 관련 업체와의 협력이 쉽기 때문이다. 한편 수도권에는 산업 유형에 따른 공간적 분업 구조가 형성되고 있다. 수도권 내에서도 고급 기술 인력의 확보나 최신 정보의 획득이 중요한 지식 기반 서비스업은 서울에서 발달하였다. 이와 달리 정밀 기기, 반도체, 의약품, 통신 장비 등 넓은 공장 부지가 필요한 지식 기반 제조업은 경기도와 인천에서 발달하였다.

채점 기준

상	수도권에 지식 기반 산업이 발달한 이유와 공간적 분업의 특징에 대해 정확히 서술한 경우
중	수도권에 지식 기반 산업이 발달한 이유와 공간적 분업의 특징 중 한 가지만 서술한 경우
하	수도권의 공간적 분업 현상만 간략하게 서술한 경우

02 주제: 영동 지방과 영서 지방의 기후

(1) 예시 답안 영동 지방에 속한 강릉은 수심이 깊은 동해의 영향을 받으며, 태백산맥이 겨울철 차가운 북서풍을 막아 주기 때문에 영서 지방에 속한 홍천보다 겨울철 기온이 높다.

채점 기준

상	강릉의 겨울철 기온이 높은 이유를 동해, 태백산맥 등의 용어를 활용하여 정확하게 서술한 경우
하	강릉이 영동 지방에 위치하기 때문이라고만 서술한 경우

(2) 예시 답안 홍천은 여름철 남서 기류의 유입으로 지형성 강수가 많고 집중 호우가 자주 내리기 때문에 여름철 강수 집중률이 높다. 이에 비해 강릉은 겨울철 북동 기류의 영향으로 겨울철 강설량이 많아 겨울철 강수 집중률이 높다.

채점 기준

상	홍천과 강릉의 강수 특성을 모두 정확히 서술한 경우
하	홍천과 강릉의 강수 특성 중 한 가지만 서술한 경우

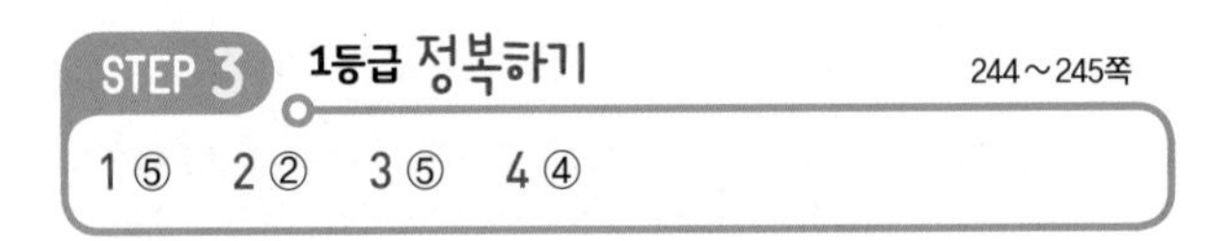

1 ⑤ 2 ② 3 ⑤ 4 ④

1 수도권과 서울의 집중도

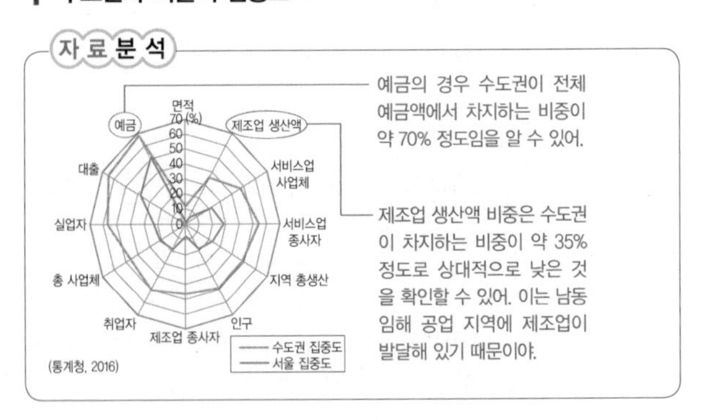

그래프를 보면, 예금액은 서울이 약 52%로 비중이 높고, 서울의 인구 비중과 취업자 비중은 20%이다. 수도권의 국내 총생산은 전체의 절반을 차지할 정도로 산업 및 고용의 집중도가 높다. 제조업 생산액 비중은 수도권이 35%, 비수도권이 65%이므로 비수도권이 더 높다.

바로 알기 ⑤ 수도권의 제조업 종사자 비중은 약 50% 정도이지만, 제조업 생산액은 35% 정도로 나타난다. 따라서 제조업 종사자당 생산액 비중은 비수도권이 수도권에 비해 높게 나타난다.

2 수도권과 비수도권 간의 격차

과거 중앙 정부 주도의 개발 정책을 통해 수도권과 일부 지역에 집중적인 투자와 개발이 이루어져 현재의 수도권과 비수도권 간의 격차가 발생하였다. ① 인구 및 산업의 수도권 집중을 알아보기 위해서 수도권이 차지하고 있는 인구 및 기능의 집중도를 살펴 보아야 한다. ③ 수도권에 과도한 인구와 기능의 집중으로 지가 상승 및 환경 오염과 같은 집적 불이익이 발생한다. ④ 세종특별자치시는 서울에 집중되어 있는 중앙 정부 기능의 이전을 통해 지역 균형 발전을 꾀하기 위해 만들었다. ⑤ 수도권 공장 총량제는 매년 새로 지을 공장 건축 면적을 총량으로 설정하여 이를 초과하는 공장의 건축을 규제하는 제도이며, 과밀 부담금 제도는 인구 집중을 유발하는 업무 및 상업 시설이 들어설 때 부담금을 부과하는 제도이다.

바로 알기 ② (나) 1960년대 국가 주도의 개발 정책은 하향식 개발 방식으로 진행되었으므로 지역 특성을 살린 상향식 개발 정책의 사례를 조사하는 것은 적절하지 않다.

3 강원도의 지역별 특징

제시문에서 '눈꽃 축제'를 통해 다설지, '산채'를 통해 산지 지역, '서늘한 고원'을 통해 고위 평탄면임을 알 수 있다. '고랭지 김장 축제'를 통해 고랭지 농업이 이루어지며, '효석 문화제'를 통해 강원도 평창군임을 알 수 있다. ⑤ 평창에는 신생대 제3기 경동성 요곡 운동에 의해 지반 융기로 형성된 고위 평탄면이 나타난다.

바로 알기 ① ㅡ자형의 개방적인 홑집 구조는 남부 지방에서 나타난다. ② 계절풍의 영향으로 여름 강수량이 많은 편이다. ③ 용암 대지 주변 하천에서 많이 볼 수 있는 경관이다. ④ 적색토는 과거 고온 다습한 기후 환경을 반영하는데, 남해안 일대에 주로 분포한다.

4 강원도의 지역 특성

지도에서 A는 양구, B는 춘천, C는 평창, D는 태백이다. 2018년 동계 올림픽 개최지이고 풍력 발전이 많이 이루어지며, 고랭지 채소 재배가 활발한 (가)는 평창(C)이다. 1990년 인구가 9만 명이었으나 국내 에너지 소비 구조의 변화와 석탄 산업 합리화 정책의 영향으로 폐광이 증가해 인구가 감소한 (나)는 태백(D)이다.

바로 알기 A는 양구로 침식 분지에 해당하는 해안 분지가 유명하다. B는 춘천으로 영서 지방의 대표적 도시이다. 소양강 댐 건설로 인한 소양호가 유명해 '호반의 도시'로 불린다.

04 충청 지방과 호남 지방

STEP 1 핵심 개념 확인하기 248쪽

1 세종특별자치시 2 (1) ○ (2) ○ 3 (1) ㄴ (2) ㄹ (3) ㄱ 4 (1) 광주 (2) 쌀 5 ㉠ 여수 ㉡ 광양 ㉢ 대불 국가 산업 단지

STEP 2 내신 만점 공략하기 248~250쪽

01 ② 02 ③ 03 ② 04 ⑤ 05 ② 06 ⑤ 07 ⑤ 08 ②

01 충청 지방의 위치와 지역 특색

충청 지방은 대전광역시, 세종특별자치시, 충청북도, 충청남도를 포함하는 지역으로 수도권과 남부 지방을 연결하는 중심부에 위치하여 예로부터 각종 교류가 활발한 교통의 중심지였다. 조선 시대까지는 금강 유역의 강경, 공주 등이 하천 교통의 중심지로 성장하였으며, 1900년대 초 경부선, 호남선이 개통된 이후에는 하천 교통이 쇠퇴하고, 대전을 중심으로 육상 교통의 중심지가 도시로 성장하였다. 최근에는 수도권 과밀화에 따른 분산 정책의 시행으로 다양한 기능이 충청 지방으로 이전해 오고 있어 빠르게 성장하고 있다.

바로 알기 ② 금강 유역에 있는 강경, 부여, 공주 등은 전통적인 하천 교통의 중심지였다.

02 충청 지방의 인구 변화

지도를 보면 충청 지방에서 인구가 증가하는 곳은 경기도에 인접하며 수도권과의 접근성이 좋은 지역과 경부축의 도로·철도 교통이 발달하고 있는 천안시와 아산시, 국토의 균형 발전과 수도권 기능 분산을 위해 조성한 세종특별자치시라는 것을 알 수 있다. 또한 서산시, 당진시는 석유 화학, 제철, 자동차 산업 등과 같은 중화학 공업이 발달하면서 인구가 증가한 곳이다.

바로 알기 ㄱ. 영남권에 가까운 지역은 인구가 감소하고 있다. ㄹ. 인구가 증가하는 지역은 군 단위 지역보다 시 단위 지역이 많다.

03 당진의 공업 특징

충청 지방은 1990년대 이후 제조업이 꾸준히 발달하고 있다. 그중에서 서해안과 인접한 당진시는 제철 공업 등 중화학 공업이 발달하였다. 그래프에 제시된 지역은 1차 금속 산업이 가장 발달한 충청남도 당진시이다. 지도의 A는 충청남도 서산시, B는 충청남도 당진시, C는 충청남도 천안시, D는 충청북도 음성군, E는 충청북도 충주시이다.

완자 정리 노트 충청 지방의 공업 발달

중화학 공업	• 서해안 인접 지역에 발달 • 서산(석유 화학 공업), 당진(제철 공업), 아산(IT, 자동차 공업)
첨단 산업	• 대전광역시: 대덕 연구 단지를 중심으로 발달 • 청주: 오송 첨단 의료 복합 단지 및 생명 과학 단지

04 충청 지방의 균형 발전

자료는 세종특별자치시의 출범과 내포 신도시의 건설을 나타내는 것이다. 이는 국토의 균형 발전을 위한 충청 지방의 노력과 관련된 사례이다. 2012년 7월 1일 중앙 행정 기능을 분담하기 위해 세종특별자치시가 출범하였다. 2020년 완공을 목표로 건설 중인 내포 신도시는 충청남도청의 소재지이자 충청남도의 균형 발전을 이끌 중심지로서의 역할이 기대된다. 더불어 충청북도 진천과 음성 일대에 조성되는 혁신 도시와 충주, 태안의 기업 도시도 충청 지방의 균형 발전에 중요한 역할을 담당할 것으로 예상된다.

05 호남 지방의 위치와 지역 특색

호남 지방은 한반도의 서남쪽에 위치하며, 광주광역시와 전라북도, 전라남도를 포함한다. 북쪽으로는 금강을 경계로 충청 지방과 접하고, 동쪽으로는 소백산맥을 두고 영남 지방과 접해 있다. 호남 지방은 우리나라의 대표적인 곡창 지대로 국내 쌀 생산량의 약 1/3을 차지하고 있다. 그리고 호남 지방은 농업의 발달을 꾀하기 위하여 다양한 수리 시설이 확충되었고 대규모 간척 사업을 통해 농경지를 확장하기도 하였다. 김제시 광활면, 부안군 계화도, 영산강 하구 등이 호남 지방의 대표적인 간척지이다.

바로 알기 ② 호남 지방은 동쪽으로 소백산맥을 사이에 두고 영남 지방과 접해 있다.

06 광양시의 지역 특징

과거 광양은 단감, 김 등의 주산지로 1차 산업 비중이 높은 지역이었다. 1980년 당시 광양군의 농가 인구는 약 6.3만 명, 어가 인구는 약 1.5만 명, 제조업 종사자는 400여 명에 불과했다. 그러나 1982년 광양 제철소 건설을 위한 간척 사업이 시작되고 1992년 광양 제철소가 완공됨에 따라 광양의 산업 구조는 크게 변화하였다. (가)는 광양시로, 제철소 건설로 인구가 급증한 것으로 보아 제조업 종사자 인구가 증가한 것으로 볼 수 있다.

바로 알기 ㄱ. 1990년 광양의 인구가 전라남도 내에서 차지하는 비중이 5.99%였으며, 2015년 8.03%로 증가하였다. 그러나 광양시의 인구는 소폭으로 감소하였기 때문에 전라남도의 인구는 해당 기간 감소하였을 것으로 추정할 수 있다. ㄴ. 1980년대 이후 광양 제철소의 건설로 제조업 종사자의 비중이 늘어나 농림 어업에 종사하는 인구는 감소하였다.

07 호남 지방의 지역 특성

1일차 답사 지역은 산비탈을 따라 펼쳐진 푸른 녹차밭 탐방, 녹차를 활용한 음식 등을 통해 전라남도 보성군(D)임을 알 수 있다. 2일차 답사 지역은 람사르 협약과 갯벌, 갈대밭을 통해 전라남도 순천시(E)임을 알 수 있다.

바로 알기 지도의 A는 전라북도 김제시, B는 전라북도 부안군, C는 전라남도 담양군이다.

08 광주와 여수의 공업

자료 분석

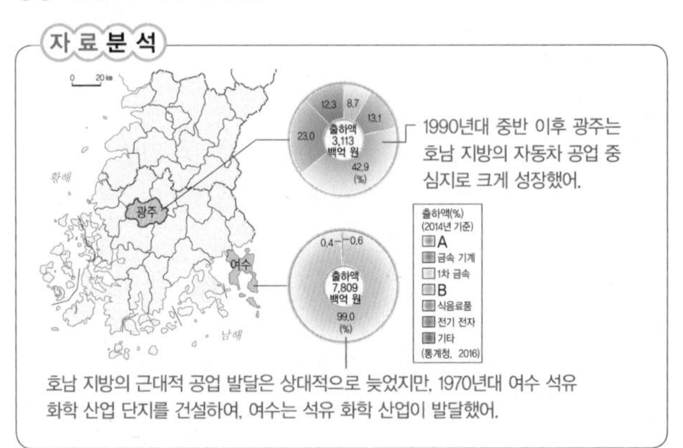

호남 지방의 광주와 여수, 광양 등은 제조업이 발달한 지역이다. 특히 광주광역시는 자동차 산업, 여수는 석유 화학 산업이 발달한 지역이다. 따라서 그래프의 A는 자동차, B는 석유 화학 산업이다. A는 관련 공업의 집적이 이루어지며, 호남권은 B의 출하액 비중이 A보다 높다.

바로 알기 ㄴ. 소비자와의 잦은 접촉을 필요로 하는 제조업은 인쇄 출판업, 패션업 같은 시장 지향 공업이다. ㄹ. A는 자동차로 B 석유 화학 산업의 원료로 이용될 수 없다. 자동차 산업은 철강 제품을 주요 원료로 사용하며, 석유 화학은 석유를 주요 원료로 사용하는 산업이다.

서술형 문제

250쪽

01 주제: 충청 지방의 공업 발달

(1) A – 서산시, B – 아산시

(2) 예시 답안 서산시(A)는 석유 화학 공업, 아산시(B)는 자동차 공업이 입지하여 제조업 출하액이 많다.

채점 기준

상	서산과 아산의 제조업 출하액이 많은 이유를 정확히 서술한 경우
하	서산과 아산 중 한 지역만의 제조업 출하액이 많은 이유를 서술한 경우

02 주제: 호남 지방의 산업 구조 특징

예시 답안 호남 지방은 우리나라의 대표적인 농업 지역으로 1차 산업이 차지하는 비중이 전국보다 높다. 그러나 1990년에서 2015년으로 가면서 1차 산업의 비중이 감소하고, 2·3차 산업의 비중이 증가하였다.

채점 기준

상	전국과 비교하여 호남 지방의 1~3차 산업 구조 특징을 바르게 서술한 경우
하	단순히 호남 지방의 산업 구조만을 설명한 경우

STEP 3 1등급 정복하기 251쪽

1 ② 2 ①

1 교통 발달로 인한 충청 지방의 변화

천안시까지만 운행되던 수도권 전철 1호선이 2008년 충청남도 아산시에 있는 신창역까지 연장 개통되었다. 이로 인해 충청 지방은 접근성이 향상되어 수도권과의 연계성이 더욱 높아졌다. 수도권으로의 통근·통학 인구가 증가하고, 수도권의 공업, 행정, 대학 등 다양한 기능이 분산되어 충청권 개발 촉진 등의 효과가 나타나고 있다. 이에 따라 2010년 이후 유입 인구 중 수도권에서의 유입 비중이 꾸준히 증가하고 있다.

2 호남 지방의 주요 문화적 자원

(가)는 만경강과 동진강 유역의 광활한 김제평야(호남평야)에서 벼농사를 위해 축조된 고대 수리 시설인 벽골제를 배경으로 지평선 축제를 개최하는 전라북도 김제시(A)이다. (나)는 한옥촌이 유명한 전주시(B)이다. 전주는 1999년부터 한옥 마을을 정비하여 전통문화관, 한옥 생활 체험관 등의 문화 시설을 유치하였고, 전주 국제 영화제, 전주 한지 문화 축제, 전주 소리 축제 등을 개최하고 있다. 전주는 '국제 슬로시티'로도 인증 받았으며, 판소리와 한지 공예 등의 전통 체험은 물론 비빔밥, 콩나물 국밥 등 전통 음식으로도 유명해져 많은 관광객이 방문하고 있다.

바로 알기 C는 전라남도 함평으로 나비와 꽃, 곤충을 소재로 하는 나비 축제를 개최하며 각종 체험 프로그램도 운영되고 있다. D는 전라남도 보성으로 녹차가 유명하며 매년 다향제가 열린다.

05 영남 지방과 제주도

STEP 1 핵심 개념 확인하기 254쪽

1 (1) 남동 임해 (2) 영남 내륙 2 (1) 경주 (2) 대구 (3) 부산 3 ㉠ 신생대 ㉡ 한라산 ㉢ 오름 4 (1) ○ (2) ○ (3) × 5 마이스(MICE) 산업

STEP 2 내신 만점 공략하기 254~256쪽

01 ② 02 ⑤ 03 ④ 04 ③ 05 ② 06 ① 07 ① 08 ②

01 영남 지방의 공업 분포

① 부산과 울산을 중심으로 하는 남동 임해 공업 지역과 대구와 구미를 중심으로 하는 영남 내륙 공업 지역이 대표적이다. ③ 영남 지방에 조성된 산업 단지는 지역의 산업 구조를 공업 중심으로 만들었으며, 많은 인구를 유입시켰다. ④ 남동 해안 지역은 항만 근처에 입지해 있어 원료의 수입과 제품의 수출에 유리하다. ⑤ 중화학 공업이 발달한 대표적인 도시로는 제철 공업이 발달한 포항과 자동차, 석유 화학 공업이 발달한 울산을 들 수 있다.

바로 알기 ② 1960년대 노동력이 풍부하고 산업 기반 시설이 잘 갖추어진 부산과 대구를 중심으로 경공업이 발달하였다.

02 남동 임해 공업 지역의 발달 요인

지도의 A는 영남 내륙 공업 지역, B는 남동 임해 공업 지역이다. 영남 지역의 해안은 조차가 작고 수심이 깊어 물자 수송을 위한 대형 선박의 입·출항이 편리하여 항만 발달에 유리하다. 따라서 1970년대 이후 이곳에 정부의 중화학 공업 육성 정책에 따라 대규모 국가 산업 단지가 조성되어 울산, 부산, 거제, 창원 등을 중심으로 제철, 조선, 석유 화학, 자동차 등의 중화학 공업이 빠르게 성장하였다.

바로 알기 ㄱ, ㄴ. 저임금의 풍부한 노동력과 편리한 도로 및 철도 교통 등을 바탕으로 공업이 발달한 지역은 영남 내륙 공업 지역이다.

03 대구와 울산의 산업 특성

대구는 섬유 산업의 경쟁력이 약화되면서 한때 지역 경제가 크게 침체되었다. 이를 극복하기 위해 섬유 공업의 첨단화를 추진하면서 자동차 부품, 금속·기계, 의료 기기 등 부가 가치가 높은 제조업 위주로 산업 구조를 변화시키고 있다. 울산은 중화학 공업을 중심으로 성장하면서 인구가 급격히 증가하였다. 오늘날에는 주력 산업에 정보 통신 기술을 융합하고 연료 전지, 원자력, 정밀 화학, 오일 허브 등 신성장 동력 산업을 육성하기 위해 노력하고 있다. (가)는 섬유 제품의 비중이 18.2%에 이르므로 대구임을 유추할 수

있고, (나)는 자동차 및 트레일러의 비중이 16.6%, 화학 물질 및 화학 제품의 비중이 9.3%이므로 울산임을 유추할 수 있다.

| 바로 알기 | 부산은 우리나라 최대의 무역항으로서 항만을 중심으로 물류 산업이 발달하였으며, 동북아시아의 물류 비즈니스 거점 기능이 강화되고 있다. 또한, 부산 국제 영화제의 성공적인 개최를 바탕으로 영상 산업을 특화하고 있다.

04 경주의 지역 특성

신라의 수도였던 경주(C)는 고분과 사찰, 불탑 등이 세계 문화유산으로 지정된 이후, 보문 관광 단지를 중심으로 관광 산업이 발달하고 있다.

| 바로 알기 | ① 안동(A)은 조선 시대 고택과 서원이 잘 보존된 전통 마을을 관광 산업과 연계하여 발전시키고 있다. ② 구미(B)는 대구와 함께 영남 내륙 공업 지역의 대표적인 도시로 섬유 및 정보 통신 산업이 발달해 있다. ④ 진주(D)는 최근 혁신 도시로 지정되어 발전이 기대되고 있다. ⑤ 창원(E)은 기계 공업 단지의 조성 및 경상남도 도청의 이전으로 빠르게 성장하고 있으며, 2010년에는 인근의 마산과 진해와의 통합으로 인구가 급증하였다.

05 제주도의 인구 변화

자료 분석

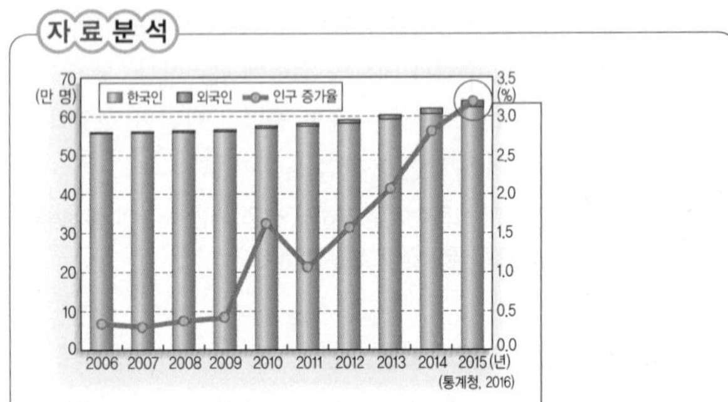

제시문에서 우리나라 전체 인구 증가율이 0.5% 정도인데, 제주도의 인구 증가율은 그래프를 보면 2015년 약 3% 정도로 아주 높은 것을 알 수 있어. 이는 외부에서 유입되는 인구가 많기 때문이야.

제시된 그래프는 제주도의 인구 증가 추세를 나타낸 것이다. 우리나라는 연평균 인구 증가율이 0.5% 정도로 증가세가 둔화되고 있는 추세지만, 제주도는 2015년 3.1% 정도로 인구 증가율이 높은 편이다. 이는 귀농·귀촌을 원하는 이주민들의 증가와 창업자들의 제주도 정착이 늘고 있기 때문인 것으로 분석된다. 다른 시도에서 제주로 유입하는 인구는 주로 서울, 경기도 등 수도권에서 30~59세 중장년층이 새로운 직업과 삶을 영위하기 위해 이주한 경우가 많았다.

| 바로 알기 | ㄴ. 제주도는 인구 증가율이 높은 지역으로 유출 인구보다 유입 인구가 많다. ㄹ. 그래프를 보면 2015년 제주도의 전체 인구는 약 65만 명으로 이 중에서 외국인 인구는 제주 전체 인구의 약 3.2%인 1만 9천여 명이다.

06 제주도의 전통 가옥

제주도의 전통 가옥은 유선형의 낮은 지붕에 새끼줄이 바둑판 모양으로 단단히 엮여 있다. 이것은 지붕이 강한 바람에 날아가는 것을 막기 위해서이다. 또한 바람에 의한 피해를 막기 위해 집과 밭에 돌담을 높게 쌓았다.

| 바로 알기 | ② 제주도의 지표는 다공질의 현무암으로 덮여 있어서 하천 발달이 미약하다. ③ 제주도는 신생대 화산 활동으로 만들어진 섬으로 현무암 같은 화산암이 풍부하다. ④ 위도가 낮아 겨울이 온난해 취사와 난방이 분리된 가옥 구조가 나타난다. ⑤ 하천 발달이 미약한 제주도에서는 물을 구할 수 있는 용천대가 발달한 해안가에 취락이 입지해 있다.

완자 정리 노트 제주도의 독특한 문화

전통 가옥	• 그물 지붕과 돌담: 강한 바람으로부터 가옥을 보호하기 위함 • 난방과 취사의 분리: 기후가 따뜻하여 난방의 필요성이 적음
방언과 풍속	• 육지로부터 멀리 떨어져 있어 고립된 환경: 다른 지역과 구별되는 독특한 방언과 문화가 발달 • 독특한 토속 신앙과 풍속: 바다, 돌 등의 자연물을 신격화한 민간 신앙 및 해녀 문화 등
농목업	• 밭농사 중심의 농업: 지표수가 부족하여 논농사가 불리하고 밭농사 발달 – 감귤, 유채, 고구마, 차 등 • 한라산 200~600m 사이에 넓은 2차 초지대 분포: 소, 말 등의 기업적 목축업이 이루어짐

07 제주도의 관광 자원

자료 분석

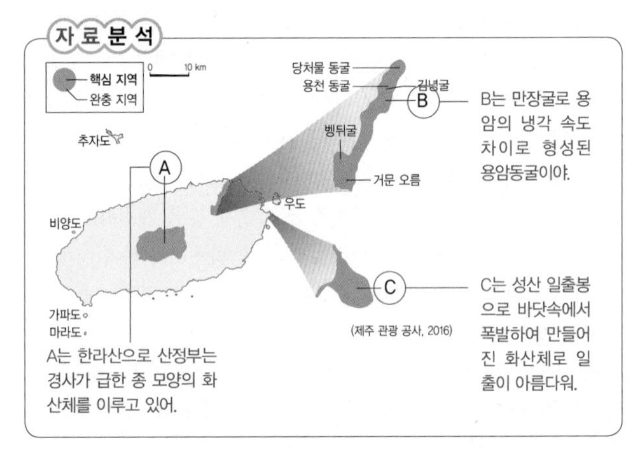

제시된 지도는 제주도의 세계 자연 유산 지역을 나타낸 것이다. A는 한라산, B는 용암동굴인 만장굴, C는 성산 일출봉이다. 한라산은 전체적으로 경사가 완만한 방패형 화산이지만 중앙부는 경사가 급한 종 모양의 화산을 이루고 있다. 백록담은 화구호로 분화 후 굳은 화구에 물이 고여 형성되었다.

| 바로 알기 | ② B에서는 표층부와 하층부 용암의 냉각 속도의 차이로 형성된 용암동굴을 볼 수 있다. ③ 성산 일출봉은 바닷속에서 폭발하여 만들어진 화산체이다. ④ A, B, C 모두 세계 자연 유산에 등재되었다. ⑤ A, B, C 모두 신생대 화산 활동으로 형성된 화산 지형이다.

08 제주도의 관광객 변화

제주도는 1960년대 이후 관광 산업이 꾸준히 성장하고 있다. 항공 교통의 발달과 아름다운 화산 지형, 온화한 기후, 독특한 섬 문화에 이끌려 많은 관광객이 찾고 있으며, 3차 산업의 비중이 높아 지역 경제의 중심을 차지하고 있다. 제시된 자료를 통해 2005년 38만 명에서 2015년 262만 명으로 관광객 수가 크게 증가하였으며, 국가별 비중에서도 2005년 일본인 관광객이 가장 컸으나, 2015년에는 중국인 관광객 비중이 크게 증가하였음을 알 수 있다. 중국인 관광객은 2015년 262만 명의 85.2%인 222만 7천 명으로, 2005년 38만 명의 30.3%인 11만 4천 명보다 약 200만 명 이상 증가하였다.

바로 알기 ㄴ. 관광 산업의 발달로 3차 산업의 비중은 증가했을 것이다. ㄹ. 외국인 관광객 중 타이완은 2005년 10.6%로 약 4만 명이었으나, 2015년 0.7%로 약 1만 8천 명 수준으로 감소하였다.

서술형 문제

256쪽

01 주제: 영남 지역의 도시 인구 규모 변화

(1) A – 울산, B – 창원

(2) 예시 답안 울산(A)은 조선·자동차·정유 공업이 입지하면서 인구가 급성장하였다. 창원(B)은 기계 공업 단지의 조성과 경상남도청의 이전으로 성장하였으며 2010년 진해, 마산과 통합되어 인구가 급성장하였다.

채점 기준

상	울산은 조선·자동차·정유 공업 등이 입지하면서, 창원은 진해, 마산과 통합되어 인구가 급성장하였다고 정확히 서술한 경우
하	울산과 창원 중 한 도시의 인구 변화 특징만을 서술한 경우

02 주제: 제주도의 독특한 음식 문화

예시 답안 제주도의 지표는 절리가 발달한 현무암으로 덮여 있어 빗물이 지하로 쉽게 스며들어 물이 귀하기 때문에 벼농사를 짓기가 어렵다. 따라서 경지의 대부분은 밭으로 이용하였으며, 잡곡을 활용한 음식 문화가 발달하였다.

채점 기준

상	지표가 현무암으로 덮여 있어 물이 쉽게 지하로 스며들어 벼농사를 짓기 어렵다고 정확히 서술한 경우
하	벼농사를 짓기 어렵다고만 서술한 경우

STEP 3 1등급 정복하기

257쪽

1 ④ 2 ②

1 부산, 대구, 울산의 지역 특징 및 공업 구조

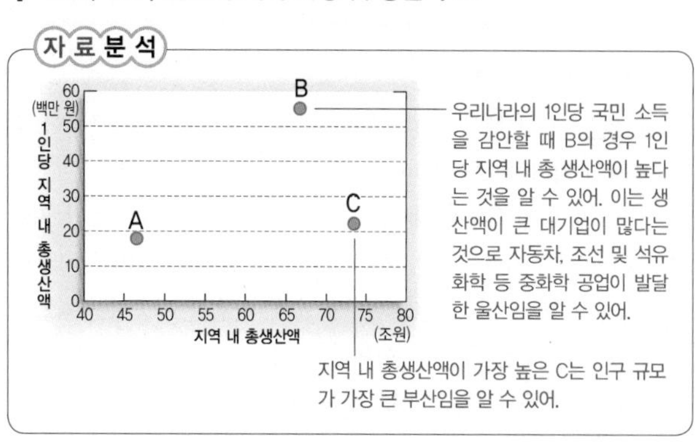

지역 내 총생산액이 가장 많은 C는 인구 규모가 가장 크며, 산업이 발달한 부산광역시이며, 1인당 지역 내 총생산이 가장 높은 B는 대규모 제조업이 발달한 울산광역시이다. 따라서 A는 대구광역시이다. (가)는 울산과 대구에서 종사자 수 비중이 가장 높은 업종이므로 자동차 및 트레일러 제조업이고, (나)는 대구에서만 상위 5순위에 들어가고, 울산과 부산에서는 상위 5개 업종에 들어가지 않는 업종이므로 섬유 제품이다.

2 제주도의 자연환경

제주도는 우리나라의 저위도 지역에 위치하고 있어 겨울철 기온이 온화하며 난대림이 넓게 분포한다. 또한 제주도는 신생대 화산 활동에 의해 만들어진 화산섬으로 기생 화산, 용암동굴, 주상 절리 등 다양한 화산 지형을 관찰할 수 있으며, 이 지형들은 관광 자원으로 활용되고 있다. ① 제주도는 한라산, 성산 일출봉, 거문 오름 용암 동굴계 등 일부 지역이 유네스코 세계 유산 중 자연 유산으로 등재되어 있다. ③ 제주도는 온화한 해양성 기후가 나타나 해안 저지대는 겨울철에도 따뜻하여 감귤 나무 및 야자나무 같은 난대성 작물이 자라고, 해발 고도가 높아질수록 기온이 낮아져 식생의 수직적 분포가 잘 나타난다. ④ 제주도에서 볼 수 있는 화산 지형으로는 기생 화산(오름)과 주상 절리 등이 있다. ⑤ 제주도는 기반암이 다공질의 현무암이며, 기반암에 절리가 많아 물이 지하로 쉽게 빠져나가기 때문에 지표수가 부족하여 하천의 발달이 미약한 편이다.

바로 알기 ② 제주도는 저위도에 위치하여 온화한 해양성 기후가 나타난다. 따라서 연교차가 작은 편이다.

대단원 실력 굳히기 260~263쪽

01 ① 02 ⑤ 03 ③ 04 ④ 05 ① 06 ② 07 ②
08 ② 09 ④ 10 ① 11 ② 12 ③ 13 ① 14 ①
15 ② 16 ②

01 우리나라의 지역 구분

우리나라는 크게 북부 지방, 중부 지방, 남부 지방으로 구분할 수 있고, 자연 지리적 요소에 따라 전통적으로 지역을 구분할 수 있으며, 정치·행정 기준에 따라서도 지역을 구분할 수 있다. 호남 지방과 호서 지방의 구분의 기준이 되는 '호'는 호강을 의미하는데 이는 금강을 뜻한다. 국가 균형 발전을 위해 출범한 세종시는 특별자치시이며, 제주도는 특별자치도이다.

바로 알기 ① 북부 지방과 중부 지방은 멸악산맥을 경계로 구분하였다.

02 남북한의 농업 특징

북한은 남한보다 경지 면적이 넓으며, 산지가 많기 때문에 논보다 밭의 비율이 높다. 그러므로 (가)는 남한, (나)는 북한이다. 남한과 북한 모두 쌀의 생산량이 가장 많으며, 북한은 쌀 다음으로 옥수수의 생산량이 많다. 따라서 A는 쌀, B는 옥수수, C는 서류이다. ⑤ 남한의 쌀 생산량은 485만 톤 중 89.3%로 약 433만 톤이며, 북한의 쌀 생산량은 451만 톤 중 44.7%로 약 202만 톤이다. 따라서 남한의 쌀 생산량은 북한보다 두 배 이상 많다.

바로 알기 ① 남한의 논 면적은 약 91만 ha, 북한의 논 면적은 약 57만 ha로, 남한의 논 면적이 더 넓다. ② (가)는 남한, (나)는 북한이다. ③ 남한에서 쌀은 대부분 주식으로 소비된다. ④ 북한에서 옥수수, 서류는 밭작물로 재배되며, 쌀은 주로 관서 지방의 평야 지대와 동해안의 좁은 해안 평야에서 생산된다.

03 평양, 청진, 원산의 기후 특징

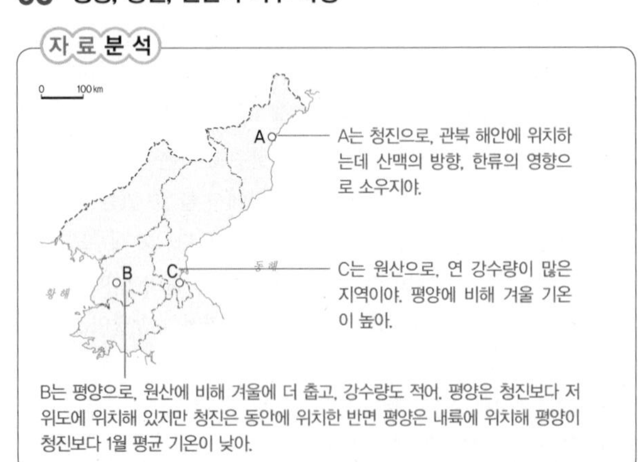

제시된 지도의 A는 청진, B는 평양, C는 원산이다. 원산은 북부 지방에서 상대적으로 강수량이 많은 다우지에 속한다. 반면 대동강 하류에 위치한 평양은 저평한 지형 특성으로 소우지이며, 청진은 산맥의 방향과 한류의 영향 등으로 비가 적게 내린다. 따라서 연 강수량은 원산, 평양, 청진 순으로 많다. 위도가 같은 지역에서 서해안이 동해안보다 기온의 연교차가 크기 때문에 평양은 원산보다 기온의 연교차가 크다. 청진과 원산은 모두 동해안에 위치해 있지만, 위도가 높은 청진이 원산보다 연교차가 크다. 따라서 기온의 연교차는 평양, 청진, 원산 순으로 크다.

바로 알기 ㄷ. 1월 평균 기온은 위도가 낮으며 동해안에 위치한 원산이 가장 높으며, 평양이 가장 낮다.

04 수도권의 인구 특성

수도권 지역의 교통이 발달하고 서울의 지가 상승에 따른 집값 상승에 따라 서울의 인구가 경기와 인천으로 많이 이주하였다. 특히 경기 지역에 신도시 및 대규모 아파트 단지가 건설되면서 서울에서 경기 지역으로의 인구 이동이 급격히 증가하고 있다. 그림에서 A에서 C로의 이동자 수는 약 36만 명, C에서 A로의 이동자 수는 약 24만 명, C에서 B로의 이동자 수는 약 7만 명이다. 인구 유출이 많은 지역은 서울이며, 서울에서 경기도로의 이동이 많다. 따라서 A는 서울, B는 인천, C는 경기임을 알 수 있다.

05 수도권 주요 지역의 특징

지도의 A는 경기도 파주, B는 인천, C는 서울, D는 경기도 시흥, E는 경기도 수원이다. (가) 인천 송도에는 국제도시가 조성되어 있어 업무 환경이 좋으며, 대규모 공원 등 시민들의 여가 문화 공간도 잘 조성되어 있다. 또한 인천 국제공항 및 항구는 수도권의 관문 역할을 하고 있다. (나) 경기도 파주 헤이리에는 예술 마을이 조성되어 있어 예술인들의 작업실이 갖추어져 있으며 일반인들도 이용할 수 있는 미술관, 체험장 등이 마련되어 있다. 또한 출판 도시라는 지역 브랜드화 전략을 통해 지역 홍보 효과를 보고 있다. (다) 서울은 역사와 문화가 어우러진 도시로 경복궁, 창덕궁 등의 궁궐과 한양 도성의 성곽 및 사대문 등 다양한 문화 유적을 볼 수 있으며, 대학로, 홍대, 이태원, 명동 등은 현대적 문화 공간의 특성이 잘 나타나는 곳이다.

06 수도권 주택 보급률의 변화

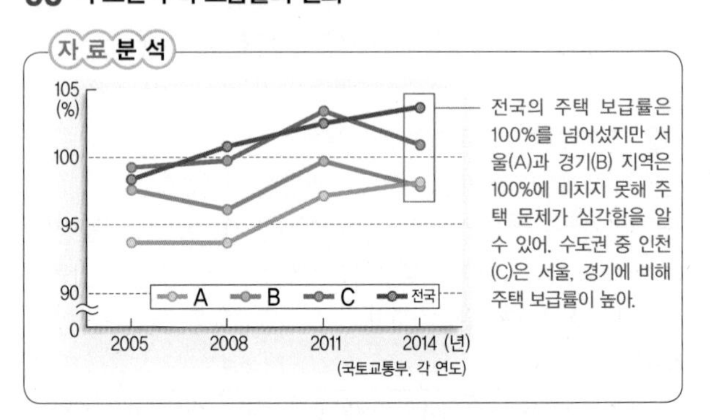

(국토교통부, 각 연도)

그래프를 보면 우리나라의 주택 보급률은 2014년 103%를 넘어섰지만 서울과 경기 지역은 100%에 미치지 못하고 있다. 전국적인 수준에서 우리나라의 주택 상황은 수요에 비해 공급이 많은 것으로 볼 수 있다. 그러나 서울과 경기 지역은 공급에 비해 수요가 많아 주택 부족 문제가 나타나고 있다. 그래프의 A는 서울, B는 경기, C는 인천이다.

| 바로 알기 | ㄴ. 수도권 지역 중에서 서울이 가장 주택 보급률이 낮은 편이다. ㄷ. 2005년에 인천은 전국 평균에 비해 주택 보급률이 높았다.

07 강원 지방의 특징

강원 지방은 태백산맥이 동쪽으로 치우쳐 있어 전체적으로 동쪽은 높고 서쪽은 낮은 동고서저 지형을 이룬다. 태백산맥에는 대관령, 미시령, 한계령, 진부령 등 여러 개의 고개가 있으며, 예로부터 사람들의 통행량이 가장 많았던 대관령을 기준으로 영동 지역과 영서 지역을 구분하였다. 영동 지방은 평지가 적으며 해안을 따라 소규모의 평야가 나타나고, 영서 지방은 경사가 완만하고 침식 분지 및 고위 평탄면이 분포한다. 영동 지방은 겨울철에는 태백산맥이 북서 계절풍을 막아 주기 때문에 영서 지방보다 따뜻하고, 동해가 있어 여름철에는 시원하다. 이와 달리 영서 지방은 산지 및 고원이 곳곳에 분포하며, 경지는 대부분 논보다 밭으로 이용된다.

| 바로 알기 | ② 영서 지방의 지형적 특징이다.

완자 정리 노트 영동 및 영서 지방의 지형 특징

영동 지방	• 동해와 접하고 있으며 동서의 폭이 좁아 급경사를 이룸 • 해안에는 사빈·사주 등의 퇴적 지형과 해식애·시 스택 등의 침식 지형이 발달함
영서 지방	• 침식 분지 및 고원이 분포하며 고위 평탄면에서는 고랭지 농업, 목축업 등이 발달 • 하천 중·상류 지역을 중심으로 하안 단구, 감입 곡류 하천이 발달함

08 강원 지방의 산업 특화도

제시된 그래프를 통해 산업 특화도가 1보다 크면 전국에 비해 해당 산업이 특화되어 있다는 것을 알 수 있다. 강원도는 전국에 비해 광업, 농림 어업 부문에서 특화도가 1보다 크다. 따라서 A는 광업, B는 농림 어업이다. 강원 지방은 풍부한 광물, 임산 자원, 수산 자원을 바탕으로 광업과 임업, 수산업이 발달하였다. 그러나 상대적으로 사업 서비스업, 전문·과학 및 기술 서비스업, 제조업은 발달이 미약한 편이다. 따라서 C는 제조업이다.

09 대전의 지역 특징

교통로의 발달은 지역의 발전과 쇠퇴에 큰 영향을 미치기도 한다. 대전(D)은 과거 '한밭'이라는 이름에서 알 수 있듯이 넓은 들판이라는 의미로 과거에는 한가로운 농촌이었다. 그러나 1905년 경부선이 개통되면서 도시로 성장하기 시작하였다. 이후 1914년 호남선이 개통되고 1932년 공주에 있던 충청남도 도청이 대전으로 이전하는 등 각종 관청이 들어서면서 많은 인구가 모여들어 대도시로 빠르게 성장하였다.

| 바로 알기 | A는 당진, B는 천안, C는 청주, E는 보령이다.

10 충청 지방의 산업별 생산액 비교

충청 지방은 수도권의 다양한 기능이 이전해 오면서 산업 구조가 고도화되고 있다. 그 중 서해안 지역은 서산, 당진, 아산 일원에 석유 화학, 자동차, 제철 등 중화학 공업 중심의 산업 단지가 건설됨에 따라 제조업이 발달하였다. 또한 대전은 대덕 연구 개발 특구와 더불어 충청 지방의 지식 첨단 산업의 발전을 이끌고 있으며 사회 간접 자본 및 서비스업이 발달되어 있다. 그래프에서 가장 비중이 낮은 A는 농림·어업, 가장 비중이 높은 C는 사회 간접 자본 및 서비스업이므로, B는 광업·제조업이다. 따라서 사회 간접 자본 및 서비스업 비중이 높은 (가)는 대전광역시, 서산, 당진, 아산 등 중화학 공업 단지가 위치해 광업·제조업 비중이 높은 (다)는 충청남도이다. 따라서 (나)는 충청북도이다. 2014년 충남의 광업·제조업 생산액은 93.9조 원의 52.7%인 49조 원이며, 충북의 광업·제조업 생산액은 45.8조 원의 44.5%인 20조 원으로, 충남이 충북의 두 배 이상이다.

| 바로 알기 | ㄷ. 충청남도의 경우 광업 및 제조업의 생산액 비중이 제일 높게 나타나고 있다. ㄹ. (가)는 대전, (나)는 충청북도, (다)는 충청남도이다.

11 호남 지방의 지역 특징

자료 분석

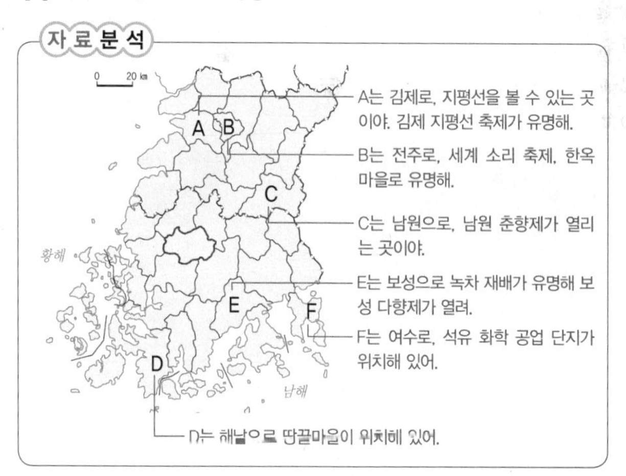

지도에 표시된 A는 전라북도 김제, B는 전라북도 전주, C는 전라북도 남원, D는 전라남도 해남, E는 전라남도 보성, F는 전라남도 여수이다. (가)는 전라북도 김제로 김제는 넓은 평야 지역으로 우리나라에서도 대표적인 벼농사 지역이며, 지평선을 볼 수 있는 곳으로 유명하다. (나)는 녹차 재배가 유명한 전라남도 보성이다. 보성은 녹차를 이용한 축제인 다향제가 열리기도 한다. (다)는 국내 최대의 석유 화학 공업 단지가 있는 전라남도 여수이다.

12 호남 지방의 산업 구조 변화

호남 지방은 우리나라의 대표적인 농업 지역으로 1차 산업이 차지

하는 비중이 높은 편이다. 특히 벼농사가 활발하게 이루어져 호남 지방에서 생산된 쌀은 국내 쌀 생산량의 3분의 1을 차지하고 있다. 호남 지방은 수도권 및 영남 지방보다 공업 발달이 더디게 이루어졌다. 따라서 사람들이 일자리가 많은 지역으로 빠져나가 오랫동안 인구가 정체하거나 감소하였다. 호남 지방의 공업은 1970년대 여수 석유 화학 산업 단지, 1980년대 광양 제철소가 조성되면서 발달하기 시작하였다. 1990년대 이후에는 중국과의 교역 확대를 목표로 대불 국가 산업 단지, 군산 국가 산업 단지 등이 조성되면서 제조업의 비중이 증가하였다.

| 바로 알기 | ③ 호남 지방에서 제철 공업이 발달한 대표적인 도시는 광양이 있다. 광주광역시는 자동차 산업이 발달한 도시이다.

13 무안과 안동의 지역 특징

첫 번째 질문을 통해 두 지역 모두 도청 소재지임을 알 수 있다. 따라서 (가), (나)는 전라남도 도청이 있는 무안, 경상북도 도청이 있는 안동, 경상남도 도청이 있는 창원 세 지역 중 하나이다. 두 번째 질문인 갯벌을 볼 수 있는 지역은 바다와 인접해 있는 무안과 창원이며, 하굿둑이 건설되어 있는 곳은 영산강 하굿둑이 있는 무안이다. 따라서 (가)는 무안(A)이다. 유네스코 세계 유산을 볼 수 있는 곳은 안동이다. 따라서 (나)는 안동(C)이다.

| 바로 알기 | B는 전라북도 부안, D는 경상남도 창원이다.

14 대구와 울산의 제조업 분포

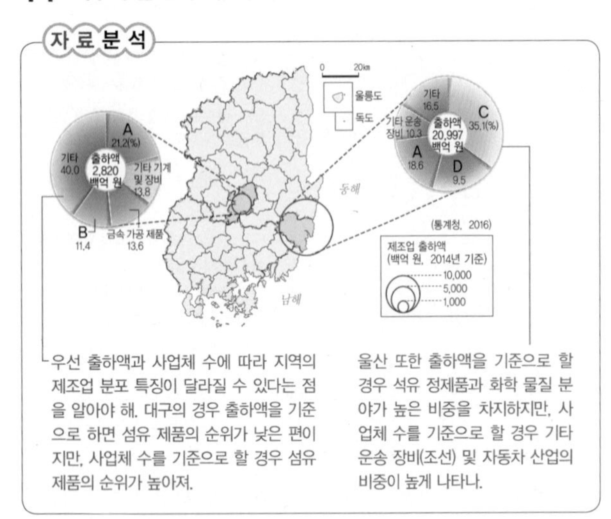

영남 지방은 부산과 대구를 중심으로 경부축을 따라 발전하였으며, 울산, 구미, 포항, 창원, 거제 등은 제조업 기반이 강화되면서 급성장하였다. 부산과 대구는 산업 구조의 고도화를 통해, 신발, 섬유 공업 등의 제조업 중심 도시에서 서비스업 중심 도시로 발전하고 있다. 그 중에서는 대구는 다른 도시에 비해 섬유 관련 산업이 발달해 있다. 따라서 B는 섬유 제품이며, A는 자동차 및 트레일러이다. 울산은 석유 화학 산업이 발달해 있기 때문에 C는 코크스, 연탄 및 석유 제품이며, D는 화학 물질 및 화학 제품이다. ① 자동차 및 트레일러 제조업은 집적에 의한 생산비 감소가 큰 조립형 공업이다.

| 바로 알기 | ② 원료의 수입과 제품의 수출에 유리한 적환지에 입지하는 산업은 제철 공업이다. ③ 소량 주문 생산 방식으로 제작되는 산업은 조선업이다. ④ 소비자와의 잦은 접촉을 필요로 하는 공업은 패션업 등이다. ⑤ 남성 종사자의 비중이 높은 산업은 조선업, 자동차 산업 등이다.

15 제주도의 지역 특성

제주도는 신생대 제3기 말에서 4기 초 여러 차례의 화산 활동으로 형성되었으며, 독특하고 아름다운 자연환경으로 유네스코 생물권 보전 지역(2002), 유네스코 세계유산(2007), 세계 지질 공원(2010)으로 등재되면서 세계적인 관광지로 성장하고 있다. 한라산 사면에는 수 백 개의 오름이 있으며, 그 외 용암동굴, 주상 절리 등의 다양한 화산 지형을 관찰할 수 있다. 제주도는 자연환경의 영향으로 독특한 문화가 나타나는데, 주변에서 쉽게 구할 수 있는 현무암을 이용하여 돌담을 쌓고, 새(띠)로 엮은 나지막한 지붕으로 강풍에 대비하였다. 또한, 기반암의 특성상 논농사가 불리하여 경지는 대부분 밭으로 이용하고 있다.

| 바로 알기 | ㄴ. 유네스코 세계유산으로 등재된 지역은 한라산 천연 보호구역 및 성산 일출봉, 김녕굴, 만장굴 및 거문 오름 지역이다. ㄹ. 제주도에서 논농사가 불리한 이유는 강수량은 많지만 기반암 특성상 배수가 잘 되기 때문이다.

16 제주도의 내국인 방문객 특성

마이스(MICE) 산업은 회의, 포상 관광, 컨벤션, 전시회 등의 머리글자를 딴 용어로, 국가 정상 회의와 각종 국제회의의 개최, 상품·지식·정보 등의 교류 모임 유치, 각종 이벤트 및 전시회 개최 등이 모두 마이스 산업에 포함된다. 제주도는 관광 산업의 경쟁력 강화를 위해 의료 관광이나 마이스 산업 등 고부가 가치 산업을 성장시키고 있다. 2015년 휴양 및 관람 목적의 방문객은 약 746만 명으로 2005년 약 330만 명보다 두 배 이상 많다.

| 바로 알기 | ㄴ. 교육 여행 목적의 방문객은 2005년 약 53만 명이었으며, 2015년에 약 25만 명으로 감소하였다. ㄹ. 자료는 내국인 관광객 자료만 제시되어 있으므로 외국인 방문객 수는 알 수 없다.

논술형 문제 풀이

주제 01 일본의 독도 영유권 주장에 대한 비판

논술 SOLUTION

(가)는 일본에서 실학자 하야시 시헤이가 그린 지도로 각 국가의 영토를 색깔을 달리하여 표현하고 있다.

(나)는 일본이 1905년 시마네현 고시 40호를 근거로 독도 영유권 주장을 하는 내용이다.

●POINT● 「삼국접양지도」에서 강조하는 핵심적인 내용이 무엇인지를 파악하고, (나)의 내용을 통해 일본이 주장하는 영유권 주장 근거와 (가)의 내용이 어떤 모순이 있는지를 파악하여 서술한다.

1. 예시 답안 (가) 지도는 「삼국접양지도」이다. 「삼국접양지도」는 각 국가의 영토를 색깔을 달리하여 표현하고 있는데, 동해상에 위치한 울릉도와 독도를 조선의 영토와 같은 색으로 그려져 있어 일본이 독도가 조선의 땅이라고 인정한 지도라는 것에 큰 의의가 있다.

2. 예시 답안 일본은 1905년 시마네현 고시 40호를 독도 영유권 주장의 근거로 삼고 있다. 「삼국접양지도」는 일본의 실학자 하야시 시헤이가 제작한 지도로 독도를 대한민국의 영토로 인정하고 있다. 따라서 (나)의 '타국이 점령했다고 인정할 만한 형태와 자취가 없고'라는 내용과 논리적으로 모순이다. 이를 구체적으로 살펴보면 「삼국접양지도」는 울릉도와 독도를 조선과 동일한 황색으로 표시했을 뿐만 아니라 그 옆에 '조선의 것'이라 써넣어 조선의 영토임을 분명히 하고 있다. 따라서 「삼국접양지도」는 일본 스스로가 독도를 대한민국의 영토로 인정하고 있는 지도이기 때문에 (나)에 나타난 일본의 주장과는 논리적으로 맞지 않다.

주제 02 조선 전기와 후기의 지리지

논술 SOLUTION

(가)는 해당 지역의 연혁, 인구, 특산물 등을 항목별로 나눠 백과사전식으로 기술하고 있다.

(나)는 해당 지역의 특색을 종합적·체계적으로 설명하고 있으며, 자연과 인간 생활 간의 상호 관계도 함께 기술하고 있다.

●POINT● 조선 전기의 관찬 지리지와 조선 후기의 사찬 지리지를 구분하고, 그 특징을 비교하여 서술한다.

예시 답안 (가)는 연혁, 인구, 특산물 등의 자료를 항목별로 묶어 백과사전식으로 기술한 것으로 볼 때 조선 전기에 제작된 『세종실록지리지』이다. 조선 전기에는 국가 통치를 위한 기초 자료를 확보하기 위해 관청의 주도로 방대한 규모의 관찬 지리지를 편찬하였다. (나)는 이중환이 쓴 『택리지』로, 조선 후기에는 실학자들이 국토의 실체를 객관적으로 밝히기 위해 사찬 지리지를 많이 편찬하였다. 사찬 지리지는 조선 전기 지리지의 백과사전식 서술 방식을 벗어나 특정 주제를 탐구하기 위해 종합적이고 체계적으로 고찰하고 서술한 것이 특징이다.

주제 03 산지 지형의 이용

논술 SOLUTION

(가)는 산지의 다양한 이용 형태 및 생활 모습을 제시한 사진 자료이다.

(나)는 산지 지형의 훼손을 막고 자연을 보존할 수 있는 방법을 제시한 사진 자료이다.

●POINT● 산지 지형의 다양한 활용 방안을 제시된 사진을 참고하여 서술하며, 산지 지형과 관련하여 생태 이동 통로와 자연 휴식년제를 시행하게 된 배경 등에 대해 심도 있게 탐구하여 논술한다.

1. 예시 답안 우리 조상들은 산지에서 각종 생활 도구를 얻거나 임산물을 채취하고 경작지를 마련하여 먹거리를 생산하였다. 평야가 적고 산지가 많은 지역에서는 경사면을 깎아 계단 모양으로 농지를 조성하며, 산세를 이용한 댐을 건설하여 전력을 생산하기도 한다. 오늘날 교통이 발달하면서 산지는 스키장, 자연 휴양림, 등산로 등 레저 및 휴양 공간으로 변화하였다.

2. 예시 답안 오늘날에는 무분별한 산지 개발로 삼림이 훼손되고, 동식물의 서식지가 파괴되거나 생태계의 균형이 깨지는 등의 부작용이 발생하고 있다. 이와 같은 문제점을 줄이기 위해 훼손된 지형과 생태계를 이전 상태로 되돌리려는 생태 복원 사업이 활발하게 진행되고 있다. 토양 침식이 심한 등산로 및 파괴된 생태계를 복원하기 위해 일정 기간 특정 산지의 인간 출입을 금지하는 자연 휴식년제를 시행하고 있으며, 야생 동물들이 안전하게 이동할 수 있는 생태 통로를 만들어 서식지 단절을 막을 수 있도록 하는 등 다각적인 노력을 기울이고 있다.

주제 04 우리나라 하천의 특징

논술 SOLUTION

(가)는 과거 금강을 활용하여 발달한 지역의 모습을 문학 작품으로 설명하고 있다.

(나)는 오늘날 금강 하구에 설치된 하굿둑의 설치 목적과 하굿둑 설치로 얻을 수 있는 장점 등에 대해 설명하고 있다.

●POINT● 금강 하구의 특징을 감조 구간과 관련하여 설명하고 하굿둑의 건설로 인한 장점과 이로 인한 문제점에 대해 논술한다.

1. 예시 답안 금강은 황해로 유입하는 하천으로 밀물과 썰물에 의해 수위가 주기적으로 변하는 감조 하천이다. 밀물 시 바닷물이 유입되는 금강은 과거 수운으로 활용되었으며 이 중 강경은 바다에서 배들이 유입하여 물자의 중심지로 번성하게 되었다.

2. 예시 답안 금강과 같은 감조 하천의 하구는 밀물 시 바닷물이 역류하여 염해를 입기 쉽다. 우리나라에서는 염해 피해를 방지하기 위해 금강 하구에 하굿둑을 건설하였다. 하굿둑 건설로 밀물 때 역류하는 바닷물을 막아 농경지의 염해 피해를 줄일 수 있었으며 각종 용수를 확보할 수 있었다. 이외에도 충남 서천과 전북 군산을 잇는 교량 역할을 하면서 충남 서천과 전북 군산의 육상 교류의 활성화에 영향을 주는 등의 장점이 있다. 하지만 하굿둑의 건설로 인해 하천과 바닷물의 흐름이 막혀 물 오염이 심화되고 생태 환경에 악영향을 주는 등의 문제점이 발생하게 되었다. 이와 같은 문제점으로 최근 하굿둑의 수문 개방을 비롯한 다양한 환경 문제 해결을 위한 논의가 이루어지고 있다.

주제 05 도시 기후와 지속 가능한 발전

논술 SOLUTION

(가)는 도시에서 나타나는 도시 사막화와 열섬 현상에 대한 내용이다. 불투수층 면적이 넓은 도시 지역에서는 빗물의 흡수와 수분의 증발이 어렵고, 인공 열이 발생하여 열섬 현상이 나타나는 것을 파악할 수 있다.

(나)는 도시 숲이 가진 생태계 회복, 열섬 현상 완화, 수분의 공급 등의 효과를 나타낸 것이다.

●POINT● 도심에서 나타나는 도시 사막화 및 열섬 현상의 원인을 분석하고, 도시 숲이 지닌 친환경적 가치를 분석하여 해결 방법에 대해 논술한다.

1. 예시 답안 도시의 높은 불투수 면적은 시가지의 면적이 증가한 것을 의미한다. 이로 인해 빗물이 땅속으로 스며들지 못하면서 녹지가 메마르고 토지와 환경이 건조해지는 도시 사막화가 나타난다. 또한 도심 지역에서는 도시 외곽보다 기온이 높은 열섬 현상이 나타나는데, 이로 인해 상승 기류가 발생하여 도심에서는 집중 호우와 같은 폭우가 발생하기도 한다.

2. 예시 답안 도시 숲은 빗물을 저장하고 이를 다시 방출하여 대기 중의 습도를 조절하는 녹색 댐의 역할을 담당함으로써 도시 사막화를 완화시킨다. 또한 도시 숲은 도심에서 발생하는 인공 열을 도시 외곽으로 빼내는 바람길의 역할과 기온을 낮추는 역할을 담당하면서 도심의 열섬 현상 완화에도 도움을 준다. 한편 녹지 조성이 어려운 지역에서는 건물의 옥상을 정원으로 꾸며, 에너지 소비로 발생하는 인공 열을 줄일 수 있다. 따라서 도시 사막화와 열섬 현상을 완화하기 위해서는 녹지 공간인 도시 숲과 옥상 정원을 조성하여 투수 면적을 늘리고, 인공 열을 줄여야 한다.

주제 06 지구 온난화와 윤리적 입장

논술 SOLUTION

(가)는 교토 의정서와 파리 협정을 비교한 것으로, ㉠은 선진국이 개발 도상국의 기후 변화 대처 사업을 지원해야 한다는 내용이다.

(나)는 선진국에 비해 개발 도상국의 이산화 탄소 배출량이 적지만 기후 변화로 인한 피해가 더 크다는 내용이다.

(다)는 사회적 불평등을 해결하기 위한 사회 정의와 공정한 사회에 대한 설명이다.

●POINT● 오랜 기간 온실 기체를 배출해 온 선진국이 개발 도상국의 기후 변화 대처 사업을 지원한다는 내용을 개발 도상국에 대한 사회적 불평등에 대한 고려 차원에서 논리적으로 서술한다.

예시 답안 기후 변화로 인한 피해는 모든 국가에게 균등하게 돌아가는 것이 아니라 경제적 성장을 이룩한 선진국보다 개발 도상국과 같은 경제적으로 어려운 국가에게 더 크게 나타나고 있다. 개발 도상국은 지구 온난화에 따른 신·재생 에너지 및 온실 기체 감축 기술, 기후 변화 감시 예보 시스템, 기후 변화 취약 계층 보호 등의 사회적 시스템 구축이 부족하며, 기후적으로도 열대 및 건조 기후 지역에 주로 분포하여 질병 위험, 식량 부족 등의 문제가 크기 때문에 이에 따른 경제적 지원이 절실하다. 따라서 지구 온난화로 인해 최소한의 생존권과 복지권을 누리지 못하는 국가 및 시민이 생기지 않도록 국제 사회의 적극적인 지원이 필요하다.

주제 07 도시의 지역 분화

논술 SOLUTION

(가)는 서울의 세 지역의 2000년과 2015년의 상주인구와 주간 인구 변화를 나타낸 것이다. 도심과 주변 지역의 상주인구와 주간 인구를 비교해 보고 주간 인구 지수를 통해 세 지역을 구분할 수 있다.

(나)는 서울시 행정 구역 지도이다. 행정 구역 지도를 통해 서울의 도심인 중구(ⓛ)와 주변 지역에 해당하는 노원구(㉠)의 위치를 파악한다. 또한 부도심이자 주거 밀집 지역인 강남구(ⓒ)의 특징에 대하여 파악할 수 있다.

● POINT ● 도시 내부 구조에서 도심과 외곽 지역의 특징을 파악하고 주간 인구와 상주인구의 연도별 변화를 통해 해당하는 지역을 선택한다. 그리고 주간 인구와 상주인구의 차이가 발생했을 경우 나타날 수 있는 문제점에 대하여 논술한다.

1. 예시 답안 (가)에서 A 지역은 2015년에 상주인구는 118명으로 가장 적지만, 주간 인구 지수는 372로 가장 높게 나타난다. 한편, B 지역은 2000년과 2015년에 모두 상주인구가 주간 인구보다 많기 때문에 주간 인구 지수가 100을 밑돈다. C 지역은 2015년에 주간 인구가 1,000명 가까이 되지만, 상주인구도 529명으로 매우 많다. 따라서 (나) 지도에서 세 지역을 찾으면 A는 서울의 도심인 중구(ⓛ), B는 대규모 아파트 단지가 밀집한 노원구(㉠), C는 상업·업무 시설이 많지만, 대규모 아파트 단지도 형성되어 있는 강남구(ⓒ)에 해당함을 알 수 있다.

2. 예시 답안 2015년에 주간 인구 지수가 가장 높은 지역은 A 지역으로 중구이다. 서울의 도심인 중구는 중심부에 위치하여 교통이 편리하고 접근성이 좋아 지대 지불 능력이 높은 기업의 본사, 고급 호텔, 백화점, 관공서 등이 입지한다. 따라서 출근 시간에는 주변 지역에서 도심으로 들어오는 교통량이 많아지고 퇴근 시간에는 도심에서 주변 지역으로 나가는 교통량이 많아져서 교통 체증이 발생할 수 있다.

주제 08 도시 재개발과 주민 생활의 변화

논술 SOLUTION

(가)는 경기도 안양시의 철거 재개발 사례이다. 철거 재개발은 기존의 건물과 시설을 완전히 철거하여 새로운 시설을 조성하는 방식임을 파악할 수 있다.

(나)는 서울 종로구의 보전 재개발 사례이다. 보전 재개발은 역사·문화적으로 보호할 가치가 있는 지역의 환경을 유지·관리하는 방식이다.

● POINT ● 도시 재개발은 환경이 열악한 지역의 건물을 철거· 수리·개조 등의 과정을 거쳐 도시 환경을 개선하는 사업이다. 이러한 사업은 지역 주민의 삶에 큰 영향을 미치기도 하는데 철거 재개발과 보전 재개발의 측면에서 긍정적 영향과 부정적 영향에 대하여 논술한다.

예시 답안 (가)는 철거 재개발로 시가지가 형성된지 오래되어 노후화된 지역의 건물을 철거하여 새로운 시가지로 조성하는 방식이다. 지역을 빠르고 효율적으로 구조화하여 이용할 수 있을 뿐만 아니라 노후화된 건물을 철거하고 건물을 신축하기 때문에 도시 미관 개선에 도움을 준다. 하지만 원거주민이 재개발 과정에서 강제로 이주해야 하거나, 재개발 후 입주 분담금이 많아 재정착하는 비율이 낮다. 이 때문에 재개발 후 지역 주민이 대폭 교체되어 오랜 기간 형성된 지역 공동체가 해체되기도 한다. (나)는 보전 재개발로 그대로 내버려 두면 환경이 악화될 염려가 있거나 역사적 문화재로서 가치가 있는 건축물을 보수하는 방식이다. 보전 재개발은 철거 재개발과 달리 기존 건물의 활용도가 높고 자원 낭비도 크지 않다. 또한 원거주민들의 이주율이 낮으며 의사 결정시 지역 주민의 참여도가 높다. 그러나 생활 환경 개선에 한계가 있을 수 있으며 관광객들로 인한 주민들의 사생활 침해 등의 문제가 발생할 수 있다.

주제 09 에너지 공급 문제와 대책

논술 SOLUTION

(가)는 우리나라 에너지 소비량과 에너지 수입 의존도가 높지만, 국내 신·재생 에너지 생산량은 미흡하다는 내용이다.

(나)는 신·재생 에너지가 현실적으로 경제적 효율성이 떨어져 생산량이 적다는 내용이다. 따라서 (다)에서는 신·재생 에너지 분야의 투자를 늘려야 한다는 내용이다.

● POINT ● 현재 우리나라 에너지 공급 체계를 분석하고, 이에 문제점을 찾아 신·재생 에너지를 어떻게 투자하고 생산할 것인지 생각하여 논술한다.

1. 예시 답안 우리나라는 에너지 다(多)소비 국가로 화석 에너지에 대한 사용량이 많다. 또한 국내 에너지 생산량은 적어 대부분의 에너지를 해외에 의존하고 있다. 이에 국내 신·재생 에너지 생산량은 미미한 편이다.

2. 예시 답안 태양광·풍력 등 신·재생 에너지는 토지 집약적 발전 설비이기 때문에 한정된 토지를 신·재생 에너지 발전으로 원활히 전용할 수 있는 기술적 문제를 가지고 있다. 그렇기 때문에 신·재생 에너지는 아직까지 화석 에너지를 대체하기에는 기술적인 문제를 가지고 있다. 정부에서는 이러한 신·재생 에너지가 가지고 있는 기술 한계를 극복하기 위해서는 국내 지리적 여건, 기술 수준, 시장성 등을 감안하여 실제 발전 가능성이 높은 신·재생 에너지 분야를 적극 육성하여야 할 것이다.

주제 10 농업 문제와 해결 방안

논술 SOLUTION

(가)는 농가 소득과 도시 소득의 격차가 크게 벌어지고 있다는 자료이다.

(나)는 농가의 부채 증가와 농작물 생산비의 증가로 인해 농가 수익 구조가 악화되고 있다는 것을 보여 준다. (다)는 농산물의 상품성 강화를 통해 농가 수익 개선을 해야 한다는 내용이다.

● POINT ● 농가 수익이 악화되고 있는 점을 찾아내어, 문제점을 해결할 방안을 제시한다.

1. 예시 답안 전체 농업 생산량의 증대에도 농가의 실질적인 소득은 정체하고 있다. 농산물 소비 감소와 시장 개방이 농산물 가격 경쟁력을 하락시키고 있으며 나날이 늘어나는 생산비 증가도 농가 수익 구조를 악화시키는 원인이 되기도 한다.

2. 예시 답안 농촌 지역은 급속한 산업화·도시화 과정 속에서 인구 감소, 고령화, 지역 경제 침체, 소득 수준 악화 등으로 침체되고 있다. 이를 해결하기 위해서는 농업의 다각화와 지리적 표시제 등을 통한 농산물의 브랜드 가치를 상승시켜 농업 수익을 높여야 한다. 도농 교류와 같은 외적 수요 변화와 팜스테이 등 농가 수익을 다변화할 수 있는 방안을 시도해야 한다. 이를 통해 지역 간 차별성을 살려 농촌을 복합적 생활 공간으로 변화시키고 농가 수익을 극대화해야 한다.

주제 11 우리나라 인구 구조의 변화

논술 SOLUTION

(가)에서 과거 우리나라의 인구 구조는 높은 출생률과 낮은 경제 발달 수준으로 인해 1960~1970년대까지 전형적인 피라미드형 인구 구조를 보이고 있었다. 그러나 1990년대 이후부터 경제 발달과 사회 변화로 종형 인구 구조를 보이게 되어 유소년층이 감소하고 노년층의 비중이 증가하였다. 또한 현재와 같은 저출산, 고령화 현상이 지속될 경우 미래에는 노년층의 인구 비중이 급격히 증가할 것임을 유추할 수 있다.

(나)는 현재와 과거의 인구 구조 자료를 통해 유소년 부양비와 노년 부양비를 더한 총 부양비를 구할 수 있다.

● POINT ● 연령별 인구 자료를 통해 과거와 현재 우리나라의 인구 구조의 특성을 파악할 수 있다. 또한 미래의 인구 구조 변화를 예측할 수 있으며 이에 대한 문제점과 해결 방안을 고민해 볼 수 있다.

1. 예시 답안 1960년부터 2010년까지는 출생률이 낮아지면서 유소년층 인구 비율이 감소하였으며, 평균 수명이 증가하면서 노년층 인구 비율이 증가하였다. 앞으로는 저출산 현상이 지속되어 유소년층 인구 비중은 감소하는 반면, 노년층 인구 비중은 급격히 증가하여 생산 가능 인구가 줄어들어 우리나라의 경제 성장률 및 성장 잠재력이 하락할 것으로 예상된다.

2. 예시 답안 2010년 이후에는 유소년 부양비가 감소하면서 정체하고, 노년 부양비가 급증하고 있기 때문에, 유소년 부양비와 노년 부양비의 합인 총 부양비는 높아질 것으로 예상된다.

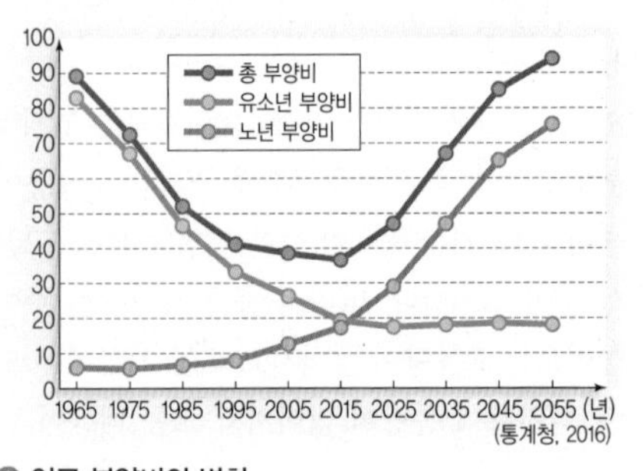

인구 부양비의 변화

주제 12 바람직한 다문화 사회 건설을 위한 노력

논술 SOLUTION

(가)는 행복한 다문화 사회를 위한 여러 가지 정책 지원 중 통역 서비스와 관련된 내용이다.

↓

(나)는 결혼 이민자가 겪는 여러 가지 어려움을 보여주는데, (가)와 관련지어 가장 큰 어려움인 A가 무엇인지 유추해 볼 수 있다.

● POINT ● 바람직한 다문화 사회를 만들기 위해 우리가 어떤 자세를 가져야 하는지, 내가 그들의 입장이라면 어떤 점이 힘들지 공감하며 논술한다.

예시 답안 결혼 이민자가 겪는 가장 큰 어려움인 A는 언어 문제이다. 국내 다문화 가정의 대부분이 한국인 남편과 외국인 아내라는 점을 생각할 때 자녀의 언어 교육 측면에서 어머니 국가의 언어와 역할이 중요할 것이다. 그러나 한국 생활에 대한 적응을 위해 의도적으로 어머니의 모국어를 사용하지 않는 경우가 많으며, 한국어 또한 정확히 구사하지 못하는 경우가 많아 자녀들의 언어 교육에 문제점이 있을 수 있다. 따라서 한 가지 언어를 중심으로 언어 교육을 하기보다는 두 가지 언어 중심의 언어 교육이 필요할 것이다. 이를 위해 다문화와 관련된 재미있는 소재로 디지털 시대를 맞아 누구나 접근이 용이한 콘텐츠를 개발하고, 의사소통에 국한시키는 한국어 교육이 아닌 다문화 가정을 위한 '두 가지 언어 사용' 교육 프로그램 같은 것을 개발해 보급한다면 큰 도움이 될 것이라고 생각된다.

주제 13 우리나라의 전통적인 지역 구분

논술 SOLUTION

(가)는 우리나라의 전통적인 지역 구분은 산줄기, 고개, 하천 등의 지형지물이나 시설물을 기준으로 이루어졌음을 알 수 있다.

↓

(나)는 우리나라의 전통적인 지역 구분을 나타낸 지도이다.

● POINT ● 우리나라의 전통적인 지역 구분은 어떻게 이루어졌는지 지역 구분의 기준을 서술한다.

예시 답안 전통적인 지역 구분은 산맥과 강 등 자연환경을 기준으로 한다. 지도의 A는 호남 지방으로 금강(호강)에 의해 호서 지방과 구분되고, 소백산맥을 경계로 영남 지방과 구분된다. B는 영서 지방, C는 영동 지방으로 두 지역 모두 관동 지방에 속하지만 태백산맥을 기준으로 구분된다. D는 영남 지방으로 소백산맥의 고개 중 하나인 조령(문경새재)의 남쪽에 위치한 곳을 말한다.

주제 14 국가 균형 발전과 수도권 문제의 관련성

논술 SOLUTION

제시된 지도는 지방에 소재한 대학들이 동두천, 하남, 고양 등 서울과 인접한 경기도 지역으로 캠퍼스를 이전하려 한다는 내용이다.

↓

신문 기사에서 충북 제천에 위치한 대학이 경기도 하남으로 캠퍼스를 이전하려고 하자 지역 주민들이 반대한다는 내용을 통해 지역 주민들의 입장을 생각해 본다.

● POINT ● 제시된 자료를 통해 지방에 있는 대학이 수도권으로 이전하려는 이유와 캠퍼스 이전을 반대하는 지역 주민의 입장에 대해 생각한 후 논술한다.

예시 답안 **찬성:** 대학 운용비의 대부분은 학생들이 내는 등록금입니다. 최근 우리 대학은 신입생이 줄어들고 있어 재정적으로 상당한 부담이 되는 것이 현실입니다. 캠퍼스를 수도권으로 이전한다면 안정적으로 학생을 확보할 수 있기 때문에 학교의 수도권 이전은 불가피합니다.

반대: 우리 지역에 위치한 대학이 갑자기 수도권으로 이전하면 큰 문제가 발생합니다. 그렇게 되면 우리 지역 경제가 침체될 것은 불 보듯 뻔하지 않습니까? 또한, 지역 사람들이 수도권으로 이주하여 수도권의 인구 집중 문제가 더욱 심화될 것입니다. 대학의 이전은 조금 더 신중하게 접근해야 합니다.

주제 15 산업 구조 변화에 따른 지역의 공간 변화

논술 SOLUTION

제시된 그래프를 통해 1990년 8만 명이 넘던 인구가 2015년 약 5만 명으로 크게 감소하였다. 파이 그래프를 보면 비슷한 기간 태백시의 산업 구조가 같이 광업에서 서비스업 중심으로 바뀌고 있음을 파악할 수 있다.

제시된 신문 기사는 과거 정부의 석탄 산업 합리화 정책에 의해 탄광 산업이 쇠퇴하고 그로 인해 탄광에 의존하던 태백시같은 지역이 침체하고 있음을 나타내고 있다.

● POINT ● 태백시의 인구 변화를 산업 구조 변화와 관련지어 분석한다. 또한 침체된 지역을 활성화하기 위해 어떤 노력을 할 수 있는지 구체적인 방안에 대해 생각한 후 논술한다.

1. 예시 답안 1980년대 후반 가정용 연료의 변화로 석탄 소비가 줄어들면서 정부는 석탄 산업 합리화 정책을 실시하여 경제성이 낮은 탄광의 폐광을 유도하였다. 탄광이 문을 닫으면서 석탄 산업이 쇠퇴하였으며, 그에 따라 지역 경제가 침체되면서 태백시의 인구도 감소하게 되었다.

2. 예시 답안 최근 태백시에서는 석탄 폐광 지역에 석탄 박물관을 건설하여 관광 자원으로 활용하고 있으며, 각종 행사와 축제를 개최하고 지역 관광 자원을 개발하여 지역 경제를 활성화하기 위해 노력하고 있다. 또한 지역에 특화되어 있는 자연환경을 홍보하는 데 주력하는 등 다양한 방향의 관광 산업 발달을 추진하고 있다.

Memo

Memo

visang

발행일 2018년 12월 1일
펴낸날 2021년 5월 1일
펴낸곳 (주)비상교육
펴낸이 양태회
신고번호 제2002-000048호
출판사업총괄 최대찬
개발총괄 채진희
개발책임 송경화
디자인책임 김재훈
영업책임 이지웅
마케팅책임 이은진
품질책임 석진안
대표전화 1544-0554
주소 서울특별시 구로구 디지털로 33길 48
대륭포스트타워 7차 20층

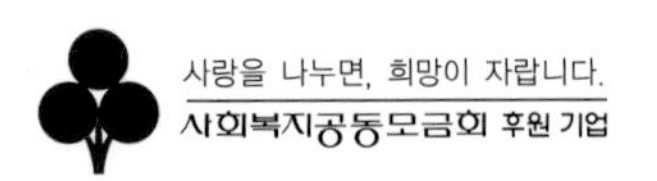